KB035933

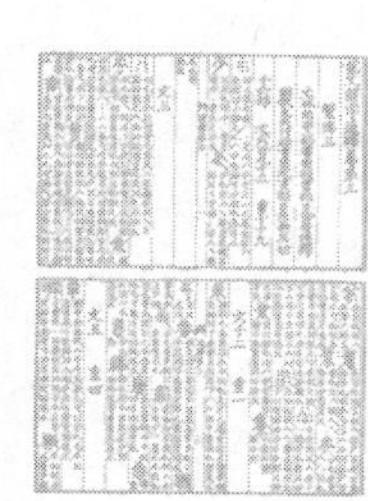

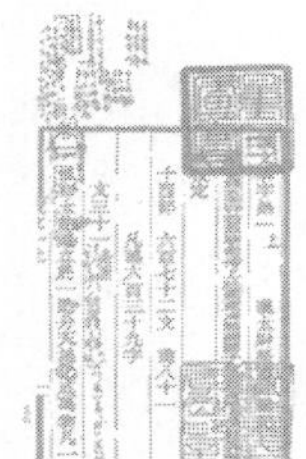

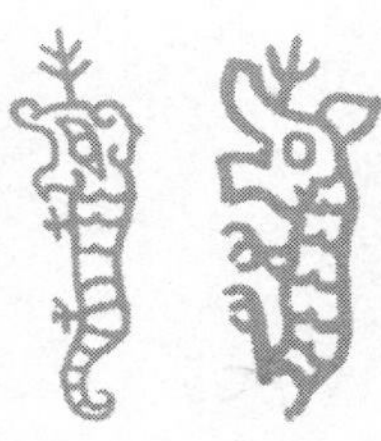

하영삼 교수의

# 완역 설문해자

## 2 (제4권~제7권)

허신 저 · 하영삼 역주

完譯 說文解字

許愼 著 河永三 譯註

도서출판 3

한국한자연구소 연구총서 12

**완역 설문해자 2** (제4권~제7권)

초판 1쇄 인쇄 2022년 5월 15일
초판 2쇄 인쇄 2023년 12월 1일

저자 [한] 허신(許愼)
역주 하영삼(河永三)
표지 디자인 김소연
편집: 김형준
펴낸이: 정혜정
펴낸곳: 도서출판 3

출판등록 2013년 7월 4일 (제2020-000015호)
주소: 부산광역시 금정구 중앙대로1929번길 48
전화 070-7737-6738
팩스 051-751-6738
전자우편 3publication@gmail.com

ISBN: 979-11-87746-66-9 (94710)
979-11-87746-64-5 (세트)

ⓒ 2022 by 3Publication Co. All rights reserved.

이 책은 저작권법에 의하여 보호를 받는 저작물이므로 무단 전재와 복제를 금합니다.
잘못된 책은 구입처에서 교환해 드립니다. 가격은 겉표지에 표시되어 있습니다.

# 제2책

# 목 차

2 완역『설문해자』

# 540부수 목차

*한어병음은 대표 독음만 제시.



제4권

| | | | | | | |
|---|---|---|---|---|---|---|
| 제2권 상 | 17 | | 釆 | 변 | biàn | 312 |
| 제2권 상 | 18 | | 半 | 반 | bàn | 315 |
| 제2권 상 | 19 | | 牛 | 우 | niú | 317 |
| 제2권 상 | 20 | | 犛 | 리 | lí | 335 |
| 제2권 상 | 21 | | 告 | 고 | gào | 337 |
| 제2권 상 | 22 | | 口 | 구 | kǒu | 339 |
| 제2권 상 | 23 | | 凵 | 감 | kǎn | 414 |
| 제2권 상 | 24 | | 吅 | 훤 | xuān | 415 |
| 제2권 상 | 25 | | 哭 | 곡 | kū | 418 |
| 제2권 상 | 26 | | 走 | 주 | zǒu | 420 |
| 제2권 상 | 27 | | 止 | 지 | zhǐ | 451 |
| 제2권 상 | 28 | | 癶 | 발 | bō | 457 |
| 제2권 상 | 29 | | 步 | 보 | bù | 459 |
| 제2권 상 | 30 | | 此 | 차 | cǐ | 461 |
| **제2권 하** | 31 | | 正 | 정 | zhèng | 465 |
| 제2권 하 | 32 | | 是 | 시 | shì | 467 |
| 제2권 하 | 33 | | 辵 | 착 | chuò | 469 |
| 제2권 하 | 34 | | 彳 | 척 | chì | 523 |
| 제2권 하 | 35 | | 廴 | 인 | yǐn | 539 |
| 제2권 하 | 36 | | 㢟 | 천 | chǎn | 541 |
| 제2권 하 | 37 | | 行 | 행 | xíng | 542 |
| 제2권 하 | 38 | | 齒 | 치 | chǐ | 548 |

| 제3권 상 | 61 |  | 菐 | 복 | pú | 747 |
|---|---|---|---|---|---|---|
| 제3권 상 | 62 |  | 収 | 공 | gǒng | 749 |
| 제3권 상 | 63 |  | 癶 | 반 | pān | 757 |
| 제3권 상 | 64 |  | 共 | 공 | gòng | 759 |
| 제3권 상 | 65 |  | 異 | 이 | yì | 760 |
| 제3권 상 | 66 |  | 舁 | 여 | yú | 761 |
| 제3권 상 | 67 |  | 臼 | 국 | jú | 763 |
| 제3권 상 | 68 |  | 晨 | 신 | chén | 764 |
| 제3권 상 | 69 |  | 爨 | 찬 | cān | 766 |
| **제3권 하** | 70 |  | 革 | 혁 | gé | 771 |
| 제3권 하 | 71 |  | 鬲 | 격·력 | lǐ | 796 |
| 제3권 하 | 72 |  | 䰜 | 력 | lì | 802 |
| 제3권 하 | 73 |  | 爪 | 조 | zhǎo | 807 |
| 제3권 하 | 74 |  | 丮 | 극 | jǐ | 810 |
| 제3권 하 | 75 |  | 鬥 | 투·두·각 | dòu | 814 |
| 제3권 하 | 76 |  | 又 | 우 | yòu | 819 |
| 제3권 하 | 77 |  | 𠂇 | 좌 | zuǒ | 832 |
| 제3권 하 | 78 |  | 史 | 사 | shǐ | 834 |
| 제3권 하 | 79 |  | 支 | 지 | zhī | 836 |
| 제3권 하 | 80 |  | 聿 | 녑 | niè | 838 |
| 제3권 하 | 81 |  | 聿 | 율 | yù | 840 |
| 제3권 하 | 82 |  | 畫 | 화 | huà | 842 |

| 제4권 상 | 105 | | 鼻 | 비 | bí | **976** |
|---|---|---|---|---|---|---|
| 제4권 상 | 106 | | 皕 | 벽 | bì | **979** |
| 제4권 상 | 107 | | 習 | 습 | xí | **981** |
| 제4권 상 | 108 | | 羽 | 우 | yǔ | **983** |
| 제4권 상 | 109 | | 隹 | 추 | zhuī | **997** |
| 제4권 상 | 110 | | 奞 | 순 | suī | **1014** |
| 제4권 상 | 111 | | 雈 | 환 | huán | **1016** |
| 제4권 상 | 112 | | 𦫳 | 개 | guǎi | **1019** |
| 제4권 상 | 113 | | 苜 | 말 | mò | **1021** |
| 제4권 상 | 114 | | 羊 | 양 | yáng | **1023** |
| 제4권 상 | 115 | | 羴 | 전 | shān | **1035** |
| 제4권 상 | 116 | | 瞿 | 구 | jù | **1036** |
| 제4권 상 | 117 | | 雔 | 수 | chóu | **1038** |
| 제4권 상 | 118 | | 雥 | 잡 | zá | **1040** |
| 제4권 상 | 119 | | 鳥 | 조 | niǎo | **1042** |
| 제4권 상 | 120 | | 烏 | 오 | wū | **1087** |
| 제4권 하 | 121 | | 華 | 필 | bān | **1091** |
| 제4권 하 | 122 | | 冓 | 구 | gòu | **1094** |
| 제4권 하 | 123 | | 幺 | 요 | yāo | **1096** |
| 제4권 하 | 124 | | 𢆶 | 유 | yōu | **1098** |
| 제4권 하 | 125 | | 叀 | 전 | zhuān | **1100** |
| 제4권 하 | 126 | | 玄 | 현 | xuán | **1102** |

| | | | | | | |
|---|---|---|---|---|---|---|
| 제5권 상 | 149 | | 巫 | 무 | wū | 1326 |
| 제5권 상 | 150 | | 甘 | 감 | gān | 1328 |
| 제5권 상 | 151 | | 曰 | 왈 | yuē | 1330 |
| 제5권 상 | 152 | | 乃 | 내 | nǎi | 1334 |
| 제5권 상 | 153 | | 丂 | 교 | kǎo | 1336 |
| 제5권 상 | 154 | | 可 | 가 | kě | 1338 |
| 제5권 상 | 155 | | 兮 | 혜 | xī | 1341 |
| 제5권 상 | 156 | | 号 | 호 | háo | 1343 |
| 제5권 상 | 157 | | 亏 | 우 | yú | 1344 |
| 제5권 상 | 158 | | 旨 | 지 | zhǐ | 1347 |
| 제5권 상 | 159 | | 喜 | 희 | xǐ | 1348 |
| 제5권 상 | 160 | | 壴 | 주 | zhǔ | 1350 |
| 제5권 상 | 161 | | 鼓 | 고 | gǔ | 1353 |
| 제5권 상 | 162 | | 豈 | 기 | qǐ | 1358 |
| 제5권 상 | 163 | | 豆 | 두 | dòu | 1360 |
| 제5권 상 | 164 | | 豊 | 례·풍 | lǐ | 1363 |
| 제5권 상 | 165 | | 豐 | 풍 | fēng | 1365 |
| 제5권 상 | 166 | | 䖒 | 희 | xī | 1366 |
| 제5권 상 | 167 | | 虍 | 호 | hū | 1368 |
| 제5권 상 | 168 | | 虎 | 호 | hū | 1372 |
| 제5권 상 | 169 | | 虤 | 현 | yán | 1379 |
| 제5권 상 | 170 | | 皿 | 명 | mǐn | 1381 |

| 제5권 하 | 193 | | 畗 | 복 | fú | 1480 |
|---|---|---|---|---|---|---|
| 제5권 하 | 194 | | 㐭 | 름 | lǐn | 1481 |
| 제5권 하 | 195 | | 嗇 | 색 | sè | 1483 |
| 제5권 하 | 196 | | 來 | 래 | lái | 1485 |
| 제5권 하 | 197 | | 麥 | 맥 | mài | 1487 |
| 제5권 하 | 198 | | 夊 | 쇠 | suī | 1493 |
| 제5권 하 | 199 | | 舛 | 천 | chuǎn | 1501 |
| 제5권 하 | 200 | | 舜 | 순 | shùn | 1503 |
| 제5권 하 | 201 | | 韋 | 위 | wéi | 1505 |
| 제5권 하 | 202 | | 弟 | 제 | dì | 1513 |
| 제5권 하 | 203 | | 夂 | 치 | zhǐ | 1515 |
| 제5권 하 | 204 | | 久 | 구 | jiǔ | 1518 |
| 제5권 하 | 205 | | 桀 | 걸 | jié | 1519 |
| **제6권 상** | 206 | | 木 | 목 | mù | 1523 |
| 제6권 상 | 207 | | 東 | 동 | dōng | 1689 |
| 제6권 상 | 208 | | 林 | 림 | lín | 1691 |
| 제6권 상 | 209 | | 才 | 재 | cái | 1696 |
| **제6권 하** | 210 | | 叒 | 약 | ruò | 1699 |
| 제6권 하 | 211 | | 之 | 지 | zhī | 1700 |
| 제6권 하 | 212 | | 帀 | 잡 | zā | 1701 |
| 제6권 하 | 213 | | 出 | 출 | chū | 1703 |
| 제6권 하 | 214 | | 米 | 발 | bèi | 1706 |

| 제7권 상 | 237 | | 月 | 월 | yuè | 1898 |
|---|---|---|---|---|---|---|
| 제7권 상 | 238 | | 有 | 유 | yǒu | 1903 |
| 제7권 상 | 239 | | 朙 | 명 | míng | 1905 |
| 제7권 상 | 240 | | 囧 | 경 | jiǒng | 1906 |
| 제7권 상 | 241 | | 夕 | 석 | xī | 1908 |
| 제7권 상 | 242 | | 多 | 다 | duō | 1913 |
| 제7권 상 | 243 | | 毌 | 관 | guàn | 1915 |
| 제7권 상 | 244 | | 马 | 함 | hàn | 1917 |
| 제7권 상 | 245 | | 東 | 함 | hàn | 1920 |
| 제7권 상 | 246 | | 卤 | 초 | tiáo | 1921 |
| 제7권 상 | 247 | | 齊 | 제 | qí | 1923 |
| 제7권 상 | 248 | | 朿 | 자 | cì | 1924 |
| 제7권 상 | 249 | | 片 | 편 | piàn | 1926 |
| 제7권 상 | 250 | | 鼎 | 정 | dǐng | 1930 |
| 제7권 상 | 251 | | 克 | 극 | kè | 1933 |
| 제7권 상 | 252 | | 彔 | 록 | lù | 1934 |
| 제7권 상 | 253 | | 禾 | 화 | hé | 1935 |
| 제7권 상 | 254 | | 秝 | 력 | lì | 1971 |
| 제7권 상 | 255 | | 黍 | 서 | shǔ | 1972 |
| 제7권 상 | 256 | | 香 | 향 | xiāng | 1976 |
| 제7권 상 | 257 | | 米 | 미 | mǐ | 1978 |
| 제7권 상 | 258 | | 毇 | 훼 | huǐ | 1994 |

제 4 권

| 제7권 하 | 281 | | 巾 | 건 | jīn | **2139** |
|---|---|---|---|---|---|---|
| 제7권 하 | 282 | | 市 | 불 | fú | **2166** |
| 제7권 하 | 283 | | 帛 | 백 | bó | **2168** |
| 제7권 하 | 284 | | 白 | 백 | bái | **2169** |
| 제7권 하 | 285 | | 㡀 | 폐 | bì | **2174** |
| 제7권 하 | 286 | | 黹 | 치 | zhǐ | **2175** |
| **제8권 상** | 287 | | 人 | 인 | rén | **2181** |
| 제8권 상 | 288 | | 𠤎 | 화 | huà | **2283** |
| 제8권 상 | 289 | | 匕 | 비 | bǐ | **2286** |
| 제8권 상 | 290 | | 从 | 종 | cóng | **2291** |
| 제8권 상 | 291 | | 比 | 비 | bǐ | **2293** |
| 제8권 상 | 292 | | 北 | 북·배 | bèi | **2294** |
| 제8권 상 | 293 | | 丘 | 구 | qiū | **2296** |
| 제8권 상 | 294 | | 㐺 | 음 | zhòng | **2299** |
| 제8권 상 | 295 | | 𡈼 | 정 | tǐng | **2301** |
| 제8권 상 | 296 | | 重 | 중 | zhòng | **2304** |
| 제8권 상 | 297 | | 臥 | 와 | wò | **2306** |
| 제8권 상 | 298 | | 身 | 신 | shēn | **2308** |
| 제8권 상 | 299 | | 㐆 | 은·의 | yǐn | **2310** |
| 제8권 상 | 300 | | 衣 | 의 | yī | **2311** |
| 제8권 상 | 301 | | 裘 | 구 | qiú | **2355** |
| 제8권 상 | 302 | | 老 | 로 | lǎo | **2356** |

| 제9권 상 | 325 | | 百 | 수 | shǒu | **2497** |
|---|---|---|---|---|---|---|
| 제9권 상 | 326 | | 面 | 면 | miàn | **2498** |
| 제9권 상 | 327 | | 丏 | 면 | miǎn | **2501** |
| 제9권 상 | 328 | | 首 | 수 | shǒu | **2502** |
| 제9권 상 | 329 | | 県 | 교 | jiāo | **2504** |
| 제9권 상 | 330 | | 須 | 수 | xu | **2505** |
| 제9권 상 | 331 | | 彡 | 삼 | shàn | **2507** |
| 제9권 상 | 332 | | 彣 | 문 | wén | **2512** |
| 제9권 상 | 333 | | 文 | 문 | wén | **2513** |
| 제9권 상 | 334 | | 髟 | 표 | biāo | **2516** |
| 제9권 상 | 335 | | 后 | 후 | hòu | **2532** |
| 제9권 상 | 336 | | 司 | 사 | sī | **2533** |
| 제9권 상 | 337 | | 卮 | 치 | zhī | **2534** |
| 제9권 상 | 338 | | 卩 | 절 | jié | **2536** |
| 제9권 상 | 339 | | 印 | 인 | yìn | **2543** |
| 제9권 상 | 340 | | 色 | 색 | sè | **2544** |
| 제9권 상 | 341 | | 卯 | 경 | qīng | **2546** |
| 제9권 상 | 342 | | 辟 | 벽 | bì | **2548** |
| 제9권 상 | 343 | | 勹 | 포 | bāo | **2550** |
| 제9권 상 | 344 | | 包 | 포 | bāo | **2556** |
| 제9권 상 | 345 | | 茍 | 극 | jì | **2558** |
| 제9권 상 | 346 | | 鬼 | 귀 | guǐ | **2560** |

| 제9권 하 | 369 | | 象 | 상 | xiàng | 2701 |
|---|---|---|---|---|---|---|
| **제10권 상** | 370 | | 馬 | 마 | mǎ | 2705 |
| 제10권 상 | 371 | | 廌 | 치 | zhì | 2750 |
| 제10권 상 | 372 | | 鹿 | 록 | lù | 2753 |
| 제10권 상 | 373 | | 麤 | 추 | cū | 2763 |
| 제10권 상 | 374 | | 㲋 | 착 | chuò | 2764 |
| 제10권 상 | 375 | | 兔 | 토 | tù | 2766 |
| 제10권 상 | 376 | | 萈 | 환 | huán | 2769 |
| 제10권 상 | 377 | | 犬 | 견 | quǎn | 2770 |
| 제10권 상 | 378 | | 㹜 | 은 | yín | 2803 |
| 제10권 상 | 379 | | 鼠 | 서 | shǔ | 2805 |
| 제10권 상 | 380 | | 能 | 능 | néng | 2813 |
| 제10권 상 | 381 | | 熊 | 웅 | xióng | 2814 |
| 제10권 상 | 382 | | 火 | 화 | huǒ | 2815 |
| 제10권 상 | 383 | | 炎 | 염 | yán | 2859 |
| 제10권 상 | 384 | | 黑 | 흑 | hēi | 2862 |
| **제10권 하** | 385 | | 囱 | 창·총 | chuāng | 2879 |
| 제10권 하 | 386 | | 焱 | 염 | yàn | 2881 |
| 제10권 하 | 387 | | 炙 | 자·적 | zhì | 2883 |
| 제10권 하 | 388 | | 赤 | 적 | chì | 2885 |
| 제10권 하 | 389 | | 大 | 대 | dà | 2890 |
| 제10권 하 | 390 | | 亦 | 역 | yì | 2899 |

제4권

| 제11권 하 | 413 | | 𡿨 | 견 | quǎn | **3250** |
|---|---|---|---|---|---|---|
| 제11권 하 | 414 | | 巜 | 괴 | kuài | **3251** |
| 제11권 하 | 415 | | 川 | 천 | chuān | **3252** |
| 제11권 하 | 416 | | 泉 | 천 | quán | **3257** |
| 제11권 하 | 417 | | 灥 | 천 | chuān | **3258** |
| 제11권 하 | 418 | | 永 | 영 | yǒng | **3259** |
| 제11권 하 | 419 | | 𠂢 | 파 | pài | **3261** |
| 제11권 하 | 420 | | 谷 | 곡 | gǔ | **3263** |
| 제11권 하 | 421 | | 仌 | 빙 | bīng | **3267** |
| 제11권 하 | 422 | | 雨 | 우 | yǔ | **3274** |
| 제11권 하 | 423 | | 雲 | 운 | yún | **3294** |
| 제11권 하 | 424 | | 魚 | 어 | yú | **3296** |
| 제11권 하 | 425 | | 𩺰 | 어 | yú | **3335** |
| 제11권 하 | 426 | | 燕 | 연 | yàn | **3336** |
| 제11권 하 | 427 | | 龍 | 룡 | lóng | **3337** |
| 제11권 하 | 428 | | 飛 | 비 | fēi | **3340** |
| 제11권 하 | 429 | | 非 | 비 | fēi | **3342** |
| 제11권 하 | 430 | | 卂 | 신 | xìn | **3344** |
| **제12권 상** | 431 | | 乞 | 을 | yǐ | **3347** |
| 제12권 상 | 432 | | 不 | 불 | bù | **3349** |
| 제12권 상 | 433 | | 至 | 지 | zhì | **3351** |
| 제12권 상 | 434 | | 西 | 서 | xī | **3354** |

| 제12권 하 | 457 |  | 亾 | 망·무 | wáng | 3632 |
|---|---|---|---|---|---|---|
| 제12권 하 | 458 |  | 匸 | 혜 | xǐ | 3635 |
| 제12권 하 | 459 |  | 匚 | 방 | fāng | 3639 |
| 제12권 하 | 460 |  | 曲 | 곡 | qū | 3647 |
| 제12권 하 | 461 |  | 甾 | 치 | zāi | 3649 |
| 제12권 하 | 462 |  | 瓦 | 와 | wǎ | 3651 |
| 제12권 하 | 463 |  | 弓 | 궁 | gōng | 3661 |
| 제12권 하 | 464 |  | 弜 | 강 | jiàng | 3672 |
| 제12권 하 | 465 |  | 弦 | 현 | xuán | 3673 |
| 제12권 하 | 466 |  | 系 | 계 | xì | 3675 |
| 제13권 상 | 467 | | 糸 | 사멱 | mì | 3679 |
| 제13권 상 | 468 |  | 素 | 소 | sù | 3778 |
| 제13권 상 | 469 |  | 絲 | 사 | sī | 3781 |
| 제13권 상 | 470 |  | 率 | 솔 | shuài | 3783 |
| 제13권 상 | 471 |  | 虫 | 훼·충 | huǐ | 3784 |
| 제13권 상 | 472 |  | 䖵 | 곤 | kūn | 3847 |
| 제13권 하 | 473 |  | 蟲 | 충 | chóng | 3857 |
| 제13권 하 | 474 |  | 風 | 풍 | fēng | 3860 |
| 제13권 하 | 475 |  | 它 | 타·사 | tā | 3867 |
| 제13권 하 | 476 |  | 龜 | 구·귀·균 | guī | 3868 |
| 제13권 하 | 477 |  | 黽 | 민·맹 | mǐn | 3870 |
| 제13권 하 | 478 |  | 卵 | 란 | luǎn | 3876 |

제 4 권

| | | | | | | |
|---|---|---|---|---|---|---|
| 제14권 하 | 501 | | 𨸏 | 부 | fù | 4170 |
| 제14권 하 | 502 | | 厽 | 루 | lěi | 4172 |
| 제14권 하 | 503 | | 四 | 사 | sì | 4174 |
| 제14권 하 | 504 | | 宁 | 저 | zhù | 4175 |
| 제14권 하 | 505 | | 叕 | 철 | zhuì | 4177 |
| 제14권 하 | 506 | | 亞 | 아 | yà | 4178 |
| 제14권 하 | 507 | | 五 | 오 | wŭ | 4179 |
| 제14권 하 | 508 | | 六 | 륙 | liù | 4180 |
| 제14권 하 | 509 | | 七 | 칠 | qī | 4181 |
| 제14권 하 | 510 | | 九 | 구 | jiŭ | 4182 |
| 제14권 하 | 511 | | 内 | 유 | róu | 4184 |
| 제14권 하 | 512 | | 嘼 | 축휴 | chù | 4189 |
| 제14권 하 | 513 | | 甲 | 갑 | jiă | 4191 |
| 제14권 하 | 514 | | 乙 | 을 | yĭ | 4192 |
| 제14권 하 | 515 | | 丙 | 병 | bĭng | 4195 |
| 제14권 하 | 516 | | 丁 | 정 | dīng | 4196 |
| 제14권 하 | 517 | | 戊 | 무 | wù | 4197 |
| 제14권 하 | 518 | | 己 | 기 | jĭ | 4199 |
| 제14권 하 | 519 | | 巴 | 파 | bā | 4201 |
| 제14권 하 | 520 | | 庚 | 경 | gēng | 4203 |
| 제14권 하 | 521 | | 辛 | 신 | xīn | 4204 |
| 제14권 하 | 522 | | 辡 | 변 | biàn | 4208 |

제4권

완역설문해자
제4권
(상)

## 제98부수
## 098 ■ 혈(旻)부수



2084

### 旻: 旻: 눈짓할 혈: 夊-총8획: xuè

原文

旻: 舉目使人也. 从攴从目. 凡旻之屬皆从旻. 讀若颰. 火劣切.

飜譯

'눈짓을 하여 사람들에게 무엇인가를 하도록 시키다(舉目使人)'라는 뜻이다. 복(攴)이 의미부이고 목(目)이 의미부이다. 혈(旻)부수에 귀속된 글자는 모두 혈(旻)이 의미부이다. 혈(颰)과 같이 읽는다. 독음은 화(火)와 렬(劣)의 반절이다.

2085

### 敻: 敻: 멀 형: 夊-총14획: xiòng

原文

敻: 營求也. 从旻, 从人在穴上. 『商書』曰: "高宗夢得說, 使百工敻求, 得之傅巖." 巖, 穴也. 朽正切.

飜譯

'에워싸서 구하다(營求)'라는 뜻이다.[1] 혈(旻)이 의미부이고, 사람(人)이 동굴(穴) 위에 있는 모습을 그렸다. 『서·상서(商書)·열명서(說命序)』에서 "고종이 꿈에서 부열을 보았는데, 여러 관리들로 하여금 찾아 나서게 하여, '부암'이라는 곳에서 그를 찾았

1) 『단주』에서 이렇게 설명했다. "영구(營求)라는 것은 빙 둘러 에워싸서 구하다는 뜻이다(圜帀而求之也). 빙 둘러싸서 구하면 멀리 유실되는 법이 없다. 그래서 멀다(遠)는 뜻이 나왔다. 『한시(韓詩)』에서 '于嗟敻兮'라고 했는데, 멀다(遠)라는 뜻이다. 『모시(毛詩)』에서는 이를 순(洵)으로 적었는데, 다른 부수(異部)에 속한 가차자라 하겠다."

다.(高宗夢得說, 使百工敻求, 得之傅巖.)"라고 했는데, 암(巖)은 바로 동굴(穴)이라는 뜻이다. 독음은 후(朽)와 정(正)의 반절이다.

**2086**

**闅: 闅: 눈 내리깔고 볼 문: 門-총17획: xuè**

原文

闅: 低目視也. 从旻門聲. 弘農湖縣有闅鄉, 汝南西平有闅亭. 無分切.

飜譯

'눈을 내리 깔고 보다(低目視)'라는 뜻이다. 혈(旻)이 의미부이고 문(門)이 소리부이다. 홍농(弘農)군의 호현(湖縣)에 문향(闅鄉)이라는 곳이 있고, 여남(汝南)군의 서평(西平)현에 문정(闅亭)이라는 정자가 있다. 독음은 무(無)와 분(分)의 반절이다.

**2087**

**奰: 奰: 눈 크게 뜨고 볼 훤: 大-총12획: xì**

原文

奰: 大視也. 从大、旻. 讀若齤. 況晚切.

飜譯

'눈을 크게 뜨고 보다(大視)'라는 뜻이다. 대(大)와 혈(旻)이 의미부이다. 권(齤)과 같이 읽는다. 독음은 황(況)과 만(晚)의 반절이다.

## 제99부수
## 099 ■ 목(目)부수

**2088**

### 目: 目: 눈 목: 目-총5획: mù

原文

目: 人眼. 象形. 重童子也. 凡目之屬皆从目. 𡇢, 古文目. 莫六切.

飜譯

'사람의 눈(人眼)'을 말한다. 상형이다. 안쪽의 두 가로획은 눈동자를 뜻한다.[2)3)] 목(目)부수에 귀속된 글자는 모두 목(目)이 의미부이다. 목(𡇢)은 목(目)의 고문체이다.[4)] 독음은 막(莫)과 륙(六)의 반절이다.

---

2) 고문자에서 [甲骨文字形] 甲骨文 [金文字形] 金文 [古陶文字形] 古陶文 [簡牍文字形] 簡牍文 등으로 썼다. 눈동자가 또렷하게 그려진 눈의 모습인데, 소전에 들면서 자형이 세로로 변하면서 눈동자도 가로획으로 변해 지금처럼 되었다. '눈'이 원래 뜻이고, 눈으로 보다, 눈으로 볼 수 있는 目錄(목록)을 말한다. 또 눈으로 보는 지금이라는 뜻에서 目前(목전)에서처럼 현재 등의 뜻도 나왔다.

3) 『단주』에서는 이렇게 보충했다. "상형(象形)이라고 한 것은 총괄해서 한 말이다. 하지만 사람들이 안쪽의 두 가로획이 무엇인지를 잘 알지 못할까 걱정되어 '눈동자를 겹쳐 놓은 것(重其童子)이다'라고 했던 것이다 『석명(釋名)』에서 '동(瞳)은 중(重)과 같아 눈동자가 겹쳐져 있다는 뜻이다. 피부막이 안쪽으로 중복된 것을 말한다(膚幕相裹重也). [동자(童子)에서의] 자(子)는 작은 것을 일컫는 말이다. 주로 그중에서도 아주 깨끗하고 맑은 것을 일컫는 말이다. 달리 모자(眸子)라고도 하는데, 모(眸)는 모(冒)와 같은데, 서로 안쪽으로 감싸다(相裹冒)는 뜻이다.' 라고 했다. 내 생각으로는 사람의 눈은 흰 것에서 검은 것으로, 겹쳐진 것에서 깨끗하고 맑은 것으로 층층이 안으로 싸고 있기 때문에, 획을 두 번 중복하여 그 모양을 형상한 것이다.(人目由白而盧、童而子。層層包裹。故重畫以象之.) 이는 『사기·항우본기(項羽本紀)』에서 말한 '겹눈동자(重瞳子)'를 뜻하는 것은 아니다. 이후 목(目)은 지목하다(指目)나 조목(條目) 등의 뜻으로 파생되었다.

4) 『단주』에서 이렇게 말했다. "고문체 목(目)자의 바깥 부분(口)은 얼굴을, 안쪽은 눈썹과 눈을 그렸다. 그러나 강원(江沅)은 바깥쪽은 눈자위(匡)를, 안쪽은 속눈썹과 눈을 그렸다고 했다."

**眼: 眼: 눈 안: 目-총11획: yǎn**

原文

眼: 目也. 从目皀聲. 五限切.

飜譯

'눈(目)'을 말한다. 목(目)이 의미부이고 간(皀)이 소리부이다.[5] 독음은 오(五)와 한(限)의 반절이다.

**2090**

**矈: 矈: 눈이 큰 모양 환: 目-총20획: biǎn**

原文

矈: 兒初生瞥者. 从目瞏聲. 邦免切.

飜譯

'아이가 막 태어날 때 눈꺼풀이 [눈을] 덮고 있음(兒初生瞥者)을 말한다.'[6] 목(目)이 의미부이고 경(瞏)이 소리부이다. 독음은 방(邦)과 면(免)의 반절이다.

**2091**

**眩: 眩: 아찔할 현: 目-총10획: xuàn**

原文

眩: 目無常主也. 从目玄聲. 黃絢切.

---

5) 目(눈 목)이 의미부고 艮(어긋날 간)이 소리부로, 부라리며 노려보는(艮) '눈(目)'으로부터 眼球(안구)의 뜻이 나왔고, 다시 '눈'을 지칭하게 되었다. 이후 눈처럼 움푹 파인 구멍을, 다시 눈처럼 중요하다는 뜻에서 관건, 요점 등을 지칭하게 되었다.

6) 『단주』에서는 "兒初生瞥目者"가 되어야 한다고 하면서 이렇게 말했다. "각 판본에서는 별목(蔽目)을 폐별(瞥)이라고만 적었는데, 지금 『옥편』과 『광운』에 근거해 바로 잡는다. 별목(蔽目)은 바깥이 물체가 있어서 그것을 덮어 막는 것을 말하지, 눈의 꺼풀을 말하는 것이 아니다. (謂外有物雍蔽之, 非牟子之翳也.)"

飜譯

'눈이 침침하여 고정된 형상이 만들어지지 않음(目無常主)'을 말한다. 목(目)이 의미부이고 현(玄)이 소리부이다. 독음은 황(黃)과 현(絢)의 반절이다.

**2092**

**眥: 眥: 흘길 자눈초리 제: 目-총10획: zì**

原文

眥: 目匡也. 从目此聲. 在詣切.

飜譯

'눈자위(目匡)'를 말한다. 목(目)이 의미부이고 차(此)가 소리부이다. 독음은 재(在)와 예(詣)의 반절이다.

**2093**

**睞: 睞: 눈을 자주 깜빡거리는 모양 섬·첩: 目-총12획: jiá, shè, jié**

原文

睞: 目㫃毛也. 从目夾聲. 子葉切.

飜譯

'눈 가로 자라난 털(目㫃毛)'을 말한다. 목(目)이 의미부이고 협(夾)이 소리부이다. 독음은 자(子)와 엽(葉)의 반절이다.

**2094**

**矎: 矎: 눈동자 현: 目-총21획: xuàn**

原文

矎: 盧童子也. 从目縣聲. 胡畎切.

제4권

飜譯

'검은 눈동자(盧童子)'를 말한다. 목(目)이 의미부이고 현(縣)이 소리부이다. 독음은 호(胡)와 견(畎)의 반절이다.

2095

**瞦: 瞦: 눈동자 희: 目-총17획: xī**

原文

瞦: 目童子精也. 从目喜聲. 讀若禧. 許其切.

飜譯

'눈(동자)의 정기(目童子精)'를 말한다. 목(目)이 의미부이고 희(喜)가 소리부이다. 희(禧)와 같이 읽는다. 독음은 허(許)와 기(其)의 반절이다.

2096

**矈: 矈: 외눈 어둘 면: 目-총19획: mián**

原文

矈: 目旁薄緻宀宀也. 从目𢐀聲. 武延切.

飜譯

'눈 가로 눈꺼풀의 엷은 주름이 겹겹이 쳐진 모습(目旁薄緻宀宀)'을 말한다. 목(目)이 의미부이고 변(𢐀)이 소리부이다. 독음은 무(武)와 연(延)의 반절이다.

2097

**䀰: 䀰: 큰 눈 비: 目-총13획: fēi**

原文

䀰: 大目也. 从目非聲. 芳微切.

飜譯

'큰 눈(大目)'을 말한다. 목(目)이 의미부이고 비(非)가 소리부이다. 독음은 방(芳)과 미(微)의 반절이다.

**2098**

䁂: 䁂: **큰 눈 한**: 目-**총13획**: **xiàn**

原文

䁂: 大目也. 从目臤聲. 矦簡切.

飜譯

'큰 눈(大目)'을 말한다. 목(目)이 의미부이고 견(臤)이 소리부이다. 독음은 후(矦)와 간(簡)의 반절이다.

**2099**

睅: 睅: **퉁방울눈 환**: 目-**총12획**: **hàn**

原文

睅: 大目也. 从目旱聲. 睆, 睅或从完. 戶版切.

飜譯

'큰 눈(大目)'을 말한다. 목(目)이 의미부이고 한(旱)이 소리부이다. 환(睆)은 환(睅)의 혹체자인데, 완(完)으로 구성되었다. 독음은 호(戶)와 판(版)의 반절이다.

**2100**

暖: 暖: **큰 눈 훤·환**: 目-**총14획**: **hàn, huǎn, xuān**

原文

暖: 大目也. 从目爰聲. 況晚切.

飜譯

'큰 눈(大目)'을 말한다. 목(目)이 의미부이고 원(爰)이 소리부이다. 독음은 황(况)과 만(晚)의 반절이다.

**2101**

**瞞: 瞞: 속일 만: 目-총15획: mán**

原文

瞞: 平目也. 从目㒼聲. 母官切.

飜譯

'눈꺼풀이 아래로 평평하다(平目)'라는 뜻이다.7) 목(目)이 의미부이고 만(㒼)이 소리부이다. 독음은 모(母)와 관(官)의 반절이다.

**2102**

**睴: 睴: 큰 눈 툭 불거질 곤: 目-총14획: gùn**

原文

睴: 大目出也. 从目軍聲. 古鈍切.

飜譯

'큰 눈이 불거져 튀어나왔다(大目出)'라는 뜻이다. 목(目)이 의미부이고 군(軍)이 소리부이다. 독음은 고(古)와 둔(鈍)의 반절이다.

**2103**

**矕: 矕: 볼 만: 目-총24획: mǎn**

7) 『단주』에서 이렇게 말했다. "평목(平目)이라 출목(出目: 튀어나온 눈)과 대칭되는 개념으로, 심목(深目: 푹 들어간 눈)을 말한다. 그러나 지금 세속에서는 기만(欺謾: 속이다)의 만(謾)자로 가차하여 쓰고 있다."

原文

矕: 目矕矕也. 从目䜌聲. 武版切.

飜譯

'눈에 넋을 잃고 바라보다(目矕矕)'라는 뜻이다. 목(目)이 의미부이고 련(䜌)이 소리부이다. 독음은 무(武)와 판(版)의 반절이다.



**2104**

**睔: 睔: 큰 눈 곤: 目-총13획: gùn**

原文

睔: 目大也. 从目、侖. 『春秋傳』有鄭伯睔. 古本切.

飜譯

'눈이 크고 둥글다(目大)'라는 뜻이다. 목(目)과 륜(侖)이 의미부이다. 『춘추전』(『좌전』 양공 2년, B.C. 571)에 정백곤(鄭伯睔)[8]이라는 이름이 보인다. 독음은 고(古)와 본(本)의 반절이다.

**2105**

**盼: 盼: 눈 예쁠 반: 目-총9획: pàn**

原文

---

8) 춘추시대 정(鄭)나라 임금인 성공(成公, ? ~B.C. 571)을 말한다. 휘는 곤(睔)이고, 정나라 양공 2년(B.C. 585), 형 도공이 죽자 그 뒤를 이어 정나라 임금이 되었다. 『좌전』에 의하면, 성공 3년(B.C. 582), 초나라와의 화평에 참여했고, 진나라에 입조했다가 이것 때문에 사로잡혔다. 진나라가 중군 원수 난서를 보내 정나라를 공격하자, 정나라에서는 성공의 서형 수(繻)를 임금으로 세웠다. 진나라에서는 이 소식을 듣자 성공을 풀어주었고, 정나라는 성공이 돌아오자 수를 죽이고 성공을 맞이했으며 진나라 군은 철수했다. 성공 10년(B.C. 575), 다시 초나라와 맹약을 맺었다. 진나라는 이에 정나라를 쳤고, 정나라와 이를 구원하러 온 초나라 군사를 언릉전투에서 격파하여 필 전투 이래로 빼앗긴 패권을 되찾았다. 또 성공 13년(B.C. 572), 진 도공은 정나라를 공격했으나 정나라가 수비하자 퇴각했다. 이듬해(B.C. 571), 성공이 죽어 그 뒤를 아들 운이 임금의 자리를 이었는데, 그가 정나라 희공이다. (위키백과)

盼 : 『詩』曰: "美目盼兮." 从目分聲. 匹莧切.

『시·위풍·석인(碩人)』에서 "아름다운 눈은 맑기만 하네(美目盼兮)"라고 노래했다. 목(目)이 의미부이고 분(分)이 소리부이다. 독음은 필(匹)과 현(莧)의 반절이다.

**2106**

**盰 :** 盰: **눈 부릅뜰 간·멀리 볼 천**: 目-총8획: gǎn

原文

盰 : 目多白也. 一曰張目也. 从目干聲. 古旱切.

飜譯

'눈에 흰자위가 많음(目多白)'을 말한다. 일설에는 '눈을 크게 뜨다(張目)'라는 뜻이라고도 한다. 목(目)이 의미부이고 간(干)이 소리부이다. 독음은 고(古)와 한(旱)의 반절이다.

**2107**

**眅 :** 眅: **눈 흰자위 많을 판·반**: 目-총9획: pān

原文

眅 : 多白眼也. 从目反聲. 『春秋傳』曰: "鄭游眅, 字子明." 普班切.

飜譯

'눈에 흰자위가 많음(多白眼)'을 말한다. 목(目)이 의미부이고 반(反)이 소리부이다. 『춘추전』(『좌전』 양공 22년, B.C. 551)에서 "정(鄭)나라의 유판(游眅)[9]은 자(字)가 자명

9) 유판(游眅, ?~B.C. 551)은 희(姬)성이고, 유(遊)는 씨이며 이름이 판(眅)이다. 자가 자명(子明)이며 시호는 소(昭)로, 공손만(公孫蠆)의 아들로, 정(鄭)나라의 경대부를 역임했다. 『좌전』에 이런 기록이 전한다. 양공 22년(B.C. 551) 12월, 자명(子明)이 진(國)나라로 사신 갔는데, 출경하려가기도 전에 혼례를 치르는 여자를 만나 그녀를 빼앗아 아내로 삼고 그곳에서 눌러 앉았다. 그러나 며칠이 되지도 않아 그 여인의 남편이 공격해 자명을 죽이고 아내를 다시 빼앗아 가버렸다. 그러자 당시 정(鄭)나라 최고 지위에 있던 공손사지(公孫舍之, ?~B.C. 544, 자는 子

(子明)이다"라고 했다. 독음은 보(普)와 반(班)의 반절이다.

**2108**

**睍: 睍: 불거진 눈 현: 目-총12획: xiàn**

原文

睍: 出目也. 从目見聲. 胡典切.

飜譯

'눈이 튀어나와 불거졌다(出目)'라는 뜻이다. 목(目)이 의미부이고 견(見)이 소리부이다. 독음은 호(胡)와 전(典)의 반절이다.

**2109**

**矔: 矔: 부릅뜰 관: 目-총23획: guàn**

原文

矔: 目多精也. 从目雚聲. 益州謂瞋目曰矔. 古玩切.

飜譯

'눈에 정기가 많음(目多精)'을 말한다. 목(目)이 의미부이고 관(雚)이 소리부이다. 익주(益州) 지역에서는 '눈을 부릅뜨는 것(瞋目)'을 관(矔)이라 한다. 독음은 고(古)와 완(玩)의 반절이다.

**2110**

**瞵: 瞵: 눈빛 린: 目-총17획: lín**

---

展)가 자명(子明)의 아들 양(良) 대신에 자명의 동생의 아들 태숙(太叔)을 유(遊)씨의 종주(宗主)로 삼자고 하면서 이렇게 주청했다고 한다. "나라의 경대부는 임금의 조수이자 백성의 주인인데, 어떻게 제멋대로 산단 말입니까? 자명(子明) 같은 이런 부류는 제거해야 합니다." 그러고서는 사람을 보내 자명을 죽인 자를 찾아서 원래의 고향으로 돌아가 살게 하였고, 유씨 사람들에게도 더 이상 그에게 복수하지 않도록 조치하면서 "더는 악행을 선전하게 하지 말라"고 했다 한다.

原文

瞵: 目精也. 从目粦聲. 力珍切.

飜譯

'눈의 [번쩍거리는] 정기(目精)'를 말한다. 목(目)이 의미부이고 인(粦)이 소리부이다. 독음은 력(力)과 진(珍)의 반절이다.

**2111**

**窅: 窅: 움펑눈 요: 穴-총10획: yǎo**

原文

窅: 深目也. 从穴中目. 烏皎切.

飜譯

'깊이 들어간 눈 즉 움펑눈(深目)'을 말한다. 혈(穴) 속에 목(目)이 들어간 모습을 형상했다. 독음은 오(烏)와 교(皎)의 반절이다.

**2112**

**眊: 眊: 눈 흐릴 모: 目-총9획: mào**

原文

眊: 目少精也. 从目毛聲. 『虞書』耄字从此. 亡報切.

飜譯

'눈에 정기가 적음(目少精)'을 말한다. 목(目)이 의미부이고 모(毛)가 소리부이다. 『우서(虞書)』[10]에서 모(耄)자를 이렇게 썼다. 독음은 망(亡)과 보(報)의 반절이다.

**2113**

**矘: 矘: 멍하니 바라볼 당: 目-총25획: tǎng**

10) 『우서(虞書)』는 『주서(周書)』가 되어야 옳다. 「여형(呂刑)」에 보이는 언급이다.

原文

矘: 目無精直視也. 从目黨聲. 他朗切.

飜譯

'정기 없는 눈으로 똑바로 봄(目無精直視)'을 말한다. 목(目)이 의미부이고 당(黨)이 소리부이다. 독음은 타(他)와 랑(朗)의 반절이다.



2114

睒: 睒: **언뜻 볼 섬: 目-총13획: shǎn**

原文

睒: 暫視皃. 从目炎聲. 讀若白蓋謂之苫相似. 失冉切.

飜譯

'잠시 언뜻 보는 모습(暫視皃)'을 말한다. 목(目)이 의미부이고 염(炎)이 소리부이다. "백개(白蓋)를 점(苫: 이엉)이라 부른다"라고 할 때의 점(苫)과 비슷하게 읽는다. 독음은 실(失)과 염(冉)의 반절이다.

2115

眮: 眮: **눈자위 동: 目-총11획: tóng**

原文

眮: 吳楚謂瞋目、顧視曰眮. 从目同聲. 徒弄切.

飜譯

'오(吳)와 초(楚) 지역에서는 눈을 부릅뜨다(瞋目)나 뒤돌아보는 것(顧視)을 동(眮)이라 한다.' 목(目)이 의미부이고 동(同)이 소리부이다. 독음은 도(徒)와 롱(弄)의 반절이다.

2116

眿: 眿: **똑바로 볼 비·밉게 볼 말: 目-총10획: bì, mà**

原文

眑: 直視也. 从目必聲. 讀若『詩』云"泌彼泉水". 兵媚切.

飜譯

'똑바로 보다(直視)'라는 뜻이다. 목(目)이 의미부이고 필(必)이 소리부이다. 『시·패풍·천수(泉水)』에서 노래한 "필피천수(泌彼泉水: 콸콸 흐르는 저 샘물)"의 필(泌)과 같이 읽는다.[11] 독음은 병(兵)과 미(媚)의 반절이다.

2117

**瞴: 瞴: 잠깐 볼 무: 目-총17획: móu**

原文

瞴: 瞴婁, 微視也. 从目無聲. 莫浮切.

飜譯

'무루(瞴婁)'를 말하는데, '은밀한 눈초리로 보다(微視)'는 뜻이다. 목(目)이 의미부이고 무(無)가 소리부이다. 독음은 막(莫)과 부(浮)의 반절이다.

2118

**盻: 盻: 엿볼 계: 目-총9획: xí, xié**

原文

盻: 蔽人視也. 从目开聲. 讀若攜手. 一曰直視也. 䀍, 盻目或在下. 又苦兮切.

飜譯

'사람을 가려 놓고 보다(蔽人視)'라는 뜻이다. 목(目)이 의미부이고 견(开)이 소리부이다. 휴수(攜手)라고 할 때의 휴(攜)와 같이 읽는다. 일설에는 '똑바로 보다(直視)'라는 뜻이라고도 한다. 계(䀍)는 계(盻)의 혹체자인데, 목(目)이 아래에 놓였다. 독음

11) 『단주』에서 이렇게 말했다. "금본 『시』에서는 비(毖)로 적었는데, 비(泌)의 가차자이다. 『경전석문(釋文)』에서 『한시(韓詩)』에서는 비(秘)로 적었고 『설문』에서는 비(眑)로 적었다고 했는데, 육덕명의 이 말은 아류로 보인다. 서현의 판본에서는 비(泌)로 적었고, 이는 바로 고본이다."

은 또[12] 고(苦)와 혜(兮)의 반절이다.

**2119**

**䁕: 晚: 겁 없이 볼 만: 目-총12획: wǎn**

原文

䁕: 晚䁯, 目視皃. 从目免聲. 武限切.

飜譯

'만독(晚䁯)을 말하는데, 똑바로 보는 모양(目視皃)을 말한다.'[13] 목(目)이 의미부이고 면(免)이 소리부이다. 독음은 무(武)와 한(限)의 반절이다.

**2120**

**眡: 眡: 볼 시: 目-총9획: shì**

原文

眡: 眡皃. 从目氏聲. 承旨切.

飜譯

'보는 모양(眡皃)'을 말한다. 목(目)이 의미부이고 씨(氏)가 소리부이다. 독음은 승(承)과 지(旨)의 반절이다.

**2121**

**睨: 睨: 흘겨볼 예: 目-총13획: nì**

---

12) '우(又)'는 서현이 더한 말로 보인다. 그렇다면 허신이 말한 "휴수(擕手)라고 할 때의 휴(擕)와 같이 읽는다."라고 한 독음 이외의 독음을 말한다. 『옥편』에 의하면 '去倪切'과 '胡圭切'의 두 가지 독음이 있었다. 『광운』에 근거해 볼 때, 앞에 '戶圭切'이라는 반절음이 들어가야 할 것으로 보인다.

13) 계복의 『의증』에서는 목시(目視)를 직시(直視)로 보았으며, 번역은 이를 따랐다. 그러나 『광운』에서는 "無畏視也(두려움 없이 보다는 뜻이다)"라고 했다.

原文

䁉: 衺視也. 从目兒聲. 研計切.

飜譯

'흘겨보다(衺視)'라는 뜻이다. 목(目)이 의미부이고 아(兒)가 소리부이다. 독음은 연(研)과 계(計)의 반절이다.

**2122**

**䁉: 瞐: 눈 내리깔고 볼 모: 目-총14획: mào**

原文

瞐: 低目視也. 从目冒聲. 『周書』曰: "武王惟瞐." 亡保切.

飜譯

'눈을 아래로 깔고 보다(低目視)'라는 뜻이다. 목(目)이 의미부이고 모(冒)가 소리부이다. 『주서(周書)』(「군석(君奭)」)에서 "무왕께서는 단지 눈을 내리깔고 볼 뿐이었다(武王惟瞐)"라고 하였다. 독음은 망(亡)과 보(保)의 반절이다.

**2123**

**眓: 眓: 볼 활: 目-총10획: huò**

原文

眓: 視高皃. 从目戉聲. 讀若『詩』曰"施罛濊濊". 呼哲切.

飜譯

'[눈을 치켜들고] 높이 보는 모양(視高皃)'을 말한다. 목(目)이 의미부이고 월(戉)이 소리부이다. 『시·위풍·석인(碩人)』에서 노래한 "시고활활(施罛濊濊: 철석철석 걸어 올리는 고기 그물에서는)"의 활(濊)과 같이 읽는다. 독음은 호(呼)와 철(哲)의 반절이다.

2124

**眈: 眈: 노려볼 탐: 目-총9획: dān**

原文

眈: 視近而志遠. 从目冘聲.『易』曰: "虎視眈眈." 丁含切.

飜譯

'눈은 가까이 보면서 뜻은 먼데 두는 것(視近而志遠)'을 말한다. 목(目)이 의미부이고 유(冘)가 소리부이다.『역·이괘(頤卦)』에서 "호시탐탐(虎視眈眈: 남의 것을 빼앗기 위하여 형세를 살피며 가만히 기회를 엿봄)"이라고 했다. 독음은 정(丁)과 함(含)의 반절이다.

2125

**𥈅: 𥈅: 돌아보며 갈 연: 辵-총12획: yán**

原文

𥈅: 相顧視而行也. 从目从延, 延亦聲. 于線切.

飜譯

'서로를 살피면서 길을 가다(相顧視而行)'라는 뜻이다. 목(目)이 의미부이고 지(延)도 의미부인데, 지(延)는 소리부도 겸한다. 독음은 우(于)와 선(線)의 반절이다.

2126

**盱: 盱: 쳐다볼 우: 目-총8획: xū**

原文

盱: 張目也. 从目于聲. 一曰朝鮮謂盧童子曰盱. 況于切.

飜譯

'눈을 크게 뜨다(張目)'라는 뜻이다. 목(目)이 의미부이고 우(于)가 소리부이다. 일설에는 고조선(朝鮮) 지역에서는 '검은 눈동자(盧童子)'를 우(盱)라고 한다고도 한다.

독음은 황(況)과 우(于)의 반절이다.

**2127**

**瞏: 瞏: 놀라서 볼 경: 目-총13획: qióng**

原文

瞏: 目驚視也. 从目袁聲. 『詩』曰: "獨行瞏瞏." 渠營切.

飜譯

'놀라서 보다(目驚視)'라는 뜻이다. 목(目)이 의미부이고 원(袁)이 소리부이다. 『시·당풍·체두(杕杜)』에서 "홀로 쓸쓸히 길을 가노니(獨行瞏瞏)"라고 노래했다. 독음은 거(渠)와 영(營)의 반절이다.

**2128**

**䁴: 䁴: 계속해서 볼 전·선: 目-총18획: zhǎn**

原文

䁴: 視而止也. 从目亶聲. 旨善切.

飜譯

'한번 보고 시선을 멈추다(視而止)'라는 뜻이다. 목(目)이 의미부이고 단(亶)이 소리부이다. 독음은 지(旨)와 선(善)의 반절이다.

**2129**

**昒: 昒: 눈 가늘게 뜨고 멀리 볼 매: 目-총9획: mèi, wù**

原文

昒: 目冥遠視也. 从目勿聲. 一曰久也. 一曰旦明也. 莫佩切.

飜譯

'눈을 지그시 감고 멀리 바라봄(目冥遠視)'을 말한다. 목(目)이 의미부이고 물(勿)이 소리부이다. 일설에는 '오래가다(久)'라는 뜻이라고도 한다. 또 일설에는 '해 뜨는 새벽(旦明)'을 말한다고도 한다. 독음은 막(莫)과 패(佩)의 반절이다.

2130

**𥄫: 眕: 진중할 진: 目-총10획: zhěn**

原文

𥄫: 目有所恨而止也. 从目㐱聲. 之忍切.

飜譯

'눈에 한이 맺혔으나 억제하다(目有所恨而止)'라는 뜻이다.[14] 목(目)이 의미부이고 진(㐱)이 소리부이다. 독음은 지(之)와 인(忍)의 반절이다.

2131

**𥊐: 瞟: 볼 표: 目-총16획: piǎo**

原文

𥊐: 瞭也. 从目㶾聲. 敷沼切.

飜譯

'살펴보다(瞭)'라는 뜻이다. 목(目)이 의미부이고 표(㶾)가 소리부이다. 독음은 부(敷)와 소(沼)의 반절이다.

2132

**䁝: 䁝: 자세히 살펴볼 체: 目-총16획: qì**

14) 『단주』에서 이렇게 보충했다. "『좌전(左傳)』에 이런 말이 있다. 총애를 받으면서도 교만하지 않고(寵而不驕), 교만할만한 자리에 있으면서도 자신을 낮출 수 있고(驕而能降), 자리가 떨어져도 한을 품지 않으며(降而不憾), 한이 있으면서도 진정할 수 있는 자(憾而能眕者)는 드물다. 허신의 해설은 아마도 『좌전』에서 가져온 것일 것이다. 『이아·석언(釋言)』에서 진(眕)은 진중하다는 뜻이다(重也)라고 했는데, 중(重) 역시 억제하다(止)는 뜻이다."

原文

䀿: 察也. 从目祭聲. 戚細切.

飜譯

'자세히 살펴보다(察)'라는 뜻이다. 목(目)이 의미부이고 제(祭)가 소리부이다. 독음은 척(戚)과 세(細)의 반절이다.

**2133**

**睹: 睹: 볼 도: 目-총14획: dǔ**

原文

睹: 見也. 从目者聲. 覩, 古文从見. 當古切.

飜譯

'보다(見)'라는 뜻이다. 목(目)이 의미부이고 자(者)가 소리부이다.15) 도(覩)는 도(睹)의 고문체인데, 견(見)으로 구성되었다. 독음은 당(當)과 고(古)의 반절이다.

**2134**

**眔: 眔: 눈으로 뒤따를 답: 目-총10획: dà**

原文

眔: 目相及也. 从目, 从隶省. 徒合切.

飜譯

'시선이 어떤 물체에 이르다(目相及)'라는 뜻이다. 목(目)이 의미부이고 이(隶)의 생략된 모습도 의미부이다. 독음은 도(徒)와 합(合)의 반절이다.

---

15) 睹는 目(눈 목)이 의미부이고 者(놈 자)가 소리부로, 솥에 삶는(者·놈 자, 煮의 본래 글자) 내용물을 눈(目)으로 '살펴보다'는 뜻이다. 달리 目 대신 見(볼 견)이 들어간 覩(볼 도)로 쓰기도 한다. 覩는 見(볼 견)이 의미부이고 者(놈 자)가 소리부로, 살펴보다는 뜻인데, 솥에 삶는(者: 煮의 본래 글자) 내용물을 살피는(見) 모습을 담았다.

2135

**䁼:** 睽: **사팔눈 규**: 目-총14획: kuí

原文

䁼: 目不相聽也. 从目癸聲. 苦圭切.

飜譯

'눈을 돌려 서로 외면함(目不相聽)'을 말한다. 목(目)이 의미부이고 계(癸)가 소리부이다. 독음은 고(苦)와 규(圭)의 반절이다.



2136

**眜:** 眛: **무릅쓸 말**: 目-총10획: mò

原文

眜: 目不明也. 从目末聲. 莫撥切.

飜譯

'눈이 밝지 않다(目不明)'라는 뜻이다. 목(目)이 의미부이고 말(末)이 소리부이다. 독음은 막(莫)과 발(撥)의 반절이다.

2137

**䁪:** 瞥: **눈 굴려 볼 반**: 目-총15획: pán, pān

原文

䁪: 轉目視也. 从目般聲. 薄官切.

飜譯

'눈알을 굴리며 보다(轉目視)'라는 뜻이다. 목(目)이 의미부이고 반(般)이 소리부이다. 독음은 박(薄)과 관(官)의 반절이다.

**2138**

**辨: 辨: 어린아이 눈에 백태 낄 판: 目-총19획: pàn**

原文

辨: 小兒白眼也. 从目辡聲. 蒲莧切.

飜譯

'어린 아이의 흰 눈(小兒白眼)'을 말한다. 목(目)이 의미부이고 변(辡)이 소리부이다. 독음은 포(蒲)와 현(莧)의 반절이다.

**2139**

**脈: 脈: 훔쳐볼 맥: 目-총11획: mò**

原文

脈: 目財視也. 从目𠂢聲. 莫獲切.

飜譯

'사시 안으로 보다(目財視)'라는 뜻이다.16) 목(目)이 의미부이고 파(𠂢)가 소리부이다. 독음은 막(莫)과 획(獲)의 반절이다.

**2140**

**睇: 睇: 뜻을 잃고 볼 척: 目-총15획: tì**

原文

睇: 失意視也. 从目脩聲. 他歷切.

飜譯

'실의한 시선으로 보다(失意視)'라는 뜻이다. 목(目)이 의미부이고 수(脩)가 소리부이다. 독음은 타(他)와 력(歷)의 반절이다.

---

16) 재시(財視)를 『광운』에서 사시(邪視)라 적었는데, 사(邪)는 사(衺)와 같다.

2141

**瞕**: 盹: **꾸벅꾸벅 졸 순**: 目-총13획: zhūn, guō

原文

瞕: 謹鈍目也. 从目臺聲. 之閏切.

飜譯

'삼가고 무딘 시선(謹鈍目)'을 말한다. 목(目)이 의미부이고 순(臺)이 소리부이다. 독음은 지(之)와 윤(閏)의 반절이다.

2142

**瞤**: 瞤: **쥐 날 순·윤**: 目-총17획: shùn

原文

瞤: 目動也. 从目閏聲. 如勻切.

飜譯

'눈이 떨리다(目動)'라는 뜻이다. 목(目)이 의미부이고 윤(閏)이 소리부이다. 독음은 여(如)와 균(勻)의 반절이다.

2143

**矉**: 矉: **찡그릴 빈**: 目-총19획: pín

原文

矉: 恨張目也. 从目賓聲. 『詩』曰: "國步斯矉." 符眞切.

飜譯

'한스러워 눈을 크게 뜨다(恨張目)'라는 뜻이다. 목(目)이 의미부이고 빈(賓)이 소리부이다. 『시·대아·상유(桑柔)』에서 "나라 형편이 정말 위급하구나(國步斯矉)"라고 노래했다. 독음은 부(符)와 진(眞)의 반절이다.

2144

**䀩: 䀩: 소경 완: 目-총10획: yuān**

原文

䀩: 目無明也. 从目夗聲. 一丸切.

飜譯

'눈에 빛이 없음(目無明)'을 말한다. 목(目)이 의미부이고 원(夗)이 소리부이다. 독음은 일(一)과 환(丸)의 반절이다.

2145

**睢: 睢: 부릅떠볼 휴: 目-총13획: huī, suī**

原文

睢: 仰目也. 从目隹聲. 許惟切.

飜譯

'눈을 위로 치켜뜨다(仰目)'라는 뜻이다. 목(目)이 의미부이고 추(隹)가 소리부이다. 독음은 허(許)와 유(惟)의 반절이다.

2146

**旬: 眴: 눈 깜박일 현·현기증이 날 순: 目-총7획: xiàn, xuàn**

原文

旬: 目搖也. 从目, 勻省聲. 眴, 旬或从旬. 黃絢切.

飜譯

'눈동자가 흔들리다(目搖)'라는 뜻이다. 목(目)이 의미부이고 균(勻)의 생략된 모습이 소리부이다. 현(眴)은 현(旬)의 혹체자인데, 순(旬)으로 구성되었다. 독음은 황(黃)과 현(絢)의 반절이다.

2147

**矆: 矆: 눈 부릅뜨고 볼 확: 目-총19획: huò**

原文

矆: 大視也. 从目蒦聲. 許縛切.

飜譯

'눈을 크게 뜨고 보다(大視)'라는 뜻이다. 목(目)이 의미부이고 확(蒦)이 소리부이다. 독음은 허(許)와 박(縛)의 반절이다.



2148

**睦: 睦: 화목할 목: 目-총13획: mù**

原文

睦: 目順也. 从目坴聲. 一曰敬和也. 𥈲, 古文睦. 莫卜切.

飜譯

'눈길이 순함(目順)'을 말한다. 목(目)이 의미부이고 륙(坴)이 소리부이다. 일설에는 '공경하고 조화롭다(敬和)'라는 뜻이라고도 한다.[17] 목(𥈲)은 목(睦)의 고문체이다. 독음은 막(莫)과 복(卜)의 반절이다.

2149

**瞻: 瞻: 볼 첨: 目-총18획: zhān**

原文

瞻: 臨視也. 从目詹聲. 職廉切.

飜譯

17) 目(눈 목)이 의미부고 坴(언덕 륙)이 소리부로, 서로 부드러운 눈길(目)을 줘 가며 함께 모여 사는 집(坴)에서 서로 간에 和睦(화목)하고 우애 있음을 그렸다.

'굽어 살피다(臨視)'라는 뜻이다. 목(目)이 의미부이고 첨(詹)이 소리부이다. 독음은 직(職)과 렴(廉)의 반절이다.

2150

**䁅: 瞀: 어두울 무: 目-총14획: mào**

原文

䁅: 氐目謹視也. 从目敄聲. 莫候切.

飜譯

'눈을 아래로 깔고 삼가며 살피다(氐目謹視)'라는 뜻이다. 목(目)이 의미부이고 무(敄)가 소리부이다. 독음은 막(莫)과 후(候)의 반절이다.

2151

**瞶: 瞶: 흘깃 볼 매: 目-총17획: mái**

原文

瞶: 小視也. 从目買聲. 莫佳切.

飜譯

'자세히 보다(小視)'라는 뜻이다. 목(目)이 의미부이고 매(買)가 소리부이다. 독음은 막(莫)과 가(佳)의 반절이다.

2152

**瞷: 瞷: 잘 볼 감: 目-총19획: jiān**

原文

瞷: 視也. 从目監聲. 古銜切.

飜譯

'보다(視)'라는 뜻이다. 목(目)이 의미부이고 감(監)이 소리부이다. 독음은 고(古)와 함(銜)의 반절이다.

2153

**䁈: 䁈: 살펴볼 계·기: 目-총13획: qì**

原文

䁈: 省視也. 从目, 啓省聲. 苦系切.

飜譯

'두리번거리며 자세히 보다(省視)'라는 뜻이다. 목(目)이 의미부이고, 계(啓)의 생략된 모습이 소리부이다. 독음은 고(苦)와 계(系)의 반절이다.

2154

**相: 相: 서로 상: 目-총9획: xiāng**

原文

相: 省視也. 从目从木. 『易』曰: "地可觀者, 莫可觀於木." 『詩』曰: "相鼠有皮." 息良切.

飜譯

'두리번거리며 자세히 보다(省視)'라는 뜻이다. 목(目)이 의미부이고 목(木)도 의미부이다.[18] 『역·계사(繫辭)』에서 "땅에서 살필 수 있는 것으로는 나무만 한 것이 없다(地可觀者, 莫可觀於木.)"라고 했다. 『시·용풍·상서(相鼠)』에서는 "쥐를 보아도 가죽

18) 고문자에서 [古文字] 甲骨文 [古文字] 金文 [古文字] 古陶文 [古文字] 簡牘文 [古文字] 帛書 [古文字] 古璽文 등으로 썼다. 木(나무 목)과 目(눈 목)으로 구성되어, 나무(木) 주위로 눈(目)을 크게 그려, 눈(目)으로 나무(木)를 자세히 살피다는 뜻을 그렸다. 지금도 觀相(관상)이나 手相(수상)과 같은 단어에는 자세히 살피다는 원래의 뜻이 남아 있으며 이로부터 모습, 모양의 뜻이 나왔다. 옛날, 높은 건축물이 적었던 사회에서는 높게 자란 나무는 올라가 주위를 살피는데 좋은 곳이 되었을 것이다. 이처럼 높은 곳에서 살피다는 뜻으로부터 宰相(재상)에서처럼 최고 통치자라는 뜻도 갖게 되었다.

이 있는데(相鼠有皮.)"라고 노래했다. 독음은 식(息)과 량(良)의 반절이다.

**2155**

**瞋: 瞋: 부릅뜰 진: 目-총15획: chēn**

原文

瞋: 張目也. 从目眞聲. 賊, 『祕書』瞋从戌. 昌眞切.

飜譯

'눈을 크게 부릅뜨다(張目)'라는 뜻이다. 목(目)이 의미부이고 진(眞)이 소리부이다. 진(賊)은 『비서(祕書)』에 보이는데[19], 술(戌)로 구성되었다. 독음은 창(昌)과 진(眞)의 반절이다.

**2156**

**瞗: 瞗: 익히 볼 조: 目-총16획: diāo**

原文

瞗: 目孰視也. 从目鳥聲. 讀若雕. 都僚切.

飜譯

'눈으로 익숙해질 때까지 보다(目孰視)'라는 뜻이다. 목(目)이 의미부이고 조(鳥)가 소리부이다. 조(雕)와 같이 읽는다. 독음은 도(都)와 료(僚)의 반절이다.

**2157**

**睗: 睗: 빨리 볼 석: 目-총13획: shì**

原文

19) 『단주』에서 비서(祕書)는 위서(緯書)를 말한다고 하면서, "역(易)부수에서도 『비서(祕書)』에서 일(日)과 월(月)이 합쳐진 것이 역(易)으로 음(陰)과 양(陽)의 변화를 형상했다."라고 풀이한 바 있다고 했다.

睗: 目疾視也. 从目易聲. 施隻切.

飜譯

'눈으로 재빠르게 보다(目疾視)'라는 뜻이다. 목(目)이 의미부이고 역(易)이 소리부이다. 독음은 시(施)와 척(隻)의 반절이다.

**2158**

**睊: 睊: 흘겨볼 견: 目-총12획: juàn**

原文

睊: 視皃. 从目肙聲. 於絢切.

飜譯

'보는 모양(視皃)'을 말한다. 목(目)이 의미부이고 연(肙)이 소리부이다. 독음은 어(於)와 현(絢)의 반절이다.

**2159**

**瞲: 瞲: 눈 움펑할 열: 目-총15획: juè**

原文

瞲: 目深皃. 从目、窅. 讀若『易』曰"勿卹"之"卹". 於悅切.

飜譯

'눈이 깊숙이 패인 모양(目深皃)'을 말한다. 목(目)이 의미부이고 요(窅)도 의미부이다. 『역·쾌괘(夬卦)』에서 말한 '물휼(勿卹)'의 휼(卹)과 같이 읽는다. 독음은 어(於)와 열(悅)의 반절이다.

**2160**

**睼: 睼: 볼 제: 目-총14획: tiàn**

原文

䁎: 迎視也. 从目是聲. 讀若"珥瑱"之"瑱". 他計切.

譯

'눈을 들어 마주보다(迎視)'라는 뜻이다. 목(目)이 의미부이고 시(是)가 소리부이다. 이전(珥瑱: 귀막이 옥)이라고 할 때의 전(瑱)과 같이 읽는다. 독음은 타(他)와 계(計)의 반절이다.

**2161**

暥: 暥: **눈으로 노닥거릴 언·고요히 좋을 연**: 目-총15획: yǎn, yàn

原文

暥: 目相戲也. 从目晏聲. 『詩』曰: "暥婉之求." 於殄切.

譯

'눈으로 서로 희롱하다(目相戲)'라는 뜻이다. 목(目)이 의미부이고 안(晏)이 소리부이다. 『시·패풍·신대(新臺)』에서 "고운 님 구하러 왔건만(暥婉之求)"[20]이라고 노래했다. 독음은 어(於)와 진(殄)의 반절이다.

**2162**

睸: 睸: **눈이 움푹한 모양 알·놜**: 目-총14획: wò

原文

睸: 短深目皃. 从目叡聲. 烏括切.

譯

'눈자위가 작고 깊이 들어간 모양(短深目皃)'을 말한다. 목(目)이 의미부이고 왈(叡)이 소리부이다. 독음은 오(烏)와 괄(括)의 반절이다.

---

20) 금본에서는 언(暥)을 연(燕)으로 적었는데, 연(燕)을 『모전』에서는 '편안하다(安)', 완(婉)을 '순하다(順)'로 풀이했다.

2163

**𥄎: 眷: 돌아볼 권: 目-총11획: juàn**

原文

𥄎: 顧也. 从目𢍏聲. 『詩』曰: "乃眷西顧." 居倦切.

譯註

'되돌아보다(顧)'라는 뜻이다. 목(目)이 의미부이고 권(𢍏)이 소리부이다. 『시·대아·황의(皇矣)』에서 "이에 서쪽 주나라를 살펴보시고(乃眷西顧)"라고 노래했다. 독음은 거(居)와 권(倦)의 반절이다.

2164

**督: 督: 살펴볼 독: 目-총13획: dū**

原文

督: 察也. 一曰目痛也. 从目叔聲. 冬毒切.

譯註

'살피다(察)'라는 뜻이다. 일설에는 '눈이 아프다(目痛)'라는 뜻이라고도 한다. 목(目)이 의미부이고 숙(叔)이 소리부이다.[21] 독음은 동(冬)과 독(毒)의 반절이다.

2165

**睎: 睎: 바라볼 희: 目-총12획: xī**

原文

睎: 望也. 从目, 稀省聲. 海岱之閒謂眄曰睎. 香衣切.

譯註

21) 目(눈 목)이 의미부이고 叔(아재비 숙)이 소리부로, 눈(目)으로 자세히 '살펴봄'을 말하며, 이로부터 감시하다, 監督(감독)하다, 바로잡다, 나무라다, 권하다 등의 뜻이 나왔다.

'먼 곳을 바라보다(望)'라는 뜻이다. 목(目)이 의미부이고, 희(稀)의 생략된 모습이 소리부이다. 해(海)와 대(岱) 사이 지역에서는 '사시로 보는 것(眄)'을 희(睎)라 한다.[22] 독음은 향(香)과 의(衣)의 반절이다.

**2166**

**看: 看: 볼 간: 目-총9획: kān**

原文

看: 睎也. 从手下目. 𥍉, 看或从倝. 苦寒切.

飜譯

'먼 곳을 바라보다(睎)'라는 뜻이다. 손(手)이 눈(目)의 아래에 놓인 모습을 그렸다.[23] 간(𥍉)은 간(看)의 혹체자인데, 간(倝)으로 구성되었다. 독음은 고(苦)와 한(寒)의 반절이다.

**2167**

**瞫: 瞫: 볼 심: 目-총17획: shěn**

原文

瞫: 深視也. 一曰下視也. 又, 竊見也. 从目覃聲. 式荏切.

飜譯

'깊이 살피다(深視)'라는 뜻이다. 일설에는 '아래로 보다(下視)'라는 뜻이라고도 한

22) 『방언(方言)』에서 이렇게 말했다. "희(睎)는 세밀하게 보다는 뜻이다(眄也). 동제(東齊), 청주(青), 서주(徐) 사이 지역에서는 희(睎)라고 한다."라고 했다. 그러나 『설문』에서 면(眄)에 대해 "일설에는 사시(衺視)를 말한다. 이는 진(秦)나라 지역의 말이다."라고 한 것에 대해, 『단주』에서는 이렇게 말했다. "『방언』에서 간(瞯), 제(睇), 희(睎)는 면(眄)과 같은 뜻이다. 함곡관으로부터 서쪽의 진(秦)과 진(晉) 지역 사이에서는 면(眄)이라 한다고 했다. 설종(薛綜)은 유면(流眄)은 눈알을 돌리는 모양을 말한다(轉眼貌也)고 했다."

23) 手(손 수)와 目(눈 목)으로 구성되어, 손(手)으로 눈(目) 위를 가리고 먼 곳을 봄을 말하며, 『설문해자』의 혹체에서는 𥍉으로 되어, 나부끼는 깃발(㫃·언)을 눈(目)으로 보다는 뜻을 그렸다. 이로부터 보다, 관찰하다, 살피다, 감상하다, (사람 등을) 대하다, 모시다 등의 뜻이 나왔다.

다. 또 '몰래 보다(竊見)'라는 뜻이라고도 한다. 목(目)이 의미부이고 담(覃)이 소리부이다. 독음은 식(式)과 임(荏)의 반절이다.

**2168**

**睡: 睡: 잘 수: 目-총13획: shuì**

原文

睡: 坐寐也. 从目、垂. 是僞切.

飜譯

'앉아서 자다(坐寐)'라는 뜻이다. 목(目)과 수(垂)가 의미부이다.[24] 독음은 시(是)와 위(僞)의 반절이다.

**2169**

**瞑: 瞑: 눈 감을 명: 目-총15획: míng**

原文

瞑: 翕目也. 从目、冥, 冥亦聲. 武延切.

飜譯

'눈을 감다(翕目)'라는 뜻이다. 목(目)과 명(冥)이 의미부인데, 명(冥)은 소리부도 겸한다.[25] 독음은 무(武)와 연(延)의 반절이다.

---

24) 目(눈 목)이 의미부고 垂(드리울·변방 수)가 소리부로, 눈(目)꺼풀을 드리운(垂) 채 조는 것을 말했는데, 이후 '자다'는 일반적인 의미로 확장되었다. 『단주』에서도 이렇게 말했다. "앉아서 잔다(坐寐)는 것은 이 글자에 수(垂)가 든 것으로부터 알 수 있다. 『좌전(左傳)』에서도 '앉아서 잠깐 졸았다(坐而假寐)'라고 했고, 『전국책(戰國策)에서도 '책을 읽으면 졸립다(讀書欲睡)'라고 했다. (垂가 소리부인데도) 송본(宋本)에서는 소리부(聲)라는 말이 들지 않은 것은 이 글자가 회의 겸 형성자이기 때문이다. 목(目)과 수(垂)로 구성되었다는 것은 눈꺼풀이 아래로 내래와 감긴다는 말인데, 앉았을 때의 상태를 말했을 뿐이다.(目瞼垂而下, 坐則爾.)"

25) 目(눈 목)이 의미부고 冥(어두울 명)이 소리부로, 눈(目)이 어두움(冥)을 말했는데, 이후 눈을 감다, 즉 '죽다'는 뜻도 갖게 되었다.

2170

**眚: 眚: 눈에 백태 낄 생: 目-총10획: shěng**

原文

眚: 目病生翳也. 从目生聲. 所景切.

飜譯

'눈에 병이 생겨 백태가 끼다(目病生翳)'라는 뜻이다. 목(目)이 의미부이고 생(生)이 소리부이다. 독음은 소(所)와 경(景)의 반절이다.

2171

**瞥: 瞥: 언뜻 볼 별: 目-총17획: piē**

原文

瞥: 過目也. 又, 目翳也. 从目敝聲. 一曰財見也. 普滅切.

飜譯

'언뜻 지나가듯 보다(過目)'라는 뜻이다. 또 '눈가리개(目翳)'를 말한다고도 한다. 목(目)이 의미부이고 폐(敝)가 소리부이다. 일설에는 '겨우 보이다(財見)'라는 뜻이라고도 한다.[26] 독음은 보(普)와 멸(滅)의 반절이다.

2172

**眵: 眵: 눈곱 치: 目-총11획: chī**

原文

眵: 目傷眥也. 从目多聲. 一曰蕢兜. 叱支切.

飜譯

'눈초리에 상처가 나다(目傷眥)'라는 뜻이다. 목(目)이 의미부이고 다(多)가 소리부이

26) 『단주』에서 재(財)는 오늘날의 재(纔)자라고 했다.

다. 일설에는 '눈곱(瞢兜)'을 말한다고도 한다. 독음은 질(叱)과 지(支)의 반절이다.

**2173**

**䁾: 瞢: 눈초리 진무를 멸: 目-총18획: miè**

原文

䁾: 目眵也. 从目, 蔑省聲. 莫結切.

翻譯

'눈초리에 상처가 나다(目眵)'라는 뜻이다.[27] 목(目)이 의미부이고, 멸(蔑)의 생략된 모습이 소리부이다. 독음은 막(莫)과 결(結)의 반절이다.

**2174**

**䀗: 映: 눈병 결·놀라서 볼 혈: 目-총9획: jué**

原文

䀗: 涓目也. 从目夬聲. 古穴切.

翻譯

'눈물이 흐르는 병(涓目)'을 말한다. 목(目)이 의미부이고 결(夬)이 소리부이다. 독음은 고(古)와 혈(穴)의 반절이다.

**2175**

**䁁: 眼: 눈병 량·눈이 맑을 량: 目-총12획: lǎng, liàng**

---

27) 『단주』에서는 각 판본에서는 '目眵也' 앞에 '瞢兜'라는 말이 없는데 현응(玄應)의 『일체경음의』 권10과 권21에 근거해 보충한다고 했다. 그렇게 되면 "멸두(瞢兜)를 말하는데, 눈초리에 상처가 나다(目眵)는 뜻이다"로 풀이된다. 『단주』에서는 이어서 이렇게 보충했다. "송옥(宋玉)의 「풍부(風賦)」에서 입술이 틀어 상처가 난 것을 진(胗)이라 하고, 눈에 난 것을 멸(蔑)이라고 한다고 했다. 『여씨춘추(呂氏春秋)』에서도 기운이 맺혀 눈가에 머물면 멸(矆)이 된다(氣鬱處目則爲矆)고 했는데, 고유의 주석에서 멸(矆)은 눈에 상처가 나다는 뜻이다(眵也)라고 했다. 내 생각에 멸(蔑)은 가차자이고, 멸(矆)은 혹체자일 것이라 생각한다."

原文

眼: 目病也. 从目良聲. 力讓切.

飜譯

'눈병(目病)'을 말한다.[28] 목(目)이 의미부이고 양(良)이 소리부이다. 독음은 력(力)과 양(讓)의 반절이다.

2176

**眛: 眛: 어두울 매: 目-총10획: mèi**

原文

眛: 目不明也. 从目未聲. 莫佩切.

飜譯

'눈빛이 맑지 않다(目不明)'라는 뜻이다. 목(目)이 의미부이고 미(未)가 소리부이다. 독음은 막(莫)과 패(佩)의 반절이다.

2177

**瞯: 瞯: 엿볼 간·지릅뜰 한: 目-총17획: xián**

原文

瞯: 戴目也. 从目閒聲. 江淮之間謂眄曰瞯. 戶閒切.

飜譯

'눈을 위로 치뜨[고 갈망하듯 바라보]다(戴目)'라는 뜻이다. 목(目)이 의미부이고 간(閒)이 소리부이다. 장강(江)과 회수(淮) 사이 지역에서는 '한쪽 눈이 없는 것(眄)'을 간(瞯)이라 부른다.[29] 독음은 호(戶)와 한(閒)의 반절이다.

28) 『단주』에서 이렇게 보충했다. "『급취편(急就篇)』에서 치(眵), 멸(蠛)은 랑(眼)과 같은 뜻이라고 했는데, 안사고의 주석에서 랑(眼)은 눈의 시선이 똑 바르지 못함을 말한다(目視不正也)라고 했다."

29) 『강희자전』에서 이렇게 보충했다. "서개의 『설문계전』에서는 눈을 들어 해를 바라보다는 뜻

2178

眯: 眯: **눈에 티 들 미**: 目-총11획: mī, mí

原文

眯: 艸入目中也. 从目米聲. 莫禮切.

飜譯

'지푸라기가 눈에 들어가다(艸入目中)'라는 뜻이다. 목(目)이 의미부이고 미(米)가 소리부이다. 독음은 막(莫)과 례(禮)의 반절이다.

2179

眺: 眺: **바라볼 조**: 目-총11획: tiào

原文

眺: 目不正也. 从目兆聲. 他弔切.

飜譯

'눈빛이 바르지 않다(目不正)'라는 뜻이다. 목(目)이 의미부이고 조(兆)가 소리부이다. 독음은 타(他)와 조(弔)의 반절이다.

2180

睞: 睞: **한눈 팔 래**: 目-총13획: lài

原文

睞: 目童子不正也. 从目來聲. 洛代切.

飜譯

이다(目望陽也)라고 했다. 양웅의 『방언(方言)』에서는 애꾸눈을 말하는데(眄也), 오(吳)와 양주(揚州)와 강회(江淮) 지역에서는 간혹 간(瞯)이라 하기도 한다. 또 『광운(廣韻)』에서는 눈동자에 흰자위가 많은 것을 말한다(人目多白也)고도 했다."

'눈의 동자가 바르지 않다(目童子不正)'라는 뜻이다. 목(目)이 의미부이고 래(來)가 소리부이다. 독음은 락(洛)과 대(代)의 반절이다.

**2181**

**䁖: 睩: 삼가 볼 록: 目-총13획: lù**

原文

䁖: 目睞謹也. 从目彔聲. 讀若鹿. 盧谷切.

飜譯

'삼가 하는 눈빛으로 보다(目睞謹)'라는 뜻이다. 목(目)이 의미부이고 록(彔)이 소리부이다. 록(鹿)과 같이 읽는다. 독음은 로(盧)와 곡(谷)의 반절이다.

**2182**

**䐓: 䏲: 눈 찡그릴 추·초, 눈이 어두울 도: 目-총12획: chōu**

原文

䐓: 眣也. 从目攸聲. 䏲, 脩或从丩. 敕鳩切.

飜譯

'눈빛이 바르지 않다(眣)'라는 뜻이다. 목(目)이 의미부이고 유(攸)가 소리부이다. 추(䏲)는 추(脩)의 혹체자인데, 구(丩)로 구성되었다. 독음은 칙(敕)과 구(鳩)의 반절이다.

**2183**

**眣: 眣: 사팔눈 질: 目-총10획: chì**

原文

眣: 目不正也. 从目失聲. 丑栗切.

飜譯

'눈빛이 바르지 않다(目不正)'라는 뜻이다. 목(目)이 의미부이고 실(失)이 소리부이다. 독음은 축(丑)과 률(栗)의 반절이다.

**2184**

**矇: 矇: 청맹과니 몽: 目-총19획: méng**

原文

矇: 童矇也. 一曰不明也. 从目蒙聲. 莫中切.

飜譯

'눈이 무엇인가에 뒤덮인 것 같은 사람, 즉 청맹과니(童矇)'를 말한다. 일설에는 '눈이 밝지 않다(不明)'라는 뜻이라고도 한다. 목(目)이 의미부이고 몽(蒙)이 소리부이다. 독음은 막(莫)과 중(中)의 반절이다.

**2185**

**眇: 眇: 애꾸눈 묘: 目-총9획: miǎo**

原文

眇: 一目小也. 从目从少, 少亦聲. 亡沼切.

飜譯

'한 눈이 없음(一目小)'을 말한다.[30] 목(目)이 의미부이고 소(少)도 의미부인데, 소(少)는 소리부도 겸한다. 독음은 망(亡)과 소(沼)의 반절이다.

**2186**

**眄: 眄: 애꾸눈 면: 目-총9획: miǎn**

原文

眄: 目偏合也. 一曰衺視也. 秦語. 从目丏聲. 莫甸切.

30) 『단주』에서는 각 판본에서는 "一目小也"로 되었는데 이는 잘못이며, "小目也" 즉 '눈이 작다'는 뜻이라고 하면서, 『주역』의 『경전석문』에 근거해 바로잡는다고 했다. 참고할 만하다.

飜譯

'눈이 한쪽으로 치우친 것(目偏合)'을 말한다.31) 일설에는 '사시 눈으로 보다(衺視)'라는 뜻이라고도 한다. 진(秦) 지역의 말이다.32) 목(目)이 의미부이고 면(丏)이 소리부이다. 독음은 막(莫)과 전(甸)의 반절이다.

**2187**

**畧: 略: 곁눈질할 락·략: 目-총11획: luò**

原文

畧: 眄也. 从目各聲. 盧各切.

飜譯

'곁눈질을 하다(眄)'라는 뜻이다.33) 목(目)이 의미부이고 각(各)이 소리부이다. 독음은 로(盧)와 각(各)의 반절이다.

**2188**

**盲: 盲: 소경 맹: 目-총8획: máng**

原文

盲: 目無牟子. 从目亡聲. 武庚切.

飜譯

'눈에 동자가 없는 것(目無牟子)을 말한다.' 목(目)이 의미부이고 망(亡)이 소리부이다. 독음은 무(武)와 경(庚)의 반절이다.

---

31) 『단주』에서는 "目徧合也"의 편(徧)을 각판본에서 편(偏)으로 적고 있는데, 이는 잘못이며, 지금 『운회(韵會)』에 근거해 바로 잡는다고 했다.

32) 『단주』에서 이렇게 보충했다. "『방언(方言)』에서 간(瞯), 제(睇), 희(睎)는 면(眄)과 같은 뜻이다. 함곡관으로부터 서쪽의 진(秦)과 진(晉) 지역에서는 면(眄)이라 한다. 설종(薛綜)은 유면(流眄)은 눈알을 돌리는 모양을 말한다(轉眼貌也)고 했다."

33) 『단주』에서도 이렇게 말했다. "『방언(方言)』에서 락(略)은 곁눈질을 하다는 뜻인데(眄也), 오(吳)와 양주(楊)와 강회(江淮) 지역에서는 간혹 간(瞯)이라 하기도 한다."

**2189**

**䁜: 䁜: 눈동자 꺼질 겹·볼 감: 目-총14획: jià, kè, qià**

原文

䁜: 目陷也. 从目咸聲. 苦夾切.

飜譯

'눈이 함몰되다(目陷)'라는 뜻이다. 목(目)이 의미부이고 함(咸)이 소리부이다. 독음은 고(苦)와 협(夾)의 반절이다.



**2190**

**瞽: 瞽: 소경 고: 目-총18획: gǔ**

原文

瞽: 目但有眹也. 从目鼓聲. 公戶切.

飜譯

'눈에 [동자가 없고] 단지 꿰맨 흔적만 있는 것(目但有眹)'을 말한다.[34] 목(目)이 의미부이고 고(鼓)가 소리부이다. 독음은 공(公)과 호(戶)의 반절이다.

---

34) 『단주』에서는 진(眹)은 짐(朕)의 잘못이라고 하면서 이렇게 설명했다. "짐(朕)은 원래 주(舟)로 구성되어 배의 갈라진 틈을 수리한 것을 말했고(舟之縫理也) 이로부터 꿰매는 것을 모두 짐(朕)이라 부르게 되었다. 단유짐자(但有朕者)라는 것은 꿰맨 흔적만 남아 있다는 말이다(才有縫而已). 『석명(釋名)』에서 고(瞽)는 북을 말한다(鼓也)고 했는데, 눈을 감았을 때 눈이 평평함이 북의 가죽을 붙인 것처럼 보이기 때문이다(瞑瞑然目平合如皮也). 면(眄)이라는 것은 눈을 꿰맸으나 (한쪽 눈이 있어) 볼 수 있는 자를 말하며(目合而有見), 고(瞽)는 (두) 눈을 (다) 꿰매 볼 수 없는 자를 말한다(目合而無見). 정사농(鄭司農: 정중)에 의하면 눈을 꿰맨 흔적이 없는 것(無目眹)을 고(瞽)라 한다고 했고, 위소(韋昭)의 주석에서는 눈이 없는 것(無目)을 고(瞽)라고 한다고 하여 허신의 해설과 차이를 보인다."

**2191**

**瞍:** 瞍: **소경 수**: 目-총14획: **sǒu**

原文

瞍: 無目也. 从目叜聲. 穌后切.

飜譯

'눈동자가 없는 것(無目)'을 말한다. 목(目)이 의미부이고 수(叜)가 소리부이다. 독음은 소(穌)와 후(后)의 반절이다.

**2192**

**瞢:** 瞢: **눈 맑을 앵·현혹할 영**: 目-총15획: **sōu**

原文

瞢: 惑也. 从目, 熒省聲. 戶扃切.

飜譯

'눈으로 현혹하다(惑)'라는 뜻이다. 목(目)이 의미부이고, 영(熒)의 생략된 모습이 소리부이다. 독음은 호(戶)와 경(扃)의 반절이다.

**2193**

**睉:** 睉: **눈이 작을 좌**: 目-총12획: **cuō**

原文

睉: 目小也. 从目坐聲. 昨禾切.

飜譯

'눈이 작다(目小)'라는 뜻이다. 목(目)이 의미부이고 좌(坐)가 소리부이다. 독음은 작(昨)과 화(禾)의 반절이다.

2194

**[seal]:** 眍: **눈 부라릴 알**: 目-총9획: wò

原文

[seal]: 捐目也. 从目、叉. 烏括切.

飜譯

'눈알을 제거하다(捐目)'라는 뜻이다. 목(目)과 조(叉)가 의미부이다. 독음은 오(烏)와 괄(括)의 반절이다.



2195

**[seal]:** 睇: **흘끗 볼 제**: 目-총12획: dì

原文

[seal]: 目小視也. 从目弟聲. 南楚謂眄曰睇. 特計切.

飜譯

'잠시 흘끗 보다(目小視)'라는 뜻이다. 목(目)이 의미부이고 제(弟)가 소리부이다. 남초(南楚) 지역에서는 '애꾸눈(眄)'을 제(睇)라고 한다. 독음은 특(特)과 계(計)의 반절이다.

2196

**[seal]:** 瞚: **눈 깜작일 순**: 目-총16획: shùn

原文

[seal]: 開闔目數搖也. 从目寅聲. 舒問切.

飜譯

'떴다 감았다 하면서 눈동자가 빨리 움직이는 것(開闔目數搖)'을 말한다. 목(目)이 의미부이고 인(寅)이 소리부이다. 독음은 서(舒)와 문(問)의 반절이다.

**2197**

**眙: 眙: 땅 이름 이·눈여겨볼 치: 目-총10획: yí**

原文

眙: 直視也. 从目台聲. 丑吏切.

飜譯

'똑바로 보다(直視)'라는 뜻이다. 목(目)이 의미부이고 태(台)가 소리부이다. 독음은 축(丑)과 리(吏)의 반절이다.

**2198**

**眝: 眝: 바라볼 저: 目-총10획: zhù**

原文

眝: 長眙也. 一曰張目也. 从目宁聲. 陟吕切.

飜譯

'오랫동안 쳐다보다(長眙)'라는 뜻이다. 일설에는 '눈을 크게 뜨다(張目)'라는 뜻이라고도 한다. 목(目)이 의미부이고 저(宁)가 소리부이다. 독음은 척(陟)과 려(吕)의 반절이다.

**2199**

**盻: 盻: 흘겨볼 혜: 目-총9획: xì**

原文

盻: 恨視也. 从目兮聲. 胡計切.

飜譯

'한스럽게 쳐다보다(恨視)'라는 뜻이다. 목(目)이 의미부이고 혜(兮)가 소리부이다. 독음은 호(胡)와 계(計)의 반절이다.

2200

**䀿: 䀿: 눈 흐릴 비: 目-총10획: fèi**

原文

䀿: 目不明也. 从目弗聲. 普未切.

飜譯

'눈이 흐리다(目不明)'라는 뜻이다. 목(目)이 의미부이고 불(弗)이 소리부이다. 독음은 보(普)와 미(未)의 반절이다.



2201

**瞼: 瞼: 눈꺼풀 검: 目-총18획: jiǎn**

原文

瞼: 目上下瞼也. 从目僉聲. 居奄切.

飜譯

'눈 아래위로 있는 꺼풀(目上下瞼)'을 말한다. 목(目)이 의미부이고 첨(僉)이 소리부이다. 독음은 거(居)와 엄(奄)의 반절이다. [신부]

2202

**眨: 眨: 눈 깜작일 잡·자: 目-총10획: zhǎ**

原文

眨: 動目也. 从目乏聲. 側洽切.

飜譯

'눈을 움직이다(動目)'라는 뜻이다. 목(目)이 의미부이고 핍(乏)이 소리부이다. 독음은 측(側)과 흡(洽)의 반절이다. [신부]

**2203**

**眭:** 眭: **움펑눈 휴**: 目-총11획: suī, guì, huì

原文

眭: 深目也. 亦人姓. 从目圭聲. 許規切.

飜譯

'깊이 들어간 눈(深目)'을 말한다. 또 사람의 성(姓)으로도 쓰인다. 목(目)이 의미부이고 규(圭)가 소리부이다. 독음은 허(許)와 규(規)의 반절이다. [신부]

**2204**

**䀏:** 眹: **눈동자 진**: 目-총11획: zhèn

原文

䀏: 目精也. 从目弚聲. 案: 勝字賸, 皆从朕聲. 疑古以朕爲眹. 直引切.

飜譯

'눈동자(目精)'를 말한다. 목(目)이 의미부이고 선(弚)이 소리부이다. 나(서개)의 생각은 이렇다. 승(勝)자나 승(賸)자 모두 짐(朕)으로 구성되었다. 아마도 옛날에는 짐(朕)을 진(眹)으로 썼을 것이다. 독음은 직(直)과 인(引)의 반절이다. [신부]

**2205**

**眸:** 眸: **눈동자 모**: 目-총11획: mào

原文

眸: 目童子也. 从目牟聲. 『說文』直作牟. 莫浮切.

飜譯

'눈의 동자(目童子)'를 말한다. 목(目)이 의미부이고 모(牟)가 소리부이다. 『설문』에서는 [목(目) 없이] 모(牟)로만 적었다. 독음은 막(莫)과 부(浮)의 반절이다. [신부]

**2206**

# 睚: 睚: 눈초리 애: 目-총13획: yá

原文

睚: 目際也. 从目、厓. 五隘切.

飜譯

'눈언저리(目際)'를 말한다. 목(目)과 애(厓)가 의미부이다. 독음은 오(五)와 애(隘)의 반절이다. [신부]

## 제100부수
## 100 ■ 구(䀠)부수

**2207**

**䀠: 䀠: 두리번거릴 구: 目-총10획: qú, jù**

原文

䀠: 左右視也. 从二目. 凡䀠之屬皆从䀠. 讀若拘. 又若良士瞿瞿. 九遇切.

飜譯

'좌우로 두리번거리며 보다(左右視)'라는 뜻이다. 두 개의 목(目)으로 구성되었다. 구(䀠)부수에 귀속된 글자는 모두 구(䀠)가 의미부이다. 구(拘)와 같이 읽는다. 또 『시·당풍·실솔(蟋蟀)』의 "양사구구(良士瞿瞿: 어진 사람을 경계하다)"라고 할 때의 구(瞿)와 같이 읽기도 한다.35) 독음은 구(九)와 우(遇)의 반절이다.

**2208**

**䀹: 䀹: 눈언저리 권: 目-총12획: juàn**

原文

䀹: 目圍也. 从䀠、厂. 讀若書卷之卷. 古文以爲醜字. 居倦切.

飜譯

'눈의 둘레(目圍)'를 말한다. 구(䀠)와 예(厂)가 의미부이다. 사권(書卷)이라고 할 때의 권(卷)과 같이 읽는다. 고문체에서는 추(醜)자로 사용했다.36) 독음은 거(居)와 권

35) 『단주』에서 이렇게 보충했다. "『시·제풍(齊風)』, 『시·당풍(唐風)』, 『예기·단궁(檀弓)』, 『예기·증자문(曾子問)·잡기(雜記)』, 『예기·옥조(玉藻)』 등에서 구(瞿)로 쓰기도 하고 또 구구(瞿瞿)로 쓰기도 했는데, 이들은 모두 구(䀠)의 가차자이다. 이후로 구(瞿)가 성행하면서 구(䀠)는 쓰이지 않게 되었다."

36) 서개의 『계전』에서는 추(醜)를 전(䩞)으로 적었으나, 단옥재는 이는 잘못이라고 했다.

(倦)의 반절이다.

**2209**

**䀠: 䀠: 흘겨 볼 구: 目-총13획: jū, jù, xì**

原文

䀠: 目衺也. 从䀠从大. 大, 人也. 舉朱切.

翻譯

'사팔뜨기 눈(目衺)'이라는 뜻이다. 구(䀠)가 의미부이고 대(大)도 의미부인데, 대(大)는 사람(人)을 뜻한다.[37] 독음은 거(舉)와 주(朱)의 반절이다.

제 4 권

37) 『단주』에서는 "大人也"가 아마도 잘못된 문장일 것이라고 하면서 이렇게 보충했다. "구(䀠)와 상(爽)과 석(奭)은 모두 같은 뜻이다. 구(䀠)와 상(爽)은 밝고 크다는 뜻이며(明大), 석(奭)은 성대하다는 뜻이다(盛大). 구(䀠)는 사팔뜨기 눈으로 음란하게 보는 것이 크다는 뜻이고(目衺淫視者大), 그래서 모두 대(大)로 구성된 회의자이다."

## 제101부수
## 101 ■ 미(眉)부수

**2210**

**𥃩: 眉: 눈썹 미: 目-총9획: méi**

原文

𥃩: 目上毛也. 从目, 象眉之形, 上象頟理也. 凡眉之屬皆从眉. 武悲切.

飜譯

'눈 위의 털 즉 눈썹(目上毛)'을 말한다. 목(目)이 의미부이다. 눈썹(眉)의 모양을 형상했는데, 윗부분은 이마에 난 주름살(頟理)을 그린 것이다.[38] 미(眉)부수에 귀속된 글자는 모두 미(眉)가 의미부이다. 독음은 무(武)와 비(悲)의 반절이다.

**2211**

**𥄉: 省: 살필 성: 目-총9획: xǐng, shěng**

原文

𥄉: 視也. 从眉省, 从屮. 所景切.

飜譯

'살피다(視)'라는 뜻이다. 미(眉)의 생략된 모습이 의미부이고, 또 철(屮)도 의미부이다.[39] 독음은 소(所)와 경(景)의 반절이다.

---

38) 고문자에서 甲骨文 金文 등으로 썼다. 눈(目)과 그 위로 난 눈썹을 사실적으로 그렸으며, 이로부터 눈썹을 뜻하게 되었다. 이후 다시 미인을 지칭하게 되었으며, 눈썹처럼 위쪽에 걸린 액자(題額·제액)를 뜻하기도 했고, 또 '위쪽'이라는 뜻까지 나왔다.

39) 고문자에서 甲骨文 金文 簡牘文 古璽文 등

으로 썼다. 少(적을 소)와 目(눈 목)으로 구성되어, 자세히 보지 않고(少) 대충대충 살핌(目)을 말하며, 이후 행정단위를 나타내기도 했다. 갑골문에서 눈(目)과 직선을 중심으로 좌우 방향이 더해진 시선을 그렸는데, 눈의 시선을 좌우로 돌려 두리번거리며 '살핌'을 말한다. 금문에서 시선을 그린 부분이 이후 生(날 생)으로 바뀌어 소리부가 되었고, 『설문해자』의 고문체에서부터 生이 少로 변해 지금의 자형이 되었다. 살피다는 뜻이나 행정단위를 나타낼 때에는 反省(반성)이나 省察(성찰)에서처럼 '성'으로, 省略(생략)의 의미로 쓰일 때에는 '생'으로 구분해 읽는다.

# 제102부수
## 102 ■ 순(盾)부수

2212

### 盾: 盾: 방패 순: 目-총9획: dùn

原文

盾: 瞂也. 所以扞身蔽目. 象形. 凡盾之屬皆从盾. 㡷, 古文从少从囧. 食問切.

飜譯

'방패(瞂)'를 말한다. 몸을 막고 눈을 숨기는 도구를 말한다(所以扞身蔽目).[40] 상형이다.[41] 순(盾)부수에 귀속된 글자는 모두 순(盾)이 의미부이다. 순(㡷)은 고문체인데, 소(少)도 의미부이고 경(囧)도 의미부이다. 독음은 식(食)과 문(問)의 반절이다.

2213

### 瞂: 瞂: 방패 벌: 目-총14획: fā

原文

瞂: 盾也. 从盾犮聲. 扶發切.

飜譯

'방패(盾)'를 말한다. 순(盾)이 의미부이고 발(犮)이 소리부이다. 독음은 부(扶)와 발(發)의 반절이다.

---

40) 『단주』에서 "몸을 막으므로 간(干)으로 구성되었고, 눈을 가리므로 목(目)으로 구성되었다."라고 했다.

41) 고문자에서 [고문자 자형]金文 [고문자 자형]簡牘文 등으로 썼다. 금문에서 방패로 눈(目)을 가린 모습을 그렸는데, 눈은 '얼굴'을 상징하며, 이로부터 '방패'를 뜻하게 되었다. 이후 방패처럼 생긴 물건이나 방패막이의 비유로도 쓰였다. 또 화폐 단위로 쓰여, 네덜란드의 길더(guilder), 인도네시아의 루피(Rupiah), 베트남의 동(Dong) 등을 말하기도 한다.

2214

**䤈: 䤈: 방패 잡이 규: 土-총15획: kuī**

原文

䤈: 盾握也. 从盾圭聲. 苦圭切.

飜譯

'방패에서 손으로 쥐는 부분(盾握)'을 말한다. 순(盾)이 의미부이고 규(圭)가 소리부이다. 독음은 고(苦)와 규(圭)의 반절이다.

## 제103부수
## 103 ■ 자(自)부수

**2215**

**自: 自: 스스로 자: 自-총6획: zì**

原文

自: 鼻也. 象鼻形. 凡自之屬皆从自. 𦣹, 古文自. 疾二切.

飜譯

'코(鼻)'를 말한다. 코의 모습을 형상했다.42) 자(自)부수에 귀속된 글자는 모두 자(自)가 의미부이다. 자(𦣹)는 자(自)의 고문체이다. 독음은 질(疾)과 이(二)의 반절이다.

**2216**

**𦣻: 𦣻: 보이지 않을 면: 自-총15획: mián**

原文

𦣻: 宮不見也. 闕. 武延切.

飜譯

'세밀하여 보이지 않다(宮不見)'라는 뜻이다.43) 왜 그런 뜻인지는 알 수 없다(闕).

---

42) 고문자에서 甲骨文 金文 古陶文 盟書 簡牘文 石刻古文 등으로 썼다. 코를 그렸는데, 앞에서 본 모습을 그렸다. 서양인들이 코를 그릴 때 주로 측면의 모습을 그리는 데 반해, 동양인들은 정면의 모습을 그리는 것이 전통이었다. 그것은 서양인들은 코가 높지만, 동양인들은 납작하기 때문이었을 것이다. 코는 후각 기관이자 숨을 내쉬는 기관이기에 自는 '냄새'나 '호흡'과 관련되어 있다. 코는 얼굴에서 개인적 차이가 가장 심한 부위이기에 개인을 대표하는 것으로 인식되었고, 여기에서 自己(자기), 自身(자신)이라는 뜻이, 自由(자유)는 물론 自然(자연·스스로 그러함)의 뜻까지 생겼다. 그러자 원래의 '코'는 소리부인 畀(줄 비)를 더해 鼻(코 비)로 분화했다. 중국인들이 자신을 가리킬 때 우리와는 달리 코를 손가락으로 가리키는 습관도 이와 관련된 듯 보인다.

독음은 무(武)와 연(延)의 반절이다.



43) 궁(宮)을 『단주』에서는 면면(宀宀)으로 적었다. 그리고 이렇게 말했다. "면면(宀宀)은 보이지 않는다는 뜻이다(不見也). 변(㝸)과 면(宀)은 첩운 관계이다. 면(宀)은 지붕을 교차되게 덮었다는 뜻인데(交覆屋也), 면면(宀宀)은 세밀한 모습을 말한다(密緻皃). 『모시(毛詩)』에서는 면면(緜緜)이라 했고, 『한시(韓詩)』에서는 민민(民民)이라 했는데 사실은 같은 뜻이다."

# 제104부수
## 104 ■ 백(白)부수

2217

**㿝: 㿝: 코 자: 白-총6획: zì**

原文

㿝: 此亦自字也. 省自者, 詞言之气, 从鼻出, 與口相助也. 凡㿝之屬皆从㿝. 疾二切.

新譯

'이 또한 자(自)자이다.'44) 자(自)의 생략된 모습으로, 말을 할 때 기운이 코로부터 나와서 입(口)과 서로 보조를 맞춘다는 뜻이다.45) 자(㿝)부수에 귀속된 글자는 모두 자(㿝)가 의미부이다. 독음은 질(疾)과 이(二)의 반절이다.

2218

**皆: 皆: 다 개: 白-총9획: jiē**

原文

皆: 俱詞也. 从比从㿝. 古諧切.

新譯

'총괄을 나타내는 말이다(俱詞).' 비(比)가 의미부이고 자(㿝)도 의미부이다.46) 독음

---

44) 이 글자는 지금의 해서체에서는 백(白)과 같지만, 설명대로 자(自)의 변형이다. 그래서 '백'이 아닌 '자'로 읽어야 한다. 백(白)은 전서체로 白으로 되었고『설문』제7편(하)에 실렸다.

45)『단주』에서 이렇게 말했다. "말은 입에서 나오고 기운은 토에서 나와, 입과 코가 서로 도와주므로 이 글자의 윗부분은 자(自)의 생략형이고, 아랫부분은 입모양으로 구성되었다. 따라서 자(自)와 같이 발음한다."

46) 고문자에서 [金文 자형] 金文 [古陶文 자형] 古陶文 [簡牘文 자형] 簡牘文 등으로 썼다. 지금은 比(견줄 비)와 白(흰 백)의 결합이나, 원래는 白이 自(스스로 자, 鼻의 원래 글자)로 되어 있었다. 그래서 皆는 코(自)를 나란히 하여(比) 함께 숨을 쉬다는 의미로, 숨을 같이 쉬며 운명을 함께

은 고(古)와 해(諧)의 반절이다.

**2219**

魯: 魯: **노둔할 로**: 魚–**총15획**: **lǔ**

原文

魯: 鈍詞也. 从白羨省聲. 『論語』曰: "參也魯." 郎古切.

飜譯

'느리고 둔함을 나타내는 말이다(鈍詞).' 자(白)가 의미부이고, 자(羨)의 생략된 모습이 소리부이다.47)48) 『논어·선진(先進)』에서 "증삼아, 노둔하기도 하여라.(參也魯)"라고 하였다. 독음은 랑(郎)과 고(古)의 반절이다.

**2220**

者: 者: **놈 자**: 老–**총9획**: **zhě**



---

나누는 것을 말한다. 이로부터 '모두'나 '전부' 등의 뜻이 생겼다. 대부분의 현대 옥편에서는 皆를 白부수에 귀속시켰지만, 자원을 고려하면 현대 중국의 『新華字典(신화자전)』처럼 比부수에 귀속시키는 것이 더 옳아 보인다.

47) 고문자에서 甲骨文 金文 古陶文 簡牘文 古璽文 등으로 썼다. 원래 魚(고기 어)와 口(입 구)로 이루어져, 생선(魚)의 맛(口)을 상징적으로 표현했고 이로부터 '훌륭하다'는 뜻이 나왔다. 이후 우둔하다, 멍청하다의 뜻도 나오게 되었는데, 이는 훌륭하다는 뜻과는 대칭되는 의미로, 고대 중국에서 자주 보이는 反訓(반훈·서로 대칭되는 의미가 한 글자 속에 같이 든 경우)의 결과로 보인다. 또 지금의 산동성 지역을 지칭하기도 하였는데, 이는 가차 의미로 보는 것이 일반적이다. 하지만, 그곳은 공자의 고향으로 유명한 魯나라가 있던 곳이고, 황하 유역에서 유일하게 해안과 접해 신선한 해산물이 많이 생산되던 '훌륭한' 곳이었기 때문에 그런 뜻이 담기게 되었다는 풀이도 참조할 만하다. 간화자에서는 鲁로 줄여 쓴다.

48) 『단주』에서는 "从白羨省聲"을 "从白魚聲"으로 고쳤다. 그리고 이렇게 말했다. "내 생각에, 자(羨)는 차(差)의 생략된 모습이 소리부인데, 고음(古音) 제17부에 속하는데, 오늘날의 가(歌)와 마(麻)운에 속한다. 그러나 로(魯)자는 고음이나 금음 모두 제5부에 속한다. 그리고 로(簪)와 로(櫓)자는 모두 해(鱭)성(聲)에 속하고, 고문에서는 려(旅)를 로(魯)로 사용했다. 그렇다면 자(羨)는 천한 이들이 제멋대로 고친 결과이다. 그래서 지금 바로 잡는다."

原文

𥅱: 別事詞也. 从白㫃聲. 㫃, 古文旅字. 之也切.

飜譯

'사물을 구별하는 말이다(別事詞).' 자(白)가 의미부이고 려(㫃)가 소리부이다.[49] 려(㫃)는 고문체에서 여(旅)자이다. 독음은 지(之)와 야(也)의 반절이다.

**2221**

**𣌭: 𠷎: 누구 주: 白-총19획: chóu**

原文

𣌭: 詞也. 从白𠷎聲. 𠷎與疇同. 『虞書』: "帝曰: 𣌭咨." 直由切.

飜譯

'어기를 나타내는 말이다(詞也).' 자(白)가 의미부이고 주(𠷎)가 소리부이다. 주(𠷎)는 주(疇)와 같은 글자이다. 『우서(虞書)』(「요전(堯典)」)에 "요 임금께서 말씀하셨다. 아아! [그대들 희씨와 화씨여……이들의 공적이 빛나도록 해주시오.](帝曰: 𣌭咨.)"라는 말이 있다. 독음은 직(直)과 유(由)의 반절이다.

**2222**

**𥏼: 𥏼: 슬기 지: 矢-총16획: zhì**

原文

𥏼: 識詞也. 从白从亏从知. 𥎿, 古文𥏼. 知義切.

49) 고문자에서 [古文字形]金文 [古文字形]古陶文 [古文字形]簡牘文 [古文字形]帛書 등으로 썼다. 금문에서 솥에다 콩(叔·숙)을 삶는 모습을 그렸는데, 이후 윗부분의 콩이 耂(老·늙을 노)로, 아랫부분의 솥이 曰(가로 왈)로 변해 지금의 자형으로 되었으며, '삶다'가 원래 뜻이다. 하지만, 이후 '…하는 사람'이나 '…하는 것'의 의미로 가차되어 쓰였고, 그러자 원래 뜻은 火(불 화)를 더한 煮(삶을 자)를 만들어 분화했다.

飜譯

'지혜로움을 나타내는 말이다(識詞也).' 자(𣅀)가 의미부이고 우(亐)도 의미부이며 지(知)도 의미부이다.[50] 지(𥏼)는 지(𥎿)의 고문체이다. 독음은 지(知)와 의(義)의 반절이다.

**2223**

**𦣻: 百: 일백 백: 白-총6획: bǎi**

原文

𦣻: 十十也. 从一、𣅀. 數, 十百爲一貫. 相章也. 𦣻, 古文百从自. 博陌切.

飜譯

'열의 열 배, 즉 일백(十十)'을 말한다. 일(一)과 자(𣅀)가 의미부이다. 숫자에서 [10이 10개 되면 1백이라 외치고] 1백이 10개 되면 1관(貫)이라고 알린다.[51][52] 이렇게 되면 [1백과 1천이] 분명하게 드러나 서로 혼동되지 않는다. 백(𦣻)은 백(百)의 고문체인데, 자(自)로 구성되었다. 독음은 박(博)과 맥(陌)의 반절이다.

---

50) 口(입 구)가 의미부고 矢(화살 시)가 소리부로, '알다'는 뜻인데, 화살(矢)이 과녁을 꿰뚫듯 상황을 날카롭게 판단하고 의중을 정확하게 꿰뚫어 말(口)할 수 있는 능력이 '지식'에서 나옴을 그렸다. 여기서 파생된 智(슬기 지)는 그러한 지식(知)이 세월(日·일)을 지나야만 진정한 '지혜'로 변함을 잘 보여준다.

51) 『단주』에서는 "數"와 "十百爲一貫." 사이에 『운회(韵會)』에 근거해 볼 때 "十十爲一百, 百白也.(10이 열 개가 되면 1백이라고 고하는데, 百은 알리다(白)라는 뜻이다.)"가 빠졌다고 하여 보충했다. 그리고 이렇게 말했다. "백(白)은 알리다는 뜻이다(告白也). 여기서는 알리다는 뜻을 따랐다(从白之意). 그래서 숫자가 1백에 이르면 관리하던 사람이 다른 사람들에게 ('1백이요'라고) 알린다.(數長於百, 可以𧫷言白人也.)"

52) 옛날에는 동전을 꿰어 사용했는데, 1천개를 1꿰미(貫)라 했다.

## 제105부수
## 105 ■ 비(鼻)부수

**2224**

### 鼻: 鼻: 코 비: 鼻-총14획: bí

原文

鼻: 引气自畀也. 从自、畀. 凡鼻之屬皆从鼻. 父二切.

飜譯

'기운을 끌어들여 자신에게 도움을 주는 기관(引气自畀)'을 말한다.[53] 자(自)와 비(畀)가 의미부이다.[54] 비(鼻)부수에 귀속된 글자는 모두 비(鼻)가 의미부이다. 독음은 부(父)와 이(二)의 반절이다.

---

53) 『단주』에서는 '소이(所以)'라는 2자를 보충해야 한다고 했다. 그것은 구(口)자에 대해서 '음식을 먹는 기관이다(所以言食也)'라고 했고, 설(舌)자에 대해서 '말하고 맛을 구별하는 기관이다(所以言別味也)'라고 한 예에 근거해 볼 때 그렇게 한다고 했다. 그리고 이어서 이렇게 말했다. "『노자주(老子注)』에서도 '하늘은 사람들에게 다섯 가지 기운으로 먹이는데, 그것은 코로부터 들어온다. 또 땅은 사람들에게 다섯 가지 맛으로 먹이는데, 그것은 입으로부터 들어온다.(天食人以五氣, 从鼻入, 地食人以五味, 从口入.)'라고 하였고, 『백호통(白虎通)』에서도 「원명포(元命苞)」를 인용하여 '코는 폐가 부리는 바이다(鼻者肺之使)'라고 하였다. 내 생각에는, 코에서 들숨과 날숨이 서로 타고 들면서 무궁한 곳으로부터 기운을 끌어 들인다.(按鼻一呼一吸相乘除. 而引氣於無竆.) 자(自)는 지금 사람들이 자가(自家·자기 자신)라고 할 때의 자(自)와 같이 읽는다. 자(自)는 본래 뜻이 코(鼻)였는데, 이후 자기 자신(自家)이라는 뜻으로 파생되었다."

54) 고문자에서 鼻 鼻 鼻簡牘文 등으로 썼다. 코를 그린 自(스스로 자)와 소리부인 畀(줄 비)로 구성된 형성자로, 自가 원래 의미인 '코'를 나타내지 못하고 일인칭 대명사로 쓰이게 되자 소리부를 더하여 분화한 글자이다. 그렇게 본다면 鼻는 이미 두 개의 글자가 합쳐져 만들어진 합성자에 해당하기 때문에 더는 분리될 수 없는 최소의 단위가 부수임을 고려할 때, 이는 부수로 세워져서는 아니 될 글자인데도 214부수로 설정되었다. 鼻는 鼻祖(비조)에서처럼 '시초'나 '처음'이라는 뜻을 갖는데, 『正字通(정자통)』에 의하면 태 안에서 일정 정도 자라서 나오는 "태생 동물은 코의 형태부터 먼저 형성되기 때문에 鼻祖라는 말이 생겼다."라고 했다. 鼻로 구성된 글자는 많지 않지만 모두 '코'와 관련된 의미를 갖는다.

2225

**齅: 齅: 냄새 맡을 후: 鼻-총24획: xiù**

原文

齅: 以鼻就臭也. 从鼻从臭, 臭亦聲. 讀若畜牲之畜. 許救切.

飜譯

'코로 냄새를 맡다(以鼻就臭)'라는 뜻이다. 비(鼻)가 의미부이고 취(臭)도 의미부인데, 취(臭)는 소리부도 겸한다. 축생(畜牲)의 축(畜)과 같이 읽는다.[55] 독음은 허(許)와 구(救)의 반절이다.

2226

**鼾: 鼾: 코 골 한: 鼻-총17획: hān**

原文

鼾: 臥息也. 从鼻干聲. 讀若汗. 矦幹切.

飜譯

'잠 잘 때의 숨소리(臥息)'라는 뜻이다.[56] 비(鼻)가 의미부이고 간(干)이 소리부이다. 한(汗)과 같이 읽는다. 독음은 후(矦)와 간(幹)의 반절이다.

2227

**鼽: 鼽: 코 막힐 구: 鼻-총16획: qiú**

原文

55) 『단주』에서는 "讀若畜牲心畜(畜牲心의 畜와 같이 읽는다)"라 고치고서는 각 판본에서 축(畜)을 적은 것은 수(嘼)의 잘못이라 하였다.

56) 『단주』에서 이렇게 보충했다. "식(息)은 코의 숨소리를 말한다(鼻息也). 『광운(廣韵)』에서 잠 잘 때 내는 격한 소리를 말한다(臥氣激聲)."

鼽: 病寒鼻窒也. 从鼻九聲. 巨鳩切.

'찬바람을 맞아 코가 막히는 병(病寒鼻窒)'을 말한다. 비(鼻)가 의미부이고 구(九)가 소리부이다. 독음은 거(巨)와 구(鳩)의 반절이다.

**2228**

**齂**: 齂: **누워 숨 쉴 희**: 鼻-총22획: huì, huì

齂: 臥息也. 从鼻隶聲. 讀若虺. 許介切.

'잠 잘 때의 숨소리(臥息)'라는 뜻이다. 비(鼻)가 의미부이고 이(隶)가 소리부이다. 훼(虺)와 같이 읽는다. 독음은 허(許)와 개(介)의 반절이다.

## 제106부수
## 106 ■ 벽(皕)부수

**2229**

**皕**: 皕: **이백 벽**: 白-**총12획**: **bì**

原文

皕: 二百也. 凡皕之屬皆从皕. 讀若祕. 彼力切.

飜譯

'2백(二百)'을 말한다. 벽(皕)부수에 귀속된 글자는 모두 벽(皕)이 의미부이다. 비(祕)와 같이 읽는다.57) 독음은 피(彼)와 력(力)의 반절이다.

**2230**

**奭**: 奭: **클 석**: 大-**총15획**: **shì**

原文

奭: 盛也. 从大从皕, 皕亦聲. 此燕召公名. 讀若郝. 『史篇』名醜. 奭, 古文奭. 詩亦切.

飜譯

'성대하다(盛)'라는 뜻이다. 대(大)가 의미부이고 벽(皕)도 의미부인데, 벽(皕)은 소리부도 겸한다.58) 이는 연(燕)나라 소공(召公)의 이름이기도 하다. 학(郝)과 같이 읽는

57) 『단주』에서는 비(祕)가 핍(逼)이 되어야 한다고 하면서, "讀若逼"으로 고쳤다. 그리고 이렇게 설명했다. "『오경문자(五經文字)』에 의하면 벽(皕)의 독음은 핍(逼)이다. 『광운(廣韵)』에서는 피(彼)와 측(側)의 반절이라고 하면서, 지(至) 운에 수록하지는 않았다. 이인보(李仁甫)의 『오음운병목록(五音韵譜目錄)』에서도 핍(逼)과 같이 읽는다고 했고, 원 주석에서 피(彼)와 력(力)의 반절음이라고 했는데, 모두가 옛날의 독음에 근거한 것이다."

58) 고문자에서 甲骨文 古陶文 簡牘文 등으로 썼다. 大(큰 대)

다. 『사편(史篇)』[59]에서 그의 이름이 추(醜)라고 했다. 석(奭)은 석(奭)의 고문체이다. 독음은 시(詩)와 역(亦)의 반절이다.

와 皕(이백 벽)으로 구성되어, '백(百)'이 둘 중복된 이백(皕)이라는 숫자처럼 크다(大)는 뜻을 그렸다. 갑골문에서는 '배우자'라는 뜻으로도 쓰였는데, 위대한(奭) 존재라는 의미를 담았다.

59) 서개의 『계전』에서 "『사편』은 사주가 지은 『창힐』 15편을 말한다."라고 했다.

## 제107부수
## 107 ■ 습(習)부수

**2231**

習: 習: **익힐 습**: 羽-**총11획**: **xí**

原文

習: 數飛也. 从羽从白. 凡習之屬皆从習. 似入切.

飜譯

'자주 날개 짓을 하다(數飛)'라는 뜻이다.60) 우(羽)가 의미부이고 백(白)도 의미부이다.61)62) 습(習)부수에 귀속된 글자는 모두 습(習)이 의미부이다. 독음은 사(似)와 입(入)의 반절이다.

**2232**

翫: 翫: **가지고 놀 완**: 羽-**총15획**: **wán**

原文

翫: 習猒也. 从習元聲. 『春秋傳』曰: "翫歲而愒日." 五換切.

飜譯

---

60) 여기서의 수(數)는 '삭'으로 읽어야 하며, '자주 날다'는 뜻이다.

61) 『단주』에서는 "从羽白聲(羽가 의미부이고 白이 소리부이다)"로 고쳤다. 허신이 의미부로 본 백(白)은 자(自)의 변형이 가능성이 크다.

62) 고문자에서 甲骨文 簡牘文 古璽文 등으로 썼다. 원래 羽(깃 우)와 日(날 일)로 구성되어, '익히다'가 원래 뜻인데, 어린 새가 오랜 세월(日) 동안 반복해 날갯짓(羽)을 '익히는' 모습으로부터 반복 學習(학습)과 중복의 의미를 그렸다. 이후 日이 白(흰 백)으로 변해 지금처럼 되었는데, 白은 自(스스로 자 鼻의 원래 글자)의 잘못으로 보인다. 그렇다면 '스스로(自) 배우는 날갯짓(羽)'으로부터 자발적인 학습의 중요성을 강조한 것으로 해석될 수도 있다. 간화자에서는 白을 생략하고 羽의 한쪽만 남겨 习으로 쓴다.

'만족할 때까지 익히다(習猒)'라는 뜻이다. 습(習)이 의미부이고 원(元)이 소리부이다. 『춘추전』(『좌전』 소공 원년, B.C. 541)에서 "세월 흘러감이 일상적인 것이긴 하지만 날이 짧음을 한탄한다(翫歲而愒日)"라는 말이 있다. 독음은 오(五)와 환(換)의 반절이다.

## 제108부수
## 108 ■ 우(羽)부수

2233

**羽: 羽: 깃 우: 羽-총6획: yǔ**

原文

羽: 鳥長毛也. 象形. 凡羽之屬皆从羽. 王矩切.

飜譯

'새의 긴 깃털(鳥長毛)'을 말한다. 상형이다.[63] 우(羽)부수에 귀속된 글자는 모두 우(羽)가 의미부이다. 독음은 왕(王)과 구(矩)의 반절이다.

2234

**翨: 翨: 칼깃 시: 羽-총15획: shì, jì**

原文

翨: 鳥之彊羽猛者. 从羽是聲. 俱豉切.

飜譯

'새 중에서 무서운 새의 강한 깃(鳥之彊羽猛者)'을 말한다. 우(羽)가 의미부이고 시(是)가 소리부이다. 독음은 구(俱)와 시(豉)의 반절이다.

---

63) 고문자에서 甲骨文 金文 簡牘文 등으로 썼다. 깃촉(羽莖·우경)과 털이 갖추어진 깃털을 그렸으며, 이로부터 깃, 날개, 친구 등의 뜻이 나왔으며 五音(오음)의 하나를 지칭하기도 한다. "날짐승의 털을 羽, 길짐승의 털을 毛(털 모)라 한다."라는 말처럼, 새의 깃털은 날 수 있는 날개이자 자신을 뽐내는 수컷의 상징물이었으며, 활이나 붓을 만드는 재료가 되기도 했다.

**2235**

**翰: 翰: 날개 한: 羽-총16획: hàn**

原文

翰: 天雞赤羽也. 从羽倝聲. 『逸周書』曰: "大翰, 若翬雉, 一名鷐風. 周成王時蜀人獻之." 侯幹切.

飜譯

'신화에 나오는 천계의 붉은 깃(天雞赤羽)'을 말한다.64) 우(羽)가 의미부이고 간(倝)이 소리부이다. 『일주서(逸周書)』(「왕회(王會)」)에서 "대한(大翰)은 휘치(翬雉) 즉 금계와 비슷한데, 달리 신풍(鷐風)이라고도 한다. 주(周)나라 성왕(成王) 때 촉(蜀)나라에서 헌상되었다."라고 했다. 독음은 후(侯)와 간(幹)의 반절이다.

**2236**

**翟: 翟: 꿩 적: 羽-총14획: dí**

原文

翟: 山雉尾長者. 从羽从隹. 徒歷切.

飜譯

'꼬리가 긴 꿩(山雉尾長者)'을 말한다.65) 우(羽)가 의미부이고 추(隹)도 의미부이다.66) 독음은 도(徒)와 력(歷)의 반절이다.

---

64) 천계(天雞)는 중국 신화에 나오는 하늘에 산다는 꿩을 말한다. 남조(南朝) 양(梁)나라 임방(任昉)의 『술이기(述異記)』(권하)에 이렇게 기술되어 있다. "동남쪽에 도도산(桃都山)이 있고, 그 산 정상에 큰 나무가 있는데 '도도(桃都)'라고 한다. 가지 사이가 3천리나 벌어져 있으며, 그 위에 천계(天雞)가 산다. 해가 뜰 때 나와서 이 나무를 비추고, 천계(天雞)가 울면 세상의 모든 닭들이 따라서 운다." 사천성 삼성퇴(三星堆) 유적 제2고 제사 갱에서 청동 꿩이 출토되었는데, 이 신화에 나오는 천계의 형상으로 보기도 한다.

65) 『단주』에서는 "山雉也, 尾長."으로 고쳤고, 『이아·석조(釋鳥)』에서 말한 "적(翟)은 산 꿩을 말한다(山雉)"와 곽박의 주에서 말한 "꼬리가 긴 꿩이다(長尾者)라는 말은 인용했다.

66) 고문자에서 翟 金文 등으로 썼다. 羽(깃 우)와 隹(새 추)로 구성되어, 꿩을 말하는데, 멋진 깃털(羽)을 가진 새(隹)라는 의미를 담았다.

**2237**

**翡: 翡: 물총새 비: 羽-총14획: fěi**

原文

翡: 赤羽雀也. 出鬱林. 从羽非聲. 房味切.

飜譯

'붉은 깃을 가진 참새(赤羽雀)'를 말한다. 울창한 숲에 산다. 우(羽)가 의미부이고 비(非)가 소리부이다. 독음은 방(房)과 미(味)의 반절이다.

**2238**

**翠: 翠: 물총새 취: 羽-총14획: cuì**

原文

翠: 青羽雀也. 出鬱林. 从羽卒聲. 七醉切.

飜譯

'푸른 깃을 가진 참새(青羽雀)'를 말한다. 울창한 숲에 산다. 우(羽)가 의미부이고 졸(卒)이 소리부이다. 독음은 칠(七)과 취(醉)의 반절이다.

**2239**

**翦: 翦: 자를 전: 羽-총15획: jiǎn**

原文

翦: 羽生也. 一曰矢羽. 从羽前聲. 即淺切.

飜譯

'새의 깃이 새로 나다(羽生)'라는 뜻이다. 일설에는 '화살의 깃(矢羽)'[67]을 말한다고도

67) 뉴수옥의 『교록』에 의하면, 시(矢)는 시(矢)의 잘못된 표기라고 했다.

한다. 우(羽)가 의미부이고 전(前)이 소리부이다. 독음은 즉(卽)과 천(淺)의 반절이다.

**2240**

**翁: 翁: 늙은이 옹: 羽-총10획: wēng**

原文

翁: 頸毛也. 从羽公聲. 烏紅切.

飜譯

'새 목덜미의 깃털(頸毛)'을 말한다. 우(羽)가 의미부이고 공(公)이 소리부이다.[68] 독음은 오(烏)와 홍(紅)의 반절이다.

**2241**

**翄: 翄: 날개 시: 羽-총10획: chì**

原文

翄: 翼也. 从羽支聲. 翍, 翄或从氏. 施智切.

飜譯

'새의 날개(翼)'를 말한다. 우(羽)가 의미부이고 지(支)가 소리부이다. 시(翍)는 시(翄)의 혹체자인데, 씨(氏)로 구성되었다. 독음은 시(施)와 지(智)의 반절이다.

**2242**

**翮: 翮: 날개 객: 羽-총15획: gé**

原文

翮: 翅也. 从羽革聲. 古翮切.

68) 羽(깃 우)가 의미부고 公(공변될 공)이 소리부로, 羽는 화려한 깃을 가진 '수컷'을 公은 남성을 상징하여 '아버지'를 지칭했고, 이후 나이 든 사람이나 남자에 대한 존칭으로 의미가 확대되었다.

飜譯

'새의 날개(翅)'를 말한다. 우(羽)가 의미부이고 혁(革)이 소리부이다. 독음은 고(古)와 핵(翮)의 반절이다.

2243

**翹: 翹: 꼬리 긴 깃털 교: 羽-총18획: qiáo**

原文

翹: 尾長毛也. 从羽堯聲. 渠遙切.

飜譯

'새 꼬리의 긴 깃털(尾長毛)'이라는 뜻이다. 우(羽)가 의미부이고 요(堯)가 소리부이다. 독음은 거(渠)와 요(遙)의 반절이다.

2244

**翭: 翭: 깃촉 후: 羽-총15획: hóu**

原文

翭: 羽本也. 一曰羽初生皃. 从羽侯聲. 乎溝切.

飜譯

'새 깃의 뿌리(羽本)'를 말한다. 일설에는 '깃이 처음 자라나는 모습(羽初生皃)'을 말한다고도 한다. 우(羽)가 의미부이고 후(侯)가 소리부이다. 독음은 호(乎)와 구(溝)의 반절이다.

2245

**翮: 翮: 깃촉 핵: 羽-총16획: hé**

原文

翮: 羽莖也. 从羽鬲聲. 下革切.

飜譯

'새 깃의 줄기(羽莖)'를 말한다. 우(羽)가 의미부이고 력(鬲)이 소리부이다. 독음은 하(下)와 혁(革)의 반절이다.

**2246**

**翑: 翑: 깃 굽을 구: 羽-총11획: qú, yù**

原文

翑: 羽曲也. 从羽句聲. 其俱切.

飜譯

'새 깃의 굽은 부분(羽曲)'을 말한다. 우(羽)가 의미부이고 구(句)가 소리부이다. 독음은 기(其)와 구(俱)의 반절이다.

**2247**

**羿: 羿: 제후의 이름 예: 羽-총12획: yì**

原文

羿: 羽之羿風. 亦古諸侯也. 一曰射師. 从羽幵聲. 五計切.

飜譯

'새가 깃을 펴 바람을 타고 올라가다(羽之羿風)'라는 뜻이다. 또 옛날의 제후(諸侯)를 말한다. 일설에는 '활쏘기를 관장하는 책임관(射師)[69]'을 말한다고도 한다. 우(羽)가 의미부이고 견(幵)이 소리부이다. 독음은 오(五)와 계(計)의 반절이다.

69) 『일주서(逸周書)·대무해(大武解)』에서는 이렇게 말했다. "육려(六厲)를 보면, 첫째 인(仁)인데 이로써 행동(行)을 닦게 하고, 둘째 지(智)인데 이로써 도(道)를 닦게 하고, 셋째 무(武)인데 이로써 용(勇)을 닦게 하고, 넷째 사(師)인데 이로써 사(士)를 닦게 하고, 다섯째 교정(校正)인데 이로써 어(禦)를 닦게 하고, 여섯째 사사(射師)인데 이로써 오(伍)를 닦게 한다."라고 했다. 주우증(朱右曾)의 『교석(校釋)』에서 "사사(射師)는 주사(主射)를 말한다. 그래서 대오를 연마시킨다."라고 했다.

**2248**

**䎅: 翥: 날아오를 저: 羽-총15획: zhù**

原文

翥: 飛舉也. 从羽者聲. 章庶切.

飜譯

'새가 날아오르다(飛舉)'라는 뜻이다.70) 우(羽)가 의미부이고 자(者)가 소리부이다. 독음은 장(章)과 서(庶)의 반절이다.

**2249**

**翕: 翕: 합할 흡: 羽-총12획: xī**

原文

翕: 起也. 从羽合聲. 許及切.

飜譯

'새가 날다(起)'라는 뜻이다. 우(羽)가 의미부이고 합(合)이 소리부이다. 독음은 허(許)와 급(及)의 반절이다.

**2250**

**翾: 翾: 파뜩파뜩 날 현: 羽-총19획: xuān**

原文

翾: 小飛也. 从羽睘聲. 許緣切.

飜譯

'새가 가볍게 날다(小飛)'라는 뜻이다. 우(羽)가 의미부이고 경(睘)이 소리부이다. 독음은 허(許)와 연(緣)의 반절이다.

---

70) 왕균의 『구두』에 의하면, "땅으로부터 처음 날아오를 때를 말한다"라고 했다.

**2251**

**翬: 翬: 훨훨 날 휘: 羽-총15획: huí**

原文

翬: 大飛也. 从羽軍聲. 一曰伊、雒而南, 雉五采皆備曰翬. 『詩』曰: "如翬斯飛." 許歸切.

飜譯

'새가 세차게 날다(大飛)'라는 뜻이다. 우(羽)가 의미부이고 군(軍)이 소리부이다. 일설에는 '이수(伊)와 낙수(雒)의 남쪽 지역에 사는 다섯 가지 색을 모두 갖춘 꿩'을 휘(翬)라고도 한다. 『시·소아·사간(斯干)』에서 "오색 꿩이 나는 듯 아름답네(如翬斯飛)"라고 노래했다. 독음은 허(許)와 귀(歸)의 반절이다.

**2252**

**翏: 翏: 높이 날 료: 羽-총11획: liù**

原文

翏: 高飛也. 从羽从㐱. 力救切.

飜譯

'새가 높이 날다(高飛)'라는 뜻이다. 우(羽)가 의미부이고 진(㐱)도 의미부이다. 독음은 력(力)과 구(救)의 반절이다.

**2253**

**翩: 翩: 빨리 날 편: 羽-총15획: piān**

原文

翩: 疾飛也. 从羽扁聲. 芳連切.

飜譯

'새가 빠르게 날다(疾飛)'라는 뜻이다. 우(羽)가 의미부이고 편(扁)이 소리부이다. 독음은 방(芳)과 련(連)의 반절이다.

**2254**

翜: 翜: **빨리 날 삽**: 羽-총13획: **shà**

原文

翜: 捷也. 飛之疾也. 从羽夾聲. 讀若濇. 一曰俠也. 山洽切.

飜譯

'민첩하다(捷)'라는 뜻이다. 나는 동작이 빠르다(飛之疾)는 뜻이다. 우(羽)가 의미부이고 협(夾)이 소리부이다. 색(濇)과 같이 읽는다. 일설에는 '호협하다(豪俠: 호방하고 의협심이 있다)'는 뜻이라고도 한다. 독음은 산(山)과 흡(洽)의 반절이다.

**2255**

翊: 翊: **도울 익**: 羽-총11획: **yì**

原文

翊: 飛皃. 从羽立聲. 與職切.

飜譯

'새가 나는 모양(飛皃)'을 말한다. 우(羽)가 의미부이고 입(立)이 소리부이다. 독음은 여(與)와 직(職)의 반절이다.

**2256**

翕: 翕: **성하게 나는 모양 탑**: 羽-총10획: **tà**

原文

翕: 飛盛皃. 从羽从冃. 土盍切.

飜譯

'새가 무리지어 나는 모습(飛盛皃)'을 말한다. 우(羽)가 의미부이고 모(冃)도 의미부이다. 독음은 토(土)와 합(盍)의 반절이다.

**2257**

**翄: 翄: 힘차게 나는 모양 치: 羽-총10획: chī**

原文

翄: 飛盛皃. 从羽之聲. 侍之切.

飜譯

'새가 무리지어 나는 모습(飛盛皃)'을 말한다.[71] 우(羽)가 의미부이고 지(之)가 소리부이다. 독음은 시(侍)와 지(之)의 반절이다.

**2258**

**翱: 翱: 날 고: 羽-총16획: áo**

原文

翱: 翱翔也. 从羽皋聲. 五牢切.

飜譯

'새가 선회하며 날다(翱翔)'라는 뜻이다. 우(羽)가 의미부이고 고(皋)가 소리부이다. 독음은 오(五)와 뢰(牢)의 반절이다.

**2259**

**翔: 翔: 빙빙 돌아 날 상: 羽-총12획: xiáng**

原文

翔: 回飛也. 从羽羊聲. 似羊切.

---

71) 『단주』에서는 "飛盛皃"를 "羽盛皃也"라고 하여, '날개 짓이 성한 모습'으로 풀이했다.

譯解

'새가 빙빙 회전하며 날다(回飛)'라는 뜻이다. 우(羽)가 의미부이고 양(羊)이 소리부이다. 독음은 사(似)와 양(羊)의 반절이다.

**2260**

**䎍: 䎍: 날개 치는 소리 홰: 羽-총19획: huì**

原文

䎍: 飛聲也. 从羽歲聲. 『詩』曰: "鳳皇于飛, 䎍䎍其羽." 呼會切.

譯解

'새가 날 때 나는 소리(飛聲)'를 말한다. 우(羽)가 의미부이고 세(歲)가 소리부이다. 『시·대아·권아(卷阿)』에서 "봉황새가 날아감에, 날개를 펄렁이네.(鳳皇于飛, 䎍䎍其羽.)"라고 노래했다. 독음은 호(呼)와 회(會)의 반절이다.

**2261**

**翯: 翯: 함치르르할 학: 羽-총16획: hè**

原文

翯: 鳥白肥澤皃. 从羽高聲. 『詩』云: "白鳥翯翯." 胡角切.

譯解

'새가 깨끗하고 살이 붙어 반지르르한 모습(鳥白肥澤皃)'을 말한다. 우(羽)가 의미부이고 고(高)가 소리부이다. 『시·대아·영대(靈臺)』에서 "백조는 깨끗하고 희기도 하네(白鳥翯翯)"라고 노래했다. 독음은 호(胡)와 각(角)의 반절이다.

**2262**

**䍿: 䍿: 깃춤 황: 羽-총10획: huáng**

原文

翌: 樂舞. 以羽翿自翳其首, 以祀星辰也. 从羽王聲. 讀若皇. 胡光切.

飜譯

‘악무(樂舞)’를 말하는데, 깃으로 목 부위를 덮고 춤을 추면서 별의 신에게 제사를 지내는 춤을 말한다.[72] 우(羽)가 의미부이고 왕(王)이 소리부이다. 황(皇)과 같이 읽는다. 독음은 호(胡)와 광(光)의 반절이다.

**2263**

**翇: 翇: 깃 춤 불: 羽-총11획: fú**

原文

翇: 樂舞. 執全羽以祀社稷也. 从羽犮聲. 讀若紱. 分勿切.

飜譯

‘악무(樂舞)’를 말하는데, 온전한 깃을 들고 사직 신에게 제사를 드리는 춤을 말한다. 우(羽)가 의미부이고 발(犮)이 소리부이다. 불(紱)과 같이 읽는다. 독음은 분(分)과 물(勿)의 반절이다.

**2264**

**翿: 翿: 깃 일산 도: 羽-총20획: dào**

原文

翿: 翳也. 所以舞也. 从羽䶇聲. 『詩』曰: “左執翿.” 徒到切.

飜譯

‘깃으로 만든 일산(翳)’을 말한다. 춤을 추는데 사용한다. 우(羽)가 의미부이고 수(䶇)가 소리부이다. 『시·왕풍·군자양양(君子陽陽)』에서 “왼 손에 새 깃 집어 들고(左執翿)”라고 노래했다. 독음은 도(徒)와 도(到)의 반절이다.

72) 『주례·지관·무사(舞師)』에 대한 정현(鄭玄) 주석에서 정사농(鄭司農·鄭衆)의 말을 인용하여, “황무(皇舞)는 몽우무(蒙羽舞)라고도 하는데, 문헌에서는 간혹 황(翌)으로 쓰기도 한다.”라고 했다.

**2265**

**翳: 翳: 일산 예: 羽-총17획: yì**

原文

翳: 華蓋也. 从羽殹聲. 於計切.

飜譯

'화려한 덮개(華蓋)'를 말한다. 우(羽)가 의미부이고 예(殹)가 소리부이다. 독음은 어(於)와 계(計)의 반절이다.

**2266**

**翣: 翣: 운삽 삽: 羽-총14획: shà**

原文

翣: 棺羽飾也. 天子八, 諸侯六, 大夫四, 士二. 下垂. 从羽妾聲. 山洽切.

飜譯

'관에 하는 깃 장식(棺羽飾)'을 말한다. 천자는 8개, 제후는 6개, 대부는 4개, 사(士)는 2개를 쓰며, 아래로 늘어뜨린다. 우(羽)가 의미부이고 첩(妾)이 소리부이다. 독음은 산(山)과 흡(洽)의 반절이다.

**2267**

**翻: 翻: 날 번: 羽-총18획: fān**

原文

翻: 飛也. 从羽番聲. 或从飛. 孚袁切.

飜譯

'새가 날다(飛)'라는 뜻이다. 우(羽)가 의미부이고 번(番)이 소리부이다. 혹체에서는 비(飛)로 구성되기도 한다. 독음은 부(孚)와 원(袁)의 반절이다. [신부]

**2268**

**翎: 翎: 깃 령: 羽-총11획: líng**

翎: 羽也. 从羽令聲. 郎丁切.

'새의 깃털(羽)'을 말한다. 우(羽)가 의미부이고 령(令)이 소리부이다. 독음은 랑(郎)과 정(丁)의 반절이다. [신부]

**2269**

**翃: 翃: 새 나는 소리 홍: 羽-총9획: hóng, gòng**

翃: 飛聲. 从羽工聲. 户公切.

'새가 나는 소리를 말한다(飛聲).' 우(羽)가 의미부이고 공(工)이 소리부이다. 독음은 호(户)와 공(公)의 반절이다. [신부]

## 제109부수
## 109 ■ 추(隹)부수

**2270**

**隹: 새 추: 隹-총8획: zhuī**

原文

隹: 鳥之短尾總名也. 象形. 凡隹之屬皆从隹. 職追切.

翻譯

'꼬리가 짧은 새의 총칭이다(鳥之短尾總名).'73) 상형이다.74) 추(隹)부수에 귀속된 글자는 모두 추(隹)가 의미부이다. 독음은 직(職)과 추(追)의 반절이다.

**2271**

**雅: 초오 아: 隹-총12획: yǎ**

原文

雅: 楚烏也. 一名鸒, 一名卑居. 秦謂之雅. 从隹牙聲. 五下切.

翻譯

---

73) 꼬리가 짧은 새를 추(隹)라 하고, 꼬리가 긴 새를 조(鳥)라 한다고 했다.

74) 고문자에서 甲骨文 金文 石鼓文 中山王鼎 등으로 썼다. 隹는 새를 그렸는데, 갑골문에서는 뾰족한 부리와 머리, 날개와 발까지 자세히 그려졌다. 『설문해자』에서는 "꼬리가 짧은 새를 隹라 하고, 꼬리가 긴 새를 鳥(새 조)라 한다."라고 했지만, 대단히 긴 꼬리를 가진 꿩(雉·치)에 隹가 들었고, 꼬리가 짧은 학(鶴)이나 해오라기(鷺·로) 등에 鳥가 뜬 것을 보면 꼭 그렇지도 않다. 또 '닭'은 鷄(닭 계)나 雞(닭 계)로 써 둘을 혼용하기도 한다. 그래서 자형에 근거해 목이 잘록하여 소리를 잘 내는 새를 鳥, 목이 짧아 잘 울지 못하는 새를 隹라 한다는 해석도 나왔다. 그러므로 隹로 구성된 글자들은 먼저, 雀(참새 작)이나 雁(기러기 안)이나 雅(메 까마귀 아)처럼 새의 종류를 나타내기도 하고, 集(모일 집)이나 雜(襍·섞일 잡)처럼 새의 특성을 나타내기도 한다.

'초 지역의 까마귀(楚烏)'를 말한다. 일명 여(鸒)라고도 하고, 또 비거(卑居)라고도 한다. 진(秦) 지역에서는 아(雅)라고 한다. 추(隹)가 의미부이고 아(牙)가 소리부이다. 독음은 오(五)와 하(下)의 반절이다.

**2272**

**隻: 隻: 새 한 마리 척: 隹-총10획: zhī**

原文

隻: 鳥一枚也. 从又持隹. 持一隹曰隻, 二隹曰雙. 之石切.

飜譯

'새 한 마리(鳥一枚)'를 말한다. 손(又)으로 새(隹)를 잡은 모습이다.75) 한 마리를 잡은 모습이 척(隻)이고 두 마리를 잡은 모습이 쌍(雙)이다. 독음은 지(之)와 석(石)의 반절이다.

**2273**

**雒: 雒: 수리부엉이 락: 隹-총14획: luò**

原文

雒: 鵋鶀也. 从隹各聲. 盧各切.

飜譯

'기기(鵋鶀)'라는 새를 말한다.76) 추(隹)가 의미부이고 각(各)이 소리부이다. 독음은

---

75) 고문자에서 甲骨文 金文 古陶文 등으로 썼다. 又(또 우)와 隹(새 추)로 구성되어, 새(隹)를 손(又)으로 잡은 모습이며, 이후 새나 배를 헤아리는 단위사로 쓰이기도 했다. 간화자에서는 只(다만 지)에 통합되었다.

76) 올빼미(貓頭鷹)의 일종으로 알려져 있다. 『단주』에서는 기기(鵋鶀)를 기기(忌欺)로 적어야 한다고 하면서 이렇게 말했다. "지금 『이아음의(爾雅音義)』를 살펴보건대 기기(忌欺)로 적는 것이 옳다. 『이아·석조(釋鳥)』에서 낙(鵅)은 기기(鵋鶀)를 말한다고 했는데, 현응(玄應)이 이를 인용하면서 기기(忌欺)로 적었다. 또 「석조(釋鳥)」에서 괴치(怪鴟)라고도 한다고 했다 『주례·사인(舍人)』에서 휴류를 말한다(鵂鶹也)고도 했다. 남양(南陽) 지역에서는 구락(鉤鵅)이라 하

로(盧)와 각(各)의 반절이다.

**2274**

**闥: 䦧: 새 이름 린: 門-총16획: lìn**

原文

闥: 今䦧. 似雊鴿而黃. 从隹, 両省聲. 䨼, 籒文不省. 良刃切.

飜譯

'금린(今䦧)'이라는 새를 말한다. 구욕(雊鴿) 새와 비슷하나 누른색을 띤다. 추(隹)가 의미부이고 진(両)의 생략된 모습이 소리부이다. 린(䨼)은 주문체인데, 생략되지 않은 모습이다. 독음은 량(良)과 인(刃)의 반절이다.

**2275**

**巂: 巂: 새 이름 휴: 山-총18획: suǐ, xī**

原文

巂: 周燕也. 从隹, 屮象其冠也. 冏聲. 一曰蜀王望帝, 婬其相妻, 慙亡去, 爲子巂鳥. 故蜀人聞子巂鳴, 皆起云"望帝". 戶圭切.

飜譯

'주연(周燕)'이라는 새를 말한다.77) 추(隹)가 의미부이고, [윗부분의] 철(屮)은 볏을 그렸다. 눌(冏)이 소리부이다. 일설에는 촉(蜀)나라의 임금 망제(望帝)가 그 나라 승

---

는데, 일명 기기(忌欺)라고도 한다. 그렇다면 기기(忌欺)와 괴치(怪鴟)는 같은 물체이다."

77) 『단주』에서는 "周燕也"는 "巂周, 燕也."가 되어야 한다고 하면서, 각 판본에서 주(周)자 앞에 휴(巂)자가 빠졌는데 이는 천박한 이들이 끊어 읽기를 잘 하지 못해 중복된 글자(巂)를 삭제해 버린 결과라고 했다. 그리고 이렇게 보충했다. "『이아·석조(釋鳥)』에서 휴주(巂周)와 연연(燕燕)은 제비(鳦)를 말한다고 했다. 손염(孫炎)의 『이아음의』와 『예기·사인(舍人)』에서 모두 같은 물체에 대한 세 가지 이름이라고 했다. 곽경순(郭景純)과 육덕명(陸德明)은 『설문』을 오독하여 '일왈(一曰)'이라는 2자를 빼 먹었고, 그리하여 자휴(子巂)를 휴주(巂周)로 풀이했던 것이다. 휴주(巂周)와 자휴(子巂)는 동일 사물에 대한 다른 이름이다."

상의 부인과 불륜을 맺었는데, 이를 부끄럽게 여겨 조정에서 도망을 나가 휴조(巂鳥)가 되었다고 한다. 그래서 촉(蜀)나라 사람들은 자휴(子巂)라는 새가 우는 울음을 들으면 모두 일어나서 "이것은 망제(望帝)이다"라고 한 것에서 유래한다. 독음은 호(戶)와 규(圭)의 반절이다.

**2276**

**䧅: 䧅: 새 이름 방: 隹-총12획: fàng**

原文

䧅: 鳥也. 从隹方聲. 讀若方. 府良切.

飜譯

'새(鳥)의 이름'이다. 추(隹)가 의미부이고 방(方)이 소리부이다. 방(方)과 같이 읽는다. 독음은 부(府)와 량(良)의 반절이다.

**2277**

**雀: 雀: 참새 작: 隹-총11획: què**

原文

雀: 依人小鳥也. 从小、隹. 讀與爵同. 即略切.

飜譯

'사람과 가까이 붙어사는 작은 새(依人小鳥)'를 말한다. 소(小)와 추(隹)가 의미부이다.[78] 작(爵)과 똑같이 읽는다. 독음은 즉(即)과 략(略)의 반절이다.

**2278**

**雅: 雅: 새 애: 犬-총11획: yá**

---

78) 고문자에서 [古文字] 甲骨文 [古文字] 簡牘文 등으로 썼다. 小(작을 소)와 隹(새 추)로 구성되어, '참새'를 말하는데, 작은(小) 새(隹)라는 의미를 담았다.

原文

雅: 鳥也. 从隹犬聲. 睢陽有雅水. 五加切.

飜譯

'새(鳥)의 이름'이다.79) 추(隹)가 의미부이고 견(犬)이 소리부이다. 수양(睢陽)80) 지역에 애수(雅水)라는 강이 있다. 독음은 오(五)와 가(加)의 반절이다.



2279

**䧲: 翰: 흰 꿩 한: 隹-총18획: hàn**

原文

䧲: 䧲鷽也. 从隹倝聲. 侯幹切.

飜譯

'한악(䧲鷽)'이라는 새를 말한다.81) 추(隹)가 의미부이고 간(倝)이 소리부이다. 독음은 후(侯)와 간(幹)의 반절이다.

2280

**雉: 雉: 꿩 치: 隹-총13획: zhì**

原文

雉: 有十四種: 盧諸雉, 喬雉, 鳪雉, 鷩雉, 秩秩海雉, 翟山雉, 翰雉, 卓雉, 伊洛而南曰翬, 江淮而南曰搖, 南方曰𠙶, 東方曰甾, 北方曰稀, 西方曰蹲. 从隹矢聲. 𨾊, 古文雉从弟. 直几切.

飜譯

---

79) 『단주』에서는 "雅鳥也"라고 하여 "애조라는 새를 말한다"라고 풀이했다.

80) 대서본과 소서본에는 저양(睢陽)으로 썼으나, 청대 설문 사대가는 모두 수양(睢陽)으로 적었다. 수양(睢陽)은 춘추시대 송나라의 땅으로, 지금의 하남성 상구시(商丘市)에 있었다.

81) 『단주』에서 "이는 조(鳥)부수에 실린 한(鶾)과는 다른 새이다. 조(鳥)부수에서 말한 한악(䧲鷽)은 산 까치(山鵲)로 미래의 일을 예견해 준다고 한다."라고 했다.

꿩에는 14가지가 있는데, 노제치(盧諸雉), 교치(喬雉), 복치(鳪雉), 별치(鷩雉), 질질해치(秩秩海雉), 적산치(翟山雉), 한치(翰雉), 탁치(卓雉) 등이 있고, 또 이수(伊)와 낙수(洛) 남쪽 지역에서 말하는 휘(翬), 장강(江)과 회수(淮) 남쪽 지역에서 말하는 요(搖), 남방에서 말하는 주(畵), 동방에서 말하는 치(甾), 북방에서 말하는 희(稀), 서방에서 말하는 준(蹲) 등이 있다.[82] 추(隹)가 의미부이고 시(矢)가 소리부이다.[83] 치(鮷)

82) 『단주』에서는 이렇게 설명을 덧붙였다. ①'노제치(盧諸雉)'의 경우, 장읍(張揖)의 「상림부(上林賦)」 주석에 의하면 로(盧)는 흰 꿩(白雉)을 말한다고 했지만 「상림부」 본문에서는 물새(水鳥)라고 했다. 그렇다면 장읍의 설명은 『이아』의 고설(古說)일 것이다. ②'교치(鷮雉)'의 경우 각 판본에서 교(喬)로 썼는데 오류이다. 조(鳥)부수에서 교(鷮)는 잘 울고 꼬리가 긴 꿩을 말한다(走鳴長尾雉也)고 했다. ③'복치(卜雉)'의 경우, 각 판본에서 복(鳪)으로 적었는데, 이 역시 오류이다. 조(鳥)부수에는 복(鳪)자가 실려 있지 않다. 「석조(釋鳥)」에서는 복(鳪)이라 적었고, 곽박의 주석에서는 노란 색이며(黃色) 스스로의 이름을 부르듯 운다(鳴自呼)고 했다. ④'별치(鷩雉)'의 경우, 조(鳥)부수에서 별(鷩)은 붉은 꿩을 말한다(赤雉也)라고 했고, 또 준의(鵔鸃)를 별(鷩)이라 한다고 했다. ⑤'질질해치(秩秩海雉)'의 경우, 곽박에 의하면 꿩처럼 생겼는데 검은 색이며(如雉而黑), 바다의 섬 위에서 산다(在海中山上)고 했다. 육덕명에 의하면, 질질(秩秩)은 원래 실실(失失)이라 썼다고 했다. ⑥'적산치(翟山雉)'의 경우, 우(羽)부수를 참조하라. ⑦'한치(韓雉)'의 경우, 곽박은 탁치(鵫雉)와 같은 것이라고 했다. 그러나 허신은 이 둘을 다른 것으로 보았다. 육덕명에 의하면 한(韓)자는 달리 한(翰)으로도 적었다고 했다. ⑧'탁치(卓雉)'의 경우, 탁(卓)을 금본 『이아』에서는 탁(鵫)으로 적었다. 곽박은 오늘날의 백탁(白鵫)을 말하며, 강동(江東) 지역에서는 한(韓)이라 불렀고 또 백치라고 불렀다고 했다. ⑨'이락(伊雒)의 남쪽 지역에서 말하는 휘(翬)'의 경우, 낙(雒)은 원래 락(洛)으로 적었는데, 잘못이다. 「석조(釋鳥)」에서 '이락(伊洛) 이남 지역에는 흰 바탕에다 오색 무늬가 모두 다 들어 화려한 모습을 한 새(素質五彩皆備成章)를 휘(翬)라 한다'라고 했는데, 우(羽)부수에 보인다. ⑩'강회(江淮) 이남 지역에서 말하는 요(搖)'의 경우, 「석조(釋鳥)」에서 강회(江淮) 이남 지역에서는 청색 바탕에다 오색 무늬가 다 들어 화려한 모습을 한 새(青質五彩皆備成章)를 요(鷂)라고 한다고 했다. 부인유적(夫人揄狄: 왕후는 유적을 입는다)에 대해 정현의 주석에서 흔들리는 무늬를 그려 넣은 옷을 말한다(衣畫搖者)라고 했다. 유(揄)를 의(衣)부수에서 수(褕)로 적었으며, 꿩의 깃털로 장식한 옷(翟羽飾衣)이라고 했다. 의미가 『모전(毛傳)』과 일치한다. ⑪'남방에서 말하는 주(畵)'의 경우, 『좌전』에 대한 가규(賈逵)와 주예(杜預)의 주석에서는 주(畵)를 적(翟)으로 적었다. 내 생각에, 주(畵)와 적(翟)은 운부가 비슷하다. 그러나 앞부분에서 이미 적(翟)이라 하였기에 여기서는 주(畵)라 적었을 것이다. 오늘날의 『이아』에서는 주(畵)라 적었다. ⑫'동방에서 불리는 치(甾)'의 경우, 오늘날의 『이아』에서는 치(鶅)로 적고 있다. ⑬'북방에서 불리는 희(稀)'의 경우, 오늘날의 『이아』에서는 희(鵗)라고 적었다. ⑭'서방에서 부르는 준(蹲)'의 경우, 오늘날의 『이아』에서는 준(鷷)으로 적었다. 이상의 14가지 꿩은 모두 「석조(釋鳥)」에 보인다.

83) 矢(화살 시)가 의미부고 隹(새 추)가 소리부로, '꿩'을 말하는데, 그물이 아닌 화살(矢)로 잡

는 치(雉)의 고문체인데 제(弟)로 구성되었다. 독음은 직(直)과 궤(几)의 반절이다.

2281

**雊: 雊: 장끼 울 구: 隹-총13획: gòu**

原文

雊: 雄雌鳴也. 雷始動, 雉鳴而雊其頸. 从隹从句, 句亦聲. 古候切.

飜譯

'수컷 꿩이 우는 소리(雄雌鳴)'를 말한다.84) [정월이 되어] 우레가 치기 시작하면, 장끼가 울면서 목덜미를 구부린다(雉鳴而雊其頸). 추(隹)가 의미부이고 구(句)도 의미부인데, 구(句)는 소리부도 겸한다. 독음은 고(古)와 후(候)의 반절이다.

2282

**雞: 雞: 닭 계: 隹-총18획: jī**

原文

雞: 知時畜也. 从隹奚聲. 鷄, 籒文雞从鳥. 古兮切.

飜譯

'시간을 알려주는 가축(知時畜)'이다. 추(隹)가 의미부이고 해(奚)가 소리부이다. 계(鷄)는 계(雞)의 주문체인데, 조(鳥)로 구성되었다. 독음은 고(古)와 혜(兮)의 반절이다.

2283

**雛: 雛: 병아리 추: 隹-총18획: chú**

原文

---

을 만큼 큰 새(隹)라는 뜻을 반영했다. 『설문해자』에서 나열된 꿩(雉)의 종류만 해도 14가지나 될 정도로, 꿩은 옛날의 대표적인 사냥감이었다.

84) 웅자명(雄雌鳴)의 경우, 『단주』에서는 "웅치명(雄雉鳴)"이 되어야 한다고 했다.

雛: 雞子也. 从隹芻聲. 鶵, 籒文雛从鳥. 士于切.

飜譯

'병아리(雞子)'를 말한다. 추(隹)가 의미부이고 추(芻)가 소리부이다. 추(鶵)는 추(雛)의 주문체인데, 조(鳥)로 구성되었다. 독음은 사(士)와 우(于)의 반절이다.

2284

**雡: 雡: 병아리 류: 隹-총19획: liú**

原文

雡: 鳥大雛也. 从隹翏聲. 一曰雉之莫子爲雡. 力救切.

飜譯

'큰 병아리(鳥大雛)'를 말한다. 추(隹)가 의미부이고 료(翏)가 소리부이다. 일설에는 '꿩이 늦게 알을 낳는 것(雉之莫子)을 류(雡)라고 한다'라고도 한다. 독음은 력(力)과 구(救)의 반절이다.

2285

**離: 離: 떼놓을 리: 隹-총19획: lí**

原文

離: 黃倉庚也. 鳴則蠶生. 从隹离聲. 呂支切.

飜譯

'이황(離黃), 즉 창경(倉庚: 꾀꼬리)'을 말한다. 울기 시작하면 누에가 자라기 시작한다(鳴則蠶生). 추(隹)가 의미부이고 리(离)가 소리부이다. 독음은 려(呂)와 지(支)의 반절이다.

2286

**雕: 雕: 독수리 조: 隹-총16획: diāo**

原文

雕: 鷻也. 从隹周聲. 都僚切.

飜譯

'돈(鷻)'이라는 새[큰 수리]를 말한다.[85] 추(隹)가 의미부이고 주(周)가 소리부이다. 독음은 도(都)와 료(僚)의 반절이다.



**2287**

**雁:** 雁: 매 응: 隹-총 16획: yīng

原文

雁: 鳥也. 从隹, 瘖省聲. 或从人, 人亦聲. 鷹, 籀文雁从鳥. 於淩切.

飜譯

'새의 이름(鳥)'[매]이다. 추(隹)가 의미부이고, 음(瘖)의 생략된 모습이 소리부이다. 간혹 인(人)으로 구성되기도 하는데, 인(人) 또한 소리부이다. 응(鷹)은 응(雁)의 주문체인데, 조(鳥)로 구성되었다. 독음은 어(於)와 릉(淩)의 반절이다.

**2288**

**雉:** 雉: 올빼미 치: 隹-총13획: chī

原文

雉: 雓也. 从隹氐聲. 鴟, 籀文雉从鳥. 處脂切.

飜譯

'수(雓)'라는 새[올빼미]를 말한다. 추(隹)가 의미부이고 저(氐)가 소리부이다. 치(鴟)는 치(雉)의 주문체인데, 오(烏)로 구성되었다. 독음은 처(處)와 지(脂)의 반절이다.

---

85) 『단주』에서 이렇게 말했다. 조(鳥)부수에서 돈(鷻)은 주(雕)라는 새를 말한다. 이후 가차되어 조탁(琱琢), 조령(凋零) 등의 의미로 쓰였다.

**2289**

**雖: 雖: 올빼미 수: 隹-총16획: shuì**

原文

雖: 雎也. 从隹垂聲. 是僞切.

飜譯

'치(雎)'라는 새[올빼미]를 말한다. 추(隹)가 의미부이고 수(垂)가 소리부이다. 독음은 시(是)와 위(僞)의 반절이다.

**2290**

**雃: 鳽: 눈 맞아 새끼 배는 새 견: 鳥-총15획: jiān, yán**

原文

雃: 石鳥. 一名雝鰈. 一曰精𠞰. 从隹幵聲. 『春秋傳』: "秦有士鳽." 苦堅切.

飜譯

'석조(石鳥)'를 말한다. 일명 옹거(雝鰈: 할미새)라고도 한다. 일설에는 정열(精𠞰)이라 하기도 한다. 추(隹)가 의미부이고 견(幵)이 소리부이다. 『춘추전』(『좌전』 양공 9년, B.C. 564)에서 "진(秦)나라에 사견(士鳽)이라는 사람이 있다"라고 했다. 독음은 고(苦)와 견(堅)의 반절이다.

**2291**

**雝: 雝: 할미새 옹: 隹-총18획: yōng**

原文

雝: 雝鰈也. 从隹邕聲. 於容切.

飜譯

'옹거(雝鰈: 할미새)'를 말한다. 추(隹)가 의미부이고 옹(邕)이 소리부이다. 독음은 어(於)와 용(容)의 반절이다.

**2292**

**雂: 雂: 도요새 금: 隹-총12획: qián**

原文

雂: 鳥也. 从隹今聲. 『春秋傳』有公子苦雂. 巨淹切.

飜譯

'새의 이름(鳥)'이다.86) 추(隹)가 의미부이고 금(今)이 소리부이다. 『춘추전』(『좌전』 소공 21년, B.C. 521)에 "[오나라에] 공자고금(公子苦雂)이라는 장수가 있다"라고 했다. 독음은 거(巨)와 엄(淹)의 반절이다.

**2293**

**雁: 雁: 기러기 안: 隹-총12획: yàn**

原文

雁: 鳥也. 从隹从人, 厂聲. 讀若鴈. 五晏切.

飜譯

'새의 이름(鳥)'이다. 추(隹)가 의미부이고 인(人)도 의미부이며, 엄(厂)이 소리부이다. 안(鴈)과 같이 읽는다.87) 독음은 오(五)와 안(晏)의 반절이다.

---

86) 『단주』에서는 "금조를 말한다(雂鳥也)"로 고쳤으며, 『광운(廣韵)』에서는 『자림(字林)』에 근거해 구훼조(句喙鳥)라고 한다고 했다.

87) 고문자에서 簡牘文 등으로 썼다. 人(사람 인)과 隹(새 추)가 의미부고 厂(기슭 엄)이 소리부로, 고대인들은 기러기를 인간(人)의 덕성을 갖춘 새(隹)로 생각했고, 그래서 기러기는 결혼의 상징물로 쓰이기도 했다. 소리부로 쓰인 厂(기슭 엄)은 철새인 기러기가 둥지를 트는 언덕이나 바위 기슭을 상징하여, 독음 기능 뿐 아니라 의미도 함께 가진다. 隹는 鳥(새 조)로 바뀌어 鴈으로 쓰기도 한다. 雁은 이후 '가짜'라는 뜻으로 가차되었는데, 돈벌이를 위해 만든 '짝퉁'임을 더욱 구체적으로 표현하고자 貝(조개 패)를 더한 贗(贋·가짜 안)이 만들어졌다.

**2294**

**𩁵: 雞: 꾀꼬리 여: 隹-총23획: lí**

原文

𩁵: 雞黃也. 从隹黎聲. 一曰楚雀也. 其色黎黑而黃. 郎兮切.

飜譯

'여황(雞黃: 꾀꼬리)이라는 새'를 말한다. 추(隹)가 의미부이고 여(黎)가 소리부이다. 일설에는 '초나라의 참새(楚雀)'라고도 한다. 색은 진한 검은 색에 누런색을 띤다. 독음은 랑(郎)과 혜(兮)의 반절이다.

**2295**

**雐: 雐: 새 이름 호: 隹-총14획: hū**

原文

雐: 鳥也. 从隹虍聲. 荒烏切.

飜譯

'새의 이름(鳥)'이다.[88] 추(隹)가 의미부이고 호(虍)가 소리부이다. 독음은 황(荒)과 오(烏)의 반절이다.

**2296**

**雃: 雃: 세 가락 메추라기 여: 隹-총13획: rú**

原文

雃: 牟毋也. 从隹奴聲. 鴽, 雃或从鳥. 人諸切.

飜譯

'모무(牟毋)라는 새'를 말한다.[89] 추(隹)가 의미부이고 노(奴)가 소리부이다. 여(鴽)

88) 『단주』에서는 "호조를 말한다(雐鳥也)"로 고쳤다.
89) 『단주』에서 무(毋)가 되어야 한다고 하면서 서현이 모(母)로 잘못 적었다고 했다. 그렇다면

는 여(翟)의 혹체자인데, 조(鳥)로 구성되었다. 독음은 인(人)과 제(諸)의 반절이다.

**2297**

**雇: 雇: 품살 고·새 이름 호: 隹-총12획: gù**

原文

雇: 九雇. 農桑候鳥, 扈民不婬者也. 从隹戶聲. 春雇, 鳻盾; 夏雇, 竊玄; 秋雇, 竊藍; 冬雇, 竊黃; 钊雇, 竊丹; 行雇, 唶唶; 宵雇, 嘖嘖; 桑雇, 竊脂; 老雇, 鷃也. 鶚, 雇或从雩. 鳸, 籒文雇从鳥. 侯古切.

飜譯

아홉 가지의 호(雇)가 있다. 농사짓고 비단 짤 시기를 알려주는 새로, 농민들이 시간을 놓치지 않게 해 준다. 추(隹)가 의미부이고 호(戶)가 소리부이다.[90] 첫째는 춘호(春雇)로 반순(鳻盾)이라고 부르기도 한다. 둘째는 하호(夏雇)로 절현(竊玄)이라고 부르기도 한다. 셋째는 추호(秋雇)로 절람(竊藍)이라고 부르기도 한다. 넷째는 동호(冬雇)로 절황(竊黃)이라고 부르기도 한다. 다섯째는 극호(棘雇)로 절단(竊丹)이라고 부르기도 한다. 여섯째는 행호(行雇)로 책책(唶唶)이라고 부르기도 한다. 일곱 번째는 소호(宵雇)로 책책(嘖嘖)이라고도 한다. 여덟 번째는 상호(桑雇)로 절지(竊脂)라

독음은 무(無)이다. 이어서 이렇게 말했다. "『이아·석조(釋鳥)』에서 여(鴽)는 모무(牟毋)를 말한다. 『의례·공식대부례(公食大夫禮)』와 『예기·월령(月令)』의 정현 주석에서 모두 여(鴽)는 모무를 말한다(毋無也)고 했다. 모(毋)와 모(牟), 무(無)와 무(毋)는 모두 독음이 같다. 이 때문에 지금 이 두 가지 주석이 어긋나게 된 것이다. 채옹(蔡邕)의 『월령장구(月令章句)』에서 여(鴽)는 순암(鶉鵪·메추리)의 일종이라고 했다. 또 『회남자·시칙훈(時則訓)』의 주석에서 여(鴽)는 메추라기를 말한다(鶉也)라고 했다. 이순(李巡)은 여암(鴽鵪)은 달리 모무(鴾毋)라고도 한다고 했다. 곽박도 여(鴽)는 메추라기를 말한다(鵪也)고 했다. 내 생각에, 『예기·내칙(內則)』과 『이아(爾雅)』에서 모두 순(鶉)과 여(鴽)를 별개로 열거하고 있으니, 여(鴽)가 바로 순(鶉)이라고 할 수는 없어 보인다."

90) 고문자에서 [고문자 자형] 甲骨文 [고문자 자형] 簡牘文 등으로 썼다. 隹(새 추)가 의미부고 戶(지게 호)가 소리부로, 농사철이 되면 문(戶) 위에 만들어 놓은 집으로 돌아오는 철새(隹)를 말한다. 여기서 매년 농사철이 되면 돈을 주고 불러와 일을 시키는 사람을 뜻하게 되었고, 이로부터 품삯을 주고 '雇傭(고용)하다'는 뜻이, 다시 '돌아오다'는 뜻이 나왔다. 나아가 그런 사람을 특별히 뜻할 때에는 人(사람 인)을 더한 僱(품 팔 고)를 만들었다.

고 부르기도 한다. 아홉 번째는 노호(老雇)로 안(鴳)이라고 부르기도 한다. 고(鶚)는 고(雇)의 혹체자인데, 우(雩)로 구성되었다. 고(鶚)는 고(雇)의 주문체인데, 조(鳥)로 구성되었다. 독음은 후(侯)와 고(古)의 반절이다.

**2298**

**䳐:** 䳐: **메추라기 순**: 隹-**총16획**: **chún**

原文

䳐: 雒屬. 从隹𦎧聲. 常倫切.

飜譯

'메추리 부류에 속하는 새(雒屬)'이다. 추(隹)가 의미부이고 순(𦎧)이 소리부이다. 독음은 상(常)과 륜(倫)의 반절이다.

**2299**

**雒:** 雒: **메추리 암**: 隹-**총19획**: **yàn, ān**

原文

雒: 䳐屬. 从隹酓聲. 鵪, 籒文雒从鳥. 恩含切.

飜譯

'메추리 부류에 속하는 새(䳐屬)'이다. 추(隹)가 의미부이고 염(酓)이 소리부이다. 추(鵪)는 추(雒)의 주문체인데, 조(鳥)로 구성되었다. 독음은 은(恩)과 함(含)의 반절이다.

**2300**

**雄:** 雄: **새 이름 지**: 隹-**총12획**: **zhī**

原文

雄: 鳥也. 从隹支聲. 一曰雄度. 章移切.

飜譯

'새의 이름(鳥)'이다.[91] 추(隹)가 의미부이고 지(支)가 소리부이다. 일설에는 '지도(雉度)라는 새'를 말한다고도 한다. 독음은 장(章)과 이(移)의 반절이다.

**2301**

**琟: 琟: 새 살찔 홍: 隹-총11획: hóng**

原文

琟: 鳥肥大琟琟也. 从隹工聲. 䲨, 琟或从鳥. 戶工切.

飜譯

'새가 살이 쪄 커다란 모습(鳥肥大琟琟)'을 말한다. 추(隹)가 의미부이고 공(工)이 소리부이다. 홍(䲨)은 홍(琟)의 혹체자인데, 조(鳥)로 구성되었다. 독음은 호(戶)와 공(工)의 반절이다.

**2302**

**𩁹: 𩁹: 흩어질 산: 隹-총20획: sǎn**

原文

𩁹: 繳𩁹也. 从隹㪔聲. 一曰飛𩁹也. 穌旰切.

飜譯

'격산(繳𩁹)'을 말한다.[92] 추(隹)가 의미부이고 산(㪔)이 소리부이다. 일설에는 '비산(飛𩁹: 흩날리다)'이라는 뜻이라고도 한다. 독음은 소(穌)와 간(旰)의 반절이다.

**2303**

**雀: 雀: 주살 익: 隹-총11획: yì**

91) 『단주』에서는 "지조를 말한다(雉鳥也)"로 고쳤다. 그리고 한(漢) 무제(武帝)가 지작관(鳷鵲觀)을 지었는데, 운양(雲陽)의 감천궁(甘泉宮) 밖에 있었다고 했다.

92) 『단주』에 의하면, 격산(繳𩁹)이란 줄을 맨 화살을 말하며(縷繫矰矢), 날아가는 새를 잡으려 쏠 때 사용한다(放散之加於飛鳥也).

原文

𨾴: 繳射飛鳥也. 从隹弋聲. 與職切.

飜譯

'실을 맨 화살로 나는 새를 쏘다(繳射飛鳥)'라는 뜻이다. 추(隹)가 의미부이고 익(弋)이 소리부이다. 독음은 여(與)와 직(職)의 반절이다.

2304

雄: 雄: 수컷 웅: 隹-총12획: xióng

原文

雄: 鳥父也. 从隹厷聲. 羽弓切.

飜譯

'새의 수컷(鳥父)'을 말한다. 추(隹)가 의미부이고 굉(厷)이 소리부이다. 독음은 우(羽)와 궁(弓)의 반절이다.

2305

雌: 雌: 암컷 자: 隹-총13획: cí

原文

雌: 鳥母也. 从隹此聲. 此移切.

飜譯

'새의 암컷(鳥母)'을 말한다. 추(隹)가 의미부이고 차(此)가 소리부이다. 독음은 차(此)와 이(移)의 반절이다.

2306

罹: 罹: 어리 조: 网-총13획: zhào

原文

罩: 覆鳥令不飛走也. 从网、隹. 讀若到. 都校切.

飜譯

'어리, 즉 새를 덮어 날아가지 못하게 하는 장치(覆鳥令不飛走)'를 말한다.[93] 망(网)과 추(隹)가 의미부이다. 도(到)와 같이 읽는다. 독음은 도(都)와 교(校)의 반절이다.



2307

**雋: 雋: 영특할 준·새 살찔 전: 隹-총13획: juàn**

原文

雋: 肥肉也. 从弓, 所以射隹. 長沙有下雋縣. 徂沇切.

飜譯

'살이 찐 새의 고기(肥肉)'를 말한다. 궁(弓)으로 구성되었는데, 활로 쏘아 잡는다는 뜻을 담았기 때문이다. 장사(長沙)군에 하준현(下雋縣)이 있다. 독음은 조(徂)와 연(沇)의 반절이다.

2308

**雟: 雟: 하늘을 날 수·유: 隹-총21획: wéi**

原文

雟: 飛也. 从隹隓聲. 山垂切.

飜譯

'새가 날다(飛)'라는 뜻이다. 추(隹)가 의미부이고 휴(隓)가 소리부이다. 독음은 산(山)과 수(垂)의 반절이다.

---

93) 『단주』에서는 『광운(廣韵)』에 근거하여 득(得)자를 더하여 "覆鳥令不得飛走也"로 고쳤다.

# 제110부수
## 110 ■ 수(奞)부수

**2309**

**奞: 奞: 날개 칠 수·순: 大-총11획: suī**

原文

奞: 鳥張毛羽自奮也. 从大从隹. 凡奞之屬皆从奞. 讀若睢. 息遺切.

飜譯

'새가 날개를 펴 스스로 날개 짓을 하다(鳥張毛羽自奮)'라는 뜻이다.94) 대(大)가 의미부이고 추(隹)도 의미부이다. 수(奞)부수에 귀속된 글자는 모두 수(奞)가 의미부이다. 휴(睢)와 같이 읽는다. 독음은 식(息)과 유(遺)의 반절이다.

**2310**

**奪: 奪: 빼앗을 탈: 大-총14획: duó**

原文

奪: 手持隹失之也. 从又从奞. 徒活切.

飜譯

'손에 새를 잡았다가 놓쳐버림(手持隹失之)'을 말한다. 우(又)가 의미부이고 수(奞)도 의미부이다.95) 독음은 도(徒)와 활(活)의 반절이다.

---

94) 『단주』의 말처럼, 짧은 깃털을 펴서 날면 펼쳐져 커지기 때문에 대(大)와 추(隹)로 구성되었다.

95) 고문자에서 金文 簡牘文 등으로 썼다. 원래는 衣(옷 의)와 隹(새 추)와 寸(마디 촌)으로 이루어져, 손(寸)으로 잡은 새(隹)를 옷(衣)으로 덮어 놓았으나 날아가 버린 모습을 형상화했으며, 이로부터 '벗어나다', '잃어버리다', '빼앗다' 등의 뜻이 나왔다. 이후 衣가 大(큰 대)로 변해 지금의 자형이 되었으며, 간화자에서는 隹를 생략하여 夺로 쓴다.

2311

**: 奮: 떨칠 분: 大-총16획: fèn**

原文

: 翬也. 从奞在田上. 『詩』曰: "不能奮飛." 方問切.

譯

'세차게 날다(翬)'라는 뜻이다. 수(奞)가 밭(田) 위에 놓인 모습이다.[96) ]『시·패풍·백주(柏舟)』에서 "훨훨 날아만 가고 싶네(不能奮飛)"라고 노래했다. 독음은 방(方)과 문(問)의 반절이다.

---

96) 고문자에서 金文 簡牘文 등으로 썼다. 금문에서 衣(옷 의)와 隹(새 추)와 田(밭 전)으로 구성되어, 잡은 새(隹)를 옷(衣) 속 품안에 넣어 두었으나 발버둥 쳐 탈출해 들판(田)으로 날아가 버린다는 의미를 그렸는데, 衣가 大(큰 대)로 변해 지금의 자형이 되었다. 이로부터 奮發(분발)이나 奮鬪(분투) 등의 뜻이 나왔다. 간화자에서는 隹를 생략한 奋으로 쓴다.

## 제111부수
## 111 ■ 환(雈)부수

2312

**雈: 雈: 부엉이 환: 艸-총12획: huán**

原文

雈: 鴟屬. 从隹从𦫳, 有毛角. 所鳴, 其民有旤. 凡雈之屬皆从雈. 讀若和. 胡官切.

飜譯

'부엉이 류에 속하는 날짐승이다(鴟屬).' 추(隹)가 의미부이고 개(𦫳)도 의미부인데, 머리에 볏모양의 깃털이 있음을 그렸다. 사람들은 이 새가 우는 곳에 재앙이 생긴다고 믿고 있다. 환(雈)부수에 귀속된 글자는 모두 환(雈)이 의미부이다. 화(和)와 같이 읽는다. 독음은 호(胡)와 관(官)의 반절이다.

2313

**蒦: 蒦: 자 확: 艸-총14획: huò**

原文

蒦: 規蒦, 商也. 从又持雈. 一曰視遽皃. 一曰蒦, 度也. 彠, 蒦或从尋. 尋亦度也. 『楚詞』曰: "求矩彠之所同." 乙虢切.

飜譯

'규확(規蒦)'을 말하는데, '헤아리다(商)'라는 뜻이다. 손(又)으로 새(雈)를 쥔 모습을 그렸다. 일설에는 '급하게 보는 모양(視遽皃)'을 말한다고도 한다. 또 다른 일설에는 확(蒦)은 '재다(度)'라는 뜻이라고도 한다. 확(彠)은 확(蒦)의 혹체자인데, 심(尋)으로 구성되었다. 심(尋)도 재다[度]는 뜻이다. 『초사(楚詞)』에서 "규확은 통일됨을 추구한다(求矩彠之所同)"라고 했다.[97] 독음은 을(乙)과 괵(虢)의 반절이다.

2314

**雚: 雚: 황새 관: 隹-총18획: guān**

原文

雚: 小爵也. 从萑吅聲. 『詩』曰: "雚鳴于垤." 工奐切.

飜譯

'학과에 속하는 새(小爵)'를 말한다.98) 환(萑)이 의미부이고 훤(吅)이 소리부이다. 『시·빈풍·동산(東山)』에서 "황새는 개밋둑에서 울고(雚鳴于垤)"라고 노래했다. 독음은 공(工)과 환(奐)의 반절이다.

제4권

2315

**舊: 舊: 예 구: 臼-총18획: jiù**

原文

舊: 雖舊, 舊畱也. 从萑臼聲. 鵂, 舊或从鳥休聲. 巨救切.

飜譯

'저구(雖舊)'를 말하는데, '구류(舊畱)라는 새'를 말한다. 환(萑)이 의미부이고 구(臼)가 소리부이다.99) 구(鵂)는 구(舊)의 혹체자인데, 조(鳥)가 의미부이고 휴(休)가 소리

---

97) 『단주』에 의하면, 이 말은 『이소(離騷)』에 보인다. 왕일의 주석에서 구(榘)는 법(法)을 말하고, 확(矱)은 도(度)를 말한다고 했고, 『회남자』에 대한 고유의 주석에서는 구(榘)는 방(方)을 말하고, 확(矱)은 도법(度法)을 말한다고 했다.

98) 『단주』에서는 관작(雚雀)이 되어야 한다고 하면서 이렇게 말했다. "작(爵)은 당연히 작(雀)이 되어야 한다. 관(雚)은 오늘날의 글자로 관(鸛)으로 적는다. 관작(鸛雀: 황새)은 큰 새이다(大鳥). 그런데도 각 판본에서는 소작(小爵)이라 적었는데, 이는 오류이다. 지금 『태평어람(太平御覽)』에 근거해 바로 잡는다. 육기(陸機)』의 『소(疏)』에서 관(鸛)은 관작(鸛雀)을 말한다고 한 것도 한 증거이다. 육기는 기러기와 비슷하면서 더 크다(似鴻而大)라고 했다. 『장자(莊子)』에서는 관작(觀雀)이라 적었다. 토(土)부수 질(垤)자의 해설과 조(鳥)부수의 봉(鳳)자의 해설에서 모두 관(鸛)으로 적었는데, 모두 세속에서 바꾼 결과들이다."

99) 고문자에서 [古文字] 甲骨文 [古文字] 金文 [古文字] 簡牘文 등으로 썼다. 萑(부엉이 환·풀 많을

부이다. 독음은 거(巨)와 구(救)의 반절이다.

---

추)이 의미부이고 臼(절구 구)가 소리부로, 원래는 부엉이처럼 솟은 눈썹을 가진 새(雈)를 말했는데, '옛날'이라는 의미로 가차되었다. 이로부터 오래되다, 낡다, 장구하다, 이전의, 원래의, 여전히 등의 뜻을 갖게 되었다. 이후 소리부인 臼(절구 구)를 더해 지금의 舊가 되었으며, 약자와 간화자에서는 旧로 쓴다.

## 제112부수
## 112 ■ 개(丫)부수

**2316**

**丫: 丫: 양의 뿔이 갈라진 모양 개: 艸-총3획: guǎi**

原文

丫: 羊角也. 象形. 凡丫之屬皆从丫. 讀若乖. 工瓦切.

飜譯

'양의 뿔(羊角)'을 말한다.100) 상형이다. 개(丫)부수에 귀속된 글자는 모두 개(丫)가 의미부이다. 괴(乖)와 같이 읽는다. 독음은 공(工)과 와(瓦)의 반절이다.

**2317**

**乖: 乖: 어그러질 괴: 艸-총8획: guāi, kuā**

原文

乖: 戾也. 从丫而𠔁. 𠔁, 古文別. 古懷切.

飜譯

'어그러지다(戾)'라는 뜻이다. 개(丫)와 조(𠔁)로 구성되었는데, 조(𠔁)는 별(別)의 고문체이다.101) 독음은 고(古)와 회(懷)의 반절이다.

---

100) 『옥편』이나 『광운』의 해석처럼, 양의 뿔이 두 쪽으로 갈라져 굽은 모양을 그렸다.

101) 『단주』에서는 이렇게 말했다. "팔(八)부수에서 조(𠔁)는 나누다는 뜻이다(分也)라고 했는데, 조(𠔁)를 예서체에서 조(兆)로 적었고, 괴(乖)가 개(丫)와 조(兆)로 구성되었는데, 모두 서로 나뉘어 등지다(分背)는 뜻을 가져왔다. 각 판본에서는 이 말 다음에 '古文別'이라는 말이 있는데, 이는 천박한 사람들이 제멋대로 더한 부분이다. 상세한 것은 팔(八)부수와 복(卜)부수를 참고하라."

**2318**

**芇: 芇: 서로 걸 면: 艸-총7획: mián**

原文

芇: 相當也. 闕. 讀若宀. 母官切.

飜譯

'[내기에서] 서로 똑같이 걸다(相當)'라는 뜻이다. 왜 그런 뜻인지 알 수 없다(闕). 면(宀)과 같이 읽는다. 독음은 모(母)와 관(官)의 반절이다.

제113부수

## 113 ■ 말(苜)부수

2319

**苜: 苜: 눈 바르지 못할 말: 目-총9획: mò**

原文

苜: 目不正也. 从𦫳从目. 凡苜之屬皆从苜. 莧从此. 讀若末. 徒結切.

飜譯

'눈이 바르지 않음(目不正)'을 말한다.102) 개(𦫳)가 의미부이고 목(目)도 의미부이다. 말(苜)부수에 귀속된 글자는 모두 말(苜)이 의미부이다. 환(莧)자가 이 글자로 구성되었다. 말(末)과 같이 읽는다. 독음은 도(徒)와 결(結)의 반절이다.

2320

**瞢: 瞢: 어두울 몽: 目-총16획: méng**

原文

瞢: 目不明也. 从苜从旬. 旬, 目數搖也. 木空切.

飜譯

'눈이 어두움(目不明)'을 말한다. 말(苜)이 의미부이고 현(旬)도 의미부이다. 현(旬)은 '눈을 자주 움직이다(目數搖)'라는 뜻이다. 독음은 목(木)과 공(空)의 반절이다.

2321

**蔑: 蔑: 불 꺼물거릴 멸: 火-총13획: miè**

---

102) 『단주』에서는 "이 글자를 구성하는 개(𦫳)가 밖을 향한 모양이므로 바르지 못하다는 뜻을 가진다(𦫳者, 外向之象, 故爲不正.)"라고 했다.

原文

𥄕: 火不明也. 从苜从火, 苜亦聲. 『周書』曰: "布重𥄕席." 織蒻席也. 讀與蔑同. 莫結切.

飜譯

'불이 밝지 않아 가물가물함(火不明)'을 말한다. 말(苜)이 의미부이고 화(火)도 의미부인데, 말(苜)은 소리부도 겸한다. 『주서(周書)』(「고명(顧命)」)에서 "[검고 흰 도끼 모양이 이어지는 무늬의 천으로 가를 댄] 촘촘하게 짠 부들자리를 두 겹으로 깐다(布重𥄕席)"라고 했는데, [멸석(𥄕席)은] '가늘고 어린 부들로 짠 자리(織蒻席)'를 말한다. 멸(蔑)과 똑같이 읽는다. 독음은 막(莫)과 결(結)의 반절이다.

**2322**

**蔑: 蔑: 업신여길 멸: 艸-총15획: miè**

原文

蔑: 勞目無精也. 从苜, 人勞則蔑然; 从戍. 莫結切.

飜譯

'피곤해서 눈에 정기가 없다(勞目無精)'라는 뜻이다. 말(苜)이 의미부이다. 사람이 피곤하면 눈에 정기가 없게 된다. 그래서 수(戍)가 의미부가 되었다. 독음은 막(莫)과 결(結)의 반절이다.

제114부수

114 ■ 양(羊)부수



2323

**羊**: 羊: **양 양**: 羊-**총6획**: yáng

原文

羊: 祥也. 从𦍌, 象頭角足尾之形. 孔子曰: "牛羊之字以形擧也." 凡羊之屬皆从羊. 與章切.

飜譯

'상(祥)과 같아 상서롭다'라는 뜻이다. 개(𦍌)가 의미부이다. 양의 머리와 뿔과 다리와 꼬리의 모습을 그렸다.[103)] 공자(孔子)가 "우(牛)나 양(羊)과 같은 글자는 모두 형체를 그대로 그린 글자이다"라고 했다. 양(羊)부수에 귀속된 글자는 모두 양(羊)이 의미부이다. 독음은 여(與)와 장(章)의 반절이다.

2324

**芈**: 芈: **양 울 미**: 羊-**총8획**: mǐ

原文

芈: 羊鳴也. 从羊, 象聲气上出. 與牟同意. 緜婢切.

---

103) 고문자에서 [고문자 자형] 甲骨文 [고문자 자형] 金文 [고문자 자형] 古陶文 [고문자 자형] 簡牘文 [고문자 자형] 帛書 [고문자 자형] 古璽文 등으로 썼다. 상형이다. 윗부분은 양의 굽은 뿔과 몸통과 꼬리를 그렸다. 양은 가축화된 이후 온순한 성질, 뛰어난 고기 맛, 그리고 유용한 털 때문에, 고대 중국인들에게는 단순한 가축을 넘어서 祥(상)서러움과 善(선)과 美(미)와 正義(정의)의 표상이며 신께 바치는 대표적 희생이었다. 그래서 군집생활을 하는 양을 직접 지칭한다. 또 양고기는 뛰어난 맛으로 정평이 나있으며, 일찍부터 인간에게 많은 도움을 주는 유용한 가축화된 동물이었기에 아름다움과 정의의 상징이었고, 이 때문에 양은 숭배의 대상이었으며, 신께 바치는 대표적 희생물의 하나였다.

飜譯

'양이 울다(羊鳴)'라는 뜻이다. 양(羊)이 의미부이고, [양(羊)의 위쪽으로 난 세로획은] 우는 소리가 위로 올라가는 모습을 그렸다. 모(牟)와 같은 뜻이다. 독음은 면(緜)과 비(婢)의 반절이다.

**2325**

**羔: 羔: 새끼 양 고: 羊-총10획: gāo**

原文

羔: 羊子也. 从羊, 照省聲. 古牢切.

飜譯

'새끼 양(羊子)'을 말한다. 양(羊)이 의미부이고, 조(照)의 생략된 모습이 소리부이다.104) 독음은 고(古)와 뢰(牢)의 반절이다.

**2326**

**羜: 羜: 새끼 양 저: 羊-총11획: zhù**

原文

羜: 五月生羔也. 从羊宁聲. 讀若煑. 直呂切.

飜譯

'낳은 지 5개월 된 새끼 양(五月生羔)'을 말한다. 양(羊)이 의미부이고 저(宁)가 소

---

104) 고문자에서 [고문자 자형] 甲骨文 [고문자 자형] 金文 [고문자 자형] 古陶文 [고문자 자형] 簡牘文 [고문자 자형] 古璽 등으로 썼다. 羊(양 양)과 火(불 화)로 구성되어, 구이(火)에 쓸 '어린 양(羊)'을 말하며, 이후 어린 새끼를 뜻하게 되었다. 달리 羙(새끼 양 고)로 쓰기도 한다. 羔는 맛있는 고기의 상징으로도 쓰였다. 그래서 羔(새끼 양 고)와 美(아름다울 미)로 구성된 羹은 양(羔)을 넣어 고운 맛있는(美) '수프'를 말한다. 이후 수프의 통칭으로 쓰였으며, 羊羹(양갱)에서처럼 고아 농축한 식품을 지칭하기도 한다. 『설문해자』의 혹체자에서는 美 대신 수프를 끓이는 도구인 鬲(솥 력)을 첨가하여 끓이는 모습을 강조하기도 했고, 양쪽으로 피어오르는 김을 그려 넣어 국이 끓는 모습을 형상화하기도 했다.

리부이다. 자(煑)와 같이 읽는다. 독음은 직(直)과 려(呂)의 반절이다.

2327

**䍦: 䍦: 여섯 달 된 양 새끼 무: 羊-총15획: wù**

原文

䍦: 六月生羔也. 从羊敄聲. 讀若霧. 已遇切.

飜譯

낳은 지 6개월 된 새끼 양(六月生羔)'을 말한다. 양(羊)이 의미부이고 무(敄)가 소리부이다. 무(霧)와 같이 읽는다. 독음은 이(已)와 우(遇)의 반절이다.

2328

**羍: 羍: 어린 양 달: 羊-총9획: tà**

原文

羍: 小羊也. 从羊大聲. 讀若達. 𦍒, 羍或省. 他末切.

飜譯

'어린 양(小羊)'을 말한다. 양(羊)이 의미부이고 대(大)가 소리부이다. 달(達)과 같이 읽는다. 달(𦍒)은 달(羍)의 혹체자인데, 생략된 모습으로 구성되었다. 독음은 타(他)와 말(末)의 반절이다.

2329

**挑: 𦍬: 새끼 양 조: 羊-총12획: zhào**

原文

𦍬: 羊未卒歲也. 从羊兆聲. 或曰: 夷羊百斤左右爲𦍬. 讀若『春秋』"盟于洮". 治小切.

飜譯

'아직 돌이 되지 않은 새끼 양(羊未卒歲)'을 말한다. 양(羊)이 의미부이고 조(兆)가 소리부이다. 혹자는 '거세를 한 양 중에서 1백 근 쯤 되는 양(夷羊百斤左右)을 조(羠)라고 한다고도 한다.[105] 『춘추』(『좌전』 희공 8년, B.C. 652)에서 "조(洮)라는 곳에서 맹약을 맺었다(盟于洮)"라고 한 조(洮)와 같이 읽는다. 독음은 치(治)와 소(小)의 반절이다.

**2330**

**羝: 羝: 숫양 저: 羊-총11획: dī**

原文

羝: 牡羊也. 从羊氐聲. 都兮切.

飜譯

'숫양(牡羊)'을 말한다. 양(羊)이 의미부이고 저(氐)가 소리부이다. 독음은 도(都)와 혜(兮)의 반절이다.

**2331**

**羒: 羒: 암양 분: 羊-총10획: fén**

原文

羒: 牂羊也. 从羊分聲. 符分切.

飜譯

'암양(牂羊)'을 말한다. 양(羊)이 의미부이고 분(分)이 소리부이다. 독음은 부(符)와 분(分)의 반절이다.

---

105) 『단주』에서는 이양(夷羊)의 이(夷)를 이(羠)로 보았고, 이(羠)는 거세한 양을 말한다고 하면서 이렇게 보충했다. "이(羠)를 각 판본에서는 이(夷)로 적고 있으며, 소서본에서는 이를 두고 은나라 주(紂) 임금 때의 이양(夷羊)이라고 풀이했는데, 잘못이다. 지금 『급취편(急就篇)』의 안사고(顔師古) 주석에서 '양은 살찌기 쉬운 동물이다. 그래서 무게가 1백 근이나 되는 것도 있다.(羊易肥, 故有重百斤左右者.)라고 했다."

**2332**

**牂: 牂: 암양 장: 爿-총10획: zāng**

原文

牂: 牡羊也. 从羊爿聲. 則郎切.

飜譯

'암양(牡羊)'을 말한다.106) 양(羊)이 의미부이고 장(爿)이 소리부이다. 독음은 칙(則)과 랑(郎)의 반절이다.



**2333**

**羭: 羭: 검은 암양 유: 羊-총15획: yú**

原文

羭: 夏羊牡曰羭. 从羊俞聲. 羊朱切.

飜譯

'검은 암양(夏羊牡)107)을 유(羭)라고 한다.' 양(羊)이 의미부이고 유(俞)가 소리부이다. 독음은 양(羊)과 주(朱)의 반절이다.

**2334**

**羖: 羖: 검은 암양 고: 羊-총10획: gǔ**

---

106) 모양(牡羊)은 숫양이나, 『단주』의 교정을 따랐다. 『단주』에서는 각 판본에서 모양(牡羊: 숫양)으로 되었는데 이는 잘못이며 빈양(牝羊: 암양)이 되어야 옳다고 했다. 그리고 이렇게 설명했다. "『이아·석수(釋嘼)』, 『모전(毛傳)』, 『예기·내칙(內則)』의 주석에서 모두 장(牂)을 빈양(牝羊: 암양)이라고 했다. 또 각(角)부수의 해(觟)자 해설에서 뿔이 난 암양을 말한다(牂羊生角者也)라고 했다. 고양(羖羊: 검은 암양)은 뿔이 없는 경우가 없다. 그래서 『시』에서는 동고(童羖: 어린 검은 암양)를 어려움의 상징으로 삼았다. 그러나 장양(牂羊: 암양)은 대부분 뿔이 없기 때문에 특별히 구분했던 것이다."

107) 『단주』에서는 각 판본에서 하양모(夏羊牡)라 하였는데 모(牡)는 비(牝)의 잘못이라 했는데, 『단주』의 교정을 따랐다.

原文

羖: 夏羊牡曰羖. 从羊殳聲. 公戶切.

飜譯

'검은 암양(夏羊牡)[108]을 고(羖)라고 한다.' 양(羊)이 의미부이고 수(殳)가 소리부이다. 독음은 공(公)과 호(戶)의 반절이다.

**2335**

**羯: 羯: 불깐 흑양 갈: 羊-총15획: jié**

原文

羯: 羊羖犗也. 从羊曷聲. 居謁切.

飜譯

'거세한 검은 양(羊羖犗)'을 말한다. 양(羊)이 의미부이고 갈(曷)이 소리부이다. 독음은 거(居)와 알(謁)의 반절이다.

**2336**

**羠: 羠: 불깐 양 이·시: 羊-총12획: yí**

原文

羠: 騬羊也. 从羊夷聲. 徐姊切.

飜譯

'거세한 양(騬羊)'을 말한다. 양(羊)이 의미부이고 이(夷)가 소리부이다. 독음은 서(徐)와 자(姊)의 반절이다.

---

108) 『단주』에서는 각 판본에서 하양모(夏羊牡)라 하였는데 모(牡)는 비(牝)의 잘못이라 했는데, 『단주』의 교정을 따랐다.

2337

**䍐: 䍐: 배 누른 양 번: 羊-총18획: fán**

原文

䍐: 黃腹羊. 从羊番聲. 附袁切.

飜譯

'배가 부른 누런 양(黃腹羊)'을 말한다. 양(羊)이 의미부이고 번(番)이 소리부이다. 독음은 부(附)와 원(袁)의 반절이다.



2338

**羥: 羥: 양 이름 간: 羊-총13획: qiān**

原文

羥: 羊名. 从羊巠聲. 口莖切.

飜譯

'양의 이름이다(羊名).' 양(羊)이 의미부이고 경(巠)이 소리부이다. 독음은 구(口)와 경(莖)의 반절이다.

2339

**䍲: 摯: 양 이름 진: 羊-총17획: jìn**

原文

䍲: 羊名. 从羊執聲. 汝南平輿有摯亭. 讀若晉. 即刃切.

飜譯

'양의 이름이다(羊名).' 양(羊)이 의미부이고 집(執)이 소리부이다. 여남(汝南)군의 평여(平輿)현에 진정(摯亭)이라는 곳이 있다. 진(晉)과 같이 읽는다. 독음은 즉(即)과 인(刃)의 반절이다.

**2340**

**䍽: 羸: 여윌 리: 羊-총19획: léi**

原文

䍽: 瘦也. 从羊羸聲. 力爲切.

飜譯

'여위다(瘦)'라는 뜻이다. 양(羊)이 의미부이고 리(羸)가 소리부이다. 독음은 력(力)과 위(爲)의 반절이다.

**2341**

**矮: 羵: 양 떼 지어 모일 위: 羊-총14획: wěi, wèi**

原文

羵: 羊相羵也. 从羊委聲. 於僞切.

飜譯

'양이 서로 떼를 지어 모여들다(羊相羵)'라는 뜻이다.109) 양(羊)이 의미부이고 위(委)가 소리부이다. 독음은 어(於)와 위(僞)의 반절이다.

**2342**

**羵: 羵: 양의 돌림병 지: 羊-총17획: zì**

原文

羵: 羵羵也. 从羊責聲. 子賜切.

109) 『단주』에서 『옥편』과 『광운』에 근거할 때, "羊相羵羵也"가 되어야 한다고 하면서 이렇게 보충했다. "위지(羵羵)는 첩운자로 위적(委積: 가득 쌓이다)과 같다. 『하소정(夏小正)』에서 '삼월이면 양떼 모여들고(三月羵羊)'라고 했는데, 『전』에서 '양들이 되돌아 올 때 떼를 지어 끝없이 이어지네.(羊有相還之時, 其類羵羵然.)'라고 했는데, 이때의 위적(羵羵: 양이 떼를 지어 서로 뒤좇음)을 말한 것일 것이다."

飜譯

'양이 떼를 지어 모여들다(羠羵)'라는 뜻이다. 양(羊)이 의미부이고 책(責)이 소리부이다. 독음은 자(子)와 사(賜)의 반절이다.

**2343**

## 羣: 羣: 무리 군: 羊-총13획: qún

原文

羣: 輩也. 从羊君聲. 渠云切.

飜譯

'무리(輩)'라는 뜻이다. 양(羊)이 의미부이고 군(君)이 소리부이다.[110] 독음은 거(渠)와 운(云)의 반절이다.

**2344**

## 䍧: 䍧: 양의 돌림병 예: 羊-총15획: yān

原文

䍧: 羣羊相羵也. 一曰黑羊. 从羊垔聲. 烏閑切.

飜譯

'양이 서로 떼를 지어 모여들다(羣羊相羵)'라는 뜻이다. 일설에는 '검은 양(黑羊)'을 말한다고도 한다. 양(羊)이 의미부이고 인(垔)이 소리부이다. 독음은 오(烏)와 한(閑)의 반절이다.

---

110) 고문자에서 金文 盟書 簡牘文 帛書 등으로 썼다. 羊(양 양)이 의미부이고 君(임금 군)이 소리부로, 무리지어 생활하는 양(羊)으로부터 '무리'의 의미를 그렸으며, 이로부터 집단, 집체 등의 뜻이 나왔다. 원래는 상하구조인 羣(무리 군)으로 썼는데, 좌우구조로 바뀌어 지금처럼 되었다.

**2345**

## 䍤: 䍤: 양 이름 자: 羊-총11획: cī

原文

䍤: 羊名. 蹏皮可以割泰. 从羊此聲. 此思切.

飜譯

'양의 이름이다(羊名).' 이 양의 발굽으로 옻나무를 벗겨 내는데 쓸 수 있다. 양(羊)이 의미부이고 차(此)가 소리부이다. 독음은 차(此)와 사(思)의 반절이다.

**2346**

## 美: 美: 아름다울 미: 羊-총9획: měi

原文

美: 甘也. 从羊从大. 羊在六畜主給膳也. 美與善同意. 無鄙切.

飜譯

'맛있다(甘)'라는 뜻이다.[111] 양(羊)이 의미부이고 대(大)도 의미부이다.[112] 양은 여섯 가지 가축 중에서 고기를 제공하는 대표적 동물이다.[113] 미(美)는 선(善)과 같은 뜻이다. 독음은 무(無)와 비(鄙)의 반절이다.

---

111) 『단주』에 의하면, "감(甘)부수에서 아름답다는 뜻이다(美也)라고 했는데, 감(甘)은 오미(五味) 중의 하나이지만 오미 중에서 훌륭한 것은 모두 감(甘)이라 할 수 있다. 그래서 훌륭한 것은 모두 미(美)라 부르게 되었다."

112) 고문자에서 甲骨文 金文 古陶文 簡牘文 古璽文 등으로 썼다. 羊(양 양)과 大(큰 대)로 구성되어, 양(羊)의 가죽을 덮어쓴 사람(大)의 모습이다. 양(羊)을 잡을 재주를 가진 '뛰어난' 사람(人)을 그렸고, 이로부터 훌륭하다, 좋다는 뜻이 나왔는데, 큰(大) 양(羊)이 유용하며 유용한 것이 '아름다움'이라 풀이하기도 한다. 이로부터 아름답다, 선하다, 훌륭하다, 찬미하다, 좋게 여기다 등의 뜻이 나왔다. 또 아메리카 대륙(美洲·미주)을 지칭하며, 이로부터 미국을 지칭하게 되었다.

113) 육축은 말(馬), 소(牛), 양(羊), 돼지(豕), 개(犬), 닭(雞)을 말한다.

2347

## 羌: 종족 이름 강: 羊-총8획: qiāng

原文

: 西戎牧羊人也. 从人从羊, 羊亦聲. 南方蠻閩从虫, 北方狄从犬, 東方貉从豸, 西方羌从羊: 此六種也. 西南僰人、僬僥, 从人; 蓋在坤地, 頗有順理之性. 唯東夷从大. 大, 人也. 夷俗仁, 仁者壽, 有君子不死之國. 孔子曰: "道不行, 欲之九夷, 乘桴浮於海."有以也. 𢒈, 古文羌如此. 去羊切.



飜譯

'서북방에서 양을 치며 사는 민족(西戎牧羊人)'을 말한다. 인(人)이 의미부이고 양(羊)도 의미부인데, 양(羊)은 소리부도 겸한다.114) 남방 이민족인 만(蠻)과 민(閩)은 충(虫)을 의미부로 삼았고, 북방 이민족인 적(狄)은 견(犬)을 의미부로 삼았고, 동방 이민족인 맥(貉)은 치(豸)를 의미부로 삼았고, 서방 이민족인 강(羌)은 양(羊)을 의미부로 삼았다. 이상처럼 총 네 이민족이 있다.115) 서남 지역의 북인(僰人)과 초요(僬僥)는 인(人)을 의미부로 삼았는데, 대체로 서남쪽에 살아 상당히 순리에 맞는 성품을 지니고 있기 때문이다. 오직 동이족(東夷)만 대(大)를 의미부로 삼았는데, 대(大)도 사람(人)이라는 뜻이다. 동이족의 풍속은 인자(仁)한데, 인자한 사람은 장수를 누리게 되며, 바로 그곳에 군자가 죽지 않는 나라가 있다. 공자(孔子)께서 "도가 행해지지 않으니, 동이족이 있는 곳으로 가, 뗏목을 타고 표표히 바다를 떠다니고 싶구나.(道不行, 欲之九夷, 乘桴浮於海.)"라고 한 것은 이 이유 때문이다. 강(𢒈)은 강(羌)의 고문체로 이와 같이 쓴다. 독음은 거(去)와 양(羊)의 반절이다.

---

114) 고문자에서 甲骨文 金文 古陶文 등으로 썼다. 儿(사람 인)이 의미부이고 羊(양 양)이 소리부로, 원래 양(羊)을 치며 토템으로 삼아 감숙성·청해성·사천성 일대에 살던 중국 서북쪽 사람(儿)들인 '강족'을 말했다. 이후 儿을 女(여자 여)로 바꾼 姜(성 강)으로 분화해 성씨를 따로 지칭했다.

115) 왕소란(王紹蘭)의 『단주정보(段注訂補)』에서 "여섯 가지(六種)는 사종(四種)의 잘못이라 하였다. 고문에서 사(四)자와 육(六)자의 형체가 비슷해 생긴 오류이다."라고 했다.

**2348**

**羑: 羑: 착한 말 할 유: 羊-총9획: yǒu**

原文

羑: 進善也. 从羊久聲. 文王拘羑里, 在湯陰. 與久切.

飜譯

'착한 곳으로 인도하다(進善)'라는 뜻이다. 양(羊)이 의미부이고 구(久)가 소리부이다. 문왕(文王)이 유리(羑里)에 감금되었었는데, 탕음(湯陰)에 있다.[116] 독음은 여(與)와 구(久)의 반절이다.

116) 지금 하남성 안양시(安陽市) 탕음현(湯陰縣) 북쪽 4.5킬로미터 지점에 유리성(羑里城)의 유적이 남아 있다.

제115부수

115 ■ 전(羴)부수



2349

**羴: 羴: 양의 노린내 전: 羊-총18획: shān**

原文

羴: 羊臭也. 从三羊. 凡羴之屬皆从羴. 羶, 羴或从亶. 式連切.

飜譯

'양의 노린 냄새(羊臭)'를 말한다. 세 개의 양(羊)으로 구성되었다.[117] 전(羴)부수에 귀속된 글자는 모두 전(羴)이 의미부이다. 전(羶)은 전(羴)의 혹체자인데, 단(亶)으로 구성되었다. 독음은 식(式)과 련(連)의 반절이다.

2350

**羼: 羼: 양이 뒤섞일 찬: 羊-총21획: chàn**

原文

羼: 羊相厠也. 从羴在尸下. 尸, 屋也. 一曰相出前也. 初限切.

飜譯

'양이 서로 뒤섞여 함께 있다(羊相厠)'라는 뜻이다. 전(羴)이 시(尸)자 아래쪽에 놓인 구조인데, 시(尸)는 '집(屋)'을 말한다. 일설에는 '양들이 서로 나가려고 앞을 다투다(相出前)'는 뜻이라고도 한다. 독음은 초(初)와 한(限)의 반절이다.

117) 셋은 많다는 뜻이다. 양이 여럿 모이면 노린 냄새가 코를 찌른다. 그래서 세 개의 양(羊)으로 구성되었다.

# 제116부수
# 116 ■ 구(瞿)부수

2351

**瞿: 瞿: 볼 구: 目-총18획: jù**

原文

瞿: 鷹隼之視也. 从隹从䀠, 䀠亦聲. 凡瞿之屬皆从瞿. 讀若章句之句. 九遇切.

飜譯

'송골매가 노리듯 주시하다(鷹隼之視)'라는 뜻이다. 추(隹)가 의미부이고 구(䀠)도 의미부인데, 구(䀠)는 소리부도 겸한다. 구(瞿)부수에 귀속된 글자는 모두 구(瞿)가 의미부이다. 장구(章句)라고 할 때의 구(句)와 같이 읽는다. 독음은 구(九)와 우(遇)의 반절이다.

2352

**矍: 矍: 두리번거릴 확: 目-총20획: jué**

原文

矍: 隹欲逸走也. 从又持之, 矍矍也. 讀若『詩』云"穬彼淮夷"之'穬.' 一曰視遽皃. 九縛切.

飜譯

'새가 도망가려 하는 모습(隹欲逸走)'을 말한다. 손(又)으로 새를 잡고 있는데, 이리저리 나대는 모습(矍矍)을 그렸다. 『시·노송·반수(泮水)』에서 노래한 "광피회이(穬彼淮夷: 멀리 달아나는 회수 지역의 이민족들)"118)의 '광(穬)'과 같이 읽는다. 일설에는 '재

118) 금본에는 "경피회이(憬彼淮夷)"로 되었다. 『단주』는 경(憬)의 해석에서 "경피회이(憬彼淮夷)는 『시경·노송(魯頌)』의 문장이다……이를 『모시(毛詩)』에서는 광(穬)이라 적었는데, 옛 뜻에서는 멀리 가는 모양(遠行皃)을 말한다. 경(憬)은 아마도 삼가시(三家詩)에서 나왔을 것인데,

빨리 보는 모습(視遽皃)'을 말한다고도 한다. 독음은 구(九)와 박(縛)의 반절이다.



---

잘 모르는 사람들이 이를 갖고 「모시」를 고쳤다."라고 했다. 『한시(韓詩)』에서는 광(懭)으로 적었다. 김학주는 '깨닫는 것'을 말한다고 하여, "각성한 회 땅의 오랑캐들이"라고 해석했다.

## 제117부수
## 117 ■ 수(雔)부수

2353

**雔: 雔: 가죽나무 고치 수: 隹-총16획: chóu**

原文

雔: 雙鳥也. 从二隹. 凡雔之屬皆从雔. 讀若醻. 市流切.

譯譯

'새 한 쌍(雙鳥)'을 말한다. 두 개의 추(隹)로 구성되었다.[119] 수(雔)부수에 귀속된 글자는 모두 수(雔)가 의미부이다. 수(醻)와 같이 읽는다. 독음은 시(市)와 류(流)의 반절이다.

2354

**靃: 靃: 빗속을 나는 새 소리 확: 雨-총24획: huò**

原文

靃: 飛聲也. 雨而雙飛者, 其聲靃然. 呼郭切.

譯譯

'새가 날아가는 소리(飛聲)'를 말한다. 빗속을 두 마리 새가 빨리 나는데, 그 소리가 '확확'한다는 뜻이다. 독음은 호(呼)와 곽(郭)의 반절이다.

2355

**雙: 雙: 쌍 쌍: 隹-총18획: shuāng**

---

119) 『이아·석고(釋詁)』에서 "구(仇), 수(讎), 적(敵), 비(妃), 지(知), 의(儀)는 모두 짝(匹)이라는 뜻이다."라고 했다. 수(雔)는 수(讎)와 같은 글자이다.

原文

雙: 隹二枚也. 从雔, 又持之. 所江切.

翻譯

'새 두 마리(隹二枚)'를 말한다. 수(雔)가 의미부이고, 손(又)으로 새들을 잡은 모습이다.[120] 독음은 소(所)와 강(江)의 반절이다.



120) 고문자에서 雙古陶文 簡牘文 등으로 썼다. 두 개의 隹(새 추)와 又(또 우)로 구성되어, 새(隹) 두 마리를 손(又)으로 잡은 모습에서 새 두 마리를 말했고, 이로부터 '쌍'과 '짝'의 의미가 나왔다. 또 새나 배를 헤아리는 단위사로도 쓰였다. 간화자에서는 두 개의 又로 구성된 双으로 쓴다.

## 제118부수
## 118 ■ 잡(雥)부수

2356

**雥: 雥: 새 떼 지어 모일 잡: 隹-총24획: zá**

原文

雥: 羣鳥也. 从三隹. 凡雥之屬皆从雥. 徂合切.

飜譯

'무리를 지어 모여 있는 새(羣鳥)'를 말한다. 세 개의 추(隹)로 구성되었다. 잡(雥)부수에 귀속된 글자는 모두 잡(雥)이 의미부이다. 독음은 조(徂)와 합(合)의 반절이다.

2357

**䨇: 䨇: 모일 연: 隹-총32획: yuān**

原文

䨇: 鳥羣也. 从雥㼌聲. 烏玄切.

飜譯

'무리를 지어 모여 있는 새(鳥羣)'를 말한다. 연(雥)이 의미부이고 연(㼌)이 소리부이다. 독음은 오(烏)와 현(玄)의 반절이다.

2358

**雧: 雧: 모을 집: 隹-총28획: jí**

原文

雧: 羣鳥在木上也. 从雥从木. 集, 雧或省. 秦入切.

譯

'새가 나무 위에 무리를 지어 앉은 모습이다(羣鳥在木上).' 잡(雥)이 의미부이고 목(木)도 의미부이다. 집(集)은 집(雧)의 혹체자인데, 생략된 모습으로 구성되었다.[121] 독음은 진(秦)과 입(入)의 반절이다.



121) 木(나무 목)과 隹(새 추)로 구성되어, 나무(木) 위에 새(隹)가 모여 앉은 모습을 그렸는데, 옛날 글자에서는 隹가 셋 모인 雧으로 쓰기도 했다. 이는 떼 지어 살길 좋아하는 새의 특성을 그렸고 이로부터 '모이다', 쉬다, 시장, 집회, 연회 등의 뜻을 나타냈다.

# 제119부수
## 119 ■ 조(鳥)부수

**2359**

: 鳥: **새 조**: 鳥-**총11획**: **niǎo**

原文

: 長尾禽總名也. 象形. 鳥之足似匕, 从匕. 凡鳥之屬皆从鳥. 都了切.

飜譯

'꼬리가 긴 새의 총칭이다(長尾禽總名).' 상형이다. 새의 발이 비(匕: 비수)와 비슷하기 때문에, 비(匕)로 구성되었다.122) 조(鳥)부수에 귀속된 글자는 모두 조(鳥)가 의미부이다. 독음은 도(都)와 료(了)의 반절이다.

**2360**

: 鳳: **봉새 봉**: 鳥-**총14획**: **fèng**

原文

: 神鳥也. 天老曰: "鳳之象也, 鴻前麐後, 蛇頸魚尾, 鸛顙鴛思, 龍文虎背,

---

122) 고문자에서 甲骨文 金文 簡牘文 등으로 썼다. 갑골문에서 부리, 눈, 꽁지, 발을 갖춘 새를 그렸다. 『설문해자』에서는 꽁지가 긴 새의 총칭이 鳥(새 조)라고 했다. 하지만, 꽁지가 짧은 두루미(鶴·학)에 鳥가 들었고 꽁지가 긴 꿩(雉·치)에 隹(새 추)가 든 것을 보면 반드시 꽁지가 긴 새만을 지칭한 것도 아니다. 소전체에 들면서 눈이 가로획으로 변해 더욱 두드러졌고, 예서체에서는 꼬리가 네 점(灬·火·불 화)으로 변했다. 鳥에서 눈을 없애 버리면 烏(까마귀 오)가 된다. 烏는 눈이 없어서가 아니라 몸이 검은색이어서 눈이 잘 구분되지 않기 때문이다. 까마귀는 다 자라면 자신을 키워준 어미에게 먹이를 갖다 먹이는(反哺·반포) 효성스런 새(孝鳥·효조)로 알려졌다. 새는 하늘과 땅 사이를 마음대로 오가는 영물로, 하늘의 해를 움직이게 하는 존재로, 바람을 일으키는 신으로 간주하기도 했다. 그래서 다리가 셋 달린 三足烏(삼족오)가 태양에 등장하고, 장대 위에 나무로 만든 새를 앉힌 솟대를 만들기도 했다. 간화자에서는 필획을 간단하게 줄인 鸟로 쓴다.

燕頜雞喙, 五色備擧. 出於東方君子之國, 翱翔四海之外, 過崐崘, 飮砥柱, 濯羽弱水, 莫宿風穴. 見則天下大安寧." 从鳥凡聲. 𠏒, 古文鳳, 象形. 鳳飛, 羣鳥從以萬數, 故以爲朋黨字. 𪈼, 亦古文鳳. 馮貢切.

飜譯

'신령스런 새(神鳥)'를 말한다. [황제(黃帝)의 신하였던] 천로(天老)가 다음처럼 말했다. "봉새의 모습을 보면, 앞은 기러기(鴻)를, 뒤는 기린(麐)을, 목은 뱀(蛇)을, 꼬리는 물고기(魚)를, 이마는 황새(鸛)를, 빰은 원앙(鴛)을, 무늬는 용(龍)을, 등은 호랑이(虎)를, 턱은 제비(燕)를, 부리는 닭(雞)을 닮았으며, 오색이 모두 갖추어졌다. 동방의 군자국(君子國)에서 나와서 사해의 밖을 선회하여, 곤륜(崐崘)산을 넘어, 황하의 지주(砥柱)에서 물을 마시고, 약수(弱水)에서 깃털을 씻고, 저녁이 되면 바람의 동굴(風穴)에서 잠을 잔다. 이 새가 나타나면 천하가 크게 안녕하게 된다." 조(鳥)가 의미부이고 범(凡)이 소리부이다.123) 봉(𠏒)은 봉(鳳)의 고문체이다. 상형이다. 봉(鳳)이 날면 다른 새들이 따라 날아올라 수만 마리 무리를 만든다. 그래서 붕당(朋黨)이라는 말이 만들어졌다. 봉(𪈼)도 봉(鳳)의 고문체이다. 독음은 풍(馮)과 공(貢)의 반절이다.

**2361**

**鸞: 鸞: 난새 란: 鳥-총30획: luán**

原文

鸞: 亦神靈之精也. 赤色, 五采, 雞形. 鳴中五音, 頌聲作則至. 从鳥䜌聲. 周成王時氏羌獻鸞鳥. 洛官切.

---

123) 고문자에서 [古文字形] 甲骨文 등으로 썼다. 鳥(새 조)가 의미부이고 凡(무릇 범, 帆의 원래 글자)이 소리부로, 바람을 일으키는 전설적인 새(鳥)인 봉새를 말한다. 원래는 화려한 볏을 가진 전설상의 새인 '봉새'를 그렸는데, 이후 봉새가 鳥로 변하고 소리부인 凡이 더해져 지금의 자형이 되었다. 돛(帆)은 바람에 의해 움직이는 대표적 장치였기에 凡이 더해진 것으로 보인다. 風(바람 풍), 朋(벗 붕), 鵬(봉새 붕) 등은 모두 鳳과 같은 자원을 가지는 글자들인데, 風은 鳳의 鳥가 虫(벌레 충)으로 대체되었고, 朋은 원래 봉새의 날개를 그렸으나 '벗'이라는 뜻으로 가차되자 鳥를 더해 鵬으로 분화했다. 간화자에서는 鳥를 간단한 부호 又(또 우)로 고친 凤으로 쓴다.

飜譯

'붉고 신령스런 정령(亦神靈之精)'을 말한다.[124] 붉은 색에, 다섯 가지 무늬를 발하며, 닭의 형상을 했다. 우는 소리는 오음(五音)과 맞고, 찬송하는 소리를 들으면 날아온다. 조(鳥)가 의미부이고 난(䜌)이 소리부이다. 주(周)나라 성왕(成王) 때 저강(氐羌)이 난새를 헌상했었다. 독음은 락(洛)과 관(官)의 반절이다.

**2362**

**鸑: 鸑: 신조 이름 악: 鳥-총25획: yuè**

原文

鸑: 鸑鷟, 鳳屬, 神鳥也. 从鳥獄聲. 『春秋國語』曰: "周之興也, 鸑鷟鳴於岐山." 江中有鸑鷟, 似鳧而大, 赤目. 五角切.

飜譯

'악작(鸑鷟)'을 말하는데, '봉새의 일종(鳳屬)으로, 신령스런 새이다(神鳥).' 조(鳥)가 의미부이고 악(獄)이 소리부이다. 『춘추국어·주어(周語)』(「내사과설(內史過說)」)에서 "주(周)나라가 흥성한 것은 악작(鸑鷟)이 기산(岐山)에서 울었기 때문이다."라고 했다. 강에 사는 악작(鸑鷟)도 있는데, 오리(鳧)처럼 생겼으나 더 크고 붉은 눈을 가졌다. 독음은 오(五)와 각(角)의 반절이다.

**2363**

**鷟: 鷟: 자색 봉황 작: 鳥-총22획: zhuò**

原文

鷟: 鸑鷟也. 从鳥族聲. 士角切.

124) 『단주』에서 각 판본에서 역(亦)으로 되었으나 적(赤)이 옳다고 하면서, 이렇게 말했다. "『예문유취(藝文類聚)』, 『비아(埤雅)』, 『집운(集韵)』, 『유편(類篇)』, 『운회(韵會)』에 근거해 바로 잡는다. 『후한서주(後漢書注)』와 『광운(廣韵)』에서 인용한 『손씨서응도(孫氏瑞應圖)』에서도 란(鸞)은 붉고 신령스런 정령을 말한다(赤神之精也)라고 했다." 『단주』의 해설을 따랐다.

飜譯

'악작(鸑鷟)이라는 새를 말한다.' 조(鳥)가 의미부이고 족(族)이 소리부이다. 독음은 사(士)와 각(角)의 반절이다.

2364

**鷫: 鷫: 신조 숙: 鳥-총23획: sù**

原文

鷫: 鷫鷞也. 五方神鳥也. 東方發明, 南方焦明, 西方鷫鷞, 北方幽昌, 中央鳳皇. 从鳥肅聲. 鸘, 司馬相如說: 从叜聲. 息逐切.

飜譯

'숙상(鷫鷞)'을 말하는데, '오방을 대표하는 신령스런 새(五方神鳥)'이다. 동방의 신령스런 새를 발명(發明)이라 하고, 남방의 신령스런 새를 초명(焦明)이라 하고, 서방의 신령스런 새를 숙상(鷫鷞)이라 하고, 북방의 신령스런 새를 유창(幽昌)이라 하고, 중앙의 신령스런 새를 봉황(鳳皇)이라 부른다. 조(鳥)가 의미부이고 숙(肅)이 소리부이다. 숙(鸘)은 사마상여(司馬相如)의 설을 따르면 수(叜)가 소리부이다. 독음은 식(息)과 축(逐)의 반절이다.

2365

**鷞: 鷞: 새 이름 상: 鳥-총22획: shuāng**

原文

鷞: 鷫鷞也. 从鳥爽聲. 所莊切.

飜譯

'숙상(鷫鷞)이라는 새를 말한다.' 조(鳥)가 의미부이고 상(爽)이 소리부이다. 독음은 소(所)와 장(莊)의 반절이다.

**2366**

**鳩: 鳩: 비둘기 구: 鳥-총13획: jiū**

原文

鳩: 鶻鵃也. 从鳥九聲. 居求切.

飜譯

'골주(鶻鵃) 즉 멧비둘기'를 말한다. 조(鳥)가 의미부이고 구(九)가 소리부이다. 독음은 거(居)와 구(求)의 반절이다.

**2367**

**鶌: 鶌: 멧비둘기 굴: 鳥-총19획: qū**

原文

鶌: 鶌鳩也. 从鳥屈聲. 九勿切.

飜譯

'굴구(鶌鳩) 즉 멧비둘기'를 말한다. 조(鳥)가 의미부이고 굴(屈)이 소리부이다. 독음은 구(九)와 물(勿)의 반절이다.

**2368**

**鵻: 鵻: 호도애 추: 鳥-총19획: cū**

原文

鵻: 祝鳩也. 从鳥隹聲. 隼, 鵻或从隹、一. 一曰鶉字. 思允切.

飜譯

'축구(祝鳩) 즉 산비둘기'를 말한다. 조(鳥)가 의미부이고 추(隹)가 소리부이다. 추(隼)는 추(鵻)의 혹체자인데, 추(隹)와 일(一)로 구성되었다. 일설에는 순(鶉)자라고도 한다. 독음은 사(思)와 윤(允)의 반절이다.

2369

**鶻: 鶻: 송골매 골: 鳥-총21획: gú**

原文

鶻: 鶻鵃也. 从鳥骨聲. 古忽切.

飜譯

'골주(鶻鵃) 즉 멧비둘기'를 말한다. 조(鳥)가 의미부이고 골(骨)이 소리부이다. 독음은 고(古)와 홀(忽)의 반절이다.

2370

**鵃: 鵃: 멧비둘기 주: 鳥-총17획: zhōu**

原文

鵃: 鶻鵃也. 从鳥舟聲. 張流切.

飜譯

'골주(鶻鵃) 즉 멧비둘기'를 말한다. 조(鳥)가 의미부이고 주(舟)가 소리부이다. 독음은 장(張)과 류(流)의 반절이다.

2371

**鷄: 鵴: 뻐꾸기 국: 鳥-총27획: jú**

原文

鵴: 秸鵴, 尸鳩. 从鳥簐聲. 居六切.

飜譯

'길국(秸鵴)을 말하는데, 뻐꾸기(尸鳩)를 말한다.' 조(鳥)가 의미부이고 국(簐)이 소리부이다. 독음은 거(居)와 륙(六)의 반절이다.

**2372**

**鴿: 鴿: 집비둘기 합: 鳥-총17획: gē**

原文

鴿: 鳩屬. 从鳥合聲. 古沓切.

飜譯

'비둘기의 일종이다(鳩屬).' 조(鳥)가 의미부이고 합(合)이 소리부이다. 독음은 고(古)와 답(沓)의 반절이다.

**2373**

**鴠: 鴠: 산박쥐 단: 鳥-총16획: dàn**

原文

鴠: 渴鴠也. 从鳥旦聲. 得案切.

飜譯

'갈단(渴鴠) 즉 산박쥐'를 말한다. 조(鳥)가 의미부이고 단(旦)이 소리부이다. 독음은 득(得)과 안(案)의 반절이다.

**2374**

**鶪: 鶪: 때까치 격: 鳥-총20획: jú**

原文

鶪: 伯勞也. 从鳥狊聲. 䳤, 鶪或从隹. 古闃切.

飜譯

'백로(伯勞) 즉 때까치'를 말한다. 조(鳥)가 의미부이고 격(狊)이 소리부이다. 격(䳤)은 격(鶪)의 혹체자인데, 추(隹)로 구성되었다. 독음은 고(古)와 격(闃)의 반절이다.

**2375**

: 鷚: **종달새 류**: 鳥-총22획: liù

原文

: 天龠也. 从鳥翏聲. 力救切.

飜譯

'천약(天龠)이라는 새'를 말한다. 조(鳥)가 의미부이고 료(翏)가 소리부이다. 독음은 력(力)과 구(救)의 반절이다.

**2376**

: 鷽: **큰부리까마귀 여**: 鳥-총25획: yù

原文

: 卑居也. 从鳥與聲. 羊茹切.

飜譯

'비거(卑居)라는 새'를 말한다. 조(鳥)가 의미부이고 여(與)가 소리부이다. 독음은 양(羊)과 여(茹)의 반절이다.

**2377**

: 鷽: **메까치 학**: 鳥-총24획: xué

原文

: 鵫鷽, 山鵲, 知來事鳥也. 从鳥, 學省聲. 雤, 鷽或从隹. 胡角切.

飜譯

'한학(鵫鷽)을 말하는데, 산까치(山鵲)를 말하며, 다가올 일을 예견해 주는 새이다(知來事鳥).' 조(鳥)가 의미부이고, 학(學)의 생략된 모습이 소리부이다. 학(雤)은 학(鷽)의 혹체자인데, 추(隹)로 구성되었다. 독음은 호(胡)와 각(角)의 반절이다.

**2378**

: 鷲: **수리 취**: 鳥-**총23획**: **jiù**

原文

: 鳥黑色多子. 師曠曰: "南方有鳥, 名曰羌鷲, 黃頭赤目, 五色皆備." 从鳥就聲. 疾僦切.

飜譯

'검은색 새로, 새끼를 많이 낳는다(鳥黑色多子)'[125]. 사광(師曠)[126]에 의하면, "남방에 새가 있는데, 강취(羌鷲)라고 한다. 누런색의 머리에 붉은 눈을 가졌으며, 오색의 무늬를 모두 갖추었다." 조(鳥)가 의미부이고 취(就)가 소리부이다. 독음은 질(疾)과 추(僦)의 반절이다.

**2379**

: 鴞: **부엉이 효**: 鳥-**총16획**: **xiāo**

原文

: 鴟鴞, 寧鴂也. 从鳥号聲. 于嬌切.

飜譯

'치효(鴟鴞)는 달리 녕결(寧鴂)이라 불리는데, 부엉이를 말한다.' 조(鳥)가 의미부이고 호(号)가 소리부이다. 독음은 우(于)와 교(嬌)의 반절이다.

---

125) 『단주』에서는 "鷲鳥, 黑色, 多子.(취조를 말하는데, 검은색이며, 새끼를 많이 낳는다.)"가 되어야 한다고 했다.

126) 사광(師曠, B.C. 572~B.C. 532)은 자가 자야(子野), 진야(晉野)로, 춘추 시대 진(晉)나라의 양설식읍(羊舌食邑: 지금의 산서성 洪洞縣 曲亭鎮 師村) 사람이다. 진(晉) 평공(平公) 때 악사(樂師)를 지냈다. 전하는 말로 태어날 때부터 장님이었는데, 음률(音律)을 잘 판별했고 소리로 길흉(吉凶)까지 점쳤다고 한다. 제(齊)나라가 진나라를 침공했는데, 새소리를 듣고 제나라 군대가 이미 후퇴한 것을 알아냈다. 평공이 큰 종을 주조했는데 모든 악공(樂工)들이 음률이 정확하다고 했지만 그만 그렇지 않다고 판단했다. 나중에 사연(師涓)이 이것이 사실임을 확인했다. 『금경(禽經)』을 지었다고 전해진다.

2380

**鴂: 鴂: 뱁새 결: 鳥-총15획: jué**

原文

鴂: 寧鴂也. 从鳥夬聲. 古穴切.

飜譯

'녕결(寧鴂)이라는 새를 말한다.' 조(鳥)가 의미부이고 쾌(夬)가 소리부이다. 독음은 고(古)와 혈(穴)의 반절이다.



2381

**鷸: 鷸: 괴상한 새 술: 鳥-총21획: xù**

原文

鷸: 鳥也. 从鳥祟聲. 辛聿切.

飜譯

'새의 이름이다(鳥).' 조(鳥)가 의미부이고 수(祟)가 소리부이다. 독음은 신(辛)과 율(聿)의 반절이다.

2382

**鴋: 鴋: 해오라기 방: 鳥-총15획: fǎng**

原文

鴋: 澤虞也. 从鳥方聲. 分兩切.

飜譯

'택우(澤虞) 즉 사다새'[127]를 말한다.[128] 조(鳥)가 의미부이고 방(方)이 소리부이다.

127) 우리나라에서는 가람조(伽藍鳥)라고도 한다. 몸길이 140~178cm이다. 어미 새의 몸 빛깔은 흰색이며 첫째 날개깃은 검정색이다. 해안이나 내륙의 호수에 살면서 부리주머니 속에 작은 물고기나 새우 따위를 빨아 삼킨다. 둥지는 호숫가나 습지의 갈대밭이나 갯벌에 나뭇가지 또

독음은 분(分)과 량(兩)의 반절이다.

**2383**

**⿰截鳥: ⿰截鳥: 작은 닭 절: 鳥-총26획: jié**

原文

⿰截鳥: 鳥也. 从鳥截聲. 子結切.

飜譯

'새의 이름이다(鳥).'[129] 조(鳥)가 의미부이고 절(截)이 소리부이다. 독음은 자(子)와 결(結)의 반절이다.

**2384**

**⿰桼鳥: ⿰桼鳥: 새 이름 칠: 鳥-총22획: qī**

原文

⿰桼鳥: 鳥也. 从鳥桼聲. 親吉切.

飜譯

---

는 풀을 이용하여 접시 모양으로 튼다. 3~7월에 한배에 2~3개(때로는 4개)의 알을 낳는데, 부화한 지 10일이면 온몸에 흰 솜털이 덮인다. 유럽 남동부에서 몽골, 시베리아에 이르는 지역에 불연속적으로 분포하며 남쪽으로 내려가 겨울을 난다.(두산백과)

128) 『단주』에서 이렇게 말했다. "『이아·석조(釋鳥)』에서 방(鶭)은 택우(澤虞)를 말한다고 했고, 『경전석문』에서 방(鶭·사다새)은 원래 방(鴋)으로 적기도 하는데, 『설문』에서는 방(舫)으로 적었다고 했다. 곽박의 주석에서 오늘날 말하는 고택조(媢澤鳥)인데, 마치 군주를 곁에는 지키는 관리(主守之官)인양 항상 소택에서 살면서 그곳을 지킨다고 했다. 내 생각에, 이는 택우(澤虞: 주나라 때 소택을 관리하던 벼슬)의 의미를 갖고 해석한 것으로, 마치 『주례』에서 말한 택우(澤虞)와 같은 역할을 한다는 뜻이다. 양웅(楊雄)은 시구(鳲鳩·뻐꾸기)를 간혹 방택(鶭鸅)이라 부르기도 한다고 했는데, 아마도 시구(尸鳩)의 다른 이름일 것이다. 손염은 이를 끌어와 『이아』에 대해 주석을 달면서 방택우(鴋澤虞)라고 했는데, 다른 판본을 끊어 읽기 한 것인지는 알 수 없는 일이다."

129) 『단주』에서는 "⿰截鳥鳥也"가 되어야 한다고 했으며, "『유편』과 『운회』에서는 모두 소계(小雞)을 말한다고 했다."

'새의 이름이다(鳥).'[130] 조(鳥)가 의미부이고 칠(桼)이 소리부이다. 독음은 친(親)과 길(吉)의 반절이다.

**2385**

**䳀: 鴃: 새 이름 일: 鳥-총16획: dié**

原文

䳀: 鋪豉也. 从鳥失聲. 徒結切.

飜譯

'포시(鋪豉)[131] 즉 뻐꾸기'를 말한다. 조(鳥)가 의미부이고 실(失)이 소리부이다. 독음은 도(徒)와 결(結)의 반절이다.

**2386**

**鶤: 鶤: 댓닭 곤: 鳥-총20획: kūn**

原文

鶤: 鶤雞也. 从鳥軍聲. 讀若運. 古渾切.

飜譯

'곤계(鶤雞) 즉 댓닭'[132]을 말한다. 조(鳥)가 의미부이고 군(軍)이 소리부이다. 운(運)과 같이 읽는다. 독음은 고(古)와 혼(渾)의 반절이다.

---

130) 『단주』에서는 "鶨鳥也"가 되어야 한다고 했다.

131) 포시(鋪豉)는 원래 상처 부위에 된장을 얇게 펴서 바르다는 뜻이다. 뻐꾸기를 왜 이렇게 불렀는지는 『단주』에서도 알지 못한다고 했다.

132) 닭의 한 품종으로, 몸이 크고 뼈대가 튼튼하며, 깃털이 성기고 근육이 매우 발달하였다. 힘이 세어 싸움닭으로 기르며 고기 맛은 좋으나 알을 많이 낳지 못한다. 『단주』에 의하면, "『이아·석조(釋鳥)』에서 3자 크기의 닭(雞三尺)을 곤(鶤)이라 한다고 했고, 곽박의 주석에서 양구거곤(陽溝巨鶤)은 옛날의 유명한 닭 품종 이름이라고 했다."

**2387**

⿰芺鳥: **수리부엉이 오**: 鳥-**총19획**: **ǎo, wò**

原文

⿰芺鳥: 鳥也. 从鳥芺聲. 烏浩切.

飜譯

'새의 이름이다(鳥).' 조(鳥)가 의미부이고 요(芺)가 소리부이다. 독음은 오(烏)와 호(浩)의 반절이다.

**2388**

⿱臼鳥: **새 이름 곡**: 鳥-**총18획**: **jiù, jú**

原文

⿱臼鳥: 鳥也. 从鳥臼聲. 居玉切.

飜譯

'새의 이름이다(鳥).' 조(鳥)가 의미부이고 구(臼)가 소리부이다. 독음은 거(居)와 옥(玉)의 반절이다.

**2389**

鷦: **뱁새 초**: 鳥-**총23획**: **jiāo**

原文

鷦: 鷦⿰鳥眇, 桃蟲也. 从鳥焦聲. 即消切.

飜譯

'초묘(鷦⿰鳥眇), 즉 도충새(桃蟲鳥)'를 말한다. 조(鳥)가 의미부이고 초(焦)가 소리부이다. 독음은 즉(即)과 소(消)의 반절이다.

**2390**

: 鰱: **뱁새 묘**: 鳥-총20획: miǎo

原文

: 鷦鰱也. 从鳥眇聲. 亡沼切.

飜譯

'초묘(鷦鰱)'를 말한다. 조(鳥)가 의미부이고 묘(眇)가 소리부이다. 독음은 망(亡)과 소(沼)의 반절이다.

**2391**

: 鶹: **올빼미 류**: 鳥-총23획: liú

原文

: 鳥少美長醜爲鶹離. 从鳥畱聲. 力求切.

飜譯

'작을 때에는 예쁘지만 크면 못생겨지는 유리(鶹離)라는 새를 말한다(鳥少美長醜爲鶹離).' 조(鳥)가 의미부이고 유(畱)가 소리부이다. 독음은 력(力)과 구(求)의 반절이다.

**2392**

: 鷬: **새 이름 난**: 鳥-총22획: nán

原文

: 鳥也. 从鳥堇聲. 難, 鷬或从隹. , 古文鷬. , 古文鷬. , 古文鷬. 那干切.

飜譯

'새의 이름이다(鳥).' 조(鳥)가 의미부이고 근(堇)이 소리부이다. 난(難)은 난(鷬)의 혹체자인데, 추(隹)로 구성되었다. 난( )은 난(鷬)의 고문체이다. 난( )도 난(鷬)의 고문체이다. 난( )도 난(鷬)의 고문체이다. 독음은 나(那)와 간(干)의 반절이다.

**2393**

**鶨: 鶨: 새 이름 천·단: 鳥-총20획: chuàn, zhì**

原文

鶨: 欺老也. 从鳥彖聲. 丑絹切.

飜譯

'기로(欺老)라는 새'를 말한다.133) 조(鳥)가 의미부이고 단(彖)이 소리부이다. 독음은 축(丑)과 견(絹)의 반절이다.

**2394**

**鵙: 鵙: 물새 열: 鳥-총18획: yuè**

原文

鵙: 鳥也. 从鳥, 說省聲. 弋雪切.

飜譯

'새의 이름이다(鳥).'134) 조(鳥)가 의미부이고, 설(說)의 생략된 모습이 소리부이다. 독음은 익(弋)과 설(雪)의 반절이다.

**2395**

**鴸: 鴸: 검은 오리 투: 鳥-총16획: tǒu**

原文

鴸: 鳥也. 从鳥主聲. 天口切.

飜譯

'새의 이름이다(鳥).'135) 조(鳥)가 의미부이고 주(主)가 소리부이다. 독음은 천(天)과

133) 『이아·석조(釋鳥)』에서는 기로(欺老)를 기로(鵋老)로 썼다.
134) 『단주』에서는 "鵙鳥也"가 되어야 한다고 했다.

구(口)의 반절이다.

2396

**鷵: 鷵: 비취새 비슷하고 붉은 발의 새 민: 鳥-총19획: mín**

原文

鷵: 鳥也. 从鳥昏聲. 武巾切.

飜譯

'새의 이름이다(鳥).'[136] 조(鳥)가 의미부이고 혼(昏)이 소리부이다. 독음은 무(武)와 건(巾)의 반절이다.

2397

**鷯: 鷯: 굴뚝새 료: 鳥-총23획: liáo**

原文

鷯: 刀鷯. 剖葦, 食其中蟲. 从鳥尞聲. 洛簫切.

飜譯

'도요새(刀鷯)'를 말한다. 갈대 속을 파서 그 속에 든 벌레를 먹는다(剖葦, 食其中蟲). 조(鳥)가 의미부이고 요(尞)가 소리부이다. 독음은 락(洛)과 소(簫)의 반절이다.

2398

**鶠: 鶠: 봉새 언: 鳥-총20획: yǎn**

原文

鶠: 鳥也. 其雌皇. 从鳥匽聲. 一曰鳳皇也. 於幰切.

135) 『단주』에서는 "鳿鳥也"가 되어야 한다고 했다.
136) 『단주』에서는 "鷵鳥也"가 되어야 한다고 했다.

飜譯

‘새의 이름이다(鳥).’[137] 이 새의 수컷을 황(皇)이라 한다. 조(鳥)가 의미부이고 언(匽)이 소리부이다. 일설에는 ‘봉황(鳳皇)’을 말한다고도 한다. 독음은 어(於)와 헌(幰)의 반절이다.

**2399**

**鴲: 鴲: 새끼 새 지: 鳥-총17획: zhī**

原文

鴲: 瞑鴲也. 从鳥旨聲. 旨夷切.

飜譯

‘명지(瞑鴲)라는 새’를 말한다. 조(鳥)가 의미부이고 지(旨)가 소리부이다. 독음은 지(旨)와 이(夷)의 반절이다.

**2400**

**鵅: 鵅: 물새 이름 락: 鳥-총17획: luò**

原文

鵅: 烏鸔也. 从鳥各聲. 盧各切.

飜譯

‘오복(烏鸔)이라는 새’를 말한다.[138] 조(鳥)가 의미부이고 각(各)이 소리부이다. 독음은 로(盧)와 각(各)의 반절이다.

**2401**

**鸔: 鸔: 물새 복: 鳥-총26획: bǔ**

---

137) 『단주』에서는 “鷗鳥也”가 되어야 한다고 했다.
138) 『단주』에서 이렇게 말했다. “『이아·석조(釋鳥)』에 보인다. 곽박의 주석에서 물새를 말한다(水鳥也)고 했다. 내 생각에, 이는 추(隹)부수에서 말한 락(雒)과 독음은 같지만 의미는 다르다.”

原文

鸔: 烏鸔也. 从鳥暴聲. 蒲木切.

飜譯

'오복(烏鸔)이라는 새'를 말한다. 조(鳥)가 의미부이고 폭(暴)이 소리부이다. 독음은 포(蒲)와 목(木)의 반절이다.



**2402**

**鶴: 鶴: 학 학: 鳥-총21획: hè**

原文

鶴: "鳴九皐, 聲聞于天." 从鳥隺聲. 下各切.

飜譯

[『시경·소아·학명(鶴鳴)』에서] "높은 언덕에서 우니, 그 울음소리 하늘에 퍼지네.(鳴九皐, 聲聞于天.)"라고 노래했다.[139] 조(鳥)가 의미부이고 학(隺)이 소리부이다. 독음은 하(下)와 각(各)의 반절이다.

**2403**

**鷺: 鷺: 해오라기 로: 鳥-총23획: lū**

原文

鷺: 白鷺也. 从鳥路聲. 洛故切.

飜譯

'백로(白鷺)'를 말한다.[140] 조(鳥)가 의미부이고 로(路)가 소리부이다. 독음은 락(洛)과 고(故)의 반절이다.

139) 구(九)는 고(高)와 같아 '높다'라는 뜻이고, 고(皐)는 물가의 언덕을 말한다. 『집전』에서 학의 울음소리는 8리나 9리의 먼 곳까지 들린다고 하였다.

140) 『단주』에 의하면, 『이아·석조(釋鳥)』에서 로(鷺)는 용서(舂鋤)를 말한다고 했고, 『시경·주송(周頌)』과 「노송(魯頌)」의 『전』에서 로(鷺)는 백조(白鳥)를 말한다고 했다.

**2404**

**鵠: 鵠: 고니 곡: 鳥-총18획: hú**

原文

鵠: 鴻鵠也. 从鳥告聲. 胡沃切.

飜譯

'홍곡(鴻鵠) 즉 고니'를 말한다. 조(鳥)가 의미부이고 고(告)가 소리부이다. 독음은 호(胡)와 옥(沃)의 반절이다.

**2405**

**鴻: 鴻: 큰 기러기 홍: 鳥-총17획: hóng**

原文

鴻: 鴻鵠也. 从鳥江聲. 戶工切.

飜譯

'홍곡(鴻鵠) 즉 고니'를 말한다. 조(鳥)가 의미부이고 강(江)이 소리부이다.141) 독음은 호(戶)와 공(工)의 반절이다.

**2406**

**鶖: 鶖: 무수리 추: 鳥-총17획: qiū**

原文

鶖: 禿鶖也. 从鳥赤聲. 鶖, 鶖或从秋. 七由切.

飜譯

'독추(禿鶖)라는 새'를 말한다. 조(鳥)가 의미부이고 숙(赤)이 소리부이다. 추(鶖)는

---

141) 鳥(새 조)가 의미부고 江(강 강)이 소리부로, 기러기를 말한다. 기러기는 큰 새이기에 크다는 뜻이 나왔는데, 長江(장강)처럼 큰(江) 새(鳥)라는 뜻을 담았다.

추(䲯)의 혹체자인데, 추(秋)로 구성되었다. 독음은 칠(七)과 유(由)의 반절이다.

**2407**

**鴛: 鴛: 원앙 원: 鳥-총16획: yuān**

原文

鴛: 鴛鴦也. 从鳥夗聲. 於袁切.

翻譯

'원앙새(鴛鴦)'를 말한다. 조(鳥)가 의미부이고 원(夗)이 소리부이다. 독음은 어(於)와 원(袁)의 반절이다.

**2408**

**鴦: 鴦: 원앙 앙: 鳥-총16획: yāng**

原文

鴦: 鴛鴦也. 从鳥央聲. 於良切.

翻譯

'원앙새(鴛鴦)'를 말한다. 조(鳥)가 의미부이고 앙(央)이 소리부이다. 독음은 어(於)와 량(良)의 반절이다.

**2409**

**鵽: 鵽: 탈구 탈: 鳥-총19획: duò**

原文

鵽: 鵽鳩也. 从鳥叕聲. 丁刮切.

翻譯

'탈구(鵽鳩)라는 새'를 말한다.142) 조(鳥)가 의미부이고 철(叕)이 소리부이다. 독음은 정(丁)과 괄(刮)의 반절이다.

**2410**

**鯥: 鵱: 들 거위 륙: 鳥-총19획: lù**

原文

鯥 蔞鵝也. 从鳥坴聲. 力竹切.

飜譯

'누아(蔞鵝)라는 새'를 말한다.143) 조(鳥)가 의미부이고 육(坴)이 소리부이다. 독음은 력(力)과 죽(竹)의 반절이다.

**2411**

**䳓: 䳓: 기러기 가: 鳥-총16획: gē**

原文

䳓: 䳓鵝也. 从鳥可聲. 古俄切.

飜譯

'가아(䳓鵝)라는 새'를 말한다. 조(鳥)가 의미부이고 가(可)가 소리부이다. 독음은 고(古)와 아(俄)의 반절이다.

**2412**

**䳘: 䳘: 거위 아: 鳥-총18획: é**

---

142) 『이아·석조(釋鳥)』에서 "탈구(鵽鳩)는 구치(寇雉)를 말한다"라고 했고, 곽박(郭璞)의 주석에서는 "탈구새(鵽)는 크기가 집비둘기(鴿)만 하고, 암컷 꿩 비슷하게 생겼는데, 다리는 쥐처럼 생겼으나 뒷발가락이 없고, 꼬리는 갈라졌다. 새만 보아도 놀라 무리지어 날며, 북방의 사막에까지 날아간다."고 했다. 또 이시진(李時珍)의 『본초강목(本草綱目)』(禽二·突厥雀)에서는 "탈구새(鵽)는 함곡관 서쪽 지역에서 나는데, 날아갈 때 수컷은 앞에 암컷은 뒤에 줄을 지어 가면서 행동을 통일한다."라고 했다. 달리 돌궐작(突厥雀)이라고도 한다.

143) 『이아·석조(釋鳥)』에서 육(鵱)은 누아(鷜鵝)를 말한다고 했는데, 곽박의 주석에서 오늘날의 야아(野鵝·들 거위)를 말한다고 했다.

原文

鵝: 駉鵝也. 从鳥我聲. 五何切.

飜譯

'가아(駉鵝)라는 새'를 말한다. 조(鳥)가 의미부이고 아(我)가 소리부이다. 독음은 오(五)와 하(何)의 반절이다.

**2413**

**鴈: 鴈: 기러기 안: 鳥-총15획: yàn**

原文

鴈: 鵝也. 从鳥、人, 厂聲. 五晏切.

飜譯

'기러기(鵝)'를 말한다. 조(鳥)와 인(人)이 의미부이고, 엄(厂)이 소리부이다. 독음은 오(五)와 안(晏)의 반절이다.

**2414**

**鶩: 鶩: 집오리 목: 鳥-총20획: wù**

原文

鶩: 舒鳧也. 从鳥敄聲. 莫卜切.

飜譯

'서부(舒鳧) 즉 집오리'를 말한다. 조(鳥)가 의미부이고 무(敄)가 소리부이다. 독음은 막(莫)과 복(卜)의 반절이다.

**2415**

**鷖: 鷖: 갈매기 예: 鳥-총22획: yī**

原文

鷖: 鳧屬. 从鳥殹聲. 『詩』曰: "鳧鷖在梁." 烏雞切.

飜譯

'오리 부류에 속하는 새이다(鳧屬).' 조(鳥)가 의미부이고 예(殹)가 소리부이다. 『시·대아부예(鳧鷖)』에서 "물오리와 갈매기가 경수에서 노는데(鳧鷖在梁)[144]"라고 노래했다. 독음은 오(烏)와 계(雞)의 반절이다.

**2416**

**鶪: 鶪: 물오리 결: 鳥-총20획: jié**

原文

鶪: 鶪鷐, 鳧屬. 从鳥契聲. 古節切.

飜譯

'결얼(鶪鷐)'을 말하는데, '오리의 일종이다(鳧屬).' 조(鳥)가 의미부이고 계(契)가 소리부이다. 독음은 고(古)와 절(節)의 반절이다.

**2417**

**鷐: 鷐: 물오리 얼: 鳥-총26획: jiá**

原文

鷐: 鶪鷐也. 从鳥辥聲. 魚列切.

飜譯

'결얼(鶪鷐)이라는 새'를 말한다. 조(鳥)가 의미부이고 설(辥)이 소리부이다. 독음은 어(魚)와 렬(列)의 반절이다.

144) 예(鷖)의 경우, 『모시』에서는 경(涇)으로 썼다. 『단주』에서도 "양(梁)은 당연히 경(涇)으로 적어야 옳다"라고 했다. 이를 따랐다.

2418

**鸏: 鸏: 물새 새끼 몽: 鳥-총25획: méng**

原文

鸏: 水鳥也. 从鳥蒙聲. 莫紅切.

飜譯

'물새의 일종이다(水鳥).' 조(鳥)가 의미부이고 몽(蒙)이 소리부이다. 독음은 막(莫)과 홍(紅)의 반절이다.

2419

**鷸: 鷸: 도요새 휼: 鳥-총23획: yù**

原文

鷸: 知天將雨鳥也. 从鳥矞聲. 『禮記』曰: "知天文者冠鷸." 鸐, 鷸或从遹. 余律切.

飜譯

'곧 비가 내릴 것을 예견해 주는 새이다(知天將雨鳥).' 조(鳥)가 의미부이고 율(矞)이 소리부이다. 『예기(禮記)』[145]에서 "하늘의 일을 아는 자 도요새라네(知天文者冠鷸)"라고 했다. 휼(鸐)은 휼(鷸)의 혹체자인데, 휼(遹)로 구성되었다. 독음은 여(余)와 률(律)의 반절이다.

2420

**鷿: 鷿: 농병아리 벽: 鳥-총24획: pì**

原文

145) 『단주』에서 이렇게 말했다. "『예기』에서 인용했다고 했지만 이는 『한서·예문지』 131편에 나오는 말이다. 『좌전』에서 정(鄭)나라의 자장(子臧)이 송(宋)나라로 도망갔는데, 평소 도요새 깃털로 만든 관(鷸冠)을 수집하길 좋아했다. 정나라 임금(鄭伯)이 이를 듣고서 싫어했다. 몰래 자객을 보내 꾀어내서 죽이도록 했다. 군자가 말했다. '몸에 맞지 않는 의복, 그것이 바로 몸의 재앙이구나.(服之不衷, 身之災也.)'"

鸊: 鸊鷉也. 从鳥辟聲. 普擊切.

飜譯

'벽체(鸊鷉)라는 새'를 말한다. 조(鳥)가 의미부이고 벽(辟)이 소리부이다. 독음은 보(普)와 격(擊)의 반절이다.

**2421**

**鷉: 鷉: 논병아리 체·제: 鳥-총21획: tī**

原文

鷉: 鸊鷉也. 从鳥虒聲. 土雞切.

飜譯

'벽체(鸊鷉)라는 새'를 말한다. 조(鳥)가 의미부이고 사(虒)가 소리부이다. 독음은 토(土)와 계(雞)의 반절이다.

**2422**

**鸕: 鸕: 바다 가마우지 로: 鳥-총27획: lú**

原文

鸕: 鸕鷀也. 从鳥盧聲. 洛乎切.

飜譯

'노자(鸕鷀) 즉 가마우지'를 말한다. 조(鳥)가 의미부이고 로(盧)가 소리부이다. 독음은 락(洛)과 호(乎)의 반절이다.

**2423**

**鷀: 鷀: 가마우지 자: 鳥-총21획: cí**

原文

鷀: 鸕鷀也. 从鳥兹聲. 疾之切.

飜譯

'노자(鸕鷀) 즉 가마우지'를 말한다. 조(鳥)가 의미부이고 자(茲)가 소리부이다. 독음은 질(疾)과 지(之)의 반절이다.

2424

鷧: 鷧: 가마우지 의: 鳥-총23획: yì

原文

鷧: 鷀也. 从鳥壹聲. 乙冀切.

飜譯

'가마우지(鷀)'를 말한다. 조(鳥)가 의미부이고 일(壹)이 소리부이다. 독음은 을(乙)과 기(冀)의 반절이다.

2425

鴔: 鴔: 오디새 핍: 鳥-총16획: fú

原文

鴔: 鴔鵖也. 从鳥乏聲. 平立切.

飜譯

'핍핍(鴔鵖)이라는 새'를 말한다. 조(鳥)가 의미부이고 핍(乏)이 소리부이다. 독음은 평(平)과 립(立)의 반절이다.

2426

鵖: 鵖: 오디새 핍: 鳥-총18획: bī

原文

鵖: 鴔鵖也. 从鳥皀聲. 彼及切.

飜譯

'핍핍(鴔鵖)이라는 새'를 말한다. 조(鳥)가 의미부이고 급(皀)이 소리부이다. 독음은 피(彼)와 급(及)의 반절이다.

**2427**

**鴇: 鴇: 능에 보: 鳥-총15획: bǎo**

原文

鴇: 鳥也.146) 肉出尺胾. 从鳥㸚聲. 䳈, 鴇或从包. 博好切.

飜譯

'새의 이름'이다(鳥).147) 이 새는 한 자 정도를 잘라낼 수 있을 정도로 고기가 많아 구워먹기에 적당하다(肉出尺胾). 조(鳥)가 의미부이고 보(㸚)가 소리부이다. 보(䳈)는 보(鴇)의 혹체자인데, 포(包)로 구성되었다. 독음은 박(博)과 호(好)의 반절이다.

**2428**

**鸜: 鸜: 할미새 거: 鳥-총23획: qú**

原文

鸜: 鶅鸜也. 从鳥渠聲. 强魚切.

飜譯

'옹거(鶅鸜)라는 새'를 말한다.148) 조(鳥)가 의미부이고 거(渠)가 소리부이다. 독음은 강(强)과 어(魚)의 반절이다.

---

146) 『단주』에서는 "鴇鳥也"가 되어야 한다고 했다.

147) 능에를 말하는데, 느싯과의 겨울새이다. 몸의 길이는 수컷은 1미터, 암컷은 76cm 정도이며, 등은 붉은 갈색에 검은색의 가로줄 무늬가 있고 몸 아랫면은 흰색이다. 목이 길며 날개가 넓고 커서 나는 모습이 기러기와 비슷하다. 한국, 중국, 시베리아, 유럽 등지에 분포한다. 천연기념물 제206호이다. (『표준국어대사전』)

148) 할미새를 말하는데, 할미샛과의 검은등할미새, 긴발톱할미새, 노랑할미새, 알락할미새 따위를 통틀어 이르는 말이다. 척령(鶺鴒)이라고도 한다.

2429

**鷗: 鷗: 갈매기 구·물새 우: 鳥-총22획: ōu**

原文

鷗: 水鴞也. 从鳥區聲. 烏侯切.

飜譯

'수호(水鴞) 즉 갈매기'를 말한다. 조(鳥)가 의미부이고 구(區)가 소리부이다. 독음은 오(烏)와 후(侯)의 반절이다.



2430

**鵕: 鵕: 물새 이름 발: 鳥-총16획: bó**

原文

鵕: 鳥也. 从鳥犮聲. 讀若撥. 蒲達切.

飜譯

'새의 이름이다(鳥).'149) 조(鳥)가 의미부이고 발(犮)이 소리부이다. 발(撥)과 같이 읽는다. 독음은 포(蒲)와 달(達)의 반절이다.

2431

**鷛: 鷛: 비오리 용: 鳥-총22획: yóng**

原文

鷛: 鳥也. 从鳥庸聲. 余封切.

飜譯

'새의 이름이다(鳥).'150) 조(鳥)가 의미부이고 용(庸)이 소리부이다. 독음은 여(余)와 봉(封)의 반절이다.

149) 『단주』에서는 "鵕鳥也"가 되어야 한다고 했다.
150) 『단주』에서는 "鷛鳥也"가 되어야 한다고 했다.

**2432**

**鶂: 鶂: 눈 맞추어 새끼 배는 물새 역: 鳥-총19획: è**

原文

鶂: 鳥也. 从鳥兒聲. 『春秋傳』曰: "六鶂退飛." 鷊, 鶂或从鬲. 鶃, 司馬相如說, 鶂从赤. 五歷切.

飜譯

'새의 이름이다(鳥).'151) 조(鳥)가 의미부이고 아(兒)가 소리부이다. 『춘추전』(『좌전』 희공 16년, B.C. 644)에서 "[16년 봄, 운석이 송나라의 하늘 위에서 다섯 개나 떨어졌다.…… 또] 아조 새 여섯 마리가 [송나라 도성 위를] 뒤로 하여 날아갔다(六鶂退飛)"라고 했다. 역(鷊)은 역(鶂)의 혹체자인데, 력(鬲)으로 구성되었다. 역(鶃)은 사마상여(司馬相如)의 설에 의하면 역(鶂)자인데, 적(赤)으로 구성되었다. 독음은 오(五)와 력(歷)의 반절이다.

**2433**

**鶇: 鶇: 제호 제: 鳥-총17획: tí**

原文

鶇: 鶇胡, 污澤也. 从鳥夷聲. 鵜, 鶇或从弟. 杜兮切.

飜譯

'제호(鶇胡)'를 말하는데, '오택(污澤) 즉 사다 새'를 말한다. 조(鳥)가 의미부이고 이(夷)가 소리부이다. 제(鵜)는 제(鶇)의 혹체자인데, 제(弟)로 구성되었다. 독음은 두(杜)와 혜(兮)의 반절이다.

---

151) 『단주』에서는 "鶂鳥也"가 되어야 한다고 했다.

2434

**䳰: 鴗: 쇠새 립: 鳥-총16획: lì**

原文

䳰: 天狗也. 从鳥立聲. 力入切.

飜譯

'천구(天狗)라는 새'를 말한다. 조(鳥)가 의미부이고 립(立)이 소리부이다. 독음은 력(力)과 입(入)의 반절이다.

2435

**鶬: 鶬: 왜가리 창: 鳥-총21획: cāng**

原文

鶬: 麋鴰也. 从鳥倉聲. 䳃, 鶬或从隹. 七岡切.

飜譯

'미괄(麋鴰) 즉 재두루미'를 말한다. 조(鳥)가 의미부이고 창(倉)이 소리부이다. 창(䳃)은 창(鶬)의 혹체자인데, 추(隹)로 구성되었다. 독음은 칠(七)과 강(岡)의 반절이다.

2436

**鴰: 鴰: 재두루미 괄: 鳥-총17획: guā**

原文

鴰: 麋鴰也. 从鳥昏聲. 古活切.

飜譯

'미괄(麋鴰) 즉 재두루미'를 말한다. 조(鳥)가 의미부이고 괄(昏)이 소리부이다. 독음은 고(古)와 활(活)의 반절이다.

**2437**

**鵁: 鵁: 해오라기 교: 鳥-총17획: jiāo**

原文

鵁: 鵁鶄也. 从鳥交聲. 一曰鵁鸕也. 古肴切.

飜譯

'교정(鵁鶄)이라는 새'를 말한다. 조(鳥)가 의미부이고 교(交)가 소리부이다. 일설에는 '교로(鵁鸕)라는 새'를 말한다고도 한다. 독음은 고(古)와 효(肴)의 반절이다.

**2438**

**鶄: 鶄: 푸른 백로 청: 鳥-총19획: jīng**

原文

鶄: 鵁鶄也. 从鳥青聲. 子盈切.

飜譯

'교정(鵁鶄)이라는 새'를 말한다. 조(鳥)가 의미부이고 청(青)이 소리부이다. 독음은 자(子)와 영(盈)의 반절이다.

**2439**

**鳽: 鳽: 눈 맞아 새끼 배는 새 견: 鳥-총15획: jiān**

原文

鳽: 鵁鶄也. 从鳥开聲. 古賢切.

飜譯

'교정(鵁鶄)이라는 새'를 말한다. 조(鳥)가 의미부이고 견(开)이 소리부이다. 독음은 고(古)와 현(賢)의 반절이다.

2440

**鱵: 鷀: 물총새 침: 鳥-총26획: zhēn**

原文

鱵: 鷀鷥也. 从鳥箴聲. 職深切.

飜譯

'침자(鷀鷥)라는 새'를 말한다. 조(鳥)가 의미부이고 잠(箴)이 소리부이다. 독음은 직(職)과 심(深)의 반절이다.



2441

**鷥: 鷥: 새 이름 자: 鳥-총17획: zī**

原文

鷥: 鷀鷥也. 从鳥此聲. 即夷切.

飜譯

'침자(鷀鷥)라는 새'를 말한다. 조(鳥)가 의미부이고 차(此)가 소리부이다. 독음은 즉(即)과 이(夷)의 반절이다.

2442

**鷻: 鷻: 수리 단: 鳥-총23획: tuán**

原文

鷻: 雕也. 从鳥敦聲. 『詩』曰: "匪鷻匪鳶." 度官切.

飜譯

'수리(雕)'를 말한다. 조(鳥)가 의미부이고 돈(敦)이 소리부이다. 『시·소아사월(四月)』에서 "수리도 아니고 솔개도 아니네(匪鷻匪鳶)"라고 노래했다. 독음은 도(度)와 관(官)의 반절이다.

**2443**

**鳶: 鳶: 소리개 연: 鳥-총17획: è, yuān**

原文

鳶: 鷙鳥也. 从鳥屰聲. 與專切.

飜譯

'지조(鷙鳥)'를 말한다.152) 조(鳥)가 의미부이고 역(屰)이 소리부이다. 독음은 여(與)와 전(專)의 반절이다.

**2444**

**鷳: 鷳: 솔개 한: 鳥-총23획: xián**

原文

鷳: 鴟也. 从鳥閑聲. 戶間切.

飜譯

'올빼미(鴟)'를 말한다. 조(鳥)가 의미부이고 한(閑)이 소리부이다. 독음은 호(戶)와 간(間)의 반절이다.

**2445**

**鷂: 鷂: 익더귀 요: 鳥-총21획: yào**

原文

鷂: 鷙鳥也. 从鳥䍃聲. 弋笑切.

飜譯

'지조(鷙鳥)'를 말한다.153) 조(鳥)가 의미부이고 요(䍃)가 소리부이다. 독음은 익(弋)과 소(笑)의 반절이다.

---

152) 매나 솔개와 같은 맹금류를 말한다.
153) 2443_鳶의 주석 참조.

2446

**鷢: 鷢: 물수리 궐: 鳥-총23획: jué**

原文

鷢: 白鷢, 王鴡也. 从鳥厥聲. 居月切.

飜譯

'백궐(白鷢: 흰 물수리)'을 말하는데, '왕저(王鴡)'라고도 한다. 조(鳥)가 의미부이고 궐(厥)이 소리부이다. 독음은 거(居)와 월(月)의 반절이다.

2447

**鴡: 鴡: 물수리 저: 鳥-총16획: qū**

原文

鴡: 王鴡也. 从鳥且聲. 七余切.

飜譯

'왕저(王鴡: 물수리)'를 말한다. 조(鳥)가 의미부이고 차(且)가 소리부이다. 독음은 칠(七)과 여(余)의 반절이다.

2448

**鸛: 鸛: 황새 관: 鳥-총29획: huān**

原文

鸛: 鸛專, 畐蹂. 如誰, 短尾. 射之, 銜矢射人. 从鳥雚聲. 呼官切.

飜譯

'관전(鸛專: 황새)'을 말하는데, '핍유(畐蹂)'라고도 한다. 까치와 닮았으나 꼬리가 짧다. 사람이 활을 쏘면 활을 입에 물었다가 사람에게로 되쏜다. 조(鳥)가 의미부이고 관(雚)이 소리부이다. 독음은 호(呼)와 관(官)의 반절이다.

**2449**

**鸇: 鸇: 새매 전: 鳥-총24획: zhān**

原文

鸇: 鷐風也. 从鳥亶聲. 䲍, 籒文鸇从廛. 諸延切.

飜譯

'신풍(鷐風: 새매)'을 말한다. 조(鳥)가 의미부이고 전(亶)이 소리부이다. 전(䲍)은 전(鸇)의 주문체인데, 전(廛)으로 구성되었다. 독음은 제(諸)와 연(延)의 반절이다.

**2450**

**鷐: 鷐: 익더귀 신: 鳥-총22획: chén**

原文

鷐: 鷐風也. 从鳥晨聲. 植鄰切.

飜譯

'신풍(鷐風: 새매)'을 말한다. 조(鳥)가 의미부이고 신(晨)이 소리부이다. 독음은 식(植)과 린(鄰)의 반절이다.

**2451**

**鷙: 鷙: 맹금 지: 鳥-총22획: zhì**

原文

鷙: 擊殺鳥也. 从鳥執聲. 脂利切.

飜譯

'격살을 잘하는 새(擊殺鳥)'를 말한다.[154] 조(鳥)가 의미부이고 집(執)이 소리부이다.

154) 『단주』에서 이렇게 말했다. "『대대예기·하소정(夏小正)』에서 '六月鷹始摯(유월이면 매가 사냥을 시작하고)'이라 했고, 『예기·월령(月令)』에서 '鷹隼蚤鷙(매와 새매가 일찍 사냥을 하고)'

독음은 지(脂)와 리(利)의 반절이다.

**2452**

**䲣: 䲣: 빨리 날 율: 鳥-총16획: yù**

原文

䲣: 鸇飛皃. 从鳥穴聲. 『詩』曰: "䲣彼晨風." 余律切.

飜譯

'[새매가] 빨리 나는 모양(鸇飛皃)'을 말한다. 조(鳥)가 의미부이고 혈(穴)이 소리부이다. 『시·진풍·신풍(晨風)』에서 "새매는 씽씽 날아가고(䲣彼晨風)"라고 노래했다. 독음은 여(余)와 률(律)의 반절이다.

**2453**

**鶯: 鶯: 꾀꼬리 앵: 鳥-총21획: yīng**

原文

鶯: 鳥也. 从鳥, 榮省聲. 『詩』曰: "有鶯其羽." 烏莖切.

飜譯

'새의 이름이다(鳥).'155) 조(鳥)가 의미부이고, 영(榮)의 생략된 모습이 소리부이다. 『시·소아상호(桑扈)』에서 "그 깃이 곱기도 하여라(有鶯其羽)"라고 노래했다. 독음은

라 하여, 옛날에는 지(摯)를 빌려와 지(鷙)로 사용하였다.……격살조(擊殺鳥者)라는 것은 격살을 잘 하는 새(擊殺之鳥)라는 뜻이며, 위에서 열거한 단(鷻)에서부터 신풍(鷐風)까지가 모두 격살조(擊殺鳥)에 관한 것이다. 그래서 지(鷙)로 해석했다."

155) 『단주』에서는 "鳥有文章皃(새의 무늬가 빛나는 모양을 말한다)"가 되어야 한다고 했다. 그리고 이렇게 말했다. "『모시(毛詩)』에서 '이리저리 나는 콩새, 그 깃은 아름답고, 목털은 화려하기도 해라.(交交桑扈, 有鶯其羽, 有鶯其領.)'라고 노래했는데, 『전』에서 '무늬가 아름답고 화려한 모양(鶯鶯然有文章皃)'을 말한다고 했다. 앵앵(鶯鶯)은 형형(熒熒)과 같고, 모(皃)는 그 광채가 흔들려 고정되지 않음을 말한다(其光彩不定). 그래서 형(熒)의 생략된 모습이 들어갔다. 회의 겸 형성자이다. 천박한 자들이 앵(鶯)이 곧 앵(鸎)자로 잘못 알고서 『설문』을 고쳐 '鳥也'라고 했는데, 아래에서 인용한 『시』의 예문과도 맞아떨어지지 않는다. 게다가 형성 겸 회의와도 맞지 않다. 그래서 구별하지 않을 수 없었다."

오(烏)와 경(莖)의 반절이다.

**2454**

**鴝: 鴝: 구관조 구: 鳥-총16획: qú**

原文

鴝: 鴝鵒也. 从鳥句聲. 其俱切.

譯

'구관조(鴝鵒)'를 말한다. 조(鳥)가 의미부이고 구(句)가 소리부이다. 독음은 기(其)와 구(俱)의 반절이다.

**2455**

**鵒: 鵒: 구관조 욕: 鳥-총18획: yù**

原文

鵒: 鴝鵒也. 从鳥谷聲. 古者鴝鵒不踰泲. 雓, 鵒或从隹从臾. 余蜀切.

譯

'구관조(鴝鵒)'를 말한다. 조(鳥)가 의미부이고 곡(谷)이 소리부이다. 옛날에는 구관조가 제수(泲水)[156]를 넘지 않는다고 했다. 욕(雓)은 욕(鵒)의 혹체자인데, 추(隹)도

---

156) 제수(泲水)는 제수(濟水)라고도 쓰는데, 중국 고대 4대 강의 하나이다. 제수는 하남성 제원(濟源)시 왕옥산(王屋山)의 태을지(太乙池)에서 발원하여 땅속으로 동쪽을 향해 70여리를 흐르다가 제독(濟瀆)과 용담(龍潭)에 이르러 지상으로 용출하여 주하(珠河 즉 濟瀆)와 용하(龍河 즉 龍潭)를 이룬다. 다시 동쪽으로 흘러 제원(濟源)시 경계에서 하나로 합쳐져 연수(沇水)를 이룬다. 온현(溫縣)의 서북에서부터 제수(濟水)라 부른다. 이후 다시 땅속으로 흘러 황하와 섞이지 않은 채 황하를 건너서 신기하게도 형양(滎陽)에서 다시 지상으로 용출한다. 제수가 원양(原陽)을 지날 때, 남제수(南濟水)는 세 번째로 땅속으로 흘러 산동성의 정도(定陶)에 이르고, 북제수(北濟水)와 합쳐져 거야택(巨野澤)을 만든다. 제수는 세 번 땅속으로 흘렀다가 세 번 땅위로 나타나 수도 없이 굽어 흘러 바다로 흘러드니 신비하기 그지없다고 한다. 그래서 『상서·우공(禹貢)』에서도 "연수(沇水)를 이끌어, 동쪽으로 흘러 제수(濟)가 되고, 황하(河)로 들어갔다가, 올라와 넘쳐 형(滎)에 이른다. 동쪽으로 도구(陶丘)의 북쪽에서 나와서, 다시 동쪽으로 흘러 하(菏)에 이른다. 다시 동북쪽으로 흘러 문(汶)에서 합쳐지고, 다시 북쪽으로 흘러 바

의미부이고 유(臾)도 의미부이다. 독음은 여(余)와 촉(蜀)의 반절이다.

2456

鷩: 鷩: 붉은 꿩 별: 鳥-총23획: biē

原文

鷩: 赤雉也. 从鳥敝聲. 『周禮』曰: "孤服鷩冕." 并列切.

飜譯

'붉은 꿩(赤雉)'을 말한다. 조(鳥)가 의미부이고 폐(敝)가 소리부이다. 『주례』(춘관司服)에서 "천자는 붉은 꿩 도안으로 수를 놓은 예복과 모자를 쓴다(孤服鷩冕)"라고 했다. 독음은 병(并)과 렬(列)의 반절이다.

2457

鵔: 鵔: 금계 준: 鳥-총18획: xùn

原文

鵔: 鵔鸃, 鷩也. 从鳥夋聲. 私閏切.

飜譯

'준의(鵔鸃)'를 말하는데, '붉은 꿩(鷩)'을 말한다. 조(鳥)가 의미부이고 준(夋)이 소리부이다. 독음은 사(私)와 윤(閏)의 반절이다.

2458

鸃: 鸃: 금계 의: 鳥-총24획: yí

原文

鸃: 鵔鸃也. 从鳥義聲. 秦漢之初, 侍中冠鵔鸃冠. 魚羈切.

---

다로 흘러든다."라고 했다.

翻譯

'준의(鵔鸃) 즉 붉은 꿩'을 말한다. 조(鳥)가 의미부이고 의(義)가 소리부이다. 진한(秦漢) 초에 시중(侍中)들은 모두 준의관(鵔鸃冠)을 썼다. 독음은 어(魚)와 기(羈)의 반절이다.

**2459**

**鷉: 鷉: 꿩붙이 적: 鳥-총22획: dí**

原文

鷉: 雉屬, 戇鳥也. 从鳥, 適省聲. 都歷切.

翻譯

'꿩의 일종(雉屬)'인데, '당조(戇鳥)'라는 새이다. 조(鳥)가 의미부이고, 적(適)의 생략된 모습이 소리부이다. 독음은 도(都)와 력(歷)의 반절이다.

**2460**

**鶡: 鶡: 관 이름 갈·새 이름 할·꿩 비슷한 새 분: 鳥-총20획: hé, jiè**

原文

鶡: 似雉, 出上黨. 从鳥曷聲. 胡割切.

翻譯

'꿩과 비슷한 새(似雉)'인데, 상당(上黨) 지역에서 난다.157) 조(鳥)가 의미부이고 갈(曷)이 소리부이다. 독음은 호(胡)와 할(割)의 반절이다.

**2461**

**鴧: 鴧: 새 이름 개: 鳥-총15획: jiè**

---

157) 상당(上黨)은 산서성 동남부에 자리한 군의 이름이다. 지금의 장치시(長治市)에 있으며, 태행산(太行山) 서쪽 산록에, 상당(上黨) 분지의 남쪽 가에 자리했다.

原文

鴧: 鳥, 似鶡而青, 出羌中. 从鳥介聲. 古拜切.

飜譯

'새의 이름인데(鳥)'158), 갈(鶡)과 비슷하나 푸른색을 띠며, 강중(羌中) 지역에서 난다.159) 조(鳥)가 의미부이고 개(介)가 소리부이다. 독음은 고(古)와 배(拜)의 반절이다.



**2462**

鸚: 鸚: **앵무새 앵**: 鳥-**총28획**: **yīng**

原文

鸚: 鸚䳇, 能言鳥也. 从鳥嬰聲. 烏莖切.

飜譯

'앵무새(鸚䳇)'를 말하는데, 말을 할 수 있는 새(能言鳥)이다. 조(鳥)가 의미부이고 영(嬰)이 소리부이다. 독음은 오(烏)와 경(莖)의 반절이다.

**2463**

䳇: 䳇: **앵무새 무**: 鳥-**총16획**: **wǔ**

原文

䳇: 鸚䳇也. 从鳥母聲. 文甫切.

飜譯

'앵무새(鸚䳇)'를 말한다. 조(鳥)가 의미부이고 모(母)가 소리부이다. 독음은 문(文)과 보(甫)의 반절이다.

---

158) 『단주』에서는 "鴧鳥也"가 되어야 한다고 했다.
159) 강중(羌中)은 고대 지명으로, 진한(秦漢) 때에는 강족(羌族)이 거주하던 지역을 일컬었는데, 지금의 청해성과 티베트 및 사천성 서북부와 감숙성 서남부 지역을 말한다.

**2464**

**鷮: 鷮: 꿩 교: 鳥-총23획: jiāo**

原文

鷮: 走鳴長尾雉也. 乘輿以爲防釳, 著馬頭上. 从鳥喬聲. 巨嬌切.

飜譯

'달려가면서 우는 꼬리가 긴 꿩(走鳴長尾雉)'을 말한다. 수레를 탈 때 이의 깃털을 장식용으로 사용하며, 말의 머리에 꽂아 두기도 한다. 조(鳥)가 의미부이고 교(喬)가 소리부이다. 독음은 거(巨)와 교(嬌)의 반절이다.

**2465**

**鷕: 鷕: 울 요: 鳥-총22획: yǎo**

原文

鷕: 雌雉鳴也. 从鳥唯聲. 『詩』曰: "有鷕雉鳴." 以沼切.

飜譯

'암컷 꿩이 울다(雌雉鳴)'라는 뜻이다. 조(鳥)가 의미부이고 유(唯)가 소리부이다. 『시·빈풍·포유고엽(匏有苦葉)』에서 "꿩꿩 암꿩이 우네(有鷕雉鳴)"라고 노래했다. 독음은 이(以)와 소(沼)의 반절이다.

**2466**

**鸓: 鸓: 날다람쥐 루: 鳥-총26획: lěi**

原文

鸓: 鼠形. 飛走且乳之鳥也. 从鳥畾聲. 鸓, 籒文鸓. 力軌切.

飜譯

'쥐처럼 생긴 새이다(鼠形).' 날기도 하고 달리기도 하며 새끼를 낳는 새이다(飛走且乳之鳥). 조(鳥)가 의미부이고 뢰(畾)가 소리부이다. 루(鸓)는 루(鸓)의 주문체이다.

독음은 력(力)과 궤(軌)의 반절이다.

2467

**鶾: 鶾: 붉은 닭 한: 鳥-총21획: hàn**

原文

鶾: 雉肥鶾音者也. 从鳥倝聲. 魯郊以丹雞祝曰: "以斯鶾音赤羽, 去魯侯之咎." 侯幹切.

飜譯

'살이 찌고 장음을 내는 꿩(雉肥鶾音者)'을 말한다. 조(鳥)가 의미부이고 간(倝)이 소리부이다. 노(魯)나라 근교 지역에서는 붉은 닭을 신에게 바치면서 다음과 같이 기도한다고 한다. "이 살찌고 장음을 내는 붉은 깃을 가진 꿩을 바치노니, 노나라의 재앙을 없애 주소서." 독음은 후(侯)와 간(幹)의 반절이다.



2468

**鴳: 鴳: 세 가락 메추라기 안: 鳥-총17획: yàn**

原文

鴳: 雇也. 从鳥安聲. 烏諫切.

飜譯

'메추라기(雇)'를 말한다. 조(鳥)가 의미부이고 안(安)이 소리부이다. 독음은 오(烏)와 간(諫)의 반절이다.

2469

**鴆: 鴆: 짐새 짐: 鳥-총15획: zhèn**

原文

鴆: 毒鳥也. 从鳥冘聲. 一名運日. 直禁切.

飜譯

'독을 가진 새(毒鳥)'를 말한다. 조(鳥)가 의미부이고 유(冘)가 소리부이다. 일명 운일(運日)이라고도 한다.[160] 독음은 직(直)과 금(禁)의 반절이다.

**2470**

**鷇: 鷇: 새 새끼 구: 鳥-총21획: kòu**

原文

鷇: 鳥子生哺者. 从鳥𣪊聲. 口豆切.

飜譯

'태어나 먹여주기를 기다리는 새끼 새(鳥子生哺者)'를 말한다. 조(鳥)가 의미부이고 각(𣪊)이 소리부이다. 독음은 구(口)와 두(豆)의 반절이다.

**2471**

**鳴: 鳴: 울 명: 鳥-총14획: míng**

原文

鳴: 鳥聲也. 从鳥从口. 武兵切.

飜譯

'새가 우는 소리(鳥聲)'를 말한다. 조(鳥)가 의미부이고 구(口)도 의미부이다. 독음은 무(武)와 병(兵)의 반절이다.

**2472**

**騫: 鶱: 훨훨 날 건: 鳥-총21획: xuān**

原文

鶱: 飛皃. 从鳥, 寒省聲. 虛言切.

160) 『광아(廣雅)』에서 이렇게 말했다. "수컷은 운일(運日)이라 하고, 암컷은 음해(陰諧)라 부른다. 『회남자』에서 운일(暉日)은 시간을 알려주고, 음해(陰諧)는 날씨를 알려준다고 했다."

譯譯

'새가 나는 모습(飛皃)'을 말한다. 조(鳥)가 의미부이고, 한(寒)의 생략된 모습이 소리부이다. 독음은 허(虛)와 언(言)의 반절이다.

**2473**

**鳻: 鳻: 나는 모양 분: 鳥-총15획: fén, fēn**

原文

鳻: 鳥聚皃. 一曰飛皃. 从鳥分聲. 府文切.

譯譯

'새가 모여 있는 모습(鳥聚皃)'을 말한다. 일설에는 '새가 나는 모습(飛皃)'을 말한다고도 한다. 조(鳥)가 의미부이고 분(分)이 소리부이다. 독음은 부(府)와 문(文)의 반절이다.

**2474**

**鷓: 鷓: 자고 자: 鳥-총22획: zhè**

原文

鷓: 鷓鴣, 鳥名. 从鳥庶聲. 之夜切.

譯譯

'자고새(鷓鴣)'를 말하는데, 새의 이름이다(鳥名). 조(鳥)가 의미부이고 서(庶)가 소리부이다. 독음은 지(之)와 야(夜)의 반절이다. [신부]

**2475**

**鴣: 鴣: 자고 고: 鳥-총16획: gū**

原文

鴣: 鷓鴣也. 从鳥古聲. 古乎切.

飜譯

'자고새(鷓鴣)'를 말한다. 조(鳥)가 의미부이고 고(古)가 소리부이다. 독음은 고(古)와 호(乎)의 반절이다. [신부]

**2476**

**鴨: 鴨: 오리 압: 鳥-총16획: yā**

原文

鴨: 鶩也. 俗謂之鴨. 从鳥甲聲. 烏狎切.

飜譯

'집오리(鶩)'를 말한다. 세간에서는 이를 압(鴨)이라 한다. 조(鳥)가 의미부이고 갑(甲)이 소리부이다. 독음은 오(烏)와 압(狎)의 반절이다. [신부]

**2477**

**鷘: 鷘: 털에 오색 무늬가 있는 새 칙: 鳥-총17획: chì**

原文

鷘: 谿鷘, 水鳥. 从鳥式聲. 恥力切.

飜譯

'계식(谿鷘)이라는 새'를 말하는데, 물새(水鳥)의 일종이다. 조(鳥)가 의미부이고 식(式)이 소리부이다. 독음은 치(恥)와 력(力)의 반절이다. [신부]

## 제120부수
## 120 ■ 오(烏)부수



**2478**

**烏: 烏: 까마귀 오: 火-총10획: wū**

原文

烏: 孝烏也. 象形. 孔子曰: "烏, 盱呼也." 取其助气, 故以爲烏呼. 凡烏之屬皆从烏. 𦾓, 古文烏象形. 於, 象古文烏省. 哀都切.

飜譯

'효성스런 새(孝烏) 즉 까마귀'를 말한다. 상형이다.161) 공자는 "오(烏)가 스스로 탄식하는 말(盱呼)"이라고 했다. 까마귀를 나타내는 오(烏)를 가지고 어기를 도왔기에, 오호(烏呼)라는 단어로 쓰이게 되었다. 오(烏)부수에 귀속된 글자는 모두 오(烏)가 의미부이다. 오(𦾓)는 오(烏)의 고문체인데, 상형이다. 오(於)는 고문체인데, 오(烏)의 생략된 모습으로 구성되었다. 독음은 애(哀)와 도(都)의 반절이다.

**2479**

**舄: 舄: 신 석: 臼-총12획: xì**

原文

舄: 䧿也. 象形. 䧿, 篆文舄, 从隹、昔. 七雀切.

---

161) 고문자에서 金文 簡牘文 帛書 등으로 썼다. 새를 그린 鳥(새 조)에서 눈을 나타내는 점을 없애 만든 글자이다. 까마귀는 사실 눈이 없는 것이 아니라 온몸이 까매서 언뜻 보면 눈이 없는 것처럼 보이기 때문이다. 이후 烏乎(오호)에서처럼 감탄사로 쓰였으며, 감탄을 나타낼 때에는 의미를 명확히 하고자 口(입 구)를 더한 嗚(탄식소리 오)로 분화했다. 간화자에서는 필획을 줄인 乌로 쓴다.

**飜譯**

'까치(雒)'를 말한다. 상형이다. 석(䧿)은 석(舄)의 전서체인데, 추(隹)와 석(㫺)이 모두 의미부이다. 독음은 칠(七)과 작(雀)의 반절이다.

**2480**

**:** 焉: **어찌 언**: 火-총11획: yān

**原文**

: 焉鳥, 黃色, 出於江淮. 象形. 凡字: 朋者, 羽蟲之屬; 烏者, 日中之禽; 舄者, 知太歲之所在; 燕者, 請子之候, 作巢避戊己. 所貴者故皆象形. 焉亦是也. 有乾切.

**飜譯**

'언조(焉鳥)'를 말하는데, 노란 색이며, 장강(江)과 회수(淮) 지역에서 난다. 상형이다.[162] 대체로, 봉새(朋)는 날개가 달린 부류를 말하고[163], 까마귀(烏)는 태양 속에 산다는 날짐승을 말하며, 까치(舄)는 태세성(太歲星)의 위치를 아는 새이며, 제비(燕)는 아이를 낳을 징조를 알려주는 새인데, 제비가 둥지를 지을 때에는 [흙 채취하는 일을] 무일(戊日)과 기일(己日)에는 피한다.[164] 이상은 모두 사람들이 귀하게 여기는 것들이기에 모두 상형자로 만들었다. 언(焉)도 마찬가지이다. 독음은 유(有)와 건(乾)의 반절이다.

---

162) 고문자에서 金文 簡牘文 등으로 썼다. 새의 모습을 그렸으며, 새의 이름으로 쓰였다. 長江(장강)과 淮水(회수) 등지에 사는 황색의 새(焉鳥·언조)를 말했는데, 이후 '어찌'라는 의문 부사로 가차되었다.

163) 『단주』에서는 "朋者羽蟲之長"으로 고쳐 "봉새(朋)는 날개가 달린 새의 우두머리이다"라고 했다.

164) 『단주』에서 이렇게 말했다. "이 말도 『박물지(博物志)』에 보인다. 육전(陸佃)이나 나원(羅願) 모두 제비가 오고 갈 때에는 토지 신에게 지내는 제사를 피하며, 또 무일(戊日)과 기일(己日)에는 흙을 채취하지 않는다고 했다."

# 제4권

## (하)

## 제121부수
## 121 ■ 필(華)부수

**2481**

# 華: 華: 키 필: 十−총7획: bān

原文

華: 箕屬. 所以推糞之器也. 象形. 凡華之屬皆从華. 官溥說. 北潘切.

飜譯

'키의 일종(箕屬)인 삼태기'를 말한다. 물체를 담아 내 버리는 데 쓰는 기물이다.[165) ] 상형이다. 필(華)부수에 귀속된 글자들은 모두 필(華)이 의미부이다. 관부(官溥)의 학설이다. 독음은 북(北)과 반(潘)의 반절이다.

**2482**

# 畢: 畢: 마칠 필: 田−총11획: bì

原文

畢: 田罔也. 从華, 象畢形. 微也. 或曰: 由聲. 卑吉切.

飜譯

'사냥할 때 쓰는 그물(田罔)'을 말한다. 필(華)이 의미부인데, 키처럼 생긴 그물(畢)의 모습을 그렸다.[166) ] [필(華)보다는] 작다. 혹자는 신(由)이 소리부라고도 한다. 독음

---

165) 『단주』에서는 이렇게 말했다. "각 판본에서 기(棄)로 되었는데, 분(糞)이 되어야 한다. 『유편』과 『운회』에 근거하여 바로 잡는다. 추분(推糞)은 담아서 버리다(推而除之)는 뜻이다."

166) 고문자에서 甲骨文 金文 古陶文 簡牘文 등으로 그렸다. 새를 잡는 기구를 그렸다. 윗부분은 그물(网)을, 아랫부분은 손잡이를 형상했으며, 이런 사냥용 그물이면 모든 사냥감을 다 잡을 수 있다는 뜻에서 '마치다', 완성하다, 결국, 모두, 완전하다 등의 뜻이 나왔다. 간화자에서는 比(견줄 비)와 十(열 십)으로 구성된 毕로 줄여 쓴다.

은 비(卑)와 길(吉)의 반절이다.

**2483**

**糞: 糞: 똥 분: 釆-총18획: fèn**

原文

糞: 棄除也. 从廾推華棄釆也. 官溥說: 似米而非米者, 矢字. 方問切.

飜譯

'내다버리다(棄除)'라는 뜻이다. 두 손(廾)으로 삼태기(華)를 잡고 똥(釆)을 버리는 모습을 그렸다.[167] 관부(官溥)는 [윗부분이] 미(米)를 닮았지만 미(米)가 아니고, 시(矢)자라고 했다. 독음은 방(方)과 문(問)의 반절이다.

**2484**

**棄: 棄: 버릴 기: 木-총12획: qì**

原文

棄: 捐也. 从廾推華棄之, 从𠫓. 𠫓, 逆子也. 弃, 古文棄. 𣪠, 籒文棄. 詰利切.

飜譯

'버리다(捐)'라는 뜻이다. 손(廾)으로 삼태기(華)를 잡고 버리는 모습을 그렸다. 돌(𠫓)도 의미부인데, 돌(𠫓)은 아이가 거꾸로 나오는 모습을 말한다.[168] 기(弃)는 기(棄)의

---

167) 고문자에서 甲骨文 簡牘文 등으로 그렸다. 米(쌀 미)와 異(다를 이)로 구성되었지만, 갑골문에서는 원래 두 손(廾·공)과 키나 삼태기(其·기)와 배설물을 상징하는 세 점으로 구성되어, 배설물을 비로 쓸어 삼태기에 담아 갖다 버리는 모습을 형상화했다. 때로는 의미를 강화하기 위해 帚(비 추)가 더해지기도 했다. 이후 세 점이 米로 변하고 帚가 생략되고 자형이 조금 줄어 지금의 자형이 되었다. 갖다 버리다가 원래 뜻이며, 청소하다, 배설물, 비료를 주다, 비료 등의 뜻도 나왔다. 간화자에서는 異를 共(함께 공)으로 줄여 粪으로 쓴다.

168) 고문자에서 甲骨文 金文 簡牘文 등으로 그렸다. 갑골문에서 윗부분은 피를 흘리는 아이(𠫓·돌)를, 중간 부분은 키(箕)를, 아랫부분은 두 손을 그려, 아이를 죽여 내다 버리는 모습을 형상했는데 자형이 변해 지금처럼 되었다. 이로부터 '버리다', 放棄

고문체이다. 기(棄)는 기(棄)의 주문체이다. 독음은 힐(詰)과 리(利)의 반절이다.



---

(방기)하다, 廢棄(폐기)하다 등의 뜻이 나왔으며, 간화자에서는 아랫부분을 廾(두 손으로 받들 공)으로 바꾼 弃로 쓴다.

## 제122부수
## 122 ■ 구(冓)부수

2485

**冓**: 冓: **짤 구**: 冂-총10획: gòu

原文

冓: 交積材也. 象對交之形. 凡冓之屬皆从冓. 古候切.

飜譯

'목재를 교차되게 엮다(交積材)'라는 뜻이다. 서로 교차되게 엮은 모습을 그렸다.169) 구(冓)부수에 귀속된 글자들은 모두 구(冓)가 의미부이다. 독음은 고(古)와 후(候)의 반절이다.

2486

**再**: 再: **두 재**: 冂-총6획: zài

原文

再: 一舉而二也. 从冓省. 作代切.

飜譯

'한 번에 두 개를 들다(一舉而二)'라는 뜻이다. 구(冓)의 생략된 모습이 의미부이다.170)171)

---

169) 고문자에서 [glyph] 甲骨文 등으로 그렸다. 이의 갑골문의 형상을 두고 물고기 두 마리가 입을 맞추는 모습을 그린 것으로 풀이하기도 하지만, 대나무 같은 것을 서로 얽어 놓은 모습을 그린 것으로 보인다. 그래서 冓는 구조물이 원래 뜻이며, 冓로 구성된 글자들은 모두 '교차시켜 엮다'는 의미가 있다. 이후 의미를 더욱 구체화하기 위해 木(나무 목)을 더한 構(얽을 구)로 나무(木)로 얽은(冓) 구조물을, 竹(대 죽)을 더한 篝(배롱 구)로 대(竹·죽)로 엮은(冓) 광주리를 표현했다.

독음은 작(作)과 대(代)의 반절이다.

**2487**

**爯: 爯: 둘을 한꺼번에 들을 칭: 爪-총9획: zhǎo**

原文

爯: 并舉也. 从爪, 冓省. 處陵切.

翻譯

'한꺼번에 두 개를 들다(并舉)'라는 뜻이다. 조(爪)와 구(冓)의 생략된 모습이 의미부이다.[172] 독음은 처(處)와 릉(陵)의 반절이다.



---

170) 『단주』에서는 "从一, 冓省.(一과 冓의 생략된 모습으로 구성되었다)"이라 하여 "从一"을 보충했다.

171) 고문자에서 甲骨文 金文 簡牘文 등으로 그렸다. 갑골문에서부터 등장하지만 이의 자원은 아직 분명하지 않다. 물고기(魚·어)의 생략된 모습이라 하고, 뒤집어 놓은 그릇, 풀을 쌓아 놓은 모습(冓·구)이라고 하기도 하며, 중간은 물고기를, 아래위의 두 가로획은 둘을 상징하여 '둘'을 뜻한다고 풀이하는 등 의견이 분분하다. '둘'이 원래 뜻이고, 이로부터 다시, 再次(재차), 더 이상 등의 뜻이 나왔다.

172) 칭(爯)은 고문자에서 甲骨文 金文 簡牘文 등으로 썼는데, 칭(稱)의 원래 글자이다. 칭(稱)은 禾(벼 화)가 의미부고 爯(둘을 한꺼번에 들을 칭)이 소리부로, 곡물(禾) 등을 손에 들고서(爯) 무게를 짐작해 보는 모습을 그렸다. 원래는 爯(두 가지를 한꺼번에 들 칭)으로 썼으나, 이후 무게를 달아야 했던 가장 중요한 대상이 곡물(禾)이었기에 禾가 더해져 지금처럼 되었다. 이후 무게나 가격 등을 부르다는 뜻에서 부르다, 호칭 등의 뜻이 나왔다. 간화자에서는 저울을 뜻할 때에는 爯 대신 平(평평할 평)이 들어가 회의구조로 된 秤(저울 칭)으로, 또 호칭을 뜻할 때에는 爯을 尔(너 이, 爾의 간화자)로 줄인 称(일컬을 칭)으로 쓴다.

## 제123부수
## 123 ■ 요(幺)부수

**2488**

**𢆶 : 幺: 작을 요: 幺-총3획: yāo**

原文

𢆶: 小也. 象子初生之形. 凡幺之屬皆从幺. 於堯切.

飜譯

'작다(小)'라는 뜻이다. 아이가 처음 생겨날 때의 모습을 그렸다(象子初生之形). 요(幺)부수에 귀속된 글자들은 모두 요(幺)가 의미부이다. 독음은 어(於)와 요(堯)의 반절이다.

**2489**

**𢆷 : 幼: 어릴 유: 幺-총5획: yòu**

原文

𢆷: 少也. 从幺从力. 伊謬切.

飜譯

'[나이가] 적다(少)'라는 뜻이다. 요(幺)가 의미부이고 력(力)도 의미부이다. 독음은 이(伊)와 류(謬)의 반절이다.

**2490**

**麽 : 麽: 잘 마: 麻-총14획: mó**

原文

麽: 細也. 从幺麻聲. 亡果切.

譯解

'잘다(細)'라는 뜻이다. 요(幺)가 의미부이고 마(麻)가 소리부이다. 독음은 망(亡)과 과(果)의 반절이다.

# 제124부수
## 124 ■ 유(幺幺)부수

2491

**幺幺: 幺幺: 작을 유: 幺-총6획: yōu, zī**

原文

幺幺: 微也. 从二幺. 凡幺幺之屬皆从幺幺. 於虯切.

飜譯

'미세하다(微)'라는 뜻이다. 두 개의 요(幺)로 구성되었다. 유(幺幺)부수에 귀속된 글자들은 모두 유(幺幺)가 의미부이다. 독음은 어(於)와 규(虯)의 반절이다.

2492

**幽: 幽: 그윽할 유: 幺-총9획: yōu**

原文

幽: 隱也. 从山中幺幺, 幺幺亦聲. 於虯切.

飜譯

'숨어 있다(隱)'라는 뜻이다. 산(山) 속에 유(幺幺)가 든 모습을 그렸는데[173], 유(幺幺)는 소리부도 겸한다. 독음은 어(於)와 규(虯)의 반절이다.

2493

**幾: 幾: 기미 기: 幺-총12획: jī**

原文

173) 『단주』에서는 중(中)을 삭제하여 "从山幺幺(山과 幺幺가 모두 의미부이다)"라 했다.

幾: 微也. 殆也. 从丝从戍. 戍, 兵守也. 丝而兵守者, 危也. 居衣切.

飜譯

'미(微)와 같아 미세하다'라는 뜻이다. '위험하다'라는 뜻이다. 유(丝)가 의미부이고 수(戍)도 의미부인데, 수(戍)는 병사가 지키다(兵守)는 뜻이다.[174] 미세한 징후에 병사로 하여금 지키게 하는 것은 위험한 일이다. 독음은 거(居)와 의(衣)의 반절이다.



174) 고문자에서 金文 簡牘文 등으로 그렸다. 금문에서 베틀에 앉아 실(幺)로 베를 짜는 사람(人)을 그렸는데, 이후 베틀이 戈(창 과)로 변해 지금의 자형이 되었다. 베 짜기는 대단히 섬세한 관찰과 손이 많이 가는 작업이기에 '세밀함'의 뜻이 생겼고, 그러자 원래의 '베틀'은 다시 木(나무 목)을 더한 機(기계 기)로 분화했다. 고대 사회에서 베틀은 가장 중요하고 복잡한 구조를 가진 機械(기계)의 대표였고 이 때문에 기계의 총칭이 되었다. 이후 '얼마'라는 의문사로 가차되어 쓰이자 원래 뜻은 木을 더한 機(틀 기)로 분화했다. 간화자에서는 几에 통합되었다.

## 제125부수
## 125 ■ 전(叀)부수

**2494**

**叀：** 叀: **삼가할 전**: 厶-총8획: zhuān

原文

叀： 專小謹也. 从幺省; 屮, 財見也; 屮亦聲. 凡叀之屬皆从叀. 𠁁, 古文叀. 𤰔, 亦古文叀. 職緣切.

飜譯

'전심하여 조심하고 삼가다(專小謹)'라는 뜻이다.[175] 요(幺)의 생략된 모습이 의미부이다. 철(屮)은 비로소 나타내 보이다는 뜻인데, 철(屮)은 소리부도 겸한다. 전(叀)부수에 귀속된 글자들은 모두 전(叀)이 의미부이다. 전(𠁁)은 전(叀)의 고문체이다. 전(𤰔)도 전(叀)의 고문체이다: 독음은 직(職)과 연(緣)의 반절이다.

**2495**

**惠：** 惠: **은혜 혜**: 心-총12획: huì

原文

惠： 仁也. 从心从叀. 𢝊, 古文惠从芔. 胡桂切.

飜譯

'어질다(仁)'라는 뜻이다. 심(心)이 의미부이고 전(叀)도 의미부이다.[176] 혜(𢝊)는 혜

---

175) 『단주』에서는 "小謹也"라 하여 전(專)자를 삭제했다. 그리고 이렇게 말했다. "각 판본에 소(小)자 앞에 전(專)자가 더 들어 있는데 이는 중복인데도 삭제되지 않은 결과이다. 게다가 (叀이 아니라) 촌(寸)자까지 더해진 모습이다."

176) 고문자에서 金文 古陶文 簡牘文 帛書 石刻古文 등으로 그렸다. 心(마음 심)이 의미부고 叀(은혜 혜, 惠의 원래 글자)가 소리부인데, 叀는 베를 짤 때 쓰

(惠)의 고문체인데, 망(𡿪)으로 구성되었다. 독음은 호(胡)와 계(桂)의 반절이다.

**2496**

**𨍏: 疐: 꼭지 체·발끝 채일 치** 疋-총14획: zhì, dì

原文

𨍏: 礙不行也. 从叀, 引而止之也. 叀者, 如叀馬之鼻. 从此與牽同意. 陟利切.

飜譯

'지체되어 나아가지 못하다(礙不行)'라는 뜻이다. 전(叀)이 의미부인데, 끌어서 저지하다는 뜻이다. 전(叀)은 말의 코뚜레와 같은 의미이다. 이것으로 구성된 것은 견(牽)과 같은 의미이다.177) 독음은 척(陟)과 리(利)의 반절이다.

---

는 실패를 그렸다. 그래서 베를 짜는(叀) 세심한 마음(心)으로 남을 배려하는 어진 마음을 말한다. 이로부터 남을 배려하는 마음, 사랑, 恩惠(은혜), 부드럽다 등의 뜻이 나왔으며, 상대를 공경할 때 쓰는 말로도 사용되었다.

177) 『단주』에서는 "从冂"이 더 들어가야 한다고 했다. 그리고 이렇게 말했다. "각 판본에서 경(冂)자가 빠졌는데 지금 보충한다. '경(冂)이 의미부이다(從冂)'는 것은 그것을 끌어당겨 가지 못하도록 하다는 뜻이다. 마치 견(牽)자에서 경(冂)이 소의 고삐를 끌어당겨 가도록 하는 것과 같은 의미이다. 그래서 '이와 견(牽)자는 같은 의미이다'라고 했던 것이다." 단옥재의 해석이 더 적절해 보인다.

## 第126부수
## 126 ■ 현(玄)부수

**2497**

玄: 玄: **검을 현**: 玄-총5획: xuán

原文

玄: 幽遠也. 黑而有赤色者爲玄. 象幽而入覆之也. 凡玄之屬皆从玄. [illegible], 古文玄. 胡涓切.

飜譯

'깊고 멀다(幽遠)'라는 뜻이다. 검은 색이면서 붉은 색을 띤 것을 현(玄)이라고 한다. 깊숙하게 들어가 위가 덮인 모습을 그렸다.[178] 현(玄)부수에 귀속된 글자들은 모두 현(玄)이 의미부이다. 현([illegible])은 현(玄)의 고문체이다. 독음은 호(胡)와 연(涓)의 반절이다.

**2498**

兹: 兹: **이 자**: 玄-총10획: zī

原文

兹: 黑也. 从二玄. 『春秋傳』曰: "何故使吾水兹?" 子之切.

---

178) 고문자에서 甲骨文 金文 簡牘文 등으로 그렸다. 『설문해자』에서는 '아이가 태어날 때의 모습'이라고 풀이했지만, 자형과 그다지 맞아 보이지 않으며, 오히려 玄(검을 현)이 실타래를 그린 幺(작을 요)의 변형으로 보는 것이 더 합당해 보인다. 즉 幺는 糸(가는 실 멱)의 아랫부분을 줄인 형태이고, 糸은 絲(실 사)의 반쪽이다. 다시 말해 絲를 절반으로 줄인 것이 糸이요, 糸을 절반으로 줄인 것이 幺이며, 이로부터 幺에 '작다'는 뜻이 나온 것으로 풀이할 수 있다. 검붉은 색으로 염색한 실타래를 말했으며, 이로부터 검다는 뜻이, 속이 검어 깊이를 알 수 없다는 의미에서 깊다, '심오하다', 이해하기 어렵다는 뜻이, 다시 진실하지 않아 믿을 수 없다는 뜻도 나왔다.

**飜譯**

'검다(黑)'라는 뜻이다. 두 개의 현(玄)으로 구성되었다.179) 『춘추전』(『좌전』 애공 8년, B.C. 487)에서 "[너는] 어떤 연유로 나의 물을 검도록 만드는 것이냐?(何故使吾水兹?)"라는 말이 있다. 독음은 자(子)와 지(之)의 반절이다.

**2499**

**玈: 玈: 검을 로: 玄-총11획: lú**

**原文**

玈: 黑色也. 从玄, 旅省聲. 義當用黸. 洛乎切.

**飜譯**

'검은 색(黑色)'을 말한다. 현(玄)이 의미부이고, 려(旅)의 생략된 모습이 소리부이다. 의미는 당연히 '검다(黸)'가 옳을 것이다. 독음은 락(洛)과 호(乎)의 반절이다. [신부]



---

179) 고문자에서 甲骨文 金文 簡牘文 古幣文 古璽文 石刻古文 등으로 그렸다. 두 개의 玄(검을 현)으로 구성되어, '검다(玄)'는 뜻을 말했으나, 이후 '이곳'이라는 의미로 가차되어 쓰였다. 그러자 원래 뜻은 다시 水(물 수)를 더해 滋(불을 자)로 분화했다.

## 제127부수
## 127 ■ 여(予)부수

**2500**

**予: 予: 나 여: 亅-총4획: yǔ**

原文

予: 推予也. 象相予之形. 凡予之屬皆从予. 余呂切.

飜譯

'밀어서 남에게 주다(推予)'라는 뜻이다. 서로 오가는 모습을 그렸다. 여(予)부수에 귀속된 글자들은 모두 여(予)가 의미부이다.180) 독음은 여(余)와 려(呂)의 반절이다.

**2501**

**舒: 舒: 펼 서: 舌-총12획: shū**

原文

舒: 伸也. 从舍从予, 予亦聲. 一曰舒, 緩也. 傷魚切.

飜譯

'펴다(伸)'라는 뜻이다. 사(舍)가 의미부이고 여(予)도 의미부인데, 여(予)는 소리부도 겸한다. 일설에는 서(舒)가 '느슨하다(緩)'라는 뜻이라고도 한다.181)182) 독음은 상

---

180) 『설문해자』에서는 "손으로 무엇인가를 다른 사람에게 내미는 모습"이라고 했지만, 베틀의 북 끝이 서로 교차한 모습을 그렸고, 한쪽 북에는 실이 달려진 모습으로 보는 것이 더 합리적이라 생각된다. 북은 베를 짤 때 씨실의 꾸리를 넣어 날실의 틈으로 오가게 하며 씨실을 풀어주는 구실을 하는 장치로 배처럼 생긴 나무통을 말한다. 이로부터 '오가다', '북(梭·사)'의 뜻이 나왔다. 이후 일인칭 대명사로 가차되어 쓰였고 그러자 원래 뜻은 木(나무 목)을 더해 杼(북 저)로 분화했다.

181) 『단주』에서는 띄어 읽지 않고 '舒緩(동작이 느림)'으로 풀이했다.

182) 舍(집 사)가 의미부고 予(나 여)가 소리부로, 펴다가 원래 뜻이며 느긋함을 말한다. 쉬는 집

(傷)과 어(魚)의 반절이다.

**2502**

𢆯: 幻: **변할 환**: 幺-**총4획**: huàn

原文

𢆯: 相詐惑也. 从反予. 『周書』曰: "無或譸張爲幻." 胡辦切.

飜譯

'서로 속여 미혹되게 하다(相詐惑)'라는 뜻이다. 여(予)를 뒤집은 모습이다. 『주서(周書)』(「무일(無逸)」)에서 "서로 속이거나 서로 현혹되게 하지 말라(無或譸張爲幻)"라고 하였다. 독음은 호(胡)와 판(辦)의 반절이다.

---

(舍)에서 왔다갔다(予) 하는 모습에서부터 '느긋함'이, 다시 '마음을 풀어놓다', '마음을 열다' 등의 뜻이 나왔다.

## 제128부수
## 128 ■ 방(放)부수

**2503**

### 放: 放: 놓을 방: 攴-총8획: fàng

原文

放: 逐也. 从攴方聲. 凡放之屬皆从放. 甫妄切.

飜譯

'축출하다(逐)'라는 뜻이다. 복(攴)이 의미부이고 방(方)이 소리부이다.183) 방(放)부수에 귀속된 글자들은 모두 방(放)이 의미부이다. 독음은 보(甫)와 망(妄)의 반절이다.

**2504**

### 敖: 敖: 놀 오: 攴-총11획: áo

原文

敖: 出游也. 从出从放. 五牢切.

飜譯

'밖으로 나가 놀다(出游)'라는 뜻이다. 출(出)이 의미부이고 방(放)도 의미부이다.184)

---

183) 고문자에서 金文 簡牘文 등으로 그렸다. 攴(칠 복)이 의미부고 方(모 방)이 소리부로, 변방(方)으로 강제로(攵) '내침'을 말하며, 이로부터 몰아내다, 追放(추방)하다, 버리다, 釋放(석방)하다는 뜻이 나왔고, 밖으로 내몰려 제멋대로 한다는 뜻에서 '放縱(방종)'의 의미가 나왔다.

184) 고문자에서 金文 古陶文 簡牘文 등으로 그렸다. 원래는 出(날 출)과 放(놓을 방)으로 구성되었는데, 자형이 조금 변해 지금처럼 되었다. 바깥으로 쫓기어(放) 나가다(出)가 원래 뜻인데, 밖으로 나가 마음껏 놀다는 뜻이 생겼고, 이로부터 놀다는 뜻이 나왔다. 이후 나가 놀다는 뜻을 강조하기 위해 辵(쉬엄쉬엄 갈 착)을 더한 遨(놀 오)를 만들어 분화했다.

독음은 오(五)와 뢰(牢)의 반절이다.

2505

**㬼: 敫: 노래할 교·약: 攴-총13획: yuè**

原文

㬼: 光景流也. 从白从放. 讀若龠. 以灼切.

飜譯

'그림자가 흘러 지나가다(光景流)'라는 뜻이다.[185] 백(白)이 의미부이고 방(放)도 의미부이다.[186] 약(龠)과 같이 읽는다. 독음은 이(以)와 작(灼)의 반절이다.

185) 『단주』에서 이렇게 말했다. "光景流皃(그림자가 흘러가는 모습이다)"가 되어야 하는데 각 판본에는 모(皃)를 야(也)로 적었다. 지금 『광운』을 따랐는데, 거기서는 '光景流行, 煜燿昭箸. (그림자는 흘러가고, 빛은 밝게 비추네.)'이라고 했다.

186) 『단주』에서 "从白放"에 대해 이렇게 설명했다. "만물의 풍경이 대부분 희기 때문이다. 예컨대 백(白)부수에 실린 글자들의 의미를 보면 그렇다. 그래서 백(白)이 의미부라고 했다. 그런데도 백(白)부수에 귀속시키지 않은 것은 이 글자의 의미가 '밖(外)'에 중점이 놓였기 때문이다."

## 제129부수
## 129 ■ 표(𠬪)부수

**2506**

**𠬪: 𠬪: 물건 떨어져 위아래 서로 붙을 표: 又-총6획: biào**

原文

𠬪: 物落, 上下相付也. 从爪从又. 凡𠬪之屬皆从𠬪. 讀若『詩』“摽有梅”. 平小切.

飜譯

‘물체가 떨어지다(物落)’라는 뜻인데, 위의 손이 내려주고 아래 손이 받는 모습이다. 조(爪)가 의미부이고 우(又)도 의미부이다. 표(𠬪)부수에 귀속된 글자들은 모두 표(𠬪)가 의미부이다. 『시·소남·표유매(摽有梅)』에서 노래한 “표유매(摽有梅: 매실 툭툭 떨어지네)”의 표(摽)와 같이 읽는다. 독음은 평(平)과 소(小)의 반절이다.

**2507**

**爰: 爰: 이에 원: 爪-총9획: yuán**

原文

爰: 引也. 从𠬪从于. 籒文以爲車轅字. 羽元切.

飜譯

‘인(引)과 같아 끌어들이다’라는 뜻이다. 표(𠬪)가 의미부이고 우(于)가 소리부이다.[187] 주문(籒文)에서는 수레의 끌채(車轅)를 나타내는 원(轅)자로 사용했다. 독음

---

187) 고문자에서 甲骨文 金文 簡牘文 등으로 그렸다. 큰 패옥(瑗玉·큰 패옥)처럼 생긴 물건을 서로 차지하려 손(爪)과 손(又)으로 ‘당기는’ 모습을 그렸는데, 이후 ‘이에’라는 발어사로 가차되어 쓰였다. 그러자 원래 뜻은 다시 手(손 수)를 더한 援(당길 원)으로 분화했다.

은 우(羽)와 원(元)의 반절이다.

**2508**

**𤔔: 𤔔: 다스릴 란: 爪-총12획: luàn**

原文

𤔔: 治也. 幺子相亂, 𠬪治之也. 讀若亂同. 一曰理也. 𤔔, 古文𤔔. 郞段切.

翻譯

'다스리다(治)'라는 뜻이다. 어린 아이가 난잡하게 어지럽힌 것을 두 손으로 정리하다는 뜻이다. 란(亂)과 똑같이 읽는다. 일설에는 '다스리다(理)'라는 뜻이라고도 한다. 란(𤔔)은 란(𤔔)의 고문체이다.[188] 독음은 랑(郞)과 단(段)의 반절이다.

**2509**

**受: 受: 받을 수: 又-총8획: shòu**

原文

受: 相付也. 从𠬪, 舟省聲. 殖酉切.

翻譯

'서로 주고받다(相付)'라는 뜻이다. 표(𠬪)가 의미부이고, 주(舟)의 생략된 모습이 소리부이다.[189] 독음은 식(殖)과 유(酉)의 반절이다.

---

188) 亂의 원래 글자이다. 亂은 고문자에서 金文 簡牘文 帛書 石刻古文 說文小篆 등으로 썼다. 금문에서 두 손으로 엉킨 실을 푸는 모습을 그렸는데, 윗부분(爪·조)과 아랫부분(又·우)은 손이고, 중간 부분은 실패와 실(幺·요)을 그렸다. 이후 秦(진)나라와 楚(초)나라의 竹簡(죽간)에서는 의미의 정확성을 위해 다시 손을 나타내는 又가 더해졌는데, 소전체에 들면서 乙(새 을)로 잘못 변해 지금처럼 되었다. 엉킨 실만큼 복잡하고 풀기 어려운 것도 없을 것이다. 이 때문에 亂은 뒤엉키고 混亂(혼란)한 것의 대표가 되었다. 하지만, 엉킨 실은 반드시 풀어야만 베를 짤 수 있기에 亂은 '정리하다', '다스리다'의 뜻으로도 쓰였다. 간화자에서는 왼쪽 부분을 간단하게 줄여 乱으로 쓴다.

**2510**

**[illegible]: [illegible]: 움킬 렬: 爪-총9획: liè**

原文

[illegible]: 撮也. 从𠬪从己. 力輟切.

飜譯

'손가락으로 집다(撮)'라는 뜻이다. 표(𠬪)가 의미부이고 기(己)도 의미부이다. 독음은 력(力)과 철(輟)의 반절이다.

**2511**

**爭: 爭: 다툴 쟁: 爪-총8획: zhēng**

原文

爭: 引也. 从𠬪、厂. 側莖切.

飜譯

'끌어당기다(引)'라는 뜻이다. 표(𠬪)와 예(厂)가 의미부이다.[190] 독음은 측(側)과 경(莖)의 반절이다.

---

189) 고문자에서  甲骨文 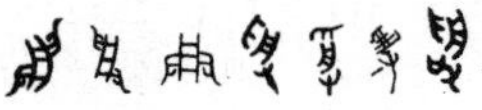 金文  古陶文   簡牘文 石刻古文 등으로 그렸다. 원래는 손(爪·조)과 손(又·우) 사이에 배(舟·주)가 놓여, 배 위에서 물건을 서로 주고받음을 그렸으나 자형이 조금 변해 지금처럼 되었다. 따라서 受는 원래 '주다'와 '받다'는 뜻을 함께 가졌는데, 이후 '주다'는 의미는 다시 手(손 수)를 더한 授(줄 수)로 구분함으로써 '받다'는 의미로 썼다. 이로부터 다시 어떤 상황을 만나다, 어떤 경우를 당하다, 견디다 등의 뜻이 나왔다.

190) 고문자에서 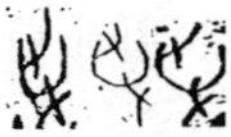 甲骨文  簡牘文 등으로 그렸다. 손(爪·조)과 손(又·우)으로 중간의 물건을 서로 빼앗으려 '다투는' 모습이었는데, 자형이 변해 지금처럼 되었으며, 이로부터 빼앗다, 다투다, 鬪爭(투쟁), 戰爭(전쟁) 등의 뜻이 나왔다. 간화자에서는 윗부분의 爪를 간단히 줄여 争으로 쓴다.

**2512**

**𤔌**: 𤔌: **숨을 은**: 爪-**총10획: yǐn**

原文

𤔌: 所依據也. 从𠬪、工. 讀與隱同. 於謹切.

飜譯

'기대는 곳(所依據)'을 말한다. 표(𠬪)와 공(工)이 의미부이다. 은(隱)과 똑같이 읽는다. 독음은 어(於)와 근(謹)의 반절이다.

**2513**

**寽**: 寽: **취할 률**: 寸-**총7획: lǚ, luō**

原文

寽: 五指持也. 从𠬪一聲. 讀若律. 呂戌切.

飜譯

'다섯 손가락으로 집다(五指持)'라는 뜻이다. 표(𠬪)가 의미부이고 일(一)이 소리부이다. 률(律)과 같이 읽는다. 독음은 려(呂)와 술(戌)의 반절이다.

**2514**

**𠭥**: 𠭥: **감히 감**: 又-**총11획: gǎn**

原文

𠭥: 進取也. 从𠬪古聲. 𣪋, 籒文𠭥. 𢽿, 古文𠭥. 古覽切.

飜譯

'나아가 취하다(進取)'라는 뜻이다. 표(𠬪)가 의미부이고 고(古)가 소리부이다. 감(𣪋)은 감(𠭥)의 주문체이다. 감(𢽿)은 감(𠭥)의 고문체이다. 독음은 고(古)와 람(覽)의 반절이다.

## 제130부수
## 130 ■ 잔(𣦼)부수

**2515**

**𣦼: 𣦼: 뚫다 남을 잔: 歹-총7획: cán**

原文

𣦼: 殘穿也. 从又从歺. 凡𣦼之屬皆从𣦼. 讀若殘. 昨干切.

飜譯

'뚫다 남은 것(殘穿)'을 말한다. 우(又)가 의미부이고 알(歺)도 의미부이다. 잔(𣦼)부수에 귀속된 글자들은 모두 잔(𣦼)이 의미부이다. 잔(殘)과 같이 읽는다. 독음은 작(昨)과 간(干)의 반절이다.

**2516**

**㕡: 㕡: 골 학: 又-총14획: hé, hè, huò**

原文

㕡: 溝也. 从𣦼从谷. 讀若郝. 壑, 㕡或从土. 呼各切.

飜譯

'도랑(溝)'을 말한다. 잔(𣦼)이 의미부이고 곡(谷)도 의미부이다. 학(郝)과 같이 읽는다.[191] 학(壑)은 학(㕡)의 혹체자인데, 토(土)로 구성되었다. 독음은 호(呼)와 각(各)의 반절이다.

191) 土(흙 토)가 의미부고 㕡(골 학)이 소리부로, 산에 난 골짜기를 말하는데, 흙이 많은 쪽으로 골짜기가 나기 때문에 土가 의미부로 채택되었다. 이후 크게 팬 골이라는 뜻에서 '못'이나 '흙구덩이'도 뜻하게 되었다. 『설문해자』에서는 𣦼(뚫다 남을 잔)이 의미부고 谷(골 곡)이 소리부인 㕡(골 학)으로 썼는데, 혹체에서 土가 더해졌다.

**2517**

**⿱𣦼貝**: ⿱𣦼貝: **견실할 개·해** 貝-**총14획: gài, hài**

原文

⿱𣦼貝: 𣦼探堅意也. 从𣦼从貝. 貝, 堅寶也. 讀若概. 古代切.

飜譯

'구멍을 뚫어서 그 견고함을 살핀다(𣦼探堅意)'라는 뜻이다. 잔(𣦼)이 의미부이고 패(貝)도 의미부인데, 패(貝)는 '견고한 보물(堅寶)'[192]의 상징이다. 개(概)와 같이 읽는다. 독음은 고(古)와 대(代)의 반절이다.

**2518**

**⿱𣦼井**: ⿱𣦼井: **함정 정**: 又-**총11획: jǐng**

原文

⿱𣦼井: 坑也. 从𣦼从井, 井亦聲. 疾正切.

飜譯

'구덩이(坑)'를 말한다. 잔(𣦼)이 의미부이고 정(井)도 의미부인데, 정(井)은 소리부도 겸한다. 독음은 질(疾)과 정(正)의 반절이다.

**2519**

**叡**: 叡: **밝을 예**: 又-**총16획: ruì**

原文

叡: 深明也. 通也. 从𣦼从目, 从谷省. 睿, 古文叡. 壡, 籒文叡从土. 以芮切.

飜譯

'깊고 밝다(深明)'라는 뜻이다. '통하다(通)'라는 뜻이다.[193] 잔(𣦼)이 의미부이고 목

192) 서개의 『계전』에서는 견보(堅寶)를 견실(堅實)로 적었다.
193) 『단주』에서는 "通也"라는 부분을 삭제하였다. 이에 대해 서현의 판본에서는 "通也" 2자가

(目)도 의미부이며, 곡(谷)의 생략된 모습도 의미부이다.[194] 예(睿)는 예(叡)의 고문체이다. 예(壡)는 주문체인데, 토(土)로 구성되었다. 독음은 이(以)와 예(芮)의 반절이다.

---

들었는데, 이는 비록 옛날 뜻풀이에는 맞지만 아마도 세속에서 더한 것이 아닐까한다고 했다.

194) 又(또 우)가 의미부고 睿(깊고 밝을 예)가 소리부로, 밝다는 뜻이며, 睿(깊고 밝을 예)와 같은 글자이며, 간화자에서도 睿로 쓴다.

# 제131부수
# 131 ■ 알(歺)부수



**2520**

**歺: 歺: 부서진 뼈 알: 歹-총5획: è**

原文

歺: 𠛱骨之殘也. 从半冎. 凡歺之屬皆从歺. 讀若櫱岸之櫱. 𣦵, 古文歺. 五割切.

飜譯

'뼈와 살을 분해하고 남은 뼈(𠛱骨之殘)'라는 뜻이다. 과(冎)의 반쪽 모습이 의미부이다.[195] 알(歺)부수에 귀속된 글자들은 모두 알(歺)이 의미부이다. 얼안(櫱岸)이라고 할 때의 얼(櫱)과 같이 읽는다. 알(𣦵)은 알(歺)의 고문체이다. 독음은 오(五)와 할(割)의 반절이다.

**2521**

**殰: 㱰: 병들 위: 歹-총12획: wěi, wèi**

原文

㱰: 病也. 从歺委聲. 於爲切.

飜譯

'질병의 일종(病)'을 말한다. 알(歺)이 의미부이고 위(委)가 소리부이다. 독음은 어(於)와 위(爲)의 반절이다.

---

195) 고문자에서 歺 歺 甲骨文 등으로 그렸다. 앙상하게 남은 뼈를 그렸는데, 사람이 죽으면 시신을 숲에 버리고, 썩어 문드러져 뼈만 남으면 수습해 처리했던 옛 장례법을 반영했다. 그래서 歹에는 '뼈'와 '죽음'의 뜻이, 다시 죽음 뒤의 새 생명이라는 의미까지 생겼다. 달리 歺로 쓰기도 한다.

**2522**

**殙: 殙: 아찔할 혼: 歹-총13획: mèn, hūn**

原文

殙: 瞀也. 从歺昏聲. 呼昆切.

飜譯

'[아찔할 정도로] 정신이 혼미하다(瞀)'라는 뜻이다. 알(歺)이 의미부이고 혼(昏)이 소리부이다. 독음은 호(呼)와 곤(昆)의 반절이다.

**2523**

**殰: 殰: 낙태할 독: 歹-총19획: dú**

原文

殰: 胎敗也. 从歺賣聲. 徒谷切.

飜譯

'태아가 뱃속에서 죽다(胎敗)'라는 뜻이다. 알(歺)이 의미부이고 육(賣)이 소리부이다. 독음은 도(徒)와 곡(谷)의 반절이다.

**2524**

**歾: 歿: 마칠 몰: 歹-총8획: mò**

原文

歾: 終也. 从歺勿聲. 㱞, 歾或从𠬛. 莫勃切.

飜譯

'생명을 다하다(終)'라는 뜻이다. 알(歺)이 의미부이고 물(勿)이 소리부이다. 몰(㱞)은 몰(歾)의 혹체자인데, 몰(𠬛)로 구성되었다. 독음은 막(莫)과 발(勃)의 반절이다.

2525

**殌: 殌: 죽을 졸: 歹-총12획: zú**

原文

殌: 大夫死曰殌. 从歺卒聲. 子聿切.

飜譯

'대부의 죽음(大夫死)을 졸(殌)이라고 한다.' 알(歺)이 의미부이고 졸(卒)이 소리부이다. 독음은 자(子)와 율(聿)의 반절이다.



2526

**殊: 殊: 죽일 수: 歹-총10획: shū**

原文

殊: 死也. 从歺朱聲. 漢令曰: "蠻夷長有罪, 當殊之." 市朱切.

飜譯

'죽이다(死)'라는 뜻이다. 알(歺)이 의미부이고 주(朱)가 소리부이다. 한나라 때의 법령(漢令)에 "이민족의 수장이 죄를 지으면 당연히 사형에 처한다(蠻夷長有罪, 當殊之.)"라고 했다. 독음은 시(市)와 주(朱)의 반절이다.

2527

**殟: 殟: 심란할 올: 歹-총14획: wēn**

原文

殟: 胎敗也. 从歺昷聲. 烏沒切.

飜譯

'태아가 뱃속에서 죽다(胎敗)'라는 뜻이다.[196] 알(歺)이 의미부이고 온(昷)이 소리부

196) 『단주』에서는 이 풀이가 잘못되었다고 하면서 이렇게 말했다. "각 판본에서 '胎敗也'라고 적었는데 이는 독(殰)과 혼동해서 잘못 해설한 때문이다. 현응(玄應)의 『일체경음의』 권8, 권

이다. 독음은 오(烏)와 몰(沒)의 반절이다.

2528

**殤: 殤: 일찍 죽을 상: 歹-총15획: shāng**

原文

殤: 不成人也. 人年十九至十六死, 爲長殤; 十五至十二死, 爲中殤; 十一至八歲死, 爲下殤. 从歺, 傷省聲. 式陽切.

飜譯

'성인이 되지 못한 채 죽다(不成人)'라는 뜻이다. 사람 나이가 19세부터 16세 사이에 죽으면 장상(長殤)이라 하고, 15세에서 12세 사이에 죽으면 중상(中殤)이라 하며, 11세에서 8세 사이에 죽으면 하상(下殤)이라 한다. 알(歺)이 의미부이고, 상(傷)의 생략된 모습이 소리부이다. 독음은 식(式)과 양(陽)의 반절이다.

2529

**殂: 殂: 죽을 조: 歹-총9획: cú**

原文

殂: 往、死也. 从歺且聲. 『虞書』曰: "勛乃殂." 𣦸, 古文殂从歺从作. 昨胡切.

飜譯

'가다(往)', '죽다(死)'라는 뜻이다. 알(歺)이 의미부이고 차(且)가 소리부이다. 『우서(虞書)』[197]에서 "방훈(放勛)이 죽었다"라고 했다. 조(𣦸)는 조(殂)의 고문체인데, 알(歺)도 의미부이고 작(作)도 의미부이다. 독음은 작(昨)과 호(胡)의 반절이다.

---

13, 권14에서 『설문』을 인용할 때 모두 '올(殟)은 갑자가 사람을 몰라보다(暴無知也)'라는 뜻이라고 했다. 『성류(聲類)』에서도 '오올(烏殟)은 막 죽으려 할 때를 말한다(欲死也)'라고 했다. 지금 이들에 근거해 바로잡는다."

197) 『단주』에서 『당서(唐書)』가 되어야 한다고 했다. 금본 『상서·요전』에 "帝乃殂落(요임금께서 세상을 떠나셨다)"이라 하였다.

2530

**殛: 殛: 죽일 극: 歹-총13획: jí**

原文

殛: 殊也. 从歹亟聲. 『虞書』曰: "殛鯀于羽山." 已力切.

飜譯

'죽이다(殊)'라는 뜻이다. 알(歹)이 의미부이고 극(亟)이 소리부이다. 『우서(虞書)』에서 "곤(鯀)을 머나먼 우산(羽山)으로 유배 보냈다."[198]라고 했다. 독음은 사(已)와 력(力)의 반절이다.

2531

**殪: 殪: 쓰러질 에: 歹-총16획: yì**

原文

殪: 死也. 从歹壹聲. 㱝, 古文殪从死. 於計切.

飜譯

'죽다(死)'라는 뜻이다. 알(歹)이 의미부이고 일(壹)이 소리부이다. 에(㱝)는 에(殪)의 고문체인데, 사(死)로 구성되었다. 독음은 어(於)와 계(計)의 반절이다.

2532

**蔂: 㱮: 죽어 쓸쓸할 막: 歹-총15획: mò**

原文

㱮: 死宋㱮也. 从歹莫聲. 莫各切.

---

198) 우산(羽山)은 지금의 산동성 임기시(臨沂市) 임목현(臨沭縣)과 강소성 연운항시(連雲港市) 동해현(東海縣)의 교차 지역에 있으며, 황해에 연해 있다. 『상서·우서·순전(舜典)』과 『사기·하본기(夏本紀)』의 기록에 의하면 옛날 대우(大禹)의 아버지 숭백(崇伯) 곤(鯀)이 치수에 실패해 순(舜)에 의해 이곳으로 유배 되었다가 거기서 죽었다고 한다.

譯譯

'죽어서 아무 소리 없이 적막함(死宋䆮)'을 말한다. 알(歺)이 의미부이고 막(莫)이 소리부이다. 독음은 막(莫)과 각(各)의 반절이다.

**2533**

**𣩚: 殯: 염할 빈: 歹-총18획: bìn**

原文

𣩚: 死在棺, 將遷葬柩, 賓遇之. 从歺从賓, 賓亦聲. 夏后殯於阼階, 殷人殯於兩楹之閒, 周人殯於賓階. 必刃切.

譯譯

'시신이 관 속에 있는데, 장사에 쓸 널로 옮기고자 예를 갖추어 염을 하다.(死在棺, 將遷葬柩, 賓遇之)'라는 뜻이다. 알(歺)이 의미부이고 빈(賓)도 의미부인데, 빈(賓)은 소리부도 겸한다. 하후(夏后)씨 때에는 동쪽 계단(阼階)에서 염을 했고, 은(殷)나라 사람들은 전당의 두 기둥 사이(兩楹之閒)에서 염을 했고, 주(周)나라 사람들은 서쪽 계단(賓階)에서 염을 했다. 독음은 필(必)과 인(刃)의 반절이다.

**2534**

**𣨙: 殔: 묻을 이: 歹-총12획: yì**

原文

𣨙: 瘞也. 从歺隶聲. 羊至切.

譯譯

'널을 땅속에 묻다(瘞)'라는 뜻이다. 알(歺)이 의미부이고 이(隶)가 소리부이다. 독음은 양(羊)과 지(至)의 반절이다.

2535

**𣩵: 殣: 굶어 죽을 근: 歹-총15획: jìn**

原文

𣩵: 道中死人, 人所覆也. 从歺堇聲. 『詩』曰: "行有死人, 尚或殣之." 渠吝切.

翻譯

'길에서 사람이 죽었는데, 다른 사람들이 시신을 덮어두어 만들어진 노상 무덤(道中死人, 人所覆.)'을 말한다. 알(歺)이 의미부이고 근(堇)이 소리부이다. 『시·소아소변(小弁)』에서 "길가에 죽은 사람 있으면, 누군가가 묻어주기도 한다네.(行有死人, 尚或殣之.)"라고 노래했다. 독음은 거(渠)와 린(吝)의 반절이다.

2536

**𣩱: 殠: 썩은 냄새 추: 歹-총14획: chòu**

原文

𣩱: 腐气也. 从歺臭聲. 尺救切.

翻譯

'[시신이] 썩는 냄새(腐气)'를 말한다. 알(歺)이 의미부이고 취(臭)가 소리부이다. 독음은 척(尺)과 구(救)의 반절이다.

2537

**𣪂: 殨: 문드러질 궤: 歹-총16획: huì**

原文

𣪂: 爛也. 从歺貴聲. 胡對切.

翻譯

'[시신이 썩어] 문드러지다(爛)'라는 뜻이다. 알(歺)이 의미부이고 귀(貴)가 소리부이다. 독음은 호(胡)와 대(對)의 반절이다.

2538

**𣦹: 死: 썩을 후: 歹–총6획: xiǔ**

原文

𣦹: 腐也. 从歺丂聲. 朽, 死或从木. 許久切.

飜譯

'썩다(腐)'라는 뜻이다. 알(歺)이 의미부이고 교(丂)가 소리부이다. 후(朽)는 후(死)의 혹체자인데, 목(木)으로 구성되었다. 독음은 허(許)와 구(久)의 반절이다.

2539

**殆: 殆: 위태할 태: 歹–총9획: dài**

原文

殆: 危也. 从歺台聲. 徒亥切.

飜譯

'위태롭다(危)'라는 뜻이다. 알(歺)이 의미부이고 태(台)가 소리부이다. 독음은 도(徒)와 해(亥)의 반절이다.

2540

**殃: 殃: 재앙 앙: 歹–총9획: yāng**

原文

殃: 咎也. 从歺央聲. 於良切.

飜譯

'재앙(咎)'을 말한다. 알(歺)이 의미부이고 앙(央)이 소리부이다. 독음은 어(於)와 량(良)의 반절이다.

**2541**

**𣧄: 殘: 해칠 잔: 歹-총12획: cán**

原文

𣧄: 賊也. 从歺戔聲. 昨干切.

飜譯

'상해를 입히다(賊)'라는 뜻이다. 알(歺)이 의미부이고 전(戔)이 소리부이다. 독음은 작(昨)과 간(干)의 반절이다.

**2542**

**𣧆: 殄: 다할 진: 歹-총9획: tiǎn**

原文

𣧆: 盡也. 从歺㐱聲. 𠃑, 古文殄如此. 徒典切.

飜譯

'진(盡)과 같아 다하다'라는 뜻이다. 알(歺)이 의미부이고 진(㐱)이 소리부이다. 진(𠃑)은 진(殄)의 고문체로, 이와 같다. 독음은 도(徒)와 전(典)의 반절이다.

**2543**

**殲: 殲: 다 죽일 섬: 歹-총21획: jiān**

原文

殲: 微盡也. 从歺韱聲. 『春秋傳』曰: "齊人殲于遂." 子廉切.

飜譯

'다 죽이다(微盡)'라는 뜻이다. 알(歺)이 의미부이고 섬(韱)이 소리부이다.[199] 『춘추

199) 歹(뼈 부서질 알)이 의미부고 韱(산 부추 섬)이 소리부로, 부추를 자르듯(韱) 사람을 모두 베어 죽임(歹)을 말하며, 이로부터 칼로 찌르다, 죽다 등의 뜻도 나왔다. 간화자에서는 소리부 韱을 千(일천 천)으로 간단하게 줄인 歼으로 쓴다.

전』(『좌전』 장공 17년, B.C. 677)에서 "제나라 사람들이 수 땅에서 섬멸 당했다(齊人殲于遂)"라고 했다. 독음은 자(子)와 렴(廉)의 반절이다.

**2544**

**殫: 殫: 다할 탄: 歹-총16획: dān**

原文

殫: 殛盡也. 从歺單聲. 都寒切.

飜譯

'끝까지 다 소진하다(殛盡)'라는 뜻이다. 알(歺)이 의미부이고 단(單)이 소리부이다. 독음은 도(都)와 한(寒)의 반절이다.

**2545**

**殬: 殬: 망가질 두: 歹-총17획: dù**

原文

殬: 敗也. 从歺睪聲. 『商書』曰: "彝倫攸殬." 當故切.

飜譯

'파괴하다(敗)'라는 뜻이다. 알(歺)이 의미부이고 역(睪)이 소리부이다. 『상서(商書)』[200]에서 "나라를 다스리는 법칙이 이로부터 무너졌다(彝倫攸殬)"라고 했다. 독음은 당(當)과 고(故)의 반절이다.

**2546**

**㱻: 㱻: 병들 라·뢰 歹-총23획: luǒ, luò**

原文

㱻: 畜産疫病也. 从歺从羸. 郎果切.

200) 『주서·호엄(洪範)』을 말한다.

飜譯

'가축에 생기는 역병(畜産疫病)'을 말한다. 알(歹)이 의미부이고 이(羸)도 의미부이다. 독음은 랑(郎)과 과(果)의 반절이다.

2547

**殪: 殪: 양을 죽여 그 태를 꺼낼 애: 歹-총14획: ái**

原文

殪: 殺羊出其胎也. 从歹豈聲. 五來切.

飜譯

'양을 죽여 그 탯줄을 꺼내다(殺羊出其胎)'라는 뜻이다. 알(歹)이 의미부이고 기(豈)가 소리부이다. 독음은 오(五)와 래(來)의 반절이다.

2548

**殩: 殩: 짐승 먹던 찌꺼기 잔: 歹-총10획: cán**

原文

殩: 禽獸所食餘也. 从歹从肉. 昨干切.

飜譯

'짐승이 먹다 남은 고기(禽獸所食餘)'를 말한다. 알(歹)이 의미부이고 육(肉)도 의미부이다. 독음은 작(昨)과 간(干)의 반절이다.

2549

**殖: 殖: 번성할 식: 歹-총12획: zhí**

原文

殖: 脂膏久殖也. 从歹直聲. 常職切.

'기름이 오래되어 부패하다(脂膏久殖)'라는 뜻이다. 알(歺)이 의미부이고 직(直)이 소리부이다. 독음은 상(常)과 직(職)의 반절이다.

**2550**

**𣧫:** 𣧫: **말라죽을 고**: 歹-**총9획: kū**

原文

𣧫: 枯也. 从歺古聲. 苦孤切.

飜譯

'말라죽다(枯)'라는 뜻이다. 알(歺)이 의미부이고 고(古)가 소리부이다. 독음은 고(苦)와 고(孤)의 반절이다.

**2551**

**殑:** 殑: **버릴 기**: 歹-**총12획: qī**

原文

殑: 棄也. 从歺奇聲. 俗語謂死曰大殑. 去其切.

飜譯

'내다 버리다(棄)'라는 뜻이다. 알(歺)이 의미부이고 기(奇)가 소리부이다. 속어에서 '죽는 것(死)'을 대기(大殑)라 하기도 한다. 독음은 거(去)와 기(其)의 반절이다.

## 제132부수
## 132 ■ 사(死)부수

**2552**

**死: 死: 죽을 사: 歹-총6획: sǐ**

原文

死: 澌也, 人所離也. 从歺从人. 凡死之屬皆从死. 㱱, 古文死如此. 息姊切.

飜譯

'정기가 다해 없어지다(澌也)'라는 뜻으로, 사람의 육체와 영혼이 분리되는 것(人所離)을 말한다. 알(歺)이 의미부이고 인(人)도 의미부이다.[201] 사(死)부수에 귀속된 글자들은 모두 사(死)가 의미부이다. 사(㱱)는 사(死)의 고문체로, 이와 같다. 독음은 식(息)과 자(姊)의 반절이다.

**2553**

**薨: 薨: 죽을 훙: 艸-총17획: hōng**

原文

薨: 公矦殣也. 从死, 瞢省聲. 呼肱切.

---

201) 고문자에서 甲骨文 金文 盟書 簡牘文 등으로 그렸다. 歹(부서진 뼈 알)과 匕(변할 화, 化의 원래 글자)로 구성되어, 죽다는 뜻인데, 주검(歹)으로 변한다(匕)는 의미를 담았다. 갑골문에서는 앙상한 뼈(歹) 앞에 꿇어앉아 애도하는 사람(人)을 그렸는데, 이후 人이 匕로 변하고 匕가 다시 匕(비수 비)로 변해 지금의 자형이 되었다. '죽다'의 의미로부터 생명을 상실하는 모든 행위를 지칭하였고, 이로부터 목숨을 바치다, 사물의 극단적 일부분을 지칭하였고, 死刑(사형)이나 패망을 뜻하기도 한다.

飜譯

'제후가 죽는 것(公矦猝)'을 말한다. 사(死)가 의미부이고, 몽(瞢)의 생략된 모습이 소리부이다. 독음은 호(呼)와 굉(肱)의 반절이다.

**2554**

**薨: 薨: 마를 고: 艸-총17획: hāo**

原文

薨: 死人里也. 从死, 蒿省聲. 呼毛切.

飜譯

'죽은 사람을 묻는 곳(死人里)'을 말한다. 사(死)가 의미부이고, 호(蒿)의 생략된 모습이 소리부이다.202) 독음은 호(呼)와 모(毛)의 반절이다.

**2555**

**𣧎: 殏: 까무러쳤다 깨어날 자: 欠-총12획: zì, sì**

原文

𣧎: 戰見血曰傷; 亂或爲惛; 死而復生爲殏. 从死次聲. 咨四切.

飜譯

'전쟁 중에 피를 보는 것(戰見血)을 상(傷)이라 하고, 어지러워 혼미한 것(亂或)을 혼(惛)이라 하고, 죽었다가 다시 살아나는 것(死而復生)을 자(殏)라고 한다. 사(死)가 의미부이고 차(次)가 소리부이다. 독음은 자(咨)와 사(四)의 반절이다.

---

202) 『단주』에서 이렇게 말했다. "『주례』에서 건어(乾魚)를 고(薨)라고 한다. 「내칙(內則)」에서 '菫苴枌榆枌榆免薨(씀바귀, 환채, 느릅나무의 신선한 것과 마른 것)'라고 했는데, 이의 주석에서 면(免)은 새로 생겨난 것(新生者)을 말하고 고(薨)는 말라버린 것을 말한다(乾也)고 했다. 그렇다면 죽어서 말라버린 것(死而枯槁)을 고(薨)라고 한 것이니, 반드시 허신의 해석대로 따를 필요는 없어 보인다."

## 제133부수
## 133 ■ 과(冎)부수

2556

: 冎: **뼈 발라낼 과**: 冂-총6획: guǎ

原文

: 剔人肉置其骨也. 象形. 頭隆骨也. 凡冎之屬皆从冎. 古瓦切.

飜譯

'사람의 살을 발라내고 뼈만 남기다(剔人肉置其骨)'라는 뜻이다. 상형이다. 머리 윗부분의 융기한 뼈(頭隆骨)를 말한다. 과(冎)부수에 귀속된 글자들은 모두 과(冎)가 의미부이다. 독음은 고(古)와 와(瓦)의 반절이다.

2557

: 別: **나눌 별**: 刀-총8획: bié

原文

: 分解也. 从冎从刀. 憑列切.

飜譯

'분해하다(分解)'라는 뜻이다. 과(冎)가 의미부이고 도(刀)도 의미부이다. 독음은 빙(憑)과 렬(列)의 반절이다.

2558

: 髀: **찢을 패**: 冂-총14획: bēi

原文

: 別也. 从冎卑聲. 讀若罷. 府移切.

譯

‘발라내다(別)’라는 뜻이다. 과(冎)가 의미부이고 비(卑)가 소리부이다. 파(罷)와 같이 읽는다. 독음은 부(府)와 이(移)의 반절이다.

## 제134부수
## 134 ■ 골(骨)부수

**2559**

: 骨: **뼈 골**: 骨-**총10획**: **gǔ**

原文

: 肉之覈也. 从冎有肉. 凡骨之屬皆从骨. 古忽切.

飜譯

'고기가 붙어 있는 곳(肉之覈)'을 말한다. 뼈(冎)에 고기(肉)가 붙어 있는 모습을 그렸다.[203] 골(骨)부수에 귀속된 글자들은 모두 골(骨)이 의미부이다. 독음은 고(古)와 홀(忽)의 반절이다.

**2560**

: 髑: **해골 촉**: 骨-**총23획**: **dú**

原文

: 髑髏, 頂也. 从骨蜀聲. 徒谷切.

飜譯

'촉루(髑髏: 해골)'를 말하는데, '[살이 전부 썩어 떨려져 나간] 죽은 사람의 머리뼈(頂)'

---

203) 고문자에서 簡牘文 古璽 등으로 그렸다. 冎(살 베어내고 뼈만 앙상히 남을 과, 剮와 같은 글자)에 肉(고기 육)이 더해진 모습으로, 살이 붙은 '뼈'를 잘 형상화했다. 冎는 갑골문에서 卜(점 복)과 뼈로 구성되어, 당시 거북딱지와 함께 점복에 주로 사용되었던 소의 어깻죽지 '뼈'를 그렸다. 그래서 骨은 원래는 『설문해자』의 해석처럼 '살이 붙은 뼈'를 지칭했으나 이후 '뼈'의 통칭으로 변했다. 뼈는 사람의 몸을 구성하는 근간이며, 기풍을 나타내는 상징이기도 하다. 그래서 骨에는 氣骨(기골)이라는 뜻이 생겼고, 風骨(풍골)처럼 문학작품에서 기풍과 필력이 웅건한 스타일을 가리키기도 했다. 이처럼 骨로 구성된 글자는 주로 뼈와 관련된 의미나 신체부위, 기풍 등을 나타낸다.

를 말한다. 골(骨)이 의미부이고 촉(蜀)이 소리부이다. 독음은 도(徒)와 곡(谷)의 반절이다.

**2561**

**髏: 髏: 해골 루: 骨-총21획: lóu**

原文

髏: 髑髏也. 从骨婁聲. 洛矦切.

飜譯

'촉루(髑髏: 해골)'를 말한다. 골(骨)이 의미부이고 루(婁)가 소리부이다. 독음은 락(洛)과 후(矦)의 반절이다.

**2562**

**髆: 髆: 어깻죽지 뼈 박: 骨-총20획: bō**

原文

髆: 肩甲也. 从骨尃聲. 補各切.

飜譯

'어깻죽지 뼈(肩甲)'를 말한다. 골(骨)이 의미부이고 부(尃)가 소리부이다. 독음은 보(補)와 각(各)의 반절이다.

**2563**

**髃: 髃: 어깨 앞쪽 우: 骨-총19획: yú**

原文

髃: 肩前也. 从骨禺聲. 午口切.

飜譯

'어깻죽지(肩前: 어깨에 팔이 붙은 부분)'를 말한다. 골(骨)이 의미부이고 우(禺)가 소리부이다. 독음은 오(午)와 구(口)의 반절이다.

**2564**

**𩪧: 骿: 통 갈비 변: 骨-총18획: pián**

原文

𩪧: 并脅也. 从骨并聲. 晉文公骿脅. 部田切.

譯譯

'갈비뼈 여럿이 연이어 붙은 것(并脅)'을 말한다. 골(骨)이 의미부이고 병(并)이 소리부이다. 진(晉) 문공(文公)은 통갈비였다(骿脅).[204] 독음은 부(部)와 전(田)의 반절이다.

**2565**

**髀: 髀: 넓적다리 비: 骨-총18획: bǐ**

原文

髀: 股也. 从骨卑聲. 𩨲, 古文髀. 并弭切.

譯譯

'넓적다리(股)'를 말한다. 골(骨)이 의미부이고 비(卑)가 소리부이다. 비(𩨲)는 비(髀)의 고문체이다. 독음은 병(并)과 미(弭)의 반절이다.

**2566**

**髁: 髁: 넓적다리뼈 과: 骨-총18획: kē**

原文

髁: 髀骨也. 从骨果聲. 苦臥切.

204) 『좌전·희공 23년(B.C. 637)』에 보인다. 다만, 변(骿)이 변(駢)으로 되었다.

'넓적다리의 뼈(髀骨)'를 말한다. 골(骨)이 의미부이고 과(果)가 소리부이다. 독음은 고(苦)와 와(臥)의 반절이다.

**2567**

**𩩓: 𩩓: 볼기 뼈 궐: 骨-총22획: jué**

原文

𩩓: 臀骨也. 从骨厥聲. 居月切.

飜譯

'볼기 뼈(臀骨)'를 말한다. 골(骨)이 의미부이고 궐(厥)이 소리부이다. 독음은 거(居)와 월(月)의 반절이다.

**2568**

**髖: 髖: 허리뼈 관: 骨-총25획: kuān**

原文

髖: 髀上也. 从骨寬聲. 苦官切.

飜譯

'넓적다리의 윗부분(髀上)'을 말한다. 골(骨)이 의미부이고 관(寬)이 소리부이다. 독음은 고(苦)와 관(官)의 반절이다.

**2569**

**髕: 髕: 종지뼈 빈: 骨-총24획: bìn**

原文

髕: 厀耑也. 从骨賓聲. 毗忍切.

飜譯

'슬개골(厀耑)'을 말한다. 골(骨)이 의미부이고 빈(賓)이 소리부이다. 독음은 비(毗)와 인(忍)의 반절이다.

2570

**䯰: 䯰: 뼈끝 괄: 骨-총16획: jué**

原文

䯰: 骨耑也. 从骨昏聲. 古活切.

飜譯

'뼈의 끝부분(骨耑)'을 말한다. 골(骨)이 의미부이고 괄(昏)이 소리부이다. 독음은 고(古)와 괄(活)의 반절이다.

2571

**䯣: 䯣: 종지뼈 괴: 骨-총22획: guì, kuì**

原文

䯣: 厀脛間骨也. 从骨貴聲. 丘媿切.

飜譯

'무릎과 정강이 사이의 뼈(厀脛間骨)'를 말한다. 골(骨)이 의미부이고 귀(貴)가 소리부이다. 독음은 구(丘)와 괴(媿)의 반절이다.

2572

**骹: 骹: 발회목 교: 骨-총16획: qiāo**

原文

骹: 脛也. 从骨交聲. 口交切.

'발회목(脛: 다리 끝 복사뼈 위의 잘록하게 들어간 부분)'을 말한다. 골(骨)이 의미부이고 교(交)가 소리부이다. 독음은 구(口)와 교(交)의 반절이다.

2573

**骭: 骭: 정강이뼈 한·간 骨-총13획: gàn**

原文

骭: 骹也. 从骨干聲. 古案切.

飜譯

'정강이 뼈(骹)'를 말한다. 골(骨)이 의미부이고 간(干)이 소리부이다. 독음은 고(古)와 안(案)의 반절이다.

2574

**骸: 骸: 뼈 해: 骨-총16획: hái**

原文

骸: 脛骨也. 从骨亥聲. 戶皆切.

飜譯

'정강이 뼈(脛骨)'를 말한다. 골(骨)이 의미부이고 해(亥)가 소리부이다. 독음은 호(戶)와 개(皆)의 반절이다.

2575

**髓: 髓: 골 수: 骨-총23획: suǐ**

原文

髓: 骨中脂也. 从骨隓聲. 息委切.

飜譯

'뼈 속의 기름(骨中脂) 즉 골수'를 말한다. 골(骨)이 의미부이고 수(隓)가 소리부이다. 독음은 식(息)과 위(委)의 반절이다.

2576

**髎: 鶻: 골수 척·적·석 骨-총18획: tì**

原文

髎: 骨間黃汁也. 从骨易聲. 讀若『易』曰"夕惕若厲". 他歷切.

飜譯

'뼈 속에 있는 누른 액, 즉 골수(骨間黃汁)'를 말한다. 골(骨)이 의미부이고 역(易)이 소리부이다. 『역·건괘(乾卦)』의 "석척약려(夕惕若厲: 밤낮으로 근심걱정하며 일을 게을리 하지 않음)"라고 할 때의 척(惕)과 같이 읽는다. 독음은 타(他)와 력(歷)의 반절이다.

2577

**體: 體: 몸 체: 骨-총23획: tǐ**

原文

體: 總十二屬也. 从骨豊聲. 他禮切.

飜譯

'전신의 12부분을 총칭하는 말(總十二屬)'이다.[205] 골(骨)이 의미부이고 예(豊)가 소리부이다. 독음은 타(他)와 례(禮)의 반절이다.

---

205) 『단주』에서 이렇게 말했다. "12부분이 무엇인지 허신이 구체적으로 밝히지는 않았다. 그러나 지금의 인체 개념으로 설명해 보면 다음과 같다. 머리(首)에 속하는 것이 셋 있는데, 정수리(頂), 얼굴(面), 턱(頤)이 그것이고, 몸통(身)에 속하는 것이 셋 있는데, 어깨(肩), 등뼈(脊), 볼기(臀)가 그것이고, 손(手)에 속하는 것이 셋 있는데, 팔뚝(厷), 팔(臂), 손(手)이 그것이고, 발(足)에 속하는 것이 셋 있는데, 넓적다리(股), 정강이(脛), 발(足)이 그것이다."

**2578**

**䯰:** 䯰: **잘 마**: 骨-**총21획: mó**

原文

䯰: 㾐病也. 从骨麻聲. 莫鄱切.

飜譯

'[몸의 일부가 마비되는] 중풍(㾐病)'을 말한다. 골(骨)이 의미부이고 마(麻)가 소리부이다. 독음은 막(莫)과 파(鄱)의 반절이다.

**2579**

**骾:** 骾: **걸릴 경**: 骨-**총17획: gěng**

原文

骾: 食骨畱咽中也. 从骨叜聲. 古杏切.

飜譯

'식사하다가 뼈가 목에 걸리다(食骨畱咽中)'라는 뜻이다. 골(骨)이 의미부이고 경(叜)이 소리부이다. 독음은 고(古)와 행(杏)의 반절이다.

**2580**

**骼:** 骼: **뼈 격**: 骨-**총16획: gé**

原文

骼: 禽獸之骨曰骼. 从骨各聲. 古覈切.

飜譯

'짐승의 뼈(禽獸之骨)를 격(骼)이라 한다.' 골(骨)이 의미부이고 각(各)이 소리부이다. 독음은 고(古)와 핵(覈)의 반절이다.

---

1138 완역『설문해자』

**2581**

**𩩂: 骴: 삭은 뼈 자: 骨-총15획: zì**

原文

𩩂: 鳥獸殘骨曰骴. 骴, 可惡也. 从骨此聲. 『明堂月令』曰: "掩骼薶骴." 骴或从肉. 資四切.

飜譯

'날짐승이 먹다 남긴 뼈(鳥獸殘骨)를 자(骴)라 한다.' 자(骴)는 혐오스러움(可惡)을 말한다. 골(骨)이 의미부이고 차(此)가 소리부이다. 『명당(明堂)·월령(月令)』에서 "들짐승이나 날짐승이 먹다 남긴 뼈를 숨기고 묻어 준다(掩骼薶骴)"라고 했다. 자(骴)는 달리 육(肉)을 의미부로 삼기도 한다. 독음은 자(資)와 사(四)의 반절이다.



**2582**

**骫: 骫: 굽을 위: 骨-총13획: wěi**

原文

骫: 骨耑骫奊也. 从骨丸聲. 於詭切.

飜譯

'뼈 끝부분의 굽은 부위(骨耑骫奊)'를 말한다. 골(骨)이 의미부이고 환(丸)이 소리부이다. 독음은 어(於)와 궤(詭)의 반절이다.

**2583**

**膾: 髖: 동곳 괴: 骨-총23획: kuài**

原文

髖: 骨擿之可會髮者. 从骨會聲. 『詩』曰: "髖弁如星." 古外切.

飜譯

'동곳, 즉 꽂아 머리를 한데 묶을 수 있도록 하는 뼈(骨擿之可會髮者)'를 말한다. 골

(骨)이 의미부이고 회(會)가 소리부이다. 『시·위풍·기오(淇奥)』에서 “관에 동곳들이 별처럼 반짝이네(𩪱弁如星)”라고 노래했다. 독음은 고(古)와 외(外)의 반절이다.

# 제135부수
## 135 ■ 육(肉)부수

**2584**

𠕎: 肉: **고기 육: 肉-총6획: ròu**

原文

𠕎: 胾肉. 象形. 凡肉之屬皆从肉. 如六切.

飜譯

'고깃덩어리(胾肉)'를 말한다.206) 상형이다.207) 육(肉)부수에 귀속된 글자들은 모두 육(肉)이 의미부이다. 독음은 여(如)와 륙(六)의 반절이다.

**2585**

腜: 腜: **아이 밸 매: 肉-총13획: méi**

---

206) 『단주』에서 이렇게 말했다. "아래의 설명에서 자(胾)는 크게 저민 고깃덩어리를 말한다(大臠也)고 했는데, 이는 새나 짐승의 고기를 말한다. 『설문』의 체계를 보면, '사람을 먼저 두고 사물을 뒤에 둔다(先人後物).' 그런데 어떻게 해서 (사람이 아닌) 짐승의 고기를 먼저 말한 것인가? 그것은 육(肉)을 부수자로 삼았기 때문이다. 그래서 부득불 먼저 언급할 수밖에 없었다. 인류의 초기, 인간들은 조수의 고기를 먹고 살았다. 그래서 육(肉)자가 가장 오래되었다. 이후 인체의 '고기'와 관련된 글자를 만들면서는 육(肉)을 편방으로 삼아 만들었는데, 이 역시 가차이다. 사람의 고기를 기(肌)라 하고, 조수의 고기를 육(肉)이라 하는데, 이는 구분해서 말한 때문이다. 이로부터 파생하여 『이아』의 육호(肉好: 악기 소리가 풍성하여 귀를 즐겁게 함), 『악기(樂記)』의 염육(廉肉: 음악의 고저와 격정이 조화를 이루어 부드러움)과 같은 단어들이 만들어졌다."

207) 고문자에서 甲骨文 簡牘文 등으로 그렸다. 살결이 갖추어진 고깃덩어리를 그렸으며, 고기나 과실의 과육 등을 말하는데, 따로 쓰거나 상하 구조에는 肉, 좌우 구조에는 月으로 구분해 썼다. 肉이 둘 중복되면 多(많을 다), 손(又·우)에 고기(肉)를 쥔 모습이 有(있을 유)가 되는 것처럼 肉은 소유의 상징이었으며, 뼈와 살로 구성된 몸의 특징 때문에 각종 신체 부위를 지칭하기도 한다. 일부 방언에서는 행동이나 성질이 느린 것을 지칭하기도 한다. 현대 한자에서는 月과 자형이 비슷한 月(달 월)과 종종 혼용되기도 한다.

原文

𦚾: 婦始孕腜兆也. 从肉某聲. 莫桮切.

飜譯

'부인이 처음으로 아이를 밸 징조(婦始孕腜兆)'를 말한다. 육(肉)이 의미부이고 모(某)가 소리부이다. 독음은 막(莫)과 배(桮)의 반절이다.

**2586**

**𦙶: 肧: 아이 밸 배: 肉-총8획: pēi**

原文

𦙶: 婦孕一月也. 从肉不聲. 匹桮切.

飜譯

'부인이 아이를 밴지 한 달 된 것(婦孕一月)'을 말한다. 육(肉)이 의미부이고 불(不)이 소리부이다. 독음은 필(匹)과 배(桮)의 반절이다.

**2587**

**胎: 胎: 아이 밸 태: 肉-총9획: tāi**

原文

胎: 婦孕三月也. 从肉台聲. 土來切.

飜譯

'부인이 아이를 밴지 세 달 된 것(婦孕三月)'을 말한다. 육(肉)이 의미부이고 태(台)가 소리부이다. 독음은 토(土)와 래(來)의 반절이다.

**2588**

**肌: 肌: 살 기: 肉-총6획: jī**

原文

肌: 肉也. 从肉几聲. 居夷切.

飜譯

'[사람의] 고깃살(肉)'을 말한다.[208] 육(肉)이 의미부이고 기(几)가 소리부이다. 독음은 거(居)와 이(夷)의 반절이다.



2589

臚: 臚: **살갗 려**: 肉-총20획: lú

原文

臚: 皮也. 从肉盧聲. 力居切.

飜譯

'살가죽(皮)'을 말한다. 육(肉)이 의미부이고 로(盧)가 소리부이다. 독음은 력(力)과 거(居)의 반절이다.

2590

肫: 肫: **광대뼈 순**: 肉-총8획: zhūn

原文

肫: 面頯也. 从肉屯聲. 章倫切.

飜譯

'얼굴의 광대뼈(面頯)'를 말한다. 육(肉)이 의미부이고 둔(屯)이 소리부이다. 독음은 장(章)과 륜(倫)의 반절이다.

---

208) 『단주』의 육(肉)에 대한 주석에서 "사람의 고기를 기(肌)라 하고, 조수의 고기를 육(肉)이라 한다."라고 했다.

**2591**

**𦡦: 膌: 뺨 기: 肉-총16획: jī**

原文

𦡦: 頰肉也. 从肉幾聲. 讀若畿. 居衣切.

飜譯

'뺨의 살(頰肉)'을 말한다. 육(肉)이 의미부이고 기(幾)가 소리부이다. 기(畿)와 같이 읽는다. 독음은 거(居)와 의(衣)의 반절이다.

**2592**

**脣: 脣: 입술 순: 肉-총11획: chún**

原文

脣: 口耑也. 从肉辰聲. 顧, 古文脣从頁. 食倫切.

飜譯

'입의 아래위 가장자리(口耑) 즉 입술'을 말한다. 육(肉)이 의미부이고 진(辰)이 소리부이다. 순(顧)은 순(脣)의 고문체인데, 혈(頁)로 구성되었다. 독음은 식(食)과 륜(倫)의 반절이다.

**2593**

**脰: 脰: 목 두: 肉-총11획: dòu**

原文

脰: 項也. 从肉豆聲. 徒候切.

飜譯

'목(項)'을 말한다. 육(肉)이 의미부이고 두(豆)가 소리부이다. 독음은 도(徒)와 후(候)의 반절이다.

2594

𦙶: 肓: **명치끝 황**: 肉-총7획: huāng

原文

𦙶: 心上鬲下也. 从肉亡聲. 『春秋傳』曰: "病在肓之下." 呼光切.

飜譯

'심장 아래 격막의 윗부분(心上鬲下) 즉 명치 끝'을 말한다. 육(肉)이 의미부이고 망(亡)이 소리부이다. 『춘추전』(『좌전』 성공 10년, B.C. 581)에서 "맹장 아랫부분에 병이 생겼다(病在肓之下)"라고 했다. 독음은 호(呼)와 광(光)의 반절이다.

2595

腎: 腎: **콩팥 신**: 肉-총12획: shèn

原文

腎: 水藏也. 从肉臤聲. 時忍切.

飜譯

'[음양오행에서] 수(水)에 해당하는 장기(水藏) 즉 콩팥'을 말한다. 육(肉)이 의미부이고 견(臤)이 소리부이다. 독음은 시(時)와 인(忍)의 반절이다.

2596

肺: 肺: **허파 폐**: 肉-총8획: fèi

原文

肺: 金藏也. 从肉市聲. 芳吠切.

飜譯

'[음양오행에서] 금(金)에 해당하는 장기(金藏) 즉 허파'를 말한다. 육(肉)이 의미부이고 불(市)이 소리부이다. 독음은 방(芳)과 폐(吠)의 반절이다.

2597

**䏶: 脾: 지라 비: 肉-총12획: pí**

原文

䏶: 土藏也. 从肉卑聲. 符支切.

飜譯

'[음양오행에서] 토(土)에 해당하는 장기(土藏) 즉 지라'를 말한다. 육(肉)이 의미부이고 비(卑)가 소리부이다. 독음은 부(符)와 지(支)의 반절이다.

2598

**肝: 肝: 간 간: 肉-총7획: gān**

原文

肝: 木藏也. 从肉干聲. 古寒切.

飜譯

'[음양오행에서] 목(木)에 해당하는 장기(木藏) 즉 간'을 말한다. 육(肉)이 의미부이고 간(干)이 소리부이다. 독음은 고(古)와 한(寒)의 반절이다.

2599

**膽: 膽: 쓸개 담: 肉-총17획: dǎn**

原文

膽: 連肝之府. 从肉詹聲. 都敢切.

飜譯

'간에 붙어 있는 장기(連肝之府) 즉 쓸개'를 말한다. 육(肉)이 의미부이고 첨(詹)이 소리부이다. 독음은 도(都)와 감(敢)의 반절이다.

**2600**

**: 胃: 밥통 위: 肉-총9획: wèi**

原文

: 穀府也. 从肉; 囷, 象形. 云貴切.

飜譯

'곡물을 소화시키는 장기(穀府)'를 말한다. 육(肉)이 의미부이다. 위(囷)는 상형이다.[209] 독음은 운(云)과 귀(貴)의 반절이다.

**2601**

**: 脬: 오줌통 포: 肉-총11획: pāo**

原文

: 膀光也. 从肉孚聲. 匹交切.

飜譯

'방광(膀光)'을 말한다.[210] 육(肉)이 의미부이고 부(孚)가 소리부이다. 독음은 필(匹)과 교(交)의 반절이다.

**2602**

**: 腸: 창자 장: 肉-총13획: cháng**

原文

: 大小腸也. 从肉昜聲. 直良切.

---

209) 고문자에서 金文 簡牘文 帛書 등으로 그렸다. 田(밭 전)과 肉(고기 육)으로 구성되었는데, 신체(肉) 기관의 하나인 위장을 말한다. 田은 원래 쌀(米·미) 같은 곡식이 위장(○) 속에 든 모습을 그린 것인데, 이후 예서 단계에서 지금의 田으로 변했다.

210) 『단주』에서는 각 판본에서 방광(膀光)이라 적고 있는데, 이는 방광(旁光)이 되어야 한다고 했다.

飜譯

'대장과 소장(大小腸) 즉 창자'를 말한다. 육(肉)이 의미부이고 양(昜)이 소리부이다. 독음은 직(直)과 량(良)의 반절이다.

**2603**

膏: 膏: **살찔 고**: 肉-**총14획**: **gāo**

原文

膏: 肥也. 从肉高聲. 古勞切.

飜譯

'살지다(肥)'라는 뜻이다. 육(肉)이 의미부이고 고(高)가 소리부이다.[211] 독음은 고(古)와 로(勞)의 반절이다.

**2604**

肪: 肪: **기름 방**: 肉-**총8획**: **fáng**

原文

肪: 肥也. 从肉方聲. 甫良切.

飜譯

'살지다(肥)'라는 뜻이다. 육(肉)이 의미부이고 방(方)이 소리부이다. 독음은 보(甫)와 량(良)의 반절이다.

**2605**

膺: 膺: **가슴 응**: 肉-**총19획**: **yīng**

---

211) 고문자에서 甲骨文 古陶文 등으로 그렸다. 肉(고기 육)이 의미부이고 高(높을 고)가 소리부로, 지방을 말하는데, 기름기가 적당히 든 고기(肉)가 최고(高)라는 뜻을 담았다. 이후 살찐 고기의 뜻이 나왔고, 사물의 정수를 뜻하기도 했다.

原文

𦡀: 匈也. 从肉雁聲. 於陵切.

飜譯

'가슴(匈)'을 말한다. 육(肉)이 의미부이고 응(雁)이 소리부이다.[212] 독음은 어(於)와 릉(陵)의 반절이다.



**2606**

肊: 肊: **흉골 억**: 肉-총5획: yì

原文

肊: 匈骨也. 从肉乙聲. 臆, 肊或从意. 於力切.

飜譯

'흉골(匈骨)'을 말한다. 육(肉)이 의미부이고 을(乙)이 소리부이다. 억(臆)은 억(肊)의 혹체자인데, 의(意)로 구성되었다. 독음은 어(於)와 력(力)의 반절이다.

**2607**

背: 背: **등 배**: 肉-총9획: bèi

原文

背: 脊也. 从肉北聲. 補妹切.

飜譯

'등성마루(脊)'를 말한다. 육(肉)이 의미부이고 북(北)이 소리부이다.[213] 독음은 보

---

212) 응(𦡀)은 보통 응(膺)으로 쓰기도 한다.

213) 고문자에서 [古文字]簡牘文 등으로 그렸다. 肉(고기 육)이 의미부고 北(북녘 북·달아날 배)가 소리부로, 몸(肉)의 등진(北) 쪽인 '등'을 뜻한다. 원래는 서로 등진 모습의 北으로 썼으나 北이 북쪽의 의미로 쓰이자 원래 뜻은 肉을 더해 분화했고, 이로부터 違背(위배)하다, 등지다, 위반하다, 순조롭지 못하다, 뒤쪽 등의 뜻이 나왔다. 그러자 등짐이나 등짐을 지다는 뜻은 手(손 수)를 더한 揹(질 배)로 분화했다.

(補)와 매(妹)의 반절이다.

**2608**

: 脅: **옆구리 협**: 肉-총10획: xié

**原文**

: 兩膀也. 从肉劦聲. 虛業切.

**飜譯**

'양쪽 옆구리(兩膀)'를 말한다. 육(肉)이 의미부이고 협(劦)이 소리부이다. 독음은 허(虛)와 업(業)의 반절이다.

**2609**

: 膀: **쌍배 방**: 肉-총14획: páng

**原文**

: 脅也. 从肉㫄聲. 髈, 膀或从骨. 步光切.

**飜譯**

'양쪽 옆구리(脅)'를 말한다. 육(肉)이 의미부이고 방(㫄)이 소리부이다. 방(髈)은 방(膀)의 혹체자인데, 골(骨)로 구성되었다. 독음은 보(步)와 광(光)의 반절이다.

**2610**

: 脟: **갈빗살 렬** 肉-총11획: liè

**原文**

: 脅肉也. 从肉寽聲. 一曰脟, 腸閒肥也. 一曰膫也. 力輟切.

**飜譯**

'옆구리의 살(脅肉)'을 말한다. 육(肉)이 의미부이고 률(寽)이 소리부이다. 일설에는 열(脟)이 창자[장] 사이의 살진 부분(腸閒肥)을 말한다고도 한다. 또 일설에는 '창자의 기름(膫)'[214]을 말한다고도 한다. 독음은 력(力)과 철(輟)의 반절이다.

**2611**

**𦙃: 肋: 갈비 륵: 肉-총6획: lèi**

原文

𦙃: 脅骨也. 从肉力聲. 盧則切.

飜譯

'갈비뼈(脅骨)'를 말한다. 육(肉)이 의미부이고 력(力)이 소리부이다. 독음은 로(盧)와 칙(則)의 반절이다.

**2612**

**胂: 胂: 기지개 켤 신: 肉-총9획: shèn**

原文

胂: 夾脊肉也. 从肉申聲. 矢人切.

飜譯

'등뼈 양쪽으로 붙은 고기, 즉 등살(夾脊肉)'을 말한다. 육(肉)이 의미부이고 신(申)이 소리부이다. 독음은 시(矢)와 인(人)의 반절이다.

**2613**

**脢: 脢: 등심 매: 肉-총11획: mèi**

原文

脢: 背肉也. 从肉每聲. 『易』曰: "咸其脢." 莫桮切.

飜譯

---

214) 요(膋)와 같은데, 『집운』에서 '창자의 기름(腸脂)'을 말한다고 했다.

'등살(背肉)'을 말한다. 육(肉)이 의미부이고 매(每)가 소리부이다. 『역·함괘(咸卦)』에서 "그 등살에서 느끼니 [후회가 없겠다](咸其脢)"[215]라고 했다. 독음은 막(莫)과 배(桮)의 반절이다.

**2614**

**肩: 肩: 어깨 견: 肉-총9획: jiān**

原文

肩: 髆也. 从肉, 象形. 肩, 俗肩从戶. 古賢切.

飜譯

'어깨(髆)'를 말한다. 육(肉)이 의미부이고, 상형이다. 견(肩)은 견(肩)의 속체인데, 호(戶)로 구성되었다. 독음은 고(古)와 현(賢)의 반절이다.

**2615**

**胳: 胳: 겨드랑이 각: 肉-총10획: gē**

原文

胳: 亦下也. 从肉各聲. 古洛切.

飜譯

'겨드랑이의 아래쪽(亦下)'을 말한다. 육(肉)이 의미부이고 각(各)이 소리부이다. 독음은 고(古)와 락(洛)의 반절이다.

**2616**

**胠: 胠: 겨드랑이 거: 肉-총9획: qū**

---

215) 함(咸)괘 구오(九五)에 나오는 말로, "咸其脢, 无悔."로 되었다. 이에 대해 왕필(王弼)은 이렇게 주석했다. "매(脢)라는 것은 심장의 위쪽, 입의 아래쪽에 있다(心之, 口之下.) 나아가도 크게 느낄 수 없으며, 물러나도 의지가 없을 수는 없겠지만, 그 의지가 완전히 사라진 것은 아니다.(進不能大感, 退亦不為无志, 其志淺末.) 그래서 후회가 없다고 했다(咸其脢, 无悔.)"

原文

胠: 亦下也. 从肉去聲. 去劫切.

飜譯

'겨드랑이의 아래쪽(亦下)'을 말한다. 육(肉)이 의미부이고 거(去)가 소리부이다. 독음은 거(去)와 겁(劫)의 반절이다.



**2617**

**臂: 臂: 팔 비: 肉-총17획: bì**

原文

臂: 手上也. 从肉辟聲. 卑義切.

飜譯

'손의 윗부분(手上)'을 말한다. 육(肉)이 의미부이고 벽(辟)이 소리부이다. 독음은 비(卑)와 의(義)의 반절이다.

**2618**

**臑: 臑: 동물의 앞다리 노: 肉-총18획: nào**

原文

臑: 臂, 羊矢也. 从肉需聲. 讀若襦. 那到切.

飜譯

'팔 위쪽의 팔뚝'을 말하는데, '양이나 돼지의 앞다리(臂羊矢)'를 말한다.216) 육(肉)

---

216) 『단주』에서는 양시(羊矢)는 양시(羊豕)가 되어야 한다고 하면서 "臂, 羊豕曰臑."로 고쳤다. 그리고 이렇게 설명했다. "각 판본에서는 '臂, 羊矢也.'라고 적었는데, 『향사례음의(鄕射禮音義)』에서 인용한 『자림(字林)』에서 '臂, 羊豕也.'라고 했고, 『예기음의(禮記音義)』에서 인용한 『설문(說文)』에서도 '臂, 羊犬也.'라고 했다. 그래서 이 말은 통하지 않는다. 바로 잡는다. 『설문』은 사람에 관한 내용에서 매우 엄격했는데, 사람의 팔뚝을 비(臂)라 하고, 양이나 돼지의 것을 노(臑)라 한다고 했다. 이는 허신이 자세히 구분해 놓은 것이다. 짐승의 것을 비(臂)라는 이름을 빌려서 표현한 것이다. 『주례(周禮)』나 「내칙(內則)」에서 마반비(馬般臂·말의 넓적한

이 의미부이고 수(需)가 소리부이다. 유(襦)와 같이 읽는다. 독음은 나(那)와 도(到)의 반절이다.

**2619**

**肘: 肘: 팔꿈치 주: 肉-총7획: zhǒu**

原文

肘: 臂節也. 从肉从寸. 寸, 手寸口也. 陟柳切.

飜譯

'팔이 접히는 부분(臂節)'을 말한다. 육(肉)이 의미부이고 촌(寸)도 의미부이다. 촌(寸)은 '손에서 한 치 쯤 되는 [맥을 짚는] 부위(手寸口)'를 말한다. 독음은 척(陟)과 류(柳)의 반절이다.

**2620**

**齎: 臍: 배꼽 제: 齊-총18획: qí**

原文

臍: 肶臍也. 从肉齊聲. 徂兮切.

飜譯

'배꼽(肶臍)'을 말한다. 육(肉)이 의미부이고 제(齊)가 소리부이다. 독음은 조(徂)와 혜(兮)의 반절이다.

---

어깨)라고 한 것도 이러한 예에 속한다. 그러나 사람의 어깨에 대해서는 노(臑)라 불렀던 적이 없다. 예컨대 『의례(儀禮)』나 『예기(禮記)』에서 말한 견(肩), 비(臂), 노(臑)는 모두 짐승의 몸체를 두고 한 말이다. 『설문』에서 신체 부위를 말할 때에는 대부분 '曰某(~라고 한다)'라고 표현했는데, 필사하는 과정에서 '曰某'라는 두 글자가 '爲'라는 한 글자로 잘못 바뀌었다. 그리하여 이것이 '臑爲'가 되었고, 또 양시(羊豕)가 시(矢)로 된 것이다. 이런 오류가 전해진지 오래 되었다. 그렇다면 먼저 '羊豕臂曰臑'라 하지 않고 비(臂)를 그 앞에 둔 것은 무엇 때문인가? 그것은 사람을 존중했기 때문이다. 그래서 사람에게 있으면 비(臂)요, 양이나 돼지(羊豕)에게 있으면 노(臑)가 되는 것이다."

**2621**

**:** 腹: **배 복**: 肉-총13획: fù

原文

: 厚也. 从肉复聲. 方六切.

飜譯

'살져 두터운 배(厚)'를 말한다. 육(肉)이 의미부이고 복(复)이 소리부이다.217) 독음은 방(方)과 륙(六)의 반절이다.

**2622**

**:** 腴: **아랫배 살질 유**: 肉-총13획: yú

原文

: 腹下肥也. 从肉臾聲. 羊朱切.

飜譯

'배 아래쪽이 살졌음(腹下肥)'을 말한다. 육(肉)이 의미부이고 유(臾)가 소리부이다. 독음은 양(羊)과 주(朱)의 반절이다.

---

217) 고문자에서 盟書 簡牘文 등으로 그려, 肉(고기 육)이 의미부고 复(돌아올 복)이 소리부로, '배'를 말하는데, 포대 모양의 풀무처럼(复) 부풀어 있는 신체(肉) 부위라는 뜻을 담았다. 배가 몸의 중심이기에 물체의 중심부분을 뜻하게 되었다. 부(复)는 갑골문에서 등으로 그려, 아래쪽은 발(夊·쇠)이고, 위쪽은 긴 네모꼴에 양쪽으로 모퉁이가 더해진 모습으로, 포대 모양의 대형 풀무를 발(夂)로 밟아 작동시키는 모습을 형상화한 글자이다. 풀무는 공간을 움직여 공기를 내뿜게 하는 장치로 밀었다가 당기는 동작이 反復(반복)하는 특성을 가져 '오가다'의 의미가 생겼고, 돌아온다는 回復(회복)의 의미도 생겼다. 그러자 彳(조금 걸을 척)을 더한 復(돌아올 복·다시 부)을 만들어 '돌아오다'는 동작을 더욱 구체화했다.

**2623**

**䏲: 脽: 꽁무니 수: 肉-총12획: zhōu**

原文

䏲: 屍也. 从肉隹聲. 示隹切.

飜譯

'엉덩이(屍)'를 말한다. 육(肉)이 의미부이고 추(隹)가 소리부이다. 독음은 시(示)와 추(隹)의 반절이다.

**2624**

**䏐: 肤: 항문 결·계: 肉-총8획: jué, zhuò**

原文

䏐: 孔也. 从肉, 決省聲. 讀若決水之決. 古穴切.

飜譯

'똥구멍(孔)'을 말한다. 육(肉)이 의미부이고, 결(決)의 생략된 모습이 소리부이다.[218] 결수(決水)의 결(決)과 같이 읽는다.[219] 독음은 고(古)와 혈(穴)의 반절이다.

**2625**

**胯: 胯: 사타구니 과: 肉-총10획: kuà**

原文

胯: 股也. 从肉夸聲. 苦故切.

飜譯

218) 『단주』에서는 서현본에서 '決省聲(決의 생략된 모습이 소리부이다)'이라 했는데 이는 잘못이며, '夬聲(夬가 소리부이다)'이 되어야 한다고 했다.

219) 사하(史河)의 옛날 이름이다. 중국 동부의 주요 하천인 회하(淮河)의 남쪽에 연결된 1급 지류로 안휘성 서부에 있다.

'넓적다리(股)'를 말한다. 육(肉)이 의미부이고 과(夸)가 소리부이다. 독음은 고(苦)와 고(故)의 반절이다.

2626

**股:** 股: **넓적다리 고**: 肉-총8획: gǔ

原文

股: 髀也. 从肉殳聲. 公戶切.

飜譯

'넓적다리(髀)'를 말한다. 육(肉)이 의미부이고 수(殳)가 소리부이다. 독음은 공(公)과 호(戶)의 반절이다.

2627

**腳:** 腳: **다리 각**: 肉-총13획: jiǎo

原文

腳: 脛也. 从肉卻聲. 居勺切.

飜譯

'정강이(脛)'를 말한다. 육(肉)이 의미부이고 각(卻)이 소리부이다. 독음은 거(居)와 작(勺)의 반절이다.

2628

**脛:** 脛: **정강이 경**: 肉-총11획: jìng

原文

脛: 胻也. 从肉巠聲. 胡定切.

飜譯

'정강이(胻)'를 말한다. 육(肉)이 의미부이고 경(巠)이 소리부이다. 독음은 호(胡)와 정(定)의 반절이다.

**2629**

: 胻: **배 행**: 肉-**총10획: háng, xíng**

原文

: 脛耑也. 从肉行聲. 戶更切.

飜譯

'정강이의 위쪽 끝부분(脛耑)'을 말한다. 육(肉)이 의미부이고 행(行)이 소리부이다. 독음은 호(戶)와 경(更)의 반절이다.

**2630**

: 腓: **장딴지 비**: 肉-**총12획: féi**

原文

: 脛腨也. 从肉非聲. 符飛切.

飜譯

'장딴지(脛腨)'를 말한다. 육(肉)이 의미부이고 비(非)가 소리부이다. 독음은 부(符)와 비(飛)의 반절이다.

**2631**

: 腨: **장딴지 천**: 肉-**총13획: chuàn**

原文

: 腓腸也. 从肉耑聲. 市沇切.

飜譯

'장딴지의 불룩한 부분(腓腸)'을 말한다. 육(肉)이 의미부이고 단(耑)이 소리부이다. 독음은 시(市)와 연(沇)의 반절이다.

2632

**𦙶: 肢: 사지 지: 肉-총9획: zhī**

原文

𦙶: 體四胑也. 从肉只聲. 𦚁, 胑或从支. 章移切.

飜譯

'신체의 사지(體四胑) 즉 두 팔과 두 다리'를 말한다. 육(肉)이 의미부이고 지(只)가 소리부이다. 지(𦚁)는 지(胑)의 혹체자인데, 지(支)로 구성되었다. 독음은 장(章)과 이(移)의 반절이다.

2633

**𦙶: 胲: 엄지발가락 해: 肉-총10획: hǎi**

原文

𦙶: 足大指毛也. 从肉亥聲. 古哀切.

飜譯

'엄지발가락의 털이 난 부분(足大指毛)'을 말한다. 육(肉)이 의미부이고 해(亥)가 소리부이다. 독음은 고(古)와 애(哀)의 반절이다.

2634

**𦙶: 肖: 닮을 초: 肉-총7획: xiào**

原文

𦙶: 骨肉相似也. 从肉小聲. 不似其先, 故曰"不肖"也. 私妙切.

飜譯

'형체가 서로 비슷함(骨肉相似)'을 말한다. 육(肉)이 의미부이고 소(小)가 소리부이다.[220] 선조를 닮지 못했기 때문에 [자식이 부모께 자신을 부를 때] "불초(不肖: 못나고 어리석은 존재)"라고 한다. 독음은 사(私)와 묘(妙)의 반절이다.

**2635**

**胤: 胤: 이을 윤: 肉-총9획: yìn**

原文

胤: 子孫相承續也. 从肉; 从八, 象其長也; 从幺, 象重累也. 䏰, 古文胤. 羊晉切.

飜譯

'자손이 계속 이어짐(子孫相承續)'을 말한다. 육(肉)이 의미부이고 팔(八)도 의미부인데, 자손이 길게 이어짐을 상징한다. 또 요(幺)도 의미부인데, 거듭되어 계속 이어짐을 상징한다.[221] 윤(䏰)은 윤(胤)의 고문체이다. 독음은 양(羊)과 진(晉)의 반절이다.

**2636**

**胄: 胄: 맏아들 주: 肉-총9획: zhòu**

原文

胄: 胤也. 从肉由聲. 直又切.

飜譯

---

220) 고문자에서 金文 古陶文 盟書 簡牘文 등으로 그렸다. 肉(月·고기 육)이 의미부고 小(작을 소)가 소리부로, 잘게(小) 썰어 놓은 고깃덩어리(肉)를 말했다. 고기를 잘게 썰어 놓으면 고기의 종류에 관계없이 대체로 비슷해 보이며 구분이 힘들어진다. 이로부터 肖에는 '작다'는 뜻 이외에도 '닮다'는 뜻이 나오게 되었다. 보통 不肖(불초)라고 하면 자식이 부모 앞에서 자신을 낮추어 부르는 말인데, '선조만큼 훌륭하게 닮지(肖) 못한(不) 못난이'라는 뜻이다. 이로부터 肖에는 다시 어리석고 별 볼일 없는 사람이라는 뜻이 생겼다.

221) 고문자에서 金文 등으로 그렸다. 肉(고기 육)과 八(여덟 팔)과 幺(작을 요)로 구성되었는데, 肉은 혈육 즉 자손을 뜻한다. 자형을 구성하는 八은 나누어지다는 뜻을, 幺는 실을 말하여, 분화하여(八) 자손(혈육)이 실(幺)처럼 끊이지 않고 계속 '이어짐'을 말한다. 이로부터 '대를 잇다'는 뜻이 나왔다.

'대를 잇는 자손(胄)'을 말한다. 육(肉)이 의미부이고 유(由)가 소리부이다.222) 독음은 직(直)과 우(又)의 반절이다.

**2637**

**肸: 肸: 떨릴 흘: 肉-총6획: qì, yì**

原文

肸: 振肸也. 从肉八聲. 許訖切.

飜譯

'떨리다(振肸)'라는 뜻이다. 육(肉)이 의미부이고 팔(八)이 소리부이다. 독음은 허(許)와 흘(訖)의 반절이다.

**2638**

**膻: 膻: 어깨 벗을 단: 肉-총17획: tǎn**

原文

膻: 肉膻也. 从肉亶聲. 『詩』曰: "膻裼暴虎." 徒旱切.

飜譯

'[어깨를 벗어] 살을 드러내다(肉膻)'라는 뜻이다. 육(肉)이 의미부이고 단(亶)이 소리부이다. 『시·정풍·대숙우전(大叔于田)』에서 "웃통 벗고 맨손으로 표범 잡아(膻裼暴虎)"라고 노래했다. 독음은 도(徒)와 한(旱)의 반절이다.

**2639**

**膿: 膿: 살찔 양: 肉-총21획: náo, rǎng**

---

222) 고문자에서 金文 簡牘文 등으로 그렸다. 冃(쓰개 모)가 의미부이고 由(말미암을 유)가 소리부로, 쓰개(冃)의 일종인 '투구'를 나타냈는데, 금문에서는 눈만 내놓은 채 투구를 덮어쓴 모습이었고, 소전체에서는 투구가 由로 변하고 눈이 冃로 변했다. 이후 귀족 자제의 후예, 후손이라는 뜻으로 쓰였고, 맏아들이라는 뜻까지 나왔다.

原文

臁: 益州鄙言人盛, 諱其肥謂之臁. 从肉襄聲. 如兩切.

飜譯

'익주 방언에서는 다른 사람이 살찐 것을 말할 때 비(肥)라는 말을 사용하길 꺼려 양(臁)이라고 한다(益州鄙言人盛, 諱其肥謂之臁).' 육(肉)이 의미부이고 양(襄)이 소리부이다. 독음은 여(如)와 량(兩)의 반절이다.

**2640**

**腊:** 腊: **야윌 개**: 肉-**총13획**: **jiē**

原文

腊: 臞也. 从肉皆聲. 古諧切.

飜譯

'여위다(臞)'라는 뜻이다. 육(肉)이 의미부이고 개(皆)가 소리부이다. 독음은 고(古)와 해(諧)의 반절이다.

**2641**

**臞:** 臞: **여윌 구**: 肉-**총22획**: **qú**

原文

臞: 少肉也. 从肉瞿聲. 其俱切.

飜譯

'살이 적음(少肉)'을 말한다. 육(肉)이 의미부이고 구(瞿)가 소리부이다. 독음은 기(其)와 구(俱)의 반절이다.

**2642**

**脫:** 脫: **벗을 탈**: 肉-**총11획**: **tuō**

原文

脫: 消肉臞也. 从肉兌聲. 徒活切.

飜譯

'살이 빠져서 야위다(消肉臞)'라는 뜻이다. 육(肉)이 의미부이고 태(兌)가 소리부이다. 독음은 도(徒)와 활(活)의 반절이다.

**2643**

**脙: 脙: 파리할 구: 肉-총11획: qiú**

原文

脙: 齊人謂臞脙也. 从肉求聲. 讀若休止. 巨鳩切.

飜譯

'제 지역 사람들은 여윈 것을 구(脙)라고 한다(齊人謂臞脙).' 육(肉)이 의미부이고 구(求)가 소리부이다. 휴지(休止)라고 할 때의 휴(休)와 같이 읽는다. 독음은 거(巨)와 구(鳩)의 반절이다.

**2644**

**臠: 臠: 저민 고기 련: 肉-총23획: luán**

原文

臠: 臞也. 从肉䜌聲. 一曰切肉, 臠也. 『詩』曰: "棘人臠臠兮." 力沇切.

飜譯

'여위다(臞)'라는 뜻이다. 육(肉)이 의미부이고 련(䜌)이 소리부이다. 일설에는 '잘라 놓은 고기(切肉)를 련(臠)이라 한다'라고도 한다. 『시·회풍·고관(素冠)』에서 "병든 이 몸 여위었구나(棘人臠臠兮)"라고 노래했다. 독음은 력(力)과 연(沇)의 반절이다.

**2645**

**𦛗: 膌: 파리할 척: 肉-총14획: jí**

原文

𦛗: 瘦也. 从肉脊聲. 㾊, 古文膌从疒从朿, 朿亦聲. 資昔切.

飜譯

'수척하다(瘦)'라는 뜻이다. 육(肉)이 의미부이고 척(脊)이 소리부이다. 척(㾊)은 척(膌)의 고문체로, 녁(疒)도 의미부이고 속(朿)도 의미부인데, 속(朿)은 소리부도 겸한다. 독음은 자(資)와 석(昔)의 반절이다.

**2646**

**𦚔: 脀: 어리석을 승: 肉-총12획: chéng**

原文

𦚔: 騃也. 从肉丞聲. 讀若丞. 署陵切.

飜譯

'멍청하다(騃)'라는 뜻이다. 육(肉)이 의미부이고 승(丞)이 소리부이다. 승(丞)과 같이 읽는다. 독음은 서(署)와 릉(陵)의 반절이다.

**2647**

**𦚗: 胗: 입술 틀 진: 肉-총9획: zhēn**

原文

𦚗: 脣瘍也. 从肉㐱聲. 疹, 籀文胗从疒. 之忍切.

飜譯

'입술에 상처가 나다(脣瘍)'라는 뜻이다. 육(肉)이 의미부이고 진(㐱)이 소리부이다. 진(疹)은 진(胗)의 주문체인데, 녁(疒)으로 구성되었다. 독음은 지(之)와 인(忍)의 반절이다.

**2648**

**䏲: 腄: 발꿈치 못 수·추: 肉-총12획: chuí**

原文

䏲: 瘢胝也. 从肉垂聲. 竹垂切.

飜譯

'발꿈치에 생긴 굳은 살(瘢胝)'을 말한다. 육(肉)이 의미부이고 수(垂)가 소리부이다. 독음은 죽(竹)과 수(垂)의 반절이다.

**2649**

**胝: 胝: 굳은 살 지: 肉-총9획: zhī**

原文

胝: 腄也. 从肉氐聲. 竹尼切.

飜譯

'발꿈치에 생긴 굳은 살(腄)'을 말한다. 육(肉)이 의미부이고 저(氐)가 소리부이다. 독음은 죽(竹)과 니(尼)의 반절이다.

**2650**

**肬: 肬: 사마귀 우: 肉-총8획: yóu**

原文

肬: 贅也. 从肉尤聲. 黕, 籒文肬从黑. 羽求切.

飜譯

'군더더기 살(贅)'을 말한다.[223] 육(肉)이 의미부이고 우(尤)가 소리부이다. 우(黕)는

---

223) 『단주』에서는 각 판본에서 우(肬)자가 빠졌다고 하면서 "贅肬也"가 되어야 한다고 했다.

우(肬)의 주문체인데, 흑(黑)으로 구성되었다. 독음은 우(羽)와 구(求)의 반절이다.

**2651**

**𦙶: 肒: 긁어 부스럼 날 환: 肉-총7획: huàn**

原文

𦙶: 搔生創也. 从肉丸聲. 胡岸切.

譯譯

'긁어서 생긴 상처(搔生創)'를 말한다. 육(肉)이 의미부이고 환(丸)이 소리부이다. 독음은 호(胡)와 안(岸)의 반절이다.

**2652**

**𦡆: 腫: 부스럼 종: 肉-총13획: zhǒng**

原文

𦡆: 癰也. 从肉重聲. 之隴切.

譯譯

'부스럼(癰)'을 말한다. 육(肉)이 의미부이고 중(重)이 소리부이다. 독음은 지(之)와 롱(隴)의 반절이다.

**2653**

**𦛜: 胅: 뼈마디 퉁길 질: 肉-총9획: dié**

原文

𦛜: 骨差也. 从肉失聲. 讀與跌同. 徒結切.

譯譯

'뼈가 어긋나[튀어 나오]다(骨差)'라는 뜻이다. 육(肉)이 의미부이고 실(失)이 소리부이다. 질(跌)과 똑같이 읽는다. 독음은 도(徒)와 결(結)의 반절이다.

**2654**

**𦙦: 脪: 부을 흔: 肉-총11획: xìn**

原文

𦙦: 創肉反出也. 从肉希聲. 香近切.

飜譯

'상처에 살이 나서 밖으로 자라나다(創肉反出)'라는 뜻이다. 육(肉)이 의미부이고 희(希)가 소리부이다. 독음은 향(香)과 근(近)의 반절이다.

**2655**

**𦙶: 胂: 등심 인: 肉-총8획: zhèn**

原文

𦙶: 瘢也. 从肉引聲. 一曰遽也. 羊晉切.

飜譯

'흉터(瘢)'를 말한다. 육(肉)이 의미부이고 인(引)이 소리부이다. 일설에는 '갑자기(遽)'라는 뜻이라고도 한다. 독음은 양(羊)과 진(晉)의 반절이다.

**2656**

**臘: 臘: 납향 랍: 肉-총19획: là**

原文

臘: 冬至後三戌, 臘祭百神. 从肉巤聲. 盧盍切.

飜譯

'동지 이후의 세 번째 술일을 말하는데, 이 날에 백신에게 납 제사를 드린다(冬至後三戌, 臘祭百神).' 육(肉)이 의미부이고 엽(巤)이 소리부이다.[224] 독음은 로(盧)와 합(盍)의 반절이다.

**2657**

**膢: 膢: 제사 이름 루: 肉–총15획: lǘ**

原文

膢: 楚俗以二月祭飮食也. 从肉婁聲. 一曰祈穀食新曰離膢. 力俱切.

飜譯

'2월에 제사를 드리고 먹고 마시던 초 지역의 풍속(楚俗以二月祭飮食)'을 말한다. 육(肉)이 의미부이고 루(婁)가 소리부이다. 일설에는 '풍년을 기원하면서 햇곡을 먹는 것(祈穀食新)을 이루(離膢)라고 한다'고도 한다. 독음은 력(力)과 구(俱)의 반절이다.

**2658**

**朓: 朓: 그믐달 조: 月–총10획: tiǎo**

原文

朓: 祭也. 从肉兆聲. 土了切.

飜譯

'제사에 쓰는 고기(祭)'를 말한다. 육(肉)이 의미부이고 조(兆)가 소리부이다. 독음은 토(土)와 료(了)의 반절이다.

**2659**

**胙: 胙: 제 지낸 고기 조: 肉–총9획: zuò**

原文

胙: 祭福肉也. 从肉乍聲. 昨誤切.

224) 肉(고기 육)이 의미부이고 巤(목 갈길 렵)이 소리부로, 『설문해자』에 의하면 동지 후 세 번째 되는 술(戌)일에 온갖 신에게 새나 짐승의 고기(肉)를 바치며 종묘사직에 지내는 제사를 말한다. 간화자에서는 巤을 昔(예 석)으로 바꾸어 腊으로 쓰는데, 회의구조로 바뀌었다.

**飜譯**

‘제사 때 복을 빌며 썼던 고기(祭福肉)’를 말한다. 육(肉)이 의미부이고 사(乍)가 소리부이다. 독음은 작(昨)과 오(誤)의 반절이다.

**2660**

**膸: 隋: 수나라 수·제사 고기 나머지 타 阜-총12획: suí**

**原文**

膸: 裂肉也. 从肉, 从隓省. 徒果切.

**飜譯**

‘제사에 쓰고 남은 고기(裂肉)’를 말한다.[225] 육(肉)이 의미부이고, 휴(隓)의 생략된 모습이 의미부이다. 독음은 도(徒)와 과(果)의 반절이다.

**2661**

**膳: 膳: 반찬 선: 肉-총16획: shàn**

**原文**

膳: 具食也. 从肉善聲. 常衍切.

**飜譯**

‘음식물을 갖추어 차리다(具食)’라는 뜻이다. 육(肉)이 의미부이고 선(善)이 소리부이다.[226] 독음은 상(常)과 연(衍)의 반절이다.

---

225) 『단주』에서 이렇게 말했다. “의(衣)부수에서 열(裂)은 남는 비단(繒餘)을 말한다고 했다.…… 파생되어 ‘나머지(餘)’를 모두 열(裂)이라 하게 되었다. 그렇다면 열육(裂肉)은 시신에게 제사를 드리고 남은 고기를 말한다.”

226) 고문자에서 金文 등으로 그렸다. 肉(고기 육)이 의미부고 善(착할 선)이 소리부로, 음식을 말하며, 음식을 올리다, 먹다, 조리하다 등의 뜻이 나왔으며, 선물의 의미로도 쓰였는데, 고기(肉)가 음식과 선물의 훌륭한(善) 대표였음을 말해준다. 달리 肉을 食(밥 식)으로 바꾼 饍(반찬 선)으로 쓰기도 한다.

**2662**

**𦟪: 腬: 맛 좋은 고기 유: 肉-총13획: róu**

原文

𦟪: 嘉善肉也. 从肉柔聲. 耳由切.

飜譯

'맛이 좋은 고기(嘉善肉)'를 말한다. 육(肉)이 의미부이고 유(柔)가 소리부이다. 독음은 이(耳)와 유(由)의 반절이다.

**2663**

**肴: 肴: 안주 효: 肉-총8획: yáo**

原文

肴: 啖也. 从肉爻聲. 胡茅切.

飜譯

'씹어 먹을 수 있는 고기(啖)'라는 뜻이다.[227] 육(肉)이 의미부이고 효(爻)가 소리부이다. 독음은 호(胡)와 모(茅)의 반절이다.

**2664**

**腆: 腆: 두터울 전: 肉-총12획: tiǎn**

原文

腆: 設膳腆腆多也. 从肉典聲. 㥏, 古文腆. 他典切.

227) 『단주』에서 이렇게 말했다. "고기를 썰어 제사용 도마 위에 놓은 것(折俎)을 효(肴)라고 하는데, 『좌전(左傳)』과 『국어(國語)』에 보인다. 제기 속에 담은 음식(豆實)을 효(肴)라고도 하는데, 『모전(毛傳)』에 보인다. 일반적으로 곡식을 제외한 먹을 것(非穀而食)을 효(肴)라고 하는데, 이는 정현의 『전(箋)』에 보인다. 모두 씹어 먹을 수 있는 음식이다. 내 생각은 이렇다. 허신이 담육(啖肉·씹어 먹을 수 있는 고기)으로 해야 맞다. 삶아서 씹어 먹을 수 있는 고기(熟饋可啖之肉)를 말한다. 오늘날의 판본에서는 육(肉)자가 탈락되었다."

飜譯

'고기반찬을 많이 진설하다(設膳腆腆多)'라는 뜻이다. 육(肉)이 의미부이고 전(典)이 소리부이다. 전(腆)은 전(腆)의 고문체이다. 독음은 타(他)와 전(典)의 반절이다.

**2665**

腯: 腯: **살찔 돌**: 肉-총13획: tú

原文

腯: 牛羊曰肥, 豕曰腯. 从肉盾聲. 他骨切.

飜譯

'소나 양이 살진 것을 비(肥)라 하고, 돼지가 살진 것을 돌(腯)이라 한다.' 육(肉)이 의미부이고 순(盾)이 소리부이다. 독음은 타(他)와 골(骨)의 반절이다.

**2666**

䏟: 䏟: **살진 고기 별·큰 모양 필** 肉-총9획: biè, bié

原文

䏟: 肥肉也. 从肉必聲. 蒲結切.

飜譯

'살진 고기(肥肉)'를 말한다. 육(肉)이 의미부이고 필(必)이 소리부이다. 독음은 포(蒲)와 결(結)의 반절이다.

**2667**

胡: 胡: **턱밑 살 호**: 肉-총9획: hú

原文

胡: 牛顫垂也. 从肉古聲. 戶孤切.

飜譯

'소의 턱밑으로 처진 살(牛顫垂)'을 말한다. 육(肉)이 의미부이고 고(古)가 소리부이다.[228] 독음은 호(戶)와 고(孤)의 반절이다.

**2668**

𦙶: 胘: **소 천엽 현**: 肉-총9획: xián

原文

𦙶: 牛百葉也. 从肉, 弦省聲. 胡田切.

飜譯

'소의 천엽(牛百葉)'을 말한다. 육(肉)이 의미부이고, 현(弦)의 생략된 모습이 소리부이다. 독음은 호(胡)와 전(田)의 반절이다.

**2669**

𦢊: 膍: **처녑 비**: 肉-총14획: pí

原文

𦢊: 牛百葉也. 从肉𣬈聲. 一曰鳥膍胵. 𦙄, 膍或从比. 房脂切.

飜譯

'소의 천엽(牛百葉)'을 말한다. 육(肉)이 의미부이고 비(𣬈)가 소리부이다. 일설에는 '새의 내장(鳥膍胵)'을 말한다고도 한다. 비(𦙄)는 비(膍)의 혹체자인데, 비(比)로 구성되었다. 독음은 방(房)과 지(脂)의 반절이다.

---

228) 고문자에서 胡 胡 胡 古陶文 胡 胡 古璽文 등으로 그렸다. 肉(고기 육)이 의미부고 古(옛 고)가 소리부로, '턱밑에 늘어진 살'을 뜻했다. 이후 턱살이 축 늘어졌다는 뜻에서 서북쪽 이민족을 지칭하게 되었고, 그러자 원래 뜻은 髟(머리털 드리워 질 표)를 더해 鬍(수염 호)로 분화했다. 현대 중국에서는 鬍의 간화자로도 쓰인다.

2670

**䏶: 胵: 멀떠구니 치: 肉-총10획: chī**

原文

䏶: 鳥胃也. 从肉至聲. 一曰胵, 五藏總名也. 處脂切.

飜譯

'새의 위장(鳥胃)'을 말한다. 육(肉)이 의미부이고 지(至)가 소리부이다. 일설에, 치(胵)는 '오장의 총칭(五藏總名)'이라고도 한다. 독음은 처(處)와 지(脂)의 반절이다.



2671

**膘: 膘: 소 허구리 살 표: 肉-총15획: biāo**

原文

膘: 牛脅後髀前合革肉也. 从肉㶾聲. 讀若繇. 敷紹切.

飜譯

'소의 늑골 뒤 대퇴 앞의 살이 합쳐진 부분의 고기(牛脅後髀前合革肉)'를 말한다. 육(肉)이 의미부이고 표(㶾)가 소리부이다. 요(繇)와 같이 읽는다. 독음은 부(敷)와 소(紹)의 반절이다.

2672

**膟: 膟: 유혈제의 고기 률: 肉-총13획: lǜ**

原文

膟: 血祭肉也. 从肉帥聲. 膟, 膟或从率. 呂戌切.

飜譯

'혈제에 사용하는 고기(血祭肉)'를 말한다. 육(肉)이 의미부이고 솔(帥)이 소리부이다. 률(膟)은 률(膟)의 혹체자인데, 률(率)로 구성되었다. 독음은 려(呂)와 술(戌)의 반절이다.

**2673**

**膫: 膫: 발기름 료: 肉-총16획: liáo**

原文

膫: 牛腸脂也. 从肉尞聲. 『詩』曰: “取其血膫.” 膋, 膫或从勞省聲. 洛蕭切.

飜譯

‘소 창자 속의 기름(牛腸脂)’을 말한다. 육(肉)이 의미부이고 료(尞)가 소리부이다. 『시·소아·신남산(信南山)』에서 “피와 기름 받아내네(取其血膫)”라고 노래했다. 료(膋)는 료(膫)의 혹체자인데, 로(勞)의 생략된 모습이 소리부이다. 독음은 락(洛)과 소(蕭)의 반절이다.

**2674**

**脯: 脯: 포 포: 肉-총11획: pú**

原文

脯: 乾肉也. 从肉甫聲. 方武切.

飜譯

‘말린 고기(乾肉)’를 말한다. 육(肉)이 의미부이고 보(甫)가 소리부이다. 독음은 방(方)과 무(武)의 반절이다.

**2675**

**脩: 脩: 포 수: 肉-총11획: xiū**

原文

脩: 脯也. 从肉攸聲. 息流切.

飜譯

‘말린 고기(脯)’를 말한다. 육(肉)이 의미부이고 유(攸)가 소리부이다. 독음은 식(息)

과 류(流)의 반절이다.

**2676**

**䏿:** 膎: **포 해**: 肉-**총14획**: **xié**

原文

䏿: 脯也. 从肉奚聲. 戶皆切.

飜譯

'말린 고기(脯)'를 말한다. 육(肉)이 의미부이고 해(奚)가 소리부이다. 독음은 호(戶)와 개(皆)의 반절이다.

**2677**

**脼:** 脼: **포 량**: 肉-**총12획**: **liǎng**

原文

脼: 膎肉也. 从肉兩聲. 良奬切.

飜譯

'말린 고기(膎肉)'를 말한다. 육(肉)이 의미부이고 량(兩)이 소리부이다. 독음은 량(良)과 장(奬)의 반절이다.

**2678**

**膊:** 膊: **포 박**: 肉-**총14획**: **bó**

原文

膊: 薄脯, 膊之屋上. 从肉尃聲. 匹各切.

飜譯

'얇게 저미어 말린 고기(薄脯)'를 말하는데, 지붕 위에 널어 말린다(膊之屋上). 육(肉)이 의미부이고 부(尃)가 소리부이다. 독음은 필(匹)과 각(各)의 반절이다.

**2679**

**腕:** 脘: **밥통 완**: 肉-**총11획**: **wǎn**

原文

腕: 胃府也. 从肉完聲. 讀若患. 舊云脯. 古卵切.

飜譯

'밥통(胃府)'을 말한다. 육(肉)이 의미부이고 완(完)이 소리부이다. 환(患)과 같이 읽는다. 옛날에는 '말린 고기(脯)'를 말했다. 독음은 고(古)와 란(卵)의 반절이다.

**2680**

**朐:** 朐: **멍에 구**: 月-**총9획**: **qú**

原文

朐: 脯挺也. 从肉句聲. 其俱切.

飜譯

'말린 고기의 휘어져 굽은 부분(脯挺)'을 말한다. 육(肉)이 의미부이고 구(句)가 소리부이다. 독음은 기(其)와 구(俱)의 반절이다.

**2681**

**膴:** 膴: **포 무**: 肉-**총16획**: **hū**

原文

膴: 無骨腊也. 楊雄說: 鳥腊也. 从肉無聲. 『周禮』有膴判. 讀若謨. 荒烏切.

飜譯

'뼈를 제거하고 말린 고기(無骨腊)'를 말한다. 양웅(楊雄)은 '말린 새 고기(鳥腊)'를 말한다고 했다. 육(肉)이 의미부이고 무(無)가 소리부이다. 『주례·천관·석인(腊人)』에 '무판(膴判: 말린 고기)'이라는 말이 보인다. 모(謨)와 같이 읽는다. 독음은 황(荒)과 오(烏)의 반절이다.

**2682**

: 胥: **서로 서**: 肉-총9획: xū

原文

: 蟹醢也. 从肉疋聲. 相居切.

飜譯

'게장(蟹醢)'을 말한다.229) 육(肉)이 의미부이고 소(疋)가 소리부이다.230) 독음은 상(相)과 거(居)의 반절이다.

**2683**

: 腒: **새 포 거**: 肉-총12획: jū

原文

: 北方謂鳥腊曰腒. 从肉居聲. 傳曰: 堯如腊, 舜如腒. 九魚切.

飜譯

'북방 지역에서는 새의 포를 거(腒)라고 한다(北方謂鳥腊曰腒).' 육(肉)이 의미부이고 거(居)가 소리부이다. 『전(傳)』에서 "요 임금은 육포처럼 말랐고, 순 임금은 새 포처럼 야위었다(堯如腊, 舜如腒.)"라고 했다.231) 독음은 구(九)와 어(魚)의 반절이다.

---

229) 『단주』에서 이렇게 말했다. "『주례·포인(庖人)』의 '제사에 사용될 좋은 제수를 제공한다(共祭祀之好羞)'에 대한 주석에서 사시사철 좋은 음식(四時所爲膳食)을 말하는데, 지금의 형주(荆州)의 물고기(魚), 청주(青州)의 게장(蟹胥) 등이 그렇다. 비록 상시 볼 수 있는 음식은 아니나 이를 올려 효심을 발휘한다(雖非常物, 進之孝也.)"

230) 고문자에서 古陶文, 古璽文 石刻古文 등으로 그렸다. 肉(고기 육)이 의미부고 疋(발 소)가 소리부로, 『설문해자』에서 "게로 담근 젓갈을 말한다"라고 했는데, 게 살(肉)과 다리(疋)를 함께 넣어 담근다는 의미를 담았으며, 이로부터 '함께', '서로'의 뜻이 나왔다. 또 胥吏(서리)에서처럼 발품(疋)을 팔아 육체(肉) 노동을 해야 하는 말단 관리를 말하기도 한다.

231) 『전(傳)』은 『서전(書傳)』을 말하고, 뒤의 말은 『논형(論衡)·어증편(語增篇)』에 보인다.

**2684**

**肍: 肍: 장조림 구: 肉-총6획: qiú**

原文

肍: 孰肉醬也. 从肉九聲. 讀若舊. 巨鳩切.

飜譯

'익힌 고기로 만든 육장(孰肉醬) 즉 장조림'을 말한다. 육(肉)이 의미부이고 구(九)가 소리부이다. 구(舊)와 같이 읽는다. 독음은 거(巨)와 구(鳩)의 반절이다.

**2685**

**膴: 膴: 말린 고기 수: 肉-총16획: sào, sōu**

原文

膴: 乾魚尾膴膴也. 从肉肅聲. 『周禮』有"腒膴". 所鳩切.

飜譯

'물고기 꼬리를 파삭파삭하게 말린 것(乾魚尾膴膴)'을 말한다. 육(肉)이 의미부이고 숙(肅)이 소리부이다. 『주례·천관포인(庖人)』에 "거수(腒膴)"라는 말이 있다. 독음은 소(所)와 구(鳩)의 반절이다.

**2686**

**腝: 腝: 연할 눈·뼈 섞어 담근 젓 이: 肉-총13획: ruǎn**

原文

腝: 有骨醢也. 从肉耎聲. 臡, 腝或从難. 人移切.

飜譯

'뼈째 만든 육장(有骨醢)'을 말한다. 육(肉)이 의미부이고 연(耎)이 소리부이다. 부(臡)는 부(腝)의 혹체자인데, 난(難)으로 구성되었다. 독음은 인(人)과 이(移)의 반절이다.

2687

篆: 脠: **고기젓 전**: 肉-총12획: shān

原文

篆: 生肉醬也. 从肉延聲. 丑連切.

飜譯

'생고기로 만든 육장(生肉醬)'을 말한다. 육(肉)이 의미부이고 연(延)이 소리부이다. 독음은 축(丑)과 련(連)의 반절이다.



2688

篆: 䏽: **돼지고기 장 부**: 肉-총12획: bù

原文

篆: 豕肉醬也. 从肉否聲. 薄口切.

飜譯

'돼지고기로 만든 육장(豕肉醬)'을 말한다. 육(肉)이 의미부이고 부(否)가 소리부이다. 독음은 박(薄)과 구(口)의 반절이다.

2689

篆: 胹: **삶을 이**: 肉-총10획: ér

原文

篆: 爛也. 从肉而聲. 如之切.

飜譯

'문드러지도록 삶다(爛)'라는 뜻이다. 육(肉)이 의미부이고 이(而)가 소리부이다. 독음은 여(如)와 지(之)의 반절이다.

**2690**

**䐣: 䐣: 국 손: 肉-총14획: cuò, sǔn**

原文

䐣: 切孰肉, 内於血中和也. 从肉員聲. 讀若遜. 穌本切.

飜譯

'잘라 익힌 고기를 피에 넣어 맛을 맞춘 국(切孰肉, 内於血中和), 즉 선짓국'을 말한다. 육(肉)이 의미부이고 원(員)이 소리부이다. 손(遜)과 같이 읽는다. 독음은 소(穌)와 본(本)의 반절이다.

**2691**

**胜: 胜: 비릴 성: 肉-총9획: shèng**

原文

胜: 犬膏臭也. 从肉生聲. 一曰不孰也. 桑經切.

飜譯

'개기름의 고약한 냄새(犬膏臭)'를 말한다. 육(肉)이 의미부이고 생(生)이 소리부이다. 일설에는 '익히지 않은 것(不孰)'을 말한다고도 한다.232)
독음은 상(桑)과 경(經)의 반절이다.

**2692**

**臊: 臊: 누릴 조: 肉-총17획: sāo**

原文

232) 肉(고기 육)이 의미부고 星(별 성)이 소리부로, 생으로 된 고기(肉)를 말하며, 생고기에서 나는 비린내, 날 것, 지방 등의 뜻도 나왔다. 『설문해자』에서는 "별(星)이 보일 때 돼지에게 먹이를 먹이면 鼻腔(비강)이나 창자 속에 굳은 살(瘜肉·식육)이 생긴다."라고 풀이했다. 달리 生(날 생)과 肉(月)으로 구성되어 생(生)으로 된 고기(肉)라는 뜻의 胜(비릴 성)으로 쓰기도 한다.

䐑: 豕膏臭也. 从肉喿聲. 穌遭切.

飜譯

'돼지기름의 고약한 냄새(豕膏臭)'를 말한다. 육(肉)이 의미부이고 소(喿)가 소리부이다. 독음은 소(穌)와 조(遭)의 반절이다.

**2693**

**膮: 膮: 돼지 고깃국 효: 肉-총16획: xiāo**

原文

膮: 豕肉羹也. 从肉堯聲. 許幺切.

飜譯

'돼지고기로 끓인 국(豕肉羹)'을 말한다. 육(肉)이 의미부이고 요(堯)가 소리부이다. 독음은 허(許)와 요(幺)의 반절이다.

**2694**

**腥: 腥: 비릴 성: 肉-총13획: xīng**

原文

腥: 星見食豕, 令肉中生小息肉也. 从肉从星, 星亦聲. 穌佞切.

飜譯

'별이 보일 때 돼지를 사육하여 생기게 한 작은 굳은살(星見食豕, 令肉中生小息肉)'을 말한다.[233] 육(肉)이 의미부이고 성(星)도 의미부인데, 성(星)은 소리부도 겸한다. 독음은 소(穌)와 녕(佞)의 반절이다.

233) 『단주에서 이렇게 말했다. "식(息)은 식(瘜)이 되어야 한다. 녁(疒)부수에서 식(瘜)은 덧붙은 고기(寄肉)를 말한다고 했다. 별이 보일 때 돼지에게 먹이를 주어 키우면 언제나 이 병이 생긴다.(星見時飼豕, 每致此疾.)"

**2695**

**: 脂: 기름 지: 肉-총10획: zhī**

原文

: 戴角者脂, 無角者膏. 从肉旨聲. 旨夷切.

飜譯

‘뿔이 있는 짐승의 기름(戴角者)은 지(脂)라 하고, 뿔이 없는 짐승의 기름(無角者)은 고(膏)라 한다.’ 육(肉)이 의미부이고 지(旨)가 소리부이다.234) 독음은 지(旨)와 이(夷)의 반절이다.

**2696**

**: 膹: 기름기의 군살 솨: 肉-총14획: suǒ, suò**

原文

: 鬻也. 从肉貨聲. 穌果切.

飜譯

‘돼지나 양의 뿔을 해체하다(鬻)’라는 뜻이다.235) 육(肉)이 의미부이고 쇄(貨)가 소리부이다. 독음은 소(穌)와 과(果)의 반절이다.

---

234) 고문자에서 簡牘文 古璽文 등으로 그렸다. 肉(고기 육)이 의미부고 旨(맛있을 지)가 소리부로, 신체(肉)의 ‘지방’을 말하며, 이로부터 기름, 기름을 칠하다, 얼굴이나 입술 등에 칠하는 화장품 등의 뜻이 나왔다. 또 덧칠을 하다는 뜻에서 봉록이 후하다는 뜻도 나왔다.

235) 이는 앞뒤 글자의 의미 항과 연계성이 떨어진다, 그래서 『단주』에서는 학(鬻)을 옥(膂)의 잘못으로 보았다. 그리고 이렇게 말했다. “해설자들은 『이아·석기(釋器)』의 각(角)을 갖고서 학(鬻)자를 풀이하는데 이는 매우 잘못된 것이다. 각(角)부수에는 원래 학(鬻)자가 수록되지 않았다. 여기서 학(鬻)자의 앞 뒤 글자 모두 기름(脂膏)에 대해 이야기 하고 있다. 그래서 뿔을 다듬다(治角)는 [뜻의 鬻이] 들어갈 곳이 없다. 『옥편』에서도 솨(膹)는 비계껍질(膏膂)이라고 했고, 옥(膂)은 비계껍질(膏膹)이라고 했다. 『광운』 과(過)운에서도 솨(膹)는 비계껍질(膂膏)을 말한다고 했다. 옥(膂)은 옥(屋)부의 옥(沃)운에도 보인다. 그래서 이들에 근거해 볼 때 보충하고 바로 잡는다.” 그렇게 본다면 단옥재의 의견대로 옥(膂)으로 풀이하는 게 더 옳아 보인다.

**2697**

**膩: 膩: 미끄러울 니 肉-총16획: nì**

原文

膩: 上肥也. 从肉貳聲. 女利切.

飜譯

'몸체 표면의 기름기(上肥)'를 말한다. 육(肉)이 의미부이고 이(貳)가 소리부이다. 독음은 녀(女)와 리(利)의 반절이다.

**2698**

**膜: 膜: 막 막: 肉-총15획: mó**

原文

膜: 肉閒胲膜也. 从肉莫聲. 慕各切.

飜譯

'고기[장기] 사이를 둘러싼 얇은 막(肉閒胲膜)'을 말한다. 육(肉)이 의미부이고 막(莫)이 소리부이다. 독음은 모(慕)와 각(各)의 반절이다.

**2699**

**膈: 膈: 막 약: 肉-총14획: ruò**

原文

膈: 肉表革裏也. 从肉弱聲. 而勺切.

飜譯

'살의 표면과 가죽 안쪽의 얇은 막(肉表革裏)'을 말한다. 육(肉)이 의미부이고 약(弱)이 소리부이다. 독음은 이(而)와 작(勺)의 반절이다.

2700

**臛**: 臛: **곰국 학**: 肉-**총14획**: **hè**

原文

臛: 肉羹也. 从肉隺聲. 呼各切.

飜譯

'고깃국(肉羹)'을 말한다. 육(肉)이 의미부이고 각(隺)이 소리부이다. 독음은 호(呼)와 각(各)의 반절이다.

2701

**膹**: 膹: **곰국 분**: 肉-**총17획**: **fèn**

原文

膹: 臛也. 从肉賁聲. 房吻切.

飜譯

'고깃국(臛)'을 말한다. 육(肉)이 의미부이고 분(賁)이 소리부이다. 독음은 방(房)과 문(吻)의 반절이다.

2702

**臇**: 臇: **지짐이 전**: 肉-**총17획**: **juǎn**

原文

臇: 臛也. 从肉雋聲. 讀若纂. 熼, 臇或从火、巽. 子沇切.

飜譯

'고깃국(臛)'을 말한다.236) 육(肉)이 의미부이고 준(雋)이 소리부이다. 찬(纂)과 같이 읽는다. 전(熼)은 전(臇)의 혹체자인데, 화(火)와 손(巽)으로 구성되었다. 독음은 자

236) 『단주』에 의하면, "이선(李善)이 인용한 『창힐해고(蒼頡解詁)』에서 전(臇)은 국물이 적은 고깃국을 말한다(少汁臛也)고 했다."

(子)와 연(沇)의 반절이다.

2703

**胾: 胾: 고깃점 자: 肉-총12획: zì**

原文

胾: 大臠也. 从肉𢦏聲. 側吏切.

飜譯

'큼직하게 썬 고기(大臠)'를 말한다. 육(肉)이 의미부이고 재(𢦏)가 소리부이다. 독음은 측(側)과 리(吏)의 반절이다.

2704

**腜: 膗: 저민 고기 접: 肉-총13획: zhé**

原文

腜: 薄切肉也. 从肉枼聲. 直葉切.

飜譯

'얇게 저민 고기(薄切肉)'를 말한다. 육(肉)이 의미부이고 엽(枼)이 소리부이다. 독음은 직(直)과 엽(葉)의 반절이다.

2705

**膾: 膾: 회 회: 肉-총17획: huì**

原文

膾: 細切肉也. 从肉會聲. 古外切.

飜譯

'가늘게 자른 고기(細切肉)'를 말한다. 육(肉)이 의미부이고 회(會)가 소리부이다.[237] 독음은 고(古)와 외(外)의 반절이다.

**2706**

**腌: 腌: 절인 고기 엄·업 肉-총12획: yān**

原文

腌: 漬肉也. 从肉奄聲. 於業切.

飜譯

'[소금에] 절인 고기(漬肉)'를 말한다. 육(肉)이 의미부이고 엄(奄)이 소리부이다. 독음은 어(於)와 업(業)의 반절이다.

**2707**

**脃: 脆: 무를 취: 肉-총10획: cuì**

原文

脃: 小耎易斷也. 从肉, 从絕省. 此芮切.

飜譯

'고기가 작고 물러 쉽게 잘리다(小耎易斷)'라는 뜻이다. 육(肉)이 의미부이고, 절(絕)의 생략된 모습이 의미부이다. 독음은 차(此)와 예(芮)의 반절이다.

**2708**

**膬: 膬: 무를 취: 肉-총16획: cuì**

原文

膬: 耎易破也. 从肉毳聲. 七絕切.

飜譯

237) 肉(고기 육)이 의미부고 會(모일 회)가 소리부로, 생고기(肉)를 한데 모은(會) 모습을 그렸는데, 膾炙(회자·널리 입에 오르내림)에서처럼 예로부터 고기는 귀하고 맛난 음식이었다. 간화자에서는 會를 会로 줄여 脍로 쓴다.

'고기가 물러 잘 부스러진다(耎易破)'라는 뜻이다. 육(肉)이 의미부이고 취(毳)가 소리부이다. 독음은 칠(七)과 절(絕)의 반절이다.



**2709**

**𦟝: 散: 흩을 산: 攴-총16획: sàn**

原文

𦟝: 雜肉也. 从肉㪔聲. 穌旰切.

飜譯

'여러 가지가 섞인 고기(雜肉)'를 말한다. 육(肉)이 의미부이고 산(㪔)이 소리부이다.238) 독음은 소(穌)와 간(旰)의 반절이다.

**2710**

**膞: 膞: 저민 고기 전: 肉-총15획: zhuān**

原文

膞: 切肉也. 从肉專聲. 市沇切.

飜譯

'[덩어리로] 잘라 놓은 고기(切肉)'를 말한다. 육(肉)이 의미부이고 전(專)이 소리부이다. 독음은 시(市)와 연(沇)의 반절이다.

---

238) 고문자에서 [古文字] 金文 [古文字] 簡牘文 등으로 그렸다. 금문에서 月(肉·고기육)이 의미부고 㪔(갈라서 떼어 놀 산)이 소리부인 구조였는데, 자형이 조금 변해 지금처럼 되었다. 㪔은 손에 막대를 쥐고(攴) 삼(麻)의 줄기를 때려 잎을 제거하는 모습을 그렸으며, 肉은 껍질이 벗겨진 속살을 말한다. 간혹 점을 여럿 그려 넣어 떨어져 나간 잎을 형상적으로 그리기도 했다. 그래서 散은 몽둥이로 삼대를 두들겨 잎을 분리시키는 모습을 그렸고, 이로부터 分離(분리)와 分散(분산)의 의미를 그려냈다.

**2711**

**腏: 腏: 살 바를 철: 肉-총12획: chuò**

原文

腏: 挑取骨閒肉也. 从肉叕聲. 讀若『詩』曰"啜其泣矣". 陟劣切.

飜譯

'뼈 사이의 고기를 발라내다(挑取骨閒肉)'라는 뜻이다. 육(肉)이 의미부이고 철(叕)이 소리부이다. 『시·왕풍·중곡유퇴(中谷有蓷)』에서 노래한 "철기읍의(啜其泣矣: 훌쩍이며 우네)"의 철(啜)과 같이 읽는다. 독음은 척(陟)과 렬(劣)의 반절이다.

**2712**

**胾: 胾: 밥찌끼 자: 肉-총11획: zǐ**

原文

胾: 食所遺也. 从肉仕聲. 『易』曰: "噬乾胾." 𦙶, 楊雄說: 胾从𠂔. 阻史切.

飜譯

'먹고 남긴 고기 뼈(食所遺)'를 말한다. 육(肉)이 의미부이고 사(仕)가 소리부이다. 『역·서합(噬嗑)』에서 "뼈가 붙은 고기를 씹는 격이다(噬乾胾)"라고 하였다. 자(𦙶)는 양웅(楊雄)의 설에 의하면 자(胾)인데, 자(𠂔)로 구성되었다. 독음은 조(阻)와 사(史)의 반절이다.

**2713**

**脜: 脜: 양이 차지 않을 함: 肉-총12획: hàn, xiàn**

原文

脜: 食肉不猒也. 从肉臽聲. 讀若陷. 戶猪切.

飜譯

'고기를 먹어도 물리지 않음(食肉不猒)'을 말한다. 육(肉)이 의미부이고 함(臽)이 소리부이다. 함(陷)과 같이 읽는다. 독음은 호(戶)와 암(猎)의 반절이다.

**2714**

: 肰: **개고기 연**: 肉-총8획: rán

原文

: 犬肉也. 从犬、肉. 讀若然. [illegible], 古文肰. [illegible], 亦古文肰. 如延切.

飜譯

'개고기(犬肉)'를 말한다. 견(犬)과 육(肉)이 의미부이다. 연(然)과 같이 읽는다. 연([illegible])은 연(肰)의 고문체이다. 연([illegible])도 연(肰)의 고문체이다. 독음은 여(如)와 연(延)의 반절이다.

**2715**

: 瞋: **부어오를 진**: 肉-총14획: chēn

原文

: 起也. 从肉眞聲. 昌眞切.

飜譯

'[살이] 부풀어 오르다(起)'라는 뜻이다. 육(肉)이 의미부이고 진(眞)이 소리부이다. 독음은 창(昌)과 진(眞)의 반절이다.

**2716**

: 肬: **육장 탐**: 肉-총8획: tǎn

原文

: 肉汁滓也. 从肉尢聲. 他感切.

飜譯

'즙이 많은 육장(肉汁滓)'을 말한다. 육(肉)이 의미부이고 유(尢)가 소리부이다. 독음은 타(他)와 감(感)의 반절이다.

**2717**

**膠: 膠: 아교 교: 肉-총15획: jiāo**

原文

膠: 昵也. 作之以皮. 从肉翏聲. 古肴切.

飜譯

'붙일 수 있는 물질(昵)'을 말하는데, 가죽을 고아 만든다. 육(肉)이 의미부이고 료(翏)가 소리부이다. 독음은 고(古)와 효(肴)의 반절이다.

**2718**

**臝: 臝: 짐승이름 라: 肉-총14획: luó**

原文

臝: 或曰: 嘼名, 象形. 闕. 郎果切.

飜譯

혹자는 '짐승의 이름(嘼名)'이라고도 한다.239) 상형이다.240) 왜 그런지는 알 수 없어 비워 둔다(闕). 독음은 랑(郎)과 과(果)의 반절이다.

**2719**

**胆: 胆: 구더기 저: 肉-총9획: jué, qū**

---

239) 『단주』에서 이렇게 말했다. "혹왈(或曰)은 확정하지 못함을 나타내는 말이다. 짐승의 이름(嘼名)을 말한다고 했는데, 아마도 라(臝)를 라(蠃)의 고자로 보았을 것이다. 려(驢: 나귀)나 라(蠃: 노새)는 모두 집에서 기르는 가축이다. 그렇다면 짐승의 이름이라 해도 된다."

240) 『단주』에서 이렇게 말했다. "상형이다(象形)라는 말은 천한 이들이 덧보탠 말이다. 몰라 비워둔다(闕)는 것은 그 형체를 두고 한 말이다. 의미는 짐승의 이름(畜名)이라 했고, 독음은 라(臝)를 소리부로 확정했다. 그렇다면 형체의 경우 육(肉)으로 구성된 것 이외에는 잘 알 수가 없어 억지로 해석할 수가 없다는 말이다." 참고할 만하다.

原文

𦙍: 蠅乳肉中也. 从肉且聲. 七余切.

譯解

'파리가 고기 속에 알을 낳다(蠅乳肉中)'라는 뜻이다. 육(肉)이 의미부이고 차(且)가 소리부이다. 독음은 칠(七)과 여(余)의 반절이다.

2720

**𠕎: 肙: 장구벌레 연: 肉-총7획: yuān**

原文

𠕎: 小蟲也. 从肉口聲. 一曰空也. 烏玄切.

譯解

'[장구벌레라는] 작은 벌레(小蟲)'를 말한다. 육(肉)이 의미부이고 국(口)이 소리부이다. 일설에는 '텅 비다(空)'라는 뜻이라고도 한다. 독음은 오(烏)와 현(玄)의 반절이다.

2721

**腐: 腐: 썩을 부: 肉-총14획: fǔ**

原文

腐: 爛也. 从肉府聲. 扶雨切.

譯解

'석어 문드러지다(爛)'라는 뜻이다. 육(肉)이 의미부이고 부(府)가 소리부이다.[241] 독음은 부(扶)와 우(雨)의 반절이다.

241) 肉(고기 육)이 의미부고 府(곳집 부)가 소리부인 상하구조로, 고기(肉)가 창고(府)에 쌓여 '썩어가는' 모습을 그렸고 여기에서 '썩다', 부패하다는 뜻이 나왔다.

**2722**

**肎: 肎: 뼈 사이 살 긍: 肉-총6획: kěn**

原文

肎: 骨閒肉肎肎箸也. 从肉, 从冎省. 一曰骨無肉也. 𠕎, 古文肎. 苦等切.

飜譯

'뼈 사이로 단단하게 붙어 있는 살(骨閒肉肎肎箸)'을 말한다. 육(肉)이 의미부이고, 과(冎)의 생략된 모습이 의미부이다. 일설에는 '고기가 붙어 있지 않은 뼈(骨無肉)'를 말한다고도 한다. 긍(𠕎)은 긍(肎)의 고문체이다. 독음은 고(苦)와 등(等)의 반절이다.

**2723**

**肥: 肥: 살찔 비: 肉-총8획: féi**

原文

肥: 多肉也. 从肉从卪. 符非切.

飜譯

'살이 쪄 고기가 많다(多肉)'라는 뜻이다. 육(肉)이 의미부이고 절(卪)도 의미부이다.242) 독음은 부(符)와 비(非)의 반절이다.

**2724**

**肾: 肾: 종아리 계: 肉-총12획: qǐ**

原文

肾: 肥腸也. 从肉, 啓省聲. 康禮切.

---

242) 고문자에서 簡牘文 등으로 그렸다. 肉(고기 육)과 㔾(병부 절, 節의 원래 글자)이 소리부로, 살(肉)이 많음을 말하는데, 㔾이 巴(땅이름 파)로 변해 지금의 자형이 되었다.

飜譯

'살찐 창자(肥腸)'를 말한다. 육(肉)이 의미부이고, 계(啓)의 생략된 모습이 소리부이다. 독음은 강(康)과 례(禮)의 반절이다. [신부]

2725

**脧: 脧: 갓난아이 음부 최: 肉-총11획: juān**

原文

脧: 赤子陰也. 从肉夋聲. 或从血. 子回切.

飜譯

'갓난아이의 음부(赤子陰)'를 말한다. 육(肉)이 의미부이고 준(夋)이 소리부이다. 간혹 혈(血)로 구성되기도 한다. 독음은 자(子)와 회(回)의 반절이다. [신부]

2726

**腔: 腔: 속 빌 강: 肉-총12획: qiāng**

原文

腔: 内空也. 从肉从空, 空亦聲. 苦江切.

飜譯

'속이 빈 것(内空)'을 말한다. 육(肉)이 의미부이고 공(空)도 의미부인데, 공(空)은 소리부도 겸한다. 독음은 고(苦)와 강(江)의 반절이다. [신부]

2727

**朐: 朐: 벌레이름 윤: 肉-총10획: rùn, chǔ**

原文

朐: 朐䏰, 蟲名. 漢中有朐䏰縣, 地下多此蟲, 因以爲名. 从肉旬聲. 考其義, 當作潤蠢. 如順切.

譯解

'지렁이(朐䏰)'를 말하는데, 벌레 이름이다(蟲名). 한중(漢中) 지역에 순인현(朐䏰縣)이 있는데, 땅 속에 이러한 벌레가 많아서 붙여진 이름이다. 육(肉)이 의미부이고 순(旬)이 소리부이다. 그 의미를 고찰해 볼 때 '윤충(潤蠢)'이라고 해야 옳다. 독음은 여(如)와 순(順)의 반절이다. [신부]

**2728**

**䏰: 䏰: 지렁이 인·윤 肉-총11획: rěn, chǔn**

原文

䏰: 朐䏰也. 从肉忍聲. 尺尹切.

譯解

'지렁이(朐䏰)'를 말한다. 육(肉)이 의미부이고 인(忍)이 소리부이다. 독음은 척(尺)과 윤(尹)의 반절이다. [신부]

## 제136부수
## 136 ■ 근(筋)부수



**2729**

**筋**: 筋: **힘줄 근**: 竹-**총12획**: **jīn**

原文

筋: 肉之力也. 从力从肉从竹. 竹, 物之多筋者. 凡筋之屬皆从筋. 居銀切.

飜譯

'근육의 힘줄(肉之力)'을 말한다. 력(力)이 의미부이고 육(肉)도 의미부이고 죽(竹)도 의미부이다. 죽(竹)은 근육 같은 결이 많은 물체이기 때문이다.243) 근(筋)부수에 귀속된 글자들은 모두 근(筋)이 의미부이다. 독음은 거(居)와 은(銀)의 반절이다.

**2730**

**笏**: 笏: **힘줄 밑둥 건**: 竹-**총11획**: **jiàn**

原文

笏: 筋之本也. 从筋, 从夗省聲. 腱, 笏或从肉、建. 渠建切.

飜譯

'힘줄의 밑동(筋之本)'을 말한다. 근(筋)이 의미부이고, 원(夗)의 생략된 모습이 소리부이다. 건(腱)은 건(笏)의 혹체자인데, 육(肉)과 건(建)으로 구성되었다. 독음은 거(渠)와 건(建)의 반절이다.

---

243) 고문자에서 筋 筋簡牘文 등으로 그렸다. 竹(대 죽)이 의미부이고 肋(갈비 륵)이 소리부로, 신체(肉) 부위인 갈비나 갈빗살을 말하는데, 댓가지(竹)처럼 마디와 가지런한 가지로 이루어진 갈비(肋)라는 뜻을 담았다.

**2731**

**𥳇: 筋: 손발 마디 딱하고 소리 날 박: 竹-총13획: bó**

原文

𥳇: 手足指節鳴也. 从筋省, 勺聲. 𦙃, 筋或省竹. 北角切.

飜譯

'손가락과 발가락의 관절에서 소리가 나다(手足指節鳴)'라는 뜻이다. 근(筋)의 생략된 모습이 의미부이고, 작(勺)이 소리부이다. 박(𦙃)은 박(筋)의 혹체자인데, 죽(竹)이 생략되었다. 독음은 북(北)과 각(角)의 반절이다.

## 제137부수
## 137 ■ 도(刀)부수

제4권

2732

**刀: 刀: 칼 도: 刀-총2획: dāo**

原文

刀: 兵也. 象形. 凡刀之屬皆从刀. 都牢切.

飜譯

'병기(兵)'를 말한다. 상형이다. 도(刀)부수에 귀속된 글자들은 모두 도(刀)가 의미부이다.[244] 독음은 도(都)와 뢰(牢)의 반절이다.

2733

**𠛎: 𠛎: 칼자루 부: 刀-총8획: fǔ, fǒu**

原文

𠛎: 刀握也. 从刀缶聲. 方九切.

飜譯

'칼의 자루(刀握)'를 말한다. 도(刀)가 의미부이고 부(缶)가 소리부이다. 독음은 방(方)과 구(九)의 반절이다.

---

244) 고문자에서 [古文字 字形] 甲骨文 [古文字 字形] 古陶文 [古文字 字形] 簡牘文 등으로 그렸다. 칼의 모습을 그렸는데 자형이 조금 변해 지금처럼 되었다. 칼은 물건을 자르거나 약속부호를 새기던 도구였다. 또 적을 찌르는 무기였기에 '무기'를 지칭하기도 했고, 옛날의 돈이 칼처럼 생겼다고 해서 돈(刀錢·도전)을 뜻하기도 했다. 이후 칼같이 생긴 것의 통칭이 되었으며, 또 종이를 헤아리는 단위로도 쓰여 100장을 지칭했다.

**2734**

**䚢**: 䚢: **칼날 악**: 刀-총11획: è

原文

䚢: 刀劍刃也. 从刀㖾聲. 𠝷, 籒文䚢从㓞从各. 五各切.

飜譯

'칼이나 검의 날(刀劍刃)'을 말한다. 도(刀)가 의미부이고 악(㖾)이 소리부이다. 악(𠝷)은 악(䚢)의 주문체인데, 계(㓞)도 의미부이고 각(各)도 의미부이다. 독음은 오(五)와 각(各)의 반절이다.

**2735**

**削**: 削: **깎을 삭**: 刀-총9획: xuē

原文

削: 鞞也. 一曰析也. 从刀肖聲. 息約切.

飜譯

'칼의 집(鞞)'을 말한다. 일설에는 '가르다(析)'라는 뜻이라고도 한다. 도(刀)가 의미부이고 초(肖)가 소리부이다.[245] 독음은 식(息)과 약(約)의 반절이다.

**2736**

**刨**: 刨: **낫 구**: 刀-총7획: gōu

原文

刨: 鎌也. 从刀句聲. 古侯切.

---

245) 고문자에서 削簡牘文 등으로 그렸다. 刀(칼 도)가 의미부고 肖(닮을 초)가 소리부로, '깎다'는 뜻인데, 어떤 물건을 칼(刀)로 잘게(肖) 깎아 내는 것을 말한다. 또 그러한 도구인 '창칼(書刀·서도)'을 말하기도 한다.

飜譯

'낫(鎌)'을 말한다. 도(刀)가 의미부이고 구(句)가 소리부이다. 독음은 고(古)와 후(矦)의 반절이다.

2737

**剴: 剴: 알맞을 개: 刀-총12획: kǎi, gài**

原文

剴: 大鎌也. 一曰摩也. 从刀豈聲. 五來切.

飜譯

'큰 낫(大鎌)'을 말한다. 일설에는 '칼을 갈다(摩)'라는 뜻이라고도 한다. 도(刀)가 의미부이고 기(豈)가 소리부이다. 독음은 오(五)와 래(來)의 반절이다.

2738

**剞: 剞: 새김칼 기: 刀-총10획: jī**

原文

剞: 剞剧, 曲刀也. 从刀奇聲. 居綺切.

飜譯

'기굴(剞剧)'을 말하는데, '굽은 모양의 칼(曲刀)'을 말한다. 도(刀)가 의미부이고 기(奇)가 소리부이다. 독음은 거(居)와 기(綺)의 반절이다.

2739

**剧: 剧: 새김칼 굴: 刀-총10획: jué, guì**

原文

剧: 剞剧也. 从刀屈聲. 九勿切.

飜譯

'기굴(剞剧) 즉 굽은 모양의 칼'을 말한다. 도(刀)가 의미부이고 굴(屈)이 소리부이다. 독음은 구(九)와 물(勿)의 반절이다.

**2740**

**利: 利: 날카로울 리 刀-총7획: lì**

原文

利: 銛也. 从刀. 和然後利, 从和省. 『易』曰: "利者, 義之和也." 𥝢, 古文利. 力至切.

飜譯

'가래(銛)'를 말한다.[246] 도(刀)가 의미부이다. 조화로운 연후에 날카로움이 있는 법이다. 그래서 화(和)의 생략된 모습이 의미부이다. 『역·건괘(乾卦)』(文言)에서 "리(利)라는 것은 의로움(義)의 조화(和)이다"라고 했다.[247] 리(𥝢)는 리(利)의 고문체이다. 독음은 력(力)과 지(至)의 반절이다.

**2741**

**剡: 剡: 땅 이름 섬·날카로울 염 刀-총10획: yǎn**

原文

---

246) 『단주』에서 이렇게 말했다. "섬(銛)은 삽(臿)의 일종이다. 이후 의미가 파생되어 날카롭다(銛利)는 뜻이 되었다. 날카롭다(銛利)는 뜻에서 다시 이해(利害)의 이(利)로 파생되었다."

247) 고문자에서 甲骨文 金文 古陶文 簡牘文 帛書 등으로 그렸다. 禾(벼 화)와 刀(칼 도)로 구성되어, 곡식(禾)을 자르는 칼(刀)로부터 '날카롭다'는 뜻이 나왔고, 이로부터 순조롭다, 날이 날카롭다, 언변이 뛰어나다 등의 뜻이 나왔다. 갑골문에서는 칼(刀) 주위로 점이 더해지거나 土(흙 토)까지 더해져 이것이 쟁기임을 형상화하기도 했다. 예리한 날을 가진 쟁기는 땅을 깊게 잘 갈아 곡식을 풍성하게 해 주고, 날이 예리한 칼은 곡식의 수확에 유리하기에 '利益(이익)'의 뜻이, 다시 利潤(이윤)이나 利子(이자) 등의 뜻이 나왔다.

剡: 銳利也. 从刀炎聲. 以冉切.

飜譯

'예리하다(銳利)'라는 뜻이다. 도(刀)가 의미부이고 염(炎)이 소리부이다. 독음은 이(以)와 염(冉)의 반절이다.

**2742**

初: 初: **처음 초**: 刀-**총7획**: **chū**

原文

初: 始也. 从刀从衣. 裁衣之始也. 楚居切.

飜譯

'시작(始)'을 말한다. 도(刀)가 의미부이고 의(衣)도 의미부이다. 옷 마름질의 시작을 말한다.[248] 독음은 초(楚)와 거(居)의 반절이다.

**2743**

前: 剪: **자를 전**: 刀-**총11획**: **jiǎn**

原文

前: 齊斷也. 从刀歬聲. 子善切.

飜譯

'가지런하게 끊다(齊斷)'라는 뜻이다. 도(刀)가 의미부이고 전(歬)이 소리부이다. 독음은 자(子)와 선(善)의 반절이다.

---

248) 고문자에서 甲骨文 金文 古陶文 簡牘文 등으로 그렸다. 衣(옷 의)가 의미부이고 刀(칼 도)가 소리부로, 칼(刀)로 옷감(衣)을 마름질하는 모습을 그렸고, 마름질이 옷을 짓는 '처음'임을 말했다. 게다가 衣食住(의식주)라는 말에서 보듯, 인간 생활에서 옷의 제작은 무엇보다 중요한 일이었으며, 이로부터 '처음'이라는 의미가 나왔다. 이후 시작하다, 첫 번째, 당초, 애초 등의 뜻이 나왔다.

**2744**

**則: 則: 법칙 칙·곧 즉·본받을 측: 刀-총9획: zé**

原文

則: 等畫物也. 从刀从貝. 貝, 古之物貨也. 𠟭, 古文則. 𠟮, 亦古文則. 鼎刂, 籒文則从鼎. 子德切.

飜譯

'등급에 따라 사물을 구분하다(等畫物)'라는 뜻이다. 도(刀)가 의미부이고 패(貝)도 의미부인데, 패(貝)는 옛날의 화폐(物貨)이다.[249] 칙(𠟭)은 칙(則)의 고문체이다. 칙(𠟮)도 칙(則)의 고문체이다. 칙(鼎刂)은 칙(則)의 주문체인데, 정(鼎)으로 구성되었다. 독음은 자(子)와 덕(德)의 반절이다.

**2745**

**剛: 剛: 굳셀 강: 刀-총10획: gāng**

原文

剛: 彊斷也. 从刀岡聲. 㓻, 古文剛如此. 古郎切.

飜譯

'강력하게 끊다(彊斷)'라는 뜻이다. 도(刀)가 의미부이고 강(岡)이 소리부이다.[250] 강

249) 고문자에서 金文 古陶文 帛書

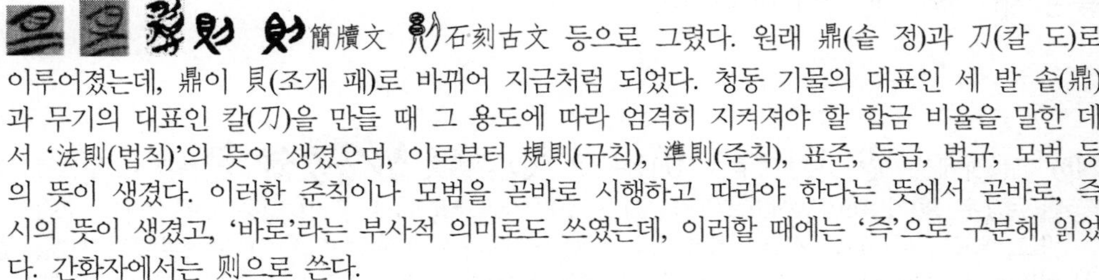

簡牘文 石刻古文 등으로 그렸다. 원래 鼎(솥 정)과 刀(칼 도)로 이루어졌는데, 鼎이 貝(조개 패)로 바뀌어 지금처럼 되었다. 청동 기물의 대표인 세 발 솥(鼎)과 무기의 대표인 칼(刀)을 만들 때 그 용도에 따라 엄격히 지켜져야 할 합금 비율을 말한 데서 '法則(법칙)'의 뜻이 생겼으며, 이로부터 規則(규칙), 準則(준칙), 표준, 등급, 법규, 모범 등의 뜻이 생겼다. 이러한 준칙이나 모범을 곧바로 시행하고 따라야 한다는 뜻에서 곧바로, 즉시의 뜻이 생겼고, '바로'라는 부사적 의미로도 쓰였는데, 이러할 때에는 '즉'으로 구분해 읽었다. 간화자에서는 则으로 쓴다.

250) 고문자에서 甲骨文 金文 古陶文 盟書

(㓻)은 강(剛)의 고문체인데, 이렇게 쓴다. 독음은 고(古)와 랑(郎)의 반절이다.

2746

**㓥: 㓥: 판가름할 단: 刀-총11획: duān**

原文

㓥: 斷齊也. 从刀耑聲. 旨兖切.

飜譯

'가지런하게 끊다(斷齊)'라는 뜻이다. 도(刀)가 의미부이고 단(耑)이 소리부이다. 독음은 지(旨)와 연(兖)의 반절이다.

2747

**劊: 劊: 끊을 회: 刀-총15획: guì**

原文

劊: 斷也. 从刀會聲. 古外切.

飜譯

'끊다(斷)'라는 뜻이다. 도(刀)가 의미부이고 회(會)가 소리부이다. 독음은 고(古)와 외(外)의 반절이다.

2748

**切: 切: 끊을 절: 刀-총4획: qiē**

原文

---

簡牘文 등으로 그렸다. 刀(칼 도)가 의미부이고 岡(산등성이 강)이 소리부로, 산등성이(岡)와 칼(刀)처럼 '단단함'을 말하며, 이로부터 견고함, 剛直(강직)함, 강성함 등을 뜻하게 되었다. 또 음양 개념에서, 음을 뜻하는 부드러움(柔·유)에 대칭되는 양의 개념을 뜻하였고, 이로부터 낮, 짝수, 임금 등의 상징으로 쓰였다. 간화자에서는 刚으로 쓴다.

切: 刌也. 从刀七聲. 千結切.

飜譯

'잘게 썰다(刌)'라는 뜻이다. 도(刀)가 의미부이고 칠(七)이 소리부이다.[251] 독음은 천(千)과 결(結)의 반절이다.

**2749**

**刌: 刌: 저밀 촌: 刀-총5획: cŭn**

原文

刌: 切也. 从刀寸聲. 倉本切.

飜譯

'잘게 썰다(切)'라는 뜻이다. 도(刀)가 의미부이고 촌(寸)이 소리부이다. 독음은 창(倉)과 본(本)의 반절이다.

**2750**

**𠜂: 𠜂: 끊을 설: 刀-총18획: xiè, yì**

原文

𠜂: 斷也. 从刀辥聲. 私列切.

飜譯

'끊다(斷)'라는 뜻이다. 도(刀)가 의미부이고 설(辥)이 소리부이다. 독음은 사(私)와 렬(列)의 반절이다.

---

251) 刀(칼 도)가 의미부고 七(일곱 칠)이 소리부로, 칼(刀)로 자르다(七)는 뜻이며, 밀접하다, 모두, 절박하다 등의 뜻이 나왔다. 갑골문에서는 七을 십자모양(十)으로 썼는데 십자형의 칼집을 낸 모습이다. 이후 七이 7이라는 숫자로 쓰이게 되자 원래 뜻은 刀를 더해 切로 분화했다. 一切(일체)에서처럼 '전체'를 말할 때에는 '체'로 구분해 읽는다.

2751

**𠛱: 刉: 벨 기: 刀-총5획: jī**

原文

𠛱: 劃傷也. 从刀气聲. 一曰斷也. 又讀若殪. 一曰刀不利, 於瓦石上刉之. 古外切.

飜譯

'베인 상처(劃傷)'를 말한다.[252] 도(刀)가 의미부이고 기(气)가 소리부이다. 일설에는 '끊다(斷)'라는 뜻이라고도 한다. 또 애(殪)와 같이 읽는다. 또 일설에는 '칼이 날카롭지 않아 기와나 돌에 갈다(刀不利, 於瓦石上刉之)'라는 뜻이라고도 한다. 독음은 고(古)와 외(外)의 반절이다.



2752

**劌: 劌: 상처 입힐 귀: 刀-총15획: guì**

原文

劌: 利傷也. 从刀歲聲. 居衛切.

飜譯

'날카롭게 찔린 상처(利傷)'를 말한다. 도(刀)가 의미부이고 세(歲)가 소리부이다. 독음은 거(居)와 위(衛)의 반절이다.

2753

**刻: 刻: 새길 각: 刀-총8획: kè**

原文

刻: 鏤也. 从刀亥聲. 苦得切.

飜譯

---

252) 『단주』에서 "송곳이나 칼로 획을 긋는 것(錐刀畫)을 획(劃)이라 한다"고 했다.

'아로새기다(鏤)'라는 뜻이다. 도(刀)가 의미부이고 해(亥)가 소리부이다.253) 독음은 고(苦)와 득(得)의 반절이다.

**2754**

**副: 副: 버금 부: 刀-총11획: fù**

原文

副: 判也. 从刀畐聲. 『周禮』曰: "副辜祭." 疈, 籒文副. 芳逼切.

飜譯

'중간을 둘로 가르다(判)'라는 뜻이다. 도(刀)가 의미부이고 복(畐)이 소리부이다.254) 『주례·춘관·대종백(大宗伯)』에서 "짐승의 몸통을 둘로 갈라 제사를 드린다(副辜祭)"라고 하였다. 부(疈)는 부(副)의 주문체이다. 독음은 방(芳)과 핍(逼)의 반절이다.

**2755**

**剖: 剖: 쪼갤 부: 刀-총10획: pōu**

原文

剖: 判也. 从刀咅聲. 浦后切.

飜譯

'중간을 둘로 가르다(判)'라는 뜻이다. 도(刀)가 의미부이고 부(咅)가 소리부이다. 독음은 포(浦)와 후(后)의 반절이다.

---

253) 고문자에서 刻簡牘文 등으로 그렸다. 刀(칼 도)가 의미부이고 亥(돼지 해)가 소리부로, '새기다'는 뜻인데, 제사에 희생으로 쓸 돼지의 머리와 발을 자르듯(亥) 칼(刀)로 파내다는 뜻을 담았다. 이로부터 기물 등에 '글자를 새기다'는 뜻이 생겼고, 비석이나 판각 등의 뜻도 나왔다. 물시계 등의 눈금을 새기다는 뜻에서 하루의 시간을 재는 단위로 쓰였고, 4분의 1을 뜻하는 쿼터(quarter)의 음역어로 쓰여 15분을 뜻하기도 한다. 또 칼로 파내다는 뜻에서 刻薄(각박)하다, 엄격하게 요구하다는 뜻도 나왔다.

254) (칼 도)가 의미부고 畐(가득할 복)이 소리부로, 칼(刀)로 잘라 두 쪽으로 만들다는 뜻이며, 이로부터 副本(부본), 복제본, 두 번째, 보조적 위치 등의 뜻이 나왔다.

2756

**辧: 辧: 다스릴 판: 辛−총16획: biàn**

原文

辧: 判也. 从刀辡聲. 蒲莧切.

飜譯

'중간을 둘로 가르다(判)'라는 뜻이다.[255] 도(刀)가 의미부이고 변(辡)이 소리부이다. 독음은 포(蒲)와 현(莧)의 반절이다.

2757

**判: 判: 판가름할 판: 刀−총7획: pàn**

原文

判: 分也. 从刀半聲. 普半切.

飜譯

'반으로 가르다(分)'라는 뜻이다. 도(刀)가 의미부이고 반(半)이 소리부이다.[256] 독음은 보(普)와 반(半)의 반절이다.

2758

**剫: 剫: 쪼갤 탁: 刀−총11획: duó**

255) 『단주』에서 이렇게 말했다. "옛날에는 변(辧), 판(判), 별(別) 이 세 글자의 뜻이 모두 같았다. 판(辧)은 도(刀)가 의미부인데, 속체에서 변(辨)으로 적어, 판별하다(辨別)는 뜻을 가진다. 독음은 부(符)와 건(蹇)의 반절이다. 달리 력(力)을 의미부로 삼는 판(辦)으로 적기도 하는데, 일을 처리하다(幹辦)는 의미를 가진다. 독음은 포(蒲)와 한(莧)의 반절이다. 옛날에는 판별(辨別)과 간판(幹辦)이 다른 뜻이 아니었으며, 형체가 다른 것도 독음이 다른 것도 아니었다."

256) 刀(칼 도)가 의미부고 半(반 반)이 소리부로, 칼(刀)을 이용해 절반(半)으로 나누듯 갈라 판가름함을 말한다. 이로부터 가르다, 구분하다, 判別(판별)하다, 判斷(판단)하다 등의 뜻이 나왔다.

原文

𠞌: 判也. 从刀度聲. 徒洛切.

飜譯

'중간을 둘로 가르다(判)'라는 뜻이다. 도(刀)가 의미부이고 도(度)가 소리부이다. 독음은 도(徒)와 락(洛)의 반절이다.

**2759**

**刳: 刳: 가를 고: 刀-총8획: kū**

原文

刳: 判也. 从刀夸聲. 苦孤切.

飜譯

'중간을 둘로 가르다(判)'라는 뜻이다. 도(刀)가 의미부이고 과(夸)가 소리부이다. 독음은 고(苦)와 고(孤)의 반절이다.

**2760**

**列: 列: 줄 렬: 刀-총6획: liè**

原文

列: 分解也. 从刀𡿪聲. 良薛切.

飜譯

'분해하다(分解)'라는 뜻이다. 도(刀)가 의미부이고 렬(𡿪)이 소리부이다.[257] 독음은

---

257) 고문자에서 [列] [列] 簡牘文 등으로 그렸다. 歹(뼈 부서질 알)과 刀(칼 도)로 구성되어, 불로 지져 점을 칠 때 불로 지지면 일정한 모습으로 잘 갈라질 수 있도록 뼈(歹)에다 칼(刀)로 나란히 줄을 지어 홈을 파던 모습을 형상했는데, 이로부터 '열을 지우다', 陳列(진열)하다, 排列(배열)하다, 갈라지다, 나누어지다 등의 의미가 생겼다. 이렇게 가공된 거북 딱지나 동물 뼈를 불(火·화)로 지지면 쩍쩍 소리를 내면서 세차게(烈·열) 갈라지게 되고, 그 모양에 근거해 길흉을 점쳤다. 이후 기차 등 열을 지은 것을 헤아리는 단위사로도 쓰였다. 음역자로 쓰여 '레닌(列寧·V. Lenin)'을 지칭하기도 한다.

량(良)과 설(薛)의 반절이다.

2761

**𠛒: 刊: 책 펴낼 간: 刀-총5획: kān**

原文

𠛒: 剟也. 从刀干聲. 苦寒切.

飜譯

'깎아내다(剟)'라는 뜻이다. 도(刀)가 의미부이고 간(干)이 소리부이다.[258] 독음은 고(苦)와 한(寒)의 반절이다.

2762

**剟: 剟: 깎을 철: 刀-총10획: duō**

原文

剟: 刊也. 从刀叕聲. 陟劣切.

飜譯

'깎아내다(刊)'라는 뜻이다. 도(刀)가 의미부이고 철(叕)이 소리부이다. 독음은 척(陟)과 렬(劣)의 반절이다.

2763

**删: 删: 깎을 산: 刀-총7획: shān**

原文

删: 剟也. 从刀、冊. 冊, 書也. 所姦切.

258) 고문자에서 𠛒 簡牘文 등으로 그렸다. 이는 刀(칼 도)가 의미부이고 干(방패 간)이 소리부로, 나무(干)에 칼(刀)로 새겨 冊版(책판)을 만들던 모습을 반영했다. 이로부터 '판각하다', '출판하다', '개정하다' 등의 뜻이 나왔다. 달리 栞으로 쓰기도 한다.

飜譯

'깎아내다(㓠)'라는 뜻이다. 도(刀)와 책(冊)이 의미부인데, 책(冊)은 '간독에다 쓴 것(書)'을 말한다.[259] 독음은 소(所)와 간(姦)의 반절이다.

**2764**

劈: 劈: **쪼갤 벽**: 刀-**총15획**: pī, pǐ

原文

劈: 破也. 从刀辟聲. 普擊切.

飜譯

'깨트리다(破)'라는 뜻이다. 도(刀)가 의미부이고 벽(辟)이 소리부이다.[260] 독음은 보(普)와 격(擊)의 반절이다.

**2765**

剝: 剝: **벗길 박**: 刀-**총10획**: bō

原文

剝: 裂也. 从刀从彔. 彔, 刻割也. 彔亦聲. 扑, 剝或从卜. 北角切.

飜譯

'가르다(裂)'라는 뜻이다. 도(刀)가 의미부이고 록(彔)도 의미부인데, 록(彔)은 '새기다(刻), 가르다(割)'라는 뜻이다. 록(彔)은 소리부도 겸한다. 박(扑)은 박(剝)의 혹체자인데, 복(卜)으로 구성되었다: 독음은 북(北)과 각(角)의 반절이다.

259) 刀(칼 도)와 冊(책 책)으로 구성되어, '깎아내다', 삭제하다는 뜻인데, 옛날 종이가 보편화하지 않았던 시절, 대를 말려 만든 죽간(冊)에다 글을 썼고, 글을 잘못 썼을 때는 잘못 쓴 부분을 칼(刀)로 깎아 내어 수정했으며, 이로부터 '삭제하다'의 뜻이 생겼다.

260) 刀(칼 도)가 의미부고 辟(임금 벽)이 소리부로, 칼(刀)이나 도끼로 어떤 물체가 갈라지도록(辟) 쪼개다, 가르다, 분할하다는 뜻이다. 또 속어에서 번개가 치는 것을 말하기도 한다.

**2766**

: 割: **나눌 할**: 刀-총12획: gē

原文

: 剝也. 从刀害聲. 古達切.

飜譯

'가르다(剝)'라는 뜻이다. 도(刀)가 의미부이고 해(害)가 소리부이다.[261] 독음은 고(古)와 달(達)의 반절이다.

**2767**

: 剺: **벗길 리** 刀-총13획: lí

原文

: 剝也. 劃也. 从刀𠩺聲. 里之切.

飜譯

'[칼로] 가르다(剝)'라는 뜻이다. '긋다(劃)'라는 뜻이다. 도(刀)가 의미부이고 리(𠩺)가 소리부이다. 독음은 리(里)와 지(之)의 반절이다.

**2768**

: 劃: **그을 획**: 刀-총14획: huá

原文

: 錐刀曰劃. 从刀从畫, 畫亦聲. 呼麥切.

飜譯

---

261) 고문자에서 金文 簡牘文 石刻古文 등으로 그렸다. 刀(칼 도)가 의미부고 害(해칠 해)가 소리부로, 칼(刀)로 깎아 내다는 뜻인데, 금문에서는 청동 기물을 만드는 거푸집(金)과 칼(刀)로 이루어져, 거푸집을 묶었던 끈을 칼로 '잘라내는' 모습을 그렸다. 이로부터 자르다, 분할하다, 끊다, 살해하다, 짐승을 죽이다, 요리하다 등의 뜻이 나왔다.

‘송곳이나 칼로 그은 것을 획(劃)이라 한다.’[262] 도(刀)가 의미부이고 화(畫)도 의미부인데, 화(畫)는 소리부도 겸한다.[263] 독음은 호(呼)와 맥(麥)의 반절이다.

**2769**

**剈: 剈: 도려낼 연: 刀-총9획: yuān**

原文

剈: 挑取也. 从刀肙聲. 一曰窒也. 烏玄切.

飜譯

‘도려내다(挑取)’라는 뜻이다. 도(刀)가 의미부이고 연(肙)이 소리부이다. 일설에는 ‘[시루]구멍(窒)’을 말한다고도 한다. 독음은 오(烏)와 현(玄)의 반절이다.

**2770**

**劀: 劀: 궂은살을 잘라 낼 괄: 刀-총14획: guā**

原文

劀: 刮去惡創肉也. 从刀矞聲. 『周禮』曰: “劀殺之齊.” 古鍩切.

飜譯

‘악창에 난 살을 도려내다(刮去惡創肉)’라는 뜻이다. 도(刀)가 의미부이고 율(矞)이 소리부이다. 『주례·천관·양의(瘍醫)』에서 “죽은 살을 도려내는 데 쓰는 약(劀殺之

262) 『단주』에서는 ‘錐刀’ 다음에 ‘畫’가 들어가야 한다고 하면서 이렇게 말했다. “각 판본에서는 화(畫)자가 없는데 지금 보충한다. 송곳(錐)이나 칼(刀)의 끝으로 획을 긋는 것을 획(劃)이라 하기 때문이다. 앞의 문장에서 ‘기(刉)는 베인 상처를 말한다(劃傷也)’, ‘리(剺)는 획을 긋다(劃也)는 뜻이다’라고 했는데, 이들이 모두 그렇다.”

263) 刀(칼 도)가 의미부고 畫(그림 화)가 소리부로, 칼(刀)로 도형을 그리는 것(畫)을 말하며, 칼은 붓처럼 유연하지 않아 직선으로 나타나기에 ‘획을 긋다’, 획분하다, 나누다, 설계하다, 計劃(계획)하다 등의 뜻이 나왔다. 간화자에서는 畫를 戈(창 과)로 간단히 줄인 划(삿대 화)에 통합되었다. 畫는 고문자에서 甲骨文 金文 簡牘文 古璽文 說文小篆 說文古文 등으로 그렸다.

齊)"이라고 했다.264) 독음은 고(古)와 할(鍩)의 반절이다.

2771

**𠟍: 劑: 벨 제·증서 자 刀-총16획: jì**

原文

𠟍: 齊也. 从刀从齊, 齊亦聲. 在詣切.

飜譯

'잘라내 가지런하게 하다(齊)'라는 뜻이다. 도(刀)가 의미부이고 제(齊)도 의미부인데, 제(齊)는 소리부도 겸한다. 독음은 재(在)와 예(詣)의 반절이다.



2772

**㕞: 刷: 쓸 쇄: 刀-총8획: shuā**

原文

㕞: 刮也. 从刀, 㕞省聲. 『禮』: "布刷巾." 所劣切.

飜譯

'닦다(刮)'라는 뜻이다.265) 도(刀)가 의미부이고, 쇄(㕞)의 생략된 모습이 소리부이다.266) 『예(禮)』에 '쇄건(刷巾: 허리에 차는 수건)'이라는 말이 있다.267) 독음은 소(所)

264) 괄살(劀殺)은 종기를 낫게 하기 위해 고름을 도려내고 약으로 그것의 굳은살을 죽이는 것을 말한다.

265) 『단주』에서 이렇게 말했다. "쇄(刷)와 쇄(㕞)는 다르다. 우(又)부수에서 쇄(㕞)는 닦다(飾也)는 뜻이라고 했고, 건(巾)부수에서 식(飾)은 닦다(㕞也)는 뜻이라고 했다. 식(飾)은 지금의 식(拭·닦다)자이다. 닦는 것(拭)은 손(手)으로 하기도 하고 수건(巾)으로 하기도 한다. 그래서 우(又)와 건(巾)이 들었다. 쇄(刷)는 솔(㩉杷)을 말한다. 솔(㩉杷)은 필시 칼(刀) 모양으로 된 찌꺼기를 모으는 기물일진대, 그래서 도(刀)로 구성되었다. 초(艸)부수에서 굴(𦵏)은 닦다(刷)는 뜻이라고 했는데, 이를 두고 한 말이다."

266) 刀(칼 도)가 의미부고 㕞(닦을 쇄)의 생략된 모습이 소리부인데, 㕞는 수건(巾·건)을 손(又·우)으로 쥐고 몸(尸·시)을 닦다는 뜻을 그렸다. 칼(刀)로 파낸 부분을 고르게 되도록 닦다(㕞)가 원래 뜻이며, 이후 印刷(인쇄)하다는 뜻까지 가지게 되었는데, 옛날 목판 인쇄를 할 때에는 칼(刀)로 파내고 면을 고르게 하려면 잔 찌꺼기를 쓸어내고 표면을 닦아야만 인쇄할 수 있었

와 렬(劣)의 반절이다.

**2773**

**𠝤: 刮: 깎을 괄: 刀-총8획: guā**

原文

𠝤: 掊把也. 从刀昏聲. 古八切.

飜譯

'그러모으는 솔(掊杷)'을 말한다.268) 도(刀)가 의미부이고 괄(昏)이 소리부이다. 독음은 고(古)와 팔(八)의 반절이다.

**2774**

**𠠍: 剽: 빠를 표: 刀-총13획: piāo**

原文

𠠍: 砭刺也. 从刀㶾聲. 一曰剽, 劫人也. 匹妙切.

---

기 때문이다.

267) 『단주』에서 '禮布刷巾'은 '禮有刷巾'의 오류로 보았다. 그렇게 되면 '『예』에 쇄건(刷巾)이라는 말이 있다'가 된다. 그리고 이렇게 말했다. "이는 서현의 대서본에서 잘못 포(布)로 쓴데서 기인한다. 황공소(黃公紹)가 근거로 삼았던 서개의 소서본에서는 잘못이 없었다. 그러나 송나라 때의 장차립(張次立)이 서현본에 근거해 포(布)로 고쳤고, 오늘날 보는 『계전(繫傳)』은 장차립에 의해 고치고 확정되었는데, 종종 서현본과 같도록 고친 것도 있었다.……『예(禮)』는 『예경(禮經)』 17편을 말한다. 「향음주례(鄉飮酒禮)」, 「향사례(鄉射禮)」, 「연례(燕禮)」, 대사의(大射儀)」, 「공식대부례(公食大夫禮)」, 「유사철(有司徹)」 등에서 모두 세수(帨手·손을 닦다)라는 말이 보이는데, 『주』에서 세(帨)는 닦다는 뜻이다(拭也). 손을 수건에 닦는다(帨手者於帨). 세(帨)는 허리에 차는 수건을 말한다(佩巾)."

268) 『단주』에서 각 판본에서 파(把)라 적었는데 이는 파(杷)의 오류라고 했다. 여기서는 『단주』의 해설을 따랐다. "수(手)부수에서 부(掊)는 빗 모양의 써레를 말한다(杷也)고 했고, 목(木)부수에서 파(杷)는 보리를 긁어모으는 기구(收麥器)를 말한다고 했다. 마치 보리를 긁어모으듯 바닥을 그러모은다는 뜻에서 부파(掊杷)라고 했다. 『고공기(考工記)』에서는 옛날 책을 새긴 후 쓸어 모으는 기구라 했고, 정중(大鄭)은 글자를 새긴 후 찌꺼기를 쓸어 모으는 것(捖讀)을 괄(刮)이라 한다고 했다."

飜譯

'침으로 찌르다(砭刺)'라는 뜻이다. 도(刀)가 의미부이고 표(㓝)가 소리부이다. 일설에, 표(剽)는 '다른 사람의 재산을 겁탈하다(劫人)'라는 뜻이라고도 한다. 독음은 필(匹)과 묘(妙)의 반절이다.

**2775**

**刲: 刲: 찌를 규: 刀-총8획: kuī**

原文

刲: 刺也. 从刀圭聲. 『易』曰: "士刲羊." 苦圭切.

飜譯

'찌르다(刺)'라는 뜻이다. 도(刀)가 의미부이고 규(圭)가 소리부이다. 『역·귀매(歸妹)』에서 "선비가 양을 찔러 죽인다(士刲羊)"라고 했다. 독음은 고(苦)와 규(圭)의 반절이다.

**2776**

**剉: 剉: 꺾을 좌: 刀-총9획: cuò**

原文

剉: 折傷也. 从刀坐聲. 麤臥切.

飜譯

'좌절하여 상처를 입다(折傷)'라는 뜻이다. 도(刀)가 의미부이고 좌(坐)가 소리부이다. 독음은 추(麤)와 와(臥)의 반절이다.

**2777**

**劋: 劋: 끊을 초: 刀-총15획: jiǎo**

原文

劋: 絕也. 从刀喿聲. 『周書』曰: "天用劋絕其命." 子小切.

飜譯

'끊다(絕)'라는 뜻이다. 도(刀)가 의미부이고 소(喿)가 소리부이다. 『주서(周書)』에서 "하늘이 이 때문에 그들의 명을 끊었구나(天用剿絕其命)"라고 했다. 독음은 자(子)와 소(小)의 반절이다.

2778

**刖: 刖: 벨 월: 刀-총6획: yuè**

原文

刖: 絕也. 从刀月聲. 魚厥切.

飜譯

'끊다(絕)'라는 뜻이다. 도(刀)가 의미부이고 월(月)이 소리부이다.269) 독음은 어(魚)와 궐(厥)의 반절이다.

2779

**刜: 刜: 칠 불: 刀-총7획: fú**

原文

刜: 擊也. 从刀弗聲. 分勿切.

飜譯

'치다(擊)'라는 뜻이다. 도(刀)가 의미부이고 불(弗)이 소리부이다. 독음은 분(分)과 물(勿)의 반절이다.

2780

**剿: 剿: 쪼갤 칠·다칠 철: 刀-총13획: chì, chòng**

---

269) 고문자에서 刖簡牘文 등으로 그렸다. 刀(칼 도)가 의미부이고 月(달 월)이 소리부로, 칼(刀)로 다리를 자르던 옛날 형벌의 하나이다. 원래는 刀와 肉(고기 육)으로 구성된 회의구조였으나, 肉이 모습이 비슷한 月로 바뀌면서 형성구조로 변했다.

原文

𠛥: 傷也. 从刀桼聲. 親結切.

飜譯

'상처를 입다(傷)'라는 뜻이다. 도(刀)가 의미부이고 칠(桼)이 소리부이다. 독음은 친(親)과 결(結)의 반절이다.



2781

劖: 劖: 새길 참: 刀-총19획: chān

原文

劖: 斷也. 从刀毚聲. 一曰剽也, 釗也. 鉏銜切.

飜譯

'끊다(斷)'라는 뜻이다. 도(刀)가 의미부이고 참(毚)이 소리부이다. 일설에는 '침으로 찌르다(剽)'라는 뜻이며, '깎아내다(釗)'라는 뜻이라고도 한다. 독음은 서(鉏)와 함(銜)의 반절이다.

2782

刓: 刓: 깎을 완: 刀-총6획: wán

原文

刓: 剸也. 从刀元聲. 一曰齊也. 五丸切.

飜譯

'[둥글게] 깎아내다(剸)'라는 뜻이다. 도(刀)가 의미부이고 원(元)이 소리부이다. 일설에는 '가지런하게 하다(齊)'라는 뜻이라고도 한다. 독음은 오(五)와 환(丸)의 반절이다.

2783

釗: 釗: 사람 이름 쇠·힘쓸 소: 金-총10획: zhāo

原文

釗: 刓也. 从刀从金. 周康王名. 止遙切.

飜譯

'깎아 내다(刓)'라는 뜻이다. 도(刀)가 의미부이고 금(金)도 의미부이다. 주(周)나라 강왕(康王)의 이름이다.270) 독음은 지(止)와 요(遙)의 반절이다.

**2784**

**𠜂: 制: 마를 제: 刀-총8획: zhì**

原文

𠜂: 裁也. 从刀从未. 未, 物成有滋味, 可裁斷. 一曰止也. 㓞, 古文制如此. 征例切.

飜譯

'마름질하다(裁)'라는 뜻이다. 도(刀)가 의미부이고 미(未)도 의미부이다. 미(未)는 '나무가 성장하여 맛이 있게 된 시점이 되면 재단할 수 있음'을 말한다. 일설에는 '그치게 하다(止)'라는 뜻이라고도 한다.271) 제(㓞)는 제(制)의 고문체인데, 이렇게 쓴다. 독음은 정(征)과 례(例)의 반절이다.

---

270) 주(周) 강왕(康王, ?~B.C. 996)은 성이 희(姬)이고 이름이 쇠(釗)로, 기주(岐周, 지금의 섬서성 岐山縣) 사람이다. 주(周)나라의 제3대 임금으로 무왕(武王) 희발(姬發)의 손자이자 성왕(成王) 희송(姬誦)의 아들이다. 처음 태자에 봉해졌을 때, 소공석(召公奭), 필공고(畢公高) 등의 도움으로 천자의 자리에 올랐으며, 아버지 성왕의 정책을 이어서 동이(東夷)의 반란을 평정하고, 북벌하여 영토를 넓혔으며, 서쪽으로는 귀방(鬼方)을 정벌하여, 주 왕실 중심의 통치를 더욱 강화했다. 성왕으로부터 강왕 때까지 약 40년간은 형벌을 사용할 일이 없다 할 정도로 천하가 안정되어 '성강지치(成康之治)'라 불린다. B.C. 996년 호경(鎬京)에서 세상을 떠났으며, 시호를 강(康)이라 했고, 필원(畢原)에 안장되었다.(바이두백과)

271) 고문자에서 [glyph] 金文 [glyph] 簡牘文 등으로 그렸다. 원래 刀(칼 도)와 未(끝 말)로 구성되어, 칼(刀)로 나무의 끝가지(未)를 정리하는 모습을 그렸는데, 자형이 변해 지금처럼 되었다. 이후 옷감이나 재목 따위를 치수에 맞도록 재거나 자르는 일을 뜻하게 되었고, 이로부터 제정하다, 규정하다, 제지하다, 제도 등의 뜻이 나왔다. 현대 중국에서는 製(지을 제)의 간화자로도 쓰인다.

2785

**: 刮: 흠 점: 刀-총7획: diàn**

原文

: 缺也. 从刀占聲. 『詩』曰: “白圭之刮.” 丁念切.

飜譯

‘[칼날의] 이가 빠지다(缺)’라는 뜻이다. 도(刀)가 의미부이고 점(占)이 소리부이다. 『시·대아·억(抑)』에서 “흰 옥의 티(白圭之刮)”라고 노래했다. 독음은 정(丁)과 념(念)의 반절이다.

2786

**: 罰: 죄 벌: 刀-총14획: fá**

原文

: 辠之小者. 从刀从詈. 未以刀有所賊, 但持刀罵詈, 則應罰. 房越切.

飜譯

‘죄 중에서 작은 것(辠之小者)’을 말한다. 도(刀)가 의미부이고 리(詈)도 의미부이다.272) 칼로써 다른 사람을 해치지는 않았지만, 칼을 들고 욕을 했기 때문에, 처벌을 받는 것은 당연하다. 독음은 방(房)과 월(越)의 반절이다.

2787

**: 刵: 귀 벨 이: 刀-총8획: èr**

---

272) 고문자에서 金文 簡牘文 石刻古文 등으로 써는데, 刀(칼 도)와 詈(꾸짖을 리)로 구성되었는데, 詈는 말로 질책한다는 뜻이고, 刀는 칼 모양으로 된 화폐(刀錢·도전)를 뜻한다. 그래서 옥에 갇힌 모습을 그린 刑(형벌 형)이 체형에 해당하는 ‘엄한 형벌’을 뜻하는 데 반해 罰은 질책하거나 벌금을 내는 정도의 ‘약한 벌’을 말한다. 이로부터 刑과 결합하여 刑罰의 뜻이, 다시 處罰(처벌)하다 등의 뜻도 나왔다. 간화자에서는 罚로 쓴다.

原文

刵: 斷耳也. 从刀从耳. 仍吏切.

飜譯

'귀를 자르다(斷耳)'라는 뜻이다. 도(刀)가 의미부이고 이(耳)도 의미부이다. 독음은 잉(仍)과 리(吏)의 반절이다.

**2788**

劓: 劓: **코 벨 의**: 刀-**총12획**: **yì**

原文

劓: 刑鼻也. 从刀臬聲. 『易』曰: "天且劓." 劓, 臬或从鼻. 魚器切.

飜譯

'코를 자르는 형벌(刑鼻)'을 말한다. 도(刀)가 의미부이고 얼(臬)이 소리부이다.273) 『역·규괘(睽卦)』에서 "정수리를 뚫는 형벌을 내리고 게다가 코를 베는 형벌을 내린다(天且劓)"라고 했다. 의(劓)는 의(臬)의 혹체자인데, 비(鼻)로 구성되었다. 독음은 어(魚)와 기(器)의 반절이다.

**2789**

刑: 刑: **형벌 형**: 刀-**총6획**: **xíng**

原文

刑: 剄也. 从刀幵聲. 戶經切.

飜譯

'목을 베는 형벌(剄)'을 말한다. 도(刀)가 의미부이고 견(幵)이 소리부이다.274) 독음

---

273) 고문자에서 甲骨文 金文 古陶文 簡牘文 등으로 썼다. 劓는 臬(말뚝 얼)과 刀(칼 도)가 의미부인데, 고대의 형벌을 말하는데, 코(鼻)를 칼(刀)로 잘라내는 형벌이다. 이후 劓로 써 刀가 의미부이고 鼻(코 비)가 소리부인 구조로 바뀌었다.

은 호(戶)와 경(經)의 반절이다.

**2790**

**剄: 剄: 목 벨 경: 刀-총9획: jǐng**

原文

剄: 刑也. 从刀巠聲. 古零切.

飜譯

'[목을 베는] 형벌(刑)'을 말한다. 도(刀)가 의미부이고 경(巠)이 소리부이다. 독음은 고(古)와 령(零)의 반절이다.

**2791**

**刌: 刌: 덜 존: 刀-총14획: zǔn**

原文

刌: 減也. 从刀尊聲. 兹損切.

飜譯

'덜어내다(減)'라는 뜻이다. 도(刀)가 의미부이고 준(尊)이 소리부이다. 독음은 자(兹)와 손(損)의 반절이다.

**2792**

**鮆: 魝: 생선을 요리할 결: 魚-총13획: jì**

---

274) 고문자에서 金文 古陶文 簡牘文 등으로 그렸다. 지금은 刀(칼 도)가 의미부고 幵(평평할 견)이 소리부인 구조로 '형벌'을 나타내나, 원래는 사람(人)이 네모꼴의 감옥(井)에 갇힌 모습에서 형벌의 의미를 그렸다. 이후 금문 등에서 人이 井의 바깥으로 나와 좌우구조로 변했고, 소전체에 이르러 다시 人이 刀로 잘못 변해 지금처럼 되었다. 이로부터 징벌, 토벌하다, 상해, 죽이다, 死刑(사형), 刑法(형법) 등의 뜻이 나왔다. 달리 荆으로 쓰기도 한다.

原文

魝: 楚人謂治魚也. 从刀从魚. 讀若鍥. 古屑切.

飜譯

'초나라 사람들은 생선을 손질하는 것을 결(魝)이라 한다(楚人謂治魚也).' 도(刀)가 의미부이고 어(魚)도 의미부이다. 계(鍥)와 같이 읽는다. 독음은 고(古)와 설(屑)의 반절이다.

**2793**

**券: 券: 문서 권: 刀-총8획: quàn**

原文

券: 契也. 从刀𠔉聲. 券別之書, 以刀判契其旁, 故曰契券. 去願切.

飜譯

'계약서(契)'를 말한다. 도(刀)가 의미부이고 권(𠔉)이 소리부이다.[275] 계약에 관한 문서(券別之書)는 칼로 그 옆에다 새겨두기 때문에, 계권(契券)이라 부른다. 독음은 거(去)와 원(願)의 반절이다.

**2794**

**刺: 刺: 찌를 자: 刀-총8획: cì**

原文

刺: 君殺大夫曰刺. 刺, 直傷也. 从刀从朿, 朿亦聲. 七賜切.

飜譯

---

275) 고문자에서 簡牘文 등으로 그렸다. 소전체에서 廾(두 손으로 받들 공)과 刀(칼 도)가 의미부이고 釆(분별할 변)이 소리부였는데, 자형이 변해 지금처럼 되었다. 자세히 살펴가며(釆) 두 손(廾)으로 칼(刀)로 새겨 넣다는 뜻이고, 이로부터 새겨 넣은 것이 바로 '契約書(계약서)'이자 '문서'임을 나타냈으며, 증명서를 지칭하기도 했다.

'임금이 대부를 죽이는 것을 자(刺)라고 한다(君殺大夫曰刺).' 자(刺)는 '직접 상해를 입히다(直傷)'라는 뜻이다. 도(刀)가 의미부이고 자(朿)도 의미부인데, 자(朿)는 소리부도 겸한다.[276] 독음은 칠(七)과 사(賜)의 반절이다.



**2795**

𠝹: 剔: **바를 척**: 刀-총10획: tī

原文

𠝹: 解骨也. 从刀易聲. 他歷切.

飜譯

'뼈를 해체하다(解骨)'라는 뜻이다. 도(刀)가 의미부이고 역(易)이 소리부이다. 독음은 타(他)와 력(歷)의 반절이다.

**2796**

刎: 刎: **목 벨 문**: 刀-총6획: wěn

原文

刎: 剄也. 从刀勿聲. 武粉切.

飜譯

'목을 베다(剄)'라는 뜻이다. 도(刀)가 의미부이고 물(勿)이 소리부이다. 독음은 무(武)와 분(粉)의 반절이다. [신부]

**2797**

剜: 剜: **깎을 완**: 刀-총10획: wān

---

276) 고문자에서 [簡牘文] 簡牘文 등으로 그렸다. 刀(칼 도)가 의미부고 朿(가시 자)가 소리부로, 가시(朿) 같은 예리한 칼(刀)로 찔러 죽임을 말하는데, 『설문해자』에서는 "임금이 대부를 죽이는 것을 말한다"라고 했다.

原文

㓱: 削也. 从刀宛聲. 一丸切.

飜譯

'깎다(削)'라는 뜻이다. 도(刀)가 의미부이고 완(宛)이 소리부이다. 독음은 일(一)과 환(丸)의 반절이다. [신부]

**2798**

𠞊: 劇: **심할 극**: 刀-**총15획**: **jù**

原文

𠞊: 尤甚也. 从刀, 未詳. 豦聲. 渠力切.

飜譯

'특별히 심하다(尤甚)'라는 뜻이다. 도(刀)가 의미부인데, 왜 그런지 잘 알 수 없다. 거(豦)가 소리부이다.[277] 독음은 거(渠)와 력(力)의 반절이다. [신부]

**2799**

𠜂: 刹: **절 찰**: 刀-**총8획**: **chà**

原文

𠜂: 柱也. 从刀, 未詳. 殺省聲. 初轄切.

飜譯

'기둥(柱)'을 말한다. 도(刀)가 의미부인데, 왜 그런지 잘 알 수 없다. 살(殺)의 생략

277) 刀(칼 도)가 의미부이고 豦(원숭이 거)가 소리부로, 호랑이(虍·호)와 멧돼지(豕·시)가 서로 극렬하게 싸우는 것(刀)을 말한다. 원래는 力(힘 력)과 豦의 결합으로, 호랑이(虍)와 멧돼지(豕)가 서로 있는 힘(力)을 다해 싸우는 모습에서 '極烈(극렬)'함의 의미를 그려냈는데, 이후 싸움의 상징인 刀로 바뀌어 지금의 자형이 되었다. 극렬한 싸움을 주로 소재 삼아 하는 무대 공연이라는 뜻에서 '극'을 뜻하게 되었고, 다시 희극이나 연극 등을 지칭하게 되었다. 간화자에서는 소리부인 豦를 居(있을 거)로 바꾼 剧으로 쓴다.

된 모습이 소리부이다.[278] 독음은 초(初)와 할(轄)의 반절이다. [신부]



278) 刀(칼 도)가 의미부고 殺(죽일 살)의 생략된 모습이 소리부로, 칼(刀)로 '죽이다(殺)'는 뜻이었는데, 이후 불교가 유입되면서 산스크리트의 '절(伽藍·가람)'을 뜻하는 '상가라마(Sañghārāma)'를 줄여 번역한 말로 쓰여 寺剎(사찰)을 지칭하게 되었다. 또 대단히 짧은 시간(剎那·찰나)을 말하기도 한다.

## 제138부수
## 138 ■ 인(刃)부수

**2800**

刅: 刃: **칼날 인**: 刀-**총3획**: **rèn**

原文

刅: 刀堅也. 象刀有刃之形. 凡刃之屬皆从刃. 而振切.

飜譯

'칼의 예리한 부분(刀堅)'을 말한다.279) 칼에 날이 있는 모양을 형상했다.280) 인(刃)부수에 귀속된 글자들은 모두 인(刃)이 의미부이다. 독음은 이(而)와 진(振)의 반절이다.

**2801**

刅: 刅: **비롯할 창**: 刀-**총4획**: **chuāng**

原文

刅: 傷也. 从刃从一. 創, 或从刀倉聲. 臣鉉等曰: 今俗別作瘡, 非是也. 楚良切.

飜譯

'상(傷)과 같아 상처를 입다'라는 뜻이다. 인(刃)이 의미부이고 일(一)도 의미부이다. 창(創)은 혹체자인데, 도(刀)가 의미부이고 창(倉)이 소리부이다. 신(臣) 서현 등은 이렇게 생각합니다. "오늘날의 세속에서 달리 창(瘡)으로 쓰는데, 이는 잘못되었습니다." 독음은 초

---

279) 『단주』에서 각 판본에서 견(堅)으로 적었는데 이는 견(鋻)이 되어야 한다고 했다. 도(刀)부수에서 악(䫜)은 칼이나 검의 날을 말한다(刀劍刃也)고 했고, 금(金)부수에서 견(鋻)은 악(䫜)을 말한다고 했다. 곽박(郭璞)의 『삼창해고(三倉解詁)』에서 '담금질을 하여 강한 칼날을 만든다(焠作刀鋻也)라고 했다.

280) 고문자에서 [甲骨文] 甲骨文 [簡牘文] 簡牘文 등으로 그렸다. 刀(칼 도)와 점(丶)으로 구성되어, 칼(刀)에 '날'이 있는 날카로운 쪽을 가리켜, '칼의 날'을 뜻했다. 이후 칼이나 검처럼 예리한 날을 가진 무기를 뜻하였으며, 그런 무기로 죽이다, 베다의 뜻도 나왔다.

(楚)와 량(良)의 반절이다.

**2802**

**劒: 劒: 칼 검: 刀-총16획: jiàn**

原文

劒: 人所帶兵也. 从刃僉聲. 劍, 籒文劒从刀. 居欠切.

飜譯

'사람이 지니고 다니는 무기(人所帶兵)'를 말한다. 인(刃)이 의미부이고 첨(僉)이 소리부이다. 검(劍)은 검(劒)의 주문체인데, 도(刀)로 구성되었다. 독음은 거(居)와 흠(欠)의 반절이다.

## 제139부수
## 139 ■ 계(丯刀)부수

2803

**丯刀: 韧: 약속할 계·교묘히 새길 갈: 刀-총6획: qì, qià, yáo**

原文

丯刀: 巧韧也. 从刀丯聲. 凡韧之屬皆从韧. 恪入切.

飜譯

'정교하게 새기다(巧韧)'라는 뜻이다. 도(刀)가 의미부이고 개(丯)가 소리부이다. 계(韧)부수에 귀속된 글자들은 모두 계(韧)가 의미부이다. 독음은 각(恪)과 입(入)의 반절이다.

2804

**㓤: 㓤: 깎여 떨어질 괄: 刀-총10획: guā**

原文

㓤: 齘㓤, 刮也. 从韧夬聲. 一曰㓤, 畫堅也. 古黠切.

飜譯

'계괄(齘㓤)은 깎다(刮)는 뜻이다.' 계(韧)가 의미부이고 쾌(夬)가 소리부이다. 일설에, 괄(㓤)은 '[칼로] 견고한 물체에 새겨 넣다(畫堅)'라는 뜻이라고도 한다. 독음은 고(古)와 힐(黠)의 반절이다.

2805

**栔: 栔: 새길 계: 木-총10획: qì**

原文

𥿉: 刻也. 从丯刀从木. 苦計切.

飜譯

'새기다(刻)'라는 뜻이다. 계(丯刀)가 의미부이고 목(木)도 의미부이다. 독음은 고(苦)와 계(計)의 반절이다.

## 제140부수
## 140 ■ 개(丯)부수

**2806**

**丯: 丯: 풀이 자라 산란할 개: 丨-총4획: jiè**

原文

丯: 艸蔡也. 象艸生之散亂也. 凡丯之屬皆从丯. 讀若介. 古拜切.

飜譯

'풀이 무성히 [어지럽게] 자란 모습(艸蔡)'을 말한다. 풀이 자라나 산란한 모습을 그렸다. 개(丯)부수에 귀속된 글자들은 모두 개(丯)가 의미부이다. 개(介)와 같이 읽는다. 독음은 고(古)와 배(拜)의 반절이다.

**2807**

**辂: 辂: 옆으로 뻗은 가지 격: 口-총10획: gé**

原文

辂: 枝辂也. 从丯各聲. 古百切.

飜譯

'나무의 가지(枝辂)'를 말한다. 개(丯)가 의미부이고 각(各)이 소리부이다. 독음은 고(古)와 백(百)의 반절이다.

## 제141부수
## 141 ■ 뢰(耒)부수

**2808**

**耒: 耒: 쟁기 뢰 耒-총6획: lěi**

原文

耒: 手耕曲木也. 从木推丯. 古者垂作耒梠以振民也. 凡耒之屬皆从耒. 盧對切.

翻譯

'손으로 경작할 때 쓰는 굽은 나무(手耕曲木) 즉 쟁기'를 말한다. 나무(木)로 무성하게 난 풀(丯)을 밀어 제치는 모습을 그렸다.281) 옛날, 수(垂)가 쟁기(耒)와 보습(梠)을 발명해 백성들을 구제했다. 뢰(耒)부수에 귀속된 글자들은 모두 뢰(耒)가 의미부이다. 독음은 로(盧)와 대(對)의 반절이다.

**2809**

**耕: 耕: 밭갈 경: 耒-총10획: gēng**

原文

耕: 犂也. 从耒井聲. 一曰古者井田. 古莖切.

翻譯

'밭을 갈다(犂)'라는 뜻이다. 뢰(耒)가 의미부이고 정(井)이 소리부이다. 일설에, 옛날

---

281) 고문자에서 [金文 자형] 金文 등으로 그렸다. 갑골문에서 손잡이와 보습이 달린 쟁기를 그렸는데, 금문에서는 손(又·우)을 더하기도 했으며, 소전체에서는 아랫부분의 나무(木·목) 위가 가름대 모양으로 변해 나무로 만든 쟁기를 상징화했다. 쟁기는 논밭의 흙을 파 일으키는 농기구를 말하는데, 정착 농경을 일찍부터 시작한 중국에서 쟁기의 발명은 농업 혁명에 비견될 정도로 생산력 향상에 획기적인 전기를 마련했으며, 중국 문명을 선도한 신기술의 상징이었다. 그래서 쟁기는 농기구의 대표였다. 耒가 단순한 '쟁기'에서 농기구의 상징이 되자, 원래의 뜻은 犁(쟁기 려)로 표현했다.

에는 정전제(井田制)를 시행했기 때문에 정(井)이 들어갔다고 한다.[282] 독음은 고(古)와 경(莖)의 반절이다.

**2810**

**䎳: 耦: 짝 우: 耒-총15획: ǒu**

原文

䎳: 耒廣五寸爲伐, 二伐爲耦. 从耒禺聲. 五口切.

譯

'쟁기의 너비가 5치 되는 것(耒廣五寸)을 벌(伐)이라 하고, 벌(伐)이 두 개면 우(耦)가 된다.'[283] 뢰(耒)가 의미부이고 우(禺)가 소리부이다.[284] 독음은 오(五)와 구(口)의 반절이다.

**2811**

**䎲: 耤: 적전 적: 耒-총14획: jí**

原文

䎲: 帝耤千畝也. 古者使民如借, 故謂之耤. 从耒昔聲. 秦昔切.

譯

'천자가 직접 백성을 이끌고 1천 무의 땅을 간다(帝耤千畝). 옛날에는 백성들을 부

---

282) 耒(쟁기 뢰)가 의미부이고 井(우물 정)이 소리부로, 쟁기(耒)로 경지 정리된(井) 논밭을 耕作(경작)함을 말하며, 이로부터 씨를 뿌리다, 어떤 일에 매진하다 등의 뜻이 나왔다. 달리 耒 대신 田(밭 전)이 들어간 畊(밭 갈 경)으로 쓰기도 했는데, 논밭(田)을 가지런하게(井) 갈무리한다는 뜻을 담았다. 달리 畊으로도 쓴다.

283) 『단주』에서는 각 판본에서 뢰(耒)로 적었으나 이는 『태평어람(太平御覽)』에 근거해 볼 때 경(耕)이 되어야 한다고 했다. 그렇게 되면 '耕廣五寸爲伐, 二伐爲耦.(이랑의 너비가 5촌이면 1벌이 되고, 2벌이 1우가 된다.)'가 된다.

284) 고문자에서 䎳簡牘文 등으로 그렸다. 耒(쟁기 뢰)가 의미부고 禺(긴 꼬리 원숭이 우)가 소리부로, 짝(禺)을 이루어 나란히 쟁기질(耒)을 하다는 뜻이며, 이로부터 2인 1조, 짝, 상대, 적수 등의 뜻이 나왔다.

리는 것이 빌려와(借) 쓰는 것과 같았으므로, 적(耤)이라고 한다.' 뢰(耒)가 의미부이고 석(昔)이 소리부이다.[285] 독음은 진(秦)과 석(昔)의 반절이다.

**2812**

**䎫: 䎫: 굽정이 규: 耒-총12획: guī**

原文

䎫: 冊叉, 可以劃麥, 河內用之. 从耒圭聲. 古攜切.

飜譯

'날이 여럿 달린 쟁기(冊叉)'를 말한다.[286] 보리를 긁어 가지런하게 펼칠 수 있다. 하내(河內)군 지역에서 이를 사용한다. 뢰(耒)가 의미부이고 규(圭)가 소리부이다. 독음은 고(古)와 휴(攜)의 반절이다.

**2813**

**䢵: 䢵: 김 맬 운: 耒-총16획: yún**

原文

䢵: 除苗閒穢也. 从耒員聲. 耘, 䢵或从芸. 羽文切.

飜譯

'새싹 사이로 난 잡풀을 제거하다(除苗閒穢)'라는 뜻이다. 뢰(耒)가 의미부이고 원(員)이 소리부이다. 운(耘)은 운(䢵)의 혹체자인데, 운(芸)으로 구성되었다. 독음은 우(羽)와 문(文)의 반절이다.

---

285) 耒(쟁기 뢰)가 의미부이고 昔(옛 석)이 소리부이다. 藉田(적전) 즉 '임금이 몸소 농민을 두고 농사를 지어 거두어들인 곡식으로 신에게 지사를 지내던 제전의 한 가지'를 말한다. 그래서 『설문해자』에서 "천자가 직접 백성을 이끌고 1천 무의 땅을 갈다(帝耤千畝)는 뜻이다. 옛날에는 백성들을 부리는 것이 빌려와(借) 쓰는 것과 같았으므로, 적(耤)이라고 한다."라고 했던 것이다.

286) 『단주』에서는 십차(卌叉)로 적었다.

**2814**

**耡:** 耡: **구실 이름 서**: 耒-**총13획**: chú

原文

耡: 商人七十而耡. 耡, 耤稅也. 从耒助聲.『周禮』曰: "以興耡利萌." 牀倨切.

譯譯

'상나라 때에는 70무의 땅을 갈 때 서(耡)라는 조세법을 사용했다(商人七十而耡).' 서(耡)는 농경지에 대한 조세법(耤稅)을 말한다. 뢰(耒)가 의미부이고 조(助)가 소리부이다.287)『주례·지관·수인(遂人)』에서 "서(耡)라는 조세법을 일으켜 백성들을 이롭게 한다(以興耡利萌)"라고 했다. 독음은 상(牀)과 기(倨)의 반절이다.

---

287)『주례·지관(地官)·리재(里宰)』에서도 "해마다 때가 되면 백성들로 하여금 짝 지어서 농지를 갈게 하며, 질서 있게 곡식을 키우게 한다.(以歲時合耦於耡, 以治稼穡.)"라고 했는데, 두자춘(杜子春)의『주』에서 서(耡)는 조(助)로 읽히는데, 서로 보좌하여 도우다는 뜻이다(相佐助也)라고 했다. 또 정강성(鄭康成)은 서(耡)는 리재가 다스리는 곳(里宰治處)을 말하는데, 지금의 가탄지실(街彈之室)이 이와 짝을 이룬다. 서로 보좌하여 돕게 하였기 때문에 서(耡)라고 이름을 지었다고 했다. 송나라 조명성(趙明誠)의『금석록(金石錄)』의「곤양성중한가탄비(昆陽城中漢街彈碑)」에서 "주나라 때에는 서(耡)라 했고, 한나라 때에는 가탄(街彈)이라 했고, 지금은 신명정(申明亭)이라 한다."고 했다.

## 제142부수
## 142 ■ 각(角)부수

**2815**

**角: 角: 뿔 각: 角-총7획: jiǎo**

原文

角: 獸角也. 象形, 角與刀、魚相似. 凡角之屬皆从角. 古岳切.

飜譯

'짐승의 뿔(獸角)'을 말한다.288) 상형이다. 각(角)자는 도(刀)자와 어(魚)자와 비슷하게 생겼다.289) 각(角)부수에 귀속된 글자들은 모두 각(角)이 의미부이다.290) 독음은 고(古)와 악(岳)의 반절이다.

**2816**

**䚫: 䚫: 뿔을 휘두르는 모양 훤: 角-총25획: xuān**

---

288) 『단주』에서는 짐승에만 한정되지 않고, "인체에도 각(角)이라 부르는 것이 있는데, 일월각(日月角·이마 부위에서 한 치 정도 올라가 마치 뿔처럼 툭 튀어나온 부분을 말함)이나 각서풍영(角犀豐盈·후덕한 관상을 가진 자) 등이 그렇다. 다만 가차의미일 뿐이다."라고 했다.

289) 『단주』에서는 이에 대해 "거북의 머리가 뱀의 머리와 비슷하고, 호랑이의 발이 사람의 발과 비슷한 예가 그렇다.(龜頭似蛇頭, 虎足似人足之例.)"라고 했다.

290) 고문자에서 甲骨文 金文 古陶文 盟書 簡牘文 古璽文 등으로 그렸다. 갑골문에서 짐승의 뿔을 그렸는데, 무늬가 든 것이 특징이며, 모양으로 보아 소뿔로 보인다. 뿔은 머리에 달렸기 때문에 頭角(두각)에서처럼 '머리'를, 뾰족하거나 모난 모습 때문에 角度(각도)를, 머리를 뿔 모양으로 맸다는 뜻에서 總角(총각)을, 뿔피리로 쓰였기 때문에 五音(오음) 즉 宮(궁), 商(상), 角(각), 徵(치), 羽(우)의 하나를 지칭하게 되었다. 뿔은 겉은 단단하지만 속은 부드러워 속을 파내면 잔이나 악기는 물론 다양한 장식물로 쓸 수 있기에 그런 것들을 지칭하기도 한다.

原文

觲: 揮角皃. 从角雚聲. 梁隱縣有觲亭, 又讀若繲. 況袁切.

飜譯

'뿔을 휘두르는 모양(揮角皃)'을 말한다. 각(角)이 의미부이고 관(雚)이 소리부이다. 양언현(梁隱縣)에 훤정(觲亭)이라는 곳이 있다. 또 혜(繲)와 같이 읽는다. 독음은 황(況)과 원(袁)의 반절이다.

**2817**

**觻: 觻: 뿔끝 력·록: 角-총22획: lù**

原文

觻: 角也. 从角樂聲. 張掖有觻得縣. 盧谷切.

飜譯

'뿔의 끝 [뾰족한] 부분(角)'을 말한다. 각(角)이 의미부이고 락(樂)이 소리부이다. 장액(張掖)에 록덕현(觻得縣)이 있다. 독음은 로(盧)와 곡(谷)의 반절이다.

**2818**

**鰓: 䚡: 뿔의 심 새: 角-총16획: sāi**

原文

䚡: 角中骨也. 从角思聲. 穌來切.

飜譯

'뿔 속에 있는 심(角中骨)'을 말한다. 각(角)이 의미부이고 사(思)가 소리부이다. 독음은 소(穌)와 래(來)의 반절이다.

**2819**

**觠: 觠: 뿔 권: 角-총13획: quán**

原文

𧣾: 曲角也. 从角弮聲. 巨員切.

翻譯

'굽은 뿔(曲角)'을 말한다. 각(角)이 의미부이고 권(弮)이 소리부이다. 독음은 거(巨)와 원(員)의 반절이다.



**2820**

𧣿: 䚘: **뿔 굽을 예**: 角-**총15획: ní**

原文

𧣿: 角䚘曲也. 从角兒聲. 西河有䚘氏縣. 硏啓切.

翻譯

'뿔이 바르지 않고 굽었다(角䚘曲)'라는 뜻이다. 각(角)이 의미부이고 아(兒)가 소리부이다. 서하(西河)에 예지현(䚘氏縣)이 있다. 독음은 작(硏)과 계(啓)의 반절이다.

**2821**

𧢻: 觢: **쇠뿔 치솟을 서**: 角-**총13획: shì**

原文

𧢻: 一角仰也. 从角㓞聲. 『易』曰: "其牛觢." 尺制切.

翻譯

'한쪽 뿔이 치솟은 것(一角仰)'을 말한다.291) 각(角)이 의미부이고 계(㓞)가 소리부

291) 『단주』에서는 일(一)은 당연히 이(二)가 되어야 옳다고 했다. 그렇게 되면 "두 개의 뿔이 곧두 선 것을 말한다."가 된다. 그는 이렇게 설명했다. "『이아·석수(釋嘼)』에서 뿔이 하나는 아래로 하나는 위로 솟은 것(角一俯一仰)을 기(觭)라고 하고, 모두가 위로 솟을 것(皆踊)을 서(觢)라고 한다고 했다. 모두 솟았다는 것(皆踊)은 두 뿔 모두가 수직으로 섰다는 말이다(二角皆豎也). 앞 문장의 '一俯一仰'을 이었기 때문에 '故曰皆'라고 했던 것이다. 허신은 '一俯一仰'을 아래 문장에서 설명해두었다.(즉 2823-觭의 설명) 그래서 여기서는 '二角'이 되어야 한다. 그런데도 세속에서는 '一'로 고쳐놓았다. 그렇게 되면 기(觭)와 의미차이가 없어진다. 『역음의(易

이다. 『역·규괘(睽卦)』에서 "그 소의 뿔이 치솟았구나(其牛觢)"라고 했다. 독음은 척(尺)과 제(制)의 반절이다.

**2822**

**觽: 觽: 뿔이 삐딱할 치: 角-총17획: zhì**

原文

觽: 角傾也. 从角虒聲. 敕豕切.

譯

'뿔이 한쪽으로 기운 것(角傾)'을 말한다. 각(角)이 의미부이고 사(虒)가 소리부이다. 독음은 칙(敕)과 시(豕)의 반절이다.

**2823**

**觭: 觭: 천지각 기: 角-총15획: jī**

原文

觭: 角一俛一仰也. 从角奇聲. 去奇切.

譯

'뿔이 하나는 위로 하나는 아래로 뻗은 것(角一俛一仰)'을 말한다.[292] 각(角)이 의미부이고 기(奇)가 소리부이다. 독음은 거(去)와 기(奇)의 반절이다.

**2824**

**觓: 觓: 굽을 구: 角-총9획: qiú**

原文

---

音義)』에서 인용한 『설문』에서 '角一俯一仰'을 '觢'의 설명으로 붙여 놓았는데, 이는 당시 필사과정의 오류일 뿐이다."

292) 기(觭)와 서(觢)의 차이에 대해서는 2821_觢의 주석을 참조하라.

觓: 角皃. 从角丩聲. 『詩』曰: "兕觵其觓." 渠幽切.

飜譯

'뿔이 굽은 모양(角皃)'을 말한다. 각(角)이 의미부이고 규(丩)가 소리부이다. 『시·소아상호(桑扈)』에서 "뿔잔은 구부정하네(兕觵其觓)"라고 노래했다. 독음은 거(渠)와 유(幽)의 반절이다.

2825

觿: 鰃: 뿔 안으로 굽을 외: 角-총16획: wēi

原文

觿: 角曲中也. 从角畏聲. 烏賄切.

飜譯

'굽은 뿔의 중간부분(角曲中)'을 말한다. 각(角)이 의미부이고 외(畏)가 소리부이다. 독음은 오(烏)와 회(賄)의 반절이다.

2826

觰: 觰: 뿔 긴 모양 착: 角-총11획: zhuó

原文

觰: 角長皃. 从角爿聲. 士角切.

飜譯

'뿔이 긴 모양(角長皃)'을 말한다. 각(角)이 의미부이고 장(爿)이 소리부이다. 독음은 사(士)와 각(角)의 반절이다.

2827

觼: 觼: 뿔로 받을 궐: 角-총19획: jué

原文

𧣼: 角有所觸發也. 从角厥聲. 居月切.

飜譯

'뿔로 다른 물체를 들이받다(角有所觸發)'라는 뜻이다. 각(角)이 의미부이고 궐(厥)이 소리부이다. 독음은 거(居)와 월(月)의 반절이다.

**2828**

**𧤈: 觸: 닿을 촉: 角-총20획: chù**

原文

𧤈: 抵也. 从角蜀聲. 尺玉切.

飜譯

'뿔로 들이받다(抵)'라는 뜻이다. 각(角)이 의미부이고 촉(蜀)이 소리부이다.[293] 독음은 척(尺)과 옥(玉)의 반절이다.

**2829**

**觲: 觲: 뿔활 잘 쓸 성: 角-총17획: shèng**

原文

觲: 用角低仰便也. 从羊、牛、角. 『詩』曰: "觲觲角弓." 息營切.

飜譯

'[짐승이] 뿔을 아래위로 [흔들며] 잘 쓰다(用角低仰便)'라는 뜻이다. 양(羊)과 우(牛)와 각(角)이 모두 의미부이다. 『시·소아·각궁(角弓)』에서 "잘 휜 뿔활(觲觲角弓)"이라고 노래했다. 독음은 식(息)과 영(營)의 반절이다.

---

293) 고문자에서 𧤈 金文 등으로 그렸다. 角(뿔 각)이 의미부고 蜀(나라 이름 촉)이 소리부로, 애벌레(蜀)에 돌출된 뿔(角)처럼 생긴 觸手(촉수)를 말하며, 이로부터 '接觸(접촉)하다', 부딪히다, 촉각 등의 의미가 생겼다. 간화자에서는 蜀을 虫(벌레 충)으로 줄인 触으로 쓴다.

**2830**

**䚗: 䚗: 들어올릴 강: 角-총11획: gāng**

原文

䚗: 擧角也. 从角公聲. 古雙切.

飜譯

'뿔을 들어 올리다(擧角)'라는 뜻이다. 각(角)이 의미부이고 공(公)이 소리부이다. 독음은 고(古)와 쌍(雙)의 반절이다.

**2831**

**觷: 觷: 뿔 학: 角-총20획: xué**

原文

觷: 治角也. 从角, 學省聲. 胡角切.

飜譯

'뿔을 다듬다(治角)'라는 뜻이다. 각(角)이 의미부이고, 학(學)의 생략된 모습이 소리부이다. 독음은 호(胡)와 각(角)의 반절이다.

**2832**

**衡: 衡: 저울대 형: 行-총16획: héng**

原文

衡: 牛觸, 橫大木其角. 从角从大, 行聲. 『詩』曰: "設其楅衡." 奧, 古文衡如此. 戶庚切.

飜譯

'소는 들이받기를 좋아하므로, 큰 나무를 뿔에 가로질러 잘 들이 받지 못하도록 한다(牛觸, 橫大木其角).' 각(角)이 의미부이고 대(大)도 의미부이며, 행(行)이 소리부이다.[294] 『시』[295]에서 "소뿔에 대는 가름 목을 진설하네(設其楅衡)"라고 노래했다. 형(𠙐)은 형(衡)의 고문체인데, 이렇게 쓴다. 독음은 호(戶)와 경(庚)의 반절이다.

**2833**

**觿: 鍴: 각단 단: 角-총16획: duān**

原文

觿: 角鍴, 獸也. 狀似豕, 角善爲弓, 出胡休多國. 从角耑聲. 多官切.

飜譯

'각단(角鍴)'을 말하는데, 짐승의 이름(獸)이다. 모습은 멧돼지를 닮았고, 뿔은 좋은 활을 만드는데 쓰이며, 서북 이민족 지역의 휴다국(休多國)에서 난다.[296] 각(角)이 의미부이고 단(耑)이 소리부이다. 독음은 다(多)와 관(官)의 반절이다.

**2834**

**觰: 觰: 뿔 밑동 다·차: 角-총16획: zhǎ**

原文

觰: 觰拏, 獸也. 从角者聲. 一曰下大者也. 陟加切.

---

294) 고문자에서 [金文 자형] 金文 [簡牘文 자형] 簡牘文 등으로 그렸다. 원래 行(갈 행)과 角(뿔 각)과 大(큰 대)로 이루어져, 사거리(行)에서 수레를 끄는 소의 뿔(角)에 큰(大) '가름대'를 묶은 모습을 그렸다. 이는 붐비는 사거리를 지날 때 사람이 소뿔에 받힐까 염려되어 뿔에 커다란 가름대를 단 모습으로 추정되며, 가름대가 옛날의 저울을 닮아 '저울'을 뜻하게 되었고, 무게를 달다는 뜻도 생겼다.

295) 『단주』에서 『시(詩)』는 당연히 『주례(周禮)』가 되어야 옳다고 했다.

296) 『단주』에서는 "호시국에서 난다(出胡尸國). 달리 휴시국에서 난다고도 한다(一曰出休尸國)."가 되어야 옳다고 했다. 그러나 뉴수옥의 『교록』에서는 "휴다국(休多國)은 휴도국(休屠國)이 되어야 옳다. 『지리지』에 의하면 무위군(武威郡)에 속한다."라고 했다. 휴도국(休屠國)은 흉노(匈奴)의 한 속국으로 그의 선조는 견융(犬戎)이며, 지금의 섬서성 감천(甘泉) 일대에 있었다. 일찍이 진(秦)나라 때 제후로 봉하여 그 일대 땅을 차지했으며, 이 때문에 그들은 오늘날의 감숙성 민근(民勤)과 금창(金昌) 일대로 옮겨갔다. 그 곳에 휴도택(休屠澤)이 있기 때문에 이런 이름이 붙여진 것으로 알려졌다.

飜譯

'차나(觰拏)'를 말하는데, 짐승의 이름(獸)이다. 각(角)이 의미부이고 자(者)가 소리부이다. 일설에는 '뿔의 밑동이 큰 것(下大者)'을 말한다고도 한다. 독음은 척(陟)과 가(加)의 반절이다.

**2835**

**觤: 觤: 양각 어긋날 궤: 角-총13획: guǐ**

原文

觤: 羊角不齊也. 从角危聲. 過委切.

飜譯

'양의 뿔이 가지런하지 않아 하나는 길고 하나는 짧은 것(羊角不齊)'을 말한다. 각(角)이 의미부이고 위(危)가 소리부이다. 독음은 과(過)와 위(委)의 반절이다.

**2836**

**觟: 觟: 신통한양 해·화살 이름 화: 角-총13획: huà**

原文

觟: 牝牂羊生角者也. 从角圭聲. 下瓦切.

飜譯

'암양인데도 뿔이 난 양(牝牂羊生角者)'을 말한다. 각(角)이 의미부이고 규(圭)가 소리부이다. 독음은 하(下)와 와(瓦)의 반절이다.

**2837**

**觡: 觡: 뿔 격: 角-총13획: gé**

原文

觡: 骨角之名也. 从角各聲. 古百切.

飜譯

'뼈 같은 뿔의 이름(骨角之名)'이다.297) 각(角)이 의미부이고 각(各)이 소리부이다. 독음은 고(古)와 백(百)의 반절이다.

**2838**

**觜: 觜: 털 뿔 자: 角-총12획: zuǐ**

原文

觜: 鴟舊頭上角觜也. 一曰觜觿也. 从角此聲. 遵爲切.

飜譯

'부엉이 머리에 난 뿔처럼 생긴 털(鴟舊頭上角觜)'을 말한다. 일설에는 '자휴(觜觿)라는 별자리 이름'을 말한다고도 한다.298) 각(角)이 의미부이고 차(此)가 소리부이다. 독음은 준(遵)과 위(爲)의 반절이다.

**2839**

**解: 解: 풀 해: 角-총13획: jiě**

原文

解: 判也. 从刀判牛角. 一曰解廌, 獸也. 佳買切.

飜譯

'분해하다(判)'라는 뜻이다. 칼(刀)로 소의 뿔(牛角)을 분해하다는 뜻을 그렸다. 일설

---

297) 『단주』에서는 이렇게 설명했다. "골각(骨角)은 뿔이 뼈처럼 된 것을 말한다(角之如骨者). 이는 돌(石)을 옥석(玉石)이라 하는 것과 같은 이치이다. 『악기(樂記)』에서 '角觡生(가축들은 자라나서 뿔이 돋고)'라고 했는데, 『주』에서 뿔의 심이 없는 것(無鰓)을 격(觡)이라 한다고 했다. 뿔의 심이 없다는 것(無鰓)은 뿔 속에 육질이 없고 밖으로는 무늬가 없는 것을 말한다(其中無肉, 其外無理). 곽박의 『산해경전(山海經傳)』에서는 큰사슴과 사슴의 뿔(麋鹿角)을 격(觡)이라 했는데 이를 두고 한 말이다. 소나 양의 뿔(牛羊角)에는 육질도 있고 무늬도 있다. 『옥편』에서는 가지가 없는 뿔(無枝)을 각(角)이라 하고, 가지가 난 뿔(有枝)를 격(觡)이라 한다 했다."

298) 『단주』에서는 "一曰觜, 觿也."가 되어야 한다고 했다, 그렇게 되면 "달리 자(觜)는 뿔송곳을 말한다(觿)라고도 한다."가 된다.

에는 '해치(解廌)라는 짐승'을 말한다고도 한다.[299] 독음은 가(佳)와 매(買)의 반절이다.

**2840**

**觿: 觿: 뿔송곳 휴: 角-총25획: xī**

原文

觿: 佩角, 銳耑可以解結. 从角巂聲. 『詩』曰: "童子佩觿." 戶圭切.

飜譯

'몸에 차고 다니는 장식용 뿔(佩角)'을 말하는데, 끝이 예리해서 매듭을 푸는데 쓸 수 있다(銳耑可以解結). 각(角)이 의미부이고 휴(巂)가 소리부이다. 『시·위풍·환란(芄蘭)』에서 "아이가 뿔송곳을 찼네(童子佩觿)"라고 노래했다. 독음은 호(戶)와 규(圭)의 반절이다.

**2841**

**觵: 觵: 뿔잔 굉: 角-총19획: gōng**

原文

觵: 兕牛角可以飮者也. 从角黃聲. 其狀觵觵, 故謂之觵. 觥, 俗觵从光. 古橫切.

飜譯

'무소뿔로 만든 술잔(兕牛角可以飮者)'을 말한다. 각(角)이 의미부이고 황(黃)이 소리부이다. 그 모양이 충만장대(觵觵)하기에, 굉(觵)이라 부르게 되었다. 굉(觥)은 굉(觵)의 속체인데, 광(光)으로 구성되었다. 독음은 고(古)와 횡(橫)의 반절이다.

**2842**

**觶: 觶: 잔 치: 角-총19획: zhì**

299) 지금은 견(犬)을 더한 해(獬)를 사용한다.

原文

觶: 鄕飮酒角也.『禮』曰: "一人洗, 擧觶." 觶受四升. 从角單聲. 觗, 觶或从辰. 觝,『禮經』觶. 之義切.

飜譯

'항음주례에 사용하는 뿔잔(鄕飮酒角)'을 말한다.300)『의례·향사례(鄕射禮)』에서 "[주인집의] 한 사람이 잔을 씻어 이를 손님을 향해 들어올린다(一人洗, 擧觶.)"라고 했다. 치(觶)의 용량은 4되(升)이다. 각(角)이 의미부이고 단(單)이 소리부이다. 치(觗)는 치(觶)의 혹체자인데, 진(辰)으로 구성되었다. 치(觝)는『예경(禮經)』에서 쓰는 치(觶)자이다. 독음은 지(之)와 의(義)의 반절이다.

**2843**

**䚟: 䚟: 작은 술잔 단: 角-총12획: dàn**

原文

䚟: 小觶也. 从角旦聲. 徒旱切.

飜譯

'작은 술잔(小觶)'을 말한다. 각(角)이 의미부이고 단(旦)이 소리부이다. 독음은 도(徒)와 한(旱)의 반절이다.

**2844**

**觴: 觴: 잔 상: 角-총18획: shāng**

---

300) 뿔잔이라고 했지만 잔보다는 술 단지에 더 가깝다. 고대 청동기에 보이는 술그릇을 보면, 잔에 해당하는 것으로 작(爵), 각(角), 가(斝), 고(觚), 치(觶) 등이 있다. 작(爵)은 가장 대표적인 술잔으로 [爵 그림]에서처럼 세 발, 주둥이, 꼬리, 두 기둥, 손잡이 등을 가진 모습이라면, 각(角)은 [角 그림]처럼 주둥이가 꼬리와 같은 모습으로 된 것을, 가(斝)는 [斝 그림]에서처럼 두 기둥은 있으나 주둥이와 꼬리가 없는 모습이다. 고(觚)는 [觚 그림]처럼 아래 위가 둥글고 중간이 잘록한 모습이며, 치(觶)는 [觶 그림]처럼 키가 작은 호리병 모양을 했다.

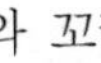

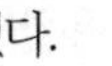

原文

觴: 觶實曰觴, 虛曰觶. 从角, 煬省聲. 䰷, 籀文觴从爵省. 式陽切.

飜譯

'치(觶)에 술을 가득 채웠으면 상(觴)이라 하고, 비웠으면 치(觶)라고 한다.' 각(角)이 의미부이고, 창(煬)의 생략된 모습이 소리부이다. 상(䰷)은 상(觴)의 주문체인데, 작(爵)의 생략된 모습으로 구성되었다. 독음은 식(式)과 양(陽)의 반절이다.



2845

觚: 觚: **술잔 고**: 角-**총12획**: **gū**

原文

觚: 鄕飮酒之爵也. 一曰觴受三升者謂之觚. 从角瓜聲. 古乎切.

飜譯

'향음주례에 사용하는 술잔(鄕飮酒之爵)'을 말한다. 일설에는 '3되를 담을 수 있는 술그릇을 고(觚)'라고도 한다.301) 각(角)이 의미부이고 고(瓜)가 소리부이다. 독음은 고(古)와 호(乎)의 반절이다.

2846

觛: 觛: **뿔 수저 훤**: 角-**총13획**: **xuān**

原文

觛: 角匕也. 从角亘聲. 讀若讙. 況袁切.

飜譯

'뿔로 만든 숟가락(角匕)'을 말한다. 각(角)이 의미부이고 선(亘)이 소리부이다. 환(讙)과 같이 읽는다. 독음은 황(況)과 원(袁)의 반절이다.

301) 『주례·고공기』에 의하면, "작(勺)은 용량이 1되, 작(爵)은 2되, 고(觚)는 3되이다."라고 했다. 기형에 대해서는 2842_觶의 주석을 참조하라.

**2847**

**鰲: 鰲: 지팡이 손잡이의 뿔 장식 혁: 角-총20획: áo, xí**

原文

鰲: 杖耑角也. 从角敫聲. 胡狄切.

飜譯

'지팡이 끝부분의 뿔 장식(杖耑角)'을 말한다. 각(角)이 의미부이고 교(敫)가 소리부이다. 독음은 호(胡)와 적(狄)의 반절이다.

**2848**

**觼: 觼: 쇠고리 결: 角-총22획: jué**

原文

觼: 環之有舌者. 从角夐聲. 鐍, 觼或从金、矞. 古穴切.

飜譯

'방울[혀]이 달린 옥고리(環之有舌者)를 말한다.' 각(角)이 의미부이고 현(夐)이 소리부이다. 결(鐍)은 결(觼)의 혹체자인데, 금(金)과 율(矞)로 구성되었다. 독음은 고(古)와 혈(穴)의 반절이다.

**2849**

**觰: 觰: 활 고를 악: 角-총12획: nuò**

原文

觰: 調弓也. 从角, 弱省聲. 於角切.

飜譯

'활의 균형을 잡다(調弓)'라는 뜻이다. 각(角)이 의미부이고, 약(弱)의 생략된 모습이 소리부이다. 독음은 어(於)와 각(角)의 반절이다.

**2850**

**䚨: 䚨: 주살의 자새 발·폐: 角-총19획: fèi**

原文

䚨: 惟射收繁具也. 从角發聲. 方肺切.

飜譯

'주살에 화살이 되돌아오도록 줄을 매는 뿔로 된 기구(惟射收繁具)'를 말한다. 각(角)이 의미부이고 발(發)이 소리부이다. 독음은 방(方)과 폐(肺)의 반절이다.



**2851**

**觰: 觰: 주살 추: 角-총16획: qiú**

原文

觰: 惟射收繳具. 从角酋聲. 讀若鰌. 字秋切.

飜譯

'주살에 화살이 되돌아오도록 줄을 매는 뿔로 된 기구(惟射收繳具)'를 말한다. 각(角)이 의미부이고 추(酋)가 소리부이다. 추(鰌)와 같이 읽는다. 독음은 자(字)와 추(秋)의 반절이다.

**2852**

**觳: 觳: 뿔잔 곡: 角-총17획: hú**

原文

觳: 盛觵卮也. 一曰射具. 从角殸聲. 讀若斛. 胡谷切.

飜譯

'술을 담는 큰 뿔잔(盛觵卮)'을 말한다. 일설에는 '화살을 넣는 기물(射具)'을 말한다고도 한다. 각(角)이 의미부이고 각(殸)이 소리부이다. 곡(斛)과 같이 읽는다. 독음은 호(胡)와 곡(谷)의 반절이다.

**2853**

**觱: 觱: 악기 이름 필: 角-총23획: bì**

原文

觱: 羌人所吹角屠觱, 以驚馬也. 从角䬛聲. 䬛, 古文誖字. 卑吉切.

飜譯

'강족들이 부는 뿔로 만든 악기(羌人所吹角)인 도패(屠觱)'를 말하는데, 이를 불어 말이 놀라 빨리 달리게 하는데 쓴다. 각(角)이 의미부이고 패(䬛)가 소리부이다. 패(䬛)는 패(誖)의 고문체이다. 독음은 비(卑)와 길(吉)의 반절이다.

# 제5권
## (상)

## 제143부수
## 143 ■ 죽(竹)부수

2854

**: 竹: 대 죽: 竹-총6획: zhú**

原文

: 冬生艸也. 象形. 下垂者, 箁箬也. 凡竹之屬皆从竹. 陟玉切.

飜譯

'겨울에도 죽지 않는 풀(冬生艸)'을 말한다. 상형이다. 아래로 처진 필획은 죽순의 껍질(箁箬)을 형상했다.[1)] 죽(竹)부수에 귀속된 글자들은 모두 죽(竹)이 의미부이다. 독음은 척(陟)과 옥(玉)의 반절이다.

2855

**: 箭: 화살 전: 竹-총15획: jiàn**

原文

: 矢也. 从竹前聲. 子賤切.

---

1) 고문에서 金文 古陶文 簡牘文 등으로 썼다. 곧게 뻗은 대와 양옆으로 난 잔가지를 그렸다. 갑골문이 쓰였던 기원전 13세기쯤의 황하 유역은 야생 코끼리가 살 정도로 기후가 따뜻해 대나무도 많았다. 대는 지금도 생활의 유용한 재료이듯, 당시에도 생필품은 물론 다양한 악기, 나아가 서사의 재료가 되기도 했다. 그리고 곧게 자라는 대는 貞節(정절)의 상징이기도 했고, 대로 만든 말을 타며 함께 놀던 옛 친구(竹馬故友·죽마고우)를 연상케 하는 篤(도타울 독)처럼 깊고 '도타운' 정을 뜻하기도 한다. 그래서 대는 생활용품의 대표적 재료였으며, 가늘게 쪼갠 대는 점치는 도구로 쓰이기도 했으며, 絲竹(사죽)이라는 말로 음악을 상징할 정도로 악기의 주요 재료가 되었다. 그런가 하면 대는 종이가 나오기 전 대표적인 필사 재료로 쓰였다. 대를 쪼게 푸른 겉면을 불에 구우면 대의 진액이 빠지고 훌륭한 서사 재료가 되는데 이를 竹簡(죽간)이라 했다.

飜譯

'화살을 만드는 대(矢)'를 말한다. 죽(竹)이 의미부이고 전(前)이 소리부이다.[2] 독음은 자(子)와 천(賤)의 반절이다.

**2856**

**箘: 箘: 이대 균: 竹-총14획: jùn**

原文

箘: 箘簬也. 从竹囷聲. 一曰博棊也. 渠隕切.

飜譯

'균노(箘簬) 즉 화살 만드는데 적합한 대'를 말한다. 죽(竹)이 의미부이고 균(囷)이 소리부이다. 일설에는 '박기(博棊: 바둑)'를 말한다고도 한다. 독음은 거(渠)와 운(隕)의 반절이다.

**2857**

**簬: 簬: 대 이름 로: 竹-총18획: lù**

原文

簬: 箘簬也. 从竹路聲. 『夏書』曰: "惟箘簬楛." 簵, 古文簬从輅. 洛故切.

飜譯

'균로(箘簬) 즉 화살 만드는데 적합한 대'를 말한다. 죽(竹)이 의미부이고 로(路)가 소리부이다. 『서·하서(夏書)』(「禹貢」)에서 "오직 균로만이 아름다운 대라네(惟箘簬楛)"라고 했다. 로(簵)는 로(簬)의 고문체인데, 로(輅)로 구성되었다. 독음은 락(洛)과 고(故)의 반절이다.

2) 고문에서 [glyph] 金文 등으로 썼다. 竹(대 죽)이 의미부고 前(앞 전)이 소리부로, '화살대'를 말하는데, 화살이 앞으로 나갈 수 있도록(前) 대(竹)로 만든 살이라는 뜻을 담았다.

**2858**

**筱: 筱: 가는 대 소: 竹-총13획: xiǎo**

原文

筱: 箭屬. 小竹也. 从竹攸聲. 先杳切.

飜譯

'화살 만드는 대의 일종이다(箭屬).' 가는 대(小竹)를 말한다. 죽(竹)이 의미부이고 유(攸)가 소리부이다. 독음은 선(先)과 묘(杳)의 반절이다.

**2859**

**簜: 簜: 왕대 탕: 竹-총18획: dāng, tàng**

原文

簜: 大竹也. 从竹湯聲. 『夏書』曰: "瑤琨筱簜." 簜可爲幹, 筱可爲矢. 徒朗切.

飜譯

'큰 대, 즉 왕대(大竹)'를 말한다. 죽(竹)이 의미부이고 탕(湯)이 소리부이다. 『서·하서(夏書)·우공(禹貢)』에서 "[양주(楊州)에서 바치는 공물은] 아름다운 옥과 아름다운 돌과 가는 대나무와 큰 대나무이다(瑤琨筱簜)"라고 했다. 왕대(簜)는 활의 몸통을 만드는데 쓰고, 가는대(筱)는 화살을 만드는데 쓴다. 독음은 도(徒)와 랑(朗)의 반절이다.

**2860**

**薇: 薇: 대나무 이름 미: 竹-총19획: wéi**

原文

薇: 竹也. 从竹微聲. 𥱼, 籒文从微省. 無非切.

飜譯

'대나무의 이름(竹)'을 말한다. 죽(竹)이 의미부이고 미(微)가 소리부이다. 미(𥱼)는 주문체인데, 미(微)의 생략된 모습을 따랐다. 독음은 무(無)와 비(非)의 반절이다.

2861

**筍: 筍: 죽순 순: 竹-총12획: sǔn**

原文

筍: 竹胎也. 从竹旬聲. 思允切.

飜譯

'자라나기 시작한 땅 속의 죽순(竹胎)'을 말한다. 죽(竹)이 의미부이고 순(旬)이 소리부이다. 독음은 사(思)와 윤(允)의 반절이다.

2862

**篙: 篙: 죽순 태: 竹-총15획: tái**

原文

篙: 竹萌也. 从竹怠聲. 徒哀切.

飜譯

'땅을 뚫고 나오기 시작한 죽순(竹萌)'을 말한다. 죽(竹)이 의미부이고 태(怠)가 소리부이다. 독음은 도(徒)와 애(哀)의 반절이다.

2863

**箁: 箁: 죽순 껍질 부: 竹-총14획: pú**

原文

箁: 竹箬也. 从竹音聲. 薄侯切.

飜譯

'대의 껍질(竹箬)'을 말한다. 죽(竹)이 의미부이고 부(音)가 소리부이다. 독음은 박(薄)과 후(侯)의 반절이다.

**2864**

: 箬: **대 껍질 약**: 竹-총15획: **ruò**

原文

: 楚謂竹皮曰箬. 从竹若聲. 而勺切.

飜譯

'초 지역에서는 대의 껍질을 약(箬)이라 한다(楚謂竹皮曰箬).' 죽(竹)이 의미부이고 약(若)이 소리부이다. 독음은 이(而)와 작(勺)의 반절이다.

**2865**

: 節: **마디 절**: 竹-총15획: **jié**

原文

: 竹約也. 从竹即聲. 子結切.

飜譯

'대의 마디(竹約)'를 말한다. 죽(竹)이 의미부이고 즉(即)이 소리부이다.[3] 독음은 자(子)와 결(結)의 반절이다.

**2866**

: 篨: **속 빌 도**: 竹-총13획: **tú**

原文

---

3) 고문에서 金文 古陶文 簡牘文 등으로 썼다. 竹(대 죽)이 의미부고 即(곧 즉)이 소리부로, 대나무(竹)의 마디가 원래 뜻이며, 이로부터 關節(관절), 骨節(골절) 등의 뜻이 나왔다. 마디와 마디 사이의 부분이라는 뜻에서 章節(장절)에서처럼 단락의 뜻이, 마디마디 지어진 단계, 절도, 節制(절제) 등의 뜻이 나왔고, 대를 쪼개 만든 부절을 뜻하기도 했다. 간화자에서는 竹을 艹(풀 초)로, 即을 卩(병부 절)로 간단히 줄여 节로 쓴다.

筡: 折竹笢也. 从竹余聲. 讀若絮. 同都切.

'대의 외피를 쪼개다(折竹笢)'라는 뜻이다. 죽(竹)이 의미부이고 여(余)가 소리부이다. 서(絮)와 같이 읽는다.[4] 독음은 동(同)과 도(都)의 반절이다.

**2867**

**⿱竹臱: ⿱竹臱: 대껍질 미: 竹-총20획: mí**

⿱竹臱: 筡也. 从竹臱聲. 武移切.

'도(筡)와 같아 대의 외피를 쪼개다'라는 뜻이다. 죽(竹)이 의미부이고 변(臱)이 소리부이다. 독음은 무(武)와 이(移)의 반절이다.

**2868**

**笢: 笢: 대 꺼풀 민: 竹-총11획: mǐn**

原文

笢: 竹膚也. 从竹民聲. 武盡切.

飜譯

'대의 외피(竹膚)'를 말한다. 죽(竹)이 의미부이고 민(民)이 소리부이다. 독음은 무(武)와 진(盡)의 반절이다.

**2869**

**笨: 笨: 거칠 분: 竹-총11획: bèn**

4) 『단주』에서는 서(絮)를 녀(絮)의 오류로 보았다.

原文

笨: 竹裏也. 从竹本聲. 布忖切.

飜譯

'대의 속겹질(竹裏)'을 말한다. 죽(竹)이 의미부이고 본(本)이 소리부이다. 독음은 포(布)와 촌(忖)의 반절이다.

2870

**䈵: 䈵: 대나무가 무성한 모양 옹: 竹-총16획: wēng**

原文

䈵: 竹皃. 从竹翁聲. 烏紅切.

飜譯

'대의 [무성한] 모양(竹皃)'을 말한다. 죽(竹)이 의미부이고 옹(翁)이 소리부이다. 독음은 오(烏)와 홍(紅)의 반절이다.

2871

**篸: 篸: 비녀 잠·퉁소 참: 竹-총17획: cēn, zān, cǎn**

原文

篸: 差也. 从竹參聲. 所今切.

飜譯

'들쭉날쭉하다(差)'라는 뜻이다. 죽(竹)이 의미부이고 삼(參)이 소리부이다. 독음은 소(所)와 금(今)의 반절이다.

2872

**篆: 篆: 전자 전: 竹-총15획: zhuàn**

原文

篆: 引書也. 从竹彖聲. 持兖切.

飜譯

'늘여서 글씨를 쓰다(引書)'라는 뜻이다.5) 죽(竹)이 의미부이고 단(彖)이 소리부이다.6) 독음은 지(持)와 연(兖)의 반절이다.

**2873**

**籒: 籒: 주문 주: 竹-총21획: zhòu**

原文

籒: 讀書也. 从竹㨨聲. 『春秋傳』曰"卜籒"云. 直又切.

飜譯

'글을 읽다(讀書)'라는 뜻이다. 죽(竹)이 의미부이고 류(㨨)가 소리부이다. 『춘추전』(『좌전』 희공 4년, B.C. 656)에서 "점복관이 점괘를 읽었다(卜籒)"라고 했다.7) 독음은

---

5) 『단주』에서 이렇게 말했다. "인서(引書)라는 것은 붓을 끌어와 죽간이나 비단에다 글씨를 쓰다는 뜻이다(引筆而箸於竹帛也). 이로 인해서 이사(李斯)가 쓴 글씨를 전서(篆書)라 하고, 사주(史籒)가 쓴 글씨를 대전(大篆)이라 한다. 또한 전서(篆書)를 소전(小篆)이라고도 한다. 이 글자의 원래 뜻은 '붓으로 글씨를 쓰다(引書)'이다. 그래서 옥에다 글씨를 새기는 것(彫刻圭璧)을 전(瑑)이라 한다. 『주례주(周禮注)』에서는 '오색으로 화려하게 채색한 수레(五采畫轂)를 통칭하여 하전(夏篆)이라 한다'고 했다."

6) 소전에서처럼 竹(대 죽)이 의미부고 彖(단 단)이 소리부로, 진시황 때의 통일 서체인 '소전체(小篆體)'를 지칭하는데, 이는 이전의 서체 즉 대전체(大篆體)를 길쭉하게(彖) 끌어서 세로가 긴 직사각형으로 개량해 대(竹)에다 쓴 서체라는 뜻을 담았다.

7) 이에 근거하여 왕국유는 역사에 등장하는 사주(史籒)가 '사관인 주'라는 사람 이름이라는 것에 대해 의문을 제기하면서 새로운 설을 주장했다. 그는 그 본래 뜻은 '읽다'는 뜻이며, 그래서 사주(史籒)는 '사관이 읽다'는 뜻이 되어야 한다고 했다. 그는 이렇게 말했다. 『설문』에서 "주(籒)는 읽다는 뜻이다(讀也)"라고 했으며(『方言』에서는 "抽는 읽는다는 뜻이다(讀也)"라고 했다), "독(讀)은 책을 읽다는 뜻이다(籒書也)"라고도 했다(『毛詩·鄘風』의 『傳』에서 "讀은 뽑아서 읽다(抽也)는 뜻이다"라고 했다). 옛날에는 '주(籒)'와 '독(讀)'은 독음도 같고 의미도 같은 글자였다. 또 옛날에는 책을 읽는 것(讀書)도 모두 사관의 일(史事)이었다. 『주례·춘관(春官)』의 「태사직(太史職)」에서 "큰 제사에는 재계하고 침숙하는 날을 모든 집사와 함께 예서를 '읽고' 사안을 협의한다. 대상(大喪)에서도 영구를 조묘의 뜰로 옮기는 날에는 조문(弔文)을 읽는

직(直)과 우(又)의 반절이다.

2874

**篇**: 篇: **책 편**: 竹-**총15획**: **piān**

原文

篇: 書也. 一曰關西謂榜曰篇. 从竹扁聲. 芳連切.

飜譯

'서책(書)'을 말한다. 일설에는 관서(關西) 지역에서는 방(榜)을 편(篇)이라 한다고도 한다. 죽(竹)이 의미부이고 편(扁)이 소리부이다.[8] 독음은 방(芳)과 련(連)의 반절이다.



2875

**籍**: 籍: **서적 적**: 竹-**총20획**: **jí**

原文

籍: 簿書也. 从竹耤聲. 秦昔切.

飜譯

'[호적] 장부(簿書)'를 말한다. 죽(竹)이 의미부이고 자(耤)가 소리부이다.[9] 독음은 진

---

다.(大祭祀, 戒及宿之日, 與群執事讀禮書而協事. 大喪, 遣之日, 讀誄.)"라고 했고, 「소사직(小史職)」에서도 "큰 제사에서는 예법(禮法)을 '읽고', 역사의 법규로 삼아서 글로써 소목(昭穆)의 조궤(俎簋)를 진열하는 순서를 정한다. 경대부의 상(喪)에서는 시호(謚)를 내려주고, 조문(弔文)을 읽는다.(大祭祀, 讀禮法, 史以書敘昭穆之俎簋. 卿大夫之喪, 賜謚, 讀誄.)"라고 했으며, 「내사직(內史職)」에서도 "제후를 비롯해 공경대부에게 칙명을 내리려면, 책을 '읽어' 명령을 내린다(즉 서책을 읽다는 뜻이다). 주변 국가의 일에 관한 글도 내사(內史)가 '읽는다'.(凡命諸侯及公卿大夫, 則冊命之(謂讀冊書), 凡四方之事書, 內史讀之.)"라고 했다. 또 「빙례(聘禮)」에서도 "'석폐'를 사관들이 책을 읽을 때 '전폐'라 읽었다(夕幣, 史讀書展幣.)"라고 했고, 「사상례(士喪禮)」에서도 "주인의 사관은 '증'으로 읽었고, 공의 사관은 '견'이라 읽었다(主人之史讀賵, 公史讀遣)"라고 했다. 이런 기록은 모두 옛날에는 책을 언제나 사관(史)이 읽었음을 말해준다. 『사주편소증(史籀篇疏證)·서(序)』(『관당집림』, 第1冊, 卷5, 藝林5) 참조.

8) 竹(대 죽)이 의미부고 扁(넓적할 편)이 소리부로, 납작한(扁) 대 조각(竹)에 쓴 글을 묶어 만든 '책'을 말하며, 이후 시가 등의 문예 저작이나 글을 헤아리는 단위 등을 지칭하게 되었다.

(秦)과 석(昔)의 반절이다.

**2876**

**篁: 篁: 대숲 황: 竹-총15획: huáng**

原文

篁: 竹田也. 从竹皇聲. 戶光切.

譯

'대밭(竹田)'을 말한다. 죽(竹)이 의미부이고 황(皇)이 소리부이다. 독음은 호(戶)와 광(光)의 반절이다.

**2877**

**䈀: 䈀: 자리 장: 竹-총17획: jiǎng**

原文

䈀: 剖竹未去節謂之䈀. 从竹將聲. 即兩切.

譯

'마디를 아직 제거하지 않고 대를 가르는 것을 장(䈀)이라 한다(剖竹未去節謂之䈀).' 죽(竹)이 의미부이고 장(將)이 소리부이다. 독음은 즉(即)과 량(兩)의 반절이다.

**2878**

**箥: 箥: 대쪽 엽: 竹-총15획: yè**

原文

箥: 籥也. 从竹葉聲. 與接切.

---

9) 고문자에서 簡牘文 등으로 썼다. 竹(대 죽)이 의미부고 耤(갈·빌릴 적)이 소리부로, 장부를 말하는데, 세금 부과를 위해 땅을 갈아(耤) 먹고 사는 농민에 관한 정보를 죽간(竹)에 적은 '장부'를 말하며, 이로부터 '書籍(서적)'은 물론 戶籍(호적)의 뜻까지 나왔다.

飜譯

'약(籥)과 같아 아이들이 글자를 배울 때 쓰는 대쪽'을 말한다. 죽(竹)이 의미부이고 엽(枼)이 소리부이다. 독음은 여(與)와 접(接)의 반절이다.

2879

**籥: 籥: 피리 약: 竹-총23획: yuè**

原文

籥: 書僮竹笘也. 从竹龠聲. 以灼切.

飜譯

'아이들이 글자를 배울 때 쓰는 대쪽(書僮竹笘)'을 말한다. 죽(竹)이 의미부이고 약(龠)이 소리부이다.10) 독음은 이(以)와 작(灼)의 반절이다.



2880

**籀: 籀: 대나무에서 나는 소리 류: 竹-총21획: liú**

原文

籀: 竹聲也. 从竹劉聲. 力求切.

飜譯

'대나무에서 나는 소리(竹聲)'를 말한다. 죽(竹)이 의미부이고 류(劉)가 소리부이다. 독음은 력(力)과 구(求)의 반절이다.

10) 『단주』에서 이렇게 말했다. "점(笘)자의 해석에서 '영천(潁川) 지역 사람들은 어린 아이가 글씨 연습하는 대쪽(小兒所書寫)을 점(笘)이라 한다'라고 했다. 내 생각에, 이 점(笘)을 약(籥)이라 하고, 또 고(觚)라 하기도 하는데, 아마도 백토에다 물을 들였다가 다시 지우고 쓸 수 있는 것(蓋以白墡染之可拭去再書者)을 말한 것으로 보인다. 그 글씨 판을 지우는 천(其拭觚之布)을 번(幡)이라 한다. 죽(竹)이 의미부이고 약(龠)이 소리부라고 했는데, 다관악기(管龠)를 말하는 약(龠)자는 이와는 다른 의미일 것이다."

**2881**

**簡: 簡: 대쪽 간: 竹-총18획: jiǎn**

原文

簡: 牒也. 从竹閒聲. 古限切.

飜譯

'글을 쓸 수 있게 한 좁고 기다란 대쪽(牒)'을 말한다. 죽(竹)이 의미부이고 간(閒)이 소리부이다.[11] 독음은 고(古)와 한(限)의 반절이다.

**2882**

**笐: 笐: 대 나란할 항·강: 竹-총10획: gāng**

原文

笐: 竹列也. 从竹亢聲. 古郎切.

飜譯

'대가 나란히 열을 지어 자라다(竹列)'라는 뜻이다.[12] 죽(竹)이 의미부이고 항(亢)이 소리부이다. 독음은 고(古)와 랑(郎)의 반절이다.

**2883**

**䈬: 䈬: 대의 서판 부: 竹-총17획: bù**

原文

䈬: 滿爰也. 从竹部聲. 薄口切.

---

11) 고문에서 簡簡牘文 등으로 썼다. 竹(대 죽)이 의미부이고 閒(사이 간)이 소리부로, 종이가 없던 시절 글씨를 쓸 수 있도록 대(竹)로 만든 얇은 널빤지를 말한다. 이로부터 책이나 편지라는 뜻이 나왔고, 좁은 대쪽에 글씨를 쓰려면 가능한 한 줄여 써야 했기에 간략하다, 소략하다, 드물다 등의 뜻도 나왔다. 간화자에서는 简으로 쓴다.

12) 『단주』에서, 열(列)을 현응(玄應)의 책에서는 차(次)로 썼으며, 죽열(竹列)이라는 것은 대가 열을 지어 자라남을 말한다고 했다.

飜譯

'대로 만든 서판(萳爰)'을 말한다.13) 죽(竹)이 의미부이고 부(部)가 소리부이다. 독음은 박(薄)과 구(口)의 반절이다.

2884

**等: 等: 가지런할 등: 竹-총12획: děng**

原文

等: 齊簡也. 从竹从寺. 寺, 官曹之等平也. 多肯切.

飜譯

'가지런하게 정리한 죽간(齊簡)'을 말한다. 죽(竹)이 의미부이고 시(寺)도 의미부이다. 시(寺)는 관청(官曹)에서 대를 가지런하게 정리하다는 뜻이다.14) 독음은 다(多)와 긍(肯)의 반절이다.



2885

**笵: 笵: 법 범: 竹-총11획: fàn**

原文

笵: 法也. 从竹, 竹, 簡書也; 氾聲. 古法有竹刑. 防爻切.

飜譯

'법(法)'이라는 뜻이다. 죽(竹)이 의미부인데, 죽(竹)은 간독에다 쓴 책(簡書也)을 말

13) 주준성의 『통훈정성』에서는 "만원(萳爰)은 첩운으로 된 연면어로, 진한(秦漢) 때에는 서책으로 쓰는 죽간을 만원(萳爰)이라 하였다."라고 했다. 『단주』에서는 "만원(萳爰)은 한(漢)나라 때의 말이며, 속자에서는 죽(竹)자를 더해 쓴다."라고 했다.

14) 고문에서 簡牘文 등으로 썼다. 竹(대 죽)과 寺(절 사·관청 시)로 이루어져, 대(竹)를 쪼개 만든 竹簡(죽간)을 손으로 잡고(寺) 정리하는 모습을 그렸다. 정리를 거친 죽간은 경전을 기록한 크고 질 좋은 것, 그다음의 것, 보통의 일반적인 것 등 내용에 따라 等級(등급)을 정하게 되기 때문에 '등급'이나 '무리' 등의 뜻이 생겼다. 이렇게 정리된 죽간은 이후 글을 쓰게 될 재료가 된다는 점에서 '기다리다'는 뜻까지 나온 것으로 추정된다.

하며, 범(氾)이 소리부이다. 옛날에는 형벌의 내용을 대나무에 기록해야 한다는 법이 있었다.[15] 독음은 방(防)과 멈(爰)[16]의 반절이다.

**2886**

**箋: 箋: 찌지 전: 竹-총14획: jiān**

原文

箋: 表識書也. 从竹戔聲. 則前切.

譯譯

'표식을 하기 위해 쓰는 찌지(表識書)'를 말한다. 죽(竹)이 의미부이고 전(戔)이 소리부이다. 독음은 칙(則)과 전(前)의 반절이다.

**2887**

**符: 符: 부신 부: 竹-총11획: fú**

原文

符: 信也. 漢制以竹, 長六寸, 分而相合. 从竹付聲. 防無切.

譯譯

'믿음의 징표(信)'를 말한다. 한나라 때의 제도에 의하면, 대(竹)로 만들었고, 길이는 6치(寸)였으며, 나누어 가졌다가 서로 합쳐서 맞추어 본다고 했다. 죽(竹)이 의미부

15) 『단주』에서 이렇게 말했다. "범(笵)이 죽(竹)을 의미부로 삼게 된 연유를 설명한 것이다. 법령은 죽간에다 썼기 때문에 범(笵)에 죽(竹)이 들게 된 것이다.(法具於書簡, 故笵从竹也.) 『좌전(左傳)』에서 정(鄭)나라의 집정대부였던 사천(駟歂)이 등석(鄧析)을 죽일 때 (등석 자신이 써 놓았던) 『죽형(竹刑)』에 근거했다. 『죽형(竹刑)』은 형벌에 관한 각각의 조항을 (그 자신이) 죽간에다 써 놓았던 것을 말한다(刑罰科條載於竹簡也). 『통속문(通俗文)』에서는 규모를 갖춘 것을 범(笵)이라 한다고 했다. 현응(玄應)의 책에서는 흙으로 만든 거푸집을 형(型)이라 하고, 청동으로 만든 거푸집을 용(鎔)이라 하고, 나무로 만든 거푸집을 모(模)라 하고, 대로 만든 거푸집을 범(笵)이라 한다고 했는데, 같은 사물을 재료에 따라 구분한 것이다."

16) 이의 독음에 대해 『광운(廣韻)』에서 망(亡)과 범(范)의 반절이라 했고, 『집운(集韻)』에서는 막(莫)과 감(坎)의 반절이며, 맘(媣)과 같이 읽는다고 했다.

이고 부(付)가 소리부이다.[17] 독음은 방(防)과 무(無)의 반절이다.

**2888**

**簭: 筮: 점대 서: 竹-총13획: shì**

原文

簭: 『易』卦用蓍也. 从竹从𢍰. 𢍰, 古文巫字. 時制切.

飜譯

'『역』에서 점복에 사용하는 점대(卦用蓍)라고 했다.' 죽(竹)과 무(𢍰)가 의미부이다.[18] 무(𢍰)는 무(巫)의 고문체이다. 독음은 시(時)와 제(制)의 반절이다.



**2889**

**笄: 笄: 비녀 계: 竹-총10획: jī**

原文

笄: 簪也. 从竹开聲. 古兮切.

飜譯

'비녀(簪)'를 말한다. 죽(竹)이 의미부이고 견(开)이 소리부이다. 독음은 고(古)와 혜(兮)의 반절이다.

---

17) 고문에서 簡牘文 등으로 썼다. 竹(대 죽)이 의미부고 付(줄 부)가 소리부로, 상대에게 줘서(付) 신의를 나타내는 대(竹)로 만든 증표 즉 符節(부절)을 말한다. 한나라 때의 증표를 보면 6치 길이의 댓조각을 사용했고, 둘로 나누었다가 나중에 서로 합쳐 맞추어 볼 수 있게 되어 있었다.

18) 고문에서 金文 簡牘文 石刻古文 등으로 썼다. 竹(대 죽)이 의미부고 巫(무당 무)가 소리부로, 시초점을 칠 때 사용했던 대(竹)로 만든 점술 도구(巫)인 '점대'를 말한다.

**2890**

**𥫳: 箕: 참빛 기: 竹-총12획: jī**

原文

𥫳: 取蟣比也. 从竹匠聲. 居之切.

飜譯

'이를 잡아내는 [촘촘한] 참빗(取蟣比)'을 말한다. 죽(竹)이 의미부이고 이(匠)가 소리부이다. 독음은 거(居)와 지(之)의 반절이다.

**2891**

**篗: 篗: 자새 확: 竹-총20획: yuè**

原文

篗: 收絲者也. 从竹蒦聲. 䈅, 篗(當作篗)或从角从閒. 王縛切.

飜譯

'자새, 즉 실 따위를 감았다 풀었다 할 수 있도록 만든 작은 얼레(收絲者)'를 말한다. 죽(竹)이 의미부이고 확(蒦)이 소리부이다. 확(䈅)은 확(篗)[篗이 되어야 옳다]의 혹체자인데, 각(角)도 의미부이고 한(閒)도 의미부이다. 독음은 왕(王)과 박(縛)의 반절이다.

**2892**

**筳: 筳: 꾸리 대 정: 竹-총13획: tíng**

原文

筳: 維絲筦也. 从竹廷聲. 特丁切.

飜譯

'꾸리를 감는 대나무 대롱(維絲筦)'을 말한다. 죽(竹)이 의미부이고 정(廷)이 소리부이다. 독음은 특(特)과 정(丁)의 반절이다.

**2893**

**筦: 筦: 피리 관: 竹-총13획: guǎn**

原文

筦: 筟也. 从竹完聲. 古滿切.

飜譯

'꾸리를 감는 대나무 대롱(筟)'을 말한다. 죽(竹)이 의미부이고 완(完)이 소리부이다. 독음은 고(古)와 만(滿)의 반절이다.

**2894**

**筟: 筟: 대청 부: 竹-총13획: fū**

原文

筟: 筳也. 从竹孚聲. 讀若『春秋』魯公子彄. 芳無切.

飜譯

'꾸리 대, 즉 꾸리를 감는 대나무 대롱(筳)'을 말한다. 죽(竹)이 의미부이고 부(孚)가 소리부이다. 『춘추』(은공 5년, B.C. 718)에 나오는 "노나라 공자(魯公子) 구(彄)"[19]라고 할 때의 구(彄)와 같이 읽는다. 독음은 방(芳)과 무(無)의 반절이다.

**2895**

**笮: 笮: 좁을 착: 竹-총11획: zuó, zé**

原文

笮: 迫也. 在瓦之下, 棼上. 从竹乍聲. 阻厄切.

19) 역사 기록에 의하면, 노(魯) 효공(孝公)(혹자는 莊公이라고도 한다)에 희백(僖伯) 구(彄)를 낳았고, 구(彄)는 애백(哀伯) 달(達)을 낳았다고 했다. 그렇다면 희백(僖伯)이 바로 공자(公子) 구(彄)이고, 그의 후손이 구씨(彄氏)가 되었다. 노(魯)나라는 희성(姬姓)의 제후국으로 주공(周公) 희단(姬旦)의 장자였던 백금(伯禽)이 처음으로 봉해진 곳이었다.

飜譯

'[기와와 마룻대 사이처럼] 좁게 붙어 있다(迫)'는 뜻이다. 기와의 아래쪽과 마룻대의 위쪽에 위치한다.[20] 죽(竹)이 의미부이고 사(乍)가 소리부이다. 독음은 조(阻)와 액(厄)의 반절이다.

**2896**

**簾: 簾: 발 렴: 竹-총19획: lián**

原文

簾: 堂簾也. 从竹廉聲. 力鹽切.

飜譯

'집에 걸어두는 발(堂簾)'을 말한다. 죽(竹)이 의미부이고 염(廉)이 소리부이다.[21] 독음은 력(力)과 염(鹽)의 반절이다.

**2897**

**簀: 簀: 살평상 책: 竹-총17획: zé**

原文

簀: 牀棧也. 从竹責聲. 阻厄切.

---

20) 『단주』에서 이렇게 말했다. "분(棼)은 집의 이중으로 된 마룻대를 말한다(複屋棟). 『이아·석궁(釋宫)』에서 '지붕 위에서 얇은 곳(薄)을 요(筄·산자)라 한다'라고 했는데, 곽박의 주석에서 지붕의 기와와 마룻대 사이의 좁은 곳(屋笮)을 말한다고 했다. 『고공기(考工記)』의 『주』에서도 '지붕의 이중으로 된 좁은 곳(重屋複笮)을 말한다고 했다. 내 생각에, 착(笮)은 위 서까래의 아래(上椽之下)와 아래 서까래의 위(下椽之上) 사이에 위치한다. 그 사이에 좁게 끼어 있기에 착(笮)이라 했을 것이다(迫居其閒故曰笮). 『이아·석명(釋名)』에서 착(笮)은 좁게 붙어 있다(迮)는 뜻이라고 했다. 대를 짜서 연결해 사이를 좁게 끼워 붙였다는 뜻이다(編竹相連迫迮也). 그리고 대(竹)로 만들었기 때문에 죽(竹)을 의미부로 삼았다."

21) 소전에서처럼 竹(대 죽)이 의미부이고 廉(청렴할 렴)이 소리부로, 어떤 것을 가리고자 가늘고 긴 대(竹)를 줄로 엮어 여러 개 나란히 늘어뜨려 만든 물건을 말한다. 간화자에서는 穴(구멍 혈)과 巾(수건 건)으로 구성된 帘으로 쓴다.

飜譯

'대로 만든 평상(牀棧)'을 말한다. 죽(竹)이 의미부이고 책(責)이 소리부이다. 독음은 조(阻)와 액(厄)의 반절이다.

**2898**

**𥬙: 笫: 평상 자: 竹-총11획: zǐ**

原文

𥬙: 牀簀也. 从竹㐬聲. 阻史切.

飜譯

'대로 만든 평상(牀簀)'을 말한다. 죽(竹)이 의미부이고 자(㐬)가 소리부이다. 독음은 조(阻)와 사(史)의 반절이다.

**2899**

**筵: 筵: 대자리 연: 竹-총13획: yán**

原文

筵: 竹席也. 从竹延聲. 『周禮』曰: "度堂以筵." 筵一丈. 以然切.

飜譯

'대로 만든 자리(竹席)'를 말한다. 죽(竹)이 의미부이고 연(延)이 소리부이다. 『주례·고공기·장인(匠人)』에서 "대자리의 수로 명당의 크기를 가늠한다(度堂以筵)"라고 하였는데, 연(筵)은 길이가 1팔(丈)이다.[22] 독음은 이(以)와 연(然)의 반절이다.

---

22) 『단주』에서 이렇게 말했다. "『주례·장인직(匠人職)』에서 '방안(室中)은 궤(几)로 크기를 가늠하고, 집안(堂上)은 연(筵)으로써 크기를 가늠한다.'라고 했다." 그리고 '筵一丈'에 대해서, "이는 『주례(周禮)』의 해설인데, 『주례』에서는 '너비가 9자(尺)되는 것을 연(筵)이라 한다'고 하여 여기서의 언급과는 차이를 보이는데, 왜 그런지는 모르겠다."

**2900**

**䈴: 簟: 삿자리 점: 竹-총18획: diàn**

原文

簟: 竹席也. 从竹覃聲. 徒念切.

飜譯

'대로 만든 자리(竹席)'를 말한다. 죽(竹)이 의미부이고 담(覃)이 소리부이다. 독음은 도(徒)와 념(念)의 반절이다.

**2901**

**籧: 籧: 대자리 거: 竹-총23획: qú**

原文

籧: 籧篨, 粗竹席也. 从竹遽聲. 彊魚切.

飜譯

'거저(籧篨)'를 말하는데, '거칠게 짠 대자리(粗竹席)'를 말한다.23) 죽(竹)이 의미부이고 거(遽)가 소리부이다. 독음은 강(彊)과 어(魚)의 반절이다.

**2902**

**篨: 篨: 대자리 저: 竹-총16획: chú**

23) 『단주』에서 이렇게 말했다. "『방언(方言)』에서 '담(簟)을 송위(宋魏) 지역에서는 생(笙)이라 부르는데, 간혹 거곡(籧苗)이라 하기도 한다. 함곡관 서쪽 지역에서는 간혹 담(簟)이라 하기도 하고, 제(笄)라 부르기도 하며, 그중에서도 거친 대자리(其麤者)를 거저(籧篨)라고도 한다. 함곡관 동쪽 지역에는 간혹 합염(䈉棪)이라고도 한다.'라고 했다. 곽박의 주석에서는 강동 지역에서는 거저(籧篨)를 폐(篾)라고 한다고 했다. 내 생각에, 여기서는 거친 것(粗)을 말하여 앞에서 말한 연(筵)과 점(簟)과 구별해 썼다고 생각한다. 연(筵)과 점(簟)은 정교하게 짠 대자리를 말한다. 『국어·진어(晉語)』와 『모시(毛詩)』에서 모두 '거저(籧篨)는 접어서 사용할 수가 없다'고 했는데, 이는 거저(籧篨)를 말아서 세워둘 수는 있으나 접을 수는 없는 물건이라는 말이다. 그래서 『시』의 「풍(風)」에서는 이로써 추악함을 비유했고, 『이아』에서는 이로써 교묘한 언사로 아부함(口柔)을 말했던 것이다."

原文

篨: 籧篨也. 从竹除聲. 直魚切.

飜譯

'거저(籧篨), 즉 거칠게 짠 대자리'를 말한다. 죽(竹)이 의미부이고 제(除)가 소리부이다. 독음은 직(直)과 어(魚)의 반절이다.

2903

**籭: 簏: 체 사: 竹-총25획: shāi**

原文

籭: 竹器也. 可以取粗去細. 从竹麗聲. 所宜切.

飜譯

'대나무로 만든 기물의 하나인 체(竹器)'를 말한다. 굵은 것을 가려내고 가는 것을 걸러버리는 데 쓴다. 죽(竹)이 의미부이고 려(麗)가 소리부이다. 독음은 소(所)와 의(宜)의 반절이다.

2904

**籓: 籓: 가릴 번: 竹-총21획: bān, pān**

原文

籓: 大箕也. 从竹潘聲. 一曰蔽也. 甫煩切.

飜譯

'커다란 키(大箕)'를 말한다. 죽(竹)이 의미부이고 반(潘)이 소리부이다. 일설에는 '덮어 가리는데 쓰는 도구(蔽)'라고도 한다. 독음은 보(甫)와 번(煩)의 반절이다.

2905

**籅: 籅: 조리 욱: 竹-총19획: yù**

原文

籅: 漉米籔也. 从竹奥聲. 於六切.

'조리, 즉 쌀을 이는데 쓰는 도구(漉米籔)'를 말한다. 죽(竹)이 의미부이고 오(奥)가 소리부이다. 독음은 어(於)와 륙(六)의 반절이다.

**2906**

**籔: 籔: 휘 수: 竹-총21획: sǒu**

原文

籔: 炊箕也. 从竹數聲. 蘇后切.

飜譯

'밥을 지을 때 쓰는 조리(炊箕)'를 말한다. 죽(竹)이 의미부이고 수(數)가 소리부이다. 독음은 소(蘇)와 후(后)의 반절이다.

**2907**

**箅: 箅: 가릴 폐·덧바퀴 비: 竹-총14획: bī, bēi**

原文

箅: 蔽也, 所以蔽甑底. 从竹畀聲. 必至切.

飜譯

'폐(蔽)와 같아서 가리개를 말하는데, 시루의 바닥을 덮어 가리는데 쓴다(蔽甑底).' 죽(竹)이 의미부이고 비(畀)가 소리부이다. 독음은 필(必)과 지(至)의 반절이다.

**2908**

**䈰: 䈰: 밥통 수: 竹-총18획: shāo**

原文

䈰: 飯筥也. 受五升. 从竹稍聲. 秦謂筥曰䈰. 山樞切.

飜譯

'밥을 담는 대광주리(飯筥)'를 말한다. 5되(升)를 담을 수 있다.[24] 죽(竹)이 의미부이고 초(稍)가 소리부이다. 진(秦) 지역에서는 '밥 담는 대광주리(筥)'를 초(䈰)라고 한다. 독음은 산(山)과 추(樞)의 반절이다.

**2909**

**䈾: 箱: 밥통 소: 竹-총16획: shāo**

原文

䈾: 陳留謂飯帚曰箱. 从竹捎聲. 一曰飯器, 容五升. 一曰宋魏謂箸筩爲箱. 所交切.

飜譯

'진류(陳留)[25] 지역에서는 솥을 닦는 대나무로 만든 솔(帚)을 소(箱)라고 한다.' 죽(竹)이 의미부이고 소(捎)가 소리부이다. 일설에는 '밥을 담는 대광주리로 5되가 들어간다(飯器, 容五升.)'라고도 한다. 또 일설에는 송(宋)이나 위(魏) 지역에서 '수저통(箸筩)을 소(箱)라 한다'고도 한다. 독음은 소(所)와 교(交)의 반절이다.

**2910**

**筥: 筥: 광주리 거: 竹-총13획: jǔ**

原文

24) 『단주』에서는 이렇게 말했다. "『방언(方言)』에서 려(簇)를 남초(南楚) 지역에서는 소(筲)라 한다고 했다. 곽박의 주석에서는 떡을 담는 광주리라 했다. 내 생각에 려(簇)가 바로 거(筥)자이고, 소(筲)는 바로 수(箱)자이다. 『논어(論語)』에서 두소지인(斗筲之人·도량이 좁은 사람의 비유)이라 했는데, 정현의 주석에서 소(筲)는 대나무로 만든 기물인데, 2되를 담을 수 있다고 해, 허신이 말한 5되 들이 용기라고 한 것과는 차이를 보인다."

25) 고대 지명으로 지금의 하남성 개봉시 일대를 말하며, 서한 때 처음 세워졌다가 수나라 초기 때 폐지됐다.

筥：𥷚也. 从竹呂聲. 居許切.

飜譯

'솥을 닦는 대나무로 만든 솔(𥷚)'을 말한다.[26] 죽(竹)이 의미부이고 려(呂)가 소리부이다. 독음은 거(居)와 허(許)의 반절이다.

**2911**

## 笥：笥: 상자 사: 竹-총11획: sì

原文

笥：飯及衣之器也. 从竹司聲. 相吏切.

飜譯

'밥이나 옷을 담는 대로 만든 상자(飯及衣之器)'를 말한다. 죽(竹)이 의미부이고 사(司)가 소리부이다. 독음은 상(相)과 리(吏)의 반절이다.

**2912**

## 簞：簞: 대광주리 단: 竹-총18획: dān

原文

簞：笥也. 从竹單聲. 漢津令：簞, 小筐也. 『傳』曰："簞食壺漿." 都寒切.

飜譯

'밥이나 옷을 담는 대로 만든 상자(笥)'를 말한다. 죽(竹)이 의미부이고 단(單)이 소리부이다. 한(漢)나라 때의 법령(津令)에 의하면, 단(簞)은 작은 광주리(小筐)를 말한다고 했다. 고대 문헌에서 '단사호장(簞食壺漿: 대나무로 만든 밥그릇에 담은 밥과 병에 넣은 마실 것이라는 뜻으로, 넉넉하지 못한 사람의 거친 음식을 말함)'이라는 말이 있다. 독

26) 『단주』에서 이렇게 말했다. "소(𥷚)는 초(箱)가 되어야 옳다. 『방언』에서 려(簇)를 남초(南楚) 지역에서는 소(筲)라 하고, 조위(趙魏)의 교외 지역에서는 거려(笶簇)라고 한다고 했다. 『예경』에 대한 정현의 주석에서는 폐백 상자(笲)의 모양이 대체로 지금의 거(筥)나 거로(笶籚)와 같았을 것이다. 내 생각에는 거로(笶籚)가 바로 거려(笶簇)이다." 단옥재의 해설대로라면 거(筥)는 '대로 만든 광주리'가 된다.

음은 도(都)와 한(寒)의 반절이다.

**2913**

簁: 簁: **체 사**: 竹-총17획: shāi

原文

簁: 簁箄, 竹器也. 从竹徙聲. 所綺切.

飜譯

'사비(簁箄) 즉 큰 체'를 말하는데[27], '대로 만든 기물(竹器)'이다. 죽(竹)이 의미부이고 사(徙)가 소리부이다. 독음은 소(所)와 기(綺)의 반절이다.



**2914**

箄: 箄: **종다래끼 비**: 竹-총14획: bēi, bī, pái

原文

箄: 簁箄也. 从竹卑聲. 并弭切.

飜譯

'사비(簁箄) 즉 작은 체'를 말한다.[28] 죽(竹)이 의미부이고 비(卑)가 소리부이다. 독음은 병(并)과 미(弭)의 반절이다.

---

27) '체'를 말하는데, 『급취편』의 안사고 주석에 의하면 큰 것을 사(簁), 작은 것을 비(箄)라고 한다. 그러나 『단주』에서는 이렇게 말했다. "사(簁)와 비(箄)는 기물의 이름이다. 앞의 여러 글자들을 살펴볼 때, 이는 물건을 담는 기물이지 굵고 가는 것을 가려내는 체가 아니다. 굵고 가는 것을 가려내는 체라면 이는 사(籭)라고 적어야지 사(簁)라고 적지는 않는다. 예컨대, 『광운』의 지(支)운에서 사(簁)는 물건을 담아두는 대로 만든 기물을 말한다고 했고, 지(紙)운에서는 사(簁)는 키(籭)를 말한다고 했다. 또 개(皆)운에서는 사(簁)는 사라(簁籮)라고 한다고 했는데, 옛날에는 옥(玉)으로 상자의 기둥을 만들었기 때문에 이 글자에 옥(玉)이 들어갔고, 오늘날의 세속에서는 이를 사(簁)로 적는다. 이는 모두 사(簁)를 사(籭)로 사용한 것이다. 고금의 글자 변천에 의한 것으로 허신의 본래 의미는 아니다. 그렇게 볼 때 안사고의 『급취편』에 대한 주석은 잘못이다."

28) 단옥재는 체가 아니라 문건을 담아두는 그릇으로 보았다. 위의 주석 참조.

**2915**

**篿**: 篿: **점대 전·둥구미 단**: 竹—**총17획**: **tuán**

原文

篿: 圜竹器也. 从竹專聲. 度官切.

飜譯

'둥근 모양의 대그릇(圜竹器)'을 말한다. 죽(竹)이 의미부이고 전(專)이 소리부이다. 독음은 도(度)와 관(官)의 반절이다.

**2916**

**箸**: 箸: **젓가락 저**: 竹—**총15획**: **zhù**

原文

箸: 飯攲也. 从竹者聲. 陟慮切.

飜譯

'식사 때 음식물을 집어 드는 기구(飯攲) 즉 젓가락'을 말한다. 죽(竹)이 의미부이고 자(者)가 소리부이다.[29] 독음은 척(陟)과 려(慮)의 반절이다.

**2917**

**簍**: 簍: **대 채롱 루**: 竹—**총17획**: **lǒu**

原文

---

29) 고문에서 箸簡牘文 등으로 썼다. 竹(대 죽)이 의미부고 者(놈 자)가 소리부로, 삶은(者, 煮의 원래 글자) 것을 집어내는 대(竹)로 만든 도구를 형상했다. 이후 竹이 艸로 변해 著(분명할 저)를 만들어 젓가락으로 들어내 따로 '놓다'는 뜻을 그렸고, 이로부터 '분명하다'는 뜻이 나오게 되었다. 송나라 때쯤 해서는 다시 著를 간략화해 着(붙을 착)이 만들어졌는데, 着地(착지)에서처럼 어떤 곳에 '내려놓다'는 뜻을 말했고, 다시 附着(부착)하다 등의 뜻이 나오게 되었다.

簍: 竹籠也. 从竹婁聲. 洛侯切.

飜譯

'대로 짜 만든 큰 상자(竹籠)'를 말한다. 죽(竹)이 의미부이고 루(婁)가 소리부이다. 독음은 락(洛)과 후(侯)의 반절이다.

**2918**

**筤: 筤: 바구니 랑: 竹-총13획: láng**

原文

筤: 籃也. 从竹良聲. 盧黨切.

飜譯

'대로 짜 만든 바구니(籃)'를 말한다. 죽(竹)이 의미부이고 량(良)이 소리부이다. 독음은 로(盧)와 당(黨)의 반절이다.

**2919**

**籃: 籃: 바구니 람: 竹-총20획: lán**

原文

籃: 大篝也. 从竹監聲. 𥬠, 古文籃如此. 魯甘切.

飜譯

'옷을 말리는데 쓰는 큰 대 상자(大篝)'를 말한다.30) 죽(竹)이 의미부이고 감(監)이 소리부이다. 람(𥬠)은 람(籃)의 고문체인데, 이렇게 쓴다. 독음은 로(魯)와 감(甘)의 반절이다.

30) 『단주』에서 "오늘날 세속에서는 훈구(熏篝)를 홍람(烘籃)이라 하는데 이것을 말한다."라고 했는데, 홍람(烘籃)은 화로나 물동이 위에 설치하여 옷을 말리는 대를 엮어 만든 조롱을 말한다.

2920

## 篝: 篝: 배롱 구: 竹-총16획: gōu

原文

篝: 答也. 可熏衣. 从竹冓聲. 宋楚謂竹篝牆以居也. 古侯切.

飜譯

'대 상자(答)'를 말하는데, 옷을 말리는데 쓴다.31) 죽(竹)이 의미부이고 구(冓)가 소리부이다. 송(宋)과 초(楚) 지역에서는 대로 만든 배롱(竹篝)을 장거(牆居)라고 부른다.32) 독음은 고(古)와 후(侯)의 반절이다.

2921

## 笿: 笿: 잔을 담아두는 대그릇 락: 竹-총12획: luò

原文

笿: 桮笿也. 从竹各聲. 盧各切.

飜譯

'잔을 담아두는 대그릇(桮笿)'을 말한다. 죽(竹)이 의미부이고 각(各)이 소리부이다. 독음은 로(盧)와 각(各)의 반절이다.

2922

## 筝: 筝: 젓가락 통 공: 竹-총12획: gòng, xiáng

原文

31) 『단주』에서는 "答也, 可熏衣."에서 야(也)자는 연문(衍文)이며, "答可熏衣者"가 되어야 한다고 했다. 『광운(廣韵)』에서는 훈롱(熏籠)을 말한다고 했다.

32) 장거(牆居) 사이에 들어간 이(以)는 잘못으로 보인다. 그래서 『단주』에서 이렇게 말했다. "각 파본에서는 장거(牆居) 사이에 이(以)자가 잘못하여 더 들어갔다. 『방언(方言)』에서 구(篝)를 진(陳), 초(楚), 송(宋), 위(魏) 지역에서는 장거(牆居)라 한다고 했고, 『광아(廣雅)』에서는 구(篝)는 대그릇을 말하며(籠也), 훈구(薰篝)를 장거(牆居)라고 한다고 했다."

𥫗: 桮笿也. 从竹夅聲. 或曰盛箸籠. 古送切.

飜譯

'잔을 담아두는 대그릇(桮笿)'을 말한다. 죽(竹)이 의미부이고 강(夅)이 소리부이다. 혹자는 '수저를 건져 담는 광주리(盛箸籠)'라고도 한다. 독음은 고(古)와 송(送)의 반절이다.

2923

籢: 籢: 경렴 렴: 竹-총23획: lián

原文

籢: 鏡籢也. 从竹斂聲. 力鹽切.

飜譯

'거울을 넣는 대 상자(鏡籢)'를 말한다. 죽(竹)이 의미부이고 렴(斂)이 소리부이다. 독음은 력(力)과 염(鹽)의 반절이다.

2924

籫: 籫: 대그릇 찬: 竹-총25획: zuǎn

原文

籫: 竹器也. 从竹贊聲. 讀若纂. 一曰叢. 作管切.

飜譯

'대로 만든 기물(竹器)'을 말한다. 죽(竹)이 의미부이고 찬(贊)이 소리부이다. 찬(纂)과 같이 읽는다. 일설에는 '무더기로 난 떨기(叢)'를 말한다고도 한다. 독음은 작(作)과 관(管)의 반절이다.

2925

籯: 籯: 바구니 영: 竹-총26획: yíng

原文

籯: 笭也. 从竹嬴聲. 以成切.

飜譯

'대로 만든 상자(笭)'를 말한다. 죽(竹)이 의미부이고 영(嬴)이 소리부이다. 독음은 이(以)와 성(成)의 반절이다.

**2926**

**⿱竹删: ⿱竹删: 대그릇 산: 竹-총14획: sān**

原文

⿱竹删: 竹器也. 从竹删聲. 蘇旰切.

飜譯

'대로 만든 기물(竹器)'을 말한다. 죽(竹)이 의미부이고 산(删)이 소리부이다. 독음은 소(蘇)와 간(旰)의 반절이다.

**2927**

**簋: 簋: 제기 이름 궤: 竹-총17획: lián**

原文

簋: 黍稷方器也. 从竹从皿从皀. 𠥓, 古文簋从匚、飢. 𠥜, 古文簋或从軌. 朹, 亦古文簋. 居洧切.

飜譯

'서직을 담는 네모난 제기(黍稷方器)'를 말한다.33) 죽(竹)이 의미부이고 명(皿)도 의

---

33) 고대 중국의 가장 대표적인 음식 그릇 중의 하나인데, 고고 출토자료에 의하면 그림과 같이 생겨, 둥근 아가리(圓口)와 두 귀(雙耳), 볼록한 배(圓腹)와 두루마리 발(卷足)을 가진 모습이다. 상나라 때부터 동주 때까지 유행했으며, 제기로 사용되었다. 네모로 된 궤는 특별히 방궤(方簋)라 한다. 청동기로 만들던 것이 이후 나무로 만들게 되었고, 다시 대로 만들게 되면서 죽(竹)이 더해졌다.

미부이고 급(皀)도 의미부이다. 궤(匭)는 궤(簋)의 고문체인데, 방(匚)과 기(飢)가 모두 의미부이다. 궤(匭)는 궤(簋)의 고문체이인데, 간혹 궤(軌)로 구성되었다. 궤(朹)도 궤(簋)의 고문체이다. 독음은 거(居)와 유(洧)의 반절이다.

**2928**

**簠: 簠: 제기 이름 보: 竹-총18획: fǔ**

原文

簠: 黍稷圜器也. 从竹从皿, 甫聲. 匠, 古文簠从匚从夫. 方矩切.

飜譯

'서직을 담는 네모난 제기(黍稷圜器)'를 말한다.[34] 죽(竹)이 의미부이고 명(皿)도 의미부이고, 보(甫)가 소리부이다. 보(匠)는 보(簠)의 고문체인데, 방(匚)도 의미부이고 부(夫)도 의미부이다. 독음은 방(方)과 구(矩)의 반절이다.

**2929**

**籩: 籩: 대오리로 만든 과일 담는 제기 변: 竹-총25획: biān**

原文

籩: 竹豆也. 从竹邊聲. 匾, 籒文籩. 布玄切.

飜譯

'대로 만든 두와 같이 생긴 제기(竹豆)'를 말한다. 죽(竹)이 의미부이고 변(邊)이 소리부이다. 변(匾)은 변(籩)의 주문체이다. 독음은 포(布)와 현(玄)의 반절이다.

---

34) 고대 중국의 음식 그릇 중의 하나인데, 수수(黍), 기장(稷), 조(粱), 쌀(稻) 등을 담던 네모로 된 기물이다. 그림에서처럼 보통 장방형으로 되었으며, 뚜껑과 몸체가 크기나 모양에서 대칭을 이루며 합치면 하나가 되고 분리하면 두 개의 기물이 된다. 서주 말과 춘추 시기에 유행했고, 전국 이후로는 잘 보이지 않는다. 청동기로 만들던 것이 이후 나무로 만들게 되었고, 다시 대로 만들게 되면서 죽(竹)이 더해졌다.

**2930**

**笹: 笹: 둥구미 돈: 竹-총10획: dùn**

原文

笹: 篅也. 从竹屯聲. 徒損切.

飜譯

'곡물을 담는 대로 만든 기물(篅)'을 말한다.[35] 죽(竹)이 의미부이고 둔(屯)이 소리부이다. 독음은 도(徒)와 손(損)의 반절이다.

**2931**

**篅: 篅: 대그릇 천: 竹-총15획: chuán**

原文

篅: 以判竹圜以盛穀也. 从竹耑聲. 市緣切.

飜譯

'대를 쪼개 둥글게 짠 곡물을 담는 기물(以判竹圜以盛穀)'을 말한다. 죽(竹)이 의미부이고 단(耑)이 소리부이다. 독음은 시(市)와 연(緣)의 반절이다.

**2932**

**簏: 簏: 대 상자 록: 竹-총17획: lù**

原文

簏: 竹高篋也. 从竹鹿聲. 箓, 簏或从录. 盧谷切.

飜譯

'대로 만든 키가 큰 상자(竹高篋)'를 말한다. 죽(竹)이 의미부이고 록(鹿)이 소리부이다. 록(箓)은 록(簏)의 [역주] 자인데, 록(录)으로 구성되었다. 독음은 로(盧)와 곡

35) 『단주』에서 이렇게 말했다. "『광운(廣韵)』에서 천(篅)은 거(籧)를 말한다고 했다. 오늘날 세속에서는 곡식을 고봉으로 담은 기물을 두고 사거(土籧)라고 한다."

(谷)의 반절이다.

2933

**簜: 簜: 대그릇 탕: 竹-총15획: dàng**

原文

簜: 大竹筩也. 从竹昜聲. 徒朗切.

飜譯

'큰 대나무 통(大竹筩)'을 말한다.36) 죽(竹)이 의미부이고 양(昜)이 소리부이다. 독음은 도(徒)와 랑(朗)의 반절이다.



2934

**筩: 筩: 전동 용·대통 통: 竹-총13획: tǒng, yǒng**

原文

筩: 斷竹也. 从竹甬聲. 徒紅切.

飜譯

'대나무를 잘라 만든 것(斷竹)'을 말한다.37) 죽(竹)이 의미부이고 용(甬)이 소리부이다. 독음은 도(徒)와 홍(紅)의 반절이다.

2935

**箯: 箯: 가마 편: 竹-총15획: biān**

---

36) 『단주』에서는 이렇게 말했다. "『의례·대사의(大射儀)』에서 탕(蕩)은 건고(建鼓) 사이에 둔다고 했는데, 탕(蕩)은 탕(簜)으로 써야 할 것이다. 탕(蕩)을 대나무 이름(竹名)이라고도 하는데 원래 뜻은 아니다. 생황(笙)이나 퉁소(簫) 등의 악기를 탕(簜)이라고도 하는데 그 크기가 커서 그렇게 불렀을 것이다."

37) 『단주』에서는 이렇게 보충했다. "『한서·율력지(律曆志)』에서 12개의 음통(筩)을 만들어 봉황의 우는 소리를 듣는다(以聽鳳之鳴)라고 했는데, 이 역시 통(筩)의 한 모습이다."

原文

箯: 竹輿也. 从竹便聲. 旁連切.

飜譯

'대로 만든 가마(竹輿)'를 말한다. 죽(竹)이 의미부이고 편(便)이 소리부이다. 독음은 방(旁)과 련(連)의 반절이다.

**2936**

**笯: 笯: 새장 노: 竹-총11획: nú**

原文

笯: 鳥籠也. 从竹奴聲. 乃故切.

飜譯

'새장(鳥籠)'을 말한다. 죽(竹)이 의미부이고 노(奴)가 소리부이다. 독음은 내(乃)와 고(故)의 반절이다.

**2937**

**竿: 竿: 장대 간: 竹-총9획: gān**

原文

竿: 竹梃也. 从竹干聲. 古寒切.

飜譯

'대나무 장대(竹梃)'를 말한다. 죽(竹)이 의미부이고 간(干)이 소리부이다. 독음은 고(古)와 한(寒)의 반절이다.

**2938**

**籗: 籗: 가리 착: 竹-총30획: zhuó**

原文

籗: 罩魚者也. 从竹靃聲. 篧, 籗或省. 竹角切.

翻譯

'물고기를 가두는 도구(罩魚者)'를 말한다. 죽(竹)이 의미부이고 확(靃)이 소리부이다. 착(篧)은 착(籗)의 혹체자인데, 생략된 모습이다. 독음은 죽(竹)과 각(角)의 반절이다.

**2939**

**箇: 箇: 낱 개: 竹-총14획: gè**

原文

箇: 竹枚也. 从竹固聲. 古賀切.

翻譯

'대나무 한 개(竹枚)'를 말한다. 죽(竹)이 의미부이고 고(固)가 소리부이다.[38] 독음은 고(古)와 하(賀)의 반절이다.

**2940**

**筊: 筊: 단소 효·대 새끼 교: 竹-총12획: jiǎo**

原文

筊: 竹索也. 从竹交聲. 胡茅切.

翻譯

'대를 꼬아 만든 밧줄(竹索)'을 말한다. 죽(竹)이 의미부이고 교(交)가 소리부이다. 독음은 호(胡)와 모(茅)의 반절이다.

---

38) 『단주』에서는 이 말의 뒤에 "箇或作个, 半竹也.(箇는 간혹 个로 적기도 하는데, 죽(竹)자의 절반 모습이다.)"라는 말을 추가했는데, 『육서고(六書故)』에서 인용한 당나라 판본에 보인다고 했다.

**2941**

**䇃: 筰: 대 밧줄 작: 竹-총13획: zuó**

原文

䇃: 筊也. 从竹作聲. 在各切.

飜譯

'대를 꼬아 만든 밧줄(筊)'을 말한다. 죽(竹)이 의미부이고 작(作)이 소리부이다. 독음은 재(在)와 각(各)의 반절이다.

**2942**

**笘: 箔: 솜 너는 대나무 발 전: 竹-총14획: qián, zhān**

原文

笘: 蔽絮簣也. 从竹沾聲. 讀若錢. 昨鹽切.

飜譯

'종이를 만들 때 뜨는 발(蔽絮簣)'을 말한다. 죽(竹)이 의미부이고 첨(沾)이 소리부이다. 전(錢)과 같이 읽는다. 독음은 작(昨)과 염(鹽)의 반절이다.

**2943**

**箑: 箑: 부채 삽: 竹-총14획: shà**

原文

箑: 扇也. 从竹疌聲. 篓, 箑或从妾. 山洽切.

飜譯

'부채(扇)'를 말한다. 죽(竹)이 의미부이고 섭(疌)이 소리부이다. 삽(篓)은 삽(箑)의 혹체자인데, 첩(妾)으로 구성되었다. 독음은 산(山)과 흡(洽)의 반절이다.

2944

**籠: 籠: 대그릇 롱: 竹-총22획: lóng**

原文

籠: 舉土器也. 一曰笭也. 从竹龍聲. 盧紅切.

飜譯

'흙을 담아 운반하는 도구(舉土器)'를 말한다. 일설에는 '대바구니(笭)'를 말한다고도 한다.39) 죽(竹)이 의미부이고 룡(龍)이 소리부이다. 독음은 로(盧)와 홍(紅)의 반절이다.

2945

**籔: 籔: 조리 양: 竹-총23획: ráng, rǎng**

原文

籔: 裒也. 从竹襄聲. 如兩切.

飜譯

'물건을 담는 대로 만든 기물(裒)'을 말한다. 죽(竹)이 의미부이고 양(襄)이 소리부이다. 독음은 여(如)와 량(兩)의 반절이다.

2946

**笠: 笠: 얼레 호: 竹-총10획: hù**

原文

笠: 可以收繩也. 从竹, 象形, 中象人手所推握也. 互, 笠或省. 胡誤切.

飜譯

---

39) 령(笭)에 대해, 『단주』에서는 영(籯)과 같다고 하면서, 이렇게 말했다. "령(笭)자 아래에 '一曰籯也(일설에는 바구니를 말한다고도 한다)'라고 했다. 『주례·선인(繕人)』에서 수레를 탈 때는 먼저 농복(籠箙)을 채워둔다(凡乘車充其籠箙)'라고 했는데, 『주』에서 농복(籠箙)은 화살(矢)로 채운다고 했다."

‘실을 감아 두는 실패(可以收繩)’를 말한다.[40] 죽(竹)이 의미부이다. 상형이다. 중간 부분은 사람이 손으로 잡고 있는 모습이다. 호(互)는 호(笠)의 혹체자인데, 생략된 모습이다. 독음은 호(胡)와 오(誤)의 반절이다.

**2947**

**簝: 簝: 제기 이름 료: 竹-총18획: liáo**

原文

簝: 宗廟盛肉竹器也. 从竹尞聲. 『周禮』: “供盆簝以待事.” 洛蕭切.

飜譯

‘종묘에서 고기를 담는데 쓰는 대로 만든 제기(宗廟盛肉竹器)’를 말한다. 죽(竹)이 의미부이고 료(尞)가 소리부이다. 『주례·지관·우인(牛人)』에서 “동이와 대상자를 제공해 제사를 모실 수 있게 한다(供盆簝以待事)”라고 했다. 독음은 락(洛)과 소(蕭)의 반절이다.

**2948**

**篆: 籧: 쇠먹이 그릇 거: 竹-총19획: jǔ**

原文

籧: 飲牛筐也. 从竹豦聲. 方曰筐, 圜曰籧. 居許切.

飜譯

‘소에게 먹이를 먹이는 데 쓰는 둥근 대광주리(飲牛筐) 즉 소 여물통’을 말한다. 죽(竹)이 의미부이고 거(豦)가 소리부이다. 네모진 것을 광(筐)이라 하고, 둥근 것을 거(籧)라 한다. 독음은 거(居)와 허(許)의 반절이다.

---

40) 『단주』에서 “可目收繩者也”가 되어야 한다고 하면서 자(者)자를 보충했다. 그리고 이렇게 말했다. “수(收)자는 규(糾)자가 되어야 옳은데, 독음으로 인한 오류이다. 규(糾)는 실을 교차시키다는 뜻이다(絞也). 오늘날에도 실을 감을 때는 아직도 이 기물을 사용하고 있다.”

2949

**篼: 篼: 구유 두: 竹-총17획: dōu**

原文

篼: 飮馬器也. 从竹兜聲. 當侯切.

飜譯

'말을 먹이는데 쓰는 기물(飮馬器) 즉 말구유'를 말한다. 죽(竹)이 의미부이고 두(兜)가 소리부이다. 독음은 당(當)과 후(侯)의 반절이다.

2950

**籚: 籚: 창 자루 로: 竹-총22획: lú**

原文

籚: 積竹矛戟矜也. 从竹盧聲. 『春秋國語』曰: "朱儒扶籚." 洛乎切.

飜譯

'대나무를 켜켜이 쌓아서 만든 창과 극의 자루(積竹矛戟矜)'를 말한다.[41] 죽(竹)이 의미부이고 로(盧)가 소리부이다. 『춘추국어』(晉語)에서 "난장이가 대나무를 켜켜이 쌓아서 만든 창과 극의 자루를 타고 다니며 희학질을 한다(朱儒扶籚)"라고 했다. 독음은 락(洛)과 호(乎)의 반절이다.

2951

**箝: 箝: 재갈 먹일 겸: 竹-총14획: qián**

原文

箝: 籋也. 从竹拑聲. 巨淹切.

41) 과(戈)와 모(矛)와 극(戟=戟)은 우리말로 모두 '창'으로 옮겨지지만, 형체는 매우 다르다. 모(矛)가 우리가 상상하는 날이 뾰족한 창이어서 찌를 수 있도록 고안된 창이라면, 과(戈)는 날이 낫처럼 되어 찍거나 벨 수 있도록 된 고안된 창이며, 극(戟)은 이 둘이 하나로 합쳐져 상황에 따라 찌르거나 베거나 둘 다 가능하도록 고안된 창이다.

飜譯

'대로 만든 족집게(籋)'를 말한다.[42] 죽(竹)이 의미부이고 겸(拑)이 소리부이다. 독음은 거(巨)와 엄(淹)의 반절이다.

**2952**

**籋: 籋: 족집게 섭: 竹-총20획: niè**

原文

籋: 箝也. 从竹爾聲. 尼輒切.

飜譯

'대로 만든 족집게(箝)'를 말한다. 죽(竹)이 의미부이고 이(爾)가 소리부이다. 독음은 니(尼)와 첩(輒)의 반절이다.

**2953**

**簦: 簦: 우산 등: 竹-총18획: dēng**

原文

簦: 笠蓋也. 从竹登聲. 都滕切.

飜譯

'우산처럼 생긴 삿갓(笠蓋)'을 말한다. 죽(竹)이 의미부이고 등(登)이 소리부이다. 독음은 도(都)와 등(滕)의 반절이다.

---

42) 『단주』에서 이렇게 말했다. "겸(拑)은 양쪽에서 압박하여 끼우다(脅持)는 뜻이다. 대(竹)로 끼우는 것을 겸(箝)이라 하고, 쇠(鐵)로 묶어 결박하는 것을 겸(鉗)이라 한다. 고대 문헌에서는 둘 다 통용하였다."

2954

**笠**: 笠: **우리 립**: 竹-**총11획**: **lì**

原文

笠: 簦無柄也. 从竹立聲. 力入切.

飜譯

'손잡이가 없는 우산(簦無柄) 즉 삿갓'을 말한다. 죽(竹)이 의미부이고 입(立)이 소리부이다. 독음은 력(力)과 입(入)의 반절이다.

2955

**箱**: 箱: **상자 상**: 竹-**총15획**: **xiāng**

原文

箱: 大車牝服也. 从竹相聲. 息良切.

飜譯

'큰 수레의 차간(大車牝服)'을 말한다. 죽(竹)이 의미부이고 상(相)이 소리부이다. 독음은 식(息)과 량(良)의 반절이다.

2956

**篚**: 篚: **대광주리 비**: 竹-**총16획**: **fěi**

原文

篚: 車笭也. 从竹匪聲. 敷尾切.

飜譯

'대로 엮어 만든 수레의 난간(車笭)'을 말한다. 죽(竹)이 의미부이고 비(匪)가 소리부이다. 독음은 부(敷)와 미(尾)의 반절이다.

2957

**笭: 笭: 도꼬마리 령: 竹-총11획: líng**

原文

笭: 車笭也. 从竹令聲. 一曰笭, 籯也. 郎丁切.

飜譯

'대로 엮어 만든 수레의 난간(車笭)'을 말한다. 죽(竹)이 의미부이고 령(令)이 소리부이다. 일설에는 령(笭)이 '대광주리(籯)'를 말한다고도 한다.43) 독음은 랑(郎)과 정(丁)의 반절이다.

2958

**箌: 箌: 말 털 긁을 잠: 竹-총16획: tán**

原文

箌: 搔馬也. 从竹剡聲. 丑廉切.

飜譯

'말을 목욕시키며 긁어주는데 쓰는 도구(搔馬)'를 말한다. 죽(竹)이 의미부이고 섬(剡)이 소리부이다. 독음은 축(丑)과 렴(廉)의 반절이다.

2959

**策: 策: 채찍 책: 竹-총12획: cè**

原文

策: 馬箠也. 从竹朿聲. 楚革切.

飜譯

'말의 채찍(馬箠)'을 말한다. 죽(竹)이 의미부이고 자(朿)가 소리부이다. 독음은 초

43) 위의 2944_籠의 주석을 참고하라.

(楚)와 혁(革)의 반절이다.

**2960**

**箠: 箠: 채찍 추: 竹-총14획: chuí**

原文

箠: 擊馬也. 从竹垂聲. 之壘切.

飜譯

'말을 때리는 채찍(擊馬)'을 말한다.44) 죽(竹)이 의미부이고 수(垂)가 소리부이다. 독음은 지(之)와 루(壘)의 반절이다.

**2961**

**築: 築: 대 이름 타: 竹-총12획: zhuā, duò**

原文

築: 箠也. 从竹朵聲. 陟瓜切.

飜譯

'대로 만든 채찍(箠)'을 말한다. 죽(竹)이 의미부이고 타(朵)가 소리부이다. 독음은 척(陟)과 과(瓜)의 반절이다.

**2962**

**笍: 笍: 채찍 체·대나무 이름 예: 竹-총10획: zhuì**

原文

---

44) 닉(匿)의 설명에서 "양추추(羊騶箠)와 같이 읽는다(匿……讀如羊騶箠)"라고 했는데, 양추추(羊騶箠)는 양의 채찍 끝에 다는 쇠를 말한다. 이에 대해 『단주』에서는 양추추(羊騶箠)는 양추추(羊箠蟄)라고 할 때의 추(蟄)와 같이 읽는다(讀若羊箠蟄之蟄)가 되어야 한다고 했는데, 추(蟄)도 채찍 끝에 달린 쇠를 말한다.

芮: 羊車騶箠也. 箸箴其耑, 長半分. 从竹内聲. 陟衛切.

飜譯

'잘 장식된 마차를 모는데 쓰는 채찍(羊車騶箠)'을 말한다.[45] 끝부분에 철침을 달았는데, 길이는 반 푼(分)이다. 죽(竹)이 의미부이고 내(内)가 소리부이다. 독음은 척(陟)과 위(衛)의 반절이다.

**2963**

**籣: 籣: 동개 란: 竹-총23획: lán**

原文

籣: 所以盛弩矢, 人所負也. 从竹闌聲. 洛干切.

飜譯

'동개, 즉 활과 화살을 넣고 등에 짊어지는 통(所以盛弩矢, 人所負.)'을 말한다. 죽(竹)이 의미부이고 란(闌)이 소리부이다. 독음은 락(洛)과 간(干)의 반절이다.

**2964**

**箙: 箙: 전동 복: 竹-총14획: fú**

原文

箙: 弩矢箙也. 从竹服聲. 『周禮』: "仲秋獻矢箙." 房六切.

飜譯

'전동, 즉 화살을 담아두는 통(弩矢箙)'을 말한다. 죽(竹)이 의미부이고 복(服)이 소

---

45) 양거(羊車)는 정교하고 아름답게 장식이 된 수레를 말한다. 『단주』에서는 이렇게 말했다. "금(金)부수에서 추(鍫)는 양거를 모는데 쓰는 채찍을 말하는데(羊車箠也), 끝 부분에 쇠가 달려 있다. 혜(匸)부수에서 닉(匿)은 '양추추(羊騶箠)의 추(箠)와 같이 읽는다'라고 했다. 양거(羊車)는 『고공기(考工記)』에 보이는데, 정현의 주석에서 양(羊)은 훌륭하다는 뜻이다(善也)라고 했다. 선거(善車)는 오늘날 말하는 정장거(定張車)를 말한다고 했다. 『이아·석명(釋名)』에서 양(羊)은 상서럽다(祥)는 뜻이고, 상(祥)은 훌륭하다(善)는 뜻이라고 했다. 양거(羊車)는 훌륭하게 장식된 수레(善飾之車)를 말한다. 오늘날의 독거(犢車)가 바로 이것이다."

리부이다. 『주례·하관·사궁시(司弓矢)』에서 "중추절이 되면 화살 통을 헌상한다(仲秋獻矢箙)"라고 하였다. 독음은 방(房)과 륙(六)의 반절이다.

**2965**

**笨: 筞: 대나무로 만든 돛 추·돛을 달 창: 竹-총12획: zhū, chuǎng**

原文

笨: 桻雙也. 从竹朱聲. 陟輸切.

飜譯

'대 껍질을 엮어 만든 돛(桻雙)'을 말한다.[46] 죽(竹)이 의미부이고 주(朱)가 소리부이다. 독음은 척(陟)과 수(輸)의 반절이다.

**2966**

**笘: 笘: 회초리 점: 竹-총11획: shān**

原文

笘: 折竹箠也. 从竹占聲. 潁川人名小兒所書寫爲笘. 失廉切.

飜譯

'대를 쪼개 만든 채찍(折竹箠)'을 말한다. 죽(竹)이 의미부이고 점(占)이 소리부이다. 영천(潁川)[47] 지역 사람들은 '아이들이 글씨 연습할 때 쓰는 댓조각(小兒所書寫)'을

46) 『단주』에서 이렇게 보충했다. "항쌍(桻雙)은 목(木)부수에 보인다. 『광아(廣雅)』에서 공쌍(筝篗)을 주(筞)라 한다고 했다. 『광운(廣韻)』 제4강(江)부에서 항쌍(桻篗)은 돛을 펴지 않은 상태를 말한다(帆未張也)고 했고, 또 쌍(篗)은 돛을 말한다(帆也)라고 했다. 내 생각에, 멸석(篾席·대껍질을 엮어 만든 자리)으로 만든 돛을 항쌍(桻雙)이라 하고, 그래서 간혹 글자에 죽(竹)이 들어갔을 것이다. 오늘날의 큰 범선의 돛도 멸석(篾席)으로 만들고 있다."

47) 연천(潁川)은 고대 중국의 군(郡) 이름으로 진시황 17년(기원전 230)에 설치되었는데, 영수(潁水) 때문에 이름이 붙여졌다. 치소(治所)는 양적(陽翟, 지금의 하남성 禹州市)에 있었으며, 오늘날의 하남성 등봉시(登封市)와 보풍(寶豐) 동쪽, 위지(尉氏)와 언성(郾城) 서쪽, 신밀시(新密市) 남쪽, 엽현(葉縣)과 무양(舞陽) 북쪽 지역을 포함했다. 이후 치소도 여러 차례 옮겨졌고, 범위도 점차 축소되었다. 가장 방대했을 때에는 주마점(駐馬店) 지역까지 관할하기도 했다. 수

점(笘)이라고도 한다. 독음은 실(失)과 렴(廉)의 반절이다.

2967

**笪: 笪: 뜸 달·칠 단: 竹-총11획: dá**

原文

笪: 笞也. 从竹旦聲. 當割切.

飜譯

'회초리(笞)'를 말한다.48) 죽(竹)이 의미부이고 단(旦)이 소리부이다. 독음은 당(當)과 할(割)의 반절이다.

2968

**笞: 笞: 볼기 칠 태: 竹-총11획: chī**

原文

笞: 擊也. 从竹台聲. 丑之切.

飜譯

'치다(擊)'라는 뜻이다. 죽(竹)이 의미부이고 태(台)가 소리부이다. 독음은 축(丑)과 지(之)의 반절이다.

2969

**籤: 籤: 제비 첨: 竹-총23획: qiān**

原文

籤: 驗也. 一曰銳也, 貫也. 从竹韱聲. 七廉切.

---

나라 초기에 폐지되었다. 영천군(潁川郡)은 대우(大禹)의 고향으로, 중국 국가의 시작인 하나라의 수도였을 것으로 추정한다.(바이두백과)

48) 『단주』에서 "달(笪)은 사람을 매질할 수 있는 물건을 말한다(可以撻人之物)."라고 했다.

飜譯

'표식을 한 제비(驗)'를 말한다.[49] 일설에는 '뾰족하다(銳)', '꿰뚫다(貫)'라는 뜻이라고도 한다. 죽(竹)이 의미부이고 섬(韱)이 소리부이다. 독음은 칠(七)과 렴(廉)의 반절이다.

2970

**篅: 簖: 매 둔: 竹-총19획: tún, diàn**

原文

篅: 椺也. 从竹殿聲. 徒魂切.

飜譯

'도지개, 즉 틈이 가거나 뒤틀린 활을 바로잡는 틀(椺)'을 말한다.[50] 죽(竹)이 의미부이고 전(殿)이 소리부이다. 독음은 도(徒)와 혼(魂)의 반절이다.

2971

**箴: 箴: 바늘 잠: 竹-총15획: zhēn**

原文

箴: 綴衣箴也. 从竹咸聲. 職深切.

飜譯

'옷을 꿰매는 바늘(綴衣箴)'을 말한다. 죽(竹)이 의미부이고 함(咸)이 소리부이다. 독음은 직(職)과 심(深)의 반절이다.

---

49) 『단주』에서는 험(驗)은 검(譣)이 되어야 한다고 하면서 "그런지 아닌지를 따져보다(占譣然不也)"라는 뜻이라고 했다.

50) 주준성의 『통훈정성』에서는 이렇게 말했다. "활이나 쇠뇌의 탄력성을 바로 잡아주는 틀, 즉 도지개를 말한다. 나무로 된 것을 柲(도지개 비)이나 檠(도지개 경)이나 榜(매 방)이라고 하며, 대로 된 것을 둔(簖)이나 閉(닫을 폐)라고 한다."

**2972**

**箾: 箾: 음악 소·삭: 竹-총15획: shuò**

原文

箾: 以竿擊人也. 从竹削聲. 虞舜樂曰箾韶. 所角切.

飜譯

'장대로 사람을 때리다(以竿擊人)'라는 뜻이다. 죽(竹)이 의미부이고 삭(削)이 소리부이다. 우순(虞舜)의 음악을 소소(箾韶)라고 한다. 독음은 소(所)와 각(角)의 반절이다.

**2973**

**竽: 竽: 피리 우: 竹-총9획: yú**

原文

竽: 管三十六簧也. 从竹亏聲. 羽俱切.

飜譯

'혀(reed)가 36개 달린 관악기(管三十六簧)'를 말한다.[51] 죽(竹)이 의미부이고 우(亏)가 소리부이다. 독음은 우(羽)와 구(俱)의 반절이다.

**2974**

**笙: 笙: 생황 생: 竹-총11획: shēng**

原文

51) 『단주』에서는 "管三十六簧也"의 경우 관(管)자 다음에 악(樂)자가 더 들어가야 한다고 했다. 그리고 이렇게 말했다. "대로 만든 것은 모두 관악(管樂)이라 한다. 『주례(周禮)』에서 생사(笙師)는 우(竽) 부는 법을 가르치는 법을 담당한다고 했는데, 정중의 해설에서는 우(竽)는 36개의 혀(reed)가 달렸다고 했다. 『광아(廣雅)』에서도 우(竽)는 36개의 혀가 달린 관악기라고 했다. 그렇다면 관(管)에는 모두 혀(簧)가 있다는 말이다. 『역위(易緯)·통괘험(通卦驗)』과 『풍속통(風俗通)』 모두에서 길이가 4자 2치라고 했다. 우(竽)와 생(笙)의 관은 모두 박(匏)에다 열을 지어 만든다. 『송서(宋書)·악지(樂志)』에서 우(竽)는 오늘날 이미 사라지고 없다고 했다."

笙: 十三簧. 象鳳之身也. 笙, 正月之音. 物生, 故謂之笙. 大者謂之巢, 小者謂之和. 从竹生聲. 古者隨作笙. 所庚切.

翻譯

'혀(reed)가 13개 달린 악기(十三簧)'를 말하는데, 봉새의 몸을 닮았다. 생(笙)은 정월(正月)을 대표하는 음악이다. 이때는 만물이 자라날 때이다. 그래서 생(生)이 들어간 생(笙)이라 부른다. 그중 큰 것을 소(巢)라 하고, 작은 것을 화(和)라 한다. 죽(竹)이 의미부이고 생(生)이 소리부이다.[52] 먼 옛날, 수(隨)라는 사람이 생(笙)을 만들었다.[53] 독음은 소(所)와 경(庚)의 반절이다.

**2975**

**簧: 簧: 혀 황: 竹-총18획: huáng**

原文

簧: 笙中簧也. 从竹黃聲. 古者女媧作簧. 戶光切.

翻譯

'생(笙)에 달린 진동을 만들어 주는 혀(reed)(笙中簧)'를 말한다. 죽(竹)이 의미부이고 황(黃)이 소리부이다. 먼 옛날, 여와(女媧)가 황(簧)을 만들었다.[54] 독음은 호(戶)와 광(光)의 반절이다.

**2976**

**箟: 箟: 악기의 혀 시: 竹-총15획: chí, shi, tí, shí**

原文

---

52) 소전에서처럼 竹(대 죽)이 의미부고 生(날 생)이 소리부로, '笙簧(생황)'을 말하는데, 소리를 만들어 내는(生) 대나무(竹)로 만든 악기라는 의미를 담았다. 옛날에는 13~19개의 관으로 되었는데, 지금은 24개로 되어 있으며, 화음을 내는 유일한 국악기로 알려졌다.

53) 이 말은 『통전(通典)』에서 『세본(世本)』에 나온다고 했다.(『단주』)

54) 『단주』에서 이 말도 『세본(世本)·작편(作篇)』에서 나온다고 했다.

篪: 簧屬. 从竹是聲. 是支切.

飜譯

'악기의 혀(reed)의 일종이다(簧屬).'55) 죽(竹)이 의미부이고 시(是)가 소리부이다. 독음은 시(是)와 지(支)의 반절이다.

2977

**簫: 簫: 퉁소 소: 竹-총18획: xiāo**

原文

簫: 參差管樂. 象鳳之翼. 从竹肅聲. 穌彫切.

飜譯

'길이가 다른 관을 합쳐 만든 악기(參差管樂)'이다. 봉새의 날개를 닮았다. 죽(竹)이 의미부이고 숙(肅)이 소리부이다. 독음은 소(穌)와 조(彫)의 반절이다.

2978

**筒: 筒: 대롱 통: 竹-총12획: tǒng**

原文

筒: 通簫也. 从竹同聲. 徒弄切.

飜譯

'퉁소(通簫)'를 말한다. 죽(竹)이 의미부이고 동(同)이 소리부이다. 독음은 도(徒)와 롱(弄)의 반절이다.

2979

**籟: 籟: 세 구멍 퉁소 뢰: 竹-총22획: lài**

55) 『단주』에서 "오늘날의 자물통(鎖)을 보면 황(簧)으로 그것을 넓히고 시(篪)로 수렴하는데, 그렇게 하면 열린다. 이 사용법이 생(笙)에서의 황(簧)과 같은 이치이다."라고 했다.

原文

籟: 三孔龠也. 大者謂之笙, 其中謂之籟, 小者謂之箹. 从竹賴聲. 洛帶切.

飜譯

'구멍이 세 개 뚫린 퉁소(三孔龠)'를 말한다. 큰 것을 생(笙)이라 하고, 중간치를 뢰(籟)라 하고, 작은 것을 약(箹)이라 한다. 죽(竹)이 의미부이고 뢰(賴)가 소리부이다. 독음은 락(洛)과 대(帶)의 반절이다.

**2980**

**箹: 箹: 약 약·대 마디 요·동일 적: 竹-총15획: yuē, yào, chuò**

原文

箹: 小籟也. 从竹約聲. 於角切.

飜譯

'구멍이 세 개 뚫린 작은 퉁소(小籟)'를 말한다. 죽(竹)이 의미부이고 약(約)이 소리부이다. 독음은 어(於)와 각(角)의 반절이다.

**2981**

**管: 管: 피리 관: 竹-총14획: guǎn**

原文

管: 如篪, 六孔. 十二月之音. 物開地牙, 故謂之管. 从竹官聲. 琯, 古者玉琯以玉. 舜之時, 西王母來獻其白琯. 前零陵文學姓奚, 於伶道舜祠下得笙玉琯. 夫以玉作音, 故神人以和, 鳳皇來儀也. 从玉官聲. 古滿切.

飜譯

'피리'를 말하는데, 저(篪)를 닮았으며, 구멍이 여섯 개 뚫렸다. 12월을 상징하는 악기이다. 만물이 땅에서 싹을 틔우기 시작하는 때이므로 관(管)이라 했다. 죽(竹)이 의미부이고 관(官)이 소리부이다. 관(琯)의 경우, 옛날에는 옥으로 관을 만들었기 때문에 이렇게 썼다. 순(舜)임금 때 서왕모(西王母)가 와서 그에게 백관(白琯: 흰 옥피리)을 바쳤다.56) 이전에, 영릉(零陵)의 문학(文學)이었던 해경(奚景)이라는 사람이 영도(伶道)에 있던 순(舜) 임금의 사당에서 생(笙)과 옥으로 만든 피리(玉琯)를 얻었다.57) 보통 옥(玉)으로 악기를 만들어 소리를 내면, 신인(神人)이 이를 알라 화답하고, 봉황(鳳皇)이 날아와 춤을 춘다. 옥(玉)이 의미부이고 관(官)이 소리부이다.58) 독음은 고(古)와 만(滿)의 반절이다.

**2982**

**䈇: 篎: 작은 저 묘: 竹-총15획: miǎo**

原文

䈇: 小管謂之篎. 从竹眇聲. 亡沼切.

飜譯

'작은 피리(小管)를 묘(篎)라고 한다.' 죽(竹)이 의미부이고 묘(眇)가 소리부이다. 독음은 망(亡)과 소(沼)의 반절이다.

**2983**

**笛: 笛: 피리 적: 竹-총11획: dí**

原文

笛: 七孔筩也. 从竹由聲. 羌笛三孔. 徒歷切.

飜譯

---

56) 『단주』에서 이 말은 『대대예기(大戴禮記)』와 『상서대전(尙書大傳)』에 보인다고 했다.

57) 『단주』에서 이렇게 말했다. "이 말은 『풍속통(風俗通)』, 맹강(孟康)의 『한서주(漢書注)』, 『송서(宋書)·악지(樂志)』에 보이는데, 한나라 장제(章帝) 때 영릉(零陵)의 문학(文學)이었던 해경(奚景)이 영도(泠道)의 순(舜)임금의 사당 아래서 생(笙)과 백옥관(白玉管)을 얻었다고 했다. 다만 맹강의 『주』에서는 생(笙)자가 없다. 북주(北周) 때의 노변(盧辯)이 주석한 『대대예기(大戴禮記)』에서는 명제(明帝) 때의 일이라 했고, 거기서도 생(笙)자는 빠졌다."

58) 『단주』에서 이 말은 『풍속통(風俗通)』에 보인다고 했다.

'구멍이 일곱 개 난 관악기(七孔筩)'를 말한다. 죽(竹)이 의미부이고 유(由)가 소리부이다. 강족의 피리(羌笛)는 구멍이 셋이다.[59] 독음은 도(徒)와 력(歷)의 반절이다.

**2984**

**筑: 筑: 악기 이름 축: 竹-총12획: zhù**

原文

筑: 以竹曲五弦之樂也. 从竹从巩. 巩, 持之也. 竹亦聲. 張六切.

飜譯

'대 막대로 쳐서 각종 음악을 연주하는 것으로, 5현으로 된 악기이다(以竹曲五弦之樂)'.[60] 죽(竹)이 의미부이고 축(巩)도 의미부인데, 축(巩)은 '그것을 손으로 쥐다(持之)'라는 뜻이다. 죽(竹)은 소리부도 겸한다. 독음은 장(張)과 륙(六)의 반절이다.

제 5 권

---

59) 강적(羌笛)은 2천여 년의 역사를 가진 고대 악기로 현재에도 사천성 북부의 티베트-강족(藏羌) 자치주에서 사용되고 있다. 관이 2개이며 몇 개의 구멍(이전에는 5개, 지금은 대부분 6개)이며 고산에서 3500~4000미터에서 나는 유죽(油竹)으로 만든다. 2개의 관을 선으로 묶어 하나로 만들며, 길이는 13~19센티미터, 관의 직경은 2센티미터 정도이다.(바이두백과) 『설문』에서는 구멍이 3개라고 했으나 지금은 5~6개로 조금 변했음을 알 수 있다.

60) 단옥재는 이 부분이 말이 되지 않는다면서 다음처럼 말했다. "대 막대로 쳐서(以竹曲)라는 말은 통하지가 않는다. 『광운(廣韵)』에서는 '以竹爲(대로써)'라고 했는데 이 역시 오류이다. 오직 「오도부(吳都賦)」의 이선(李善) 주에서만 '似箏, 五弦之樂也.(쟁과 같이 생겼는데, 5현으로 된 악기이다)'라고 했는데, 이것이 사실에 부합한다. 쟁(箏)자에서 '5현으로 된 축의 몸통이다(五弦筑身)'라고 했는데, 그렇다면 축(筑)은 쟁(箏)과 비슷한 악기라는 말이다. 그러나 고유의 『회남자주』에서 '축곡 21현(筑曲二十一弦)'이라 하여, 이 악기를 축곡(筑曲)이라 불렀음도 알 수 있다. 『석명(釋名)』에서 축(筑)은 대로 치는 악기이다(以竹鼓之也)라고 했고, 『태평어람(御覽)』에서는 「악서(樂書)」를 인용하여 '대 막대로 쳐서 연주하는데(以竹尺擊之), 거문고를 치듯 한다.(如擊琴然)'라고 했다. 지금 이들 문헌들을 자세히 정리해 보건대, '筑曲以竹弦之樂也(축곡으로, 대로 현을 타는 악기이다)'가 되어야 할 것이다. 다만 고유가 말한 21현, 「악서」에서 말한 13현 등, 축(筑)의 현(弦)의 숫자가 몇인지는 알 수 없다. 옛날에는 쟁(箏)은 5현이라고 했는데, 『설문』에서는 아마도 축(筑)자의 해설에서 말한 '구현(鼓弦)'과 쟁(箏)자의 해설에서 말한 '5현(五弦)'이 서로 잘못된 것이 아닐까 한다. 쟁(箏)자의 해설에서 '축의 몸통(筑身)'이라 했으니, 축(筑)자의 해설에서 '쟁과 비슷하다(似箏)'라고 할 필요는 없었을 것이며, 이선(李善) 또한 축곡(筑曲)에 대해 잘 알지 못해 고친 것일 것이다."

**2985**

**箏: 箏: 쟁 쟁: 竹-총14획: zhēng**

原文

箏: 鼓弦竹身樂也. 从竹爭聲. 側莖切.

飜譯

'[이 악기는] 현을 튕겨서 연주하는 악기인데, 축의 몸통을 닮은 악기이다(鼓弦竹身樂).'[61] 죽(竹)이 의미부이고 쟁(爭)이 소리부이다. 독음은 측(側)과 경(莖)의 반절이다.

**2986**

**箛: 箛: 피리 고: 竹-총14획: gū**

原文

箛: 吹鞭也. 从竹孤聲. 古乎切.

飜譯

'입으로 불어서 연주하는 채찍처럼 생긴 악기(吹鞭)'를 말한다. 죽(竹)이 의미부이고 고(孤)가 소리부이다. 독음은 고(古)와 호(乎)의 반절이다.

---

61) 『단주』에서는 "鼓弦竹身樂也"를 "五弦筑身樂也(5현으로 된 축의 몸통을 닮은 악기이다)"로 고쳤다. 그리고 이렇게 말했다. "『태평어람(太平御覽)에 근거해 이렇게 바로 잡았다. 『풍속통(風俗通)』에서는 이렇게 말했다. '쟁(箏)은 「악기(樂記)」에 근거해 볼 때 5현으로 된 축의 몸통이다(五弦筑身也)라고 했다. 그런데 오늘날의 병주(幷州)와 양주(梁州)에서 사용하는 쟁(箏)의 형체가 슬(瑟)을 닮았다. 누가 고친 것인지는 알 수가 없다. 혹자는 진(秦)나라 때의 몽염(蒙恬)이 만들었다고도 한다.' 이에 근거해 볼 때, 옛날의 쟁(古箏)은 5현(弦)으로 되었는데, 몽염이 12현으로 고쳤고, 형체도 슬(瑟)처럼 고쳤을 뿐이다. 위진(魏晉) 이후로 쟁(箏)은 모두 슬(瑟)처럼 12현이 되었고, 당(唐) 이후부터 지금까지는 13현으로 되었다. 축(筑)은 쟁(箏)과 비슷하나 목이 가늘다. 옛날의 축(古筑)은 쟁(箏)과 비슷하나 슬(瑟)과는 다르다. 축(筑)의 몸통(身)이라고 한 것은 슬(瑟)과 같이 생긴 형체는 옛날의 것이 아님을 내보이기 위함이고, 5현으로 된 축의 몸통이라 한 것(五弦筑身者)은 쟁(箏)의 현(弦)이 축(筑)보다 작은 것을 내보이기 위함이다. 『송서(宋書)·악지(樂志)』에서 축의 몸통(筑身)을 슬의 몸통(瑟身)이라 한 것은 오류이다."

2987

**篍: 篍: 퉁소 추: 竹-총15획: qiū**

原文

篍: 吹筩也. 从竹秋聲. 七肖切.

飜譯

'입으로 불어서 연주하는 퉁소(吹筩)'를 말한다. 죽(竹)이 의미부이고 추(秋)가 소리부이다. 독음은 칠(七)과 초(肖)의 반절이다.

2988

**籌: 籌: 투호 살 주: 竹-총20획: chóu**

原文

籌: 壺矢也. 从竹壽聲. 直由切.

飜譯

'투호에 쓰는 화살(壺矢)'을 말한다. 죽(竹)이 의미부이고 수(壽)가 소리부이다. 독음은 직(直)과 유(由)의 반절이다.

2989

**簺: 簺: 박새 새: 竹-총19획: sài**

原文

簺: 行棊相塞謂之簺. 从竹从塞, 塞亦聲. 先代切.

飜譯

'바둑을 둘 때 서로 막아서 지나가지 못하도록 하는 것(行棊相塞)을 새(簺)라고 한다.' 죽(竹)이 의미부이고 색(塞)도 의미부인데, 색(塞)은 소리부도 겸한다. 독음은 선(先)과 대(代)의 반절이다.

**2990**

**簙: 簙: 섶 박: 竹-총18획: bó**

原文

簙: 局戲也. 六箸十二棊也. 从竹博聲. 古者烏胄作簙. 補各切.

飜譯

'바둑[처럼 판 위에서 하는 놀이]의 일종(局戲)'이다. 6개의 화살과 12개의 돌로 구성되었다. 죽(竹)이 의미부이고 박(博)이 소리부이다. 먼 옛날, 오주(烏胄)라는 사람이 박(簙)이라는 놀이를 만들었다고 한다. 독음은 보(補)와 각(各)의 반절이다.

**2991**

**篳: 篳: 울타리 필: 竹-총17획: bì**

原文

篳: 藩落也. 从竹畢聲. 『春秋傳』曰: "篳門圭窬." 卑吉切.

飜譯

'울타리(藩落)'를 말한다. 죽(竹)이 의미부이고 필(畢)이 소리부이다. 『춘추전』(『좌전』 양공 10년, B.C. 563)에서 "[가시나무나 대나무로 만든 사립문과 벽을 뚫어 만든 작은 문을 가진 집에 사는 사람 같은] 미천한 출신의 인물(篳門圭窬)"이라고 했다. 독음은 비(卑)와 길(吉)의 반절이다.

**2992**

**䈇: 䈇: 가리어 보이지 않을 애: 竹-총19획: ài**

原文

䈇: 蔽不見也. 从竹愛聲. 烏代切.

飜譯

'가려져 보이지 않음(蔽不見)'을 말한다. 죽(竹)이 의미부이고 애(愛)가 소리부이다.

독음은 오(烏)와 대(代)의 반절이다.

2993

**䉷: 籢: 가리개 엄: 竹-총26획: dàn, jìn, yán**

原文

䉷: 惟射所蔽者也. 从竹嚴聲. 語杴切.

飜譯

'익사를 할 때 [활 쏘는 사람의 몸을 숨기기 위해] 사용하는 가리개(惟射所蔽者)'를 말한다. 죽(竹)이 의미부이고 엄(嚴)이 소리부이다. 독음은 어(語)와 험(杴)의 반절이다.



2994

**篽: 篽: 금원 어: 竹-총17획: yǔ**

原文

篽: 禁苑也. 从竹御聲. 『春秋傳』曰: "澤之目篽." 魰, 篽或从又魚聲. 魚舉切.

飜譯

'일반인의 통행이 금지된 정원(禁苑)'을 말한다. 죽(竹)이 의미부이고 어(御)가 소리부이다. 『춘추전』(『좌전』 소공 20년, B.C. 522)에서 "새나 물고기를 키우는 임금의 연못 정원(澤之目篽)이다."62)라고 했다. 어(魰)는 어(篽)의 혹체자인데, 우(又)가 의미부이고 어(魚)가 소리부이다. 독음은 어(魚)와 거(舉)의 반절이다.

62) 다른 판본에서는 목(目)이 자(自)로 되었는데, 모두 주(舟)의 잘못이다. 『단주』에서 이렇게 말했다. "'澤之自篽'의 자(自)는 주(舟)가 되어야 옳다. 『좌전』 소공(昭公) 12년 조에서 '澤之萑蒲, 舟鮫守之.(연못의 금원은 주교가 지킨다)'라고 했는데, 교(鮫)는 어(魰)의 오류이다. 허신이 근거한 자료서는 뜻밖에도 주어(舟篽)라고 했을 뿐이다. 『국어·노어(魯語)』에도 주우(舟虞)가 있는데, 마찬가지이다."

**2995**

**𥮾: 筭: 산가지 산: 竹-총13획: suàn**

原文

𥮾: 長六寸. 計歷數者. 从竹从弄. 言常弄乃不誤也. 蘇貫切.

飜譯

'길이가 6치로(長六寸), 숫자를 계산하는데 쓰는 산가지(計歷數者)'를 말한다. 죽(竹)이 의미부이고 롱(弄)도 의미부이다. 항상 갖고 놀아야 틀리지 않는다는 의미를 반영했다. 독음은 소(蘇)와 관(貫)의 반절이다.

**2996**

**𥮾: 算: 셀 산: 竹-총14획: suàn**

原文

𥮾: 數也. 从竹从具. 讀若筭. 蘇管切.

飜譯

'셈을 하다(數)'라는 뜻이다. 죽(竹)이 의미부이고 구(具)도 의미부이다.[63] 산(筭)과 같이 읽는다. 독음은 소(蘇)와 관(管)의 반절이다.

**2997**

**𥬇: 笑: 웃을 소: 竹-총10획: xiào**

原文

𥬇: 此字本闕. 私妙切.

---

63) 소전에서처럼 산가지를 뜻하는 竹(대 죽)과 눈을 그린 目(눈 목)과 두 손을 형상한 廾(두 손 마주잡을 공)으로 구성되어, 눈(目)으로 산가지(竹)를 보며 두 손으로(廾) 헤아려가며 숫자 셈을 하는 모습을 그렸다. 이로부터 '계산하다', 추정하다, ~라고 여기다, 인정하다 등의 뜻이 나왔다.

飜譯

이 글자는 원래 빠졌었[는데 보충해 넣었]다.[64][65] 독음은 사(私)와 묘(妙)의 반절이다. [신부]

**2998**

**簃:** 簃: **누각 곁채 이**: 竹-**총17획**: yí

原文

簃: 閣邊小屋也. 从竹移聲. 『說文』通用誃. 弋支切.

飜譯

'누각의 곁에 만들어진 작은 집(閣邊小屋)'을 말한다. 죽(竹)이 의미부이고 이(移)가 소리부이다. 『설문』에서 치(誃)와 통용된다고 했다. 독음은 익(弋)과 지(支)의 반절이다. [신부]



**2999**

**筠:** 筠: **대나무 균**: 竹-**총13획**: yún

原文

筠: 竹皮也. 从竹均聲. 王春切.

---

64) 『단주』에서는 이 말 대신에 "喜也. 从竹从犬.(기뻐하다는 뜻이다. 竹도 의미부이고 犬도 위미부이다.)"을 넣었다. 그리고 서현(徐鉉)이 손면(孫愐)의 『당운(唐韻)』에서 인용한 『설문』에서 "笑, 喜也. 從竹, 從犬."이라고 했다고 했다.

65) 고문에서 簡牘文 등으로 썼다. 竹(대 죽)이 의미부고 夭(어릴 요)가 소리부로, 관악기(竹)로 연주되는 곡을 듣고 몸을 구부려(夭) 기뻐하며 웃는 것을 말하는데, 여기에서 夭는 배를 잡고 몸을 구부린 사람의 모습으로 풀이된다. 하지만, 笑를 八(여덟 팔)과 夭로 구성되어 배를 잡고(夭) 웃는 바람에 웃음소리가 위로 퍼져나가는(八) 모습을 그린 것이라 풀이하기도 한다. 당나라 때의 李陽氷(이양빙)은 바람을 맞은 대나무(竹)가 휘어지는 모습이 우스워 배를 잡고 몸을 구부려(夭) 웃는 사람의 모습을 닮았다고 풀이하기도 했다. 달리 夭 대신 犬을 쓴 笑로 쓰기도 하고, 웃음소리라는 의미를 강조하기 위해 口(입 구)를 더한 咲(웃을 소)로 쓰기도 한다.

飜譯

'대의 푸른 껍질(竹皮)'을 말한다. 죽(竹)이 의미부이고 균(均)이 소리부이다. 독음은 왕(王)과 춘(春)의 반절이다. [신부]

**3000**

**笏: 笏: 홀 홀: 竹-총10획: hū, wù**

原文

笏: 公及士所搢也. 从竹勿聲. 案：籒文作回, 象形. 義云佩也. 古笏佩之. 此字後人所加. 呼骨切.

飜譯

'공과 사대부가 꽂고 다는 홀(公及士所搢)'을 말한다. 죽(竹)이 의미부이고 물(勿)이 소리부이다. 저는 이렇게 생각합니다. 주문(籒文)에서는 홀(回)로 적었는데, 상형입니다. 의미는 '몸에 차다(佩)'라는 뜻입니다. 옛날에는 홀(笏)을 몸에다 차고 다녔습니다(佩之). 이 글자는 후세 사람들이 더한 부분입니다. 독음은 호(呼)와 골(骨)의 반절이다. [신부]

**3001**

**篦: 篦: 빗치개 비: 竹-총16획: bì**

原文

篦: 導也. 今俗謂之篦. 从竹毘聲. 邊兮切.

飜譯

'빗치개(導)'를 말한다. 오늘날 세속에서 이를 비(篦)라고 한다. 죽(竹)이 의미부이고 비(毘)가 소리부이다. 독음은 변(邊)과 혜(兮)의 반절이다. [신부]

**3002**

**篙: 篙: 상앗대 고: 竹-총16획: gāo**

原文

篙: 所以進船也. 从竹高聲. 古牢切.

翻譯

'배를 저어 나아가게 하는 상앗대(所以進船)'를 말한다. 죽(竹)이 의미부이고 고(高)가 소리부이다. 독음은 고(古)와 뢰(牢)의 반절이다. [신부]

# 제144부수
## 144 ■ 기(箕)부수

**3003**

**箕:** 箕: **키 기**: 竹-**총14획**: **jī**

原文

箕: 簸也. 从竹; 𠀠, 象形; 下其丌也. 凡箕之屬皆从箕. 𠀠, 古文箕省. 𠔏, 亦古文箕. 𠔀, 亦古文箕. 𠔂, 籒文箕. 匚, 籒文箕. 居之切.

飜譯

'곡식을 까부는데 쓰는 키(簸)'를 말한다. 죽(竹)이 의미부이다.66) 기(𠀠)는 키를 그린 상형자인데, 아랫부분은 그것의 손잡이를 말한다. 기(箕)부수에 귀속된 글자들은 모두 기(箕)가 의미부이다. 기(𠀠)는 기(箕)의 고문체인데, 생략된 모습이다. 기(𠔏)도 기(箕)의 고문체이다. 기(𠔀)도 기(箕)의 고문체이다. 기(𠔂)는 기(箕)의 주문체이다. 기(匚)도 기(箕)의 주문체이다. 독음은 거(居)와 지(之)의 반절이다.

**3004**

**簸:** 簸: **까부를 파**: 竹-**총19획**: **bǒ**

原文

簸: 揚米去糠也. 从箕皮聲. 布火切.

---

66) 원래 其로 썼는데, 이후 竹(대 죽)을 더하여 箕(키 기)로 분화했다. 其를 고문자에서 甲骨文 金文 古陶文 簡牘文 石刻古文 등으로 썼는데, '키'를 그렸으며, 간혹 두 손을 더해 키를 까부는 동작을 강조하기도 했다. 이후 '그'라는 의미로 가차되어 쓰이자 원래의 뜻은 竹을 더하여 箕로 분화했다. 고대 한자에서는 윗부분을 줄여 亓(그 기)로 쓰기도 한다.

'쌀을 까불어 겨를 제거하다(揚米去糠)'라는 뜻이다. 기(箕)가 의미부이고 피(皮)가 소리부이다. 독음은 포(布)와 화(火)의 반절이다.

## 제145부수
## 145 ■ 기(丌)부수

**3005**

**丌: 丌: 대 기: 一-총3획: jī**

原文

丌: 下基也. 薦物之丌. 象形. 凡丌之屬皆从丌. 讀若箕同. 居之切.

飜譯

'물건의 받침대(下基)'를 말한다. 물건을 담아 제사에 드릴 때 받치는 기물이다(薦物之丌). 상형이다. 기(丌)부수에 귀속된 글자들은 모두 기(丌)가 의미부이다. 기(箕)와 똑같이 읽는다. 독음은 거(居)와 지(之)의 반절이다.

**3006**

**辺: 迈: 어조사 기: 辵-총7획: jì**

原文

辺: 古之遒人, 以木鐸記詩言. 从辵从丌, 丌亦聲. 讀與記同. 居吏切.

飜譯

'[민심을 파악하기 위해 임금이 파견한] 옛날의 사자를 말하는데, 요령을 흔들며 다니면서 유행하던 시를 채록했다(古之遒人, 以木鐸記詩言).'[67] 착(辵)의 의미부이고 기

---

67) 『단주』에서 이렇게 보충했다. "『좌전』 양공(襄公) 14년 조에서 사광(師曠)이 『하서(夏書)』의 말을 인용하여 이렇게 말했다. '주인(遒人)은 목탁(木鐸)을 두드리며 길거리를 돌아다니며, 여러 관리들을 서로 올바르게 잡아주고(官師相規), 공장이나 예인들은 재주부린 일로써 잘못을 충고하게 하였다(工執藝事以諫). 그리하여 정월 맹춘이 되면 이러한 일이 시행되었다(正月孟春, 於是乎有之.)' 이에 대해 두자춘은 주석에서 '목탁을 두드리며 길거리를 돌아다녔다(木鐸徇于路)는 것은 민간에서 유행하는 가요를 채집하였다는 말이다(采歌謠之言也)'라고 했다. 또 하상공의 『공양전』 주석에서는 이렇게 말했다. '오곡을 다 거두어들이고 나면, 사람들은 집안

(丌)도 의미부인데, 기(丌)는 소리부도 겸한다. 기(記)와 똑같이 읽는다. 독음은 거(居)와 리(吏)의 반절이다.

3007

**典: 典: 법 전: 八-총8획: diǎn**

原文

典: 五帝之書也. 从冊在丌上, 尊閣之也. 莊都說, 典, 大冊也. 箅, 古文典从竹. 多殄切.

譯譯

'오제 때의 서책(五帝之書)'을 말한다. 책(冊)이 받침대(丌) 위에 올려 진 모습인데, 존중하여 높이 모셔두었기 때문이다.[68] 장도(莊都)[69]는 '전(典)은 위대한 책(大冊)을 말한다'고 했다. 전(箅)은 전(典)의 고문체인데, 죽(竹)으로 구성되었다. 독음은 다(多)와 진(殄)의 반절이다.

---

에 머물며 남녀가 같은 곳에 모여 서로 밤늦게까지 베를 짜는데, 시월부터 시작해서 정월에 마친다.(五穀畢入, 民皆居宅, 男女同巷, 相從夜績, 從十月盡, 正月止.) 남녀 간에 원한이라도 있으면 서로 어울려 노래를 부른다. 굶주린 자는 먹을 것을 노래하고, 고된 일로 힘든 자는 그 일을 노래한다. 남자 나이 60세, 여자 나이 50세에 자식이 없으면 관에서 먹을 것과 입을 것을 제공해 주며, 그들로 하여금 민간에서 그런 노래를 채집하게 했다. 향(鄕)에서 읍(邑)으로 올라가고, 읍(邑)에서 나라(國)로 올라가고, 나라(國)에서 천자(天子)에게로 올라간다. 그리하여 천자는 집밖을 나가지 않더라도 천하의 사정을 다 알게 된다.'"

68) 고문에서 甲骨文 金文 簡牘文 石刻古文 등으로 썼다. 冊(책 책)과 廾(두 손 마주잡을 공)이나 丌(대 기)로 구성되어 대로 엮은 책(冊)을 두 손으로 받쳐 들거나(廾) 탁자(丌) 위에다 올려놓은 모습을 그렸다. 받쳐 든 책은 중요한 책이라는 뜻에서 典範(전범)이 되는 중요한 책의 뜻이, 다시 '經典(경전)'이라는 의미가 생겨났다. 이후 상도, 준칙, 제도, 법규 등의 뜻이 나왔고, 다시 전아하다는 뜻도 나왔다. 『설문해자』에서는 "五帝(오제) 때의 책을 말한다"라고 했으며, 혹체에서는 竹(대 죽)을 더한 箅으로 쓰기도 했다.

69) 허신이 인용한 당시의 학자였으나, 그에 대한 상세한 정보는 알 수 없다.

**3008**

**䫙: 顨: 괘 이름 손: 頁-총21획: xùn**

原文

䫙: 巽也. 从丌从頭 . 此『易』顨卦"爲長女, 爲風"者. 蘇困切.

飜譯

'손(巽)'과 같아서 '손괘(巽卦)'를 말한다. 기(丌)가 의미부이고 찬(頭)[70]도 의미부이다. 이는『역』에서 "장녀가 되고, 바람이 된다(爲長女, 爲風.)"라고 풀이한 손괘(顨卦)를 말한다. 독음은 소(蘇)와 곤(困)의 반절이다.

**3009**

**畀: 畀: 줄 비: 田-총8획: bì**

原文

畀: 相付與之. 約在閣上也. 从丌由聲. 必至切.

飜譯

'서로 건네주다(相付與之)'라는 뜻이다. 물건을 잘 묶어서 받침대 위에 두었기 때문에, 기(丌)가 들어갔다. 기(丌)가 의미부이고 신(由)이 소리부이다. 독음은 필(必)과 지(至)의 반절이다.

**3010**

**巽: 巽: 손괘 손: 己-총12획: xùn**

原文

---

70) 독음에 대해,『오음집운(五音集韻)』에서는 추(雛)와 환(睆)의 반절로 찬(撰)으로 읽힌다고 했고,『옥편(玉篇)』에서는 달리 선(僎)으로도 적는다고 했다. 또『집운(集韻)』에서는 수(須)와 연(兗)의 반절, 또는 추(雛)와 연(戀)의 반절로 선(襈)으로 읽힌다고 했으며, 또 소(蘇)와 곤(困)의 반절로 손(遜)과 같이 읽히며 뜻도 같다고 했다.

巽: 具也. 从丌𢀩聲. 𢁉, 古文巽. 巽, 篆文巽. 蘇困切.

飜譯

'구비하다(具)'라는 뜻이다. 기(丌)가 의미부이고 선(𢀩)이 소리부이다. 손(𢁉)은 손(巽)의 고문체이다. 손(巽)은 손(巽)의 전서체이다. 독음은 소(蘇)와 곤(困)의 반절이다.

**3011**

**奠: 奠: 제사 지낼 전: 大-총12획: diàn**

原文

奠: 置祭也. 从酋. 酋, 酒也. 下其丌也. 『禮』有奠祭者. 堂練切.

飜譯

'제사에 필요한 술과 음식을 올리다(置祭)'라는 뜻이다. 추(酋)가 의미부인데, 추(酋)는 술(酒)을 말한다. 아랫부분은 술 등을 놓는 받침대를 말한다.[71] 예경에서 전제(奠祭: 제사를 드리다)라는 말이 보인다. 독음은 당(堂)과 련(練)의 반절이다.

---

71) 고문에서 甲骨文 金文 古陶文 簡牘文 石刻古文 등으로 썼다. 酋(두목 추)와 廾(두 손으로 받들 공)으로 구성되었으나, 廾이 大(큰 대)로 변해 지금처럼 되었다. 조상이나 신께 바치고자 술독(酉·유)을 받침대나 탁자 등에 올려놓거나 두 손으로 받쳐 든(廾·공) 모습이며, 귀신이나 망령에 제사를 드리는 모습을 형상화했다. 이로부터 제사를 드리다, 進獻(진헌·예물이나 제수를 바치다)하다, 놓다, 제수품 등의 뜻이 나왔다.

# 제146부수
## 146 ■ 좌(左)부수

**3012**

**: 左: 왼 좌: 工-총5획: zuǒ**

原文

: 手相左助也. 从𠂇、工. 凡左之屬皆从左. 則箇切.

飜譯

'손으로 서로를 보좌하고 도우다(手相左助)'라는 뜻이다. 좌(𠂇)와 공(工)이 의미부이다.[72] 좌(左)부수에 귀속된 글자들은 모두 좌(左)가 의미부이다. 독음은 칙(則)과 개(箇)의 반절이다.

**3013**

**: 差: 어긋날 차: 工-총10획: chā**

原文

: 貳也. 差不相值也. 从左从𠂹. , 籒文𢀩从二. 初牙切.

飜譯

'어긋나다(貳)'라는 뜻이다. 어긋나 서로 함께 할 수 없다(差不相值)는 뜻이다. 좌(左)가 의미부이고 수(𠂹)도 의미부이다.[73] 차()는 차(𢀩)의 주문체인데, 두 개의

72) 고문에서 甲骨文 金文 古陶文 簡牘文 등으로 썼다. 屮(왼손 좌)와 工(장인 공)으로 구성되어, 왼손(屮)으로 공구(工)를 든 모습을 그렸다. 원래는 왼손(屮)만을 그렸는데, 이후 그것이 왼손임을 더욱 명확하게 하고자 손의 오른쪽에 두 점을 더했으며, 두 점이 다시 工으로 바뀌어 지금의 자형이 되었다. 왼손이 원래 뜻이고, 이로부터 왼쪽, 곁의 뜻이 나왔다. 또 오른쪽과 반대된다는 뜻에서 반대하다, 옳지 않다, 편파적이다 등의 부정적인 뜻도 나왔다.

이(二)로 구성되었다. 독음은 초(初)와 아(牙)의 반절이다.



73) 고문에서 金文 簡牘文 등으로 썼다. 금문에서 左(왼 좌)와 나머지 부분으로 구성되었는데, 左는 왼손을, 나머지 부분은 짚을 그렸다. 그래서 差는 왼손으로 새끼를 꼬는 모습을 형상화하였으며, 왼손으로 꼬는 새끼는 오른손으로 하는 것에 비해 정확하지도 못하고 굵기가 가지런하지 못하기 마련이다. 이로부터 差에는 參差(참치·들쑥날쑥하여 가지런하지 못한 모양)에서와 같이 '들쑥날쑥하다'나 差異(차이)에서처럼 '모자라다'는 뜻이 생겼으며, 이후 자리를 비우고 출장을 가다는 뜻도 나왔다. 그러자 원래의 '꼬다'는 뜻은 手(손 수)를 더하여 搓(비빌 차)로 분화했다.

# 제147부수
# 147 ■ 공(工)부수

**3014**

**工: 工: 장인 공: 工-총3획: gōng**

原文

工: 巧飾也. 象人有規榘也. 與巫同意. 凡工之屬皆从工. 𢒄, 古文工从彡. 古紅切.

飜譯

'정교하게 꾸미다(巧飾)'라는 뜻이다. 사람이 그림쇠와 곱자를 들고 있는 모습을 그렸다.[74] 무(巫)자가 공(工)을 의미부로 삼는 것과 같은 의미이다. 공(工)부수에 귀속된 글자들은 모두 공(工)이 의미부이다. 공(𢒄)은 공(工)의 고문체인데, 삼(彡)으로 구성되었다. 독음은 고(古)와 홍(紅)의 반절이다.

**3015**

**式: 式: 법 식: 弋-총6획: shì**

---

74) 고문에서 甲骨文 金文 古陶文 簡牘文 石刻古文 등으로 썼다. 이의 자원에 대해 도끼를 그렸다느니 자를 그렸다는 등 의견이 분분하지만, 갑골문을 보면 땅을 다질 때 쓰던 돌 절굿공이를 그렸음이 분명하다. 윗부분은 손잡이고 아랫부분이 돌 절굿공이인데, 딱딱한 거북 딱지에 칼로 새긴 갑골문에서 새기기 편하도록 아랫부분이 네모꼴로 변했을 뿐이다. 지금도 황하 유역을 가면 집터를 만들거나 담을 쌓아 올릴 때 진흙을 다져 만드는 방법(版築法·판축법)을 자주 볼 수 있는데, 이때 가장 유용하게 쓰이는 도구가 바로 돌 절굿공이이다. 그러한 절굿공이가 그 지역의 가장 대표적이고 기본적인 도구라는 뜻에서 工具(공구)의 뜻이 나왔고, 공구를 전문적으로 다루는 사람을 工匠(공장), 공구를 사용한 작업을 工程(공정)이나 工作(공작)이라 부르게 되었으며, 어떤 일에 뛰어나다는 뜻도 갖게 되었다.

原文

式: 法也. 从工弋聲. 賞職切.

飜譯

'법식(法)'을 말한다. 공(工)이 의미부이고 익(弋)이 소리부이다.75) 독음은 상(賞)과 직(職)의 반절이다.

**3016**

**巧: 巧: 공교할 교: 工-총5획: qiǎo**

原文

巧: 技也. 从工丂聲. 苦絞切.

飜譯

'뛰어난 기술(技)'을 말한다. 공(工)이 의미부이고 교(丂)가 소리부이다. 독음은 고(苦)와 교(絞)의 반절이다.

**3017**

**巨: 巨: 클 거: 工-총5획: jù**

原文

巨: 規巨也. 从工, 象手持之. 榘, 巨或从木、矢. 矢者, 其中正也. 𢀜, 古文巨. 其吕切.

飜譯

'구거(規巨) 즉 구규(規榘: 그림쇠와 곱자)'를 말한다. 공(工)이 의미부이고, 손으로 공구를 든 모습을 그렸다.76) 거(榘)는 거(巨)의 혹체자인데, 목(木)과 시(矢)가 모두 의

---

75) 고문에서 式 式 式簡牘文 등으로 썼다. 工(장인 공)이 의미부이고 弋(주살 익)이 소리부인데, 工은 공구의 대표를 상징하여, 모범을 뜻하고, 이로부터 '모범으로 삼다', 法式(법식), 格式(격식), 形式(형식), 儀式(의식), 公式(공식) 등의 뜻이 나왔다.

미부인데, 화살(矢)이라는 것은 정중앙을 맞추는 것이기 때문이다. 거(𢀖)는 거(巨)의 고문체이다. 독음은 기(其)와 려(呂)의 반절이다.

76) 고문에서 金文 古陶文 簡牘文 등으로 썼다. 갑골문에서 大(큰 대)나 夫(지아비 부)와 工(장인 공)으로 구성되어 성인 남성(夫)이 톱이나 자 같은 공구(工)를 쥔 모습을 그렸으며, 이후 힘이 세고 몸집이 큰 성인 남성이라는 뜻에서 '크다'의 의미를, 공구로 하는 토목공사 등은 규정된 법칙을 지켜야 한다는 뜻에서 '규칙'을 의미하게 되었다. 다만, 전자는 공구를 그린 부분만 남아 巨로 쓰이게 되었고, 후자는 성인 남성(夫)을 그린 부분이 矢(화살 시)로 잘못 변해 矩(곱자 구·榘의 본래 글자)가 되어 두 개의 다른 글자로 분화했다.

# 제148부수
## 148 ■ 전(㠭)부수

3018

**㠭: 㠭: 펼 전: 工-총12획: zhǎn, zhàn**

原文

㠭: 極巧視之也. 从四工. 凡㠭之屬皆从㠭. 知衍切.

飜譯

'지극히 정교하게 관찰하다(極巧視之)'라는 뜻이다. 네 개의 공(工)으로 구성되었다. 전(㠭)부수에 귀속된 글자들은 모두 전(㠭)이 의미부이다. 독음은 지(知)와 연(衍)의 반절이다.

3019

**䆂: 䆂: 막을 색·변방 새: 宀-총19획: sāi, sài, sè**

原文

䆂: 窒也. 从㠭从廾, 窒宀中. 㠭猶齊也. 穌則切.

飜譯

'방을 가득 채워 넣다(窒)'라는 뜻이다. 전(㠭)이 의미부이고 공(廾)도 의미부인데, 집안 가득 채워 넣음을 말한다. 전(㠭)은 가지런하다는 뜻의 제(齊)와 같다. 독음은 소(穌)와 칙(則)의 반절이다.

## 제149부수
## 149 ■ 무(巫)부수

**3020**

**巫: 巫: 무당 무: 工-총7획: wū**

原文

巫: 祝也. 女能事無形, 以舞降神者也. 象人兩褎舞形. 與工同意. 古者巫咸初作巫. 凡巫之屬皆从巫. 𢒈, 古文巫. 武扶切.

飜譯

'무당(祝)'을 말한다. 형체가 없는 존재를 잘 모시는, 춤을 추어서 신을 내려오게 하는 여성(女能事無形, 以舞降神者)을 말한다. 사람이 두 소매를 흩날리며 춤을 추는 모습을 그렸다.[77] [법식을 뜻하는] 공(工)자와 같은 의미이다. 옛날, 무함(巫咸)이 처음으로 무당(巫)이 되었다.[78] 무(巫)부수에 귀속된 글자들은 모두 무(巫)가 의미부이다. 무(𢒈)는 무(巫)의 고문체이다. 독음은 무(武)와 부(扶)의 반절이다.

---

77) 고문에서 甲骨文 金文 古陶文 盟書 簡牘文 石刻古文 등으로 썼다. 工(장인 공)과 두 개의 人(사람 인)으로 구성되어, 무당을 말하는데, 도구(工)를 사용하여 점을 치는 사람(人)이라는 의미를 담았다. 갑골문에서는 상형자로 무당들이 시초점에 사용하던 주술 도구를 그렸으며, 여자 무당을 말했다. 옛날에는 무당이 의사도 겸했기에 의사를 지칭하기도 했다. 이후 의미를 더욱 강조하기 위해 竹(대 죽)을 더한 筮(시초점 서)로써 그것이 대(竹)로 만든 점 칠 때 쓰는 댓가지임을 표현했다. 巫를 두고 흔히 '하늘과 땅을 이어주는 사람'으로 해석하기도 하는데, 이는 이후의 자형인 소전체에 근거하여 "위의 가로획을 하늘, 아래의 가로획을 땅, 중간 세로획을 이어주다"라는 의미로 해석한 것이다.

78) 『상서(尚書)』에 의하면, 무함(巫咸)은 상나라 태무(太戊) 임금을 모시던 신하로 알려졌다. 그의 아들 무현(巫賢)은 태무 임금의 손자 조을(祖乙)이 왕위에 오른 이후 재상을 맡았으며 그도 현신으로 이름이 났다고 한다. 갑골문에도 함무(咸戊)가 보이는데, 이 때문에 학자들은 무함(巫咸)이 혹시 상나라 태무의 대신이 아니었을까 여기고 있다. 후함(巫咸)에 대해서는 다른 전설도 존재하는데, 북(鼓)을 발명했다고도 한다. 또 시초(筮)를 사용하여 점을 쳤던 최초의 인물이라 하기도 하고, 항성(恒星)을 처음으로 측정한 점성가라고도 한다.(바이두백과)

**3021**

**覡: 覡: 박수 격: 見-총14획: xí**

原文

覡: 能齋肅事神明也. 在男曰覡, 在女曰巫. 从巫从見. 胡狄切.

飜譯

'목욕재계하고 엄숙하게 신을 잘 모시는 자(能齋肅事神明)'를 말한다. 남자면 격(覡)이라 하고, 여자면 무(巫)라고 한다. 무(巫)가 의미부이고 견(見)도 의미부이다.79) 독음은 호(胡)와 적(狄)의 반절이다.



---

79) 고문에서 盟書 등으로 썼다. 巫(무당 무)와 見(볼 견)으로 이루어져, 남자 무당 즉 박수를 말하는데, 무술 도구(巫)를 통해 신의 계시를 드러내 보이는(見) 일을 하는 사람이라는 뜻을 담았다. 여자 무당은 巫(무당 무)라 구분해 불렀다.

## 제150부수
## 150 ■ 감(甘)부수

**3022**

**甘: 甘: 달 감: 甘–총5획: gān**

原文

甘: 美也. 从口含一. 一, 道也. 凡甘之屬皆从甘. 古三切.

飜譯

'맛있다(美)'라는 뜻이다. 입(口) 속에 어떤 것(一)을 머금은 모습을 그렸다.[80] 일(一)은 도(道)를 뜻한다.[81] 감(甘)부수에 귀속된 글자들은 모두 감(甘)이 의미부이다. 독음은 고(古)와 삼(三)의 반절이다.

**3023**

**甛: 甛: 달 첨: 甘–총11획: tián**

原文

甛: 美也. 从甘从舌. 舌, 知甘者. 徒兼切.

飜譯

'맛있다(美)'라는 뜻이다. 감(甘)이 의미부이고 설(舌)도 의미부이다. 혀(舌)는 단맛을 느끼게 해주는 신체 기관이다. 독음은 도(徒)와 겸(兼)의 반절이다.

---

80) 고문에서 甲骨文 古陶文 簡牘文 石刻篆文 등으로 썼다. 입(口·구)에 가로획(一)을 더해, 무엇인가 '맛있는 것'을 입속에 머금은 모습으로부터 '달다'의 뜻을 그렸고, 이로부터 맛있다. 아름답다, 嗜好(기호), 탐하다 등의 뜻이 나왔다.

81) 『단주』에서는 이렇게 말했다. "음식물은 각기 다르지만 그것의 도(道)는 하나인데, 맛의 풍요로움(味道之腴)이 바로 그것이다."

3024

**曆: 𤯌: 화할 감: 甘-총16획: gān**

原文

曆: 和也. 从甘从麻. 麻, 調也. 甘亦聲. 讀若函. 古三切.

飜譯

'조화로운 맛(和)'을 말한다. 감(甘)이 의미부이고 마(麻)도 의미부인데, 마(麻)는 조절하다(調)는 뜻이다. 감(甘)은 소리부도 겸한다. 함(函)과 같이 읽는다. 독음은 고(古)와 삼(三)의 반절이다.

3025

**猒: 猒: 물릴 염: 犬-총12획: yān**

原文

猒: 飽也. 从甘从肰. 䭒, 猒或从㠯. 於鹽切.

飜譯

'포만감을 느낄 때까지 먹다(飽)'라는 뜻이다. 감(甘)이 의미부이고 연(肰)도 의미부이다. 염(䭒)은 염(猒)의 혹체자인데, 이(㠯)로 구성되었다. 독음은 어(於)와 염(鹽)의 반절이다.

3026

**甚: 甚: 심할 심: 甘-총9획: shèn**

原文

甚: 尤安樂也. 从甘, 从匹耦也. 𠯑, 古文甚. 常枕切.

飜譯

'대단히 편안하다(尤安樂)'라는 뜻이다. 감(甘)이 의미부이고, 필우(匹耦: 짝)라고 할 때의 필(匹)로 구성되었다. 심(𠯑)은 심(甚)의 고문체이다. 독음은 상(常)과 침(枕)의 반절이다.

## 제151부수
## 151 ■ 왈(曰)부수

3027

**𠚪: 曰: 가로 왈: 曰-총4획: yuē**

原文

𠚪: 詞也. 从口乙聲. 亦象口气出也. 凡曰之屬皆从曰. 王代切.

飜譯

'어조사(詞)'이다.82) 구(口)가 의미부이고 을(乙)이 소리부이다. 이 글자도 입에서 기운이 나오는 모양(口气出)을 형상했다.83) 왈(曰)부수에 귀속된 글자들은 모두 왈(曰)

82) 『단주』에서 이렇게 말했다. "사(詈)라는 것은 뜻을 속에다 두었다가 말로써 밖으로 하는 것을 말한다(意内而言外也). 이러한 뜻이 있으면 이러한 말이 있게 되는데(有是意而有是言), 이 또한 왈(曰)이라 한다. 달리 운(云)이라 하기도 한다. 운(云)과 왈(曰)은 쌍성(雙聲) 관계에 있다. 『이아·석고(釋詁)』에서 월(粵), 우(于), 원(爰)은 어조사(曰)를 말한다. 이는 『시』나 『서』나 고문에서 왈(曰)을 원(爰·이에)으로 보았다는 것이 된다. 그래서 월(粵), 우(于), 원(爰), 왈(曰) 4자가 서로 호훈(互訓)이 가능했다. 쌍성 첩운으로써 서로 가차한 것이다." 또 『설문』에서 '사(詈)'라고 풀이한 예를 보면, 일(欥)자에 대해 '詮詈也', 자(者)자에 대해 '別事詈也', 개(皆)자에 대해 '俱詈也', 로(魯)자에 대해 '鈍詈也', 증(曾)자에 대해 '詈之舒也', 내(乃)자에 대해 '詈之難也', 이(尒)자에 대해 '詈之必然也', 이(矣)자에 대해 '語巳詈也', 신(矤)자에 대해 '兄詈也', 경(驚)자에 대해 '詈也'라고 풀이한 것들이 그렇다. 그리고 『단주』에서는 "의(意)라는 것은 글자의 의미(文字之義)를 말하고, 언(言)이라는 것은 글자의 독음(文字之聲)을 말하며, 사(詈)라는 것은 글자의 형체와 의미가 합쳐진 것을 말한다(文字形聲之合也). 허신이 글자를 해설하면서 글자의 뜻(字義)은 모두 속에다 두었다(意内也). 허신이 해설한 글자의 형체와 독음은 모두 말로써 밖으로 한 것이다(言外也). 뜻이 존재한 다음에 독음이 있고(有義而後有聲), 독음이 존재한 다음에 형체가 있게 되는 것(有聲而後有形)이 글자 창제의 근본이다(造字之本也). 형체가 존재하면 독음이 존재하게 되고(形在而聲在焉), 형체와 독음이 존재하면 의미가 존재하게 되는데(形聲在而義在焉), 이것이 육예의 학문이다(六藝之學也)."

83) 고문에서 [古字] 甲骨文 [古字] 金文 [古字] 古陶文 [古字] 簡牘文 [古字] 帛書 [古字] 石刻古文 등으로 썼다. 입(口·구)에 가로획을 더하여 입에서 '말'이 나오는 모습을 상징화했는데, 曷(어찌 갈)은 입을 쩍 벌린 모습에서 큰 소리로 '요구하다'의 뜻이 나

이 의미부이다. 독음은 왕(王)과 대(代)의 반절이다.

3028

**𣍘: 㫦: 고할 책: 日-총9획: cè**

原文

𣍘: 告也. 从曰从冊, 冊亦聲. 楚革切.

飜譯

'[책에다 써서] 보고하다(告)'라는 뜻이다. 왈(曰)이 의미부이고 책(冊)도 의미부인데, 책(冊)은 소리부도 겸한다. 독음은 초(楚)와 혁(革)의 반절이다.



3029

**曷: 曷: 어찌 갈: 日-총9획: hé**

原文

曷: 何也. 从曰匃聲. 胡葛切.

飜譯

'어찌(何)'라는 뜻이다. 왈(曰)이 의미부이고 흉(匃)이 소리부이다.[84] 독음은 호(胡)와 갈(葛)의 반절이다.

왔다. 하지만, 현행 옥편에서 曰(가로 왈)부수에 귀속된 나머지 글자들은 대부분 '말하다'는 뜻과는 관계없이, 예서로 들면서 書(글 서)와 같이 '그릇', 最(가장 최)와 같이 '모자' 등을 그린 것들이 잘못 변한 글자들이다.

84) 소전체에서 曰(가로 왈)과 匃(빌 개)로 구성되었는데, 曰은 입(口·구)에 가로획[一]이 더해져 입에서 나오는 말을 형상화했고, 匃는 갑골문에서 이미 바라다나 祈求(기구)의 뜻으로 쓰였다. 그래서 曷은 입을 벌린 모습(曰)에 바라다(匃)는 뜻이 더해져, 목소리를 높여 어떠하라고 요구함을 말한다. 그러나 曷이 '어찌'라는 의문사로 가차되자 원래 의미는 다시 口를 더한 喝(꾸짖을 갈)로 표현했다. 따라서 喝은 喝采(갈채)에서와 같이 입을 벌려 목소리를 높이는 것을 말한다. 이 때문에 曷로 구성된 합성자는 대부분 입을 크게 벌리고 어떠하라고 요구함을 뜻한다.

**3030**

**𦥓: 曶: 새벽 물·흘: 曰-총8획: hū, wù**

原文

𦥓: 出气詞也. 从曰, 象气出形. 『春秋傳』曰: "鄭太子曶." 𦥓, 籒文曶. 一曰佩也. 象形. 呼骨切.

飜譯

'기운을 내보내는 말(出气詞)'이다. 왈(曰)이 의미부이고, 기운이 나가는 모양을 형상했다. 『춘추전』(『좌전』 은공 3년, B.C. 720)에 "정(鄭)나라 태자(太子) 흘(曶)"이라는 말이 있다. 흘(𦥓)은 흘(曶)의 주문체이다. 일설에는 몸에 차는 노리개(佩)를 말한다고도 한다. 상형이다. 독음은 호(呼)와 골(骨)의 반절이다.

**3031**

**朁: 朁: 일찍이 참: 曰-총12획: cǎn**

原文

朁: 曾也. 从曰兓聲. 『詩』曰: "朁不畏明." 七感切.

飜譯

'일찍이(曾)'라는 뜻이다. 왈(曰)이 의미부이고 침(兓)이 소리부이다. 『시·대아민로(民勞)』에서 "공명함을 두려워하지 않는 자들을 몰아내주소서(朁不畏明)"라고 노래했다. 독음은 칠(七)과 감(感)의 반절이다.

**3032**

**沓: 沓: 유창할 답: 水-총8획: tà**

原文

沓: 語多沓沓也. 从水从曰. 遼東有沓縣. 徒合切.

飜譯

'물 흐르듯 말이 많음(語多沓沓)'을 말한다. 수(水)가 의미부이고 왈(曰)이 의미부이다. 요동(遼東) 지역에 답현(沓縣)이 있다. 독음은 도(徒)와 합(合)의 반절이다.

3033

**朁: 曹: 마을 조: 曰-총11획: cáo**

原文

朁: 獄之兩曹也. 在廷東. 从棘, 治事者; 从曰. 昨牢切.

飜譯

'송사의 양 당사자, 즉 원고와 피고(獄之兩曹)'를 말한다. 모두 법정의 동쪽 편에 자리한다. 조(棘)가 의미부인데, 이는 송사를 다스리는 자를 상징한다. 왈(曰)도 의미부이다.[85] 독음은 작(昨)과 뢰(牢)의 반절이다.



---

85) 고문에서 甲骨文 金文 古陶文 簡牘文 古璽文 石刻古文 등으로 썼다. 曰(가로 왈)이 의미부고 棘(밤샐 조)가 소리부로, 함께 모여(棘) 이야기를 하다(曰)는 뜻에서 그런 곳이 '마을'임을 그렸다. 또 송사가 벌어져 서로 간의 결백을 따지는 곳이라는 뜻에서 '관아'라는 뜻이 나왔으며, 吏曹(이조), 戶曹(호조)처럼 그런 일을 담당하는 정부 관서를 지칭하기도 했다. 棘는 동여매 놓은 포대기(東)가 두 개 모인 모습으로부터 '함께', '한 곳으로 모이다'는 뜻이, 다시 '무리'라는 뜻이 나온 것으로 보인다. 한국에서 한국의 성씨를 나타낼 때는 이를 줄인 曺(성 조)로 써 용법을 구분하기도 했다.

## 제152부수
## 152 ■ 내(乃)부수

3034

**乃: 乃: 이에 내: 丿-총2획: nǎi**

原文

乃: 曳詞之難也. 象气之出難. 凡乃之屬皆从乃. 𠄎, 古文乃. 𠄏, 籒文乃. 奴亥切.

飜譯

'말을 끌어냄이 어려움(曳詞之難)'을 뜻한다. 기운이 나오기가 어려움을 형상했다. 내(乃)부수에 귀속된 글자들은 모두 내(乃)가 의미부이다. 내(𠄎)는 내(乃)의 고문체이다. 내(𠄏)는 내(乃)의 주문체이다. 독음은 노(奴)와 해(亥)의 반절이다.

3035

**㔱: 𠧟: 놀래는 소리 잉: 卜-총8획: réng, nǎi**

原文

㔱: 驚聲也. 从乃省, 西聲. 籒文𠧟不省. 或曰𠧟, 往也. 讀若仍. 𠨐, 古文𠧟. 如乘切.

飜譯

'놀라서 내는 소리(驚聲)'를 말한다. 내(乃)의 생략된 모습이 의미부이고, 서(西)가 소리부이다. 주문(籒文)에서의 잉(𠧟)은 생략되지 않은 모습이다. 혹자는 잉(𠧟)이 '가다(往)'라는 뜻이라고도 한다. 잉(仍)과 같이 읽는다. 잉(𠨐)은 잉(𠧟)의 고문체이다. 독음은 여(如)와 승(乘)의 반절이다.

3036

**逌: 逌: 숨 도는 모양 유: 卜-총10획: yóu, yòu**

逌: 气行皃. 从乃卣聲. 讀若攸. 以周切.

飜譯

'기가 운행하는 모습(气行皃)'을 말한다. 내(乃)가 의미부이고 초(卣)가 소리부이다. 유(攸)와 같이 읽는다. 독음은 이(以)와 주(周)의 반절이다.

# 제153부수
# 153 ■ 교(丂)부수

**3037**

## 丂: 丂: 공교할 교: 一-총2획: kǎo

原文

丂: 气欲舒出. ㄅ上礙於一也. 丂, 古文以爲亏字, 又以爲巧字. 凡丂之屬皆从丂. 苦浩切.

飜譯

'기가 서서히 나오려는 모습(气欲舒出)'을 말한다. [글자를 구성하는] 고(ㄅ)[86]는 서서히 나오려는 기가 위쪽의 가로획에 막힌 모습을 그렸다. 교(丂)를 고문(古文)체에서는 우(亏)자라고 여기기도 했고, 또 교(巧)자로 여기기도 했다. 교(丂)부수에 귀속된 글자들은 모두 교(丂)가 의미부이다. 독음은 고(苦)와 호(浩)의 반절이다.

**3038**

## 甹: 甹: 말이 잴 병: 田-총7획: píng

原文

甹: 亟詞也. 从丂从由. 或曰甹, 俠也. 三輔謂輕財者爲甹. 普丁切.

飜譯

'급함을 나타내는 말(亟詞)'이다. 교(丂)가 의미부이고 유(由)도 의미부이다. 혹자는 병(甹)이 '의협심이 있음(俠)'을 말한다고도 한다. 삼보(三輔)[87] 지역에서는 재물을 가벼이 여기는 자(輕財)를 병(甹)이라 한다. 독음은 보(普)와 정(丁)의 반절이다.

---

86) 『단주』에서 이렇게 말했다. "독음은 고(苦)와 호(浩)의 반절이며, 고음(古音)에서 제3부(部)에 속했다."

87) 서한 때의 수도였던 장안(長安)과 그 주위 수도권 일대를 말한다.

3039

**寧: 寧: 편안할 녕: 宀-총14획: níng**

原文

寧: 願詞也. 从丂寍聲. 奴丁切.

飜譯

'[평온해지기를] 원함을 나타내는 말(願詞)'이다. 교(丂)가 의미부이 녕(寍)이 소리부이다. 독음은 노(奴)와 정(丁)의 반절이다.

3040

**丂: 丂: 기운 뻗칠 하: 一-총2획: hē**

原文

丂: 反丂也. 讀若呵. 虎何切.

飜譯

'교(丂)자를 [좌우로] 뒤집은 모습'이다. 가(呵)와 같이 읽는다. 독음은 호(虎)와 하(何)의 반절이다.

## 제154부수
## 154 ■ 가(可)부수

**3041**

**可: 可: 옳을 가: 口-총5획: kě**

原文

可: 肎也. 从口丂, 丂亦聲. 凡可之屬皆从可. 肯我切.

飜譯

'씹다(肎=肯)'라는 뜻이다.88) 구(口)와 교(丂)가 의미부인데, 교(丂)는 소리부도 겸한다.89) 가(可)부수에 귀속된 글자들은 모두 가(可)가 의미부이다. 독음은 긍(肯)과 아(我)의 반절이다.

**3042**

**奇: 奇: 기이할 기: 大-총8획: qí**

原文

奇: 異也. 一曰不耦. 从大从可. 渠羈切.

---

88) 『단주』에서 "긍(肎)이라는 것은 뼈 사이에 붙어 있는 씹을 수 있는 고기를 말한다(骨閒肉肎肎箸也). 보통 중간에 씹을 수 있는 부드러운 부분(凡中其肎綮)을 긍(肎)이라 한다. 가(可)와 긍(肎)은 쌍성 관계에 있다."라고 했다.

89) 고문에서 甲骨文 金文 古陶文 盟書 簡牘文 帛書 石刻古文 등으로 썼다. 갑골문에서 괭이와 입(口·구)을 그렸다. 괭이는 농기구를 상징하여 농사일을, 口는 노래를 뜻한다. 그래서 可는 농사일할 때 불렀던 勞動歌(노동가)를 말한다. 노래를 부르면서 일을 하면 고된 일도 쉽게 느껴지고 힘든 일도 쉽게 이루어졌기에 可에는 '적합하다'나 '可能(가능)하다' 등의 뜻이 생겼을 것이다. 이후 肯定(긍정)을 나타내는 대표적 단어로 사용되어, '옳다', '마땅하다' 등의 뜻이 나왔고, 그러자 원래 의미는 木(나무 목)을 더해 柯(자루 가)로 분화했다.

飜譯

'기이하다(異)'라는 뜻이다. 일설에는 '짝을 이루지 못[하는 홀수를 말]한다(不耦)'라는 뜻이라고도 한다. 대(大)와 가(可)가 모두 의미부이다.[90] 독음은 거(渠)와 기(羈)의 반절이다.

**3043**

**哿: 哿: 좋을 가: 口-총10획: gě**

原文

哿: 可也. 从可加聲. 『詩』曰: "哿矣富人." 古我切.

飜譯

'좋다(可)'라는 뜻이다. 가(可)가 의미부이고 가(加)가 소리부이다. 『시·소아·정월(正月)』에서 "부자는 그래도 괜찮지만(哿矣富人)"이라고 노래했다. 독음은 고(古)와 아(我)의 반절이다.

**3044**

**哥: 哥: 노래 가: 口-총10획: gē**

原文

哥: 聲也. 从二可. 古文以爲謌字. 古俄切.

飜譯

'노래 소리(聲)'를 말한다. 두 개의 가(可)로 구성되었다.[91] 고문(古文)에서는 가(謌)

---

90) 고문에서 [古文字] 古陶文 [古文字] 簡牘文 [古文字] 古璽文 등으로 썼다. 大(큰 대)가 의미부이고 可(옳을 가)가 소리부로, 大는 두 팔을 벌리고 선 사람의 정면 모습이다. 사타구니를 크게 벌리고 선 사람의 모습(大)에서부터 『설문해자』의 해석처럼 외발로 선 '절뚝발이'의 이미지를 그린 것으로 추정된다. 여기서부터 일반사람보다 '奇異(기이)하고' 특이하다는 뜻이, 다시 짝수(偶數·우수)와 대칭하여 홀수(奇數·기수)의 뜻이 나왔으며, 이후 불완전함까지 뜻하게 되었다. 그러자 원래 뜻은 足(발 족)을 더하여 踦(절뚝발이 기)로 분화했다.

91) 고문에서 [古文字] 簡牘文 등으로 썼다. 두 개의 可(옳을 가)로 구성되었는데, 可는 농사일을 하면

자로 여겼다. 독음은 고(古)와 아(俄)의 반절이다.

**3045**

**叵: 叵: 어려울 파: 口-총5획: pǒ**

原文

叵: 不可也. 从反可. 普火切.

'불가하다(不可)'라는 뜻이다. 가(可)를 [좌우로] 뒤집은 모습이다. 독음은 보(普)와 화(火)의 반절이다. [신부]

---

서 부르는 노래를 뜻한다. 그래서 『설문해자』의 해석처럼 "노래(可)가 계속해서 이어지는 것"을 말하며, '계속해 노래 부르다'가 원래 뜻이다. 하지만, 위진 남북조 이후 북방의 鮮卑(선비)족이 중국의 중원 지역에 진입하면서 哥에 '따꺼(大哥·큰 형님)'처럼 '형'이라는 전혀 다른 뜻이 생겼다. 그것은 선비족의 말에서 형이나 아버지 항렬을 부르는 호칭인 '아간'을 한자로 쓰면서 '아꺼(阿哥)'로 표기하였기 때문이다. 그 이후로 부모나 형은 물론 나이 많은 남자에 대한 존칭이나 애칭으로 쓰였다. 그러자 원래 뜻은 欠(하품 흠)이나 言(말씀 언)을 더한 歌(노래 가)나 謌(노래 가)로 분화하였다.

제155부수
## 155 ■ 혜(兮)부수

**3046**

**兮: 兮: 어조사 혜: 八-총4획: xī**

原文

兮: 語所稽也. 从丂, 八象气越亏也. 凡兮之屬皆从兮. 胡雞切.

譯解

'어기가 멈추려 하다(語所稽)'라는 뜻이다. 교(丂)가 의미부이고, 팔(八)은 기운이 퍼져 서서히 올라감을 말한다.[92] 혜(兮)부수에 귀속된 글자들은 모두 혜(兮)가 의미부이다. 독음은 호(胡)와 계(雞)의 반절이다.

**3047**

**㝈: 㝈: 깜짝 놀라게 하는 말 순: 勹-총10획: sǔn**

原文

㝈: 驚辭也. 从兮旬聲. 㥧, 㝈或从心. 思允切.

譯解

'놀람을 나타내는 말(驚辭)'이다. 혜(兮)가 의미부이고 순(旬)이 소리부이다. 순(㥧)은 순(㝈)의 혹체자인데, 심(心)으로 구성되었다. 독음은 사(思)와 윤(允)의 반절이다.

---

92) 고문에서 [甲骨文 자형] 甲骨文 [金文 자형] 金文 등으로 썼다. 丂(공교할 교)와 八(여덟 팔)로 구성되어, 악기(丂)에서 나온 소리가 퍼지는(八) 모습을 그렸다. 일찍부터 어기사로 쓰였으며, 문장의 중간이나 끝에 들어가 말을 잠시 멈추어 운율을 조정하는 역할을 했다.

3048

**義兮: 羲: 숨 희: 羊-총16획: xī**

原文

義兮: 气也. 从兮義聲. 許羈切.

飜譯

'기운(气)'을 말한다. 혜(兮)가 의미부이고 의(義)가 소리부이다.[93] 독음은 허(許)와 기(羈)의 반절이다.

3049

**乎: 乎: 어조사 호: 丿-총5획: hū**

原文

乎: 語之餘也. 从兮, 象聲上越揚之形也. 戶吳切.

飜譯

'말이 아직 덜 끝나 남았음(語之餘)'을 말한다. 혜(兮)가 의미부이고, [궐(亅)은] 소리가 올라가 더욱 고양됨을 말한다. 독음은 호(戶)와 오(吳)의 반절이다.

93) 소전에서처럼 丂(숨 내쉴 교)가 의미부고 義(옳을 의)가 소리부로, 의장용 칼(義)로 희생의 목을 자른 모습을 그렸으며, 이로부터 목숨과 犧牲(희생)의 뜻이 나왔다. 또 전설상의 伏羲氏(복희씨)를 지칭하기도 하고, 羲和氏(희화씨)를 지칭하여 태양의 비유로도 쓰인다.

# 제156부수
## 156 ■ 호(号)부수

**3050**

**号: 号: 부를 호: 口-총5획: háo**

原文

号: 痛聲也. 从口在丂上. 凡号之屬皆从号. 胡到切.

飜譯

'고통스레 부르짖는 소리(痛聲)'를 말한다. 구(口)가 교(丂)의 위에 놓인 모습이다. 호(号)부수에 귀속된 글자들은 모두 호(号)가 의미부이다. 독음은 호(胡)와 도(到)의 반절이다.

**3051**

**號: 號: 부르짖을 호: 虍-총13획: hào**

原文

號: 呼也. 从号从虎. 乎刀切.

飜譯

'부르짖다(呼)'라는 뜻이다. 호(号)가 의미부이고 호(虎)도 의미부이다.[94] 독음은 호(乎)와 도(刀)의 반절이다.

---

94) 고문에서 [古文字形] 古陶文 [古文字形] 簡牘文 등으로 썼다. 虎(범 호)가 의미부고 号(부를 호)가 소리부로, 범(虎)의 울음(号) 소리처럼 큰 소리로 외치다는 뜻이다. 이로부터 부르다, 호칭, 명칭, 符號(부호), 횟수를 기록하다, 등급 등의 뜻이 나왔다. 간화자에서는 号로 줄여 쓴다.

## 제157부수
## 157 ■ 우(亐)부수

3052

亐: 亐: 어조사 우: 二-총3획: yú

原文

亐: 於也. 象气之舒亐. 从丂从一. 一者, 其气平之也. 凡亐之屬皆从亐. (今變隸作于.) 羽俱切.

飜譯

'어(於)와 같아 어조사'를 말한다. 기운이 서서히 퍼져나감을 그렸다. 교(丂)가 의미부이고 일(一)도 의미부이다. 일(一)은 기운이 평평하게 퍼져 나감을 뜻한다. 우(亐) 부수에 귀속된 글자들은 모두 우(亐)가 의미부이다. [예변(變隸) 과정을 거친 후 지금은 우(于)로 적는다.] 독음은 우(羽)와 구(俱)의 반절이다.

3053

虧: 虧: 이지러질 휴: 虍-총17획: kuī

原文

虧: 气損也. 从亐雐聲. 虧, 虧或从兮. 去爲切.

飜譯

'기운이 줄어들다(气損)'라는 뜻이다. 우(亐)가 의미부이고 호(雐)가 소리부이다. 휴(虧)는 휴(虧)의 혹체자인데, 혜(兮)로 구성되었다. 독음은 거(去)와 위(爲)의 반절이다.

**3054**

**粤: 粵: 말 내킬 월: 米-총13획: yuè**

原文

粤: 亏也. 審愼之詞者. 从亏从宷. 『周書』曰: "粤三日丁亥." 王伐切.

歸譯

'어조사로 우(亏)와 같다.' 살펴 사려 깊은 어감을 가지는 말이다. 우(亏)가 의미부이고 심(宷)도 의미부이다. 『주서(周書)』에서 "아! 3일 정해일이구나.(粤三日丁亥)"라고 하였다. 독음은 왕(王)과 벌(伐)의 반절이다.

**3055**

**吁: 吁: 탄식할 우: 口-총6획: xū**

原文

吁: 驚語也. 从口从亏, 亏亦聲. 況于切.

歸譯

'놀람을 나타내는 말(驚語)'이다. 구(口)가 의미부이고 우(亏)도 의미부인데, 우(亏)는 소리부도 겸한다. 독음은 황(況)과 우(于)의 반절이다.

**3056**

**平: 平: 평평할 평: 干-총5획: píng**

原文

平: 語平舒也. 从亏从八. 八, 分也. 爰禮說. 𠀭, 古文平如此. 符兵切.

歸譯

'어기가 평평하게 서서히 퍼져 나가다(語平舒)'라는 뜻이다. 우(亏)가 의미부이고 팔(八)도 의미부인데, 팔(八)은 '나뉘다(分)'라는 뜻이다.[95] 원례(爰禮[96])의 해설이다. 평(𠀭)은 평(平)의 고문체인데, 이렇게 쓴다. 독음은 부(符)와 병(兵)의 반절이다.

95) 고문에서 金文 古陶文 盟書 簡牘文 등으로 썼다. 저울을 그렸다거나 평지에서 쓰는 농기구를 그렸다거나 나무를 평평하게 깎는 손도끼를 그렸다는 등 의견이 분분하지만, 『설문해자』에서는 원래는 亏(于)와 八(여덟 팔)로 이루어져 악기(亏)에서 소리가 고르게 퍼져(八) 나오듯 말이 평탄하게 잘 나오는 것을 말한다고 했다. 平平(평평)하다가 원래 뜻이고, 이로부터 균분하다, 公平(공평)하다, 안정되다, 일반적이다 등의 뜻이 나왔다.

96) 원례(爰禮)는 『설문·서(敍)』에서 말한 "효선황제(孝宣皇帝) 때의 패인(沛人) 원례(爰禮)"라고 한 그를 지칭한다.

## 제158부수
## 158 ■ 지(旨)부수

3057

旨: 旨: **맛있을 지**: 日-총6획: zhǐ

原文

旨: 美也. 从甘匕聲. 凡旨之屬皆从旨. 𠤔, 古文旨. 職雉切.

飜譯

'미(美)와 같아 맛있다'라는 뜻이다. 감(甘)이 의미부이고 비(匕)가 소리부이다.97) 지(旨)부수에 귀속된 글자들은 모두 지(旨)가 의미부이다. 지(𠤔)는 지(旨)의 고문체이다. 독음은 직(職)과 치(雉)의 반절이다.

3058

嘗: 嘗: **맛볼 상**: 口-총14획: cháng

原文

嘗: 口味之也. 从旨尙聲. 市羊切.

飜譯

'입으로 맛을 보다(口味之)'라는 뜻이다. 지(旨)가 의미부이고 상(尙)이 소리부이다. 독음은 시(市)와 양(羊)의 반절이다.

---

97) 고문에서 甲骨文 金文 古陶文 簡牘文 등으로 썼다. 원래 입(口)과 숟가락(匕)을 그려, 맛있는 음식을 떠먹는 모습을 그렸다. 이후 입을 그린 부분이 甘(달 감)으로 변했다가 다시 曰(가로 왈)로 변했으며, 다시 日(날 일)로 잘못 변하게 되어, 현대 옥편에서는 日부수에 귀속되었다.

## 제159부수
## 159 ■ 희(喜)부수

**3059**

**喜: 喜: 기쁠 희: 口-총12획: xǐ**

原文

喜: 樂也. 从壴从口. 凡喜之屬皆从喜. 歖, 古文喜从欠, 與歡同. 虛里切.

飜譯

'즐겁다(樂)'라는 뜻이다. 주(壴)가 의미부이고 구(口)도 의미부이다.98) 희(喜)부수에 귀속된 글자들은 모두 희(喜)가 의미부이다. 희(歖)는 희(喜)의 고문체인데, 흠(欠)으로 구성되었다. 환(歡)과 똑같다. 독음은 허(虛)와 리(里)의 반절이다.

**3060**

**憙: 憙: 기뻐할 희: 心-총16획: xǐ**

原文

憙: 說也. 从心从喜, 喜亦聲. 許記切.

飜譯

'즐거워하다(說)'라는 뜻이다. 심(心)이 의미부이고 희(喜)가 의미부인데, 희(喜)는 소리부도 겸한다. 독음은 허(許)와 기(記)의 반절이다.

---

98) 고문에서 甲骨文 子璋鐘 金文 古陶文 盟書 簡牘文 등으로 썼다. 壴(북 주)와 口(입 구)로 구성되어, 북(壴)으로 대표되는 음악의 즐거움과 口로 대표되는 맛있는 것의 즐거움을 더해 '즐겁다'는 뜻을 그렸다. 이로부터 기뻐하다, 적합하다, 좋아하다 등의 뜻이 나왔고, 아이를 배거나 결혼의 비유로도 쓰였다.

3061

**嚭: 嚭: 클 비: 口-총19획: pǐ**

原文

嚭: 大也. 从喜否聲.『春秋傳』: "吳有太宰嚭." 匹鄙切.

飜譯

'크다(大)'라는 뜻이다. 희(喜)가 의미부이고 부(否)가 소리부이다.『춘추전』(『좌전』 애공 원년, B.C. 494)에서 "오나라에는 태재 비가 있다(吳有太宰嚭)"라고 하였다. 독음은 필(匹)과 비(鄙)의 반절이다.

제 5 권

## 제160부수
## 160 ■ 주(壴)부수

**3062**

**壴: 壴: 악기 이름 주: 士-총9획: zhù**

原文

壴: 陳樂立而上見也. 从屮从豆. 凡壴之屬皆从壴. 中句切.

飜譯

'악기를 세워 진설하여 윗부분의 장식이 보이다(陳樂立而上見)'라는 뜻이다. 철(屮)이 의미부이고 두(豆)도 의미부이다. 주(壴)부수에 귀속된 글자들은 모두 주(壴)가 의미부이다. 독음은 중(中)과 구(句)의 반절이다.

**3063**

**尌: 尌: 세울 주: 寸-총12획: shù, zhù**

原文

尌: 立也. 从壴从寸, 持之也. 讀若駐. 常句切.

飜譯

'세우다(立)'라는 뜻이다. 주(壴)가 의미부이고 촌(寸)도 의미부인데, 그것을 손으로 쥐다는 뜻이다. 주(駐)와 같이 읽는다. 독음은 상(常)과 구(句)의 반절이다.

**3064**

**鼜: 鼜: 순경 북 척: 虫-총19획: qī**

原文

鼜: 夜戒守鼓也. 从壴蚤聲. 『禮』: 昏鼓四通爲大鼓, 夜半三通爲戒晨, 旦明五通爲發明. 讀若戚. 倉歷切.

飜譯

'밤에 경계를 서면서 북을 치다(夜戒守鼓)'라는 뜻이다. 주(壴)가 의미부이고 소(蚤)가 소리부이다. 『주례·고인(鼓人)』에서 [『사마법』을 인용하여] "저녁이 되면 북을 네 번 울리는데 이를 대고(大鼓)라 하고, 한밤중이 되면 세 번 울리는데 이를 계신(戒晨)이라 하고, 날이 밝으면 다섯 번 울리는 데 이를 발명(發明)이라 한다."라고 했다. 척(戚)과 같이 읽는다. 독음은 창(倉)과 력(歷)의 반절이다.

**3065**

**彭: 彭: 성 팽: 彡-총12획: péng**

原文

彭: 鼓聲也. 从壴彡聲. 薄庚切.

飜譯

'북이 울리는 소리(鼓聲)'를 말한다. 주(壴)가 의미부이고 삼(彡)이 소리부이다.[99] 독음은 박(薄)과 경(庚)의 반절이다.

**3066**

**嘉: 嘉: 아름다울 가: 口-총14획: jiā**

原文

嘉: 美也. 从壴加聲. 古牙切.

飜譯

'아름답다(美)'라는 뜻이다. 주(壴)가 의미부이고 가(加)가 소리부이다.[100] 독음은 고

---

99) 고문에서 甲骨文 金文 古陶文 簡牘文 등으로 썼다. 壴(북 주)와 彡(터럭 삼)으로 구성되어, 강하게 퍼져 나가는(彡) 북(壴) 소리를 형상화했는데, 이후 성씨, 땅이름 등으로 가차되었다.

(古)와 아(牙)의 반절이다.

100) 고문에서 金文 古陶文 盟書 簡牘文 등으로 썼다. 壴(북 주)가 의미부이고 加(더할 가)가 소리부로, 북소리(壴)를 더함(加)으로써 만들어지는 '즐거움'을 더욱 구체화했다. 그래서 '좋다', '아름답다'가 원래 뜻이며, 이로부터 '즐겁다', '경사', 혼례(嘉禮·가례) 등의 뜻이 나왔다. 그러나 갑골문에서는 女(여자 녀)와 力(힘 력)으로만 구성되어, 쟁기질(力)을 할 수 있는 사내아이를 낳은 여성(女)을 형상화해, 그런 일이 '좋고' '훌륭한' 것임을 말했다. 또 다른 형태에서는 장식이 달린 북(壴·주)과 쟁기(力·력)를 그려 쟁기질(力)로 상징되는 생산을 위한 노동과 북(壴)으로 대표되는 즐거운 음악이라는 두 개념을 결합해 '즐거움'을 형상화했다. 금문에 들면서 지금처럼 壴와 加의 결합으로 변했다.

## 제161부수
## 161 ■ 고(鼓)부수



**3067**

**鼓：** 鼓: **북 고**: 鼓-**총13획**: **gǔ**

原文

鼓：郭也. 春分之音, 萬物郭皮甲而出, 故謂之鼓. 从壴, 支象其手擊之也. 『周禮』六鼓：靁鼓八面, 靈鼓六面, 路鼓四面, 鼖鼓、皐鼓、晉鼓皆兩面. 凡鼓之屬皆从鼓. 𡔷, 籒文鼓从古聲. 工戶切.

飜譯

'곽(郭)과 같아 가죽으로 바깥을 씌운 악기'를 말한다. 춘분 때를 상징하는 악기로, 만물이 껍질을 벗고 자라나려 하다는 뜻이다. 그래서 이때를 상징하는 악기가 고(鼓)이다. 주(壴)가 의미부이고, 지(支)는 손으로 북을 치는 모습을 형상했다.[101] 『주례』에서 육고(六鼓)가 있다고 했는데, 뇌고(靁鼓)는 8면으로 되었고, 영고(靈鼓)는 6면으로 되었고, 노고(路鼓)는 4면으로 되었고, 분고(鼖鼓)와 고고(皐鼓)와 진고(晉鼓)는 모두 양면으로 되었다. 고(鼓)부수에 귀속된 글자들은 모두 고(鼓)가 의미부이다. 고(𡔷)는 고(鼓)의 주문체인데, 고(古)가 소리부이다. 독음은 공(工)과 호(戶)의 반절이다.

---

101) 고문에서 甲骨文 金文 古陶文 簡牘文 등으로 썼다. 壴(악기이름 주)와 攴(칠 복)으로 구성되었는데, 壴는 윗부분이 술로 장식된 대 위에 놓인 북을 그렸고 攴(攵)은 북채를 쥔 손을 그려, 북을 치는 모습을 그렸다. 여기에서 북은 들고 다니거나 매달아 쓰는 북이 아니라, 굽이 높은 받침대 위에 올려놓은 북이다. 전쟁터에서는 받침대에 바퀴를 달아 이동하기 쉽게 했을 것이다. 북은 鼓吹(고취)에서처럼 전쟁터에서 군사들의 사기를 북돋우는 주요한 악기였으며, 시계가 없던 시절에 시간을 알려주던 도구이기도 했다. 그래서 성에는 鼓樓(고루)가 설치되었다.

**3068**

**鼛: 鼛: 큰북 고: 鼓-총21획: gāo**

原文

鼛: 大鼓也. 从鼓咎聲. 『詩』曰: "鼛鼓不勝." 古勞切.

飜譯

'큰 북(大鼓)'을 말한다. 고(鼓)가 의미부이고 구(咎)가 소리부이다. 『시·대아·면(緜)』에서 "북소리 그치지 않네(鼛鼓不勝)"라고 했다. 독음은 고(古)와 로(勞)의 반절이다.

**3069**

**鼖: 鼖: 큰북 분: 鼓-총18획: fén**

原文

鼖: 大鼓謂之鼖. 鼖八尺而兩面, 以鼓軍事. 从鼓, 賁省聲. 鞼, 鼖或从革, 賁不省. 符分切.

飜譯

'큰 북(大鼓)을 분(鼖)이라 한다.' 분(鼖)은 크기가 8자(尺)에 양면으로 되었으며, 군대를 지휘할 때 사용한다. 고(鼓)가 의미부이고, 분(賁)의 생략된 모습이 소리부이다. 분(鞼)은 분(鼖)의 혹체자인데, 혁(革)으로 구성되었으며, 분(賁)은 생략되지 않은 모습이다. 독음은 부(符)와 분(分)의 반절이다.

**3070**

**鼙: 鼙: 작은북 비: 鼓-총21획: pí**

原文

鼙: 騎鼓也. 从鼓卑聲. 部迷切.

飜譯

'[말을 몰면서] 말 위에서 사용하는 북(騎鼓)'을 말한다. 고(鼓)가 의미부이고 비(卑)가 소리부이다. 독음은 부(部)와 미(迷)의 반절이다.

3071

**鼕: 鼕: 북소리 동: 鼓-총25획: dōng, lóng**

原文

鼕: 鼓聲也. 从鼓隆聲. 徒冬切.

飜譯

'북소리(鼓聲)'를 말한다. 고(鼓)가 의미부이고 융(隆)이 소리부이다. 독음은 도(徒)와 동(冬)의 반절이다.

3072

**鼘: 鼘: 북소리 연: 鼓-총21획: yuān**

原文

鼘: 鼓聲也. 从鼓𣶒聲.『詩』曰: "鼗鼓鼘鼘." 烏玄切.

飜譯

'북소리(鼓聲)'를 말한다. 고(鼓)가 의미부이고 연(𣶒)이 소리부이다.『시·상송·나(那)』에서 "자루달린 북 큰북 덩덩 울리고(鼗鼓鼘鼘)"라고 노래했다. 독음은 오(烏)와 현(玄)의 반절이다.

3073

**鼞: 鼞: 북소리 당: 鼓-총24획: tāng**

原文

鼞: 鼓聲也. 从鼓堂聲.『詩』曰: "擊鼓其鼞." 土郎切.

飜譯

'북소리(鼓聲)'를 말한다. 고(鼓)가 의미부이고 당(堂)이 소리부이다. 『시·빈풍·격고(擊鼓)』에서 "북소리 둥둥 울리니(擊鼓其鼞)"라고 노래했다. 독음은 토(土)와 랑(郞)의 반절이다.

**3074**

鼛: 鼛: **북소리 답**: 鼓-**총19획**: **tà**

原文

鼛: 鼓聲也. 从鼓合聲. 鞈, 古文鼛从革. 徒合切.

飜譯

'북소리(鼓聲)'를 말한다. 고(鼓)가 의미부이고 합(合)이 소리부이다. 답(鞈)은 답(鼛)의 고문체인데, 혁(革)으로 구성되었다. 독음은 도(徒)와 합(合)의 반절이다.

**3075**

鼜: 鼜: **북소리 나지 않을 첩**: 鼓-**총22획**: **qì**

原文

鼜: 鼓無聲也. 从鼓咠聲. 他叶切.

飜譯

'북이 소리가 나지 않다(鼓無聲)'라는 뜻이다.102) 고(鼓)가 의미부이고 집(咠)이 소

102) 『단주』에서 이 글자(鼜) 앞에서는 모두 '북소리'에 관한 것을 말했고, 그래서 '소리가 나지 않는 것'을 그 뒤에 배열했다고 했다. 이것도 『설문』의 글자 배열 방법 원칙 중의 하나임이 분명하다. 그러나 이에 따르면 다음에 이어지는 탑(鼛)은 순서가 이상하다. 그래서 『단주』에서도 탑(鼛)의 해설에서, "『옥편(玉篇)』에서 잡(鼕)은 북소리를 말한다(鼓聲也)고 했고, 『광운(廣韵)』에서도 잡(鼕)은 북소리를 말한다(鼓聲也)라고 했는데, 모두 탑(鼛)자를 두고 한 말이다. 부(缶)로 구성된 탑(鼛)이나 거(去)로 구성된 잡(鼕)의 오류이다. 소리부인 거(去)는 간혹 옛날 입성의 침(侵)부에 속했다. 그렇다면 이들은 모두 답(鼛)자의 오류이다. 지금 답(鼛)의 해설로 바로 잡아야 할진대, 표제자 탑(鼛)은 삭제되어야 할 것이다." '북을 치는 소리'라 풀이한 탑(鼛)자가 단옥재의 말처럼 삭제되어야 한다고 한다면 유에 해당하는 것을 앞에 배열하고 무에

리부이다. 독음은 타(他)와 협(叶)의 반절이다.

3076

**鼛: 鼛: 북소리 탑: 鼓-총19획: tà, lóng**

原文

鼛: 鼓鼙聲. 从鼓缶聲. 土盍切.

翻譯

'북을 치는 소리(鼓鼙聲)'를 말한다.103) 고(鼓)가 의미부이고 부(缶)가 소리부이다. 독음은 토(土)와 합(盍)의 반절이다.

---

해당하는 것을 뒤에 배열한다는 허신의 원칙은 여전히 유효하다.

103) 『단주』에서는 삭제되어도 좋을 표제자라고 했다. 위의 주석을 참조.

# 제162부수
## 162 ■ 개(豈)부수

**3077**

**豈: 豈: 어찌 기: 豆-총10획: qǐ**

原文

豈: 還師振旅樂也. 一曰欲也, 登也. 从豆, 微省聲. 凡豈之屬皆从豈. 墟喜切.

飜譯

'군사들이 승리하고 돌아올 때 사기를 고무하기 위해 쓰는 음악(還師振旅樂)'을 말한다. 일설에는 '~하고자 하다(欲)', '~에 올라가다(登)'라는 뜻이라고도 한다. 두(豆)가 의미부이고, 미(微)의 생략된 모습이 소리부이다.[104] 기(豈)부수에 귀속된 글자들은 모두 기(豈)가 의미부이다. 독음은 허(墟)와 희(喜)의 반절이다.

**3078**

**愷: 愷: 즐거울 개: 心-총13획: kǎi**

原文

愷: 康也. 从心、豈, 豈亦聲. 苦亥切.

飜譯

'편안하고 즐겁다(康)'라는 뜻이다. 심(心)과 기(豈)가 의미부인데, 기(豈)는 소리부도 겸한다. 독음은 고(苦)와 해(亥)의 반절이다.

---

104) 고문에서 甲骨文 簡牘文 古陶文 등으로 썼다. 원래 받침대가 있는 술 달린 북을 그려, 군사들이 전쟁에서 이기고 돌아올(凱旋·개선) 때 흥겨움에 겨워 연주하는 곡을 뜻했다. 이후 '어찌'라는 의문이나 반어를 나타내는 어기사로 쓰이게 되었으며, 그러자 원래 뜻은 발음부인 几(안석 궤)를 더한 凱(즐길 개)로 분화했는데, 金(쇠 금)이나 心(마음 심)을 더한 鎧(갑옷 개)와 愷(즐거울 개)도 여기서 파생했다.

3079

**䲵: 蟣: 일 마치는 풍류 기: 豆-총22획: qí**

原文

蟣: 𧯦也, 訖事之樂也. 从豈幾聲. 渠稀切.

飜譯

'기(𧯦)와 같은 뜻인데, 일이 다 끝났음을 알릴 때 쓰는 음악(訖事之樂)'을 말한다. 기(豈)가 의미부이고 기(幾)가 소리부이다. 독음은 거(渠)와 희(稀)의 반절이다.

# 제163부수
# 163 ■ 두(豆)부수

**3080**

**豆**: 豆: **콩 두**: 豆-**총7획**: **dòu**

原文

豆: 古食肉器也. 从口, 象形. 凡豆之屬皆从豆. 𣅊, 古文豆. 徒候切.

飜譯

'옛날의 고기를 담던 [굽이 높은] 그릇(古食肉器)'을 말한다. 구(口)가 의미부이고, 상형이다.105) 두(豆)부수에 귀속된 글자들은 모두 두(豆)가 의미부이다. 두(𣅊)는 두(豆)의 고문체이다. 독음은 도(徒)와 후(候)의 반절이다.

**3081**

**梪**: 梪: **독두나무 두**: 木-**총11획**: **dòu**

原文

梪: 木豆謂之梪. 从木、豆. 徒候切.

飜譯

---

105) 고문에서 [古文字形]甲骨文 [古文字形]金文 [古文字形]古陶文 [古文字形]簡牘文 등으로 썼다. 大豆(대두)에서처럼 지금은 '콩'의 의미로 주로 쓰이지만, 원래는 곡식이나 음식을 담는 굽 높은 祭器(제기)를 그렸다. 콩은 원래 넝쿨과 깍지를 그린 尗(콩 숙, 叔의 본래 글자)으로 썼는데, 이후 '아재비'라는 뜻으로 가차되자 원래 뜻은 艸(풀 초)를 더한 菽(콩 숙)으로 분화했다. 한편, 豆에 콩을 주로 담았던 때문인지, 한나라 이후로 '콩'을 지칭할 때 菽 대신 豆가 주로 쓰였고, 그러자 원래의 굽 달린 제기는 木(나무 목)을 더한 梪(나무그릇 두)로 분화했으며, 콩을 뜻할 때에는 艸를 더하여 荳(콩 두)로 쓰기도 한다. 그래서 豆에는 원래의 '제기'와 이후의 '콩'이라는 뜻이 함께 들어 있다. 또 豆는 아래로 받침대가 놓이고 위로 술 같은 장식물이 달린 '북(壴·주)'과 닮아 壴와 서로 혼용되기도 했다.

'나무로 만든 두(豆)를 두(梪)라고 한다.' 목(木)과 두(豆)가 의미부이다. 독음은 도(徒)와 후(候)의 반절이다.

3082

**䕃: 䔷: 혼례용 표주박 술잔 근: 豆-총16획: jǐn**

原文

䕃: 蠡也. 从豆, 蒸省聲. 居隱切.

飜譯

'표주박(蠡)'을 말한다. 두(豆)가 의미부이고, 증(蒸)의 생략된 부분이 소리부이다. 독음은 거(居)와 은(隱)의 반절이다.

3083

**豢: 豢: 누른 빛 나는 콩 권: 豆-총13획: juàn**

原文

豢: 豆屬. 从豆𢍏聲. 居倦切.

飜譯

'두(豆)의 일종이다.'[106] 두(豆)가 의미부이고 권(𢍏)이 소리부이다. 독음은 거(居)와 권(倦)의 반절이다.

3084

**豌: 豌: 콩엿 완: 豆-총12획: wān, yuè**

原文

豌: 豆飴也. 从豆夗聲. 一丸切.

106) 『단주』에서는 이를 제기의 일종으로 보지 않고, 콩의 일종으로 보아 "『본초경(本艸經)』에서 말한 대두(大豆) 황권(黃卷)을 말한다고 했다."

飜譯

'콩으로 만든 엿(豆飴)'을 말한다. 두(豆)가 의미부이고 원(夗)이 소리부이다. 독음은 일(一)과 환(丸)의 반절이다.

**3085**

**:** 𢍚: **제기이름 등**: 廾**-총14획**: **dēng**

原文

: 禮器也. 从廾持肉在豆上. 讀若鐙同. 都滕切.

飜譯

'의식용 제기(禮器)'를 말한다. 두 손(廾)으로 고기(肉)를 들고 제기(豆) 위에 놓는 모습을 그렸다. 등(鐙)과 같이 읽는다. 독음은 도(都)와 등(滕)의 반절이다.

# 제164부수
# 164 ■ 례(豊)부수

3086

**豊: 豊: 굽 높은 그릇 례·풍성할 풍: 豆-총13획: lǐ, fēng**

原文

豊: 行禮之器也. 从豆, 象形. 凡豊之屬皆从豊. 讀與禮同. [古文豊], 古文豊. 盧啓切.

飜譯

'의식을 행할 때 쓰는 기물(行禮之器)'을 말한다. 두(豆)가 의미부이고, 상형이다.107) 례(豊)부수에 귀속된 글자들은 모두 례(豊)가 의미부이다. 례(禮)와 같이 읽는다. 례([古文豊])는 례(豊)의 고문체이다. 독음은 로(盧)와 계(啓)의 반절이다.

3087

**豑: 豑: 잔의 차례 질: 豆-총20획: zhì**

原文

豑: 爵之次弟也. 从豊从弟. 『虞書』曰: "平豑東作." 直質切.

飜譯

'[제례에서] 술잔을 놓는 순서(爵之次弟)'를 말한다.108) 례(豊)가 의미부이고 제(弟)도

---

107) 고문에서 [甲骨文 자형] 甲骨文 [金文 자형] 金文 [簡牘文 자형] 簡牘文 등으로 썼다. 원래 악기의 상징인 북(壴·주)에다 보물의 상징인 실로 꿴 옥(丰·玉의 갑골문 자형)이 여럿 합쳐진 모습으로부터, 신에게 바칠 '풍성한' 제물이라는 의미를 그렸고, 이로부터 풍성하다, 풍만하다, 훌륭하다, 아름답다는 뜻이 나왔다. 豊에 등장하는 丰(예쁠 봉)의 가로획은 옥을, 3개는 많음을 상징해, 옥구슬을 여럿 꿰놓은 모습을 했는데, 옥은 고대 중국인들이 무척 좋아하고 아끼던 보물이었으며 대단히 '예쁘고' 사랑스러운 존재였다. 속자로 豐(풍성할 풍·예도 례)으로 쓰기도 하지만, 豊은 사실 '예도'가 원래 뜻이다. 현대 중국의 간화자에서는 丰에 통합되었다.

의미부이다. 『우서(虞書)』(「堯典」)에서 "해가 동쪽에서 떠오르는 시각을 변별하고 순서 지운다(平豑東作)"라고 하였다. 독음은 직(直)과 질(質)의 반절이다.

108) 『단주』에서는 이렇게 말했다. "작(爵)의 의식을 행할 때 쓰는 기물이다. 그래서 제(豑)자는 례(豊)로 구성되었다. 또 차례(次弟)를 말하므로 제(弟)로 구성되었다. 제기(爵)의 순서(次弟)를 말한다. 예컨대, 『의례·사우례(士虞禮)』에서 주인(主人)은 폐작(廢爵)을 사용하고, 주부(主婦)는 족작(足爵)을 사용하고, 빈장(賓長)은 억작(繶爵)을 사용한다고 한 것이나, 『예기·제통(祭統)』에서 옥작(玉爵)은 경대부에게 건네주고, 요작(瑤爵)은 대부에게 건네주고, 산작(散爵)은 사(士) 및 여러 유사(有司)들에게 내린다고 한 것들이 그렇다." 정현의 주석에 의하면, 폐작(廢爵)은 발이 없는 작을 말하고(爵無足曰廢爵), 족작(足爵)은 발이 있으며 가벼운 잔으로 무늬가 새겨진 것을 말하며(爵有足, 輕者飾也), 억작(繶爵)은 아가리와 발 사이에 글씨가 쓰였고 또 두루 무늬가 있는 것을 말한다(口足之間有篆文, 又彌飾.)고 했다. 그러나 이에 대해 송나라 때의 여대림(呂大臨)의 『고고도(考古圖)』에서는 족작(足爵)과 억작(繶爵)을 발이 셋 달린 작(三足爵)으로 추정하기도 했다.

# 제165부수
# 165 ■ 풍(豐)부수

3088

**豐: 豐: 풍년 풍: 豆-총18획: fēng**

原文

豐: 豆之豐滿者也. 从豆, 象形. 一曰『鄉飮酒』有豐侯者. 凡豐之屬皆从豐. 敷戎切.

飜譯

'제기에 예물을 가득 담은 모습(豆之豐滿者)'이다. 두(豆)가 의미부이고, 상형이다.[109] 일설에는 『의례·향음주(鄉飮酒)』에서 말하는 '풍(豐)이라는 제후국'을 뜻한다고도 한다. 풍(豐)부수에 귀속된 글자들은 모두 풍(豐)이 의미부이다. 독음은 부(敷)와 융(戎)의 반절이다.

3089

**豔: 豔: 고울 염: 豆-총28획: yàn**

原文

豔: 好而長也. 从豐. 豐, 大也. 盍聲. 『春秋傳』曰: "美而豔." 以贍切.

飜譯

'아름답고 키가 크다(好而長)'라는 뜻이다. 풍(豐)이 의미부인데, 풍(豐)은 크다(大)는 뜻이다. 합(盍)이 소리부이다. 『춘추전』(『좌전』 환공 원년, B.C. 711)에서 "아름답고 풍만하도다(美而豔)"라고 하였다. 독음은 이(以)와 섬(贍)의 반절이다.

---

109) 앞의 주석 3086-豊 참조.

## 제166부수
## 166 ■ 희(壴)부수

**3090**

**壴: 壴: 옛 질그릇 희: 虍-총13획: xī**

原文

壴: 古陶器也. 从豆虍聲. 凡壴之屬皆从壴. 許羈切.

飜譯

'오래된 도기(古陶器)'를 말한다. 두(豆)가 의미부이고 호(虍)가 소리부이다. 희(壴)부수에 귀속된 글자들은 모두 희(壴)가 의미부이다. 독음은 허(許)와 기(羈)의 반절이다.

**3091**

**號: 號: 흙 냄비 호: 虍-총18획: hào**

原文

號: 土鍪也. 从壴号聲. 讀若鎬. 胡到切.

飜譯

'흙으로 만든 가마솥(土鍪)'을 말한다.110) 희(壴)가 의미부이고 호(号)가 소리부이다. 호(鎬)와 같이 읽는다. 독음은 호(胡)와 도(到)의 반절이다.

**3092**

**䖮: 䖮: 그릇 저: 虍-총23획: zhù**

原文

110) 주준성의 『통훈정성』에서 "아가리가 큰 흙으로 만든 가마솥(大口土釜)"이라고 했다.

：器也. 从虘、𥁕, 𥁕亦聲. 闕. 直呂切.

'기물(器)'을 말한다. 희(虘)와 녕(𥁕)이 모두 의미부인데, 녕(𥁕)은 소리부도 겸한다. 왜 그런 뜻을 가지는지 알 수 없다(闕). 독음은 직(直)과 려(呂)의 반절이다.

## 제167부수
## 167 ■ 호(虍)부수

3093

**虍: 虍: 호피 무늬 호: 虍-총6획: hū**

原文

虍: 虎文也. 象形. 凡虍之屬皆从虍. 荒烏切.

譯譯

'호랑이의 무늬(虎文)'를 말한다. 상형이다. 호(虍)부수에 귀속된 글자들은 모두 호(虍)가 의미부이다. 독음은 황(荒)과 오(烏)의 반절이다.

3094

**虞: 虞: 헤아릴 우: 虍-총13획: yú**

原文

虞: 騶虞也. 白虎黑文, 尾長於身. 仁獸, 食自死之肉. 从虍吳聲. 『詩』曰: "于嗟乎, 騶虞." 五俱切.

譯譯

'추우(騶虞)라는 짐승'을 말한다. 흰 새의 호랑이 무늬에 검은 무늬가 들었으며, 꼬리가 몸통보다 길다. 의로운 짐승으로, 저절로 죽은 짐승의 고기만 먹는다. 호(虍)가 의미부이고 오(吳)가 소리부이다. 『시·소남·추우(騶虞)』에서 "아아! 몰이꾼이여(于嗟乎, 騶虞.)"라고 노래했다.111) 독음은 오(五)와 구(俱)의 반절이다.

---

111) 추우를 『모전』에서는 산 짐승은 먹지 않는 의로운 짐승이라 했지만, 구양수는 추(騶)가 임금의 사냥터를 말하고, 우(虞)는 그곳을 관리하는 관원을 말한다고 했다. '삼가시'에서는 모두 천자의 새와 짐승을 관리하는 관원이라 하였다. 천자가 사냥을 가면 몰이꾼은 임금이 사냥하기 좋도록 짐승을 몰아주었다.

**3095**

**: 虙: 위엄스러울 복: 虍-총11획: fú**

原文

: 虎皃. 从虍必聲. 房六切.

飜譯

'호랑이의 위엄 있는 모습(虎皃)'을 말한다. 호(虍)가 의미부이고 필(必)이 소리부이다. 독음은 방(房)과 륙(六)의 반절이다.

**3096**

**: 虔: 정성 건: 虍-총10획: qián**

原文

: 虎行皃. 从虍文聲. 讀若矜. 渠焉切.

飜譯

'호랑이가 걸어가는 모양(虎行皃)'을 말한다. 호(虍)가 의미부이고 문(文)이 소리부이다.[112] 긍(矜)과 같이 읽는다. 독음은 거(渠)와 언(焉)의 반절이다.

**3097**

**: 虘: 모질 차: 虍-총11획: cuó**

原文

: 虎不柔不信也. 从虍且聲. 讀若戯縣. 昨何切.

---

112) 고문에서 金文 古陶文 등으로 썼다. 虍(호랑이 호)가 의미부이고 文(글월 문)이 소리부로, 거대한 몸집의 호랑이(虍)가 걸어가는 아름다운(文) 모습에서부터 위엄과 武勇(무용)을 갖춘 '의젓함'을 그렸고, 다시 '敬虔(경건)하다', '정성을 다하다', '공경하다'는 뜻으로 발전하였다.

飜譯

'유약하지 않고 다른 것을 믿지 않는 호랑이의 모진 성질(虎不柔不信)'을 말한다. 호(虍)가 의미부이고 차(且)가 소리부이다. 차현(鄌縣)[113]이라고 할 때의 차(鄌)와 같이 읽는다. 독음은 작(昨)과 하(何)의 반절이다.

**3098**

**: 虖: 울부짖을 호: 虍-총11획: hū**

原文

: 哮虖也. 从虍乎聲. 荒烏切.

飜譯

'표효하다(哮虖)'라는 뜻이다. 호(虍)가 의미부이고 호(乎)가 소리부이다. 독음은 황(荒)과 오(烏)의 반절이다.

**3099**

**: 虐: 사나울 학: 虍-총9획: nüè**

原文

: 殘也. 从虍, 虎足反爪人也. 𧆛, 古文虐如此. 魚約切.

飜譯

'잔학하다(殘)'라는 뜻이다. 호(虍)가 의미부인데, 호랑이가 발을 뒤집어 사람을 잡은 모습(虎足反爪人)을 그렸다.[114] 학(𧆛)은 학(虐)의 고문체인데, 이렇게 쓴다. 독음은 어(魚)와 약(約)의 반절이다.

---

113) 오늘날 하남성 영성현(永城縣) 서쪽에 있었다.

114) 고문에서 古璽文 등으로 썼다. 虍(호피 무늬 호)와 又(또 우)의 뒤집은 모습으로 구성되었는데, 소전체에서 범(虍)이 발톱(爪)을 세워 사람(人·인)을 할퀴는 모습을 형상적으로 그렸고, 이후 사람(人)은 없어지고 발톱이 뒤집힌 모습으로 변해 지금의 자형이 되었다. 이로부터 虐政(학정)이나 虐待(학대)처럼 잔악하게 해치다는 뜻이 나왔다.

**3100**

**虨: 虨: 범 무늬 반: 虍-총17획: bīn**

原文

虨: 虎文, 彪也. 从虍彬聲. 布還切.

飜譯

'호랑이의 무늬(虎文)'를 말하는데, 달리 표(彪)라고도 한다. 호(虍)가 의미부이고 빈(彬)이 소리부이다. 독음은 포(布)와 환(還)의 반절이다.

**3101**

**虡: 虡: 쇠북 거는 틀 거: 虍-총18획: jù**

原文

虡: 鐘鼓之柎也. 飾爲猛獸, 从虍, 異象其下足. 鐻, 虡或从金豦聲. 虞, 篆文虡省. 其呂切.

飜譯

'종과 북을 거는 나무 기둥(鐘鼓之柎)'을 말하는데, 맹수의 무늬로 장식했다. 호(虍)가 의미부이고, 이(異)는 그것의 아래쪽 받침대를 그린 것이다. 거(鐻)는 거(虡)의 혹체자인데, 금(金)이 의미부이고 거(豦)가 소리부이다. 거(虞)는 전서체인데, 거(虡)의 생략된 모습이다. 독음은 기(其)와 려(呂)의 반절이다.

## 제168부수
## 168 ■ 호(虎)부수

**3102**

**虎: 虎: 범 호: 虍-총8획: hǔ**

原文

虎: 山獸之君. 从虍, 虎足象人足. 象形. 凡虎之屬皆从虎. 𠪀, 古文虎. 𧇊, 亦古文虎. 呼古切.

飜譯

'산에 사는 짐승 중 우두머리(山獸之君)'이다. 호(虍)가 의미부인데, 호랑의 발(虎足)이 사람의 발(人足)을 닮았다. 상형이다.[115] 호(虎)부수에 귀속된 글자들은 모두 호(虎)가 의미부이다. 호(𠪀)는 호(虎)의 고문체이다. 호(𧇊)도 호(虎)의 고문체이다. 독음은 호(呼)와 고(古)의 반절이다.

**3103**

**虩: 虩: 범이 성내는 소리 객: 虍-총21획: gé**

原文

虩: 虎聲也. 从虎𣪠聲. 讀若隔. 古覈切.

飜譯

'호랑이의 우는 소리(虎聲)'를 말한다. 호(虎)가 의미부이고 격(𣪠)이 소리부이다. 격

115) 고문에서 甲骨文 金文 簡牘文 등으로 썼다. 호랑이를 그렸는데, 쩍 벌린 입, 날카로운 이빨, 얼룩무늬가 잘 갖추어진 범을 그렸는데, 다른 글자와 상하로 결합할 때에는 꼬리 부분을 생략하여 虍(호피무늬 호)로 줄여 썼다. 동양에서의 범은 서양의 사자에 맞먹는 상징으로서, 힘과 권위와 용기와 무용을 대표해 왔다. 이로부터 용맹하다, 위풍당당하다, 사람을 놀라게 하다 등의 뜻이 나왔다.

(隔)과 같이 읽는다. 독음은 고(古)와 핵(覈)의 반절이다.

3104

**𧆤: 虪: 흰 범 멱: 虍-총12획: mì**

原文

𧆤: 白虎也. 从虎, 昔省聲. 讀若鼏. 莫狄切.

飜譯

'흰 호랑이(白虎)'를 말한다. 호(虎)가 의미부이고, 석(昔)의 생략된 모습이 소리부이다. 멱(鼏)과 같이 읽는다. 독음은 막(莫)과 적(狄)의 반절이다.



3105

**虤: 虩: 흰 범 함: 虍-총13획: hàn, kǎn**

原文

虤: 虪屬. 从虎去聲. 呼濫切.

飜譯

'흰 호랑이의 일종(虪屬)'이다. 호(虎)가 의미부이고 거(去)가 소리부이다. 독음은 호(呼)와 람(濫)의 반절이다.

3106

**虪: 虪: 검은 범 숙: 虍-총26획: shù**

原文

虪: 黑虎也. 从虎儵聲. 式竹切.

飜譯

'검은 호랑이(黑虎)'를 말한다. 호(虎)가 의미부이고 숙(儵)이 소리부이다. 독음은 식(式)과 죽(竹)의 반절이다.

**3107**

**虦: 虦: 털이 몽근 범 잔: 虍-총16획: zhàn**

原文

虦: 虎竊毛謂之虦苗. 从虎戔聲. 竊, 淺也. 昨閑切.

飜譯

'호랑이의 털이 얕은 것(虎竊毛)을 잔묘(虦苗)라고 한다.' 호(虎)가 의미부이고 잔(戔)이 소리부이다. 절(竊)은 '얕다(淺)'라는 뜻이다. 독음은 작(昨)과 한(閑)의 반절이다.

**3108**

**彪: 彪: 무늬 표: 彡-총11획: biāo**

原文

彪: 虎文也. 从虎, 彡象其文也. 甫州切.

飜譯

'호랑이의 무늬(虎文)'를 말한다. 호(虎)가 의미부이고, 삼(彡)은 그 무늬를 형상한 것이다.[116] 독음은 보(甫)와 주(州)의 반절이다.

**3109**

**虒: 虒: 범의 모양 예: 虍-총10획: yí, yì**

原文

虒: 虎皃. 从虎乂聲. 魚廢切.

116) 고문에서 金文 등으로 썼다. 虎(범 호)와 彡(터럭 삼)으로 구성되어, 번뜩이는 화려한(彡) 범(虎)의 무늬를 말하며, 이로부터 체격이 우람하다는 뜻도 나왔다.

飜譯

'호랑이의 모양(虎皃)'을 말한다. 호(虎)가 의미부이고 예(乂)가 소리부이다. 독음은 어(魚)와 폐(廢)의 반절이다.

3110

䖈: 䖈: **범의 모양 을**: 虍**–총11획: yì**

原文

䖈: 虎皃. 从虎气聲. 魚迄切.

飜譯

'호랑이의 기세등등한 모양(虎皃)'을 말한다. 호(虎)가 의미부이고 기(气)가 소리부이다. 독음은 어(魚)와 흘(迄)의 반절이다.

3111

虓: 虓: **울부짖을 효**: 虍**–총10획: xiāo**

原文

虓: 虎鳴也. 一曰師子. 从虎九聲. 許交切.

飜譯

'호랑이가 울부짖다(虎鳴)'라는 뜻이다. 일설에는 사자(師子)를 말한다고도 한다. 호(虎)가 의미부이고 구(九)가 소리부이다. 독음은 허(許)와 교(交)의 반절이다.

3112

䖐: 䖐: **범의 울음소리 은**: 虍**–총12획: jìn, yín**

原文

䖐: 虎聲也. 从虎斤聲. 語斤切.

제5권

飜譯

‘호랑이의 울음 소리(虎聲)’를 말한다. 호(虎)가 의미부이고 근(斤)이 소리부이다. 독음은 어(語)와 근(斤)의 반절이다.

**3113**

: 虩: **두려워하는 모양 혁**: 虍-**총18획: xì**

原文

: 『易』: “履虎尾虩虩.”恐懼. 一曰蠅虎也. 从虎㠯聲. 許隙切.

飜譯

『역·리괘(履卦)』(九四爻辭)에서 “호랑이의 꼬리를 밟았으니, 두려움에 벌벌 떠는구나.(履虎尾虩虩)”라고 한 것처럼 ‘두려워하는 모양(恐懼)’을 말한다. 일설에는 ‘승호(蠅虎)’를 말한다고도 한다.117) 호(虎)가 의미부이고 극(㠯)이 소리부이다. 독음은 허(許)와 극(隙)의 반절이다.

**3114**

: 虢: **범 발톱 자국 괵**: 虍-**총15획: guó**

原文

: 虎所攫畫明文也. 从虎寽聲. 古伯切.

飜譯

‘호랑이가 할퀴었던 분명한 흔적 즉 범 발톱자국(虎所攫畫明文)’을 말한다. 호(虎)가 의미부이고 율(寽)이 소리부이다.118) 독음은 고(古)와 백(伯)의 반절이다.

---

117) 『단주』에서 이렇게 말했다. “최표(崔豹)에 의하면 승호(蠅虎)는 승호(蠅狐)를 말하는데, 모양은 거미(蜘蛛) 같고 회백색(灰白色)이다. 파리(蠅)를 잘 잡는다. 일명 승황(蠅蝗)이라고도 하고, 일명 승표(蠅豹)라고도 한다.”

118) 고문에서 金文 등으로 썼다. 虎(범 호)와 寽(취할 률)로 이루어져, 범(虎)과 맨손(寽)으로 싸우는 모습을 그렸다. 이후 나라 이름과 성씨로 쓰였는데, 서주 때 文

3115

**𧇡:** 虒: **뿔 범 사**: 虍-총10획: sī

原文

𧇡: 委虒, 虎之有角者也. 从虎厂聲. 息移切.

飜譯

'위사(委虒)'를 말하는데, '뿔이 있는 호랑이(虎之有角者)'이다. 호(虎)가 의미부이고 예(厂)가 소리부이다. 독음은 식(息)과 이(移)의 반절이다.

3116

**𧇶:** 虪: **검은 범 등**: 虍-총26획: téng

原文

𧇶: 黑虎也. 从虎騰聲. 徒登切.

飜譯

'검은 호랑이(黑虎)'를 말한다. 호(虎)가 의미부이고 등(騰)이 소리부이다. 독음은 도(徒)와 등(登)의 반절이다. [신부]

3117

**虣:** 虣: **잔학할 포**: 虍-총15획: bào

原文

虣: 虐也. 急也. 从虎从武. 見『周禮』. 薄報切.

飜譯

王(문왕)의 아우인 虢仲(괵중)의 봉읍지로 지금의 섬서성 寶雞(보계)시 동쪽에 있던 것을 西虢(서괵), 虢叔(괵숙)의 봉읍지로 하남성 成皋(성고)현 虢亭(괵정)에 있던 것을 東虢(동괵)이라 했다.

'잔학하다(虐)'라는 뜻이다. '급박하다(急)'라는 뜻이다. 호(虎)가 의미부이고 무(武)도 의미부이다. 『주례』에 보인다. 독음은 박(薄)과 보(報)의 반절이다. [신부]

**3118**

**䖘: 䖘: 범 도: 虍-총16획: tú**

原文

䖘: 楚人謂虎爲烏䖘. 从虎兔聲. 同都切.

飜譯

'초나라 사람들은 호(虎)를 오도(烏䖘)라고 부른다.' 호(虎)가 의미부이고 토(兔)가 소리부이다. 독음은 동(同)과 도(都)의 반절이다. [신부]

## 제169부수
## 169 ■ 현(虤)부수

3119

虤: 虤: 범 성낼 현: 虍–총16획: yán

原文

虤: 虎怒也. 从二虎. 凡虤之屬皆从虤. 五閑切.

飜譯

'호랑이가 성을 내다(虎怒)'라는 뜻이다. 두 개의 호(虎)로 구성되었다. 현(虤)부수에 귀속된 글자들은 모두 현(虤)이 의미부이다. 독음은 오(五)와 한(閑)의 반절이다.

3120

䖌: 䖌: 두 마리의 범이 싸우는 소리 은: 虍–총20획: yín, yìn

原文

䖌: 兩虎爭聲. 从虤从曰. 讀若憖. 語巾切.

飜譯

'호랑이 두 마리가 서로 싸우는 소리(兩虎爭聲)'를 말한다. 현(虤)이 의미부이고 왈(曰)이 의미부이다. 은(憖)과 같이 읽는다. 독음은 어(語)와 건(巾)의 반절이다.

3121

贙: 贙: 나눌 현: 貝–총23획: xuàn

原文

贙: 分別也. 从虤對爭貝. 讀若迴. 胡畎切.

‘나누다(分別)’라는 뜻이다. 호랑이 두 마리가 맞서 ‘조개[화폐]’를 서로 빼앗는 모습을 그렸다.[119] 회(迴)와 같이 읽는다. 독음은 호(胡)와 견(畎)의 반절이다.

119) 옛날 호랑이를 키우면서 호랑이를 갖고 장난질 치던 모습이다.

## 제170부수
## 170 ■ 명(皿)부수

**3122**

**皿: 皿: 그릇 명: 皿-총5획: mǐn**

原文

皿: 飯食之用器也. 象形. 與豆同意. 凡皿之屬皆从皿. 讀若猛. 武永切.

飜譯

'음식을 담아 먹던 기물(飯食之用器)'을 말한다. 상형이다. 두(豆)와 같은 뜻이다.120) 명(皿)부수에 귀속된 글자들은 모두 명(皿)이 의미부이다. 맹(猛)과 같이 읽는다. 독음은 무(武)와 영(永)의 반절이다.

**3123**

**盂: 盂: 바리 우: 皿-총8획: yú**

原文

盂: 飯器也. 从皿亏聲. 羽俱切.

飜譯

'밥그릇(飯器)'을 말한다. 명(皿)이 의미부이고 우(亏)가 소리부이다. 독음은 우(羽)와

---

120) 고문에서 [古文字形] 甲骨文 [古文字形] 金文 [古文字形] 古陶文 등으로 썼다. 아가리가 크고 두루마리 발(卷足·권족)을 가진 그릇을 그렸는데, 금문에서는 金(쇠 금)을 더하여 그것이 질그릇이 아닌 청동으로 만든 것임을 강조했다. 청동으로 만든 그릇은 대단히 값 비싸고 귀하여 주로 제사 등에서 의례용으로 쓰였다. 그래서 皿(그릇 명)은 일반적인 그릇을 지칭하기도 하며, 나아가 청동 그릇은 제사를 드릴 때, 특히 맹약을 맺을 때 희생의 피를 받아 나누어 마시던 용도로 쓰이기도 했다. 또 그릇은 거울의 대용으로 쓰여 큰 대야에 물을 담아놓고 수면에 얼굴을 비추어 보곤 했다. 그런가 하면 청동 기물은 고대 중국에서 신분의 상징이 될 정도로 귀하고 비싼 것이었다.

구(俱)의 반절이다.

**3124**

**盌**: 盌: **주발 완**: 皿-**총10획**: **wǎn**

原文

盌: 小盂也. 从皿夗聲. 烏管切.

飜譯

'작은 사발(小盂)'을 말한다. 명(皿)이 의미부이고 원(夗)이 소리부이다. 독음은 오(烏)와 관(管)의 반절이다.

**3125**

**盛**: 盛: **담을 성**: 皿-**총12획**: **chéng**

原文

盛: 黍稷在器中以祀者也. 从皿成聲. 氏征切.

飜譯

'제사 지낼 때 서직을 담는 그릇(黍稷在器中以祀者)'을 말한다. 명(皿)이 의미부이고 성(成)이 소리부이다.[121] 독음은 씨(氏)와 정(征)의 반절이다.

**3126**

**齍**: 齍: **제기 자**: 齊-**총19획**: **zá**

原文

齍: 黍稷在器以祀者. 从皿齊聲. 卽夷切.

---

121) 고문에서 甲骨文 金文 簡牘文 古璽文 등으로 썼다. 皿(그릇 명)이 의미부고 成(이룰 성)이 소리부로, 다 자란(成) 곡식을 수확하여 그릇(皿)에 가득 담아 제사를 지냄을 말했으며, 이로부터 '가득 담다', '성하다', 豐盛(풍성)하다 등의 뜻이 나왔다.

**飜譯**

'제사 지낼 때 서직을 담는 그릇(黍稷在器以祀者)'을 말한다. 명(皿)이 의미부이고 제(齊)가 소리부이다. 독음은 즉(卽)과 이(夷)의 반절이다.

**3127**

**: 𥁕: 바가지 유·회: 皿-총11획: yòu**

**原文**

: 小甌也. 从皿有聲. 讀若灰. 一曰若賄. , 𥁕或从右. 于救切.

**飜譯**

'작은 동이(小甌)'를 말한다. 명(皿)이 의미부이고 유(有)가 소리부이다. 회(灰)와 같이 읽는다. 일설에는 회(賄)와 같이 읽는다고도 한다. 유()는 유(𥁕)의 혹체자인데, 우(右)로 구성되었다. 독음은 우(于)와 구(救)의 반절이다.

**3128**

**: 盧: 밥그릇 로: 皿-총16획: lú**

**原文**

: 飯器也. 从皿𧇡聲. , 籒文盧. 洛乎切.

**飜譯**

'밥그릇(飯器)'을 말한다. 명(皿)이 의미부이고 로(𧇡)가 소리부이다. 로()는 로(盧)의 주문체이다. 독음은 락(洛)과 호(乎)의 반절이다.

**3129**

**: 𥁰: 그릇 고: 皿-총16획: gǔ, què**

**原文**

: 器也. 从皿从缶, 古聲. 公戶切.

'그릇(器)'을 말한다. 명(皿)이 의미부이고 부(缶)도 의미부이며, 고(古)가 소리부이다. 독음은 공(公)과 호(戶)의 반절이다.

**3130**

**盄: 그릇 조: 皿-총9획: zhāo**

原文

盄: 器也. 从皿弔聲. 止遙切.

飜譯

'그릇(器)'을 말한다. 명(皿)이 의미부이고 조(弔)가 소리부이다. 독음은 지(止)와 요(遙)의 반절이다.

**3131**

**盎: 동이 앙: 皿-총10획: àng**

原文

盎: 盆也. 从皿央聲. 烏浪切.

飜譯

'동이(盆)'를 말한다. 명(皿)이 의미부이고 앙(央)이 소리부이다. 독음은 오(烏)와 랑(浪)의 반절이다.

**3132**

**盆: 동이 분: 皿-총9획: pén**

原文

盆: 盎也. 从皿分聲. 瓫, 盎或从瓦. 步奔切.

飜譯

'동이(盎)'를 말한다. 명(皿)이 의미부이고 분(分)이 소리부이다. 분(𩰫)은 분(盎)의 혹체자인데, 와(瓦)로 구성되었다. 독음은 보(步)와 분(奔)의 반절이다.

**3133**

**盅: 宔: 그릇 저: 皿-총10획: zhù**

原文

盅: 器也. 从皿宁聲. 直呂切.

飜譯

'그릇(器)'을 말한다. 명(皿)이 의미부이고 녕(宁)이 소리부이다. 독음은 직(直)과 려(呂)의 반절이다.



**3134**

**盨: 盨: 그릇 수: 皿-총17획: xù**

原文

盨: 橮盨, 負戴器也. 从皿須聲. 相庾切.

飜譯

'공수(橮盨)'를 말하는데, '등에 짊어지거나 머리에 이고 다니는 기물(負戴器)'을 말한다.[122] 명(皿)이 의미부이고 수(須)가 소리부이다. 독음은 상(相)과 유(庾)의 반절이다.

---

122) 『단주』에서 이렇게 말했다. "『한서·동방삭전(東方朔傳)』에서 삭(朔)이 이는 구수(寠數)를 말한다고 했는데, 안사고의 주석에서 구수(寠數)는 머리에 이고 다니는 기물을 말하는데(戴器也), 동이(盆)에 물체를 담아서 머리에 이고 다닌다고 했다. 그렇다면 구수(寠數)로 이를 받친다. 오늘날 백단병(白團餠)을 파는 사람들이 사용하는 것들이다.……부대기(負戴器)라는 말은 이로써 등에 지거나 머리에 이고 다니는 기물을 말한 것이다."

**3135**

: ⿱漻皿: **데우는 그릇 교**: 皿-총19획: jiǎo

原文

: 器也. 从皿漻聲. 古巧切.

飜譯

'데우는데 쓰는 그릇(器)'을 말한다. 명(皿)이 의미부이고 유(漻)가 소리부이다. 독음은 고(古)와 교(巧)의 반절이다.

**3136**

: ⿱必皿: **그릇 밀**: 皿-총10획: mì

原文

: 械器也. 从皿必聲. 彌畢切.

飜譯

'물을 받아 머리를 씻는데 쓰는 그릇(械器)'을 말한다.[123] 명(皿)이 의미부이고 필(必)이 소리부이다. 독음은 미(彌)와 필(畢)의 반절이다.

**3137**

: 醯: **초 혜**: 酉-총19획: xī

原文

: 酸也. 作醯以鬻以酒. 从鬻、酒並省, 从皿. 皿, 器也. 呼雞切.

飜譯

'식초(酸)'를 말한다. 식초를 만들 때에는 쌀이나 술을 사용한다. 육(鬻)과 주(酒)의 생략된 모습이 의미부이고, 명(皿)도 의미부이다. 명(皿)은 기물(器)을 뜻한다. 독음

---

123) 주준성의 『통훈정성』의 풀이를 따랐다. 『광운』에서는 계(械)를 식(拭)으로 풀이했다.

은 호(呼)와 계(雞)의 반절이다.

3138

**: 盉: 조미할 화: 皿-총10획: hé**

原文

: 調味也. 从皿禾聲. 戶戈切.

飜譯

'조미하다(調味)'라는 뜻이다. 명(皿)이 의미부이고 화(禾)가 소리부이다.124) 독음은 호(戶)와 과(戈)의 반절이다.

3139

**: 益: 더할 익: 皿-총10획: yì**

原文

: 饒也. 从水、皿. 皿, 益之意也. 伊昔切.

飜譯

'넉넉하다(饒)'라는 뜻이다. 수(水)와 명(皿)이 의미부이다. 그릇(皿)에 물이 차서 넘치다는 뜻이다.125) 독음은 이(伊)와 석(昔)의 반절이다.

---

124) 고문에서 金文 등으로 썼다. 皿(그릇 명)이 의미부고 禾(벼 화)가 소리부로, 주전자처럼 긴 주둥이를 가진 옛날의 술그릇을 말하는데, 여러 맛을 섞어 맛을 낼 수 있는(禾, 和와 통함) 그릇(皿)이라는 뜻을 담았다. 고고 자료를 보면 처럼 생긴 술이나 물을 담던 그릇이다. 모양은 다양하나 깊은 배(深腹), 둥근 아가리(圓口), 뚜껑(蓋)이 있다. 또 앞쪽으로 액체를 부을 수 있는 주둥이(流)와 뒤쪽으로는 손잡이(鋬)가 있으며, 3~4개의 발(足)을 가졌으며, 뚜껑과 몸통은 보통 사슬로 연결되어 있다. 상(商)나라 때부터 전국(戰國)시대까지 등장하나 상나라와 서주 때 특히 유행했다. 상나라 때의 것은 속이 빈 발(空心足)이 많다. 춘추 전국 시대에 이르면 주전자처럼 들 수 있는 손잡이(提梁)가 등장한다.(바이두백과)

125) 고문에서 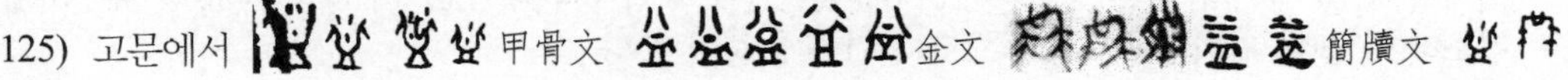 甲骨文 金文 簡牘文

**3140**

**盈: 盈: 찰 영: 皿-총9획: yíng**

原文

盈: 滿器也. 从皿、夃. 以成切.

飜譯

'그릇을 가득 채우다(滿器)'라는 뜻이다. 명(皿)과 고(夃)가 의미부이다. 독음은 이(以)와 성(成)의 반절이다.

**3141**

**盡: 盡: 다될 진: 皿-총14획: jìn**

原文

盡: 器中空也. 从皿㶳聲. 慈刃切.

'기물 속이 비었다(器中空)'라는 뜻이다. 명(皿)이 의미부이고 신(㶳)이 소리부이다.[126] 독음은 자(慈)와 인(刃)의 반절이다.

---

古璽文 石刻古文 등으로 썼다. 水(물 수)와 皿(그릇 명)으로 구성되어, 물(水)이 그릇(皿)에서 '넘치는' 모습을 그렸고, 여기에서 '더하다'는 뜻이 나오자 원래 뜻은 다시 水를 더한 溢(넘칠 일)로 분화했다. 물이란 가득 찬 후 넘치게 되므로, 점차 증가하다의 뜻이 나왔고, 다시 부유하다, 利益(이익) 등을 뜻하게 되었다.

126) 고문에서 甲骨文 金文 古陶文 盟書 簡牘文 등으로 썼다. 聿(붓 률, 筆의 원래 글자)과 皿(그릇 명)으로 구성되어, 붓(聿)으로 그릇(皿) 속의 찌꺼기까지 깨끗하게 청소하는 모습이며, 이로부터 '끝까지', 모든, 완벽하다, 극단에 이르다 등의 뜻이 나왔다. 청동 그릇 속에는 일반적으로 그 청동기를 제작하게 된 경위를 기록해 두었는데, 이를 청동기(金)에 주조한 글(文·문)이라는 뜻에서 金文이라 부른다. 금문은 보통 음각으로 되어 음식을 삶거나 사용 후에는 그곳에 찌꺼기가 끼기 마련이었고, 이 부분은 솔로 깨끗하게 청소해야 했다. 간화자에서는 尽으로 간단하게 줄여 쓴다.

3142

盅: 盅: 빌 충: 皿-총9획: zhōng

原文

盅: 器虛也. 从皿中聲. 『老子』曰: "道盅而用之." 直弓切.

飜譯

'기물 속이 비었다(器虛)'라는 뜻이다. 명(皿)이 의미부이고 중(中)이 소리부이다. 『노자』가 말했다. "도라는 것은 비었기 때문에 그것을 사용할 수 있는 법이다(道盅而用之)." 독음은 직(直)과 궁(弓)의 반절이다.



3143

盦: 盦: 뚜껑 암: 皿-총16획: ān

原文

盦: 覆蓋也. 从皿酓聲. 烏合切.

飜譯

'기물을 덮는 뚜껑(覆蓋)'을 말한다. 명(皿)이 의미부이고 염(酓)이 소리부이다. 독음은 오(烏)와 합(合)의 반절이다.

3144

𥁕: 𥁕: 어질 온: 皿-총10획: wēn

原文

𥁕: 仁也. 从皿, 以食囚也. 官溥說. 烏渾切.

飜譯

'인(仁)과 같아 어질다'라는 뜻이다. 명(皿)이 의미부인데, 그릇에 음식을 담아 죄수에게 먹이다는 뜻이다.[127] 관부(官溥)[128]의 해설이다. 독음은 오(烏)와 혼(渾)의 반절이다.

3145

**盥: 盥: 대야 관: 皿-총16획: guàn**

原文

盥: 澡手也. 从臼水臨皿. 『春秋傳』曰: "奉匜沃盥." 古玩切.

飜譯

'손을 씻다(澡手)'라는 뜻이다. 두 손(臼)으로 물(水)을 떠 그릇(皿)에 갖다 대는 모습을 그렸다. 『춘추전』(『좌전』 희공 23년, B.C. 637)에서 "[진(秦)나라 희공의 부인이었던 회영(懷嬴)이 직접 진(晉)나라 공자 중이(重耳)에게] 세수용 물주전자를 들고 대야에 물을 부어주었다(奉匜沃盥)"라고 했다. 독음은 고(古)와 완(玩)의 반절이다.

3146

**盪: 盪: 씻을 탕: 皿-총17획: tāng**

原文

盪: 滌器也. 从皿湯聲. 徒朗切.

飜譯

'세척용 대야(滌器)'를 말한다.[129] 명(皿)이 의미부이고 탕(湯)이 소리부이다. 독음은 도(徒)와 랑(朗)의 반절이다.

---

127) 『단주』에서 이렇게 말했다. "온화(溫和), 온유(溫柔), 온난(溫暖) 등은 모두 이 글자를 사용해야 한다. 그럼에도 온(溫)자가 성행하면서 온(昷)자는 사라지고 말았다. 수(水)부수에서 온(溫)자의 해설에서 강 이름(水名)이라고만 하고 따뜻하다(煗)는 뜻이라고 하지 않은 것은 따뜻하다는 의미는 수(囚)와 명(皿)으로 구성된 이 글자가 있기 때문이었을 것이다."

128) 허신이 해설을 인용한 당시의 학자였을 것이나, 상세한 정보는 알려지지 않았다.

129) 『단주』에서 이렇게 말했다. "수(水)부수에서 척(滌)은 물을 뿌려 씻다는 뜻이다(洒也)라고 했으며, 세(洒)는 씻다는 뜻이다(滌也)라고 했다. 이 글자에는 명(皿)이 더 들었다. 그래서 세척용 그릇(滌器)이라고 했던 것이다. 보통 물을 그릇 속에 넣고, 흔들어 찌꺼기나 때를 제거하거나 기왓장이나 돌가루를 넣어서 물로 헹구는데, 이를 탕(盪)이라고 한다. 탕(盪)은 강하게 세척하다(滌之甚者)는 뜻이다."

**3147**

**盋:** 盋: **사발 발: 皿-총10획: bō**

原文

盋: 盋器. 盂屬. 从皿犮聲. 或从金从本. 北末切.

飜譯

'사발(盋器)'을 말한다. 사발의 일종이다(盂屬). 명(皿)이 의미부이고 발(犮)이 소리부이다. 간혹 금(金)과 본(本)으로 구성되기도 한다. 독음은 북(北)과 말(末)의 반절이다. [신부]

## 제171부수
## 171 ■ 감(凵)부수

**3148**

**凵: 凵: 입 벌릴 감: 凵-총2획: kǎn**

原文

凵: 凵盧, 飯器, 以柳爲之. 象形. 凡凵之屬皆从凵. 笑, 凵或从竹去聲. 去魚切.

飜譯

'감로(凵盧)를 말하는데, 밥을 담는 그릇(飯器)이며, 버드나무(柳)로 만든다.' 상형이다.130) 감(凵)부수에 귀속된 글자들은 모두 감(凵)이 의미부이다. 감(笑)은 감(凵)의 혹체자인데, 죽(竹)이 의미부이고 去(거)가 소리부이다. 독음은 거(去)와 어(魚)의 반절이다.

---

130) 凵은 소전체에서부터 등장하는데, 땅을 파 만든 구덩이의 모습을 그렸다. 고대 사회에서 구덩이는 동물, 특히 덩치가 큰 동물을 잡는 대단히 유효한 장치의 하나였다. 갑골문의 기록에 의하면, 함정을 파서 잡은 짐승으로는 주로 돼지(豕·시), 곰(熊·웅), 사슴(鹿·록), 사불상(麋·미), 호랑이(虎·호), 무소(兕·시) 등이 있으며, 후대의 문헌 기록에 의하면 코끼리(象·상)도 잡았다고 한다. 이러한 방법으로 잡은 짐승의 양도 많아 한 번은 사불상 7백 마리를 잡은 적도 있고, 또 사슴과 사불상을 합해 2백9마리를 잡은 적도 있다고 기록되어 있다. 현대 한자에서 出(날 출)은 부수를 알아보기가 매우 어려운 글자의 하나인데, 갑골문에서는 반 지하 식으로 파서 만든 움집(凵)과 발(止·지, 趾의 원래 글자)을 그려, 집(凵)으로부터 나가는 동작을 그린 글자이다. 그리고 凹(오목할 요)는 움푹 들어간 모습을 사실적으로 그려, 볼록 튀어나온 모습을 그린 凸(볼록할 철)과 대칭을 이루며, 凷(흙덩이 괴)는 구덩이(凵)를 파면서 덜어낸 흙(土·토) 덩이를 말한다. 그런가 하면 函(함 함)과 凶(흉할 흉)은 凵과 의미적 연관을 하지 않은 글자들인데, 형체의 유사성 때문에 凵부수에 들었다.

## 제172부수

## 172 ■ 거(去)부수

**3149**

: 去: **갈 거**: 厶-총5획: qù

原文

: 人相違也. 从大凵聲. 凡去之屬皆从去. 丘據切.

飜譯

'사람이 서로 떠나 헤어지다(人相違)'라는 뜻이다. 대(大)가 의미부이고 감(凵)이 소리부이다.[131] 거(去)부수에 귀속된 글자들은 모두 거(去)가 의미부이다. 독음은 구(丘)와 거(據)의 반절이다.

**3150**

: 朅: **갈 걸**: 曰-총14획: qiè

原文

: 去也. 从去曷聲. 丘竭切.

飜譯

'떠나가다(去)'라는 뜻이다. 거(去)가 의미부이고 갈(曷)이 소리부이다. 독음은 구(丘)와 갈(竭)의 반절이다.

---

131) 고문에서 甲骨文 金文 古陶文 古璽文 簡牘文 등으로 썼다. 원래는 大(큰 대)와 凵(입 벌릴 감)으로 구성되어, 반 지하로 파 들어간 구덩이(凵)와 사람의 정면 모습(大)을 그려, 구덩이를 뛰어넘거나 구덩이로부터 나오는 사람(大)을 그렸고, 이로부터 가다, 떠나다, 벗어나다 등의 뜻을 갖게 되었다. 이후 자형이 조금 변해 지금처럼 되었으며, 현대 옥편에서 厶(사사 사)부수에 귀속되었지만 厶와는 관계없는 글자이다.

**3151**

**𨙨: 䔖: 다른 곳으로 갈 릉: 夊-총13획: líng**

𨙨: 去也. 从去夌聲. 讀若陵. 力膺切.

'헤어져 떠나가다(去)'라는 뜻이다. 거(去)가 의미부이고 릉(夌)이 소리부이다. 릉(陵)과 같이 읽는다. 독음은 력(力)과 응(膺)의 반절이다.

## 제173부수
## 173 ■ 혈(血)부수

3152

**𧖧: 血: 피 혈: 血-총6획: xuè**

原文

𧖧: 祭所薦牲血也. 从皿, 一象血形. 凡血之屬皆从血. 呼決切.

飜譯

'제사 때 신에게 바치는 희생물의 피(祭所薦牲血)'를 말한다. 명(皿)이 의미부이고, 일(一)은 피를 형상한 것이다.132) 혈(血)부수에 귀속된 글자들은 모두 혈(血)이 의미부이다. 독음은 호(呼)와 결(決)의 반절이다.

3153

**𧖴: 衁: 피 황: 血-총9획: huāng**

原文

𧖴: 血也. 从血亡聲. 『春秋傳』曰: "士刲羊, 亦無衁也." 呼光切.

---

132) 고문에서 [glyph]甲骨文 [glyph]金文 [glyph]古陶文 [glyph][glyph]簡牘文 등으로 썼다. 皿(그릇 명)과 丿(삐침 별)로 구성되어 그릇(皿) 속에 담긴 피를 형상화했다. 갑골문에서는 이를 더욱 사실적으로 그려, 피가 둥근 원이나 세로획으로 표현되기도 했고, 소전체에 들면서 가로획으로, 해서체에서 삐침 획으로 변해 지금의 자형이 되었다. 『설문해자』에서 "血은 제사 때 바치는 희생의 피를 말하며, 가로획은 피를 그렸다."라고 했고, 조상신을 모실 宗廟(종묘)가 만들어지면 "먼저 앞마당에서 희생을 죽이고, 그 피를 받아 집안에서 降神祭(강신제)를 지내고, 그 후 곡을 연주하고, 시신을 들이고, 왕은 술을 올린다."라고 한 옛날 제도를 참조하면, 血은 이러한 제사 때 쓸 그릇에 담긴 '피'를 그렸다. 이후 제사뿐 아니라 맹약에도 이런 절차를 거쳤는데, 盟(맹세할 맹)에 皿이 든 것은 바로 이 때문이다. 이후 血은 血淚(혈루)에서처럼 '눈물'을, 다시 血緣(혈연)에서처럼 가까운 관계를, 피처럼 붉은색 등을 뜻하게 되었다. 그래서 血로 구성된 한자는 '피'와 관련되어 있지만, 그 기저에는 제사 때 쓸 희생의 피라는 의미가 들어 있다.

飜譯

'피(血)'를 말한다. 혈(血)이 의미부이고 망(亡)이 소리부이다. 『춘추전』(『좌전』 희공 15년, B.C. 645)에 "힘센 장사가 양을 찔렀지만 피가 나지 않습니다(士刲羊, 亦無衁也)"라고 했다. 독음은 호(呼)와 광(光)의 반절이다.

3154

**衃: 衃: 어혈 배: 血-총10획: pēi**

原文

衃: 凝血也. 从血不聲. 芳桮切.

飜譯

'어혈(凝血)'을 말한다. 혈(血)이 의미부이고 부(不)가 소리부이다. 독음은 방(芳)과 배(桮)의 반절이다.

3155

**㶳: 盡: 진액 진: 血-총15획: jīn**

原文

盡: 气液也. 从血𦘒聲. 將鄰切.

飜譯

'기혈의 진액(气液)'을 말한다. 혈(血)이 의미부이고 진(𦘒)이 소리부이다. 독음은 장(將)과 린(鄰)의 반절이다.

3156

**甹: 甹: 숨 안정될 정: 血-총8획: tíng**

原文

甹: 定息也. 从血, 甹省聲. 讀若亭. 特丁切.

飜譯

'숨을 안정시키다(定息)'라는 뜻이다. 혈(血)이 의미부이고, 병(甹)의 생략된 모습이 소리부이다. 정(亭)과 같이 읽는다. 독음은 특(特)과 정(丁)의 반절이다.

3157

**衄: 衄: 코피 뉵: 血-총10획: nǜ**

原文

衄: 鼻出血也. 从血丑聲. 女六切.

飜譯

'코피가 나다(鼻出血)'라는 뜻이다. 혈(血)이 의미부이고 축(丑)이 소리부이다. 독음은 녀(女)와 륙(六)의 반절이다.

3158

**盥: 盥: 고름 농: 血-총19획: nóng**

原文

盥: 腫血也. 从血, 農省聲. 膿, 俗盥从肉農聲. 奴冬切.

飜譯

'혹에 든 농혈(腫血)'을 말한다. 혈(血)이 의미부이고, 농(農)의 생략된 모습이 소리부이다. 농(膿)은 농(盥)의 속체자인데, 육(肉)이 의미부이고 농(農)이 소리부이다. 독음은 노(奴)와 동(冬)의 반절이다.

3159

**監: 監: 육젓 담: 血-총14획: tǎn**

原文

監: 血醢也. 从血肬聲. 『禮記』有監醢, 以牛乾脯、粱、籟、鹽、酒也. 他感切.

飜譯

'피를 섞은 육장(血醢)'을 말한다. 혈(血)이 의미부이고 탐(肬)이 소리부이다. 『예기』에서 '담해(監醢)라는 것이 있는데, 말린 소고기(牛乾脯)와 기장(粱)과 누룩(䴵)과 소금(鹽)과 술(酒)로 만든다.'라고 했다. 독음은 타(他)와 감(感)의 반절이다.

**3160**

**𧖴: 䔾: 젓갈 저: 血-총18획: zú**

原文

𧖴: 醢也. 从血菹聲. 䖡, 䔾或从缶. 側余切.

飜譯

'육장(醢)'을 말한다. 혈(血)이 의미부이고 저(菹)가 소리부이다. 저(䖡)는 저(䔾)의 혹체자인데, 缶(부)로 구성되었다. 독음은 측(側)과 여(余)의 반절이다.

**3161**

**𧗁: 𧗁: 찌를 기: 血-총18획: jī**

原文

𧗁: 以血有所刏涂祭也. 从血幾聲. 渠稀切.

飜譯

'찔러 낸 피를 발라서 지내는 제사(以血有所刏涂祭)'를 말한다. 혈(血)이 의미부이고 기(幾)가 소리부이다. 독음은 거(渠)와 희(稀)의 반절이다.

**3162**

**卹: 卹: 가엾이 여길 술·휼: 卩-총8획: xù**

原文

卹: 憂也. 从血卩聲. 一曰鮮少也. 辛聿切.

飜譯

'걱정하다(憂)'라는 뜻이다. 혈(血)이 의미부이고 절(卩)이 소리부이다. 일설에는 '드물다(鮮少)'라는 뜻이라고도 한다. 독음은 신(辛)과 율(聿)의 반절이다.

3163

**衋: 衋: 애통해할 혁: 血-총24획: hé**

原文

衋: 傷痛也. 从血、聿, 皕聲. 『周書』曰: "民冈不衋傷心." 許力切.

飜譯

'슬퍼 애통해하다(傷痛)'라는 뜻이다. 혈(血)과 율(聿)이 의미부이고, 벽(皕)이 소리부이다. 『주서·주고(酒誥)』에서 "백성들 중 슬퍼 애통해 하지 않는 자가 없었다(民冈不衋傷心)"라고 했다. 독음은 허(許)와 력(力)의 반절이다.



3164

**衉: 衉: 선짓국 감: 血-총14획: kàn, kào**

原文

衉: 羊凝血也. 从血臽聲. 䘓, 衉或从贛. 苦紺切.

飜譯

'양의 엉긴 피(羊凝血)'를 말한다. 혈(血)이 의미부이고 함(臽)이 소리부이다. 감(䘓)은 감(衉)의 혹체자인데, 감(贛)으로 구성되었다. 독음은 고(苦)와 감(紺)의 반절이다.

3165

**盇: 盇: 덮을 합: 皿-총9획: hé**

原文

盇: 覆也. 从血、大. 胡臘切.

'덮다(覆)'라는 뜻이다. 혈(血)과 대(大)가 모두 의미부이다. 독음은 호(胡)와 랍(臘)의 반절이다.

**3166**

**衊: 衊: 모독할 멸: 血-총21획: miè**

衊: 汚血也. 从血蔑聲. 莫結切.

'더럽혀진 피(汚血)'를 말한다. 혈(血)이 의미부이고 멸(蔑)이 소리부이다. 독음은 막(莫)과 결(結)의 반절이다.

## 제174부수
## 174 ■ 주(丶)부수

**3167**

**丶: 丶: 점 주: 丶-총1획: zhǔ**

原文

丶: 有所絕止, 丶而識之也. 凡丶之屬皆从丶. 知庾切.

飜譯

'끊기는 곳이 있어, 점으로 표시하다(有所絕止, 丶而識之)'라는 뜻이다.133) 주(丶)부수에 귀속된 글자들은 모두 주(丶)가 의미부이다. 독음은 지(知)와 유(庾)의 반절이다.

**3168**

**主: 主: 주인 주: 丶-총5획: zhǔ**

原文

主: 鐙中火主也. 从𡈼, 象形. 从丶, 丶亦聲. 之庾切.

飜譯

'등잔 속의 심지(鐙中火主)'를 말한다. [丶를 뺀] 나머지(𡈼)가 의미부이고, 상형이다.134) 주(丶)도 의미부인데, 주(丶)는 소리부도 겸한다.135) 독음은 지(之)와 유(庾)

133) 주준성의 『통훈정성』에 의하면, "오늘날 책을 읽을 때, 점을 찍어 끊기는 곳을 표시하는데, 이도 이러한 것의 하나이다."라고 했다.

134) 丶는 『설문해자』의 말처럼 "등잔 속의 불꽃 심지"를 그대로 그린 상형자이다. 하지만, 소전체에 들면서 의미를 더욱 명확하게 하고자, 아랫부분에다 등잔대와 등잔 받침을 그려 넣어 분화했는데, 그것이 지금의 主(주인 주)가 되었다. 『설문해자』의 다른 자형에서는 主의 아랫부분이 나무(木·목)로 이루어져 타오르는 횃불로 그리기도 했는데, 등잔이 등장하기 전 나무를 모아 불을 피우던 '횃불'을 그렸다. 등잔은 어둠을 밝히기 위한 존재이다. 어둠을 밝히려면 가장

의 반절이다.

**3169**

**咅**: 音: **침 부**: 口-총8획: pǒu

原文

咅: 相與語, 唾而不受也. 从丶从否, 否亦聲. 𣬉, 咅或从豆从欠. 天口切.

飜譯

'서로 함께 이야기하면서, 한쪽이 침을 뱉으며 상대의 말을 거부하다(相與語, 唾而不受).'라는 뜻이다. 주(丶)가 의미부이고 부(否)도 의미부인데, 부(否)는 소리부도 겸한다. 부(𣬉)는 부(咅)의 혹체자인데, 두(豆)도 의미부이고 흠(欠)도 의미부이다. 독음은 천(天)과 구(口)의 반절이다.

---

중요한 것이 불빛을 내는 심지이다. 그래서 主에는 주위를 밝히는 중심이라는 뜻이, 다시 主人(주인)에서처럼 사람(人)에게서의 중심(主)이라는 의미가 생겼다. '노블레스 오블리제(noblesse oblige: 높은 신분에 따른 도의상의 의무)'라는 말처럼, 主人은 모름지기 자신을 불태워 주위를 밝히는 등잔불처럼 언제나 주위를 위해 자신을 바치는 희생정신이 담보되어야 하는 사람이어야 한다는 뜻을 담고자 했는지도 모를 일이다. 主가 불꽃의 심지보다는 주인이라는 일반적인 의미로 더 자주 쓰이자, 원래의 뜻은 다시 火(불 화)를 더한 炷(심지 주)로 구분해 표현했다.

135) 고문에서 [glyph]古陶文 [glyph] [glyph]簡牘文 등으로 썼다. 등잔대와 등잔 받침과 불꽃 심지를 그렸는데, 그것이 등잔불의 핵심이라는 뜻에서 핵심, 주인, 주류 등의 뜻이 나왔으며, 이로부터 가장 중요한 것, 주장, 주의 등의 뜻도 나왔다. 이후 主가 '주인'이라는 뜻으로 자주 쓰이자, 원래 뜻은 다시 火(불 화)를 더한 炷(심지 주)로 구분해 표현했다.

# 제5권
## (하)

# 제175부수
# 175 ■ 단(丹)부수

**3170**

**丹**: 丹: **붉을 단·란**: 丶-총4획: dān

原文

丹: 巴越之赤石也. 象采丹井, 一象丹形. 凡丹之屬皆从丹. ㅂ, 古文丹. 㣋, 亦古文丹. 都寒切.

飜譯

'파월 지역에서 나는 붉은 돌(巴越之赤石)'을 말한다. 단사를 캐는 광정을 그렸는데, 가로획[一]이 단사를 형상했다.136) 단(丹)부수에 귀속된 글자들은 모두 단(丹)이 의미부이다. 단(ㅂ)은 단(丹)의 고문체이다. 단(㣋)도 단(丹)의 고문체이다. 독음은 도(都)와 한(寒)의 반절이다.

**3171**

**雘**: 雘: **진사 확**: 隹-총18획: huò

原文

雘: 善丹也. 从丹蒦聲. 『周書』曰: "惟其斁丹雘." 讀若隺. 烏郭切.

---

136) 고문자에서 甲骨文 金文 古陶文 簡牘文 古璽文 등으로 썼다. 井(우물 정)에 점(丶)이 더해진 형상인데, 여기에서 井은 광물을 캐내는 鑛井(광정)을 뜻하고 점(丶)은 그곳에 무엇인가 있다는 의미를 나타내는 지사 부호이다. 『설문해자』의 고문에서는 광채를 뜻하는 彡(터럭 삼)이 더해지기도 했다. 그래서 丹은 원래 붉은색을 내는 광석인 丹砂(단사)를 캐던 광정을 말했고 이로부터 단사와 붉다는 뜻을 갖게 되었다. 한나라 때 유행했던 方士(방사)들은 불로장생을 위해 단사를 많이 먹었는데, 단사를 약으로 보았기 때문에 丹藥(단약)이라 부른다. 이후 丹은 대표적인 약물로 자리 잡게 되었으며, 지금도 '活絡丹(활락단)'처럼 丹은 정교하게 만든 알약이나 가루약을 지칭하는 데도 쓰인다.

飜譯

'질이 좋은 단사(善丹)'를 말한다. 단(丹)이 의미부이고 확(蒦)이 소리부이다. 『서·주서(周書)·재재(梓材)』에서 "[가래나무 재목으로 물건을 만들 때 애써 다듬고 깎았다면] 단청도 잘 칠해야 한다(惟其敷丹雘)"라고 했다. 각(隺)과 같이 읽는다. 독음은 오(烏)와 곽(郭)의 반절이다.

**3172**

**彤: 彤: 붉을 동: 彡-총7획: tóng**

原文

彤: 丹飾也. 从丹从彡. 彡, 其畫也. 徒冬切.

飜譯

'붉게 칠하다(丹飾)'라는 뜻이다. 단(丹)이 의미부이고 삼(彡)도 의미부인데, 삼(彡)은 칠한 모습을 뜻한다.[137] 독음은 도(徒)와 동(冬)의 반절이다.

---

137) 고문자에서 金文 簡牘文 등으로 썼다. 彡(터럭 삼)이 의미부이고 丹(붉을 단)이 소리부로, 단사(丹)에서 나는 화려한(彡) '붉은' 빛을 말한다.

## 제176부수
## 176 ■ 청(青)부수

**3173**

**青: 青: 푸를 청: 靑-총8획: qīng**

原文

青: 東方色也. 木生火, 从生、丹. 丹青之信言象然. 凡青之屬皆从青. □, 古文青. 倉經切.

飜譯

'동방을 상징하는 색(東方色)'이다. 목(木)은 화(火)를 살게 한다. 그래서 생(生)과 단(丹)이 의미부이다.[138] '단청지신(丹青之信)'이라는 말은 '반드시 그렇게 됨, 즉 필연적이다'라는 뜻이다.[139] 청(青)부수에 귀속된 글자들은 모두 청(青)이 의미부이다. 청(□)은 청(青)의 고문체이다. 독음은 창(倉)과 경(經)의 반절이다.

---

138) 고문자에서 金文 簡牘文 帛書 등으로 썼다. 금문에서 丹(붉을 단)이 의미부이고 生(날 생)이 소리부였는데, 자형이 변해 지금처럼 되었다. 生은 싹(屮·철)이 흙(土·토)을 비집고 올라오는 모습이고, 丹은 광정(井·정)에서 캐낸 염료(丶·주)를 상징한다. 『설문해자』의 해석처럼 青은 음양오행에서 東方(동방)의 색을 말하는데, 동방은 초목이 생장하기 시작할 때의 상징이다. 그래서 青은 바다나 하늘처럼 파랑이 아닌 봄날 피어나는 초목의 어린 싹에서 볼 수 있는 그런 '초록색'을 말한다. 막 피어나는 새싹의 색깔보다 더 순수하고 아름다운 색이 있을까? 그래서 青은 푸른색 즉 자연의 순색을 말하며 이 때문에 '순수'와 '純正(순정)'의 뜻이 담겼으며, 그런 순수함은 '깨끗함'과 '빛남'의 상징이며, 이로부터 젊음, 청춘, 청년을 지칭하게 되었다. 간화자에서는 青으로 쓴다.

139) 단청지신(丹青之信)은 위진(漢魏) 때 자주 쓰였는데 성어로, 필연적이라는 뜻이다. 붉은 색을 뜻하는 단(丹)과 푸른색을 뜻하는 청(青)은 절대 변하지 않는 색이다. 그래서 '단청과 같은 믿음'이라는 말처럼 반드시 그렇게 된다는 확신을 말하며 이로부터 이미 분명하다, 바꿀 수 없다, 필연적이라는 뜻이 나왔다.

**3174**

**䨏: 靜: 고요할 정: 青-총16획: jìng**

原文

䨏: 審也. 从青爭聲. 疾郢切.

飜譯

'환히 알다(審)'라는 뜻이다. 청(青)이 의미부이고 쟁(爭)이 소리부이다.140) 독음은 질(疾)과 영(郢)의 반절이다.

140) 青(푸를 청)이 의미부이고 爭(다툴 쟁)이 소리부인데, 원래는 화장의 농염을 표현할 때 쓰던 단어로, 그런 순색(青)을 다투어(爭) 취함을 말하여 자연색에 가까운 화장 색깔을 말했다. 화려한 화장은 사람의 마음을 흔들리게 하고 욕정을 움직이게 하지만, 그런 자연색에 가까운 화장은 안정되고 '靜肅(정숙)됨'을 보여준다. 이 때문에 靜에 맑고 고요하다, 정지하다, 안정되다 등의 뜻이 나왔다. 간화자에서는 静으로 줄여 쓴다.

## 제177부수
## 177 ■ 정(井)부수

**3175**

**井: 井: 우물 정: 二-총4획: jǐng**

原文

井: 八家一井，象構韓形. •，罋之象也. 古者伯益初作井. 凡井之屬皆从井. 子郢切.

飜譯

'[정전법에서] 여덟 집에 우물 하나씩을 만들었는데, [바깥의] 정(井)은 우물의 난간을 그렸고, [안쪽의] 점(•)은 두레박을 형상했다.141) 먼 옛날, 백익(伯益)142)이 처음으로 우물을 만들었다. 정(井)부수에 귀속된 글자들은 모두 정(井)이 의미부이다. 독음은 자(子)와 영(郢)의 반절이다.

**3176**

**熒: 熒: 깊은 못 영: 火-총14획: yǐng**

---

141) 고문자에서 甲骨文 金文 古陶文 盟書 簡牘文 등으로 썼다. 원래 네모지게 겹쳐 놓은 우물의 난간을 그렸으며, 이로부터 '우물'을 지칭하였고, 다시 우물처럼 생긴 것, 네모꼴로 잘 정리된 질서정연함을 뜻하게 되었다. 혹자는 우물의 난간을 그린 것이 아니라 우물 속을 파고들어 갈 때 옆의 흙이 무너지지 않도록 설치한 우물 바닥의 나무틀을 그린 것이라고도 하는데, 참고할 만하다.

142) 고대 전설상의 인물 백익은 백예(伯翳, 柏翳, 伯鷖), 대비(大費) 등의 여러 이름으로 불린다. 새들과 이야기한다고 하여 백충장군(百蟲將軍), 우물 파는 기술을 개발했다고 해서 정신(井神)으로도 불린다. 그가 살았다는 부락의 근거지는 지금의 산동성 하택(荷澤)시로 추정된다. 우임금 밑에서 치수를 도와 그 공으로 영(嬴)씨 성을 하사받아 영씨 성 제후의 조상이 되었다. 대표적인 후예로는, 말을 잘 몰았던 주 목왕 때의 조보와 진시황 영정이 있다. 그는 죽은 후 산동성 천태산(天台山)에 묻혔다는 설이 있다.(『중국인물사전』)

原文

𠷎: 深池也. 从井, 熒省聲. 烏迥切.

飜譯

'깊은 연못(深池)'을 말한다. 정(井)이 의미부이고, 영(熒)의 생략된 모습이 소리부이다. 독음은 오(烏)와 형(迥)의 반절이다.

**3177**

**阱**: 阱: **함정 정**: 阜-**총7획**: **jǐng**

原文

阱: 陷也. 从𨸏从井, 井亦聲. 穽, 阱或从穴. 汬, 古文阱从水. 疾正切.

飜譯

'함정(陷)'을 말한다. 부(𨸏)와 정(井)이 의미부인데, 정(井)은 소리부도 겸한다.143) 정(穽)은 정(阱)의 혹체자인데, 혈(穴)로 구성되었다. 정(汬)은 정(阱)의 고문체인데, 수(水)로 구성되었다. 독음은 질(疾)과 정(正)의 반절이다.

**3178**

**刑**: 荆: **형벌 형**: 刀-**총6획**: **xíng**

原文

刑: 罰辠也. 从井从刀. 『易』曰: "井, 法也." 井亦聲. 戶經切.

飜譯

'죄를 벌하다(罰辠)'라는 뜻이다. 정(井)이 의미부이고 도(刀)도 의미부이다.144) 『역·

143) 穴(구멍 혈)이 의미부고 井(우물 정)이 소리부로, 아래로 우물(井) 모양의 구덩이(穴)를 판 陷穽(함정)을 말한다. 『설문해자』에서는 阜(언덕 부)가 의미부이고 井(우물 정)이 소리부인 阱(함정 정)으로 썼다. 간화자에서는 阱에 통합되었다.

144) 고문자에서 [古文字] 金文 [古文字] 古陶文 [古文字] 簡牘文 등으로 썼다. 지금은 刀(칼 도)가 의미부고 幵(평평할 견)이 소리부인 구조로 '형벌'을 나타내나, 원래는 사람(人)이 네모꼴의 감

계사(繫辭)』에서 "정(井)은 법(法)을 말한다"라고 했다. 정(井)은 소리부도 겸한다. 독음은 호(戶)와 경(經)의 반절이다.

**3179**

**刱: 刱: 비롯할 창: 刀-총8획: chuàng**

原文

刱: 造法刱業也. 从井刅聲. 讀若創. 初亮切.

譯譯

'법과 사물을 창제하다(造法刱業)'라는 뜻이다. 정(井)이 의미부이고 창(刅)이 소리부이다.[145] 창(創)과 같이 읽는다. 독음은 초(初)와 량(亮)의 반절이다.



---

옥(井)에 갇힌 모습에서 형벌의 의미를 그렸다. 이후 소전체에서 人이 井의 바깥으로 나와 좌우구조로 변했고, 예서체에 이르러 다시 人이 刀로 잘못 변해 지금처럼 되었다. 이로부터 징벌, 토벌하다, 상해, 죽이다, 死刑(사형), 刑法(형법) 등의 뜻이 나왔다.

145) 고문자에서 金文 등으로 썼다. 刀(칼 도)가 의미부고 倉(곳집 창)이 소리부로, 칼(刀) 같은 도구로 곳집(倉)에 채울 곡식의 경작을 '시작'하다는 뜻인데, 금문에서는 밭을 가는 쟁기를 그려 이를 더욱 구체화 했다. 創의 이체자인 刱(비롯할 창)은 칼 같은 도구(刀)로 우물(井·정)을 파는 모습에서 이것이 정착의 '시작'임을 나타냈는데, 이후 創에 통합되었다. 정착을 위해 우물을 파고, 밭을 가는 과정에서 상처를 입기 일쑤였고, 이 때문에 다치다, 상처를 입다는 뜻도 나왔다. 『설문해자』에서는 刱(비롯할 창)으로 썼다. 간화자에서는 倉을 仓으로 간단하게 줄인 创으로 쓴다.

## 제178부수
## 178 ■ 급(皀)부수

**3180**

皀: 皀: **고소할 급·핍**: 白-**총7획**: **jí, bī**

原文

皀: 穀之馨香也. 象嘉穀在裹中之形. 匕, 所以扱之. 或說皀, 一粒也. 凡皀之屬皆从皀. 又讀若香. 皮及切.

飜譯

'곡식의 고소한 향기(穀之馨香)'를 말한다. 곡식이 곡식 껍질 속에 든 모습을 그렸다. 비(匕)는 그것을 떠먹는 기구이다. 혹자는 급(皀)이 '곡식 한 알(一粒)'을 말한다고도 한다. 급(皀)부수에 귀속된 글자들은 모두 급(皀)이 의미부이다. 또 향(香)과 같이 읽기도 한다. 독음은 피(皮)와 급(及)의 반절이다.

**3181**

卽: 卽: **곧 즉**: 卩-**총9획**: **jí**

原文

卽: 卽食也. 从皀卩聲. 子力切.

飜譯

'식사를 막 하려하다(卽食)'라는 뜻이다. 급(皀)이 의미부이고 절(卩)이 소리부이다.[146] 독음은 자(子)와 력(力)의 반절이다.

---

146) 고문자에서 甲骨文 金文 古陶文 簡牘文 石刻古文 등으로 썼다. 皀(어긋날 간)과 卩(병부 절)로 구성되어, 밥이 소복하게 담긴 그릇(皀) 앞에 앉은 사람(卩)이 밥을 막 먹으려는 모습을 그렸고, 여기서 '곧'의 의미가 나왔으며, 자리에 앉다, 즉위하다, 나아가다 등의 뜻도 나왔다. 여기에 식사를 '끝내고' 머리를 뒤로 홱 돌린 모

3182

: 旣: 이미 기: 无-총11획: jì

原文

: 小食也. 从皀旡聲. 『論語』曰: "不使勝食既." 居未切.

飜譯

'음식물이 적다(小食)'라는 뜻이다. 급(皀)이 의미부이고 기(旡)가 소리부이다.147) 『논어·향당(鄕黨)』에서 "[고기 음식이 많아도] 곡식 음식보다 더 많이 먹지 않게 하라(不使勝食旣)"라고 했다. 독음은 거(居)와 미(未)의 반절이다.

3183

: 㿝: 잘못 지은 밥 석: 冖-총9획: shì

原文

: 飯剛柔不調相著. 从皀冂聲. 讀若適. 施隻切.

飜譯

'단단함과 무름이 서로 조화되지 않은 잘못 지은 밥(飯剛柔不調相著)'을 말한다. 급(皀)이 의미부이고 경(冂)이 소리부이다. 적(適)과 같이 읽는다. 독음은 시(施)와 척(隻)의 반절이다.

---

습이 旣(이미 기)이며, 식기를 중앙에 두고 마주 앉은 모습이 卿(벼슬 경)이다. 겸상은 손님이 왔을 때 차리기에 卿에는 '손님'이라는 뜻이 생겼고, 다시 상대를 높여 부르는 글자로, 급기야 卿大夫(경대부)에서처럼 '벼슬'의 뜻까지 갖게 되었다. 사실 卿과 鄕(시골 향)은 같은 데서 분화한 글자다. 겸상을 차려 손님을 '대접하는' 것이 鄕이었는데, 이후 '시골'이라는 뜻으로 가차되자 다시 食(밥 식)을 더해 饗(잔치 향)으로 분화했다. 간화자에서는 即으로 쓴다.

147) 고문자에서 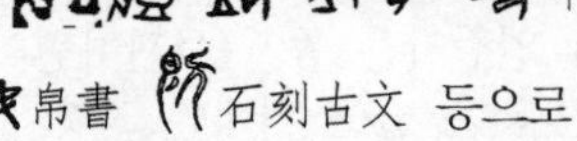甲骨文 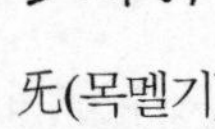金文 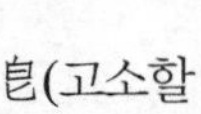古陶文 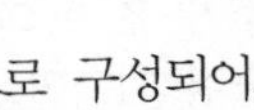盟書 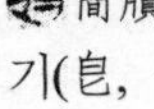簡牘文 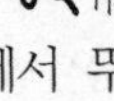帛書 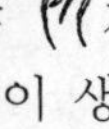石刻古文 등으로 썼다. 旡(목멜기)와 皀(고소할 급)으로 구성되어, 식기(皀, 食에서 뚜껑이 생략된 모습)를 앞에 둔 채 고개를 뒤로 돌린 사람(旡)을 그려, 식사가 '이미' 끝났음을 나타냈으며, 사실은 无(없을 무)와 전혀 관련이 없는 글자들인데 형체가 비슷해 '无'부수에 귀속되었다.

# 제179부수
## 179 ■ 창(鬯)부수

**3184**

: 鬯: **울창주 창**: 鬯-총10획: chàng

原文

: 以秬釀鬱艸, 芬芳攸服, 以降神也. 从凵, 凵, 器也; 中象米; 匕, 所以扱之. 『易』曰: "不喪匕鬯." 凡鬯之屬皆从鬯. 丑諒切.

飜譯

'찰기장으로 빗고 울창을 넣어, 향기가 온대 처져 나가게 하여, 신을 강림하게 하는 술(以秬釀鬱艸, 芬芳攸服, 以降神.)'을 말한다. 감(凵)이 의미부인데, 감(凵)은 술그릇을 말한다. 중간 부분은 쌀(米)을 그렸고, 비(匕)는 그것을 뜨는 기구이다.148) 『역·진괘(震卦)』에서 "[종묘사직에] 제사 모시는 일을 잊지 말라(不喪匕鬯)"라고 했다. 창(鬯)부수에 귀속된 글자들은 모두 창(鬯)이 의미부이다. 독음은 축(丑)과 량(諒)의 반절이다.

---

148) 고문자에서 甲骨文 金文 등으로 썼다. 지금은 잘 쓰이지 않지만, 옛날에는 매우 중요한 글자로, 갑골문부터 등장한다. 鬯을 『설문해자』에서는 "찰기장과 향초를 섞어 향기가 나게 한 술로 신을 내리게 할 때 쓴다. 凵(입 벌릴 감)은 그릇을, 중간부분의 ※은 쌀을, 아래쪽의 匕(비수 비)는 술을 뜨는 국자를 그렸다."라고 풀이했지만, 소전체에 근거한 풀이로 보인다. 갑골문을 살펴보면, 위쪽은 두 귀를 가진 시루 모양의 용기이고, 아래쪽은 국자(匕)가 아닌 내린 술을 받는 그릇이며, 중간의 ※나 ×로 표시된 부분은 기장과 누룩 등을 버무린 술의 재료로 보인다. 중국의 술은 전통적으로 과일주가 아닌 곡주였는데, 기장이나 수수·쌀·조 등의 곡물과 이를 발효시킬 누룩을 섞어 일정기간 동안 보관하면서 발효를 시키고, 술이 익으면 대나무 등으로 만든 용수를 박고 고인 맑은 술을 떠내면 그것이 清酒(청주)가 되고 남은 찌꺼기에 물을 섞어 걸러내면 濁酒(탁주)가 된다. 그러지 않고 익은 술을 솥에 넣고 끓여 증류시켜 만든 것이 燒酒(소주)이고, 이 과정을 반복하면 도수가 높은 술을 얻을 수 있다. 중국술은 燒酒가 주를 이루었고, 鬯은 그런 모습을 그린 것으로 추정된다.

**3185**

**鬱: 울금향 울: 鬯-총28획: yù**

原文

鬱: 芳艸也. 十葉爲貫, 百廾貫築以煑之爲鬱. 从臼、冂、缶、鬯; 彡, 其飾也. 一曰鬱鬯, 百艸之華, 遠方鬱人所貢芳艸, 合釀之以降神. 鬱, 今鬱林郡也. 迂勿切.

飜譯

'향기 나는 풀(芳艸)'을 말한다. 잎 10장을 하나로 꿰매고, 120꿰미를 찧고 삶아서 울창주(鬱)를 만든다. 구(臼)와 경(冂)과 부(缶)와 창(鬯)이 모두 의미부이다. 삼(彡)은 장식(飾)을 말한다. 일설에는 울창(鬱鬯)을 말한다고 하는데, 온갖 풀의 꽃과 먼 곳에 있는 울(鬱) 지역 사람들이 공납해 온 향초를 한데 합쳐 술을 빚고, 이로써 신을 강림하게 한다. 울(鬱)은 지금의 울림군(鬱林郡)을 말한다.[149] 독음은 우(迂)와 물(勿)의 반절이다.

**3186**

**爵: 잔 작: 爪-총18획: jué**

原文

爵: 禮器也. 象爵之形, 中有鬯酒, 又持之也. 所以飮. 器象爵者, 取其鳴節節足足也. 𠁧, 古文爵, 象形. 即畧切.

飜譯

'의식용 제기(禮器)'를 말한다. 참새(爵)의 모양을 닮았으며, 중간에 울창주가 들었고, 손(又)으로 그것을 쥔 모습이다. 술을 마시는 잔이다.[150] 기물이 참새를 닮은 것

---

149) 오늘날의 광서성 계평(桂平) 서쪽 지역을 말한다.

150) 고문자에서 甲骨文 金文 簡牘文 등으로 썼다. 옛날 제사에 쓰던 의식용 '술잔'을 그렸는데, 윗부분에 주둥이와 꼬리를, 중간에 손잡이와 불룩한 배를, 아랫부분에 세 개의 발을 가진, 마치 참새(雀·작)가 앉은 듯한 아름다운 자태의 술잔을 형상적으로 그렸다. 이후 윗부분이 술잔을 잡는 손(爪·조)으로 바뀌고 자형이

은 술을 따를 때 '짹짹'하고 나는 소리가 참새의 우는 소리를 닮았기 때문이다. 작(䶂)은 작(爵)의 고문체이다. 상형이다. 독음은 즉(卽)과 략(畧)의 반절이다.

**3187**

**䵻: 鬸: 옻 기장 거: 鬯-총20획: jù**

原文

䵻: 黑黍也. 一稃二米, 以釀也. 从鬯矩聲. 秬, 鬸或从禾. 其呂切.

飜譯

'검은 기장(黑黍)'을 말한다. 하나의 겉껍질에 알이 둘 든 것은 술로 빚을 수 있다. 창(鬯)이 의미부이고 구(矩)가 소리부이다. 거(秬)는 거(鬸)의 혹체자인데, 화(禾)로 구성되었다. 독음은 기(其)와 려(呂)의 반절이다.

**3188**

**䰥: 䰥: 벌릴 시: 鬯-총16획: shǐ**

原文

䰥: 列也. 从鬯吏聲. 讀若迅. 疏吏切.

飜譯

'독한 술(列)'을 말한다. 창(鬯)이 의미부이고 리(吏)가 소리부이다. 신(迅)과 같이 읽는다. 독음은 소(疏)와 리(吏)의 반절이다.

---

변해 지금처럼 되었으며, 그런 잔이 지위를 대변해 준다 하여 官爵(관작)이나 爵位(작위)에서와 같이 직위를 뜻하게 되었다.

## 제180부수
## 180 ■ 식(食)부수

**3189**

食: 食: **밥 식**: 食-**총9획**: **shí**

原文

食: 一米也. 从皀亼聲. 或說亼皀也. 凡食之屬皆从食. 乘力切.

飜譯

'모아 놓은 쌀(一米)'을 말한다.151) 급(皀)이 의미부이고 집(亼)이 소리부이다. 혹자는 집(亼)과 급(皀)이 의미부라고도 한다.152) 식(食)부수에 귀속된 글자들은 모두 식(食)이 의미부이다. 독음은 승(乘)과 력(力)의 반절이다.

**3190**

餴: 餴: **쉰밥 뜨물 분**: 食-**총19획**: **fēn**

原文

餴: 滫飯也. 从食𠦒聲. 饙, 餴或从賁. 餴, 餴或从奔. 府文切.

---

151) 『단주』에서 "亼米也"가 되어야 한다고 하면서 이렇게 말했다. "이를 각 판본에서는 '一米也'라고 적었는데 『옥편』도 마찬가지이다. 아마도 손강(孫強) 때 이미 그렇게 잘못 되었을 것이다. 『운회(韻會)』본에서는 '米也'라고 했는데, 이 역시 마찬가지이다. 지금 '亼米也'로 바로 잡는다. 집(亼)자를 일반인들은 잘 쓰지 않아 그렇게 되었을 것이다. 다음에 나오는 집(亼)자와 구(口)자의 해설 예로 볼 때, 여기서는 '亼米'가 되어야 함은 분명하다."

152) 고문자에서 甲骨文 金文 古陶文 簡牘文 등으로 썼다. 그릇에 담긴 음식을 그렸다. 위는 그릇의 뚜껑이고, 아래는 두루마리 발(卷足·권족)을 가진 그릇이며, 두 점은 피어오르는 김을 형상화했다. 소복하게 담긴 음식으로 보아 이는 '밥'으로 추정된다. 그래서 食의 원래 뜻은 '음식'이며, 이로부터 양식, 먹(이)다, 끼니 등을, 다시 양식을 받는다는 뜻에서 俸祿(봉록)까지 뜻하게 되었다. 다만 '먹이다'는 뜻으로 쓰일 때에는 '사'로 읽는데, 이후 司(맡을 사)를 더한 飼(먹일 사)로 구분해 표현했다.

飜譯

'반쯤 익혔다가 들어내어 다시 찐 밥(滫飯)'을 말한다. 식(食)이 의미부이고 훼(卉)가 소리부이다. 분(饙)은 분(餴)의 혹체자인데, 분(賁)으로 구성되었다. 분(䭃)은 분(餴)의 혹체자인데, 분(奔)으로 구성되었다. 독음은 부(府)와 문(文)의 반절이다.

**3191**

**䭆: 餾: 뜸들 류: 食-총20획: liù**

原文

䭆: 飯气蒸也. 从食畱聲. 力救切.

飜譯

'밥 짓는 증기로 찌다(飯气蒸)'는 뜻이다.153) 식(食)이 의미부이고 류(畱)가 소리부이다. 독음은 력(力)과 구(救)의 반절이다.

**3192**

**飪: 飪: 익힐 임: 食-총13획: rèn**

原文

飪: 大孰也. 从食壬聲. 恁, 古文飪. 恁, 亦古文飪. 如甚切.

飜譯

'푹 익히다(大孰)'라는 뜻이다. 식(食)이 의미부이고 임(壬)이 소리부이다. 임(恁)은 임(飪)의 고문체이다. 임(恁)도 임(飪)의 고문체이다. 독음은 여(如)와 심(甚)의 반절이다.

---

153) 『단주』에서는 "飯气流也"가 되어야 한다고 하면서 이렇게 말했다. "각 판본에서 류(流)를 증(蒸)으로 적었는데, 지금 『시경·대아·형작(泂酌)』의 『정의(正義)』에서 인용한 『설문』에 근거해 바로 잡는다. 릉(餕)자의 해설에서 '말이 먹는 곡식의 증기가 사방으로 흘러넘치다(馬食穀多气流四下也)'라는 뜻이라고 했다. 그렇다면 '飯气流'라는 것은 증기의 액체가 가득 흘러넘치다(气液盛流也)라는 뜻이다. 손염과 곽박의 『이아주(爾雅注)』를 비롯해 『시(詩)』의 『석문(釋文)』에서 인용한 자서(字書)에서는 '한 번 쪄 익히는 것을 분(饙)이라 하고, 다시 쪄 익히는 것을 류(餾)라고 한다고 했다. 허신의 해설은 이 보다 못하다."

3193

饔: 饔: 아침밥 옹: 食-총27획: yōng

原文

饔: 孰食也. 从食雝聲. 於容切.

飜譯

'익힌 음식(孰食)'을 말한다. 식(食)이 의미부이고 옹(雝)이 소리부이다. 독음은 어(於)와 용(容)의 반절이다.

3194

飴: 飴: 엿 이: 食-총14획: yí

原文

飴: 米櫱煎也. 从食台聲. 𩜁, 籒文飴从異省. 與之切.

飜譯

'싹이 튼 나락을 고아 만든 엿(米櫱煎)'을 말한다. 식(食)이 의미부이고 이(台)가 소리부이다. 이(𩜁)는 이(飴)의 주문체인데, 이(異)의 생략된 모습으로 구성되었다. 독음은 여(與)와 지(之)의 반절이다.

3195

餳: 餳: 엿 당: 食-총16획: xíng

原文

餳: 飴和饊者也. 从食昜聲. 徐盈切.

飜譯

'엿기름과 찹쌀을 고아 만든 엿(飴和饊者)'을 말한다. 식(食)이 의미부이고 역(昜)이 소리부이다. 독음은 서(徐)와 영(盈)의 반절이다.

**3196**

: 饊: **산자 산**: 食-**총24획**: sǎn

原文

: 熬稻粻䅣也. 从食散聲. 穌旱切.

飜譯

'찹쌀을 쪄 불게 하여 볶은 것(熬稻粻䅣)'을 말한다. 식(食)이 의미부이고 산(散)이 소리부이다. 독음은 소(穌)와 한(旱)의 반절이다.

**3197**

: 餠: **떡 병**: 食-**총15획**: bǐng

原文

: 麪餈也. 从食并聲. 必郢切.

飜譯

'밀가루로 만든 떡(麪餈)'을 말한다. 식(食)이 의미부이고 병(并)이 소리부이다. 독음은 필(必)과 영(郢)의 반절이다.

**3198**

: 餈: **인절미 자**: 食-**총15획**: cí

原文

: 稻餠也. 从食次聲. 𩟗, 餈或从齊. 粢, 餈或从米. 疾資切.

飜譯

'쌀로 만든 떡(稻餠)'을 말한다. 식(食)이 의미부이고 차(次)가 소리부이다. 자(𩟗)는 자(餈)의 혹체자인데, 제(齊)로 구성되었다. 자(粢)는 자(餈)의 혹체자인데, 미(米)로 구성되었다. 독음은 질(疾)과 자(資)의 반절이다.

3199

**饘: 饘: 죽 전: 食-총22획: zhān**

原文

饘: 糜也. 从食亶聲. 周謂之饘, 宋謂之餬. 諸延切.

飜譯

'죽(糜)'을 말한다. 식(食)이 의미부이고 단(亶)이 소리부이다. 주(周) 지역에서는 전(饘)이라 하고, 송(宋) 지역에서는 호(餬)라 한다.[154] 독음은 제(諸)와 연(延)의 반절이다.



3200

**餱: 餱: 건량 후: 食-총17획: hóu**

原文

餱: 乾食也. 从食侯聲. 『周書』曰: "峙乃餱粻." 乎溝切.

飜譯

'말린 밥(乾食)'을 말한다. 식(食)이 의미부이고 후(侯)가 소리부이다. 『서·주서(周書)·비서(費誓)』에서 "그대들의 말린 양식 다 갖추어 [감히 부족하지 않도록 하시오](峙乃餱粻)"라고 했다. 독음은 호(乎)와 구(溝)의 반절이다.

3201

**餥: 餥: 보리밥 먹을 비: 食-총17획: fěi**

154) 『단주』에서는 "宋衛謂之餰"가 되어야 한다면서, 위(衛)를 추가했고, 호(餬)를 건(餰)으로 고쳤다. 그리고 이렇게 말했다. "지금 「단궁(檀弓)」의 『음의(音義)』와 『초학기(初學記)』에 근거해 바로 잡는다. 건(餰)은 죽(鬻)의 혹체자이다. 죽(鬻)부수에 보인다. 거(去)와 건(虔)의 반절이다. 혹자는 망령되게도 죽(鬻)과 전(饘)이 같은 글자라고 한다. 그래서 여기서는 전(餰)을 호(餬)로 바꾸었을 따름이다."

原文

𩚲: 餱也. 从食非聲. 陳楚之閒相謁食麥飯曰餥. 非尾切.

飜譯

'말린 밥(餱)'을 말한다. 식(食)이 의미부이고 비(非)가 소리부이다. 진(陳)과 초(楚) 사이 지역에서는 서로 만난 후 보리밥 먹는 것(相謁食麥飯)을 비(餥)라고 한다. 독음은 비(非)와 미(尾)의 반절이다.

**3202**

**𩟗: 饎: 서속 찔 희·주식 치: 食-총21획: xī**

原文

𩟗: 酒食也. 从食喜聲. 『詩』曰: "可以饋饎." 𩜨, 饎或从配. 糦, 饎或从米. 昌志切.

飜譯

'술과 음식(酒食)'을 말한다. 식(食)이 의미부이고 희(喜)가 소리부이다. 『시·대아·형작(泂酌)』에서 "찐 밥 술밥 지을 수 있지(可以饋饎)"라고 했다. 희(𩜨)는 희(饎)의 혹체자인데, 이(配)로 구성되었다. 희(糦)도 희(饎)의 혹체자인데, 미(米)로 구성되었다. 독음은 창(昌)과 지(志)의 반절이다.

**3203**

**𩞆: 籑: 반찬 찬: 竹-총21획: zhuàn**

原文

𩞆: 具食也. 从食算聲. 饌, 籑或从巽. 士戀切.

飜譯

'밥과 음식을 함께 갖추다(具食)'라는 뜻이다.155) 식(食)이 의미부이고 산(算)이 소리

155) 『단주』에서 이렇게 말했다. "공(廾)부수에서 구(具)자에 대해 함께 갖추어 놓다는 뜻이다(共

부이다. 찬(䉵)은 찬(饟)의 혹체자인데, 손(巽)으로 구성되었다. 독음은 사(士)와 련(戀)의 반절이다.

3204

**𩙿: 養: 기를 양: 食-총15획: yǎng**

原文

養: 供養也. 从食羊聲. 䍩, 古文養. 余兩切.

飜譯

'먹을 것을 제공하여 키우다(供養)'라는 뜻이다. 식(食)이 의미부이고 양(羊)이 소리부이다.156) 양(䍩)은 양(養)의 고문체이다. 독음은 여(余)와 량(兩)의 반절이다.

3205

**飯: 飯: 밥 반: 食-총13획: fàn**

原文

飯: 食也. 从食反聲. 符萬切.

飜譯

'밥(食)'을 말한다. 식(食)이 의미부이고 반(反)이 소리부이다.157) 독음은 부(符)와 만

---

置也)라고 했다. 예경(禮經)의 주석들에서는 찬(饌)에 대해 진설하다는 뜻이다(陳也)고 했다. 진(陳)과 치(置)는 의미가 같다. 『논어』에서는 '술과 음식이 있으면 부모님이 먼저 드시게 했다.(有酒食, 先生饌.)'라고 했다."

156) 고문자에서 [金文 자형]金文 [簡牘文 자형]簡牘文 등으로 썼다. 食(밥 식)이 의미부고 羊(양 양)이 소리부로, 고대 중국인들의 토템이었던 양(羊)을 먹여가며(食) 정성껏 보살피듯 잘 받들어 모시는 '봉양하는' 모습을 그렸다. 이로부터 '기르다'의 뜻이 나왔으며, 양육, 보양, 휴양 등의 뜻도 나왔다. 금문에서는 羊과 攴(칠 복)으로 구성되어 양을 치는 모습을 그렸으나 이후 攴이 食으로 변해 지금의 자형이 되었으며, 간화자에서는 간단하게 줄여 养으로 쓴다.

157) 고문자에서 [金文 자형]金文 [簡牘文 자형]簡牘文 등으로 썼다. 食(밥 식)이 의미부고 反(되돌릴 반)이 소리부로, 밥(食)을 먹을 때에는 반복해서(反) 씹어야 한다는 뜻을 담았으며, 이로부터 밥, 밥을 먹다, 밥을 먹이다, 음식 등의 뜻이 나왔다. 또 옛날 사람이 죽으면 입에다 쌀 등 곡식을 물렸는

(萬)의 반절이다.

**3206**

**鈕: 飷: 비빔밥 뉴: 食-총12획: niù**

原文

鈕: 雜飯也. 从食丑聲. 女久切.

譯解

'뒤섞어 비빈 밥(雜飯)'을 말한다. 식(食)이 의미부이고 축(丑)이 소리부이다. 독음은 녀(女)와 구(久)의 반절이다.

**3207**

**飤: 飤: 먹일 사: 食-총11획: sì**

原文

飤: 糧也. 从人、食. 祥吏切.

譯解

'다른 사람에게 먹이다(糧)'라는 뜻이다. 인(人)과 식(食)이 의미부이다. 독음은 상(祥)과 리(吏)의 반절이다.

**3208**

**饡: 饡: 국밥 찬: 食-총28획: zuàn**

原文

饡: 以羹澆飯也. 从食贊聲. 則榦切.

譯解

---

데 이를 飯含(반함)이라 했다.

'국에다 밥을 말다(以羹澆飯)'라는 뜻이다. 식(食)이 의미부이고 찬(贊)이 소리부이다. 독음은 칙(則)과 간(榦)의 반절이다.

**3209**

**𩛷: 饟: 점심 상: 食-총20획: shǎng**

原文

𩛷: 晝食也. 从食象聲. 𩟄, 饟或从傷省聲. 書兩切.

飜譯

'낮에 먹는 밥, 즉 점심밥(晝食)'을 말한다. 식(食)이 의미부이고 상(象)이 소리부이다. 상(𩟄)은 상(饟)의 혹체자인데, 상(傷)의 생략된 모습이 소리부이다. 독음은 서(書)와 량(兩)의 반절이다.

**3210**

**飧: 飧: 저녁밥 손: 食-총11획: sūn**

原文

飧: 餔也. 从夕、食. 思魂切.

飜譯

'저녁에 먹는 밥, 즉 저녁밥(餔)'을 말한다. 석(夕)과 식(食)이 의미부이다. 독음은 사(思)와 혼(魂)의 반절이다.

**3211**

**餔: 餔: 새참 포: 食-총16획: bù**

原文

餔: 日加申時食也. 从食甫聲. 𧯨, 籒文餔从皿浦聲. 博狐切.

飜譯

'해가 신시[오후 3시~5시]에 이르렀을 때 먹는 밥, 즉 저녁밥(日加申時食)'을 말한다.158) 식(食)이 의미부이고 보(甫)가 소리부이다. 포(䭩)는 포(餔)의 주문체인데, 명(皿)이 의미부이고 포(浦)가 소리부이다. 독음은 박(博)과 호(狐)의 반절이다.

**3212**

**餐: 餐: 먹을 찬: 食-총16획: cān**

原文

餐: 呑也. 从食㱽聲. 湌, 餐或从水. 七安切.

飜譯

'삼키다(呑)'라는 뜻이다. 식(食)이 의미부이고 찬(㱽)이 소리부이다.159) 찬(湌)은 찬(餐)의 혹체자인데, 수(水)로 구성되었다. 독음은 칠(七)과 안(安)의 반절이다.

**3213**

**鎌: 鎌: 흉년 들 렴: 食-총18획: lián, qiàn, xiàn**

原文

鎌: 嘰也. 从食兼聲. 讀若風溓溓. 一曰廉潔也. 力鹽切.

飜譯

'적게 먹다(嘰)'라는 뜻이다. 식(食)이 의미부이고 겸(兼)이 소리부이다. '풍렴렴(風溓

---

158) 『단주』에서는 "日加申時食也"의 "日加"는 삭제되어야 한다고 하면서 이렇게 말했다. "지금 『광운(廣韵)』, 『유편(類篇)』, 『운회(韵會)』에 근거하여 바로 잡는다. 『회남자』에서 해가 비곡(悲谷)에 이르는 때를 포시(餔時)라고 한다고 했다. 포(餔)는 달리 포(晡)로 적기도 한다. 이후 의미가 파생되어 식사를 모두 포(餔)라 하게 되었다. 또 다른 사람에게 음식을 먹이는 것도 포(餔)라 하게 되었다."

159) 食(밥 식)이 의미부이고 㱽(뚫다 남을 잔)이 소리부로, 음식물(食)을 '먹다'는 뜻인데, 손(又·우)으로 뼈(歺·알)를 부수듯( 㱽) 음식(食)을 '잘게 씹는' 것이 식사의 속성임을 그렸다. 이로부터 먹다, 마시다, 식사, 간식 등의 뜻이 나왔다. 달리 湌(먹을 찬), 飱(저녁밥 손), 飡(저녁밥 손), 𣩠(저녁밥 손) 등으로 쓰기도 한다.

溓)'이라고 할 때의 렴(溓)과 같이 읽는다.160) 일설에는 '청렴하다(廉潔)'라는 뜻이라고도 한다. 독음은 력(力)과 염(鹽)의 반절이다.

3214

**饁: 饁: 들밥 엽: 食-총19획: yè**

原文

饁: 餉田也. 从食盍聲. 『詩』曰: "饁彼南畝." 筠輒切.

飜譯

'들판으로 밥을 보내다(餉田)'라는 뜻이다. 식(食)이 의미부이고 합(盍)이 소리부이다. 『시·소아보전(甫田)』에서 "남향 비탈 밭으로 밥을 날라 오니(饁彼南畝)"라고 노래했다. 독음은 균(筠)과 첩(輒)의 반절이다.

3215

**饟: 饟: 건량 양: 食-총26획: xiǎng**

原文

饟: 周人謂餉曰饟. 从食襄聲. 人漾切.

飜譯

'주(周) 지역 사람들은 다른 사람에게 먹을 것을 제공하는 것(餉)을 양(饟)이라고 했다.' 식(食)이 의미부이고 양(襄)이 소리부이다. 독음은 인(人)과 양(漾)의 반절이다.

3216

**餉: 餉: 건량 향: 食-총15획: xiǎng**

160) 『단주』에서도 풍렴렴(風溓溓)에 대해서는 들어보지 못했다고 했다. 다만 렴(溓)자의 주석에서 "풍렴렴(風溓溓)은 풍렴(風溓)이 되어야 할 것이고, 풍렴(風溓)은 바람이 질척질척하게 불다(風之蹙凌)는 뜻이라고 했다."

原文

餉: 饟也. 从食向聲. 式亮切.

飜譯

'다른 사람에게 먹을 것을 제공하다(饟)'라는 뜻이다. 식(食)이 의미부이고 향(向)이 소리부이다. 독음은 식(式)과 량(亮)의 반절이다.

**3217**

**饋: 饋: 먹일 궤: 食-총21획: kuì**

原文

饋: 餉也. 从食貴聲. 求位切.

飜譯

'다른 사람에게 먹을 것을 제공하다(餉)'라는 뜻이다. 식(食)이 의미부이고 귀(貴)가 소리부이다.161) 독음은 구(求)와 위(位)의 반절이다.

**3218**

**饗: 饗: 잔치할 향: 食-총22획: xiǎng**

原文

饗: 鄉人飲酒也. 从食从鄉, 鄉亦聲. 許兩切.

飜譯

'마주하여 술을 마시다(鄉人飲酒)'라는 뜻이다. 식(食)이 의미부이고 향(鄉)도 의미부인데, 향(鄉)은 소리부도 겸한다.162) 독음은 허(許)와 량(兩)의 반절이다.

---

161) 食(밥 식)이 의미부이고 貴(귀할 귀)가 소리부로, 먹을 것(食)을 골라내(貴) 남에게 보내는 것을 말하며, 이로부터 음식물, 보내다, 요리하다 등의 뜻이 나왔다.

162) 고문자에서 甲骨文 金文 簡牘文 등으로 썼다. 食(밥 식)이 의미부고 鄉(시골 향)이 소리부로, 음식(食)을 가운데 두고 손님과 마주앉은 모습(鄉)에 다시 食이 더해져 잔치를 베풀어 음식을 드리는 것을 그렸다. 간화자에서는 鄉을 乡으로 줄이고 좌우구조로 바꾸어

3219

**饛: 饛: 수북이 담을 몽: 食-총23획: méng**

原文

饛: 盛器滿皃. 从食蒙聲. 『詩』曰: "有饛簋飧." 莫紅切.

飜譯

'그릇 가득 음식이 담긴 모양(盛器滿皃)'을 말한다. 식(食)이 의미부이고 몽(蒙)이 소리부이다. 『시·소아대동(大東)』에서 "그릇엔 밥이 수북하고(有饛簋飧)"라고 노래했다. 독음은 막(莫)과 홍(紅)의 반절이다.



3220

**飵: 飵: 보리죽 작: 食-총13획: zhǎi**

原文

飵: 楚人相謁食麥曰飵. 从食乍聲. 在各切.

飜譯

'초(楚) 지역 사람들은 서로 만난 후 보리밥을 먹는 것을 작(飵)이라 한다.' 식(食)이 의미부이고 사(乍)가 소리부이다. 독음은 재(在)와 각(各)의 반절이다.

3221

**飴: 飴: 보리밥을 먹을 념·남: 食-총13획: nián**

原文

飴: 相謁食麥也. 从食占聲. 奴兼切.

飜譯

---

飧으로 쓴다.

'서로 만난 후 보리밥을 대접하다(相謁食麥)'라는 뜻이다. 식(食)이 의미부이고 점(占)이 소리부이다. 독음은 노(奴)와 겸(兼)의 반절이다.

**3222**

**䭳: 䭳: 보리밥으로 신을 초대할 은: 食-총22획: èn, wèn**

原文

䭳: 秦人謂相謁而食麥曰䭳餽. 从食㥯聲. 烏困切.

飜譯

'진(秦) 지역 사람들은 서로 만난 후 보리밥을 대접하는 것을 은온(䭳餽)이라 한다.' 식(食)이 의미부이고 은(㥯)이 소리부이다. 독음은 오(烏)와 곤(困)의 반절이다.

**3223**

**餽: 餽: 보리를 서로 먹을 온·배불리 먹을 안: 食-총18획: èn, wèn**

原文

餽: 䭳餽也. 从食豈聲. 五困切.

飜譯

'서로 만난 후 보리밥을 대접하는 것(䭳餽)'을 말한다. 식(食)이 의미부이고 기(豈)가 소리부이다. 독음은 오(五)와 곤(困)의 반절이다.

**3224**

**餬: 餬: 기식할 호: 食-총18획: hú**

原文

餬: 寄食也. 从食胡聲. 戶吳切.

飜譯

'남의 집에 빌붙어 먹고 살다(寄食)'라는 뜻이다. 식(食)이 의미부이고 호(胡)가 소리부이다. 독음은 호(戶)와 오(吳)의 반절이다.

3225

**䬵: 飶: 음식 냄새 필: 食-총14획: bì**

原文

䬵: 食之香也. 从食必聲. 『詩』曰: "有飶其香." 毗必切.

飜譯

'음식의 향기(食之香)'를 말한다. 식(食)이 의미부이고 필(必)이 소리부이다. 『시·주송·재삼(載芟)』에서 "향긋한 그 향기(有飶其香)"라고 했다. 독음은 비(毗)와 필(必)의 반절이다.

3226

**䬸: 飫: 먹기 싫어할 어: 食-총16획: yù**

原文

䬸: 燕食也. 从食芙聲. 『詩』曰: "飲酒之飫." 依據切.

飜譯

'무사태평하게 먹고 마시다(燕食)'라는 뜻이다. 식(食)이 의미부이고 요(芙)가 소리부이다. 『시·소아상체(常棣)』에서 "배부르게 먹고 마실 때(飲酒之飫)"라고 노래했다. 독음은 의(依)와 거(據)의 반절이다.

3227

**飽: 飽: 물릴 포: 食-총14획: bǎo**

原文

飽: 猒也. 从食包聲. 䬨, 古文飽从采. 䭋, 亦古文飽从卯聲. 博巧切.

飜譯

'물리도록 먹다(猒)'라는 뜻이다. 식(食)이 의미부이고 포(包)가 소리부이다.163) 포(𩚅)는 포(飽)의 고문체인데, 부(孚)로 구성되었다. 포(䭋)도 포(飽)의 고문체인데, 묘(卯)가 소리부이다. 독음은 박(博)과 교(巧)의 반절이다.

**3228**

**䭞: 餶: 물릴 연: 食-총15획: yuàn**

原文

䭞: 猒也. 从食肙聲. 烏玄切.

飜譯

'물리도록 먹다(猒)'라는 뜻이다. 식(食)이 의미부이고 연(肙)이 소리부이다. 독음은 오(烏)와 현(玄)의 반절이다.

**3229**

**饒: 饒: 넉넉할 요: 食-총21획: ráo**

原文

饒: 飽也. 从食堯聲. 如昭切.

飜譯

'배불리 먹다(飽)'라는 뜻이다. 식(食)이 의미부이고 요(堯)가 소리부이다. 독음은 여(如)와 소(昭)의 반절이다.

**3230**

**餘: 餘: 남을 여: 食-총16획: yú**

原文

---

163) 食(밥 식)이 의미부고 包(쌀 포)가 소리부로, 음식(食)을 배불리(包) 먹었음을 말하며, 이로부터 충분하다, 만족하다의 뜻이 나왔다.

餘：饒也. 从食余聲. 以諸切.

**飜譯**

'넉넉하다(饒)'라는 뜻이다. 식(食)이 의미부이고 여(余)가 소리부이다.[164] 독음은 이(以)와 제(諸)의 반절이다.

**3231**

**餀：** 餀: **더러운 냄새 해**: 食-**총15획**: **hài**

**原文**

餀：食臭也. 从食艾聲. 『爾雅』曰："餀謂之喙." 呼艾切.

**飜譯**

'음식에서 상한 냄새가 나다(食臭)'라는 뜻이다. 식(食)이 의미부이고 애(艾)가 소리부이다. 『이아·석기(釋器)』에서 "해(餀)는 훼(喙)와 같아 음식물이 썩어서 나는 냄새를 말한다"라고 했다.[165] 독음은 호(呼)와 애(艾)의 반절이다.



**3232**

**餞：** 餞: **전별할 전**: 食-**총17획**: **jiàn**

**原文**

餞：送去也. 从食戔聲. 『詩』曰："顯父餞之." 才線切.

**飜譯**

'전별하다, 즉 술과 음식을 대접하여 가는 사람을 떠나보내다(送去)'라는 뜻이다. 식(食)이 의미부이고 잔(戔)이 소리부이다. 『시·대아한혁(韓奕)』에서 "현보가 전송하는

---

164) 고문자에서 余 餘 餘 簡牘文 등으로 썼다. 食(밥 식)이 의미부고 余(나 여)가 소리부로, 객사(余, 舍의 원래 글자)에서 손님을 위해 음식(食)을 '남겨두다'는 뜻으로부터 '여유', 남다, 풍족함 등의 뜻을 그렸다. 간화자에서는 余에 통합되었다.

165) 금본『이아』에서는 훼(喙)가 훼(餯)로 되었으며,『이아주』에서 "음식물이 썩은 냄새를 말한다"라고 하였다. 이어지는 글에서 "밥이 쉰 것은 애(餲)라고 한다"라고 했다.

데(顯父餞之)”라고 노래했다. 독음은 재(才)와 선(線)의 반절이다.

**3233**

**䭈: 餫: 보낼 운: 食-총18획: yùn**

原文

䭈: 野饋曰餫. 从食軍聲. 王問切.

飜譯

‘멀리 야외까지 음식을 보내 전별하는 것(野饋)을 운(餫)이라고 한다.’ 식(食)이 의미부이고 군(軍)이 소리부이다. 독음은 왕(王)과 문(問)의 반절이다.

**3234**

**䭈: 館: 객사 관: 食-총17획: guǎn**

原文

䭈: 客舍也. 从食官聲. 『周禮』: 五十里有市, 市有館, 館有積, 以待朝聘之客. 古玩切.

飜譯

‘손을 접대하는 객사(客舍)’를 말한다. 식(食)이 의미부이고 관(官)이 소리부이다. 『주례·지관·유인(遺人)』에서 “50리마다 시장(市)을 설치하고, 시장에는 객관(館)을 만들며, 객관에는 물품을 쌓아놓아(積), 조회하거나 초빙한 손님을 대접한다.”라고 했다.166) 독음은 고(古)와 완(玩)의 반절이다.

---

166) 고문자에서 䭈古璽 등으로 썼다. 食(밥 식)이 의미부이고 官(벼슬 관)이 소리부로, 음식(食)을 제공하며 손님을 접대하는 관공서(官)라는 의미로, 『설문해자』에서는 “客舍(객사)를 말한다. 『주례』에 의하면 50리마다 시장이 있고 시장에는 객사가 마련되었는데, 거기서는 음식을 준비해두어 손님을 맞았다.”라고 했다. 食은 임시로 만들어진 집이라는 뜻에서 舍(집 사)로 바뀌어 舘(객사 관)으로 쓰기도 한다. 이후 손님을 접대하는 집이나 외국의 公館(공관), 旅館(여관), 문화적 장소 등을 뜻하게 되었다.

3235

**饕: 饕: 탐할 도: 食-총22획: tāo**

原文

饕: 貪也. 从食號聲. 叨, 饕或从口刀聲. 𩟧, 籒文饕从號省. 土刀切.

翻譯

'[먹을 것을] 탐하다(貪)'라는 뜻이다. 식(食)이 의미부이고 호(號)가 소리부이다. 도(叨)는 도(饕)의 혹체자인데, 구(口)가 의미부이고 도(刀)가 소리부이다. 도(𩟧)는 도(饕)의 주문체인데, 호(號)의 생략된 모습으로 구성되었다. 독음은 토(土)와 도(刀)의 반절이다.

3236

**飻: 飻: 탐할 철: 食-총13획: tiè**

原文

飻: 貪也. 从食, 殄省聲. 『春秋傳』曰: "謂之饕飻." 他結切.

翻譯

'[먹을 것을] 탐하다(貪)'라는 뜻이다. 식(食)이 의미부이고, 진(殄)의 생략된 모습이 소리부이다. 『춘추전』(『좌전』 문공 18년, B.C. 609)에서 "이를 두고 도철이라 합니다(謂之饕飻)"라고 했다.167) 독음은 타(他)와 결(結)의 반절이다.

3237

**饖: 饖: 쉴 예: 食-총22획: huì, yì**

原文

饖: 飯傷熱也. 从食歲聲. 於廢切.

167) 도철(饕飻)은 지금은 보통 도철(饕餮)로 쓴다.

飜譯

'밥이 열 때문에 쉬다(飯傷熱)'라는 뜻이다. 식(食)이 의미부이고 세(歲)가 소리부이다. 독음은 어(於)와 폐(廢)의 반절이다.

3238

**饐: 饐: 쉴 의: 食-총21획: yì**

原文

饐: 飯傷溼也. 从食壹聲. 乙冀切.

飜譯

'밥이 습기 때문에 쉬다(飯傷溼)'라는 뜻이다. 식(食)이 의미부이고 일(壹)이 소리부이다. 독음은 을(乙)과 기(冀)의 반절이다.

3239

**餲: 餲: 쉴 애: 食-총18획: ài**

原文

餲: 飯餲也. 从食曷聲. 『論語』曰: "食饐而餲." 乙例切.

飜譯

'밥이 오래되어 쉬다(飯餲)'라는 뜻이다. 식(食)이 의미부이고 갈(曷)이 소리부이다. 『논어·향당(鄕黨)』에서 "음식이 쉬어 맛이 변했다(食饐而餲)"라고 했다. 독음은 을(乙)과 례(例)의 반절이다.

3240

**饑: 饑: 주릴 기: 食-총21획: jī**

原文

饑: 穀不孰爲饑. 从食幾聲. 居衣切.

飜譯

'곡식이 여물지 않아 흉년이 드는 것(穀不孰)을 기(饑)라고 한다.' 식(食)이 의미부이고 기(幾)가 소리부이다.168) 독음은 거(居)와 의(衣)의 반절이다.

**3241**

: 饉: **흉년 들 근**: 食-총20획: jǐn

原文

: 蔬不孰爲饉. 从食堇聲. 渠吝切.

飜譯

'채소가 자라지 않아 흉년이 드는 것(蔬不孰)을 근(饉)이라 한다.' 식(食)이 의미부이고 근(堇)이 소리부이다. 독음은 거(渠)와 린(吝)의 반절이다.

**3242**

: 餩: **주릴 액**: 食-총13획: è

原文

: 飢也. 从食戹聲. 讀若楚人言恚人. 於革切.

飜譯

'굶주리다(飢)'라는 뜻이다. 식(食)이 의미부이고 액(戹)이 소리부이다. 초(楚) 지역 사람들이 말하는 '에인(恚人: 사람들에게 화를 내다)'라고 할 때의 에(恚)와 같이 읽는다. 독음은 어(於)와 혁(革)의 반절이다.

**3243**

: 餧: **먹일 위**: 食-총17획: wèi

---

168) 고문자에서 簡牘文 등으로 썼다. 食(밥 식)이 의미부이고 幾(기미 기)가 소리부로, 饑饉(기근)에서처럼 먹을 것(食)이 없어 굶주림을 말한다. 소리부인 幾를 几(안석 궤)로 바꾸어 飢(주릴 기)로 쓰기도 하며, 간화자에서는 소리부인 幾를 几(안석 궤)로 바꾼 饥로 쓴다.

原文

餧: 飢也. 从食委聲. 一曰魚敗曰餧. 奴罪切.

飜譯

'굶주리다(飢)'라는 뜻이다. 식(食)이 의미부이고 위(委)가 소리부이다. 일설에는 '생선이 상한 것(魚敗)'을 위(餧)라고도 한다. 독음은 노(奴)와 죄(罪)의 반절이다.

**3244**

**飢: 飢: 주릴 기: 食-총11획: jī**

原文

飢: 餓也. 从食几聲. 居夷切.

飜譯

'굶주리다(餓)'라는 뜻이다. 식(食)이 의미부이고 기(几)가 소리부이다. 독음은 거(居)와 이(夷)의 반절이다.

**3245**

**餓: 餓: 주릴 아: 食-총16획: è**

原文

餓: 飢也. 从食我聲. 五箇切.

飜譯

'굶주리다(飢)'라는 뜻이다. 식(食)이 의미부이고 아(我)가 소리부이다. 독음은 오(五)와 개(箇)의 반절이다.

**3246**

**餽: 餽: 보낼 궤: 食-총19획: guì**

原文

饋: 吳人謂祭曰餽. 从食从鬼, 鬼亦聲. 俱位切.

飜譯

'오(吳) 지역 사람들은 제사지내는 것(祭)을 궤(餽)라고 한다.' 식(食)이 의미부이고 귀(鬼)도 의미부인데, 귀(鬼)는 소리부도 겸한다. 독음은 구(俱)와 위(位)의 반절이다.

3247

餟: 餟: **군신제 체**: 食-**총17획**: zhuì

原文

餟: 祭酹也. 从食叕聲. 陟衛切.

飜譯

'술을 땅에 뿌리며 지내는 제사(祭酹)'를 말한다. 식(食)이 의미부이고 철(叕)이 소리부이다. 독음은 척(陟)과 위(衛)의 반절이다.

3248

餽: 餽: **강신제 세**: 食-**총15획**: duì, shuì

原文

餽: 小餟也. 从食兌聲. 輸芮切.

飜譯

'[술을 땅에 뿌리며 지내는] 소규모 제사(小餟)'를 말한다. 식(食)이 의미부이고 태(兌)가 소리부이다. 독음은 수(輸)와 예(芮)의 반절이다.

3249

餕: 餕: **땀 흘릴 릉**: 食-**총16획**: líng

原文

䮚: 馬食穀多, 气流四下也. 从食夌聲. 里甑切.

飜譯

'말이 먹이를 너무 많이 먹어 온 몸에서 땀이 흘러내리다(馬食穀多, 气流四下)'라는 뜻이다. 식(食)이 의미부이고 릉(夌)이 소리부이다. 독음은 리(里)와 증(甑)의 반절이다.

**3250**

**䬴: 䬴: 말 먹이 말: 食-총13획: mò**

原文

䬴: 食馬穀也. 从食末聲. 莫撥切.

飜譯

'말에게 먹이를 먹이다(食馬穀)'라는 뜻이다. 식(食)이 의미부이고 말(末)이 소리부이다. 독음은 막(莫)과 발(撥)의 반절이다.

**3251**

**餕: 餕: 대궁 준: 食-총16획: jùn**

原文

餕: 食之餘也. 从食夋聲. 子陖切.

飜譯

'먹고 남은 음식(食之餘)'을 말한다. 식(食)이 의미부이고 준(夋)이 소리부이다. 독음은 자(子)와 준(陖)의 반절이다. [신부]

**3252**

**餻: 餻: 떡 고: 食-총19획: gāo**

原文

𩞄: 餌屬. 从食羔聲. 古牢切.

飜譯

'떡의 일종(餌屬)'이다. 식(食)이 의미부이고 고(羔)가 소리부이다. 독음은 고(古)와 뢰(牢)의 반절이다. [신부]

# 제181부수

## 181 ■ 집(亼)부수

3253

**亼: 亼: 삼합 집: 人-총3획: jí**

原文

亼: 三合也. 从入、一, 象三合之形. 凡亼之屬皆从亼. 讀若集. 秦入切.

飜譯

'세 개의 획이 하나로 모인 모습(三合)'이다. 입(入)과 일(一)이 의미부인데, 세 획이 하나로 모인 모습을 그렸다. 집(亼)부수에 귀속된 글자들은 모두 집(亼)이 의미부이다. 집(集)과 같이 읽는다. 독음은 진(秦)과 입(入)의 반절이다.

3254

**合: 合: 합할 합: 口-총6획: hé**

原文

合: 合口也. 从亼从口. 候閤切.

飜譯

'두 개의 아가리를 합치다(合口)'라는 뜻이다. 집(亼)이 의미부이고 구(口)도 의미부이다.169) 독음은 후(候)와 합(閤)의 반절이다.

---

169) 고문자에서 甲骨文 金文 簡牘文 등으로 썼다. 갑골문에서 윗부분은 뚜껑을, 아랫부분은 입(口)을 그렸는데, 장독 등 단지의 아가리를 뚜껑으로 덮어놓은 모습을 했다. 뚜껑은 단지와 꼭 맞아야만 속에 담긴 내용물의 증발이나 변질을 막을 수 있다. 고대사회에서 단지와 그 뚜껑의 크기를 꼭 맞추는 것도 기술이었을 것이다. 그래서 合에 符合(부합)하다, 합치다는 뜻이 생겼다. 몸체와 뚜껑이 합쳐져야 완전한 하나가 되기에 '모두', '함께'라는 뜻도 함께 가지고 있다.

3255

**僉: 僉: 다 첨: 人-총13획: qiān**

原文

僉: 皆也. 从亼从吅从从.『虞書』曰: "僉曰伯夷." 七廉切.

飜譯

'모두(皆)'라는 뜻이다. 집(亼)이 의미부이고 훤(吅)도 의미부이고 종(从)도 의미부이다.170) 『우서(虞書)·요전(舜典)』에서 "모두가 '백이'라고 했다(僉曰伯夷)"라고 했다. 독음은 칠(七)과 렴(廉)의 반절이다.

3256

**侖: 侖: 둥글 륜: 人-총8획: lún**

原文

侖: 思也. 从亼从冊. 𠕋, 籒文侖. 力屯切.

飜譯

'생각하다(思)'라는 뜻이다. 집(亼)이 의미부이고 책(冊)도 의미부이다. 륜(𠕋)은 륜(侖)의 주문체이다. 독음은 력(力)과 둔(屯)의 반절이다.

3257

**今: 今: 이제 금: 人-총4획: jīn**

原文

今: 是時也. 从亼从乁. 乁, 古文及. 居音切.

---

170) 고문자에서 金文 등으로 썼다. 亼(삼합 집)과 두 개의 口(입 구)와 두 개의 人(사람 인)으로 구성되어, 여러 사람(人)이 함께 모여(亼) 하나같이 모두 각자의 말을 하다(口)는 뜻을 그렸으며, 이로부터 '모두', '함께'라는 뜻이 나왔다. 간화자에서는 초서체로 줄인 佥으로 쓴다.

飜譯

'이 때(是時)'라는 뜻이다. 집(亼)이 의미부이고 급(㇈)도 의미부인데, 급(㇈)은 급(及)의 고문체이다.171) 독음은 거(居)와 음(音)의 반절이다.

**3258**

舍: 舍: **집 사**: 舌-총8획: shè

原文

舍: 市居曰舍. 从亼、屮, 象屋也. 口象築也. 始夜切.

飜譯

'손님이 거주하는 방(市居)을 사(舍)라고 한다.' 집(亼)이 의미부이고 철(屮)도 의미부인데, 집(屋)을 형상화 했다.172) 구(口)는 집을 둘러싼 담(築)을 말한다.173) 독음은 시(始)와 야(夜)의 반절이다.

---

171) 고문자에서 甲骨文 金文 盟書 簡牘文 石刻古文 등으로 썼다. 이의 자원에 대해서는 의견이 분분하다. 『설문해자』에서는 曰(가로 왈)자를 거꾸로 그린 것이라고 하나, 갑골문을 보면 鐘(종)의 불알을 그린 것으로 추정된다. 종은 옛날 명령을 내리는 데 사용되었으며, 명령을 내리는 그때가 '현재 시점'이 되므로 '지금'이나 '곧' 등의 의미가 나온 것으로 추정된다.

172) 고문자에서 金文 古陶文 簡牘文 등으로 썼다. 口(**입 구**)가 의미부이고 余(**나 여**)가 소리부인데, 자형이 조금 변해 지금처럼 되었다. 口는 건축물의 기단을 말하고, 余는 그 위에 기둥을 세우고 지붕을 만든, 길을 가다가 머물도록 임시로 지은 집을 말했다. 옛날에는 30里(**리**) 마다 1舍를 만들었다. 임시 막사에 머물 손님은 잠시 있다가 떠나게 되므로 '떠나다', '버리다' 등의 뜻이 나왔고, 이때에는 手(**손 수**)를 더한 捨(**버릴 사**)로 구분해 쓰기도 했다. 또 남에게 자신의 친척이나 나이 어린 사람을 지칭할 때 낮추어 부르는 말로도 쓰였다. 현행 옥편에서는 형체의 유사함 때문에 舌(**혀 설**)부수에 귀속되었다.

173) 『단주』에서는 구(口)가 의미상 위(囗)가 되어야 하면서 "구(口)는 독음이 위(圍)이다. 사(舍)가 구(口)로 구성되게 된 의미를 설명했다."라고 했다. 『단주』에서는 기단을 형상한 구(口)를 객사를 둘러싼 담장으로 해석하여 위(囗)로 보았다.

# 제182부수
## 182 ■ 회(會)부수

3259

**會: 會: 모일 회: 曰-총13획: huì**

原文

會: 合也. 从亼, 从曾省. 曾, 益也. 凡會之屬皆从會. 㣛, 古文會如此. 黃外切.

飜譯

'합치다(合)'라는 뜻이다. 집(亼)이 의미부이고, 증(曾)의 생략된 모습도 의미부인데, 증(曾)은 '더하다(益)'라는 뜻이다.174) 회(會)부수에 귀속된 글자들은 모두 회(會)가 의미부이다. 회(㣛)는 회(會)의 고문체인데, 이렇게 쓴다. 독음은 황(黃)과 외(外)의 반절이다.

3260

**朇: 朇: 더할 비: 曰-총21획: pí**

原文

朇: 益也. 从會卑聲. 符支切.

飜譯

'더하여 늘어나게 하다(益)'라는 뜻이다. 회(會)가 의미부이고 비(卑)가 소리부이다. 독음은 부(符)와 지(支)의 반절이다.

---

174) 고문자에서 [古文字形] 金文 [古文字形] 古陶文 [古文字形] 簡牘文 [古文字形] 帛書 [古文字形] 石刻古文 등으로 썼다. 저장 용기와 내용물과 몸통과 덮개를 갖춘 모습을 형상화했다. 몸통과 덮개가 맞다는 뜻에서 합치되다, 합하다, 모으다, 만나다, 會合(회합), 會議(회의) 등의 뜻이 나왔다. 또 훌륭한 사람들을 두루 모으는 친화력이 동양사회에서의 전통적인 '능력'이었기에 '…할 수 있다'는 뜻까지 나왔으며, 가능을 나타내는 조동사로도 쓰였다. 간화자에서는 会로 줄여 쓴다.

**3261**

**曟: 曟: 해와 달이 만날 회: 辰-총20획: chén, qín**

原文

曟: 日月合宿从辰. 从會从辰, 辰亦聲. 植鄰切.

飜譯

'해와 달이 28수의 위치에 합쳐지는 것(日月合宿)을 진(辰)이라 한다.'[175] 회(會)가 의미부이고 진(辰)도 의미부인데, 진(辰)은 소리부도 겸한다. 독음은 식(植)과 린(鄰)의 반절이다.

---

175) 『단주』에서 '从辰'은 '爲曟'가 되어야 옳다고 했다. 해와 달이 하늘에서 운행하면서 일 년에 12번 만나게 되는데, 이렇게 만나는 것을 회(曟)라고 한다.

제183부수

# 183 ■ 창(倉)부수

3262

**倉: 倉: 곳집 창: 人-총10획: cāng**

原文

倉: 穀藏也. 倉黃取而藏之, 故謂之倉. 从食省, 口象倉形. 凡倉之屬皆从倉. 㟽, 奇字倉. 七岡切.

飜譯

'곡식을 저장하는 곳(穀藏)'을 말한다. 곡식이 익으면 수확하여 거기에다 저장한다(倉黃取而藏之). 그래서 그곳을 창(倉)이라 한다. 식(食)의 생략된 모습이 의미부이고, 구(口)는 창고를 형상했다.[176] 창(倉)부수에 귀속된 글자들은 모두 창(倉)이 의미부이다. 창(全)은 창(倉)의 기자이다. 독음은 칠(七)과 강(岡)의 반절이다.

3263

**牄: 牄: 먹는 소리 장·창: 爿-총14획: qiāng**

原文

牄: 鳥獸來食聲也. 从倉爿聲. 『虞書』曰: "鳥獸牄牄." 七羊切.

飜譯

'새나 짐승이 와서 곡식을 먹는 소리(鳥獸來食聲)'를 말한다. 창(倉)이 의미부이고

---

176) 고문자에서 [고문자 자형] 甲骨文 [고문자 자형] 金文 [고문자 자형] 古陶文 [고문자 자형] 簡牘文 [고문자 자형] 古幣文 등으로 썼다. 갑골문에서 지붕과 문과 기단이 갖추어져 습기나 쥐 등의 침입을 막도록 대 위에 만들어진 곡식 '창고'를 그렸다. 곳집이 원래 뜻이며, 이후 倉卒(창졸)에서처럼 몹시 급박하다는 뜻으로 가차되었고, 또 蒼(푸를 창)과 통용되어 푸른색을 뜻하기도 하였다. 간화자에서는 초서체로 줄인 仓으로 쓴다.

장(爿)이 소리부이다. 『우서(虞書)·익직(益稷)』에서 “새와 짐승들이 먹이 쪼며 춤추네(鳥獸牄牄)”라고 했다. 독음은 칠(七)과 양(羊)의 반절이다.

## 제184부수
## 184 ■ 입(入)부수

**3264**

**入: 入: 들 입: 入-총2획: rù**

原文

入: 內也. 象从上俱下也. 凡入之屬皆从入. 人汁切.

飜譯

'안으로 들어가다(內)'라는 뜻이다. 위쪽에서 아래쪽으로 내려오는 모습을 형상했다.177) 입(入)부수에 귀속된 글자들은 모두 입(入)이 의미부이다. 독음은 인(人)과 즙(汁)의 반절이다.

**3265**

**內: 內: 안 내: 入-총4획: nèi**

原文

內: 入也. 从冂, 自外而入也. 奴對切.

飜譯

'들어가다(入)'라는 뜻이다. 구(冂)가 의미부인데, 밖에서 안으로 들어가다는 뜻이다.178) 독음은 노(奴)와 대(對)의 반절이다.

---

177) 고문자에서 甲骨文 金文 盟書 簡牘文 등으로 썼다. 자원에 대해서는 의견이 분분하다. 땅속에 박아 놓은 막대나 뾰족한 물건을 그렸다고들 하지만 금문을 보면 동굴 집으로 들어가는 굴의 입구라는 것이 자형과 실제 상황에 가장 근접해 보인다. 동굴 집은 황하 유역에서 초기 중국인들의 대표적인 거주 형태였기에 入에 出入(출입)에서처럼 동굴 집으로 '들어가다'의 뜻이, 다시 참가하다, 적합하다, 맞다 등의 뜻이 나왔다. 또 옛날 사성의 하나로 입성을 말하기도 한다.

**3266**

**屵: 屵: 산속 깊이 들어갈 잠: 山-총5획: cén**

原文

屵: 入山之深也. 从山从入. 闕. 鉏箴切.

飜譯

'산의 깊은 곳으로 들어가다(入山之深)'라는 뜻이다. 산(山)이 의미부이고 입(入)도 의미부이다. 왜 그렇게 읽히는지 알 수 없다(闕).[179] 독음은 서(鉏)와 잠(箴)의 반절이다.

**3267**

**糴: 糴: 쌀 사들일 적: 米-총22획: dí**

原文

糴: 市穀也. 从入从糴. 徒歷切.

飜譯

'곡식을 사들이다(市穀)'라는 뜻이다. 입(入)이 의미부이고 적(糴)도 의미부이다.[180]

---

178) 고문자에서 甲骨文 金文 古陶文 盟書 簡牘文 등으로 썼다. 冖(덮을 멱)과 入(들 입)으로 이루어져 덮개(冖) 속에 든(入) 어떤 물건을 형상화하여 '안쪽'의 의미를 그렸다. 금문에서는 宀(집 면)과 入으로 구성되어 집으로(宀) 들어가는(入) 것이 바로 '안쪽(內)'임을 더욱 직접 표현하기도 했다. 이후 內心(내심)에서처럼 모든 것의 '안쪽'이나 '속'이라는 의미로 확대되었다. 그리하여 納(바칠 납)은 비단(糸·멱)을 나라 안(內)으로 들여오는 것을, 訥(말 더듬을 눌)은 말(言·언)을 넣어둔(內) 채 어눌하게 함을 말한다.

179) 음(屵)의 형체와 의미에 대해서는 설명했으므로, 여기서 말한 "闕"은 독음에 대한 설명으로 보인다.

180) 고문자에서 簡牘文 등으로 썼다. 米(쌀 미)와 入(들 입)이 의미부이고 翟(꿩 적)이 소리부로, 쌀(米)을 사들임(入)을 말한다. 원래는 籴으로 써 쌀(米)을 사들이다(入)는 뜻을 그렸는데, 이후 소리부인 翟을 더해 지금의 형성구조로 변화했다. 간화자에서는 籴으로 쓴다.

독음은 도(徒)와 력(歷)의 반절이다.

**3268**

## 仝: 仝: **한 가지 동**: 人-**총5획: tóng**

原文

仝: 完也. 从入从工. 全, 篆文仝从玉, 純玉曰全. 𠓛, 古文仝. 疾緣切.

飜譯

'온전하다(完)'라는 뜻이다. 입(入)이 의미부이고 공(工)도 의미부이다. 동(全)은 동(仝)의 전서체인데, 옥(玉)으로 구성되었다. 순수한 옥(純玉)을 전(全)이라 한다. 동(𠓛)은 동(仝)의 고문체이다. 독음은 질(疾)과 연(緣)의 반절이다.

**3269**

## 从: 从: **나란히 들어갈 량**: 入-**총4획: liǎng**

原文

从: 二入也. 兩从此. 闕. 良獎切.

飜譯

'둘이 안으로 들어가다(二入)'라는 뜻이다. 량(兩)자도 이 글자로 구성되었다. 무슨 뜻인지, 왜 그렇게 읽히는지 알 수 없다(闕). 독음은 량(良)과 장(獎)의 반절이다.

## 제185부수
## 185 ■ 부(缶)부수

**3270**

**缶:** 缶: **장군 부**: 缶**–총6획: fǒu**

原文

缶: 瓦器. 所以盛酒漿. 秦人鼓之以節謌. 象形. 凡缶之屬皆从缶. 方九切.

飜譯

'질그릇(瓦器)'을 말하는데, 술이나 장을 담을 수 있다. 진(秦) 지역 사람들은 이를 북으로 사용하여 노래의 가락을 맞추기도 한다. 상형이다.181) 부(缶)부수에 귀속된 글자들은 모두 부(缶)가 의미부이다. 독음은 방(方)과 구(九)의 반절이다.

**3271**

**㲉:** 㲉: **굽지 않은 질그릇 부**: 缶**–총16획: gǔ, gù, guàng, kòu**

原文

㲉: 未燒瓦器也. 从缶㱿聲. 讀若筩莩. 又苦候切.

---

181) 고문자에서 甲骨文 金文 古陶文 簡牘文 등으로 썼다. 午(일곱째 지지 오)와 凵(입 벌릴 감)으로 구성되어, 절굿공이(午, 杵의 본래 글자)로 그릇(凵)에 담긴 흙을 찧는 모습을 형상화했다. 그 흙은 질그릇을 만들기 위한 坏土(배토)일 것이고, 여기서 질그릇(陶器·도기)의 의미가 나왔다. 질그릇은 인류가 지금도 유용하게 쓰는 용기의 하나이다. 흙을 구우면 단단한 질그릇이 만들어지고, 이후 물이 새지 않도록 유약을 발라 자기를 만들었다. 도자기는 중국을 상징하는 대표적인 물산이었다. 도자기를 뜻하는 '차이나(china)'는 그것이 '중국'에서 서양으로 건너갔으며, 서양인들에게 중국 하면 도자기가 떠올랐음을 반영한다. 그뿐만 아니라 도자기의 주재료인 高嶺土(고령토)와 白土子(백토자)도 이들의 중국식 발음인 '카올린(kaolin)'과 '퍼튠체(petuntse)'로 남게 된 것도 같은 이유에서이다. 그래서 缶(장군 부)는 갖가지 질그릇을 지칭한다.

飜譯

'아직 굽지 않은 질그릇(未燒瓦器)'을 말한다. 부(缶)가 의미부이고 각(㱿)이 소리부이다. 용부(篇莩)라고 할 때의 부(莩)와 같이 읽는다. 독음은 또 고(苦)와 후(候)의 반절이다.182)

**3272**

: 匋: **질그릇 도**: 勹-총8획: táo

原文

: 瓦器也. 从缶, 包省聲. 古者昆吾作匋. 案:『史篇』讀與缶同. 徒刀切.

飜譯

'질그릇(瓦器)'을 말한다. 부(缶)가 의미부이고, 포(包)의 생략된 모습이 소리부이다.183) 먼 옛날, 곤오(昆吾)가 질그릇을 발명했다.184) 내 생각은 이렇다.185) 『사주편』에서 부(缶)와 같이 읽었다.186) 독음은 도(徒)와 도(刀)의 반절이다.

---

182) '우(又)'는 서현의 말로 보인다. 그렇다면, 허신이 말한 "용부(篇莩)라고 할 때의 '부(莩)'와 같이 읽힌다."라고 한 독음(芳無切) 이외에 또 고(苦)와 후(候)의 반절로 읽힌다는 말이다.

183) 阜(언덕 부)가 의미부이고 匋(질그릇 도)가 소리부이다. 원래는 물레를 돌리며 그릇을 빚는 사람(匋)을 그렸는데, 이후 의미를 더욱 강화하기 위해 흙을 뜻하는 阜가 더해져 형성구조로 변했다. 陶工(도공), 陶瓷器(도자기), 흙으로 굽다 등이 원래 뜻이며, 흙을 빚어 기물을 만든다는 뜻에서 陶冶(도야), 기르다 등의 뜻도 나왔다. 또 도기를 구울 때 큰불이 필요하므로 불이 성하다, 왕성하다, 무성하다, 기쁘다 등의 뜻도 나왔다.

184) 『단주』에서 이렇게 보충했다. "배인(裴駰)에 의하면 이 말은 『세본(世本)』에서 나온다고 했다. 『여람(呂覽)』에서도 '곤오가 도기를 만들었다(昆吾作陶)'고 했는데, 고유(高誘)의 주석에서 이렇게 말했다. 곤오(昆吾)는 전욱(顓頊)의 후손이다. 오회(吳回)는 려(黎)의 손자이고 육종(陸終)의 아들로, 기(己) 성으로 하(夏)의 통치자였다. 처음으로 도기 제작용 진흙을 만들었으며 이로써 기물을 만들었다."

185) "내 생각은 이렇다"는 표현은 『단주』에 의하면, 『설문』에서 두 번 등장하는데, 아마도 후인들이 덧보탠 말일 것이라고 했다.

186) 『단주』에서 이렇게 말했다. "『사편(史篇)』은 사주(史籒)가 편찬한 대전(大篆) 15편을 말한다. 이에 대해서는 벽(皕)부수를 참조하라. 부(缶)와 같이 읽는다고 했는데, 이는 『사편』에서 도(匋)를 부(缶)로 읽었다는 말이다. 고문에서 이루어진 가차이다. 도(匋)와 부(缶)는 모두 고음(古音) 제1부에 속해 있다. 그래서 가차가 가능하다. 이에 근거해 볼 때, 『사편』은 이후의 『창힐(倉頡)』이나 『원력(爰歷)』처럼 4글자씩 구를 이루었을 것임을 알 수 있다." 『사편(史篇)』은

**3273**

**罌: 罌: 양병 앵: 缶-총20획: yīng**

原文

罌: 缶也. 从缶賏聲. 烏莖切.

飜譯

'장군(缶)'을 말한다. 부(缶)가 의미부이고 영(賏)이 소리부이다. 독음은 오(烏)와 경(莖)의 반절이다.

**3274**

**甀: 甀: 입이 작은 독 수: 缶-총16획: chuí**

原文

甀: 小口罌也. 从缶垂聲. 池僞切.

飜譯

'아가리가 작은 앵병(小口罌)'을 말한다. 부(缶)가 의미부이고 수(垂)가 소리부이다. 독음은 지(池)와 위(僞)의 반절이다.

**3275**

**瓿: 瓿: 작은 장군 부: 缶-총14획: bù, fú**

原文

瓿: 小缶也. 从缶音聲. 蒲候切.

飜譯

---

사주(史籒)가 편찬한 대전(大篆) 15편을 말한다는 것에 대해, 왕국유는 이미 주(籒)를 '읽어 내려가다'는 뜻의 독(讀)으로 해석하야 한다고 논증한 바 있다. 이에 대해서는 앞의 2873_籒의 주석을 참조하라.

'크기가 작은 장군(小缶)'을 말한다. 부(缶)가 의미부이고 부(咅)가 소리부이다. 독음은 포(蒲)와 후(候)의 반절이다.

3276

**䍯: 缾: 두레박 병: 缶-총12획: píng**

原文

䍯: 䍃也. 从缶并聲. 瓶, 缾或从瓦. 蒲經切.

翻譯

'두레박(䍃)'을 말한다. 부(缶)가 의미부이고 병(并)이 소리부이다. 병(瓶)은 병(缾)의 혹체자인데, 와(瓦)로 구성되었다. 독음은 포(蒲)와 경(經)의 반절이다.

3277

**罋: 罋: 항아리 옹: 缶-총24획: wèng**

原文

罋: 汲缾也. 从缶雝聲. 烏貢切.

翻譯

'물을 긷는 두레박(汲缾)'을 말한다. 부(缶)가 의미부이고 옹(雝)이 소리부이다. 독음은 오(烏)와 공(貢)의 반절이다.

3278

**䍇: 䍇: 자배기 답: 缶-총11획: tà**

原文

䍇: 下平缶也. 从缶乏聲. 讀若㬹. 土盍切.

翻譯

'밑바닥이 평평한 질그릇(下平缶)'을 말한다. 부(缶)가 의미부이고 핍(乏)이 소리부이다. 탑(𦐇)과 같이 읽는다. 독음은 토(土)와 합(盍)의 반절이다.

3279

**罃: 罃: 물독 앵: 缶-총16획: yīng**

原文

罃: 備火, 長頸缾也. 从缶, 熒省聲. 烏莖切.

飜譯

'화재를 방비하기 위해 만든 목이 긴 앵병(備火, 長頸缾)'을 말한다. 부(缶)가 의미부이고 형(熒)의 생략된 모습이 소리부이다. 독음은 오(烏)와 경(莖)의 반절이다.

3280

**缸: 缸: 항아리 항: 缶-총9획: gāng**

原文

缸: 瓦也. 从缶工聲. 下江切.

飜譯

'질그릇(瓦)'을 말한다.[187] 부(缶)가 의미부이고 공(工)이 소리부이다. 독음은 하(下)와 강(江)의 반절이다.

3281

**𦈢: 䍶: 질장구 역: 缶-총14획: yù**

原文

𦈢: 瓦器也. 从缶或聲. 于逼切.

飜譯

187) 다른 판본에서는 항(瓨)으로 되었다.

'질그릇의 일종(瓦器)'이다. 부(缶)가 의미부이고 혹(或)이 소리부이다. 독음은 우(于)와 핍(逼)의 반절이다.

**3282**

**䥫: 鐏: 방추 촌·천: 缶-총23획: cùn**

原文

䥫: 瓦器也. 从缶薦聲. 作甸切.

翻譯

'질그릇의 일종인데, 도기로 만든 방추(瓦器)'를 말한다.[188] 부(缶)가 의미부이고 천(薦)이 소리부이다. 독음은 작(作)과 전(甸)의 반절이다.

**3283**

**䍃: 䍃: 질그릇 요: 缶-총10획: yáo, yóu**

原文

䍃: 瓦器也. 从缶肉聲. 以周切.

翻譯

'질그릇의 일종(瓦器)'이다. 부(缶)가 의미부이고 육(肉)이 소리부이다. 독음은 이(以)

188) 『단주』에서 이렇게 말했다. "『시·사간(斯干)』에서 '乃生女子, 載弄之瓦.(딸을 낳으면 오지 실패를 가지고 놀게 한다)'라고 했는데, 『전(傳)』에서 와(瓦)는 방전(紡專)을 말한다고 했고, 『전(箋)』에서는 방전(紡專)에 대해 '習其壹所有事也(모든 일에 전심전력하게 하는데 익숙해지도록 한다)'라 했다. 내 생각은 이렇다. 전(專)은 전(塼)과 같다. 방전(紡專)이 무엇을 말하는지에 대해서 『정의(正義)』에서는 언급하지 않았다. 하지만 『광운(廣韵)』 제22 산(霰)운에서 촌(鐏)은 방추(紡錘)를 말한다고 했다. 또 『집운(集韵)』의 산(霰)운에서는 촌(鐏)은 달리 방전(紡甎)이라고도 한다고 했다. 그렇다면 부인네들이 실 머리를 잡아 올려 실을 꼴 때 옛날에는 이 도기로 된 추(塼)를 사용한 것이 된다. 부인들에게는 방적(紡績)이 매우 중요한 일이었으므로 『전(箋)』에서도 '習其壹意於所有事也'라고 했던 것이다. 허신이 '도기로 된 기물(瓦器)'이라 한 것은 큰 범위로 통틀어 말한 것으로 상세한 설명을 붙이지 않았을 뿐이다. 방추(紡錘)는 창의 창고달(戈鐏)이 아래쪽에 있는 것처럼 아래쪽으로 늘어진다(下垂). (그래서 垂가 들었다.)"

와 주(周)의 반절이다.

3284

**䉖: 䉖: 조자리 달린 질장군 령: 缶-총23획: líng**

原文

䉖: 瓦器也. 从缶霝聲. 郞丁切.

飜譯

'질그릇의 일종(瓦器)'이다.[189] 부(缶)가 의미부이고 영(霝)이 소리부이다. 독음은 랑(郞)과 정(丁)의 반절이다.

3285

**坫: 缸: 흠 점: 缶-총11획: diǎn**

原文

缸: 缺也. 从缶占聲. 都念切.

飜譯

'[질그릇의] 떨어져 나간 흠결(缺)'을 말한다. 부(缶)가 의미부이고 점(占)이 소리부이다. 독음은 도(都)와 념(念)의 반절이다.

3286

**缺: 缺: 이지러질 결: 缶-총10획: quē**

原文

缺: 器破也. 从缶, 決省聲. 傾雪切.

飜譯

189) 『단주』에 의하면, "『유편』과 『운회』에서는 모두 귀가 달린 병처럼 생긴 기물이라고 했다."

'도기가 깨어졌음(器破)'을 말한다. 부(缶)가 의미부이고, 결(决)의 생략된 모습이 소리부이다. 독음은 경(傾)과 설(雪)의 반절이다.

3287

**䖘: 罅: 틈 하: 缶-총17획: xià**

原文

䖘: 裂也. 从缶虖聲. 缶燒善裂也. 呼迓切.

譯解

'갈라지다(裂)'라는 뜻이다. 부(缶)가 의미부이고 호(虖)가 소리부이다. 질그릇은 구울 때 잘 갈라진다. 독음은 호(呼)와 아(迓)의 반절이다.

3288

**罄: 罄: 빌 경: 缶-총17획: qìng**

原文

罄: 器中空也. 从缶殸聲. 殸, 古文磬字. 『詩』云: "缾之罄矣." 苦定切.

譯解

'기물의 속이 비었다(器中空)'라는 뜻이다. 부(缶)가 의미부이고 성(殸)이 소리부이다. 성(殸)은 경(磬)의 고문체이다. 『시·소아료아(蓼莪)』에서 "텅 빈 작은 병이여(缾之罄矣)"라고 노래했다. 독음은 고(苦)와 정(定)의 반절이다.

3289

**罊: 罊: 그릇 속 빌 계: 缶-총19획: qì**

原文

罊: 器中盡也. 从缶毄聲. 苦計切.

飜譯

'그릇의 속이 완전히 빈 것(器中盡)'을 말한다. 부(缶)가 의미부이고 격(毄)이 소리부이다. 독음은 고(苦)와 계(計)의 반절이다.

**3290**

**𦈢: 𦈢: 벙어리저금통 항: 缶-총12획: xiàng**

原文

𦈢: 受錢器也. 从缶后聲. 古以瓦, 今以竹. 大口切.

飜譯

'돈을 모아 두는 기물(受錢器)'을 말한다. 부(缶)가 의미부이고 후(后)가 소리부이다. 옛날에는 질그릇으로 만들었으나, 지금은 대나무로 만든다. 독음은 대(大)와 구(口)의 반절이다.

**3291**

**罐: 罐: 두레박 관: 缶-총24획: guàn**

原文

罐: 器也. 从缶雚聲. 古玩切.

飜譯

'기물의 일종(器)'이다. 부(缶)가 의미부이고 관(雚)이 소리부이다. 독음은 고(古)와 완(玩)의 반절이다. [신부]

## 제186부수
## 186 ■ 시(矢)부수

3292

**矢: 화살 시: 矢-총5획: shǐ**

原文

矢: 弓弩矢也. 从入, 象鏑栝羽之形. 古者夷牟初作矢. 凡矢之屬皆从矢. 式視切.

飜譯

'활이나 쇠뇌에 쓰는 화살(弓弩矢)'을 말한다. 입(入)이 의미부이고, 화살촉(鏑)과 도지개(栝)와 깃(羽)의 모습을 형상했다.190) 먼 옛날, 이모(夷牟)가 처음으로 화살을 만들었다.191) 시(矢)부수에 귀속된 글자들은 모두 시(矢)가 의미부이다. 독음은 식(式)과 시(視)의 반절이다.

3293

**躲 쏠 사 身-총12획 shè**

---

190) 고문자에서 甲骨文 金文 古陶文 簡牘文 등으로 썼다. 갑골문에서 화살의 촉과 대와 꼬리를 사실적으로 그렸다. 화살은 대표적인 사냥 도구이자 무기였으며, 때로는 화살의 곧음처럼 '정확함'을, 때로는 길이를 재는 척도를 나타내기도 했다. 원래 뜻인 '화살'의 의미로, 화살의 속성에서 파생된 의미로 쓰였으며, 활은 또 고대사회에서 언제나 휴대하는 물품이었기에 사물의 길이를 재는 잣대로 쓰이기도 했다.

191) 이모(夷牟)는 황제(黃帝) 때의 사람으로 처음 화살을 만들었다고 전해진다. 『세본(世本)·작(作)』에서 "휘(揮)가 활(弓)을 만들고 이모(夷牟)가 화살(矢)을 만들었다"고 했다. 이에 대해 송충(宋衷)의 주석에서 "휘(揮)와 이모(夷牟)는 모두 황제(黃帝)의 신하였다"고 했다. 장주(張澍)의 『보주(補注)』에서는 시(矢)를 전(箭)이라 하기도 한다고 했다. 하지만 『단주』에서는 『산해경(山海經)』에 의하면 소호(少皞)가 반(般)을 낳았는데, 반(般)이 활과 화살(弓矢)을 만들었다고 했다.

原文

䠶: 弓弩發於身而中於遠也. 从矢从身. 射, 篆文䠶从寸. 寸, 法度也, 亦手也. 食夜切.

飜譯

'활이나 쇠뇌가 몸에서 발사되어 멀리 날아가 적중함(弓弩發於身而中於遠)'을 말한다. 시(矢)가 의미부이고 신(身)도 의미부이다.192) 사(射)는 사(射)의 전서체인데, 촌(寸)으로 구성되었다. 촌(寸)은 법도(法度)라는 뜻이며, 손(手)을 뜻하기도 한다. 독음은 식(食)과 야(夜)의 반절이다.

**3294**

**矯: 矯: 바로잡을 교: 矢-총17획: jiǎo**

原文

矯: 揉箭箝也. 从矢喬聲. 居夭切.

飜譯

'활의 뒤틀림을 바로 잡는 도지개(揉箭箝)'를 말한다. 시(矢)가 의미부이고 교(喬)가 소리부이다. 독음은 거(居)와 요(夭)의 반절이다.

**3295**

**矰: 矰: 주살 증: 矢-총17획: zēng**

原文

---

192) 고문자에서 甲骨文 金文 簡牘文 등으로 썼다. 원래는 弓(활 궁)과 寸(마디 촌)으로 구성되어, 손(寸)으로 활(弓)을 쏘는 모습을 그려, 활을 쏘다가 원래 뜻이다. 한나라 때의 예서에 들면서 弓이 자형이 비슷한 身(몸 신)으로 잘못 변해 지금의 자형이 되었다. 그러나 활을 쏠(寸) 때 몸(身)을 꼿꼿하게 세워야 하며, 그것이 화살 쏠(射) 때의 기본 자세라는 뜻에서 身으로 구성된 射가 문자 사용자들의 환영을 받아 지금까지 계속 쓰이게 되었다. 이후 활쏘기나 활 쏘는 기술 등의 뜻이 나왔고, 投壺(투호)를 뜻하기도 했다. 『설문해자』에서는 射를 身과 矢(화살 시)로 구성된 䠶로 쓰기도 한다.

矰: 惟䠶矢也. 从矢曾聲. 作滕切.

飜譯

'익사에 쓰는 화살, 즉 주살(惟䠶矢)'을 말한다. 시(矢)가 의미부이고 증(曾)이 소리부이다. 독음은 작(作)과 등(滕)의 반절이다.

3296

矦: 矦: 임금 후: 矢-총9획: hóu

原文

矦: 春饗所䠶矦也. 从人; 从厂, 象張布; 矢在其下. 天子䠶熊虎豹, 服猛也; 諸矦䠶熊豕虎; 大夫射麋, 麋, 惑也; 士射鹿豕, 爲田除害也. 其祝曰: "毋若不寧矦, 不朝于王所, 故伉而䠶汝也." 𥎦, 古文矦. 乎溝切.

飜譯

'봄날, 향음주례를 행할 때 사용하는 베로 된 화살 과녁(春饗所䠶矦)'을 말한다. 인(人)이 의미부이고, 엄(厂)도 의미부인데, 아래로 펼쳐진 베(張布)와 그 아래로 화살(矢)이 있는 모습을 형상했다.193) 천자는 곰(熊)이나 호랑이(虎)나 표범(豹)으로 장식된 과녁을 사용하는데, 맹수를 복종시킨다는 의미를 담았다. 제후는 곰(熊)이나 멧돼지(豕)나 호랑이(虎)로 장식된 과녁을 사용한다. 대부는 큰사슴(麋)으로 장식된 과녁을 사용하는데, 큰 사슴(麋)은 미혹됨(惑)을 상징한다. 선비(士)는 사슴(鹿)이나 멧돼지(豕)로 장식된 과녁을 사용하는데, 농지에 해악을 제거한다는 의미를 담았다. 그들이 활을 쏠 때는 다음과 같이 축원한다. "불안정한 제후들처럼 되어 왕이 계신 곳에 조회를 하지 않는 법이 없도록 하라. 그래서 너희들을 화살로 쏘느니라.(毋若不寧

---

193) 고문자에서 [古文字] 甲骨文 [古文字] 金文 [古文字] 古陶文 [古文字] 盟書 [古文字] 簡牘文 [古文字] 帛書 [古文字] 石刻古文 등으로 썼다. 人(사람 인)이 의미부고 矦(임금 후)가 소리부인데, 갑골문에서는 矦로 써, 과녁과 화살(矢)을 그렸으며, 옛날 잔치 때 하던 활쏘기를 형상화했다. 활쏘기가 公侯伯子南(공후백자남) 등 제후들의 전용 놀이였기에 '제후'라는 뜻이 나왔다. 이후 諸侯(제후)라는 의미를 더욱 강화하기 위해 人을 더해 侯가 되었다. 그러자 원래의 의미는 巾(수건 건)을 더한 帿(과녁 후)로 분화했는데, 과녁을 베(巾)로 만들었다는 뜻을 담았다.

矦, 不朝于王所, 故伉而躲汝.)" 후(医)는 후(矦)의 고문체이다. 독음은 호(乎)와 구(溝)의 반절이다.

3297

**𥏼: 𥏼: 다칠 상: 矢-총14획: shāng**

原文

𥏼: 傷也. 从矢昜聲. 式陽切.

飜譯

'화살에 상처를 입다(傷)'라는 뜻이다. 시(矢)가 의미부이고 양(昜)이 소리부이다. 독음은 식(式)과 양(陽)의 반절이다.

3298

**短: 短: 짧을 단: 矢-총12획: duǎn**

原文

短: 有所長短, 以矢爲正. 从矢豆聲. 都管切.

飜譯

'길이를 재는데, 화살로 표준을 삼다(有所長短, 以矢爲正)'라는 뜻이다. 시(矢)가 의미부이고 두(豆)가 소리부이다.[194] 독음은 도(都)와 관(管)의 반절이다.

3299

**矤: 矤: 하물며 신: 矢-총8획: shěn**

原文

矤: 況也, 詞也. 从矢, 引省聲. 从矢, 取詞之所之如矢也. 式忍切.

194) 矢(화살 시)와 豆(제기·콩 두)로 구성되어, 굽 높은 제기의 일종인 豆가 화살(矢)보다 키가 '작음'을 그렸고, 이로부터 '짧다', '모자라다', '短點(단점)' 등의 뜻이 나왔다.

飜譯

'하물며(況)'라는 뜻이다. '허사, 즉 문법소(詞)'이다. 시(矢)가 의미부이고, 인(引)의 생략된 모습이 소리부이다. 시(矢)가 의미부인데, 그것은 '하물며'라는 이 말이 화살처럼 [그치지 않고] 죽 나가기 때문이다(取詞之所之如矢). 독음은 식(式)과 인(忍)의 반절이다.

**3300**

知: 知: **알 지**: 矢-**총8획**: **zhī**

原文

知: 詞也. 从口从矢. 陟离切.



飜譯

'알다(詞)'라는 뜻이다.195) 구(口)가 의미부이고 시(矢)도 의미부이다.196) 독음은 척(陟)과 리(离)의 반절이다.

**3301**

矣: 矣: **어조사 의**: 矢-**총7획**: **yǐ**

原文

矣: 語已詞也. 从矢以聲. 于已切.

---

195) 사(詞)는『옥편』에 식(識)이라고 되었는데,『옥편』이 옳다. 그래서『단주』에서도 이렇게 말했다. "백(白)부수에서 지(智)는 앎을 나타내는 단어이며(識暑也), 백(白)이 의미부이고, 우(亏)도 의미부이며, 지(知)도 의미부라고 했다. 그렇다면 여기서 '暑也'라고 했는데, 그 앞에 식(識)자가 있어야만 한다. 지(知)와 지(智)는 의미가 같다. 그래서 지(智)를 지(知)로 적었다."

196) 고문자에서 甲骨文 金文 簡牘文 帛書 石刻古文 등으로 썼다. 口(입 구)가 의미부고 矢(화살 시)가 소리부로, '알다'는 뜻인데, 화살(矢)이 과녁을 꿰뚫듯 상황을 날카롭게 판단하고 의중을 정확하게 꿰뚫어 말(口)할 수 있는 능력이 '지식'에서 나옴을 그렸다. 여기서 파생된 智(슬기 지)는 그러한 지식(知)이 세월(日·일)을 지나야만 진정한 '지혜'로 변함을 잘 보여준다.

飜譯

'어기가 끝났음을 나타내는 말(語已詞)'이다. 시(矢)가 의미부이고 이(以)가 소리부이다.[197] 독음은 우(于)와 이(已)의 반절이다.

**3302**

: 矮: **키 작을 왜**: 矢**-총13획: ǎi**

原文

: 短人也. 从矢委聲. 烏蟹切.

飜譯

'키가 작은 사람(短人)'을 말한다. 시(矢)가 의미부이고 위(委)가 소리부이다.[198] 독음은 오(烏)와 해(蟹)의 반절이다.

---

197) 고문자에서 金文 簡牘文 등으로 썼다. 원래 矢(화살 시)가 의미부고 以(써 이)가 소리부로, 화살(矢)이 날아가 버린 것처럼 말이 이미 종결되었음을 나타내는 어기사로 쓰였는데, 자형이 변해 지금처럼 되었다.

198) 矢(화살 시)가 의미부고 委(맡길 위)가 소리부로, 키가 화살(矢) 길이 정도로 작고 왜소함(委)을 말한다. 달리 矢 대신 身(몸 신)이 들어간 倭로 써, 몸집(身)이나 키가 작음을 특별히 강조하기도 했다.

## 제187부수
## 187 ■ 고(高)부수

**3303**

### 高: 高: 높을 고: 高-총10획: gāo

原文

高: 崇也. 象臺觀高之形. 从冂、口. 與倉、舍同意. 凡高之屬皆从高. 古牢切.

飜譯

'매우 높다(崇)'라는 뜻이다.[199] 건축물(臺觀)이 높다랗게 선 모습을 그렸다. 경(冂)과 구(口)가 의미부이다. 창(倉)이나 사(舍)와 같은 뜻이다.[200] 고(高)부수에 귀속된 글자들은 모두 고(高)가 의미부이다. 독음은 고(古)와 뢰(牢)의 반절이다.

**3304**

### 高: 高: 원두막 경: 高-총12획: qǐng

原文

高: 小堂也. 从高省, 冋聲. 廎, 高或从广頃聲. 去潁切.

飜譯

'작은 집(小堂)'을 말한다.[201] 고(高)의 생략된 모습이 의미부이고, 경(冋)이 소리부

---

199) 산(山)부수에서 숭(崇)은 높고 높다는 뜻이다(嵬高也)라고 했다.

200) 고문자에서 甲骨文 金文 古陶文 簡牘文 石刻古文 등으로 썼다. 갑골문에서처럼 윗부분은 지붕이고, 중간은 몸체를, 아랫부분은 기단으로, 땅을 다져 만든 기단 위에 높게 지은 건축물을 그렸는데 자형이 변해 지금처럼 되었다. 금문에 들면서는 2층 구조로 변했는데, 한나라 때 출토된 건물 모형에서는 이미 5-6층 건물까지 등장했다. 그래서 高는 '높다'가 원래 뜻이고, 이로부터 高尚(고상)함이나 지위의 높음까지 뜻하게 되었다.

201) 『집운(集韵)』에서는 독음은 경(傾)과 현(夐)의 반절이며, 원두막을 말한다(瓜屋也)고 했다.

이다. 경(廎)은 경(高)의 혹체자인데, 엄(广)이 의미부이고 경(頃)이 소리부이다. 독음은 거(去)와 영(穎)의 반절이다.

**3305**

**亭: 亭: 정자 정: 亠-총9획: tíng**

原文

亭: 民所安定也. 亭有樓, 从高省, 丁聲. 特丁切.

飜譯

'백성들이 편안하게 쉬는 곳(民所安定)'을 말한다. 정자(亭)에는 누각(樓)이 있다. 그래서 고(高)의 생략된 모습이 의미부이고, 정(丁)이 소리부이다.202) 독음은 특(特)과 정(丁)의 반절이다.

**3306**

**亳: 亳: 땅 이름 박: 亠-총10획: bò**

原文

亳: 京兆杜陵亭也. 从高省, 乇聲. 旁各切.

飜譯

'경조(京兆) 지역에 있는 [역참의 일종인] 두릉정(杜陵亭)'을 말한다. 고(高)의 생략된 모습이 의미부이고, 탁(乇)이 소리부이다. 독음은 방(旁)과 각(各)의 반절이다.

202) 고문자에서 古陶文 簡牘文 등으로 썼다. 高(높을 고)의 생략된 부분이 의미부고 丁(넷째 천간 정)이 소리부로, 정자를 말하는데, 똑바로 선 못(丁, 釘의 원래 글자)처럼 곧추선 높다란 건축물(高)이라는 뜻을 담았다. 이후 간단하게 지은 작은 집을 지칭하였으며, 알맞다, 적당하다의 뜻도 나왔다.

## 제188부수
## 188 ■ 경(冂)부수

**3307**

**冂: 冂: 먼데 경: 冂-총2획: jiōng**

原文

冂: 邑外謂之郊, 郊外謂之野, 野外謂之林, 林外謂之冂. 象遠界也. 凡冂之屬皆从冂. 冋, 古文冂从口, 象國邑. 坰, 冋或从土. 古熒切.

翻譯

'읍(邑)의 외곽 지역을 교(郊)라 하고, 교(郊)의 외곽 지역을 야(野)라 하고, 야(野)의 외곽 지역을 임(林)이라 하고, 임(林)의 외곽 지역을 경(冂)이라 한다. 멀리 있는 경계(遠界)를 형상했다.[203] 경(冂)부수에 귀속된 글자들은 모두 경(冂)이 의미부이다. 경(冋)은 경(冂)의 고문체인데, 위(口)로 구성되었다. 나라의 성을 본떴다. 경(坰)은 경(冋)의 혹체인데 토(土)로 구성되었다. 독음은 고(古)와 형(熒)의 반절이다.

**3308**

**市: 市: 저자 시: 巾-총5획: shì**

原文

市: 買賣所之也. 市有垣, 从冂从乛, 乛, 古文及, 象物相及也. 之省聲. 時止切.

---

203) 『설문해자』에서는 "邑(읍)의 바깥쪽을 郊(교)라 하고, 郊의 바깥을 野(야)라 하고, 野의 바깥을 林(임)이라 하고, 林의 바깥을 冂이라 한다."라고 했는데, 수도에서 멀리 떨어진 먼 곳을 冂이라 불렀다. 蔡信發(채신발)의 『辭典部首淺說(사전부수천설)』에서는 冂을 구성하는 가로획은 경계를, 양쪽의 대칭되는 두 획은 공간의 확장을 상징하며, 육서에서는 (독체)지사에 해당한다고 했다. 현대 한자자전에서는 冂부수에 冊(책 책), 冉(늘어질 염, 髯의 원래 글자), 再(두 번 재), 冏(빛날 경), 冒(가릴 모), 冑(투구 주), 冕(면류관 면) 등이 수록되었으나, 모두 자형의 유사성에 의해 귀속되었을 뿐 의미와는 전혀 관련을 하지 않는다.

飜譯

'물건을 사고파는 곳(買賣所之)'을 말한다. 시장(市)에는 담장(垣)이 쳐져 있다. 그래서 경(冂)이 의미부가 되었다. 급(乛)도 의미부인데, 급(乛)은 급(及)의 고문체로, 물건이 서로 이르다(物相及)는 뜻을 형상했다. 지(之)의 생략된 부분이 소리부이다.204) 독음은 시(時)와 지(止)의 반절이다.

**3309**

**冘: 冘: 머뭇거릴 유: 冖-총4획: yín**

原文

冘: 淫淫, 行皃. 从人出冂. 余箴切.

飜譯

'음음(淫淫)'을 말하는데, '걸어가는 모습(行皃)'을 뜻한다.205) 사람(人)이 먼 경계

---

204) 고문자에서 [字形]金文 [字形]古陶文 [字形]簡牘文 등으로 썼다. 원래는 凡(무릇 범, 帆의 원래 글자)이나 舟(배 주)가 의미부이고 止(발 지)가 소리부인 구조였는데, 八(여덟 팔)과 丂(기교 교)가 의미부이고 止가 소리부인 구조로 변했다가, 자형이 변해 지금처럼 되었다. 止는 오가는 행위를 뜻하고, 돛(凡)은 배를 상징하고 배(舟)는 가장 초기 형태의 교역인 물물교환의 장소를 뜻한다. 배는 옛사람들에게 동네와 동네를 이어주는 통로 구실을 했을 것이다. 그러던 것이 금문에 들면서 八과 丂가 의미부이고 止가 소리부인 구조로 되었는데, 근대의 林義光(임의광)은 "八은 나누다(分·분)는 뜻이고, 丂는 끌어들이다(引·인)는 뜻이다. 사고파는 이들이 물건을 나누어 벌려 놓고 사람을 끌어들인다."라고 풀이했는데, 서주 후기 때에는 이미 여러 물건을 벌여 놓고 사람들을 끌어들이는 진정한 의미의 시장이 출현했음을 알려준다. 그 후 다시 지금의 자형처럼 巾(수건 건)이 들어간 구조로 변했는데, 巾은 깃발을 상징한다. 시라카와 시즈카(白川靜)의 말처럼 巾은 "시장이 서는 장소를 표시하기 위해 세워놓은 標識(표지)"로서, 오늘날 식으로 말하자면 공정거래가 이루어질 수 있도록 감독을 쉽게 하고, 많은 사람이 쉽게 찾을 수 있도록 한 것을 의미한다. 시장이라는 의미로부터 사다, 팔다의 뜻이, 다시 시장이 설치된 곳, 대도시를 지칭하였고, 또 도시에서 제정한 도량형 단위를 지칭하여 市尺(시척)이나 市斤(시근)이라는 말도 나왔다.

205) 『단주』에서는 각 판본에서 적은 음음(淫淫)은 유유(冘冘)가 되어야 한다고 하면서 이렇게 말했다. "각 판본에서 음음(淫淫)으로 적었는데, 지금 『옥편(玉篇)』, 『집운(集韵)』, 『유편(類篇)』 등에 근거해 바로 잡는다. 『옥편』에서는 유(冘)를 따로 부수로 세웠다. 그리고 유유(冘冘)는 걸어가는 모습을 말한다(行皃)고 했다. 그렇다면 유(冘)부수가 따로 만들어졌음을 알 수 있는데, 이는 손강(孫強)이 증가시킨 것이다. 그리고 『설문』을 인용하여 '淫淫'이라 한 것은 당나

(冂) 지역을 나서는 모습을 그렸다. 독음은 여(余)와 잠(箴)의 반절이다.

**3310**

**𠔵: 央: 가운데 앙: 大-총5획: yāng**

原文

𠔵: 中央也. 从大在冂之内. 大, 人也. 央㫄同意. 一曰久也. 於良切.

飜譯

'한가운데(中央)'를 말한다. 사람(大)이 먼 경계(冂)의 안쪽(内)에 있는 모습을 형상화했다. 대(大)는 사람(人)을 말한다. 앙(央)과 방(㫄)은 같은 뜻이다. 일설에는 '오래가다(久)'라는 뜻이라고도 한다.[206] 독음은 어(於)와 량(良)의 반절이다.

제5권

**3311**

**隺: 隺: 뜻 고상할 각·새 높이 날 확: 隹-총10획: hú, hè**

原文

隺: 高至也. 从隹上欲出冂. 『易』曰: "夫乾隺然." 胡沃切.

飜譯

'새가 높이 날아 꼭대기에 이르다(高至)'라는 뜻이다. 새(隹)가 먼 경계(冂)를 넘어 날아가는 모습을 그렸다. 『역·계사(繫辭)』에서 "하늘은 높디높구나(夫乾隺然)"라고 했다. 독음은 호(胡)와 옥(沃)의 반절이다.

---

라 때의 잘못된 판본일 뿐이다."

206) 고문자에서 [glyph]甲骨文 [glyph]金文 [glyph]簡牘文 등으로 썼다. 목에 칼(凵)을 쓴 사람(大·대)의 모습을 그렸으며, 형벌을 받았다는 뜻에서 원래 '재앙'을 뜻했다. 이후 칼의 中央(중앙)에 목이 위치함으로 해서 '中央(중앙)'이라는 뜻으로 주로 쓰이게 되었고, 그러자 원래 뜻은 歹(뼈 부서질 알)을 더한 殃(재앙 앙)으로 분화했다.

## 제189부수
## 189 ■ 곽(𩫏)부수

**3312**

**𩫏: 𩫏: 성곽 곽: 高-총17획: guō**

原文

𩫏: 度也, 民所度居也. 从回, 象城𩫏之重, 兩亭相對也. 或但从口. (音韋.) 凡𩫏之屬皆从𩫏. 古博切.

隸譯

'도(度)'207)와 같은 뜻인데, '사람들이 거주할 곳을 헤아리다(民所度居)'라는 뜻이다. 회(回)가 의미부인데, 성곽이 이중으로 겹쳐 두 정자가 서로 마주봄을 말한다. 혹은 단지 위(囗)로만 구성되기도 한다. 곽(𩫏)부수에 귀속된 글자들은 모두 곽(𩫏)이 의미부이다. 독음은 고(古)와 박(博)의 반절이다.

**3313**

**𦈢: 𦈢: 이지러질 결: 高-총20획: quē**

原文

𦈢: 缺也. 古者城闕其南方謂之𦈢. 从𩫏, 缺省. 讀若拔物爲決引也. 傾雪切.

---

207) 도(度)를 『설문』에서는 "법제라는 뜻이다(法制也). 우(又)가 의미부이고 서(庶)의 생략된 모습이 소리부이다."라고 했다 『단주』에서 이렇게 보충했다. "『논어(論語)』에서 무게를 재는 저울과 부피를 재는 용기에 엄격하고(謹權量), 법도에 신중하다(審法度)라고 했고, 『중용(中庸)』에서는 천자가 아니면 법제를 바꾸지 못한다(非天子不制度)고 했다. 오늘날 온 천하의 수레의 폭을 같게 하였는데(今天下車同軌), 옛날에는 다섯 가지 도(度)로 구분했다. 분(分)과 촌(寸)과 척(尺)과 장(丈)과 인(引)을 제도라고 했다." 10분(分)이 1촌(寸)이고, 10촌(寸)이 1척(尺)이며, 10척(尺)이 1장(丈)이며, 10장(丈)이 1인(引)이다.

譯解

'성이 무너지다(缺)'라는 뜻이다. 옛날에는 성곽의 남쪽을 튀어 놓았는데 이를 결(缺)이라 했다. 곽(𩫏)과 결(缺)의 생략된 부분이 의미부이다. '물건을 뽑아 당기는 것(拔物)을 결인(決引)'이라 할 때의 결(決)과 같이 읽는다. 독음은 경(傾)과 설(雪)의 반절이다.

## 제190부수
## 190 ■ 경(京)부수

**3314**

**京: 京: 서울 경: 亠-총8획: jīng**

原文

京: 人所爲絕高丘也. 从高省,丨 象高形. 凡京之屬皆从京. 擧卿切.

飜譯

'사람들이 인위적으로 깎아 만든 높은 언덕(人所爲絕高丘)'을 말한다. 고(高)의 생략된 부분이 의미부이고, 곤(丨)은 높은 모습을 그렸다.208) 경(京)부수에 귀속된 글자들은 모두 경(京)이 의미부이다. 독음은 거(擧)와 경(卿)의 반절이다.

**3315**

**就: 就: 이룰 취: 尢-총12획: jiù**

原文

就: 就, 高也. 从京从尤. 尤, 異於凡也. 𡮢, 籒文就. 疾僦切.

飜譯

'취(就)는 높은 곳으로 나아가다(高)'라는 뜻이다. 경(京)이 의미부이고 우(尤)도 의미부인데. 우(尤)은 평범한 것과 다른 것을 말한다.209) 취(𡮢)는 취(就)의 주문체이

208) 고문자에서 甲骨文 金文 古陶文 石刻古文 등으로 썼다. 갑골문에서 기단 위에 높다랗게 지어진 집을 그렸으며, 이로부터 높은 집의 뜻이 나왔고, 높은 집들이 즐비하게 늘어선 '서울'까지 지칭하게 되었다. 또 즐비하다는 뜻에서 10조를 뜻하는 큰 숫자의 단위로 쓰이기도 한다.

209) 고문자에서 古陶文 簡牘文 등으로 썼다. 京(서울 경)과 尤(더욱 우)로 구성되었는데, 京은 높다랗게 지어진 집을, 尤는 평범하지 않은 특이함을 말한다. 그래서

다. 독음은 질(疾)과 추(僦)의 반절이다.

就는 높은 곳(京)으로 '나아가다'가 원래 뜻이며, 높은 곳으로 나아갈 때는 언제나 장애물을 만나고 좌절하기 마련이다. 하지만 온갖 장애물과 좌절을 극복하고 앞으로 나아갔을 때 소망했던 것을 이루게 된다. 그것은 누구나 가지고 경험할 수 있는 것은 아니며 자기 노력에 철저한 몇몇 특이한(尤) 사람에게만 허용되는 선물이다. 이렇게 되자 성취를 뜻하는 就는 어떤 물체에 부딪혀 나아가지 못하는 모습을 그린 尢(절름발이 왕)보다는 그런 성공을 이룬 尤가 더욱 적합해졌고, 이를 수용하여 지금의 자형이 된 것으로 추정되지만, 현대 옥편에서는 尢 부수에 귀속되었다.

## 제191부수
## 191 ■ 향(亯)부수

**3316**

**亯: 亯: 누릴 향: 亠-총9획: xiǎng**

原文

亯: 獻也. 从高省, 曰象進孰物形. 『孝經』曰: "祭則鬼亯之." 凡亯之屬皆从亯. 𣅀, 篆文亯. 許兩切.

飜譯

'헌상하다(獻)'라는 뜻이다. 고(高)의 생략된 부분이 의미부이고, 왈(曰)은 바치는 익은 음식물을 뜻한다.[210] 『효경·효치(孝治)』에서 "제사를 드리면 귀신들이 와서 음식물을 먹는다(祭則鬼亯之)"라고 했다. 향(亯)부수에 귀속된 글자들은 모두 향(亯)이 의미부이다. 향(𣅀)은 향(亯)의 전서체이다. 독음은 허(許)와 량(兩)의 반절이다.

**3317**

**䵹: 䵹: 익을 순: 羊-총15획: chún**

原文

䵹: 孰也. 从亯从羊. 讀若純. 一曰鬻也. 𦏲, 篆文䵹. 常倫切.

---

210) 고문자에서 [古文字] 甲骨文 [古文字] 金文 [古文字] 古陶文 [古文字] 帛書 [古文字] 簡牘文 [古文字] 石刻古文 등으로 썼다. 子(아들 자)가 의미부고 亯(누릴 향)의 생략된 부분이 소리부로, 종묘(亯)에서 자손들(子)이 제사를 드리는 모습을 그렸고, 이로부터 제사를 드리다, 누리다의 뜻이 나왔다. 원래는 亯으로 써, 제사를 드리는 종묘를 그린 상형자였으나 子를 더해 지금의 자형이 되었다. 자손들(子)이 종묘(亯) 등에서 제사를 지내고 신에게 제물을 바친다는 뜻에서 '드리다'의 뜻이, 제사를 받는 조상신의 처지에서 '누리다'의 뜻이 나왔다.

飜譯

'음식물을 익히다(孰)'라는 뜻이다. 향(亯)이 의미부이고 양(羊)도 의미부이다. 순(純)과 같이 읽는다. 일설에는 '죽(鬻)'을 말한다고도 한다. 순(𦎫)은 순(𦏧)의 전서체이다. 독음은 상(常)과 륜(倫)의 반절이다.

3318

**𥳑: 篤: 두터울 독: 竹-총15획: dǔ**

原文

𥳑: 厚也. 从亯竹聲. 讀若篤. 冬毒切.

飜譯

'두텁다(厚)'라는 뜻이다. 향(亯)이 의미부이고 죽(竹)이 소리부이다. 독(篤)과 같이 읽는다. 독음은 동(冬)과 독(毒)의 반절이다.

3319

**𩫖: 𩫖: 쓸 용: 自-총15획: yōng**

原文

𩫖: 用也. 从亯从自. 自知臭香所食也. 讀若庸. 余封切.

飜譯

'사용하다(用)'라는 뜻이다. 향(亯)이 의미부이고 자(自)도 의미부이다. 먹을 수 있는 음식인지를 코로 냄새 맡아 알아내다(自知臭香所食)는 뜻이다. 용(庸)과 같이 읽는다. 독음은 여(余)와 봉(封)의 반절이다.

제
5
권

## 제192부수
## 192 ■ 후(㫗)부수

**3320**

**㫗: 㫗: 두터울 후: 日-총7획: hòu**

原文

㫗: 厚也. 从反亯. 凡㫗之屬皆从㫗. 胡口切.

飜譯

'두텁다(厚)'라는 뜻이다. 향(亯)의 뒤집은 모습으로 되었다.[211] 후(㫗)부수에 귀속된 글자들은 모두 후(㫗)가 의미부이다. 독음은 호(胡)와 구(口)의 반절이다.

**3321**

**覃: 覃: 미칠 담: 鹵-총21획: tán**

原文

覃: 長味也. 从㫗, 鹹省聲. 『詩』曰: "實覃實吁." 𠨘, 古文覃. 𡆧, 篆文覃省. 徒含切.

飜譯

'맛이 깊다(長味)'라는 뜻이다. 후(㫗)가 의미부이고, 함(鹹)의 생략된 부분이 소리부이다.[212] 『시·대아생민(生民)』에서 "소리가 길고 커서(實覃實吁)"라고 노래했다. 담(𠨘)은 담(覃)의 고문체이다. 담(𡆧)은 담(覃)의 전서체인데, 생략된 모습이다. 독음

---

211) 후(厚)의 원래 글자이다. 후(厚)의 어원에 대해서는 아래의 3322_厚의 주석을 참조하라.

212) 고문자에서 [glyph] 金文 등으로 썼다. 금문에서 아랫부분이 술을 거르는 기구를 윗부분은 대로 짠 광주리를 그려, 술 거르는 그릇을 형상화했다. 술을 거르면 진한 향기가 널리 퍼져 나가게 마련이다. 이로부터 냄새가 '미치다', 맛이 '진하다', 맛이나 생각 등이 '깊다'의 뜻이 생겼다. 『설문해자』에서는 厚(두터울 후)가 의미부이고 鹹(짤 함)의 생략된 모습이 소리부로, 짠 맛(鹹)처럼 진한(厚) 맛을 말했는데, 예서 이후 자형이 변해 지금처럼 되었다.

은 도(徒)와 함(含)의 반절이다.

**3322**

**㫗: 厚: 두터울 후: 厂-총9획: hòu**

原文

㫗: 山陵之厚也. 从㫗从厂. 垕, 古文厚从后、土. 胡口切.

飜譯

'산과 언덕의 두터움(山陵之厚)'을 말한다. 후(㫗)가 의미부이고 엄(厂)도 의미부이다.[213] 후(垕)는 후(厚)의 고문체인데, 후(后)와 토(土)로 구성되었다. 독음은 호(胡)와 구(口)의 반절이다.



213) 고문자에서 [古文字 字形] 金文 [字形] 簡牘文 등으로 썼다. 厂(기슭 엄)이 의미부고 㫗(두터울 후)가 소리부로, 산(厂)처럼 두터움(㫗)을 말하며, 이로부터 깊다, 무겁다, 진하다, 크다, 후하다 등의 뜻이 나왔다. "높은 산에 올라 보지 않으면 하늘의 높음을 알 수 없고, 깊은 계곡에 가 보지 않으면 땅의 두터움을 알 수 없고, 선현의 말씀을 들어보지 않으면 학문의 위대함을 알 수 없다.(不登高山, 不知天之高也. 不臨深谿, 不知地之厚也. 不聞先王之遺言, 不知學問之大也.)"라고 했던 『荀子(순자)』의 말처럼, 땅의 두터움을 아는 데는 계곡의 깎아지른 절벽만 한 것이 없었기에 '산처럼 두터움'에 厂이 의미부로 채택되었을 것으로 보인다.

## 제193부수
## 193 ■ 복(畐)부수

**3323**

**畐:** 畐: **복 복**: 田-**총10획: fú, dá**

原文

畐: 滿也. 从高省, 象高厚之形. 凡畐之屬皆从畐. 讀若伏. 芳逼切.

飜譯

'가득 차다(滿)'라는 뜻이다. 고(高)의 생략된 부분이 의미부인데, 높고 두터운 모습을 형상했다. 복(畐)부수에 귀속된 글자들은 모두 복(畐)이 의미부이다. 복(伏)과 같이 읽는다. 독음은 방(芳)과 핍(逼)의 반절이다.

**3324**

**良:** 良: **좋을 량**: 良-**총7획: liáng**

原文

良: 善也. 从畐省, 亡聲. 㠗, 古文良. 𡆤, 亦古文良. 𥄫, 亦古文良. 呂張切.

飜譯

'훌륭하다(善)'라는 뜻이다. 복(畐)의 생략된 부분이 의미부이고, 망(亡)이 소리부이다.[214] 양(㠗)은 양(良)의 고문체이다. 양(𡆤)도 양(良)의 고문체이다. 양(𥄫)도 양(良)의 고문체이다. 독음은 려(呂)와 장(張)의 반절이다.

---

214) 고문자에서 [甲骨文 자형] 甲骨文 [金文 자형] 金文 [古陶文 자형] 古陶文 [簡牘文 자형] 簡牘文 등으로 썼다. 良의 자원에 대해서는 풀이가 다양하지만, 갑골문에서 원형이나 네모꼴로 된 (동굴) 집과 그 아래위로 길이 난 모습이어서, 집으로 통하는 길을 그린 것으로 추정된다. 이후 집으로 가는 길은 흡족함의 상징이기에 良에 '좋다'는 뜻이 생겼고, 원래 뜻은 阜(언덕 부)가 더해져 郞(사나이 랑)이 되었다. 하지만, 郞도 궁궐의 회랑(郞)에서 일을 보는 최측근을 郞中(낭중)이라 했던 것처럼 '훌륭하고 뛰어난' 신하를 뜻하게 되자, 다시 广(집 엄)을 더한 廊(복도 랑)으로 발전했다.

## 제194부수
## 194 ■ 름(㐭)부수

**3325**

**㐭: 㐭: 곳집 름: 亠-총8획: lǐn**

原文

㐭: 穀所振入. 宗廟粢盛, 倉黃㐭而取之, 故謂之㐭. 从入, 回象屋形, 中有戶牖. 凡㐭之屬皆从㐭. 廩, 㐭或从广从禾. 力甚切.

飜譯

'곡식을 거두어 보관하는 곳(穀所振入)'을 말한다. 종묘에서 제사에 쓰는 곡물은 곡식의 색깔이 누르스름하게 되었을 때 거두어 곳집에 보관했다가 꺼내서 사용한다. 그래서 름(㐭)이라고 한다. 입(入)이 의미부이고, 회(回)는 지붕의 모양을, 중간에 문과 창이 있는 모습을 형상했다. 름(㐭)부수에 귀속된 글자들은 모두 름(㐭)이 의미부이다. 름(廩)은 름(㐭)의 혹체자인데, 엄(广)도 의미부이고 화(禾)도 의미부이다. 독음은 력(力)과 심(甚)의 반절이다.

**3326**

**稟: 稟: 줄 품: 禾-총13획: bǐng**

原文

稟: 賜穀也. 从㐭从禾. 筆錦切.

飜譯

'곡식을 하사하다(賜穀)'라는 뜻이다. 름(㐭)이 의미부이고 화(禾)도 의미부이다.215) 독음은 필(筆)과 금(錦)의 반절이다.

215) 고문자에서 [고문자 자형] 甲骨文 [고문자 자형] 金文 [고문자 자형] 古陶文

**3327**

**亶: 亶: 믿음 단: 亠-총13획: dǎn**

原文

亶: 多穀也. 从㐭旦聲. 多旱切.

飜譯

'곡식이 많다(多穀)'라는 뜻이다. 름(㐭)이 의미부이고 단(旦)이 소리부이다. 독음은 다(多)와 한(旱)의 반절이다.

**3328**

**啚: 啚: 인색할 비: 口-총11획: bǐ**

原文

啚: 嗇也. 从口、㐭. 㐭, 受也. 𠶷, 古文啚如此. 方美切.

飜譯

'아끼다(嗇)'라는 뜻이다. 구(口)와 름(㐭)이 의미부인데, 름(㐭)은 '받아들이다(受)'라는 뜻이다. 비(𠶷)는 비(啚)의 고문체인데, 이렇게 쓴다. 독음은 방(方)과 미(美)의 반절이다.

---

[禀 禀 禀]簡牘文 [禀]古璽文 등으로 썼다. 禾(벼 화)가 의미부고 㐭(곳집 름)이 소리부로, 곡물(禾)을 저장한 창고(㐭)를 말한다. 또 관가에서 곡식을 상으로 내리다는 뜻으로부터 '받다'의 뜻도 나왔다. 간화자에서는 禾를 示(보일 시)로 바꾼 禀으로 쓴다.

## 제195부수
## 195 ■ 색(嗇)부수



3329

**嗇: 嗇: 아낄 색: 口-총13획: sè**

原文

嗇: 愛濇也. 从來从㐭. 來者, 㐭而藏之. 故田夫謂之嗇夫. 凡嗇之屬皆从嗇. 𤲸, 古文嗇从田. 所力切.

飜譯

'아끼다(愛濇)'라는 뜻이다. 래(來)가 의미부이고 름(㐭)도 의미부이다. 보리(來)는 창고에다 보관하는 곡식이다. 그래서 농부(田夫)를 색부(嗇夫)라 부른다.216) 색(嗇)부수에 귀속된 글자들은 모두 색(嗇)이 의미부이다. 색(𤲸)은 색(嗇)의 고문체인데, 전(田)으로 구성되었다. 독음은 소(所)와 력(力)의 반절이다.

3330

**牆: 牆: 담 장: 爿-총17획: qiáng**

原文

---

216) 고문자에서 甲骨文 金文 古陶文 簡牘文 古璽文 등으로 썼다. 지금의 자형에서는 알아보기 어렵지만 갑골문이나 금문에서 윗부분은 보리를 그린 來(올 래)이고 아랫부분은 기단이 만들어진 창고(㐭·름)를 그렸음이 분명한데, 자형이 줄어 지금처럼 되었다. 그래서 嗇은 '보리(來)를 수확하여 기단이 만들어진 창고(㐭)에 보관'하는 모습을 그린 글자다. 기단을 만든 것은 지면의 습기로부터 곡식을 보호하려는 조치였을 것이다. 하늘이 내려준 선물이라고 할 정도로 고대 중국에서 귀중한 곡물이었던 보리는 다른 어떤 곡물보다 아끼고 잘 보관해야만 했다. 이로부터 嗇에 '아끼다'는 뜻이 생겼고, 다시 곡식을 보관하는 '창고'나 담장을 둘러 창고를 만든 데서 '담'이라는 뜻까지 갖게 되었다. 간화자에서는 來를 간단하게 줄여 啬으로 쓴다.

牆: 垣蔽也. 从嗇爿聲. 𤖨, 籒文从二禾. 𤖹, 籒文亦从二來. 才良切.

'담장으로 가리다(垣蔽)'라는 뜻이다. 색(嗇)이 의미부이고 장(爿)이 소리부이다.[217][218] 장(𤖨)은 주문체인데, 두 개의 화(禾)로 구성되었다. 장(𤖹)도 주문체인데, 두 개의 래(來)로 구성되었다. 독음은 재(才)와 량(良)의 반절이다.

217) 嗇(아낄 색)이 의미부고 爿(나무 조각 장)이 소리부로, 집이나 정원 등을 둘러싼 담벼락(嗇)을 말하는데, 처음에는 나무 조각(爿)을 사용했으나 이후 흙이나 벽돌, 돌 등이 사용되었다. 이후 담을 쌓다, 가로막다, 장애물 등의 뜻이 나왔다. 간화자에서는 墻(담 장)에 통합되었고, 墻의 간화자인 墙으로 쓴다.

218) 『단주』에서 이렇게 말했다. "토(土)부수에서 원(垣)은 담장을 말한다(牆也). 『좌전』에서 사람들 집에 담이 있는 것은 사악한 기운을 막기 위함이다(人之有牆, 以蔽惡也.). 그래서 원폐(垣蔽)라고 한다고 했다. 『이아·석궁(釋宮)』에서 담장(牆)을 용(墉)이라 한다고 했고, 「석명(釋名)」에서는 장(牆)은 막다는 뜻이라고 했다." "색(嗇)이 의미부인 것에 대해 『소서본』에서는 곡식을 아끼어 스스로 지키다(愛嗇自護)는 의미를 가져왔다고 했다."

## 제196부수
## 196 ■ 래(來)부수

**3331**

**: 來: 올 래: 人-총8획: lái**

原文

: 周所受瑞麥來麰. 一來二縫, 象芒朿之形. 天所來也, 故爲行來之來. 『詩』曰: "詒我來麰." 凡來之屬皆从來. 洛哀切.

飜譯

'주나라에서 받아들인 훌륭한 곡물인 보리(來)와 밀(麰)을 말한다(周所受瑞麥來麰).' 한 가닥의 줄기에 이삭이 둘 열리며, 이삭의 까끄라기(芒朿) 모양을 형상했다. [보리는] 하늘이 내려 준 곡식이다. 그래서 오다(行來)라고 할 때의 래(來)로 쓰이게 되었다.[219] 『시·주송·사문(思文)』에서 "우리에게 보리와 밀 씨 내리시어(詒我來麰)"라고 노래했다. 래(來)부수에 귀속된 글자들은 모두 래(來)가 의미부이다. 독음은 락(洛)과 애(哀)의 반절이다.

**3332**

**: 竢: 기다릴 사: 矢-총15획: shì**

原文

---

219) 고문자에서 甲骨文 金文 古陶文 簡牘文 石刻古文 등으로 썼다. 麥(보리 맥)의 원래 글자로, 이삭이 팬 보리의 모습을 그렸다. 보리는 식량 혁명을 일으킬 정도의 변혁을 가져다준 중앙아시아로부터 들어 온 외래종이었기에 '오다'는 뜻을 갖게 되었고 이로부터 다가올 미래라는 시간적 개념을 말하였고, 또 숫자에서의 대략적인 수를 지칭하기도 한다. 그러자 원래 뜻은 땅속 깊이 뿌리를 내리는 보리의 특성을 반영해 뿌리를 그려 넣은 麥으로 분화했다. 간화자에서는 초서체로 줄여 来로 쓴다.

䇞 : 『詩』曰: “不𥠻不來.” 从來矣聲. 𢓍, 𥠻或从彳. 牀史切.

『시·소아·채미(采薇)』에서 ‘불사불래(不𥠻不來: 나를 기다리지도 않고 나에게 오지도 않네.)’라고 했다.[220] 래(來)가 의미부이고 의(矣)가 소리부이다. 사(𢓍)는 사(𥠻)의 혹체자인데, 척(彳)으로 구성되었다. 독음은 상(牀)과 사(史)의 반절이다.

220) 『단주』에서는 “『시』에서 불사불래(不𥠻不來)라고 했다고 하는데, 이는 『모시(毛詩)』에는 보이지 않는다.”라고 했다.

## 제197부수
## 197 ■ 맥(麥)부수

**3333**

**麥:** 麥: **보리 맥**: 麥–**총11획**: **mài**

原文

麥: 芒穀, 秋穜厚薶, 故謂之麥. 麥, 金也. 金王而生, 火王而死. 从來, 有穗者; 从夊. 凡麥之屬皆从麥. 莫獲切.

飜譯

'까끄라기가 있는 곡식(芒穀)'을 말한다. 가을에 씨를 뿌리며 뿌리 깊게 뿌리를 박는다. 그래서 맥(麥)이라고 한다. 맥(麥)은 오행에서 금(金)을 상징한다. 금(金)의 기운이 왕성하면 자라나고, 화(火)의 기운이 왕성하면 죽게 된다. 래(來)가 의미부가 된 것은 보리가 이삭을 가진 곡물이기 때문이다. 쇠(夊)도 의미부이다.[221] 맥(麥)부수에 귀속된 글자들은 모두 맥(麥)이 의미부이다. 독음은 막(莫)과 획(獲)의 반절이다.

**3334**

**麰:** 麰: **보리 모**: 麥–**총17획**: **móu**

---

221) 고문자에서 [古文字形] 甲骨文 [古文字形] 金文 [古文字形] 簡牘文 등으로 썼다. 夊(뒤져서 올 치)가 의미부이고 來(올 래)가 소리부로, '보리'를 말한다. 원래는 來(올 래)만 썼다가 이후 긴 뿌리를 뜻하는 夊가 더해져 만들어진 글자인데, 來는 이삭이 핀 '보리'를 그렸다. 보리는 인류가 가장 보편적으로 재배한 식량으로, 메소포타미아 지역이 원산지이며, 거기서 서쪽으로는 그리스와 로마를 거쳐 유럽으로 퍼져 나갔으며, 동쪽으로는 중앙아시아를 거쳐 중국으로 들어왔다. 이 때문에 '보리'를 그린 來에 '오다'는 뜻이 생겼고, 그러자 다시 원래의 '보리'를 나타낼 때에는 보리의 특징인 긴 뿌리(夊)를 그려 넣어 麥으로 분화한 것으로 추정된다. 그래서 麥은 보리와 관련된 의미를 지닌다. 간화자에서는 윗부분의 來를 초서체로 쓴 麦으로 쓴다.

原文

𪍿: 來麰, 麥也. 从麥牟聲. 䴁, 麰或从艸. 莫浮切.

飜譯

'래모(來麰)라고 할 때의 모(麰)를 말하는데 보리(麥)'를 말한다. 맥(麥)이 의미부이고 모(牟)가 소리부이다. 모(䴁)는 모(麰)의 혹체자인데, 초(艸)로 구성되었다. 독음은 막(莫)과 부(浮)의 반절이다.

**3335**

**麧: 麧: 보리 싸라기 흘: 麥-총14획: hé**

原文

麧: 堅麥也. 从麥气聲. 乎沒切.

飜譯

'단단한 보리낟알(堅麥)'을 말한다. 맥(麥)이 의미부이고 기(气)가 소리부이다. 독음은 호(乎)와 몰(沒)의 반절이다.

**3336**

**䴭: 䴭: 밀가루에 섞여있는 싸라기 쇄: 麥-총21획: suǒ**

原文

䴭: 小麥屑之覈. 从麥貟聲. 穌果切.

飜譯

'보리의 싸라기에 눈이 붙은 것(小麥屑之覈)'을 말한다.[222] 맥(麥)이 의미부이고 쇄

222) 『단주』에서는 "小麥屑之覆"에 대해 이렇게 말했다. "이는 진작(晉灼)이 말한 바, 경사(京師) 사람들은 거친 보리싸라기(粗屑)를 흘두(麧頭)라 한다고 한 것을 말한다. 앞의 문장에서 견맥(堅麥), 대맥(大麥)과 소맥(小麥)을 함께 거론했는데, 여기서는 소맥만 거론했다. 또 견맥(堅麥)을 혼(䅰)이라 한다고 했다. 여기서는 보리를 가루로 만들었지만 여전히 눈이 남아 있는 것(屑之而仍有核)을 말한다. 핵(覈)은 과실의 씨(果中核)를 말하는 핵(核)과 같은 글자이다. 오늘

(貟)가 소리부이다. 독음은 소(穌)와 과(果)의 반절이다.

3337

**𪍿**: 麷: **보리를 찧을 차**: 麥-총21획: cuó, cuò, yè, zhěn, zǐ

原文

𪍿: 礦麥也. 从麥𡎲聲. 一曰擣也. 昨何切.

飜譯

'보리를 갈다(礦麥)'라는 뜻이다. 맥(麥)이 의미부이고 차(𡎲)가 소리부이다. 일설에는 '찧다(擣)'라는 뜻이라고도 한다. 독음은 작(昨)과 하(何)의 반절이다.

3338

**麩**: 麸: **밀기울 부**: 麥-총15획: fū

原文

麩: 小麥屑皮也. 从麥夫聲. 麱, 麩或从甫. 甫無切.

飜譯

'보리 싸라기와 껍질(小麥屑皮)'을 말한다. 맥(麥)이 의미부이고 부(夫)가 소리부이다. 부(麱)는 부(麩)의 혹체자인데, 보(甫)로 구성되었다. 독음은 보(甫)와 무(無)의 반절이다.

3339

**麪**: 麪: **밀가루 면**: 麥-총15획: miàn

原文

麪: 麥末也. 从麥丏聲. 弥箭切.

---

날 말하는 조면(粗麪)이다. 쇄(麧)와 흘(麧)은 모두 단단한 보리(낟알)을 말한다. 그래서 함께 부류지어 언급한 것이다."

飜譯

'보리의 분말(麥末) 즉 밀가루'를 말한다. 맥(麥)이 의미부이고 면(丏)이 소리부이다. 독음은 미(弥)와 전(箭)의 반절이다.

**3340**

**𪍿: 麱: 보릿가루 적: 麥-총22획: zhí**

原文

𪍿: 麥覈屑也. 十斤爲三斗. 从麥啻聲. 直隻切.

飜譯

'거르지 않은 보리의 가루(麥覈屑)'를 말한다. 보리 10근(斤)을 갈면 가루 3말(斗)이 나온다. 맥(麥)이 의미부이고 시(啻)가 소리부이다. 독음은 직(直)과 척(隻)의 반절이다.

**3341**

**𪎊: 麷: 볶은 보리 풍: 麥-총29획: fēng**

原文

𪎊: 煑麥也. 从麥豐聲. 讀若馮. 敷戎切.

飜譯

'볶은 보리(煑麥)'를 말한다. 맥(麥)이 의미부이고 풍(豐)이 소리부이다. 풍(馮)과 같이 읽는다. 독음은 부(敷)와 융(戎)의 반절이다.

**3342**

**麮: 麮: 보리죽 거: 麥-총16획: qù**

原文

麮: 麥甘鬻也. 从麥去聲. 丘據切.

飜譯

'보리로 만든 맛있는 죽(麥甘鬻)'을 말한다. 맥(麥)이 의미부이고 거(去)가 소리부이다. 독음은 구(丘)와 거(據)의 반절이다.

3343

**𪎊: 𪎊: 누룩 곡: 麥-총21획: kū**

原文

𪎊: 餠籟也. 从麥㱿聲. 讀若庫. 空谷切.

飜譯

'떡 모양으로 만든 누룩(餠籟)'을 말한다. 맥(麥)이 의미부이고 각(㱿)이 소리부이다. 고(庫)와 같이 읽는다. 독음은 공(空)과 곡(谷)의 반절이다.

3344

**䴳: 䴳: 누룩 활: 麥-총16획: hè, huá**

原文

䴳: 餠籟也. 从麥穴聲. 戶八切.

飜譯

'떡 모양으로 만든 누룩(餠籟)'을 말한다. 맥(麥)이 의미부이고 혈(穴)이 소리부이다. 독음은 호(戶)와 팔(八)의 반절이다.

3345

**麳: 麳: 누룩 재: 麥-총14획: cái**

原文

麳: 餠籟也. 从麥才聲. 昨哉切.

'떡 모양으로 만든 누룩(餠麴)'을 말한다. 맥(麥)이 의미부이고 재(才)가 소리부이다. 독음은 작(昨)과 재(哉)의 반절이다.

## 제198부수
## 198 ■ 쇠(夊)부수

3346

**夊: 夊: 천천히 걸을 쇠: 夊-총3획: suī**

原文

夊: 行遲曳夊夊, 象人兩脛有所躧也. 凡夊之屬皆从夊. 楚危切.

飜譯

'천천히 느릿느릿하게 걸어가다(行遲曳夊夊)'라는 뜻인데, 사람의 두 다리 사이가 늘어진 모양을 형상했다.223) 쇠(夊)부수에 귀속된 글자들은 모두 쇠(夊)가 의미부이다. 독음은 초(楚)와 위(危)의 반절이다.

3347

**夋: 夋: 천천히 걷는 모양 준: 夊-총7획: qūn**

原文

夋: 行夋夋也. 一曰倨也. 从夊允聲. 七倫切.

飜譯

223) 夊도 발(止·지)의 거꾸로 된 모습을 그려, 천천히 걷는다는 뜻을 나타냈다. 夂(뒤져서 올 치)와 매우 유사한데, 오른쪽 삐침 획이 왼쪽으로 더 올라간 것이 夂와의 차이점이다. 그래서 夊로 구성된 글자들은 기본적으로 발의 동작과 관련된 의미를 지닌다. 예컨대 复(돌아올 복)은 갑골문에서 포대 모양의 대형 풀무를 발(夂)로 밟아 작동시키는 모습을 그렸고, 夏(여름 하)는 금문에서 크게 키워 그린 얼굴에 두 팔과 두 발이 그려진 사람의 모습을 했는데, 祈雨祭(기우제)를 지내는 제사장의 모습을 그렸다. 그런가 하면, 夔(夔·짐승이름 기)에도 夊가 그려졌는데, 상나라 선조의 하나로 帝嚳(제곡)을 지칭하는 것으로 알려졌다. 나머지, 夐(멀 형)은 소전체에서 사람(人·인)이 동굴(穴·혈) 위에 서서 눈(目·목)을 들어 멀리 바라다보는 모습을 그렸는데, 아랫부분이 발을 뜻하는 夊로 변해 지금의 자형이 되었다.

'천천히 걸어가다(行夋夋)'라는 뜻이다. 일설에는 '쪼그리고 앉다(倨)'라는 뜻이라고도 한다. 쇠(夊)가 의미부이고 윤(允)이 소리부이다. 독음은 칠(七)과 륜(倫)의 반절이다.

**3348**

**夏: 夏: 옛길을 갈 복: 夊-총11획: fú**

原文

夏: 行故道也. 从夊, 畐省聲. 房六切.

飜譯

'이미 걸어왔던 길을 다시 되돌아가다(行故道)'라는 뜻이다. 쇠(夊)가 의미부이고, 복(畐)의 생략된 부분이 소리부이다.[224] 독음은 방(房)과 륙(六)의 반절이다.

**3349**

**夌: 夌: 언덕 릉: 夊-총8획: líng**

原文

夌: 越也. 从夊从兴. 兴, 高也. 一曰夌徲也. 力膺切.

飜譯

'넘다(越)'라는 뜻이다. 쇠(夊)가 의미부이고 륙(兴)도 의미부이다. 륙(兴)은 '높다(高)'라는 뜻이다. 일설에는 '천천히 사라지다(夌遲)'라는 뜻이라고도 한다.[225] 독음

---

224) 고문자에서 甲骨文 金文 盟書 簡牘文 石刻古文 등으로 썼다. 갑골문을 보면, 아래쪽은 발(夊·쇠)이고, 위쪽은 긴 네모꼴에 양쪽으로 모퉁이가 더해졌는데, 포대 모양의 대형 풀무를 발(夂)로 밟아 작동시키는 모습을 형상화한 글자이다. 풀무는 공간을 움직여 공기를 내뿜게 하는 장치로 밀었다가 당기는 동작이 反復(반복)하는 특성을 가져 '오가다'의 의미가 생겼고, 돌아온다는 回復(회복)의 의미도 생겼다. 그러자 彳(조금 걸을 척)을 더한 復(돌아올 복·다시 부)을 만들어 '돌아오다'는 동작을 더욱 구체화했다.

225) 『단주』에서 이렇게 보충했다. "척(彳)부수에서 제(徲)는 오래가다는 뜻이다(久也)라고 했다. 보통 능지(陵遲), 능이(陵夷)라고 하는데, 능제(夌徲)가 되어야 한다. 그런데도 오늘날에는 능

은 력(力)과 응(膺)의 반절이다.

3350

𡕒: 致: **보낼 치**: 至-**총10획**: **zhì**

原文

𡕒: 送詣也. 从夊从至. 陟利切.

飜譯

'보내다(送詣)'라는 뜻이다. 쇠(夊)가 의미부이고 지(至)도 의미부이다.[226] 독음은 척(陟)과 리(利)의 반절이다.

3351

𢝊: 憂: **근심할 우**: 心-**총15획**: **yōu**

原文

---

지(陵遲)와 능이(陵夷)가 유행하면서 능지(夌𢓜)는 사라지고 말았다. 『옥편』에서 능지(夌遲)라고 했고, 『광운』에서는 능지(陵遲)라고 했는데, 지(遲)와 지(𢓜)는 같은 글자다. 『광류정속(匡謬正俗)』에서는 능지(陵遲)에 대해 능(陵)은 능부(陵阜·큰 언덕)라고 할 때의 능(陵)이고, 지(遲)는 느릿느릿 가늘게 깎아 작게 만들다(遲遲微細削小)라는 뜻이라고 풀이했다. 옛날에는 지(遲)와 이(夷)도 통용되었다. 그래서 능이(陵夷)라고도 했는데, 뜻은 같다. 큰 언덕(陵阜)이 점차 깎여 평평하게 되기에 왕도가 사라짐(王道弛替)을 비유했을 뿐이다. (단옥재) 내 생각은 이렇다. 허신은 능(夌)이라 적었는데, 이로써 능(陵)이 능부(陵阜)를 말한 것은 아님을 알 수 있다. 능(夌)은 려(遳·천천히 가다)의 반대 뜻이다. 옛날에는 지(遲)와 려(遳)가 서로 통용되었다. 능(夌)은 시간이 오래되어 점차 사라지다는 뜻이다. 지(遲)를 옛날에는 이(夷)와 같이 읽었다. 능(夌)과 이(夷)는 첩운자일 뿐이다. 『좌전』의 하릉상체(下陵上替·아랫사람이 윗사람을 능가하여 윗사람의 권위가 땅에 떨어진다는 뜻으로, 세상이 어지러움을 이름)라는 말을 갖고 설명하자면, 허신이 말한 앞의 의미는 항릉(下陵)에 가깝고 뒤에서 말한 의미는 상체(上替)에 가깝다. 하릉(下陵)과 상체(上替)는 사실 (둘이 아니라) 서로 연관되는 것이 일상적이다."

226) 고문자에서 [古文字] 古陶文 등으로 썼다. 攴(칠 복)이 의미부고 至(이를 지)가 소리부로, 회초리로 쳐(攴) 어떤 목적한 곳에 이르도록(至) 보내는 것을 말하며, 이로부터 드리다, 봉헌하다, 알리다, 招致(초치)하다, 소집하다, 귀환하다 등의 뜻이 나왔다. 현대 중국에서는 緻(밸 치)의 간화자로도 쓰인다.

: 和之行也. 从夊㥑聲. 『詩』曰: “布政憂憂.” 於求切.

譯譯

‘평온하게 걸어가다(和之行)’라는 뜻이다. 쇠(夊)가 의미부이고 우(㥑)가 소리부이다. 『시·상송·장발(長發)』에서 “정치 베풀길 잘 하시니(布政憂憂)”라고 노래했다.[227] 독음은 어(於)와 구(求)의 반절이다.

**3352**

**: 愛: 사랑 애: 心-총13획: ài**

原文

: 行皃. 从夊㤅聲. 烏代切.

譯譯

‘걸어가는 모양(行皃)’을 말한다. 쇠(夊)가 의미부이고 애(㤅)가 소리부이다.[228][229] 독음은 오(烏)와 대(代)의 반절이다.

**3353**

**: 㚓: 걷는 모양 복: 尸-총8획: pú**

---

227) 『단주』에서는 이렇게 말했다. “『시』에서 ‘布政憂憂’라 했는데, 「상송(商頌)」에 나오는 글이다. 금본에서는 ‘優優’로 적었다.”

228) 고문자에서 金文 簡牘文 등으로 썼다. 원래는 旡(목멜 기)와 心(마음 심)과 夊(뒤져서 올 치)로 구성되어, 머리를 돌려(旡) 남을 생각하는 마음(心)을 실천하는(夊) 것이 바로 ‘사랑’임을 그려냈다. 금문에서는 旡와 心으로 구성되었으나, 이후 실천성을 강조하기 위해 夊가 더해져 지금의 자형이 되었다. 남에 대해 가지는 진실한 마음과 사랑이 원래 뜻이며, 이로부터 은혜를 베풀다, 좋아하다, 흠모하다, 아끼다의 뜻이, 또 사랑하는 사람, 남녀 간의 사랑 등을 지칭하게 되었다. 달리 炁로 쓰기도 하며, 간화자에서는 心과 夊를 友(벗 우)로 줄여 爱로 쓴다.

229) 서개의 「계전」에 의하면, 옛날에는 애(炁)와 애(愛)가 다른 글자였는데, 애(炁)가 ‘자애롭다’는 뜻으로 쓰였고, 여기에 ‘가다’는 뜻의 치(夊)가 더해진 애(愛)는 ‘가는 모습’을 말했다. 지금은 애(愛)가 ‘사랑하다’의 뜻으로 쓰이고 애(炁)는 애(愛)의 이체자로 되었다.

原文

𡕒: 行𡕒𡕒也. 从夊, 闕. 讀若僕. 又卜切.

翻譯

'바삐 걸어감(行𡕒𡕒)'을 말한다. 쇠(夊)가 의미부이다. 왜 그런지는 알 수 없다(闕).[230] 복(僕)과 같이 읽는다. 독음은 우(又)와 복(卜)의 반절이다.

**3354**

**𩐳: 竷: 북 칠 감: 立-총20획: gán**

原文

竷: 繇也舞也. 樂有章. 从章从夅从夊. 『詩』曰: "竷竷舞我." 苦感切.

翻譯

'노래하면서 춤도 추다(繇也舞)'라는 뜻이다. 음악에는 악장이 있게 마련이다. 장(章)이 의미부이고 강(夅)도 의미부이며 쇠(夊)도 의미부이다. 『시·소아벌목(伐木)』에서 "둥둥 북치고(竷竷舞我)"라고 노래했다.[231] 독음은 고(苦)와 감(感)의 반절이다.

**3355**

**𡗓: 夓: 두개골 범: 夊-총8획: miǎn, mǎn**

---

230) 『단주』에서 "이는 글자의 형체가 왜 그렇게 되었는지 알 수 없다는 말이다. 글자의 윗부분을 설명하기 어렵다는 말이다."

231) "감감무아(竷竷舞我·둥둥 춤추고)"는 금본에서 "감감고아(坎坎鼓我·둥둥 북치고)"로 되었다. 『단주』에서는 이렇게 보충했다. "『시(詩)』에서 '감감고아(竷竷鼓我)'라고 했는데, 고(鼓)를 오늘날의 판본에서는 무(舞)로 적었다. 지금 『운회(韵會)』에 근거해 바로 잡는다. 사(士)부수에서 이를 인용하여 '준준무아(壿壿舞我)'라고 했다. 그렇다면 이는 당연히 같은 『시경』의 인용이었을 것이다. 지금 「소아(小雅)·벌목(伐木)」에서는 감감(坎坎)으로 적었는데, 『모전』에서는 따로 설명이 없다. 그러나 「진풍(陳風)」에서 감감(坎坎)은 북치는 소리를 말한다(擊鼓聲也)라고 했고, 「위풍(魏風)」의 『전』에서는 감감(坎坎)을 나무를 베는 소리를 말한다(伐木聲也)라고 했다. 또 『노시(魯詩)』의 「벌목(伐檀)」에서는 이를 감감(欿欿)으로 적었다. 그래서 '竷竷鼓我'는 『삼가시』를 채택한 것으로, 『모시』와는 다르다 하겠다."

原文

: 瑙蓋也. 象皮包覆瑙, 下有兩臂, 而夊在下. 讀若范. 亡范切.

飜譯

'뇌의 덮개(瑙蓋) 즉 두개골'을 말한다. [윗부분은] 뇌를 덮은 가죽 거죽의 모습을 형상했으며, 그 아래로 두 팔이 있고, 발(夊)이 그 아래쪽에 있는 모습이다. 범(范)과 같이 읽는다. 독음은 망(亡)과 범(范)의 반절이다.

**3356**

: 夏: **여름 하**: 夊-총10획: xià

原文

: 中國之人也. 从夊从頁从臼. 臼, 兩手; 夊, 兩足也. , 古文夏. 胡雅切.

飜譯

'중원 지역의 사람(中國之人)'을 말한다. 쇠(夊)가 의미부이고 혈(頁)도 의미부이고 구(臼)도 의미부이다. 구(臼)는 '두 손(兩手)'을 뜻하고, 쇠(夊)는 '두 발(兩足)'을 뜻한다.[232] 하( )는 하(夏)의 고문체이다. 독음은 호(胡)와 아(雅)의 반절이다.

**3357**

: 畟: **보습 날카로울 측**: 田-총10획: cè

---

232) 고문자에서 金文 簡牘文 帛書 古璽文 石刻古文 등으로 썼다. 頁(머리 혈)의 생략된 모습과 夊(뒤져서 올 치)로 구성되었다. 금문에서는 크게 키워 그린 얼굴(頁)에 두 팔과 두 발(夊)이 그려진 사람의 모습을 했는데, 자형이 변해 지금처럼 되었다. 크게 그려진 얼굴은 고대 한자에서 주로 분장을 한 제사장의 모습이며 두 팔과 발은 율동적인 동작을 의미하기에, 夏는 祈雨祭(기우제)를 지내려고 춤추는 제사장의 모습을 그린 것으로 추정된다. 그래서 '춤'이 원래 뜻이며, 기우제는 신을 즐겁게 하기 위한 盛大(성대)한 춤이 필요하기에 크다, 성대하다는 뜻이 나왔고, 중국인들이 자기 민족을 부르는 이름이 되었다. 또 기우제가 주로 여름철에 이루어졌기 때문에 '여름'도 뜻하게 되었다.

原文

畟: 治稼畟畟進也. 从田、人, 从夊.『詩』曰: "畟畟良耜." 初力切.

飜譯

'밭에서 농작물을 관리할 때 [보습의 날이] 날카로워 앞으로 잘 나가다(治稼畟畟進)'라는 뜻이다. 전(田)과 인(人)이 의미부이고, 쇠(夊)도 의미부이다.『시·주송·양사(良耜)』에서 "날카로운 좋은 보습으로(畟畟良耜)"라고 노래했다. 독음은 초(初)와 력(力)의 반절이다.

**3358**

**夎: 夎: 다리를 오므릴 종: 夊-총9획: zōng**



原文

夎: 斂足也. 鵲䳄醜, 其飛也夎. 从夊兇聲. 子紅切.

飜譯

'발을 오므리다(斂足)'라는 뜻이다. 까치(鵲)나 백로(䳄) 같은 것들은 날 때 발을 오므린다.233) 쇠(夊)가 의미부이고 흉(兇)이 소리부이다. 독음은 자(子)와 홍(紅)의 반절이다.

**3359**

**夒: 夒: 원숭이 노: 夊-총18획: náo**

原文

夒: 貪獸也. 一曰母猴, 似人. 从頁, 巳、止、夊, 其手足. 奴刀切.

飜譯

'탐욕스런 짐승(貪獸)'이다. 일설에는 '원숭이(母猴)'를 말한다고도 한다. 사람(人)과 닮았다. 혈(頁)과 사(巳)와 지(止)와 쇠(夊)가 의미부인데, 그것의 손과 발을 말한다.

233) 추(醜)는 류(類)와 같다.

독음은 노(奴)와 도(刀)의 반절이다.

**3360**

**夔:** 夔: **조심할 기**: 夊-총20획: kuí

原文

夔: 神魖也. 如龍, 一足, 从夊; 象有角、手、人面之形. 渠追切.

飜譯

'신기한 괴물(神魖)'을 말한다. 용(龍)과 비슷하나 다리가 하나이다. 그래서 쇠(夊)가 의미부이다. 뿔(角)과 손(手)과 사람의 얼굴을 가진 모습을 형상했다. 독음은 거(渠)와 추(追)의 반절이다.

**3361**

**夎:** 夎: **절 좌**: 夊-총10획: zuò

原文

夎: 拜失容也. 从夊坐聲. 則卧切.

飜譯

'몸가짐을 제대로 갖추지 못한 절(拜失容)'을 말한다. 쇠(夊)가 의미부이고 좌(坐)가 소리부이다. 독음은 칙(則)과 와(卧)의 반절이다. [신부]

제199부수
## 199 ■ 천(舛)부수

3362

**舛: 舛: 어그러질 천: 舛-총6획: chuǎn**

原文

舛: 對臥也. 从夊𡕒相背. 凡舛之屬皆从舛. 蹖, 楊雄說: 舛从足、春. 昌兖切.

飜譯

'서로 마주 보고 눕다(對臥)'라는 뜻이다. 쇠(夊)와 과(𡕒)가 서로 등진 모습을 형상했다.234) 천(舛)부수에 귀속된 글자들은 모두 천(舛)이 의미부이다. 천(蹖)은 양웅(楊雄)의 설에 의하면, 족(足)과 춘(春)으로 구성되었다고 한다. 독음은 창(昌)과 연(兖)의 반절이다.

3363

**舞: 舞: 춤출 무: 舛-총14획: wǔ**

原文

舞: 樂也. 用足相背, 从舛; 無聲. 翌, 古文舞从羽、亡. 文撫切.

飜譯

'음악(樂)의 일종'이다. 발을 서로 뒤로 보게 하여 추는 춤이다. 그래서 천(舛)이 의미부이다. 무(無)가 소리부이다.235) 무(翌)는 무(舞)의 고문체인데, 우(羽)와 망(亡)으

234) 반대 방향으로 놓인 두 발을 그렸는데, 『설문해자』에 이르러서야 부수로 독립되었고, 그전에는 다른 형상과 결합한 모습으로 등장한다. 두 발은 동작을 말하고, 반대 방향은 배치되어 '어그러짐'을 뜻한다.

235) 고문자에서 甲骨文 金文 簡牘文 등으로 썼다. 舛(어그러질 천)이 의미부고 無(없을 무)의 생략된 모습이 소리부로, 두 발(舛)과 장식물을 들고 춤추는 모

로 구성되었다. 독음은 문(文)과 무(撫)의 반절이다.

**3364**

**舝: 舝: 비녀장 할: 舛-총13획: hé**

原文

舝: 車軸耑鍵也. 兩穿相背, 从舛; 萬省聲. 萬, 古文偰字. 胡戛切.

譯

'수레 축의 양쪽 끝에 끼우는 비녀장(車軸耑鍵)'을 말한다. 두 양 끝이 서로 배치되어 있기 때문에 천(舛)이 의미부이다. 설(萬)의 생략된 부분이 소리부이다. 설(萬)은 설(偰)의 고문체이다. 독음은 호(胡)와 알(戛)의 반절이다.

---

습(無)이 합쳐진 모습이며, 이로부터 춤추다, 춤, 조롱하다 등의 뜻이 나왔다. 갑골문자에서는 無(없을 무)와 같은 글자였는데, 이후 분화한 글자이다.

# 제200부수
## 200 ■ 순(舜)부수

3365

**:** 舜: **순임금 순**: 舛–**총12획: shùn**

原文

: 艸也. 楚謂之葍, 秦謂之藑. 蔓地連華. 象形. 从舛, 舛亦聲. 凡䑞之屬皆从䑞.(今隸變作舜.) 𦱤, 古文䑞. 舒閏切.

飜譯

'풀이름(艸)'이다. 초(楚) 지역에서는 복(葍)이라 하고, 진(秦) 지역에서는 경(藑)이라 한다. 땅에 넝쿨로 꽃과 연결되어 자란다. 상형이다. 천(舛)이 의미부인데, 천(舛)은 소리부도 겸한다.[236] 순(䑞)부수에 귀속된 글자들은 모두 순(䑞)이 의미부이다. [오늘날에는 예변을 거쳐 순(舜)으로 적는다.] 순(𦱤)은 순(䑞)의 고문체이다. 독음은 서(舒)와 윤(閏)의 반절이다.

3366

**:** 雞: **무성할 황**: 生–**총17획: huáng**

---

236) 고문자에서 簡牘文 등으로 썼다. 원래는 匚(상자 방)과 炎(불탈 염)이 의미부이고 舛(어그러질 천)이 소리부였는데, 자형이 변해 지금처럼 되었다. 『설문해자』에서는 메꽃(葍·복, 藑·경)이라고 했지만 자형과 어울려 보이지는 않는다. 소전체에서 䑞으로 써, 아랫부분은 두 발(舛)을, 윗부분은 상자(匚) 속에 炎이나 大(클 대) 사이로 점이 여럿 그려진 모습이다. 여기서 匚만 없다면 몸에 번쩍이는 발광체를 바르고 춤추는 모습을 그린 粦(도깨비불 린)과 같은 꼴이며, 匚은 가면의 상징으로 추정된다. 그래서 舜은 몸에 발광체를 칠한 채 춤을 추는 제사장을 그린 것으로 보이며, 이로부터 고대 중국의 전설상의 '舜 임금'을 지칭하게 되었을 것인데, 그 시대는 제사장이 부족장이거나 지도자였던 제정일치 사회였다.

原文

𩇯: 華榮也. 从舜生聲. 讀若皇. 『爾雅』曰: "𩇯, 華也." 葟, 𩇯或从艸、皇. 戶光切.

翻譯

'무성하게 핀 꽃(華榮)'을 말한다. 순(舜)이 의미부이고 생(生)이 소리부이다. 황(皇)과 같이 읽는다. 『이아』에서 "황(𩇯)은 화(華)와 같아 꽃을 말한다"라고 했다.237) 황(葟)은 황(𩇯)의 혹체자인데, 초(艸)와 황(皇)으로 구성되었다. 독음은 호(戶)와 광(光)의 반절이다.

237) 금본 『이아』에서 이 말은 보이지 않는다. 다만, 제3권 「석언(釋言)」에서 "화(華)는 황(皇)을 말한다"라고 하였는데, 『이아주』에서 "황(葟)은 화영(華榮) 즉 꽃을 말한다"라고 하였고, 『이아소』에서는 "초목의 꽃을 일명 황(皇)이라고 한다"라고 하였다. 그렇다면 황(𩇯)은 황(葟)을 말한 것으로 보인다.

## 제201부수
## 201 ■ 위(韋)부수



**3367**

**韋:** 韋: **다룸가죽 위**: 韋-**총9획**: wéi

原文

韋: 相背也. 从舛囗聲. 獸皮之韋, 可以束枉戾相韋背, 故借以爲皮韋. 凡韋之屬皆从韋. 𩏑, 古文韋. 宇非切.

飜譯

'서로 등지다(相背)'라는 뜻이다. 순(舛)이 의미부이고 위(囗)가 소리부이다. 짐승의 가죽을 위(韋)라고도 하는데, 서로 어긋난 것을 묶어서 교정할 수 있기 때문이다. 그래서 가죽(皮韋)이라는 뜻으로 가차되었다.238) 위(韋)부수에 귀속된 글자들은 모두 위(韋)가 의미부이다. 위(𩏑)는 위(韋)의 고문체이다. 독음은 우(宇)와 비(非)의 반절이다.

**3368**

**韠:** 韠: **폐슬 필**: 韋-**총20획**: bì

---

238) 고문자에서 甲骨文 金文 盟書 簡牘文 石刻古文 등으로 썼다. 갑골문에서 성(囗·국·위)을 두 발(舛·천)로 '에워싼' 모습이다. 발은 간혹 셋이나 넷으로, 또 성곽은 네모가 아닌 둥근 모습으로 표현되기도 했지만 의미는 같다. 그래서 韋는 '에워싸다'가 원래 뜻이고, 각각 반대 방향에서 포위한다는 뜻에서 '背馳(배치)되다'의 뜻도 가지게 되었다. 이후 韋가 무두질을 거친 가죽이라는 뜻으로 가차되자, 원래의 뜻은 다시 성곽(囗)을 더한 圍(에워쌀 위), 그러한 동작(辵·착)을 강조한 違(어길 위), 그런 행위(行·행)를 강조한 衛(지킬 위) 등으로 분화했다. 하지만 幃(휘장 위)에서와 같이 韋가 들어간 합성자에는 아직도 원래의 의미가 남아 있다. 즉 원래의 성을 포위한 모습으로부터 '에워쌈'이나 '둥글다'는 뜻을 갖는데, 이 경우에는 주로 소리부까지 겸한다. 간화자에서는 초서체로 간단히 줄인 韦로 쓴다.

原文

韠: 韍也. 所以蔽前, 以韋. 下廣二尺, 上廣一尺, 其頸五寸. 一命縕韠, 再命赤韠. 从韋畢聲. 卑吉切.

飜譯

'폐슬(韍)'을 말한다. 앞을 가리는데 쓰며, 가죽으로 만든다. 아래쪽은 너비가 2자(尺)이고 위쪽은 너비가 1자(尺)이며, 잘록한 목(頸) 부분은 5치(寸)이다. 일명(一命)은 노란색의 슬갑(縕韠)을 쓰고, 재명(再命)은 붉은 슬갑(赤韠)을 쓴다.[239] 위(韋)가 의미부이고 필(畢)이 소리부이다. 독음은 비(卑)와 길(吉)의 반절이다.

3369

韎: 韎: **가죽 매**: 韋–**총14획**: mò

原文

韎: 茅蒐染韋也. 一入曰韎. 从韋末聲. 莫佩切.

飜譯

'모수초로 염색한 가죽(茅蒐染韋)'을 말한다. 한번 물들인 것을 매(韎)라고 한다. 위(韋)가 의미부이고 말(末)이 소리부이다. 독음은 막(莫)과 패(佩)의 반절이다.

3370

韢: 韢: **자루 혜**: 韋–**총21획**: huì

239) 『예기·옥조(玉藻)』에서 "일명(一命)은 온불유형(縕韍幽衡)을 쓰고, 재명(再命)은 적불유형(赤韍幽衡)을 쓰고, 삼명(三命)은 적불총형(赤韍葱衡)을 쓴다고 했다." 주(周)나라 때의 관작(官爵) 제도에 의하면 관직을 9등급으로 나누고 이를 구명(九命)이라 했다. 상공(上公)은 구명(九命)으로 백(伯)이 되고, 왕(王)의 삼공(三公)들은 팔명(八命), 후백(侯伯)은 칠명(七命), 왕(王)의 경(卿)은 육명(六命), 자남(子男)은 오명(五命), 왕의 대부(大夫)와 공(公)의 고(孤)는 사명(四命), 공(公)과 후백(侯伯)의 경(卿)은 삼명(三命), 공과 후백의 대부, 자남(子男)의 경(卿)은 재명(再命, 즉 二命), 공과 후백의 사(士)와 자남의 대부는 일명(一命)이 된다. 자남의 사(士)는 불명(不命)이다. 그들의 궁실이나 거기(車旗), 의복, 의례(禮儀) 등은 모두 각각의 등급에 맞도록 규정되어 있었다. 자세한 것은 『주례•춘관•전명(典命)』과 『예기•왕제(王制)』를 참조하라.

原文

韢: 橐紐也. 从韋惠聲. 一曰盛虜頭橐也. 胡計切.

飜譯

'자루를 묶는 끈(橐紐)'을 말한다. 위(韋)가 의미부이고 혜(惠)가 소리부이다. 일설에는 '적의 수급을 담는 자루(盛虜頭橐)'를 말한다고도 한다. 독음은 호(胡)와 계(計)의 반절이다.

3371

韜: 韜: 감출 도: 韋-총19획: tāo

原文

韜: 劒衣也. 从韋舀聲. 土刀切.

飜譯

'칼의 집(劒衣)'을 말한다. 위(韋)가 의미부이고 요(舀)가 소리부이다. 독음은 토(土)와 도(刀)의 반절이다.

3372

韝: 韝: 깍지 구: 韋-총19획: gōu

原文

韝: 射臂決也. 从韋冓聲. 古矦切.

飜譯

'활을 쏠 때 팔에 끼는 깍지(射臂決)'를 말한다. 위(韋)가 의미부이고 구(冓)가 소리부이다. 독음은 고(古)와 후(矦)의 반절이다.

3373

韘: 韘: 깍지 섭: 韋-총18획: shè

原文

韘: 射決也. 所以拘弦, 以象骨, 韋系, 著右巨指. 从韋枼聲. 『詩』曰: “童子佩韘.” 弽, 韘或从弓. 失涉切.

飜譯

‘활을 쏠 때 손에 끼는 깍지(射決)’를 말한다. 활시위를 얹는데 사용하며, 상아로 만들고, 가죽으로 매며, 오른쪽 엄지손가락 위에 놓이도록 한다. 위(韋)가 의미부이고 엽(枼)이 소리부이다. 『시·위풍·환란(芄蘭)』에서 “아이가 뼈로 만든 송곳 찼네(童子佩韘)”라고 노래했다. 섭(弽)은 섭(韘)의 혹체자인데, 궁(弓)으로 구성되었다. 독음은 실(失)과 섭(涉)의 반절이다.

**3374**

**韣: 韣: 활집 독: 韋-총22획: dú, zhǔ**

原文

韣: 弓衣也. 从韋蜀聲. 之欲切.

飜譯

‘활집(弓衣)’을 말한다. 위(韋)가 의미부이고 촉(蜀)이 소리부이다. 독음은 지(之)와 욕(欲)의 반절이다.

**3375**

**韔: 韔: 활집 창: 韋-총17획: chàng**

原文

韔: 弓衣也. 从韋長聲. 『詩』曰: “交韔二弓.” 丑亮切.

飜譯

‘활집(弓衣)’을 말한다. 위(韋)가 의미부이고 장(長)이 소리부이다. 『시·진풍·소융(小戎)』에서 “엇갈리게 활집엔 두 활이 꽂혀있고(交韔二弓)”라고 노래했다. 독음은 축

(丑)과 량(亮)의 반절이다.

3376

**韗: 韗: 신 뒤축 끈 하: 韋-총18획: xiá**

原文

韗: 履也. 从韋叚聲. 乎加切.

飜譯

'신(履)'을 말한다. 위(韋)가 의미부이고 가(叚)가 소리부이다. 독음은 호(乎)와 가(加)의 반절이다.

3377

**韡: 韡: 신 뒤축 끈 단: 韋-총18획: duàn**

原文

韡: 履後帖也. 从韋段聲. 緞, 韡或从糸. 徒玩切.

飜譯

'신의 뒤축(履後帖)'을 말한다. 위(韋)가 의미부이고 단(段)이 소리부이다. 단(緞)은 단(韡)의 혹체자인데, 멱(糸)으로 구성되었다. 독음은 도(徒)와 완(玩)의 반절이다.

3378

**韤: 韤: 버선 말: 韋-총24획: wà**

原文

韤: 足衣也. 从韋蔑聲. 望發切.

飜譯

'버선(足衣)'을 말한다. 위(韋)가 의미부이고 멸(蔑)이 소리부이다. 독음은 망(望)과 발(發)의 반절이다.

**3379**

**韠: 韠: 멍에 싸개 박: 韋-총19획: fú, pò**

原文

韠: 軶裹也. 从韋尃聲. 匹各切.

飜譯

'멍에 싸개(軶裹)'를 말한다. 위(韋)가 의미부이고 부(尃)가 소리부이다. 독음은 필(匹)과 각(各)의 반절이다.

**3380**

**韏: 韏: 가죽 분파할 권: 韋-총15획: juàn**

原文

韏: 革中辨謂之韏. 从韋𢍏聲. 九萬切.

飜譯

'가죽의 잘린 부분을 이어 붙인 것(革中辨)을 권(韏)이라 한다.'[240] 위(韋)가 의미부이고 권(𢍏)이 소리부이다. 독음은 구(九)와 만(萬)의 반절이다.

240) 『단주』에서 이렇게 보충했다. "『이아·석기(釋器)』에서 가죽 중간 부분을 끊은 것(革中絕)을 변(辨)이라 한다고 했는데, 곽박의 주석에서 가죽의 중간을 자른 것을 말한다(中斷皮也)고 했다. 또 가죽 중간 부분을 자른 것(革中辨)을 권(韏)이라 한다고 했는데, 곽박의 주석에서는 다시 고르게 분파한 것을 말한다(復平分也)고 했다. 만약 곽박의 말대로라면 본문은 '가운데 끊은 부분을 다시 이어 붙인 것을 권(韏)이라 한다(辨中絕謂之韏)'가 되어야 한다. 그러니 위의 해설처럼 되어서는 아니 된다. 내 생각에, '革辨謂之韏'이 되어야 할 것이며, 가운데 들어간 중(中)은 쓸데없이 들어간 글자이다. 의(衣)부수의 벽(襞)자의 해설에서 '옷을 이어 붙이다는 뜻이다(韏衣也)'라고 했다. 의간(衣襇·주름이 난 옷)을 옛날에는 권(韏)이라 했으며, 또 벽적(襞積)이라고도 했으며, 또 연(緛)이라고도 했다. 그렇다면 쭈글쭈글 주름진 가죽(皮之縐文蹙蹙)을 권(韏)이라 한다는 것은 분명하다. 문(文)부수에서 반(辬)은 얼룩무늬를 말한다(駁文也)고 했다. 허신이 보았던 『이아』는 곽박의 판본과 다르다. 아마도 천박한 이들이 곽박의 판본으로 내용을 바꾼 것일 것이다."

3381

**𩏄: 韡: 거두어 묶을 추: 韋-총27획: jiū, jiào**

原文

𩏄: 收束也. 从韋樵聲. 讀若酋. 𩏄, 韡或从要. 𩏄, 韡或从秋、手. 即由切.

譯

'수확하여 묶다(收束)'라는 뜻이다. 위(韋)가 의미부이고 착(樵)이 소리부이다. 추(酋)와 같이 읽는다. 추(𩏄)는 추(韡)의 혹체자인데, 요(要)로 구성되었다. 추(𩏄)는 추(韡)의 혹체자인데, 추(秋)와 수(手)로 구성되었다. 독음은 즉(即)과 유(由)의 반절이다.



3382

**韓: 韓: 나라이름 한: 韋-총19획: hán**

原文

韓: 井垣也. 从韋, 取其帀也; 倝聲. 胡安切.

譯

'우물의 난간(井垣)'을 말한다. 위(韋)가 의미부인데, 주위를 둘러쌌다는 의미를 가져왔다. 간(倝)이 소리부이다.[241] 독음은 호(胡)와 안(安)의 반절이다.

3383

**韌: 韌: 질길 인: 韋-총12획: rèn**

241) 원래 韓으로 써, 韋(에워쌀·다룸가죽 위)가 의미부고 倝(해 처음 빛날 간)이 소리부로, 황토를 다져 담을 쌓을 때 황토가 빠져나가지 못하도록 '담 곁에 대는 큰 나무'(倝)를 말했는데, 자형이 줄어 지금처럼 되었다. 이로부터 '크다'와 '해가 밝게 비치다'는 뜻이 나왔고, 이후 나라 이름으로 쓰였다. 또 韋 대신 木(나무 목)이 들어간 榦(담 곁 기둥 간)과 같이 쓰이기도 했는데, 榦은 황토를 다져 담을 쌓을 때 황토가 빠져나가지 못하도록 '담 곁에 대는 큰 나무'를 말했다. 간화자에서는 韋를 韦로 간단히 줄여 韩으로 쓴다.

韌： 柔而固也. 从韋刃聲. 而進切.

飜譯

‘부드러우면서도 단단하다(柔而固)’라는 뜻이다. 위(韋)가 의미부이고 인(刃)이 소리부이다. 독음은 이(而)와 진(進)의 반절이다. [신부]

# 제202부수
## 202 ■ 제(弟)부수

**3384**

**弟: 弟: 아우 제: 弓-총7획: dì**

原文

弟: 韋束之次弟也. 从古字之象. 凡弟之屬皆从弟. 𠂖, 古文弟从古文韋省, 丿聲. 特計切.

飜譯

'가죽을 감아 묶을 때의 순서(韋束之次弟)'를 말한다. 고문체의 모양을 따랐다.242) 제(弟)부수에 귀속된 글자들은 모두 제(弟)가 의미부이다. 제(𠂖)는 제(弟)의 고문체인데, 위(韋)의 고문체의 생략된 모습이 의미부이고 별(丿)이 소리부이다. 독음은 특(特)과 계(計)의 반절이다.

**3385**

**罤: 罤: 형 곤: 目-총17획: kūn**

原文

罤: 周人謂兄曰罤. 从弟从眔. 古魂切.

---

242) 고문자에서 [고문자 자형] 甲骨文 [고문자 자형] 金文 [고문자 자형] 盟書 [고문자 자형] 簡牘文 [고문자 자형] 古璽文 [고문자 자형] 石刻古文 등으로 썼다. 갑골문과 금문에서 弋(주살 익)과 己(몸 기)로 구성되어, 주살(弋)을 끈(己)으로 묶은 모습인데, 자형이 변해 지금처럼 되었다. 주살의 끈을 묶을 때에는 일정한 순서가 필요하므로 '차례'와 '순서'를 뜻하게 되었고, 여기서 다시 兄弟(형제)에서처럼 '동생'이라는 뜻이 나왔고, 다시 자기보다 나이가 적은 남성을 지칭하게 되었다. 그러자 원래의 '순서'라는 뜻은 竹(대 죽)을 더한 第(차례 제)로 분화했다.

주(周) 지역 사람들은 형(兄)을 곤(罤)이라 부른다. 제(弟)가 의미부이고 답(眔)도 의미부이다. 독음은 고(古)와 혼(魂)의 반절이다.

# 제203부수
## 203 ■ 치(夂)부수

3386

**夂: 夂: 뒤져서 올 치: 夂-총3획: zhǐ**

原文

夂: 从後至也. 象人兩脛後有致之者. 凡夂之屬皆从夂. 讀若黹. 陟侈切.

飜譯

'뒤에서부터 이르다(从後至)'라는 뜻이다. 사람의 두 다리 뒤에서 그것을 미는 것이 있는 모습을 형상했다(象人兩脛後有致之者).[243] 치(夂)부수에 귀속된 글자들은 모두 치(夂)가 의미부이다. 치(黹)와 같이 읽는다. 독음은 척(陟)과 치(侈)의 반절이다.



3387

**夆: 夆: 중요한 곳을 가릴 해: 夂-총7획: hài**

原文

夆: 相遮要害也. 从夂丰聲. 南陽新野有夆亭. 乎蓋切.

飜譯

'험준한 요로에서 서로를 저지하다(相遮要害)'라는 뜻이다. 치(夂)가 의미부이고 개

243) 夂는 발(止·지)을 거꾸로 그려, 뒤처져 옴을 나타냈지만, 夂는 단독으로 쓰이지도 않고, 이로 구성된 글자도 많지 않다. 그래서 현대 중국의 한자자전에서는 이어지는 부수인 夊(천천히 걸을 쇠)와 형체와 의미가 비슷해 통합하기도 한다. 이로 구성된 各(각각 각)은 원래 집의 입구(口·구)와 夂로 구성되어 집으로 도착함을 그렸는데, 지금의 옥편에서는 口부수에 귀속되었다. 麥(보리 맥)에도 夂가 들어 있지만, 麥도 독립된 부수로 설정되었다. 다만 夅(내릴 강)은 降(내릴 강·항복할 항)의 원래 글자인데, 두 발(止)이 거꾸로 나란히 선 모습을 그려, 정상적으로 나아가는 모습을 그린 步(걸음 보)와 대칭적 의미를 그렸다. 이후 흙 계단을 '내려오는' 것임을 강조하기 위해 阜(阝·언덕 부)를 더해 降으로 발전했다.

(丯)가 소리부이다. 남양(南陽)의 신야(新野)에 해정(夆亭)이라는 곳이 있다. 독음은 호(乎)와 개(蓋)의 반절이다.

3388

**夆: 夆: 끌 봉: 夂-총7획: féng**

原文

夆: 啎也. 从夂丰聲. 讀若縫. 敷容切.

飜譯

'서로 만나다(啎)'라는 뜻이다. 치(夂)가 의미부이고 봉(丰)이 소리부이다. 봉(縫)과 같이 읽는다. 독음은 부(敷)와 용(容)의 반절이다.

3389

**夅: 夅: 내릴 강: 夂-총6획: xiáng**

原文

夅: 服也. 从夂、午, 相承不敢竝也. 下江切.

飜譯

'항복하다(服)'라는 뜻이다. 치(夂)와 오(午)가 의미부인데, 서로 받들지 감히 대립하지는 않는다(相承不敢竝)는 뜻이다. 독음은 하(下)와 강(江)의 반절이다.

3390

**夃: 夃: 이문 얻을 고: 夂-총4획: gū**

原文

夃: 秦以市買多得爲夃. 从乃从夂, 益至也. 从乃. 『詩』曰: "我夃酌彼金罍." 古乎切.

飜譯

'진(秦) 지역에서는 시장에 내다 팔아 이익을 많이 얻는 것을 고(夃)라고 한다.' 내

(㇋)가 의미부이고 치(夂)도 의미부인데, [서서히] 넘쳐서 ~에 이르다(益至)는 뜻이다. 그래서 내(乃)가 의미부이다. 『시·주남·권이(卷耳)』에서 "에라, 금잔에 술이나 따라서(我夃酌彼金罍)"라고 노래했다.[244] 독음은 고(古)와 호(乎)의 반절이다.

**3391**

**㐄: 㐄: 가랑이 벌려 걸을 과: 夂-총3획: kuà**

原文

㐄: 跨步也. 从反夂. 䯞从此. 苦瓦切.

飜譯

'큰 걸음으로 걷다(跨步)'라는 뜻이다. 치(夂)의 뒤집은 모습으로 구성되었다. 과(䯞)도 이 글자로 구성되었다.[245] 독음은 고(苦)와 와(瓦)의 반절이다.

244) 금본에서는 고(夃)가 고(姑)로 되었다.

245) 과(䯞)는 과(鍋)와 같다. 『설문』에서 "진(秦) 지역에서는 흙으로 만든 가마솥(土釜)을 과(䯞)라 한다."라고 했다. 독음은 『광운』과 『집운』에서 고(古)와 화(禾)의 반절이라고 했다.

## 제204부수
## 204 ■ 구(夂)부수

**3392**

**夂**: 夂: **오랠 구**: 丿-총3획: **jiǔ**

原文

夂: 以後灸之, 象人兩脛後有距也. 『周禮』曰: "夂諸牆以觀其橈." 凡夂之屬皆从夂. 舉友切.

飜譯

'뒤쪽에서 뜸을 뜨다(以後灸之)'라는 뜻인데, 사람의 두 다리 뒤로 일정한 거리가 있음을 형상했다. 『주례·고공기·여인(廬人)』에서 "창의 손잡이를 두 기둥 사이에 걸어두고 휘었는지를 살핀다(夂諸牆以觀其橈)"라고 했다.[246] 구(夂)부수에 귀속된 글자들은 모두 구(夂)가 의미부이다. 독음은 거(舉)와 우(友)의 반절이다.

---

246) 소전체에 근거해 볼 때 윗부분이 사람이고 엉덩이 쪽에 뾰족한 침 같은 것을 꽂은 모습이다. 엉덩이 부위에 침이나 뜸을 뜨는 모습을 그린 것으로 추정되며, 이로부터 '뜸'이나 '뜸을 들이다' 등의 뜻을 갖게 되었고, 다시 '오래'라는 뜻도 나왔다. 그러자 원래 뜻은 火(불 화)를 더한 灸(뜸 구)로 분화했다.

## 제205부수
## 205 ■ 걸(桀)부수

3393

**桀: 桀: 홰 걸: 木-총10획: jié**

原文

桀: 磔也. 从舛在木上也. 凡桀之屬皆从桀. 渠列切.

飜譯

'사지를 가르는 형벌(磔)'을 말한다. 두 발(舛)이 나무 위에 가로놓인 모습을 형상했다.[247] 걸(桀)부수에 귀속된 글자들은 모두 걸(桀)이 의미부이다. 독음은 거(渠)와 렬(列)의 반절이다.

3394

**磔: 磔: 책형 책: 石-총15획: zhé**

原文

磔: 辜也. 从桀石聲. 陟格切.

飜譯

'사지를 가르는 형벌로, 시신이 마를 때까지 거두어들이지 않는다(辜).' 책(桀)이 의미부이고 석(石)이 소리부이다. 독음은 척(陟)과 격(格)의 반절이다.

---

247) 고문자에서 桀簡牘文 桀 桀 桀古璽文 등으로 썼다. 舛(어그러질 천)과 木(나무 목)으로 구성되어, 두 발(舛)이 나무(木) 위에 올라간 모습이며, 이로부터 '높다'의 뜻이, 다시 높은 곳에 올라선 사람이라는 뜻에서 '뛰어나다'의 의미가 나왔다. 이후 닭이 올라서도록 만들어진 '홰'까지 뜻하게 되었다. 그러자 뛰어난(桀) 사람(人)을 전문적으로 표현하기 위해 人을 더한 傑(뛰어날 걸)이 만들어졌고, '홰'를 구체적으로 표현하기 위해 木을 더한 榤(홰 걸)이 만들어졌다.

**3395**

## : 椉: 탈 승: 木-총12획: chéng

原文

: 覆也. 从入、桀. 桀, 黠也. 軍法曰乘. , 古文乘从几. 食陵切.

飜譯

'위에서 덮다(覆)'라는 뜻이다. 입(入)과 걸(桀)이 의미부인데, 걸(桀)은 '힐(黠)과 같아 약삭빠르다'는 뜻이다.248) 군법서(軍法書)에서 ['남을 이기는 것(入桀)을'] 승(乘)이라 했다.249)250) 승()은 승(乘)의 고문체인데, 궤(几)로 구성되었다. 독음은 식(食)과 릉(陵)의 반절이다.

---

248) 『단주』에서 이렇게 말했다. "위쪽에다 올려놓는 것(加其上)을 승(椉)이라 한다. 사람이 수레를 타는 것도 그중의 하나이다. 입(入)과 걸(桀)이 모두 의미부인데, 입(入)이라는 것은 위를 덮다는 뜻이다……『방언(方言)』에서 힐(黠)은 지혜롭다는 뜻인데(慧也), 함곡관 동쪽의 조(趙)와 위(魏) 지역에서는 이를 힐(黠)이라 한다고 했다. 『사기』에 '桀黠奴(흉포하고 사나운 노예들)'라는 말이 나오는데, 보통 교활한 자는 반드시 강하기 마련이다. 그래서 걸(桀)의 뜻을 힐(黠)이라 풀이했던 것이다. 입걸(入桀)이라는 것은 교활한 자를 덮치다(籠罩桀黠)는 뜻이다."

249) 『단주』에서 이렇게 말했다. "군법(軍法)에서 입걸(入桀)을 승(椉)이라 한다고 했는데, 각 판본에서는 입걸(入桀)이 빠졌다. 지금 「운회」에 근거하여 보충한다……입걸(入桀)이라는 것은 유연함으로써 강함을 이기는 것을 말한다(以弱勝強). 『서(書)·서(序)』에서 주나라 사람들이 여를 이겼다(周人椉黎)라고 했고, 『좌전』에서도 '수레를 달리고 병사를 달려 진나라 군대를 쳐부수었다(車馳卒奔, 椉晉軍.)라고 했는데, 승리하다(椉)는 뜻으로 쓰인 증거이다."

250) 고문자에서 甲骨文 金文 古陶文 簡牘文 등으로 썼다. 갑골문에서는 大(큰 대)와 木(나무 목)으로 구성되어, 나무(木) 위에 발을 크게 벌리고 올라선 사람(大)의 모습을 그렸다. 소전체에서 人(사람 인)과 舛(어그러질 천)과 木의 구성으로 변해 椉로 썼는데, 자형이 변해 지금처럼 되었다. 두 발을 벌린 사람이 나무 위에 올라선 모습을 그렸고, 이로부터 '타다', '오르다', '…에 기대다', 便乘(편승)하다는 뜻이 나왔다. 고대사회에서 탈 것의 대표가 수레였으므로 萬乘(만승)이나 千乘(천승)에서처럼 수레를 헤아리는 단위로도 쓰였으며, 셈법에서 '곱하기'를 지칭하기도 한다.

# 제6권

(상)

# 제206부수
## 206 ■ 목(木)부수

3396

**木: 木: 나무 목: 木-총4획: mù**

原文

木: 冒也. 冒地而生. 東方之行. 从屮, 下象其根. 凡木之屬皆从木. 莫卜切.

飜譯

'모(冒)와 같아 무릅쓰다'라는 뜻이다. 땅을 뚫고 올라와 자라나는 것을 말한다. 오행 중 동방을 상징한다. 철(屮)이 의미부이고, 아래 부분은 그 뿌리를 형상했다.[1] 목(木)부수에 귀속된 글자들은 모두 목(木)이 의미부이다. 독음은 막(莫)과 복(卜)의 반절이다.



3397

**橘: 橘: 귤나무 귤: 木-총16획: jú**

---

1) 고문자에서 [古文字] 甲骨文 [古文字] 金文 [古文字] 古陶文 [古文字] 盟書 [古文字] 簡牘文 [古文字] 帛書 등으로 썼다. 줄기를 중심으로 잘 뻗은 가지와 뿌리를 그려 '나무'를 형상했다. 木이 둘 셋 중첩되어 만들어진 林(수풀 림)과 森(나무 빽빽할 삼)은 '나무'의 의미를 강화한 경우로 '나무'의 원래 의미가 그대로 담겨 있는 경우이다. 나무는 인간 생활에서 빼놓을 수 없었기에 이를 이용해 '위치'나 '방향'을 표시하기도 했다. 예컨대 末(끝 말)과 本(밑 본)과 朱(붉을 주) 등은 木에다 위, 아래, 가운데 부위를 표시하는 부호를 붙여 만든 글자들로, 末은 나무의 끝을, 本은 나무의 뿌리를 말하며, 朱는 나무의 속이 붉은 赤心松(적심송)을 뜻한 데서 '붉다'는 의미를 그렸다. 또 東(동녘 동)은 해가 나무에 걸린 모습에서 해 뜨는 쪽을, 杲(밝을 고)는 해가 나무 위로 위치한 모습에서 한낮의 밝음을, 杳(어두울 묘)는 해가 나무 아래로 떨어진 어둑해진 때를 말한다. 또 나무는 인간 생활의 기물을 만드는 더없이 중요한 재료로 쓰였다. 나무는 다양한 목제품은 물론, 울타리(樊·번)나 기둥(柱·주)이나 악기(樂·악)의 재료로, 염료(染·염)로, 심지어 저울추(權·권)나 거푸집(模·모), 술통(樽·준), 쟁반(槃·반) 등을 만드는 데 쓰였다. 그래서 材(재목 재)는 갖가지 재주(才·재)로써 기물을 만들어 내는 나무(木)라는 뜻이 담겼다.

原文

橘: 果. 出江南. 从木矞聲. 居聿切.

飜譯

'과실나무 이름(果)[귤]'이다. 장강 남쪽 지역에서 난다. 목(木)이 의미부이고 율(矞)이 소리부이다. 독음은 거(居)와 율(聿)의 반절이다.

3398

**橙: 橙: 등자나무 등: 木-총16획: chéng**

原文

橙: 橘屬. 从木登聲. 丈庚切.

飜譯

'귤의 일종(橘屬)[등자나무]'이다. 목(木)이 의미부이고 등(登)이 소리부이다. 독음은 장(丈)과 경(庚)의 반절이다.

3399

**柚: 柚: 유자나무 유: 木-총9획: yòu**

原文

柚: 條也. 似橙而酢. 从木由聲. 『夏書』曰: "厥包橘柚." 余救切.

飜譯

'조(條)라는 유자나무의 일종'을 말한다. 등(橙)과 비슷하면서 신맛이 난다. 목(木)이 의미부이고 유(由)가 소리부이다. 『서·하서(夏書)·우공(禹貢)』에서 "[양주(楊州)에서] 그들은 보따리에 귤과 유자를 담아 [공물로 바친다](厥包橘柚)"라고 했다. 독음은 여(余)와 구(救)의 반절이다.

**3400**

: 樝: **풀명자나무 사**: 木-**총15획**: **zhā**

原文

: 果似棃而酢. 从木虘聲. 側加切.

飜譯

'열매가 배와 비슷하면서 신맛이 난다(果似棃而酢).' 목(木)이 의미부이고 차(虘)가 소리부이다. 독음은 측(側)과 가(加)의 반절이다.

**3401**

: 棃: **배나무 리**: 木-**총12획**: **lí**

原文

: 果名. 从木㓹聲. 㓹, 古文利. 力脂切.

飜譯

'과실나무 이름(果名)[배나무]'이다. 목(木)이 의미부이고 리(㓹)가 소리부이다. 리(㓹)는 리(利)의 고문체이다.[2] 독음은 력(力)과 지(脂)의 반절이다.

**3402**

: 梬: **고욤나무 영**: 木-**총11획**: **yǐng**

原文

: 棗也, 似柹. 从木甹聲. 以整切.

飜譯

'대추나무(棗)'를 말하는데, 고욤나무(柹)와 닮았다. 목(木)이 의미부이고 병(甹)이 소리부이다. 독음은 이(以)와 정(整)의 반절이다.

---

2) 고문자에서 簡牘文 古璽文 등으로 썼다. 木(나무 목)이 의미부이고 利(이로울 리)가 소리부로, 배나무(木)의 열매, 즉 배를 말한다.

**3403**

**𣏌:** 柹: **감나무 시**: 木-**총9획**: **shì**

原文

𣏌: 赤實果. 从木𠂔聲. 鉏里切.

飜譯

'속이 붉은 과실이 열리는 나무(赤實果)[감나무]'를 말한다. 목(木)이 의미부이고 시(𠂔)가 소리부이다. 독음은 서(鉏)와 리(里)의 반절이다.

**3404**

**柟:** 柟: **녹나무 남**: 木-**총8획**: **nán**

原文

柟: 梅也. 从木冄聲. 汝閻切.

飜譯

'매화나무(梅)'를 말한다. 목(木)이 의미부이고 염(冄)이 소리부이다. 독음은 여(汝)와 염(閻)의 반절이다.

**3405**

**梅:** 梅: **매화나무 매**: 木-**총11획**: **méi**

原文

梅: 柟也. 可食. 从木每聲. 楳, 或从某. 莫桮切.

飜譯

'매화나무(柟)'를 말한다. 열매는 먹을 수 있다. 목(木)이 의미부이고 매(每)가 소리부이다.[3] 매(楳)는 혹체자인데, 모(某)로 구성되었다. 독음은 막(莫)과 배(桮)의 반절이다.

**3406**

**杏: 杏: 살구나무 행: 木-총7획: xìng**

原文

杏: 果也. 从木, 可省聲. 何梗切.

飜譯

'과실나무 이름(果)[살구나무]'이다. 목(木)이 의미부이고, 가(可)의 생략된 모습이 소리부이다.[4)5)] 독음은 하(何)와 경(梗)의 반절이다.

**3407**

**柰: 柰: 능금나무 내: 木-총9획: nài**

原文

柰: 果也. 从木示聲. 奴帶切.

飜譯

'과실나무 이름(果)[능금나무]'이다. 목(木)이 의미부이고 시(示)가 소리부이다. 독음은 노(奴)와 대(帶)의 반절이다.



---

3) 고문자에서 金文 簡牘文 등으로 썼다. 木(나무 목)이 의미부고 每(매양 매)가 소리부로, 매화나무(木)를 말하며 그 열매인 梅實(매실)을 지칭하기도 한다. 원래는 木이 의미부이고 某(아무 모)가 소리부인 구조였는데, 지금의 자형으로 바뀌었으며, 每는 달리 母(어미 모)로 바꾸어 梅로 쓰기도 한다. 또 楳, 槑 등으로 쓰기도 한다.

4) 『단주』에서 '가(可)의 생략된 모습'은 '향(向)의 생략된 모습'의 오류로 보았고, 『육서고(六書故)』에서는 당사본 『설문』에서는 "목(木)이 의미부이고 구(口)도 의미부이다(从木从口)"라고 되었다고 했다.

5) 고문자에서 古陶文 등으로 썼다. 木(나무 목)과 口(입 구)로 구성되어, 살구나무(木)나 그 열매인 살구를 말하는데, 입(口)에 침을 흐르게 하는 과실임을 그렸다. 이후 살구를 닮은 은색 열매라는 뜻에서 銀杏(은행)도 지칭하게 되었다.

**3408**

**李: 李: 자두나무 리: 木-총7획: lǐ**

原文

李: 果也. 从木子聲. 杍, 古文. 良止切.

飜譯

'과실나무 이름(果)[자두나무]'이다. 목(木)이 의미부이고 자(子)가 소리부이다.[6] 리(杍)는 고문체이다. 독음은 량(良)과 지(止)의 반절이다.

**3409**

**桃: 桃: 복숭아나무 도: 木-총10획: táo**

原文

桃: 果也. 从木兆聲. 徒刀切.

飜譯

'과실나무 이름(果)[복숭아나무]'이다. 목(木)이 의미부이고 조(兆)가 소리부이다. 독음은 도(徒)와 도(刀)의 반절이다.

**3410**

**楙: 楙: 나무가 무성할 무: 木-총13획: mào**

原文

楙: 冬桃. 从木敄聲. 讀若髦. 莫候切.

飜譯

'동도나무(冬桃)[겨울 복숭아나무]'를 말한다.[7] 목(木)이 의미부이고 무(敄)가 소리부이

---

6) 고문자에서 金文 古陶文 簡牘文 등으로 썼다. 木(나무 목)이 의미부이고 子(아들 자)가 소리부로, 자두나무(木)를 말하며, 이의 열매(子)인 자두를 지칭하고, 또 성씨로도 쓰인다.

다. 모(髦)와 같이 읽는다. 독음은 막(莫)과 후(候)의 반절이다.

3411

**亲: 亲: 개암나무 진: 木-총11획: zhēn, zhěn**

原文

亲: 果, 實如小栗. 从木辛聲. 『春秋傳』曰: "女摯不過亲栗." 側詵切.

飜譯

'과실나무 이름(果)[개암나무]'인데, 열매가 작은 밤(小栗)처럼 생겼다. 목(木)이 의미부이고 신(辛)이 소리부이다. 『춘추전』(『좌전』 장공 24년, B.C. 670)에서 "[남자들은 폐백 때 옥백(玉帛)이나 금조(禽鳥) 등을 갖고 가 알현하지만] 여인의 폐백은 개암과 밤[과 대추와 말린 고기] 등을 넘지 않습니다.(女摯不過亲栗)"라고 했다.[8] 독음은 측(側)과 선(詵)의 반절이다.

3412

**楷: 楷: 나무 이름 해: 木-총13획: kǎi, jiē**

---

7) 『이아·석목(釋木)』에서 "모(旄)는 동도(冬桃)를 말한다"고 했고, 곽박의 『이아주』에서 "겨울에 열매가 익는다"라고 하였다. 『단주』에서는 이는 모(旄)의 가차자로 보인다고 했다. 동도(冬桃)는 달리 설도(雪桃), 공도(貢桃)라고도 불린다. 육질이 가늘고 기름지며(細膩), 달고 즙이 많으며(甘甜多汁), 깔끔하며 향기로우며(淸脆芳香), 식감이 좋고, 영양소는 보통 복숭아보다 2~3배 더 높다. 익는 시기가 늦어 겨울 과일을 대표한다.

8) 이는 노 장공 24년(B.C. 670)의 일이다. 노 장공의 부인 애강(哀姜)이 도착했는데, 노 장공이 종부(종친 대부의 아내)에게 애강과 상견례 할 때 예물을 올리게 했다. 그러나 이는 예에 어긋나는 일이었다. 그래서 대부 어손(御孫)이 이에 대해 이렇게 말했다 한다. "상견례 때의 예물(贄)을 바칠 때 남자가 신분이 높으면 옥백을, 신분이 낮으면 금조를 갖고 갑니다. 이는 예물로써 신분의 차등을 나타낸 것입니다. 그러나 여인은 진율포수(榛栗棗脩) 즉 개암과 밤과 대추와 말린 고기를 넘지 않습니다. 이는 이로써도 충분히 성의를 표시할 수 있기 때문입니다. 지금 남녀가 같은 예물을 바치니, 이는 예물에 남녀의 구분이 없어지고 만 것입니다. 남녀의 구별은 나라의 큰 법도인데, 부인으로 인하여 나라의 큰 법도가 어지럽혀 지는 것은 불가하지 않겠습니까?" 진(亲)은 진(榛)과 같다.

原文

𣓋: 木也. 孔子冢蓋樹之者. 从木皆聲. 苦駭切.

飜譯

'나무 이름(木)[해나무]'이다. 공자의 무덤을 덮어 심었던 나무이다.[9] 목(木)이 의미부이고 개(皆)가 소리부이다. 독음은 고(苦)와 해(駭)의 반절이다.

**3413**

**梫: 梫: 계수나무 침: 木-총11획: qǐn**

原文

梫: 桂也. 从木, 侵省聲. 七荏切.

飜譯

'계수나무(桂)'를 말한다. 목(木)이 의미부이고, 침(侵)의 생략된 모습이 소리부이다. 독음은 칠(七)과 임(荏)의 반절이다.

**3414**

**桂: 桂: 계수나무 계: 木-총10획: guì**

原文

桂: 江南木, 百藥之長. 从木圭聲. 古惠切.

飜譯

'장강 남쪽 지역에서 나는 나무(江南木)로, 백약의 으뜸이다(百藥之長)[계수나무].' 목(木)이 의미부이고 규(圭)가 소리부이다. 독음은 고(古)와 혜(惠)의 반절이다.

9) 『단주』에서 이렇게 말했다. "『황람(皇覽)』에 의하면, [공자] 무덤에 수백 가지 나무를 심었는데, 모두 다른 종류였다 전하는 바에 의하면 공자 제자들이 각기 자신이 살던 지방의 나무를 가져다 심었다고 한다.(冢塋中樹以百數, 皆異種. 傳言弟子各持其方樹來種之.)"

3415

**𣓕: 棠: 팥배나무 당: 木-총12획: táng**

原文

𣓕: 牡曰棠, 牝曰杜. 从木尚聲. 徒郎切.

飜譯

'[팥배나무를 말하는데] 수나무를 당(棠)이라 하고, 암나무를 두(杜)라 한다.' 목(木)이 의미부이고 상(尚)이 소리부이다. 독음은 도(徒)와 랑(郎)의 반절이다.

3416

**杜: 杜: 팥배나무 두: 木-총7획: dù**

原文

杜: 甘棠也. 从木土聲. 徒古切.

飜譯

'감당나무(甘棠)[팥배나무]'를 말한다. 목(木)이 의미부이고 토(土)가 소리부이다. 독음은 도(徒)와 고(古)의 반절이다.

3417

**槢: 槢: 쐐기 습: 木-총15획: xí**

原文

槢: 木也. 从木習聲. 似入切.

飜譯

'나무이름(木)'이다. 목(木)이 의미부이고 습(習)이 소리부이다. 독음은 사(似)와 입(入)의 반절이다.

제6권

**3418**

**欂: 樿: 백리목 선: 木-총16획: zhǎn**

原文

樿: 木也. 可以爲櫛. 从木單聲. 旨善切.

飜譯

'나무이름(木)[회양목]'이다. 빗을 만드는데 쓴다. 목(木)이 의미부이고 단(單)이 소리부이다. 독음은 지(旨)와 선(善)의 반절이다.

**3419**

**樟: 橁: 나무 이름 휘: 木-총13획: wěi**

原文

橁: 木也. 可屈爲杅者. 从木韋聲. 于鬼切.

飜譯

'나무이름(木)'이다. 굽혀서 잔(杅) 등을 만들 수 있다.[10] 목(木)이 의미부이고 위(韋)가 소리부이다. 독음은 우(于)와 귀(鬼)의 반절이다.

**3420**

**楢: 楢: 졸참나무 유: 木-총13획: yóu**

原文

楢: 柔木也. 工官以爲耎輪. 从木酋聲. 讀若糗. 以周切.

飜譯

'부드러운 나무(柔木)'를 말한다. 장인들은 이를 사용해 부드러운 수레바퀴를 만든

10) 『단주』에서는 이렇게 말했다. "우(杅)는 우(盂)가 되어야 옳다. 우(盂)은 음식그릇이다(飮器也). 『옥편(玉篇)』에서 휘목의 껍질은 가죽과 같아 둥글게 굽혀서 사발로 쓸 수 있다(橁木皮如韋, 可屈以爲盂.)고 했다."

다. 목(木)이 의미부이고 추(酋)가 소리부이다. 구(糗)와 같이 읽는다. 독음은 이(以)와 주(周)의 반절이다.

**3421**

**𣐈: 桏: 나무 이름 공: 木-총10획: qióng**

原文

𣐈: 椶椐木也. 从木邛聲. 渠容切.

飜譯

'종거목(椶椐木)'을 말한다. 목(木)이 의미부이고 공(邛)이 소리부이다. 독음은 거(渠)와 용(容)의 반절이다.

**3422**

**棆: 棆: 나무 이름 륜: 木-총12획: lún**

原文

棆: 毋杶也. 从木侖聲. 讀若『易』卦屯. 陟倫切.

飜譯

'무춘 나무(毋杶)[참죽나무]'를 말한다. 목(木)이 의미부이고 윤(侖)이 소리부이다. 『역』의 괘 이름인 준(屯)과 같이 읽는다.[11] 독음은 척(陟)과 륜(倫)의 반절이다.

**3423**

**楈: 楈: 나무 이름 서: 木-총13획: xū**

11) 준괘(屯卦)는 『주역』의 세 번째 괘이다. 내괘는 진(震: 雷)이고 외괘는 감(坎: 水)이다. 그래서 수뢰준(水雷屯)이라고도 하며 아래에서 천둥이 치고 위에서 물이 흐르는 형상이다. 주로 난관에서 벗어날 수 있는 방법에 대해 설명하고 있다. 감괘(坎卦)·건괘(蹇卦)·곤괘(困卦)와 더불어 『주역』의 사대난괘(四大難卦) 중의 하나이다.(『한국고전용어사전』, 2001) 『주역』에서 "屯, 元亨利貞.(屯은 크고 형통하며 이롭고 곧음이다)"라고 했다.

原文

𣞫: 木也. 从木胥聲. 讀若芟刈之芟. 私閭切.

飜譯

'나무이름(木)[서목: 종려나무]'이다. 목(木)이 의미부이고 서(胥)가 소리부이다.[12] 독음은 '삼예(芟刈)'라고 할 때의 삼(芟)과 같이 읽는다. 독음은 사(私)와 려(閭)의 반절이다.

**3424**

**𣐈: 柍: 나무 이름 영: 木-총9획: yīng**

原文

𣐈: 梅也. 从木央聲. 一曰江南橦材, 其實謂之柍. 於京切.

飜譯

'매실나무(梅)'를 말한다. 목(木)이 의미부이고 앙(央)이 소리부이다. 일설에는 장강 남쪽 지역에서 나는 동재(橦材) 나무의 열매를 영(柍)이라 한다고도 한다. 어(於)와 경(京)의 반절이다.

**3425**

**𣝕: 楑: 망치 규: 木-총13획: kuí**

原文

𣝕: 木也. 从木癸聲. 又, 度也. 求癸切.

飜譯

'나무이름(木)[규목]'이다. 목(木)이 의미부이고 규(癸)가 소리부이다. 또 '재다(度)'라는 뜻이라고도 한다. 독음은 구(求)와 계(癸)의 반절이다.

---

12) 『단주』에서 이렇게 말했다. "「상림부(上林賦)」에서 서사(胥邪)라고 했고, 「남도부(南都賦)」에서는 사야(楈枒)라고 했다. 곽박(郭璞)은 서사(胥邪)는 종려나무(并閭)와 비슷한데, 껍질은 끈을 만드는데 쓰인다(皮可作索)라고 했다."

**3426**

: 榙: **나무이름 고**: 木-**총12획**: **gāo, jú**

原文

: 木也. 从木咎聲. 讀若晧. 古老切.

飜譯

'나무이름(木)[고목(榙木)]'이다. 목(木)이 의미부이고 구(咎)가 소리부이다. 호(晧)와 같이 읽는다. 독음은 고(古)와 로(老)의 반절이다.

**3427**

: 椆: **나무 이름 주**: 木-**총12획**: **chóu**

原文

: 木也. 从木周聲. 讀若丩. 職畱切.

飜譯

'나무이름(木)[주목(椆木)]'이다.[13] 목(木)이 의미부이고 주(周)가 소리부이다. 규(丩)와 같이 읽는다. 독음은 직(職)과 류(畱)의 반절이다.

**3428**

: 樕: **떡갈나무 속**: 木-**총15획**: **su**

原文

: 樸樕, 木. 从木欶聲. 桑谷切.

飜譯

---

13) 주목(椆木)은 주로 중국 광서자치구에 분포하며, 나무색은 붉은 황색(紅黃)이며 목질은 윤이 나며 곱다(肌理細膩). 무늬는 표홍(飄鴻) 같고, 재질은 쇠처럼 단단하다. 처음에는 붉은 황색이나 갈수록 진한 홍색으로 변한다. 말려도 형태가 변하지 않아 최고급 가구용 목재로 사용된다.(『바이두백과』)

'박속, 즉 떡갈나무(樸樕)'를 말한다. 나무 이름이다. 목(木)이 의미부이고 수(欶)가 소리부이다. 독음은 상(桑)과 곡(谷)의 반절이다.

**3429**

**𣡾:** 櫋: **나무 이름 이**: 木-총22획: yí

原文

𣡾: 木也. 从木彝聲. 羊皮切.

飜譯

'나무이름(木)[이목]'이다. 목(木)이 의미부이고 이(彝)가 소리부이다. 독음은 양(羊)과 피(皮)의 반절이다.

**3430**

**梣:** 梣: **물푸레 침**: 木-총11획: chén

原文

梣: 青皮木. 从木岑聲. 𣞙, 或从𡨦省. 𡨦, 籒文寑. 子林切.

飜譯

'청피목, 즉 물푸레나무(青皮木)'를 말한다. 목(木)이 의미부이고 잠(岑)이 소리부이다. 침(𣞙)은 혹체자인데, 침(𡨦)의 생략된 모습으로 구성되었다. 침(𡨦)은 침(寑)의 옹희체이다. 독음은 자(子)와 림(林)의 반절이다.

**3431**

**棳:** 棳: **몽치 절**: 木-총12획: zhuì

原文

棳: 木也. 从木叕聲. 益州有棳縣. 職說切.

---

1536 완역『설문해자』

飜譯

'나무이름(木)[절목]'이다. 목(木)이 의미부이고 철(叕)이 소리부이다. 익주(益州)[14]에 절현(楖縣)이 있다. 독음은 직(職)과 설(說)의 반절이다.

3432

**𣝗: 號: 나무 이름 호: 木-총15획: háo**

原文

𣝗: 木也. 从木, 號省聲. 乎刀切.

飜譯

'나무이름(木)[호목]'이다. 목(木)이 의미부이고, 호(號)의 생략된 모습이 소리부이다. 독음은 호(乎)와 도(刀)의 반절이다.

3433

**棪: 棪: 재염나무 염: 木-총12획: yǎn**

原文

棪: 遬其也. 从木炎聲. 讀若三年導服之導. 以冉切.

飜譯

'속기(遬其), 즉 재염나무'를 말한다. 목(木)이 의미부이고 염(炎)이 소리부이다. '삼년도복(三年導服)'[15]이라고 할 때의 도(導)와 같이 읽는다. 독음은 이(以)와 염(冉)

---

14) 한 무제 때 설치됐던 13주(州)(13刺史部)의 하나로, 영역이 가장 컸을 때(삼국시기)는 지금의 사천성, 중경시, 운남성, 귀주성, 한중(漢中)의 대부분 지역과 미안마 북부, 호북성과 하남성의 일부까지 포함했다. 치소(治所)는 촉군(蜀郡)의 성도(成都)에 있었다.

15) 도복(導服)은 담복(禫服)이라고도 하는데, 상중에 있는 사람이 대상(大祥) 뒤 길제(吉祭) 전에 입는 옷을 말한다. 즉 기년(朞年)에는 상복으로 연복(練服)을 입고, 재기(再朞)에는 담복을 입는다고 한다. 담복은 엷은 푸르고 검은 색의 포의(布衣) 또는 흰색 옷에 오사모(烏紗帽)와 흑각대(黑角帶)를 착용했다고 한다. 이렇게 담복의 색깔이 검푸른 색이나 흰색인 것은, 원래 담복이 검은 씨에 흰 날로 짜서 만든 천으로 짓기 때문이라고 한다.(『한국고전용어사전』, 2001)

의 반절이다.

3434

**𣛻**: 𣛻: **나무이름 천**: 木-**총17획**: chuán, chuǎi

原文

𣛻: 木也. 从木遄聲. 市緣切.

飜譯

'나무이름(木)[천목]'이다. 목(木)이 의미부이고 천(遄)이 소리부이다. 독음은 시(市)와 연(緣)의 반절이다.

3435

**椋**: 椋: **푸조나무 량**: 木-**총12획**: liáng

原文

椋: 即來也. 从木京聲. 呂張切.

飜譯

'즉래(即來), 즉 푸조나무'를 말한다. 목(木)이 의미부이고 경(京)이 소리부이다. 독음은 려(呂)와 장(張)의 반절이다.

3436

**檍**: 檍: **감탕나무 억**: 木-**총17획**: yì

原文

檍: 杶也. 从木意聲. 於力切.

飜譯

'춘목(杶木), 즉 감탕나무'를 말한다. 목(木)이 의미부이고 의(意)가 소리부이다. 독음은 어(於)와 력(力)의 반절이다.

3437
**檟:** 檟: **나무 이름 비**: 木-**총16획**: **fèi**

原文

檟: 木也. 从木費聲. 房未切.

飜譯

'나무이름(木)[비목]'이다. 목(木)이 의미부이고 비(費)가 소리부이다. 독음은 방(房)과 미(未)의 반절이다.

3438
**樗:** 樗: **북나무 저·화**: 木-**총15획**: **chū, huò**

原文

樗: 木也. 从木虖聲. 丑居切.

飜譯

'나무이름(木)[저목: 가죽나무]'이다. 목(木)이 의미부이고 호(虖)가 소리부이다. 독음은 축(丑)과 거(居)의 반절이다.

3439
**楀:** 楀: **나무 이름 우**: 木-**총13획**: **yǔ**

原文

楀: 木也. 从木禹聲. 王矩切.

飜譯

'나무이름(木)[우목]'이다. 목(木)이 의미부이고 우(禹)가 소리부이다. 독음은 왕(王)과 구(矩)의 반절이다.

**3440**

**[篆]: 藟: 덩굴풀 류: 艸-총23획: lěi**

原文

[篆]: 木也. 从木畾聲. [籒], 籒文. 力軌切.

飜譯

'나무이름(木)[류목]'이다. 목(木)이 의미부이고 류(畾)가 소리부이다. 류([籒])는 옹희체이다. 력(力)과 궤(軌)의 반절이다.

**3441**

**[篆]: 桋: 나무 이름 이: 木-총10획: yí**

原文

[篆]: 赤桋也. 从木夷聲. 『詩』曰: "隰有杞桋." 以脂切.

飜譯

'적색(赤桋), 즉 가나무'를 말한다.16) 목(木)이 의미부이고 이(夷)가 소리부이다. 『시·소아사월(四月)』에서 "진펄에는 구기자와 가나무가 있네(隰有杞桋)"라고 노래했다. 독음은 이(以)와 지(脂)의 반절이다.

**3442**

**[篆]: 栟: 종려나무 병: 木-총10획: bīng**

原文

[篆]: 栟櫚也. 从木并聲. 府盈切.

飜譯

'병려(栟櫚), 즉 종려나무'를 말한다. 목(木)이 의미부이고 병(并)이 소리부이다. 독음

16) 가나무의 잎사귀는 참나무 같은데 껍질이 희고 엷으며 나무가 단단해서 수레바퀴 통을 만드는데 흔히 쓰인다.(김학주, 『시경』)

은 부(府)와 영(盈)의 반절이다.

**3443**

**椶: 椶: 종려나무 종: 木-총13획: zōng**

原文

椶: 栟櫚也. 可作萆. 从木㚇聲. 子紅切.

飜譯

'병려, 즉 종려나무(栟櫚)'를 말한다. 도롱이(萆: 비옷)를 만들 수 있다. 목(木)이 의미부이고 종(㚇)이 소리부이다. 독음은 자(子)와 홍(紅)의 반절이다.

**3444**

**檟: 檟: 개오동나무 가: 木-총17획: jiǎ**

原文

檟: 楸也. 从木賈聲. 『春秋傳』曰: "樹六檟於蒲圃." 古雅切.

飜譯

'개오동나무(楸)'를 말한다. 목(木)이 의미부이고 가(賈)가 소리부이다. 『춘추전』(『좌전』 양공 4년, B.C. 569)에서 "[당초 계손(季孫)은 자신의 관에 쓸 재목을 위해] 개오동나무 여섯 그루를 노나라 왕실 정원에다 심었다.(樹六檟於蒲圃)"라고 했다. 독음은 고(古)와 아(雅)의 반절이다.

**3445**

**椅: 椅: 의나무 의: 木-총12획: yī**

原文

椅: 梓也. 从木奇聲. 於离切.

飜譯

'가래나무의 일종(梓)[재수]'을 말한다.[17][18] 목(木)이 의미부이고 기(奇)가 소리부이다. 독음은 어(於)와 리(离)의 반절이다.

**3446**

**梓: 梓: 가래나무 재: 木-총11획: zǐ**

原文

梓: 楸也. 从木, 宰省聲. 榟, 或不省. 卽里切.

飜譯

'개오동나무의 일종(楸)[추수]'을 말한다. 목(木)이 의미부이고, 재(宰)의 생략된 모습이 소리부이다. 재(榟)는 혹체자인데, 생략되지 않은 모습이다. 독음은 즉(卽)과 리(里)의 반절이다.

**3447**

**楸: 楸: 개오동나무 추: 木-총13획: qiū**

---

17) 『단주』에서 이렇게 말했다. "『이아·석목(釋木)』에서 의(椅)는 재(梓)를 말한다고 했는데 이는 섞어서 말한 것이다(渾言之也). 「위풍(衞風)」의 전(傳)에서, 의(椅)는 재(梓)의 일종이라고 했는데 이는 구분하여 말한 것이다(析言之也). 의(椅)와 재(梓)는 다른 나무다. 그래서 『시』에서 의동재칠(椅桐梓漆: 의나무와 동나무와 재나무의 칠)이라고 했는데, 매우 자세하게 나눈 결과이다. 그렇다면 『이아』와 『설문』에서는 섞어서 통으로 말한 것이 된다.(爾雅, 說文渾言之)."

18) 재수(梓樹)는 개오동으로, 중국에서는 추수(楸樹), 의수(椅樹), 의재(椅梓), 목왕(木王)으로 부른다. 우리나라에서도 옛날에는 재(梓), 가오동(假梧桐), 목각두(木角豆), 목왕(木王) 등으로 불렸다. 『본초강목(本草綱目)』에는 개오동[梓]은 백 가지 나무[百木]의 으뜸(長)이라 하여 목왕(木王)이라 부른다고 했다. 개오동은 예부터 벼락이 피해가는 나무라 하여 뇌신목(雷神木), 뇌전동(雷電桐)으로 부르며 신성시했다. 이 나무가 집안에 있으면 천둥이 심해도 다른 재목이 모두 흔들리지 않는다고 믿었다. 『박물지(博物志)』에도 개오동을 뜰에 심어두게 되면 벼락이 떨어지는 일이 적다고 기록되어 있다. 이 때문에 우리나라에서도 궁궐이나 절간 같은 큰 건물에는 반드시 개오동을 심었으며 경복궁의 뜰에도 여러 그루가 있다. 개오동은 꽃향기가 좋아 벌들을 불러 모으는데, 북한에서는 향오동나무라고 부른다. 열매는 재실(梓實)이라 하여 주로 약용으로 사용한다.(『한국민족문화대백과』 '개오동')

原文

楸: 梓也. 从木秋聲. 七由切.

翻譯

'가래나무의 일종(梓)[재수]'을 말한다. 목(木)이 의미부이고 추(秋)가 소리부이다. 독음은 칠(七)과 유(由)의 반절이다.

**3448**

**檍: 檍: 참죽나무 억: 木-총16획: yì**

原文

檍: 梓屬. 大者可爲棺椁, 小者可爲弓材. 从木啻聲. 於力切.

翻譯

'가래나무의 일종(梓屬)'이다. 큰 것은 관(棺椁)을 만드는데 쓰고, 작은 것은 활의 재료(弓材)로 쓴다. 목(木)이 의미부이고 억(啻)이 소리부이다. 독음은 어(於)와 력(力)의 반절이다.

**3449**

**柀: 柀: 나무 이름 피: 木-총9획: bǐ**

原文

柀: 檆也. 从木皮聲. 一曰折也. 甫委切.

翻譯

'삼나무(檆)[삼목]'를 말한다. 목(木)이 의미부이고 피(皮)가 소리부이다. 일설에는 '꺾다(折)'라는 뜻이라고도 한다.[19] 독음은 보(甫)와 위(委)의 반절이다.

---

19) 『단주』에서는 절(折)을 석(析)의 오류로 보았다, 그렇다면 '쪼개다'는 뜻이 된다.

3450

**𣟴: 𣟴: 삼나무 삼: 木-총17획: shān**

原文

𣟴: 木也. 从木煔聲. 所銜切.

飜譯

'나무이름(木)[삼목: 삼나무]'이다. 목(木)이 의미부이고 점(煔)이 소리부이다. 독음은 소(所)와 함(銜)의 반절이다.

3451

**榛: 榛: 개암나무 진: 木-총14획: zhén**

原文

榛: 木也. 从木秦聲. 一曰菆也. 側詵切.

飜譯

'나무이름(木)[진목: 개암나무]'이다. 목(木)이 의미부이고 진(秦)이 소리부이다. 일설에는 '떨기로 자라다(菆)'라는 뜻이라고도 한다.[20] 독음은 측(側)과 선(詵)의 반절이다.

3452

**椐: 椐: 수유 고: 木-총9획: kǎo, jú**

原文

椐: 山樗也. 从木尻聲. 苦浩切.

飜譯

'산저(山樗), 즉 북나무'를 말한다. 목(木)이 의미부이고 고(尻)가 소리부이다. 독음은 고(苦)와 호(浩)의 반절이다.

20) 『단주』에서 추(菆)는 총목(叢木: 나무이름)이 되어야 한다고 했다.

3453

**杶: 杶: 참죽나무 춘: 木-총8획: chūn**

原文

杶: 木也. 从木屯聲. 『夏書』曰: "杶榦栝柏." 櫄, 或从熏. 杻, 古文杶. 敕倫切.

飜譯

'나무이름(木)[참죽나무]'이다. 목(木)이 의미부이고 둔(屯)이 소리부이다. 『서·하서(夏書)·우공(禹貢)』에서 "[형주(荊州)의 공물로는] 참죽나무, 산뽕나무, 향나무, 잣나무 등이 있다.(杶榦栝柏)"라고 했다. 춘(櫄)은 혹체자인데, 훈(熏)으로 구성되었다. 춘(杻)은 춘(杶)의 고문체이다. 독음은 칙(敕)과 륜(倫)의 반절이다.

3454

**櫄: 橁: 참죽나무 춘: 木-총16획: xún**

原文

橁: 杶也. 从木筍聲. 相倫切.

飜譯

'춘수, 즉 참죽나무(杶)'를 말한다. 목(木)이 의미부이고 순(筍)이 소리부이다. 독음은 상(相)과 륜(倫)의 반절이다.

3455

**桵: 桵: 두릅나무 유: 木-총11획: ruǐ**

原文

桵: 白桵, 棫. 从木妥聲. 儒隹切.

飜譯

'백유(白桵), 즉 두릅나무(棫)[역수]'를 말한다.[21] 목(木)이 의미부이고 타(妥)가 소리부이다. 독음은 유(儒)와 추(隹)의 반절이다.

**3456**

**棫: 棫: 두릅나무 역: 木-총12획: yù**

原文

棫: 白桵也. 从木或聲. 于逼切.

飜譯

'백유(白桵), 즉 두릅나무'를 말한다. 목(木)이 의미부이고 혹(或)이 소리부이다. 독음은 우(于)와 핍(逼)의 반절이다.

**3457**

**樢: 樢: 나무 이름 식: 木-총14획: xī**

原文

樢: 木也. 从木息聲. 相卽切.

---

21) 『이아』에서 "역(棫: 두릅나무)은 백유(白桵)를 말한다."라고 했는데, 곽박 주(注)에서는 "유는 작은 나무이고 무리지어 자라며 가시가 있다. 과실은 귀고리(耳璫) 같고, 자색이거나 붉으며 먹을 수 있다."라고 했다. 『증보산림경제』(2)를 비롯한 여러 농서들에 의하면, "두릅(木頭菜)은 초봄에 땅이 풀리면 즉시 옮겨 심고 농장 주위에 물을 대준다. 순이 나오면 따다가 나물로 먹거나 데쳐먹거나 모두 맛이 있다. 10월 그믐날 큰 동이나 작은 단지 속에 흙을 채워서 한 자 남짓한 가지를 많이 가져다가 흙 위에 이리저리 꽂아 놓고 따뜻한 실내에 두고 자주 따뜻한 물을 주면 가지 끝에 순이 나서 따다 먹으면 맛이 새롭다. 두릅(木頭菜木)을 저장할 때에는 10월 말에 두릅 가지 끝을 3자 가량 잘라내서 하는데 많고 적음은 상관없다. 커다란 항아리에 흙을 담아 따뜻한 방에 두고, 또 가느다란 나무를 뾰족하게 깎아 항아리 속의 흙을 마구 찔러서 구멍을 만든 다음에 바로 두릅 가지를 그 구멍에 꽂고 껍질이 오므라들지 않도록 한다. 자주 따스한 물을 뿌려주면 싹이 나고 나물을 만들 수 있다. 두릅나물(木頭菜)은 진짜와 가짜가 있는데 참두릅을 따서 삶고 물에 반나절 정도 담갔다가 물기를 꼭 짜서 뺀 뒤에 식초와 간장을 넣거나 또는 기름과 소금을 넣거나 하여 나물을 만들면 모두 맛있다. 또는 두릅 사이에 고기를 넣어 꼬치로 만들어서 기름, 장물, 밀가루로 즙을 만들어 바르고 적(炙)을 만들면 매우 맛있다. 두릅은 가시가 없는 것이 참두릅이다.(『한국전통지식포털』)

飜譯

'나무이름(木)[식목]'이다. 목(木)이 의미부이고 식(息)이 소리부이다. 독음은 상(相)과 즉(卽)의 반절이다.

3458

**椐: 椐: 나무 이름 거: 木-총12획: jū**

原文

椐: 樻也. 从木居聲. 九魚切.

飜譯

'궤수(樻), 즉 영수목(靈壽木)'을 말한다.[22] 목(木)이 의미부이고 거(居)가 소리부이다. 독음은 구(九)와 어(魚)의 반절이다.

3459

**樻: 樻: 나무 이름 궤: 木-총16획: kuì**

原文

樻: 椐也. 从木貴聲. 求位切.

飜譯

'거수(椐), 즉 영수목'을 말한다. 목(木)이 의미부이고 귀(貴)가 소리부이다. 독음은 구(求)와 위(位)의 반절이다.

3460

**栩: 栩: 상수리나무 허: 木-총10획: xǔ**

22) 영수목은 가지에 대나무처럼 마디가 있어 대와 비슷하게 생겼으나, 대나무보다 반들반들하여 윤이 나고 족질이 단단하여 지팡이로 만든다. 유종원(柳宗元)의 시에 「영수목을 심으며(植靈壽木)」가 있다.

原文

栩: 柔也. 从木羽聲. 其皁, 一曰樣. 况羽切.

飜譯

'유수(柔), 즉 상수리나무'를 말한다. 목(木)이 의미부이고 우(羽)가 소리부이다.[23] 그 열매를 일설에는 양(樣)이라 부르기도 한다. 독음은 황(况)과 우(羽)의 반절이다.

**3461**

**柔: 柔: 도토리 저: 木-총8획: shù**

原文

柔: 栩也. 从木予聲. 讀若杼. 直呂切.

飜譯

'허수(栩), 즉 상수리나무'를 말한다. 목(木)이 의미부이고 여(予)가 소리부이다. 저(杼)와 같이 읽는다. 독음은 직(直)과 려(呂)의 반절이다.

**3462**

**樣: 様: 모양 양: 木-총15획: yàng**

原文

樣: 栩實. 从木羕聲. 徐兩切.

飜譯

'상수리나무의 열매, 즉 도토리(栩實)'를 말한다. 목(木)이 의미부이고 양(羕)이 소리

23) 『단주』에서는 이렇게 말했다. "육기(陸機)는 허(栩)는 오늘날의 작역(柞櫟)이라고 하면서, 서주(徐州) 사람들은 역(櫟)을 저(杼)라고 하는데, 혹자는 이를 허(栩)라고 한다고 했다. 『모전(毛傳)』과 『설문(說文)』을 살펴보면 허(栩)와 유(柔)와 양(樣)을 모두 같은 나무로 보았다. 단지 역(櫟)자 아래에서 '나무이름이다(木也)'라고만 했을 뿐 허(栩)를 말한다고는 하지 않았다. 그렇다면 육기(陸機)의 말은 서주(徐州) 지역의 말에 근거해 한 말에 지나지 않는다고 생각된다."

부이다. 독음은 서(徐)와 량(兩)의 반절이다.

**3463**

**杙**: 杙: **말뚝 익**: 木-총7획: yì

原文

杙: 劉, 劉杙. 从木弋聲. 与職切.

飜譯

'유수(劉), 즉 유익수(劉杙)'를 말한다.[24] 목(木)이 의미부이고 익(弋)이 소리부이다. 독음은 여(与)와 직(職)의 반절이다.

**3464**

**枇**: 枇: **비파나무 비**: 木-총8획: pí

原文

枇: 枇杷, 木也. 从木比聲. 房脂切.

飜譯

'비파(枇杷)'를 말하는데, '나무이름(木)'이다. 목(木)이 의미부이고 비(比)가 소리부이다. 독음은 방(房)과 지(脂)의 반절이다.

**3465**

**桔**: 桔: **도라지 길**: 木-총10획: jié

24) 『이아·석목(釋木)』에서 "유(劉)는 유익(劉杙)을 말한다"라고 했는데, 곽박(郭璞)의 『주(注)』에서 유자(劉子: 나무이름)는 산에서 나는데 열매는 배처럼 생겼고 시면서 단맛이 나며, 교지 지역에서 많이 난다.(生山中, 實如梨, 酢甜, 核堅, 出交趾.)"라고 했다. 서호(徐灝)의 『설문단주전(說文段注箋)』에서 "단음절로 말하면 유(劉)가 되고 느슨하게 이음절로 말하면 유익(劉杙)이 된다(蓋單呼劉, 累呼劉杙.)"라고 하였다. 또 『사서대전(尚書大傳)』(권2)의 정현(鄭玄)의 주석에서 보이듯, "익(杙)은 희생을 묶어두던 말뚝(系牲者也)"을 말하기도 한다.

原文

桔: 桔梗, 藥名. 从木吉聲. 一曰直木. 古屑切.

飜譯

'길경, 즉 도라지(桔梗)'를 말하는데, 약초 이름이다. 목(木)이 의미부이고 길(吉)이 소리부이다. 일설에는 '곧게 자라는 나무(直木)'라고도 한다. 독음은 고(古)와 설(屑)의 반절이다.

**3466**

**柞: 柞: 나무 이름 작: 木-총9획: zuò, zhà**

原文

柞: 木也. 从木乍聲. 在各切.

飜譯

'나무이름(木)[작목: 떡갈나무]'이다. 목(木)이 의미부이고 사(乍)가 소리부이다. 독음은 재(在)와 각(各)의 반절이다.

**3467**

**桴: 桴: 나무 이름 로·도: 木-총9획: lú**

原文

桴: 木. 出橐山. 从木乎聲. 他乎切.

飜譯

'나무이름(木)'이다.[25] 탁산(橐山)에서 난다.[26] 목(木)이 의미부이고 호(乎)가 소리부

---

25) 항로목(黃櫨木)을 말하는데, 옻나무의 일종이다. 염색을 하는데 쓰인다.

26) 『명일통지(明一統志)』에 의하면, 탁산(橐山)은 하남부(河南府) 섬주성(陜州城) 동북 45리 지점에 있으며, 산허리에 영험이 좋아 기우제를 지내는 묘당이 있다고 했다. 또 탁수(橐水)는 하남부 섬주성 남쪽에 있는데, 영정간(永定澗)이라고도 부르며 탁산(橐山)에서 발원한다. 물길이 천천히 완만히 질펀하게 흐르기 때문에 만간(漫澗)이라고도 불리며 남으로 황하로 흘러든다.

이다. 독음은 타(他)와 호(乎)의 반절이다.

3468

**櫼: 榗: 옥돌 전·진: 木-총14획: jiàn**

原文

櫼: 木也. 从木晉聲. 書曰: 竹箭如榗. 子善切.

飜譯

'나무이름(木)[전수]'이다. 목(木)이 의미부이고 진(晉)이 소리부이다. 고대 문헌에서 죽전(竹箭)이라고 할 때의 전(箭)과 진(榗)이 같이 읽힌다고 했다.[27] 독음은 자(子)와 선(善)의 반절이다.

3469

**樣: 橡: 팥배나무 수: 木-총13획: suì**

原文

樣: 羅也. 从木豖聲. 『詩』曰: "隰有樹檖." 徐醉切.

飜譯

'나수(羅)[라수: 팥배나무]'를 말한다. 목(木)이 의미부이고 수(豖)가 소리부이다. 『시·진풍·신풍(晨風)』에서 "진펄에는 팥배나무 심겨져 있네(隰有樹檖)"라고 노래했다.[28] 독음은 서(徐)와 취(醉)의 반절이다.

3470

**椵: 椵: 나무 이름 가: 木-총13획: jiǎ**

---

27) 출전이 불명확하다. 그래서 『단주』에서도 "書曰: 竹箭如榗"이라는 이 6글자는 잘 알 수가 없다(六字未詳). 아마도 "周禮曰竹榗讀如晉"의 8자가 아닌가 싶다고 하여 『주례』에 등장하는 진(榗)의 독음에 대한 설명으로 보았다.

28) 팥배나무를 말한다.(김학주, 『시경』)

原文

椵: 木. 可作牀几. 从木叚聲. 讀若賈. 古雅切.

飜譯

'나무이름(木)[가목: 유자나무]'이다.29) 상(牀)이나 안석(几)을 만들 수 있다. 목(木)이 의미부이고 가(叚)가 소리부이다. 가(賈)와 같이 읽는다. 독음은 고(古)와 아(雅)의 반절이다.

**3471**

**櫘:** 櫘: **나무 이름 혜**: 木-총16획: huì

原文

櫘: 木也. 从木惠聲. 胡計切.

飜譯

'나무이름(木)[혜목]'이다. 목(木)이 의미부이고 혜(惠)가 소리부이다. 독음은 호(胡)와 계(計)의 반절이다.

**3472**

**楛:** 楛: **거칠 고·나무 이름 호**: 木-총13획: kǔ, hù

原文

楛: 木也. 从木苦聲. 『詩』曰: "榛楛濟濟." 侯古切.

飜譯

'나무이름(木)[호목: 싸리나무]'이다. 목(木)이 의미부이고 고(苦)가 소리부이다. 『시·대아·한록(旱麓)』에서 "개암나무와 호나무가 우거졌네(榛楛濟濟)"라고 노래했다. 독음

29) 『이아·석목(釋木)』에서 "폐(櫠)는 가(椵: 유자나무)이다"라고 했다. 곽박의 『주』에서 "유자의 일종이다. 열매가 크고 사발처럼 둥글고 껍질이 2치나 3치 정도 두껍고 속은 탱자와 비슷하며 먹으면 신선한 맛이 있다."라고 했으며, 『소(疏)』에서는 "폐(櫠)는 일명 가(椵: 유자나무)이다"라고 했다.

은 후(侯)와 고(古)의 반절이다.

3473

**𣗥: 穧: 나무 이름 자제: 木-총18획: jī**

原文

𣗥: 木也. 可以爲大車軸. 从木齊聲. 祖雞切.

飜譯

'나무이름(木)[제목: 흰 대추나무]'이다. 커다란 수레의 축을 만드는데 쓰인다.[30] 목(木)이 의미부이고 제(齊)가 소리부이다. 독음은 조(祖)와 계(雞)의 반절이다.

3474

**杒: 扔: 나무 이름 잉·수레에 오를 인: 木-총6획: réng**

原文

杒: 木也. 从木乃聲. 讀若仍. 如乘切.

飜譯

'나무이름(木)[잉목]'이다. 목(木)이 의미부이고 내(乃)가 소리부이다. 잉(仍)과 같이 읽는다. 독음은 여(如)와 승(乘)의 반절이다.

3475

**櫇: 櫇: 빈랑나무 빈: 木-총20획: pín**

30)『단주』에서는 '흰 대추나무'와 '수레 축을 만드는 나무'가 다른 것으로 보았다. 그는 이렇게 말했다. "『이아·석목(釋木)』에서 제(穧)는 백조(白棗: 흰 대추나무)를 말한다고 했다. 그러나 허신은 백조(白棗)라고 하지 않아 『이아』와 차이를 보인다. 아마도 『이아』에서는 원래 '齊白棗'라고 했을 것이다. 오늘날 사람들이 식용하는 대추(棗)로, 열매가 흰색이 되면 익는 종류를 말한다(白乃孰是也). 그래서 제(穧)는 다른 나무이다. 『광운(廣韵)』에서 제(穧: 느릅나무의 일종)와 유(楡: 느릅나무)나무는 단단하여 수레바퀴통(車轂)을 만드는데 쓴다고 했다. 마침 허신의 해설과 일치한다. 다만 곡(轂)이 축(軸)으로 되었을 뿐이다."

原文

櫇: 木也. 从木頻聲. 符眞切.

飜譯

'나무이름(木)[빈랑나무]'이다.31) 목(木)이 의미부이고 빈(頻)이 소리부이다. 독음은 부(符)와 진(眞)의 반절이다.

**3476**

**樲: 樲: 멧대추나무 이: 木-총16획: èr**

原文

樲: 酸棗也. 从木貳聲. 而至切.

飜譯

'신맛이 나는 대추나무(酸棗)[산조수: 멧대추나무]'를 말한다. 목(木)이 의미부이고 이(貳)가 소리부이다. 독음은 이(而)와 지(至)의 반절이다.

**3477**

**樸: 樸: 대추 복: 木-총18획: pú**

原文

---

31) 빈랑은 말레이시아 원산 식물이다. 높이 25m 이상 자라고 가지가 갈라지지 않으며, 잎은 길이 1~2m 되는 깃꼴겹잎이며 밑 부분은 잎집으로 되어 원줄기를 감싼다. 잎 끝은 갈라져 톱니 모양이며 잎자루는 짧다. 암수한그루로 꽃은 단성화이고 육수꽃차례에 달리며 흰색이다. 열매는 둥글거나 타원형 또는 긴 것이 있고 지름 3cm 정도로 노란색·오렌지색·홍색 등이다. 열매를 빈랑자(betel nut)라고 하는데, 4억 명 이상이 이것을 씹고 있으며 인도에서만도 연간 10만t 이상을 소비한다고 한다. 빈랑자 한 조각을 입에 넣은 다음 베틀후추(betel pepper: Piper betle)의 잎에 석회를 발라서 같이 씹는다. 베틀후추의 잎은 '판'이라고 하며 저녁 식사 후에 항상 씹으면서 즐기며 흔히 다른 향료를 첨가하기도 한다. 빈랑자에는 타닌과 알칼로이드가 들어 있으므로 촌충구제·설사·피부병·두통 등에 사용하고, 어린잎은 식용한다. 열매는 염료로서 많이 사용하여 왔다. 인도와 말레이시아에서 주로 재배하지만 원산지는 확실하지 않다.(『두산백과』)

𣙹: 棗也. 从木僕聲. 博木切.

飜譯

'대추나무(棗)'를 말한다. 목(木)이 의미부이고 복(僕)이 소리부이다. 독음은 박(博)과 목(木)의 반절이다.

3478

**𣙹: 橪: 멧대추나무 연: 木-총16획: ruǎn, yān**

原文

橪: 酸小棗. 从木然聲. 一曰染也. 人善切.

飜譯

'신맛이 나는 작은 대추나무(酸小棗)[좀대추나무]'를 말한다. 목(木)이 의미부이고 연(然)이 소리부이다. 일설에는 '염색하다(染)'라는 뜻이라고도 한다. 독음은 인(人)과 선(善)의 반절이다.

3479

**柅: 柅: 무성할 니: 木-총9획: nǐ**

原文

柅: 木也. 實如棃. 从木尼聲. 女履切.

飜譯

'나무이름(木)[니목]'이다. 열매가 배(棃)처럼 생겼다. 목(木)이 의미부이고 니(尼)가 소리부이다. 독음은 녀(女)와 리(履)의 반절이다.

3480

**梢: 梢: 나무 끝 초·소: 木-총11획: shāo**

原文

梢: 木也. 从木肖聲. 所交切.

飜譯

'나무이름(木)[소목(梢木)]'이다. 목(木)이 의미부이고 초(肖)가 소리부이다. 독음은 소(所)와 교(交)의 반절이다.

3481

**欞**: 欞: **나무이름 례**: 木-**총20획**: **lì**

原文

欞: 木也. 从木隸聲. 郎計切.

飜譯

'나무이름(木)[례목: 자새나무]'이다. 목(木)이 의미부이고 예(隸)가 소리부이다. 독음은 랑(郎)과 계(計)의 반절이다.

3482

**梣**: 梣: **나무 이름 렬**: 木-**총11획**: **lèi, líng, liè**

原文

梣: 木也. 从木寽聲. 力輟切.

飜譯

'나무이름(木)[열목]'이다. 목(木)이 의미부이고 률(寽)이 소리부이다. 독음은 력(力)과 철(輟)의 반절이다.

3483

**梭**: 梭: **북 사**: 木-**총11획**: **suō**

原文

梭: 木也. 从木夋聲. 私閏切.

飜譯

'나무이름(木)[준목]'이다. 목(木)이 의미부이고 준(夋)이 소리부이다. 독음은 사(私)와 윤(閏)의 반절이다.

**3484**

**樺: 樺: 나무 이름 필: 木-총15획: bì**

原文

樺: 木也. 从木畢聲. 卑吉切.

飜譯

'나무이름(木)[필목]'이다. 목(木)이 의미부이고 필(畢)이 소리부이다. 독음은 비(卑)와 길(吉)의 반절이다.

**3485**

**楋: 楋: 나무 이름 랄: 木-총13획: là**

原文

楋: 木也. 从木刺聲. 盧達切.

飜譯

'나무이름(木)[랄목]'이다.[32] 목(木)이 의미부이고 랄(剌)이 소리부이다. 독음은 로(盧)와 달(達)의 반절이다.

---

32) 랄목(辣木)으로도 쓴다. 학명은 Moringa oleifera Lam.이고, 교목으로 높이는 3~12미터에 이른다. 수피(樹皮)는 연한 목질(木質)이며, 뿌리는 아주 매운 맛이 난다. 인도가 원산으로 알려져 있으며, 열대와 아열대 지역에 분포한다. 중국의 경우 광동성(廣州, 儋縣 등)과 대만 등지에서 재배된다. 관상수로 쓰이지만 씨는 물을 정화할 수도 있고 식용유를 짤 수도 있다. 뿌리도 식용 가능하다.(『바이두백과』)

**3486**

**𣏺**: 枸: **호깨나무 구**: 木-총9획: jǔ

原文

𣏺: 木也. 可爲醬. 出蜀. 从木句聲. 俱羽切.

飜譯

'나무이름(木)[구목: 구기자]'이다. 열매는 장(醬)을 담글 수 있다. 촉(蜀)지방에서 난다. 목(木)이 의미부이고 구(句)가 소리부이다. 독음은 구(俱)와 우(羽)의 반절이다.

**3487**

**𣘊**: 樜: **뽕나무 자**: 木-총15획: zhè

原文

𣘊: 木. 出發鳩山. 从木庶聲. 之夜切.

飜譯

'나무이름(木)[자목: 산뽕나무]'이다. 발구산(發鳩山)에서 난다.33) 목(木)이 의미부이고 서(庶)가 소리부이다. 독음은 지(之)와 야(夜)의 반절이다.

**3488**

**𣏌**: 枋: **다목 방**: 木-총8획: fāng

33) 발구산(發鳩山)은 산서성 장치시(長治市), 장자현성(長子縣城) 서쪽 25킬로미터 지점에 있다. 세 개의 봉우리로 이루어졌는데, 기이한 모습으로 높이 솟은 봉우리가 차례로 열을 지어있어 세 명의 거인이 오만하게 하늘을 향한 듯하다. 옛날 전설시대에 공공(共工)과 전욱(顓頊)이 제위를 다툴 때, 공공(共工)이 화가 나서 머리로 '불주산(不周山)'을 받아 천주(天柱)를 부러트리는 바람에 땅이 하늘과 끊기게 되었고, 하늘과 땅이 기울게 되었다고 했는데, 그 불주산(不周山)이 바로 이 발구산(發鳩山)이라는 전설이 있다.

原文

枋: 木. 可作車. 从木方聲. 府良切.

飜譯

'나무이름(木)[방목: 박달나무]'이다. 수레를 만드는데 쓰인다. 목(木)이 의미부이고 방(方)이 소리부이다. 독음은 부(府)와 량(良)의 반절이다.

**3489**

**橿: 橿: 나무 이름 강: 木-총17획: jiāng**

原文

橿: 枋也. 从木畺聲. 一曰鉏柄名. 居良切.

飜譯

'다목(枋)[방목: 박달나무]'을 말한다. 목(木)이 의미부이고 강(畺)이 소리부이다. 일설에는 '호미 자루의 이름(鉏柄名)'이라고도 한다.[34] 독음은 거(居)와 량(良)의 반절이다.



**3490**

**樗: 樗: 가죽나무 저: 木-총15획: chū**

原文

樗: 木也. 以其皮裹松脂. 从木雩聲. 讀若華. 檴, 或从蒦. 乎化切.

飜譯

'나무이름(木)[저목: 가죽나무]'이다. 이 나무의 껍질로 송진을 감싼다. 목(木)이 의미부이고 우(雩)가 소리부이다. 화(華)와 같이 읽는다. 저(檴)는 혹체자인데, 확(蒦)으

34) 『석명(釋名)』에 의하면, "서(鋤: 호미)의 경우 제(齊) 지역 사람들은 그 자루를 강(橿)이라 하는데, 강나무(橿)처럼 곧바르게 뻗었기 때문이다. 그리고 머리를 학(鶴)이라 하는데 학의 머리처럼 생겼기 때문이다."라고 했다.

로 구성되었다. 독음은 호(乎)와 화(化)의 반절이다.

**3491**

**檗**: 檗: **황벽나무 벽**: 木-**총17획**: **bò**

原文

檗: 黃木也. 从木辟聲. 博戹切.

飜譯

'황벽목(黃木)[황벽나무]'을 말한다.[35] 목(木)이 의미부이고 벽(辟)이 소리부이다. 독음은 박(博)과 액(戹)의 반절이다.

**3492**

**梤**: 梤: **향나무 분**: 木-**총11획**: **fēn**

原文

梤: 香木也. 从木岎聲. 撫文切.

飜譯

'향나무(香木)'를 말한다. 목(木)이 의미부이고 분(岎)이 소리부이다. 독음은 무(撫)와 문(文)의 반절이다.

**3493**

**樧**: 樧: **나무 이름 살·문설주 설**: 木-**총14획**: **shā**

35) 황벽(黃檗)나무는 운향과의 넓은 잎 큰키나무로 낙엽활엽교목이며 황백나무, 황경나무, 황경피나무라고도 한다. 높이는 10~15m 정도이다. 잎은 3~6쌍의 작은 잎으로 이루어진 큰 깃꼴겹잎인데, 작은 잎들은 달걀 모양의 피침 형이다. 암수딴그루로서, 4~5월 무렵에 황색 꽃이 가지 끝에 달린다. 열매는 핵과인데, 9~10월쯤에 붉게 익는다. '황벽나무'라는 이름은 나무껍질 안쪽이 노랗다고 하여 붙여진 이름이다. 주로 깊은 산에 많은데, 한국에서는 전남을 제외한 각 지역에 두루 분포하고 있다.(『위키백과』)

原文

𣘲: 似茱萸. 出淮南. 从木殺聲. 所八切.

飜譯

'수유(茱萸) 나무 비슷하다.' 회남(淮南) 지역에서 난다. 목(木)이 의미부이고 살(殺)이 소리부이다. 독음은 소(所)와 팔(八)의 반절이다.

3494

**槭: 槭: 단풍나무 축·척·앙상할 색: 木-총15획: qì**

原文

槭: 木. 可作大車輮. 从木戚聲. 子六切.

飜譯

'나무이름(木)[축목: 단풍나무]'이다. 큰 수레의 바퀴 테(大車輮)를 만드는데 쓰인다.36) 목(木)이 의미부이고 척(戚)이 소리부이다. 독음은 자(子)와 륙(六)의 반절이다.

3495

**楊: 楊: 버들 양: 木-총13획: yáng**

原文

楊: 木也. 从木昜聲. 与章切.

飜譯

'나무이름(木)[버드나무]'이다. 목(木)이 의미부이고 양(昜)이 소리부이다. 독음은 여(与)와 장(章)의 반절이다.

---

36) 『단주』에서 "큰 수레(大車)는 우마차(牛車)를 말하며, 바퀴 테(輮)는 거망(車網) 즉 『고공기(考工記)』에서 말한 아(牙)를 말한다."라고 했다.

**3496**

**檉:** 檉: **위성류 정**: 木-**총17획: chēng**

原文

檉: 河柳也. 从木聖聲. 敕貞切.

飜譯

'강에 사는 버드나무(河柳)[능수버들]'를 말한다. 목(木)이 의미부이고 성(聖)이 소리부이다. 독음은 칙(敕)과 정(貞)의 반절이다.

**3497**

**桺:** 柳: **버들 류**: 木-**총11획: liǔ**

原文

桺: 小楊也. 从木丣聲. 丣, 古文酉. 力九切.

飜譯

'작은 수양버들(小楊)'을 말한다. 목(木)이 의미부이고 류(丣)가 소리부이다. 류(丣)는 유(酉)의 고문체이다. 독음은 력(力)과 구(九)의 반절이다.

**3498**

**橁:** 橁: **나무 이름 순**: 木-**총14획: xún**

原文

橁: 大木. 可爲鉏柄. 从木粵聲. 詳遵切.

飜譯

'큰 나무 이름(大木)[순목]'이다. 호미의 자루를 만드는데 쓰인다. 목(木)이 의미부이고 순(粵)이 소리부이다. 독음은 상(詳)과 준(遵)의 반절이다.

3499

**欒: 欒: 나무 이름 란: 木-총23획: luán**

原文

欒: 木. 似欄. 从木䜌聲. 『禮』: 天子樹松, 諸侯柏, 大夫欒, 士楊. 洛官切.

飜譯

'나무이름(木)[난목: 목란수]'이다. 목란수(欄)와 비슷하다. 목(木)이 의미부이고 련(䜌)이 소리부이다. 『주례·총인(冢人)』에서 "천자는 소나무를 심고, 제후는 측백나무를 심으며, 대부는 난목을 심고, 선비는 버드나무를 심는다.(天子樹松, 諸侯柏, 大夫欒, 士楊.)"라고 했다.[37] 독음은 락(洛)과 관(官)의 반절이다.

3500

**栘: 栘: 산 앵두나무 체·산이스랏나무 이: 木-총10획: chí**

原文

栘: 棠棣也. 从木多聲. 弋支切.

飜譯

'당체(棠棣)[산 앵두나무]'를 말한다. 목(木)이 의미부이고 다(多)가 소리부이다. 독음은 익(弋)과 지(支)의 반절이다.



---

37) 『주례(周禮)·총인(冢人)』에 의하면, "작위의 등급으로써 구(丘)와 봉(封)의 크기를 정하고, 더불어 주위에 심는 나무의 수를 정한다.(以爵等爲丘封之度, 與其樹數.)"라고 했는데, 구(丘)는 왕과 공(公)들의 묘를, 봉(封)은 신하들의 봉분을 이른다. 가공언(賈公彥)의 『주례정의소(疏)』에서 『춘추위(春秋緯)』를 인용하여 이렇게 말했다. "천자의 봉분은 3길 크기로 하고 소나무를 심으며, 제후는 이의 절반으로 하고 측백나무를 심으며, 대부는 8자로 하며 난목을 심으며, 사는 4자로 하며 홰나무를 심으며, 서인은 봉분을 하지 않고 버드나무를 심는다.(天子墳高三仞, 樹以松. 諸侯半之, 樹以柏. 大夫八尺, 樹以藥草. 士四尺, 樹以槐. 庶人無墳, 樹以楊柳.)"라고 했다. 약초(藥草)는 난(欒)의 오류이다.

**3501**

**棣: 棣: 산 앵두나무 체: 木-총12획: tì, dì, duì**

原文

棣: 白棣也. 从木隶聲. 特計切.

飜譯

'백체(白棣)[흰 산 앵두나무]'를 말한다. 목(木)이 의미부이고 대(隶)가 소리부이다. 독음은 특(特)과 계(計)의 반절이다.

**3502**

**枳: 枳: 탱자나무 지: 木-총9획: zhǐ**

原文

枳: 木. 似橘. 从木只聲. 諸氏切.

飜譯

'나무이름(木)[지목: 탱자나무]'이다. 귤(橘) 비슷하게 생겼다. 목(木)이 의미부이고 지(只)가 소리부이다. 독음은 제(諸)와 씨(氏)의 반절이다.

**3503**

**楓: 楓: 단풍나무 풍: 木-총13획: fēng**

原文

楓: 木也. 厚葉弱枝, 善搖. 一名欇. 从木風聲. 方戎切.

飜譯

'나무이름(木)[풍목: 단풍나무]'이다. 잎은 두꺼우나 가지는 약하여, 잘 흔들린다. 일명 섭(欇: 가지가 바람에 잘 흔들리는 나무)이라고도 부른다. 목(木)이 의미부이고 풍(風)이 소리부이다.[38] 독음은 방(方)과 융(戎)의 반절이다.

3504

**𣐈: 權: 저울추 권: 木-총22획: quán**

原文

𣐈: 黃華木. 从木雚聲. 一曰反常. 巨員切.

飜譯

'황화목(黃華木)'을 말한다.39) 목(木)이 의미부이고 관(雚)이 소리부이다. 일설에는 '상식에 반하는 것(反常)'을 뜻한다고도 한다. 독음은 거(巨)와 원(員)의 반절이다.

3505

**𣏟: 柜: 고리버들 거: 木-총9획: jǔ**

原文

𣏟: 木也. 从木巨聲. 其呂切.

飜譯

'나무이름(木)[거목: 고리버들]'이다. 목(木)이 의미부이고 거(巨)가 소리부이다. 독음은 기(其)와 려(呂)의 반절이다.

3506

**𣘻: 槐: 홰나무 괴: 木-총14획: huái**

---

38) 木(나무 목)이 의미부고 風(바람 풍)이 소리부로, 단풍나무를 말하는데, 가을바람(風)에 잎이 빨갛게 변하는 나무(木)라는 뜻을 담았다. 간화자에서는 風을 风으로 줄여 枫으로 쓴다.

39) 『단주』에서 이렇게 말했다. "『이아·석목(釋木)』에서 '권(權)은 황영(黃英)을 말한다'라고 했다. 내 생각에 영화(英華)도 같다. 그러나 곽박의 주석에서는 '미상(未詳)'이라고 했다. 하지만 『이아·석초(釋艸)』에서는 '권(權)은 황화(黃華)를 말한다'라고 했는데, 곽박의 주석에서 '오늘날 말하는 우운초(牛芸艸)가 황화(黃華)인데, 초(艸)부수의 영(英)자에서 일설에는 황영을 말하기도 한다(一曰黃英).'라고 했다. 그렇다면 『이아』에서 나무는 황영, 풀은 황화(木曰黃英, 艸曰黃華)라고 한 것이며, 허신은 영(英)과 화(華)자를 서로 바꾼 것이 된다."

原文

槐: 木也. 从木鬼聲. 戶恢切.

飜譯

'나무이름(木)[괴목: 홰나무]'이다. 목(木)이 의미부이고 귀(鬼)가 소리부이다. 독음은 호(戶)와 회(恢)의 반절이다.

**3507**

**穀: 穀: 닥나무 곡: 木-총14획: gǔ**

原文

穀: 楮也. 从木㱿聲. 古祿切.

飜譯

'닥나무(楮)'를 말한다. 목(木)이 의미부이고 각(㱿)이 소리부이다. 독음은 고(古)와 록(祿)의 반절이다.

**3508**

**楮: 楮: 닥나무 저: 木-총13획: chǔ**

原文

楮: 穀也. 从木者聲. 柠, 楮或从宁. 丑呂切.

飜譯

'곡수(穀)[닥나무]'를 말한다. 목(木)이 의미부이고 자(者)가 소리부이다.40) 저(柠)는 저(楮)의 혹체자인데, 저(宁)로 구성되었다. 독음은 축(丑)과 려(呂)의 반절이다.

---

40) 고문자에서 楮 楮 簡牘文 등으로 썼다. 木(나무 목)이 의미부고 者(놈 자)가 소리부로, 닥나무를 말하는데, 삶아(者, 煮의 원래 글자) 종이를 만드는 나무(木)임을 반영했다. 이후 종이, 지폐 등의 뜻도 나왔다.

3509

**樌**: 樌: **구기자나무 계**: 木-**총18획**: jì

原文

樌: 枸杞也. 从木, 繼省聲. 一曰監木也. 古詣切.

飜譯

'구기자나무(枸杞)'를 말한다. 목(木)이 의미부이고, 계(繼)의 생략된 모습이 소리부이다. 일설에는 '감목(監木)'을 말한다고도 한다.[41] 독음은 고(古)와 예(詣)의 반절이다.

3510

**杞**: 杞: **나무 이름 기**: 木-**총7획**: qǐ

原文

杞: 枸杞也. 从木己聲. 墟里切.

飜譯

'구기자나무(枸杞)'를 말한다. 목(木)이 의미부이고 기(己)가 소리부이다. 독음은 허(墟)와 리(里)의 반절이다.



3511

**枒**: 枒: **야자나무 야**: 木-**총8획**: yā

原文

枒: 木也. 从木牙聲. 一曰車輞會也. 五加切.

飜譯

'나무이름(木)[야목: 야자나무]'이다. 목(木)이 의미부이고 아(牙)가 소리부이다. 일설에

41) 『단주』에서 감(監)은 견(堅)의 오류이다. 바로 잡는다고 했다. 견목(堅木: 단단한 나무)을 계(樌)라고 하며, 견(堅)과 계(樌)는 쌍성관계에 있다고 했다.

는 '거망회(車輞會: 수레의 바깥 바퀴 테)'를 말한다고도 한다.[42] 독음은 오(五)와 가(加)의 반절이다.

**3512**

**檀: 檀: 박달나무 단: 木-총17획: tán**

原文

檀: 木也. 从木亶聲. 徒乾切.

飜譯

'나무이름(木)[단목: 박달나무]'이다. 목(木)이 의미부이고 단(亶)이 소리부이다. 독음은 도(徒)와 건(乾)의 반절이다.

**3513**

**櫟: 櫟: 상수리나무 력: 木-총19획: lì**

原文

櫟: 木也. 从木樂聲. 郎擊切.

飜譯

'나무이름(木)[역목: 상수리나무]'이다. 목(木)이 의미부이고 락(樂)이 소리부이다. 독음은 랑(郎)과 격(擊)의 반절이다.

**3514**

**梂: 梂: 도토리받침 구: 木-총11획: qiú**

---

42) 『단주』에서 이렇게 말했다. "망(輞)은 망(網)의 속체자이다. 거망(車輞)은 소위 말하는 윤유(輪輮: 수레바퀴 테)를 말하는데, 세간에서는 이를 망(網)이라 하고 문헌에서는 유(輮)로 기록했다. 회(會)는 수레의 테가 모여서 하나의 큰 원을 이루므로 회(會)라고 하였지만 망(網)과 의미가 중첩된다."

原文

梂: 櫟實. 一曰鑿首. 从木求聲. 巨鳩切.

飜譯

'상수리나무의 열매(櫟實) 즉 도토리'를 말한다. 일설에는 '끌의 머리부분(鑿首)'을 말한다고도 한다. 목(木)이 의미부이고 구(求)가 소리부이다. 독음은 거(巨)와 구(鳩)의 반절이다.

**3515**

楝: 楝: **멀구슬나무 련**: 木-총13획: liàn

原文

楝: 木也. 从木柬聲. 郎電切.

飜譯

'나무이름(木)[연목: 멀구슬 나무]'이다. 목(木)이 의미부이고 간(柬)이 소리부이다. 독음은 랑(郎)과 전(電)의 반절이다.

**3516**

檿: 檿: **산뽕나무 염**: 木-총18획: yǎn

原文

檿: 山桑也. 从木厭聲. 『詩』曰: "其檿其柘." 於琰切.

飜譯

'산뽕나무(山桑)'를 말한다. 목(木)이 의미부이고 염(厭)이 소리부이다. 『시·대아황의(皇矣)』에서 "산뽕나무 들뽕나무를 베어 없애네(其檿其柘)"라고 노래했다. 독음은 어(於)와 염(琰)의 반절이다.

3517

**柘**: 柘: **산뽕나무 자**: 木-총9획: zhè

原文

柘: 桑也. 从木石聲. 之夜切.

飜譯

'뽕나무(桑)[자상: 산뽕나무]'를 말한다. 목(木)이 의미부이고 석(石)이 소리부이다. 독음은 지(之)와 야(夜)의 반절이다.

3518

**桼**: 㯃: **지팡이 감나무 칠**: 木-총17획: qī

原文

㯃: 木, 可爲杖. 从木厀聲. 親吉切.

飜譯

'나무이름(木)[칠목: 지팡이 감나무]'이다. 지팡이(杖)를 만드는데 쓰인다. 목(木)이 의미부이고 칠(厀)이 소리부이다. 독음은 친(親)과 길(吉)의 반절이다.

3519

**檈**: 檈: **맛든 대추나무 선**: 木-총21획: xuán

原文

檈: 檈味, 稔棗. 从木還聲. 似沿切.

飜譯

'선미(檈味)'를 말하는데 '임조(稔棗)나무[맛든 대추나무]'를 말한다. 목(木)이 의미부이고 환(還)이 소리부이다. 독음은 사(似)와 연(沿)의 반절이다.

3520

**梧: 梧: 벽오동나무 오: 木-총11획: wú**

原文

梧: 梧桐木. 从木吾聲. 一名櫬. 五胡切.

飜譯

'오동나무(梧桐木)'를 말한다. 목(木)이 의미부이고 오(吾)가 소리부이다. 일설에는 '츤(櫬: 관, 널)'을 말한다고도 한다. 독음은 오(五)와 호(胡)의 반절이다.

3521

**榮: 榮: 꽃 영: 木-총14획: róng**

原文

榮: 桐木也. 从木, 熒省聲. 一曰屋梠之兩頭起者爲榮. 永兵切.

飜譯

'동목(桐木)[오동나무]'을 말한다. 목(木)이 의미부이고, 형(熒)의 생략된 부분이 소리부이다. 일설에는 '지붕의 평고대 양쪽 끝으로 올라간 부분(屋梠之兩頭起者)을 영(榮)'이라 하기도 한다.43) 독음은 영(永)과 병(兵)의 반절이다.

3522

**桐: 桐: 오동나무 동: 木-총10획: tóng**

原文

---

43) 고문자에서 [古文字形]金文 [古文字形]古陶文 [古文字形]簡牘文 등으로 썼다. 木(나무 목)이 의미부고 熒(등불 형)의 생략된 모습이 소리부인 구조인데, 금문에서는 활짝 핀 꽃을 가진 꽃나무 두 개를 교차시킨 모습이다. 소전체에 들면서 지금의 자형으로 변해, 등불(熒)을 켠 듯 화사하게 핀 초목(木)의 꽃을 말했으며, 이후 번영, 번성의 뜻을 갖게 되었다. 간화자에서는 윗부분을 간단하게 줄인 荣으로 쓴다.



제
6
권

桐: 榮也. 从木同聲. 徒紅切.

'영목(榮)[오동나무]'을 말한다. 목(木)이 의미부이고 동(同)이 소리부이다. 독음은 도(徒)와 홍(紅)의 반절이다.

**3523**

**橎**: 橎: **단단한 나무 번**: 木-**총16획**: fán

原文

橎: 木也. 从木番聲. 讀若樊. 附轅切.

飜譯

'나무이름(木)[번목]'이다. 목(木)이 의미부이고 번(番)이 소리부이다. 번(樊)과 같이 읽는다. 독음은 부(附)와 원(轅)의 반절이다.

**3524**

**楡**: 楡: **느릅나무 유**: 木-**총13획**: yú

原文

楡: 楡, 白枌. 从木俞聲. 羊朱切.

飜譯

'느릅나무(楡), 즉 백분(白枌)'을 말한다. 목(木)이 의미부이고 유(俞)가 소리부이다. 독음은 양(羊)과 주(朱)의 반절이다.

**3525**

**枌**: 枌: **나무 이름 분**: 木-**총8획**: fén

原文

枌: 榆也. 从木分聲. 扶分切.

飜譯

'느릅나무(榆)'를 말한다. 목(木)이 의미부이고 분(分)이 소리부이다. 독음은 부(扶)와 분(分)의 반절이다.

**3526**

**梗: 梗: 대개 경: 木-총11획: gěng**

原文

梗: 山枌榆. 有朿, 莢可爲蕪夷者. 从木更聲. 古杏切.

飜譯

'산분유(山枌榆)[산분 느릅나무]'를 말한다.44) 가시가 있으며, 꼬투리는 무이장(蕪夷醬)을 만들 수 있다.45) 목(木)이 의미부이고 경(更)이 소리부이다. 독음은 고(古)와 행(杏)의 반절이다.

**3527**

**樵: 樵: 땔나무 초: 木-총16획: qiáo**

原文

---

44) 『단주』에서 이렇게 말했다. "산분유(山枌榆)는 분유(枌榆)의 일종이다. 가시가 있다. 그래서 경유(梗榆)라고 부른다. 이는 바로 『제민요술(齊民要術)』에서 말한 자유(刺榆)를 말한다. 『방언(方言)』에서는 가시가 있어 사람을 찌르는 초목을 함곡관 동쪽 지역에서는 경(梗)이라고도 한다."

45) 『급취편』의 안사고 주석(顔注)에서 이렇게 말했다. "무이(蕪夷)는 무고(蕪姑)의 열매를 말한다. 무고(蕪姑)는 고유(橭榆)라고도 하는데, 산속에서 자라며, 그 꼬투리는 둥글고 두텁다. 나무의 껍질을 벗겨, 함께 물에 담가두었다가 건져 말리면 매운 맛이 만들어진다." 『단주』에서는 또 "이(荑)는 이(夷)가 되어야 옳다. 『이아』와 『급취편』에서는 초(艸)가 들지 않았다."라고 했는데, 『이아·석목(釋木)』의 곽박 『주』에서 "무고(無姑)는 고유(姑榆)를 말하며, 산에서 나는데, 꼬투리는 둥글고 두터우며, 껍질을 벗겨, 함께 물에 담가두면 매운 맛의 향기로운 장이 만들어지는데 이를 무이(蕪夷)라 한다."라고 했다.

: 散也. 从木焦聲. 昨焦切.

飜譯

‘별 쓸모가 없는 산목(散木)’을 말한다. 목(木)이 의미부이고 초(焦)가 소리부이다.[46] 독음은 작(昨)과 초(焦)의 반절이다.

**3528**

**松: 松: 소나무 송: 木-총8획: sōng**

原文

松: 木也. 从木公聲. 㮤, 松或从容. 祥容切.

飜譯

‘나무이름(木)[송목: 소나무]’이다. 목(木)이 의미부이고 공(公)이 소리부이다.[47] 송(㮤)은 송(松)의 혹체자인데, 용(容)으로 구성되었다. 독음은 상(祥)과 용(容)의 반절이다.

**3529**

**樠: 樠: 송진 만: 木-총15획: mán**

原文

樠: 松心木. 从木㒼聲. 莫奔切.

飜譯

‘송심목(松心木)’을 말한다.[48] 목(木)이 의미부이고 만(㒼)이 소리부이다. 독음은 막

---

46) 木(나무 목)이 의미부고 焦(그을릴 초)가 소리부로, 땔감을 말하는데, 불을 태울(焦) 때 쓰는 나무(木)라는 뜻을 담았다. 이후 나무를 베다, 나무꾼 등의 뜻이 나왔다.

47) 고문자에서 松金文 등으로 썼다. 木(나무 목)이 의미부고 公(공변될 공)이 소리부로, 소나무(木)를 말하며, 사철 내내 지지 않는 잎 때문에 정절과 장수의 상징으로도 쓰였다. 간화자에서는 鬆(더벅머리 송)의 간화자로도 쓰인다.

48) 『단주』에서는 이렇게 말했다. “송심(松心)이 되어야 할 것으로 보인다. 달리 만목(樠木)이라고도 한다. 『광운』(제23 元운)의 주석에서 ‘송심(松心)은 나무이름이다.’라고 했다.”

(莫)과 분(奔)의 반절이다.

3530

檜: 檜: **노송나무 회**: 木-**총17획**: guì

原文

檜: 柏葉松身. 从木會聲. 古外切.

飜譯

'잎은 측백나무이고 몸통은 소나무인 나무(柏葉松身)'를 말한다. 목(木)이 의미부이고 회(會)가 소리부이다. 독음은 고(古)와 외(外)의 반절이다.

3531

樅: 樅: **전나무 종**: 木-**총15획**: cōng

原文

樅: 松葉柏身. 从木從聲. 七恭切.

飜譯

'잎은 소나무이고 몸통은 측백나무인 나무(松葉柏身)'를 말한다. 목(木)이 의미부이고 종(從)이 소리부이다. 독음은 칠(七)과 공(恭)의 반절이다.

3532

柏: 柏: **나무 이름 백**: 木-**총9획**: bǎi

原文

柏: 鞠也. 从木白聲. 博陌切.

飜譯

'국수(鞠樹)[측백나무]'를 말한다. 목(木)이 의미부이고 백(白)이 소리부이다.49) 독음은 박(博)과 맥(陌)의 반절이다.

**3533**

**𣏟: 机: 책상 궤: 木-총6획: jī**

原文

𣏟: 木也. 从木几聲. 居履切.

飜譯

'나무이름(木)[궤목]'이다. 목(木)이 의미부이고 궤(几)가 소리부이다. 독음은 거(居)와 리(履)의 반절이다.

**3534**

**𣐀: 枮: 나무이름 섬·모탕 침: 木-총9획: xiān**

原文

𣐀: 木也. 从木占聲. 息廉切.

飜譯

'나무이름(木)[섬목]'이다. 목(木)이 의미부이고 점(占)이 소리부이다. 독음은 식(息)과 렴(廉)의 반절이다.

**3535**

**𣑯: 梇: 땅 이름 롱: 木-총11획: lòng**

原文

𣑯: 木也. 从木弄聲. 益州有梇棟縣. 盧貢切.

---

49) 고문자에서 [古文字] [古文字] 甲骨文 [古文字] 簡牘文 [古文字] 古璽文 등으로 썼다. 木(나무 목)이 의미부고 白(흰 백)이 소리부로, '측백나무'를 말한다. 속이 흰색(白)을 띠는 나무(木)라는 의미를 담았으며, 栢(나무이름 백)으로 쓰기도 한다. 현대 중국에서는 栢(나무이름 백)의 간화자로도 쓰인다.

飜譯

'나무이름(木)[농목]'이다. 목(木)이 의미부이고 롱(弄)이 소리부이다. 익주(益州)에 농동현(梇棟縣)이 있다.50) 독음은 로(盧)와 공(貢)의 반절이다.

**3536**

**楰**: 楰: **광나무 유**: 木-총13획: yú

原文

楰: 鼠梓木. 从木臾聲. 『詩』曰: "北山有楰." 羊朱切.

飜譯

'서재목(鼠梓木)[광나무]'을 말한다. 목(木)이 의미부이고 유(臾)가 소리부이다. 『시·소아남산유대(南山有臺)』에서 "북산에는 광나무가 있네(北山有楰)"라고 노래했다. 독음은 양(羊)과 주(朱)의 반절이다.



**3537**

**桅**: 桅: **돛대 외**: 木-총10획: wéi

原文

桅: 黃木, 可染者. 从木危聲. 過委切.

飜譯

'황목(黃木)[치자나무]'을 말하는데, 염색하는데 쓸 수 있다. 목(木)이 의미부이고 위(危)가 소리부이다. 독음은 과(過)와 위(委)의 반절이다.

**3538**

**杒**: 杒: **나무 이름 인·수레 치장 이**: 木-총7획: rèn

---

50) 농동(梇棟)은 고대 현(縣)의 이름으로 서한 원정(元鼎) 6년(111년)에 애뢰이(哀牢夷: 중국 서남부의 이민족) 땅에 설치되었으며, 지금의 운남성 요안현(姚安縣) 동북쪽에 있었다. 남조 이후 폐지됐다. 삼국시대 때 맹획(孟獲)이 여기서 제갈량(諸葛亮)을 막았으나 결국 잡히고 말았다.

原文

𣐈: 桎杒也. 从木刃聲. 而震切.

飜譯

'질인목(桎杒)'을 말한다.[51] 목(木)이 의미부이고 인(刃)이 소리부이다. 독음은 이(而)와 진(震)의 반절이다.

**3539**

𣛱: 榙: 나무 이름 답: 木-총18획: tà

原文

𣛱: 榙樑, 木也. 从木遝聲. 徒合切.

飜譯

'답답목(榙樑木)'을 말한다. 목(木)이 의미부이고 답(遝)이 소리부이다. 독음은 도(徒)와 합(合)의 반절이다.

**3540**

榙: 榙: 열매 이름 답: 木-총14획: tá

原文

榙: 榙樑. 果似李. 从木荅聲. 讀若嚃. 土合切.

飜譯

'답답목(榙樑木)'을 말한다. 열매는 오얏(李)과 비슷하다. 목(木)이 의미부이고 답(荅)이 소리부이다. 탑(嚃)과 같이 읽는다. 독음은 토(土)와 합(合)의 반절이다.

**3541**

𣏟: 某: 아무 모: 木-총9획: mǒu

51) 『단주』에서 "어떤 나무를 말하는지 알 수 없다(未詳何木)"라고 했다.

原文

某: 酸果也. 从木从甘. 闕. 槑, 古文某从口. 莫厚切.

飜譯

'신맛이 나는 과일(酸果)[매화나무]'을 말한다. 목(木)이 의미부이고 감(甘)도 의미부이다. 왜 그런지는 알 수 없어 비워 둔다(闕).[52] 모(槑)는 모(某)의 고문체인데, 구(口)로 구성되었다. 독음은 막(莫)과 후(厚)의 반절이다.

**3542**

**櫾: 櫾: 유자나무 유: 木-총21획: yóu**

原文

櫾: 崐崘河隅之長木也. 从木繇聲. 以周切.

飜譯

'곤륜산 아래의 황하 가에서 자라는 키 큰 나무 이름(崐崘河隅之長木)'이다. 목(木)이 의미부이고 요(繇)가 소리부이다. 독음은 이(以)와 주(周)의 반절이다.

**3543**

**樹: 樹: 나무 수: 木-총16획: shù**

原文

樹: 生植之總名. 从木尌聲. 㞕, 籒文. 常句切.

飜譯

'직립하여 자라는 생물의 총칭이다(生植之總名).' 목(木)이 의미부이고 주(尌)가 소

52) 고문자에서 [古文字]金文 [古文字]古陶文 [古文字]簡牘文 등으로 썼다. 甘(달 감)과 木(나무 목)으로 구성되어, 입속에 물고 있으면(甘) 갈증이 해소되는 매실처럼 신맛이 나는 나무(木) 열매를 말했는데, 이후 '아무개'라는 뜻으로 가차되었다. 그러자 원래 뜻은 다시 木을 더해 楳(매화나무 매)로 분화했다.

리부이다.53) 수(尌)는 옹희체이다. 독음은 상(常)과 구(句)의 반절이다.

**3544**

**𣎵: 本: 밑 본: 木-총5획: běn**

原文

𣎵: 木下曰本. 从木, 一在其下. 𣝔, 古文. 布忖切.

飜譯

'나무의 아랫부분(木下)을 본(本)이라 한다.' 목(木)이 의미부이고, 가로획[一]이 그 아래에 놓인 모습이다.54) 본(𣝔)은 고문체이다. 독음은 포(布)와 촌(忖)의 반절이다.

**3545**

**柢: 柢: 뿌리 저: 木-총9획: dǐ**

原文

柢: 木根也. 从木氐聲. 都禮切.

飜譯

'나무의 뿌리(木根)'를 말한다. 목(木)이 의미부이고 저(氐)가 소리부이다. 독음은 도(都)와 례(禮)의 반절이다.

---

53) 고문자에서 [古文字]簡牘文 등으로 썼다. 木(나무 목)이 의미부고 尌(세울 주)가 소리부로, 나무(木)를 말하는데, 나무(木)를 심을 때에는 곧게 세워(尌) 심어야 함을 반영했다. 이후 나무를 심다는 뜻으로부터 키우다, 세우다, 배양하다는 뜻이 나왔고, 나무처럼 곧바로 선 모습의 형용에도 쓰였다. 간화자에서는 중간부분의 壴(악기 이름 주)를 간단한 부호인 又(또 우)로 줄여 树로 쓴다.

54) 고문자에서 [古文字]金文 [古文字]古陶文 [古文字]簡牘文 등으로 썼다. 木(나무 목)과 나무의 뿌리 부분을 지칭하는 점을 더해, 나무의 '뿌리'를 나타냈다. 이로부터 기저나 根本(근본)의 뜻이 나왔고, 다시 사물의 주체나 종족, 본적, 국가 등의 뜻이 나왔다. 또 옛날에는 농업이 생산의 근본이었으므로 농업생산을 지칭하기도 했다. 달리 夲이나 畚 등으로 쓰기도 한다.

3546

**朱**: 朱: **붉을 주**: 木-총6획: zhū

原文

朱: 赤心木. 松柏屬. 从木, 一在其中. 章俱切.

飜譯

'속이 붉은 나무(赤心木)'를 말하는데. 소나무나 측백나무(松柏)류에 속한다. 목(木)이 의미부이고, 가로획[一]이 그 가운데 놓인 모습이다.55) 독음은 장(章)과 구(俱)의 반절이다.

3547

**根**: 根: **뿌리 근**: 木-총10획: gēn

原文

根: 木株也. 从木艮聲. 古痕切.

飜譯

'나무의 밑동(木株)'을 말한다. 목(木)이 의미부이고 간(艮)이 소리부이다. 독음은 고(古)와 흔(痕)의 반절이다.

3548

**株**: 株: **그루 주**: 木-총10획: zhū

原文

55) 고문자에서 [古文字] 甲骨文 [古文字] 金文 [古文字] 盟書 [古文字] 簡牘文 등으로 썼다. 木(나무 목)에 지사부호(丶)가 더해져 나무의 줄기 부분임을 지칭했는데, 『설문해자』에 의하면 "소나무의 일종으로, 속이 붉은 나무(赤心木·적심목)를 말한다."라고 했으며, 이로부터 '붉다'는 뜻이 나왔다. 이후 붉은색을 내는 광물인 '단사'를 뜻하기도 했는데, 이때에는 石(돌 석)을 더한 硃(주사 주)로 구분해 쓰기도 한다.

𣏗: 木根也. 从木朱聲. 陟輸切.

飜譯

'나무의 뿌리(木根)'를 말한다. 목(木)이 의미부이고 주(朱)가 소리부이다.[56] 독음은 척(陟)과 수(輸)의 반절이다.

**3549**

**末: 末: 끝 말: 木-총5획: mò**

原文

末: 木上曰末. 从木, 一在其上. 莫撥切.

飜譯

'나무의 끝(木上)을 말(末)이라고 한다.' 목(木)이 의미부이고, 가로획[一]이 그 위에 놓인 모습이다.[57] 독음은 막(莫)과 발(撥)의 반절이다.

**3550**

**樴: 椶: 나무 이름 직: 木-총14획: jí, jì**

原文

樴: 細理木也. 从木畟聲. 子力切.

飜譯

'세밀한 무늬를 가진 나무(細理木)'를 말한다. 목(木)이 의미부이고 측(畟)이 소리부이다. 독음은 자(子)와 력(力)의 반절이다.

---

56) 서개의 『계전』에서 "흙속으로 들어가 있으면 근(根)이요, 흙 위로 나와 있으면 주(株)라고 한다."라고 했다.

57) 고문자에서 [고문자 자형] 金文 [고문자 자형] 簡牘文 등으로 썼다. 가로획(一)이 木(나무 목)의 윗부분에 놓여, 그곳이 나무(木)의 '끝'임을 말했다. 이후 나무의 뿌리(本)와 대칭되어, 本末(본말)에서처럼 본질에서 벗어난 지엽적인 것을 뜻하게 되었으며, 끝나다, 종료하다의 뜻도 나왔다.

**3551**

**果: 果: 실과 과: 木-총8획: guǒ**

原文

果: 木實也. 从木, 象果形在木之上. 古火切.

飜譯

'나무의 열매(木實) 즉 과실'을 말한다. 목(木)이 의미부이고, 열매(果)가 나무(木) 위에 놓인 모습을 그렸다.[58] 독음은 고(古)와 화(火)의 반절이다.

**3552**

**櫐: 櫐: 나무열매 루: 木-총16획: léi**

原文

櫐: 木實也. 从木絫聲. 力追切.

飜譯

'나무의 열매(木實) 즉 과실'을 말한다. 목(木)이 의미부이고 류(絫)가 소리부이다. 독음은 력(力)과 추(追)의 반절이다.

**3553**

**杈: 杈: 가지 차: 木-총7획: chā**

原文

杈: 枝也. 从木叉聲. 初牙切.

58) 고문자에서 甲骨文 金文 簡牘文 古璽文 등으로 썼다. 나무(木·목)에 과실이 열린 모습을 그렸는데, 과실을 그린 윗부분이 田(밭 전)으로 변해 지금의 자형이 되었다. 열매가 원래 뜻이며, 결실을 보다, 성과물, 이루다 등의 뜻이 나왔고, 다시 果斷性(과단성)이 있다, 확실히, 果然(과연) 등의 뜻도 나왔다. 그러자 원래 뜻은 艸(풀 초)를 더해 菓(열매 과)로 분화했다.

飜譯

‘나무의 가지(枝)’를 말한다. 목(木)이 의미부이고 차(叉)가 소리부이다. 독음은 초(初)와 아(牙)의 반절이다.

**3554**

**枝: 枝: 가지 지: 木-총8획: zhī**

原文

枝: 木別生條也. 从木支聲. 章移切.

飜譯

‘나무에 따로 자라난 가지(木別生條)’를 말한다. 목(木)이 의미부이고 지(支)가 소리부이다.[59] 독음은 장(章)과 이(移)의 반절이다.

**3555**

**朴: 朴: 후박나무 박: 木-총6획: piáo, pǔ, pō**

原文

朴: 木皮也. 从木卜聲. 匹角切.

飜譯

‘나무의 껍질(木皮)’을 말한다. 목(木)이 의미부이고 복(卜)이 소리부이다.[60] 독음은 필(匹)과 각(角)의 반절이다.

---

59) 고문자에서 簡牘文 등으로 썼다. 木(나무 목)이 의미부고 支(지탱할 지)가 소리부로, 나무(木)의 갈라진(支) 가지를 말하며, 이로부터 갈라져 나온 지부, 적장자 이외의 나머지 자손을 지칭하게 되었다.

60) 木(나무 목)이 의미부고 卜(점 복)이 소리부로, 나무(木) 이름으로 후박나무를 말한다. 후박나무는 거북 점 갈라지듯(卜) 잘 벗겨지며, 약재로 쓴다. 이로부터 나무의 껍질을 지칭하게 되었다. 또 성씨로 쓰이는데, 한국의 대표적인 성씨의 하나이다. 현대 중국에서는 樸(통나무 박)의 간화자로도 쓰인다.

3556

**𣐼: 條: 가지 조: 木-총11획: tiáo**

原文

𣐼: 小枝也. 从木攸聲. 徒遼切.

飜譯

'작은 곁가지(小枝)'를 말한다. 목(木)이 의미부이고 유(攸)가 소리부이다.61) 독음은 도(徒)와 료(遼)의 반절이다.

3557

**枚: 枚: 줄기 매: 木-총8획: méi**

原文

枚: 榦也. 可爲杖. 从木从攴.『詩』曰: "施于條枚." 莫桮切.

飜譯

'나무의 줄기(榦)'를 말한다. 지팡이를 만드는 데 쓴다. 목(木)이 의미부이고 복(攴)도 의미부이다.62)『시·대아·한록(旱麓)』에서 "나뭇가지 위로 뻗어 있네(施于條枚)"라고 노래했다. 독음은 막(莫)과 배(桮)의 반절이다.

---

61) 고문자에서 [古文字]簡牘文 등으로 썼다. 木(나무 목)이 의미부고 攸(바 유)가 소리부로, 목욕재계하면서(攸) 때를 밀 때 사용하던 가늘고 긴 나뭇가지(木)를 말했다. 이후 그런 모양으로 생긴 물건을 말했고, 여러 개념이 길게 이어져 체계를 이룬다는 뜻에서 條理(조리), 질서, 층차 등의 뜻이 나왔고, 강이나 소식 등을 헤아리는 단위사로도 쓰인다. 간화자에서는 條의 왼쪽 부분을 생략한 채 条로 쓴다.

62) 고문자에서 [古文字]甲骨文 [古文字]金文 등으로 썼다. 木(나무 목)과 攴(칠 복)으로 구성되었는데, 갑골문 등에서는 도끼(斤·근)를 잡고 나무(木)를 자르는 모습을 그렸다. 이후 물건을 두드리는 채(攴)로 쓸 수 있는 나무(木)의 줄기라는 뜻에서 斤이 攴으로 변해 지금의 자형이 되었다. 이후 나무에 앉은 새나 댓가지 등을 헤아리는 단위사로 쓰였으며, 또 행군 중에 소리가 나지 않도록 군사들의 입에 물리는 나무로 된 재갈을 뜻하기도 하였다.

**3558**

**栞: 栞: 나무 잘라 표할 간: 木-총12획: kān**

原文

栞: 槎識也. 从木、㺃. 闕. 『夏書』曰: "隨山栞木." 讀若刊. 栞, 篆文从幵. 苦寒切.

飜譯

'나무를 비스듬히 잘라 표지로 삼다(槎識)'라는 뜻이다. 목(木)과 견(㺃)[63] 모두 의미부이다. [견(㺃)의 의미에 대해서는] 알 수 없어 비워 둔다(闕).[64] 『서·하서(夏書)·우공(禹貢)』에서 "[우(禹) 임금이 땅을 다스렸는데] 산에 이르면 나무를 베어 젖히고 [높은 산과 강을 안정시켰다](隨山栞木)"라고 했다. 간(刊)과 같이 읽는다. 간(栞)은 전서체인데, 견(幵)으로 구성되었다. 독음은 고(苦)와 한(寒)의 반절이다.

**3559**

**欇: 欇: 나뭇가지 흔들릴 섭: 木-총22획: zhé, shè**

原文

欇: 木葉榣白也. 从木聶聲. 之涉切.

飜譯

'나뭇잎이 흔들려 뒷면의 흰색만 보이는 것(木葉榣白)'을 말한다. 목(木)이 의미부이고 섭(聶)이 소리부이다. 독음은 지(之)와 섭(涉)의 반절이다.

---

63) 『설문교록』에서 이렇게 말했다. "이 글자는 『설문』에 실려 있지 않아 독음과 의미를 알 수 없다. 그래서 '알 수 없어 비워 둔다(闕)'라고 했던 것이다. 이는 단(單)자와 같은 뜻이다." 또 『설문교의』에서는 이 글자를 견(幵)의 고문체로 보았다.

64) 『단주』에서, 여기서 "비워둔다"고 한 것은 "견(㺃)의 형체에 대해서 알 수 없다는 말이다. 즉 그 때문에 이 글자가 형성인지 회의인지 알 수 없다는 말이다. 『설문』의 체례를 보면 소전체를 먼저 나열하고 고문체를 뒤에 나열하는데(先小篆後古文), (여기서는 고문체를 먼저 나열하고 그 다음에 소전체를 나열했다.) 공자 벽중에서 나온 고문체를 먼저 나열한 것은 경전을 존중하고자 함이었다.(惟為先壁中古文者, 尊經也.)"라고 했다.

3560

**栠: 集: 나무 연할 임: 木-총10획: rěn**

原文

栠: 弱皃. 从木任聲. 如甚切.

飜譯

'[나무가] 약한 모습(弱皃)'을 말한다. 목(木)이 의미부이고 임(任)이 소리부이다. 독음은 여(如)와 심(甚)의 반절이다.

3561

**枖: 枖: 나무가 어리면서 무성한 모양 요: 木-총8획: yǎo**

原文

枖: 木少盛皃. 从木夭聲. 『詩』曰: "桃之枖枖." 於喬切.

飜譯

'나무가 어려 성한 모습(木少盛皃)'을 말한다. 목(木)이 의미부이고 요(夭)가 소리부이다. 『시·주남·도요(桃夭)』에서 "싱싱한 복숭아나무여(桃之枖枖)"라고 노래했다. 독음은 어(於)와 교(喬)의 반절이다.

3562

**槇: 槇: 우듬지 전: 木-총14획: diān**

原文

槇: 木頂也. 从木眞聲. 一曰仆木也. 都季切.

飜譯

'나무의 꼭대기(木頂)'를 말한다. 목(木)이 의미부이고 진(眞)이 소리부이다. 일설에는 '나무가 쓰러지다(仆木)'라는 뜻이라고도 한다. 독음은 도(都)와 년(季)의 반절이다.

**3563**

**梃: 梃: 몽둥이 정: 木-총11획: tǐng**

原文

梃: 一枚也. 从木廷聲. 徒頂切.

飜譯

'나무줄기 하나(一枚)'를 말한다. 목(木)이 의미부이고 정(廷)이 소리부이다. 독음은 도(徒)와 정(頂)의 반절이다.

**3564**

**槮: 槮: 많을 신: 馬-총34획: jí, shēn**

原文

槮: 眾盛也. 从木驫聲. 『逸周書』曰: "疑沮事." 闕. 所臻切.

飜譯

'[나무가] 많아서 무성함(眾盛)'을 말한다. 목(木)이 의미부이고 표(驫)가 소리부이다. 『일주서(逸周書)』에서 "의심이 많아 일을 망친다(疑沮事)"라고 했다. 자세한 것은 알 수 없어 비워 둔다(闕).[65] 독음은 소(所)와 진(臻)의 반절이다.

**3565**

**標: 標: 우듬지 표: 木-총15획: biāo**

原文

標: 木杪末也. 从木㬎聲. 敷沼切.

飜譯

'나무의 끝가지 즉 우듬지(木杪末)'를 말한다. 목(木)이 의미부이고 표(㬎)가 소리부

65) "闕"은 빠져야 옳다. 단옥재도 이렇게 말했다. "각 판본에서 이 아래에 '闕'자가 들었는데, 이는 천박한 이들이 『주서(周書)』의 말을 잘 이해하지 못하여 망령되게 덧보탠 결과이다."

이다. 독음은 부(敷)와 소(沼)의 반절이다.

3566

**杪: 杪: 끝 초: 木-총8획: miǎo**

原文

杪: 木標末也. 从木少聲. 亡沼切.

飜譯

'나무의 끝가지 즉 우듬지(木標末)'를 말한다. 목(木)이 의미부이고 소(少)가 소리부이다. 독음은 망(亡)과 소(沼)의 반절이다.

3567

**朶: 朶: 늘어질 타: 木-총6획: duǒ**

原文

朶: 樹木垂朶朶也. 从木, 象形. 此與采同意. 丁果切.

飜譯

'나무가 송이지어 아래로 축 처지다(樹木垂朶朶)'는 뜻이다. 목(木)이 의미부이고, 상형이다. 이 글자는 수(采: 벼이삭)와 같은 뜻이다. 독음은 정(丁)과 과(果)의 반절이다.

3568

**桹: 桹: 광랑나무 랑: 木-총11획: láng**

原文

桹: 高木也. 从木良聲. 魯當切.

飜譯

'키가 큰 나무(高木)'를 말한다. 목(木)이 의미부이고 량(良)이 소리부이다. 독음은 로(魯)와 당(當)의 반절이다.

**3569**

**橌: 橌: 큰 나무 한: 木-총16획: jiàn**

原文

橌: 大木皃. 从木閒聲. 古限切.

飜譯

'나무가 커다란 모양(大木皃)'을 말한다. 목(木)이 의미부이고 한(閒)이 소리부이다. 독음은 고(古)와 한(限)의 반절이다.

**3570**

**枵: 枵: 빌 효: 木-총9획: xiāo**

原文

枵: 木根也. 从木号聲. 『春秋傳』曰: "歲在玄枵." 玄枵, 虛也. 許嬌切.

飜譯

'나무의 뿌리(木根)'를 말한다. 목(木)이 의미부이고 호(号)가 소리부이다. 『춘추전』(『좌전』 양공 28년, B.C. 545)에서 "세성[목성]이 현효성의 위에 자리하였다(歲在玄枵)"라고 했는데, 현효(玄枵)는 별자리 이름으로 허숙(虛宿)을 말한다.[66] 독음은 허(許)와 교(嬌)의 반절이다.

**3571**

**柖: 柖: 나무가 흔들리는 모양 소: 木-총9획: sháo**

66) 현효(玄枵)는 12성차(星次)의 하나이다. 목성(세성)은 12년 만에 태양 주위를 한 바퀴 도는데, 28수(宿)를 12부분으로 나누어 서로 배합했는데 이를 성차(星次)라 한다. 12시진에 배합했을 때 자시(子時)에 해당하는 별자리가 현효(玄枵)인데, 이에는 여숙(女宿), 허숙(虛宿), 위숙(危宿)의 3개 별이 해당됐다. 『이아』에서는 그중에서도 허숙(虛宿)을 이들의 대표별로 보았다. 명나라 말기 이후로는 서양의 황도(黃道) 12궁(宮) 중 보병궁(寶甁宮)을 현효궁(玄枵宮)으로 보았다.

原文

柖: 樹搖皃. 从木召聲. 止搖切.

飜譯

'나무가 흔들리는 모습(樹搖皃)'을 말한다. 목(木)이 의미부이고 소(召)가 소리부이다. 독음은 지(止)와 요(搖)의 반절이다.

3572

**榣: 榣: 큰 나무 요: 木-총14획: yáo**

原文

榣: 樹動也. 从木䍃聲. 余昭切.

飜譯

'나무가 흔들리다(樹動)'라는 뜻이다. 목(木)이 의미부이고 요(䍃)가 소리부이다. 독음은 여(余)와 소(昭)의 반절이다.

3573

**樛: 樛: 휠 규: 木-총15획: jiū**

原文

樛: 下句曰樛. 从木翏聲. 吉虯切.

飜譯

'나무가 아래로 쳐져 굽은 것(下句)을 규(樛)라고 한다.' 목(木)이 의미부이고 료(翏)가 소리부이다. 독음은 길(吉)과 규(虯)의 반절이다.

3574

**朻: 朻: 굽은 나무 규: 木-총6획: jiū**

原文

朻: 高木也. 从木丩聲. 吉虯切.

飜譯

'키가 큰 나무(高木)'를 말한다. 목(木)이 의미부이고 규(丩)가 소리부이다. 독음은 길(吉)과 규(虯)의 반절이다.

**3575**

**枉: 枉: 굽을 왕: 木-총8획: wǎng**

原文

枉: 衺曲也. 从木㞷聲. 迂往切.

飜譯

'나무가 비뚤하게 굽다(衺曲)'라는 뜻이다. 목(木)이 의미부이고 왕(㞷)이 소리부이다.67) 독음은 우(迂)와 왕(往)의 반절이다.

**3576**

**橈: 橈: 꺾일 요·굽을 뇨: 木-총16획: ráo, náo**

原文

橈: 曲木. 从木堯聲. 女教切.

飜譯

'굽은 나무(曲木)'를 말한다. 목(木)이 의미부이고 요(堯)가 소리부이다. 독음은 녀(女)와 교(教)의 반절이다.

---

67) 고문자에서 [古文字形]簡牘文 등으로 썼다. 木(나무 목)이 의미부고 王(임금 왕)이 소리부로, 나무(木)가 '굽다'는 뜻이며, 이로부터 왜곡이나 정직하지 않다 등의 뜻이 나왔다.

3577

**枎: 枎: 우거질 부: 木-총8획: fú**

原文

枎: 枎疏, 四布也. 从木夫聲. 防無切.

飜譯

'부소(枎疏)'를 말하는데, '가지가 사방으로 넓게 퍼진 것(四布)'을 말한다. 목(木)이 의미부이고 부(夫)가 소리부이다. 독음은 방(防)과 무(無)의 반절이다.

3578

**檹: 檹: 나무마디 의: 木-총18획: yī**

原文

檹: 木檹施. 从木旖聲. 賈侍中說, 檹卽椅木, 可作琴. 於离切.

飜譯

'나무의 가지가 바람에 날리다(木檹施)'라는 뜻이다. 목(木)이 의미부이고 의(旖)가 소리부이다. 가시중(賈侍中)께서는 '의(檹)는 바로 의나무(椅木)를 말하는데, 거문고(琴)를 만드는데 쓴다.'라고 하셨다. 독음은 어(於)와 리(离)의 반절이다.

3579

**杪: 杪: 나무가 높을 초: 木-총7획: jiǎo**

原文

杪: 相高也. 从木小聲. 私兆切.

飜譯

'나무의 키가 크다(相高)'라는 뜻이다. 목(木)이 의미부이고 소(小)가 소리부이다. 독음은 사(私)와 조(兆)의 반절이다.

3580

**𣐨: 榾: 높은 모양 홀: 木-총12획: hū**

原文

𣐨: 高皃. 从木曶聲. 呼骨切.

飜譯

'나무의 키가 큰 모양(高皃)'을 말한다. 목(木)이 의미부이고 흘(曶)이 소리부이다. 독음은 호(呼)와 골(骨)의 반절이다.

3581

**槮: 槮: 밋밋할 삼: 木-총15획: sēn**

原文

槮: 木長皃. 从木參聲. 『詩』曰: "槮差荇菜." 所今切.

飜譯

'나무가 길게 자란 모양(木長皃)'을 말한다. 목(木)이 의미부이고 삼(參)이 소리부이다. 『시·주남·관저(關雎)』에서 "올망졸망 마름 풀을(槮差荇菜)"이라고 노래했다. 독음은 소(所)와 금(今)의 반절이다.

3582

**梴: 梴: 길 천: 木-총11획: chān**

原文

梴: 長木也. 从木延聲. 『詩』曰: "松桷有梴." 丑連切.

飜譯

'길게 자란 나무(長木)'를 말한다. 목(木)이 의미부이고 연(延)이 소리부이다. 『시·상송·은무(殷武)』에서 "모진 서까래 길쭉길쭉하고(松桷有梴)"라고 노래했다. 독음은 축(丑)과 련(連)의 반절이다.

3583

**橚**: 橚: **나무 줄지어 설 숙**: 木-총16획: shǎo

原文

橚: 長木皃. 从木肅聲. 山巧切.

飜譯

'나무가 길게 자란 모양(長木皃)'을 말한다. 목(木)이 의미부이고 숙(肅)이 소리부이다. 독음은 산(山)과 교(巧)의 반절이다.

3584

**杕**: 杕: **홀로 서 있을 체**: 木-총7획: dì

原文

杕: 樹皃. 从木大聲. 『詩』曰: "有杕之杜." 特計切.

飜譯

'나무의 [우뚝 서 있는] 모양(樹皃)'을 말한다. 목(木)이 의미부이고 대(大)가 소리부이다. 『시·당풍·체두(杕杜)』에서 "우뚝 선 아가위나무여(有杕之杜)"라고 노래했다. 독음은 특(特)과 계(計)의 반절이다.

3585

**檡**: 檡: **대껍질 탁**: 木-총14획: tuò

原文

檡: 木葉陊也. 从木㲋聲. 讀若薄. 他各切.

飜譯

'나뭇잎이 떨어지다(木葉陊)'라는 뜻이다. 목(木)이 의미부이고 착(㲋)이 소리부이다. 독음은 박(薄)과 같이 읽는다. 독음은 타(他)와 각(各)의 반절이다.

**3586**

**格: 格: 바로잡을 격: 木-총10획: gé**

原文

格: 木長皃. 从木各聲. 古百切.

飜譯

'나무가 길게 자란 모양(木長皃)'을 말한다. 목(木)이 의미부이고 각(各)이 소리부이다.[68] 독음은 고(古)와 백(百)의 반절이다.

**3587**

**槷: 槷: 기둥 얼: 木-총15획: niè**

原文

槷: 木相摩也. 从木埶聲. 槸, 槷或从艸. 魚祭切.

飜譯

'나무 가지가 서로 비벼대다(木相摩)'라는 뜻이다. 목(木)이 의미부이고 예(埶)가 소리부이다. 얼(槸)은 얼(槷)의 혹체자인데, 초(艸)로 구성되었다. 독음은 어(魚)와 제(祭)의 반절이다.

**3588**

**枯: 枯: 마를 고: 木-총9획: kū**

原文

---

68) 고문자에서 甲骨文 金文 古陶文 簡牘文 등으로 썼다. 木(나무 목)이 의미부이고 各(각각 각)이 소리부로, 원래는 긴 나무막대(木)를 말했으며, 이후 나무로 만든 난간이나 창문틀처럼 네모꼴의 규격화된 '틀'을 뜻하게 되었고, 이로부터 格子(격자)나 '바로잡다'는 뜻이 나왔다.

枯：稾也. 从木古聲.『夏書』曰：“唯箘輅枯.” 木名也. 苦孤切.

飜譯

‘시들어 마른 나무(稾)’를 말한다. 목(木)이 의미부이고 고(古)가 소리부이다.[69]『서·하서(夏書)·우공(禹貢)』에서 “[형주(荊州)에서는] 조릿대(箘竹)와 화살대(輅竹) 및 호나무(枯木)[를 세 나라에서 바치어 이름이 났다]”[70]라고 했는데, [여기서는] 나무 이름으로 쓰였다(木名). 독음은 고(苦)와 고(孤)의 반절이다.

3589

**稾：** 稾: **마를 고**: 木-총14획: gǎo

原文

稾：木枯也. 从木高聲. 苦浩切.

飜譯

‘나무가 시들어 마르다(木枯)’라는 뜻이다. 목(木)이 의미부이고 고(高)가 소리부이다. 독음은 고(苦)와 호(浩)의 반절이다.

3590

**樸：** 樸: **통나무 박**: 木-총16획: pǔ

原文

樸：木素也. 从木菐聲. 匹角切.

飜譯

‘가공을 거치지 않은 통나무(木素)’를 말한다. 목(木)이 의미부이고 복(菐)이 소리부

---

69) 고문자에서 簡牘文 古璽文 등으로 썼다. 木(나무 목)이 의미부이고 古(옛 고)가 소리부로, 오래된(古) 나무(木)를 말하며, 이로부터 마르다의 뜻이 나왔다. 나무(木)를 비롯한 모든 사물은 오래되면(古) 마르기 마련이고, 마르면 죽고 만다는 불변의 이치를 반영했다.

70) 로(輅)는 죽(竹)이 더해진 로(簵)로, 고(枯)는 초(艸)가 더해진 호(楛)로 쓰기도 한다. 균(箘)과 로(輅)는 다 같이 가는 대의 일종으로 단단하여 화살대로 많이 쓰였으며, 고(枯)도 가늘고 단단하여 화살대를 만드는데 적합한 나무였다.

이다.71) 독음은 필(匹)과 각(角)의 반절이다.

**3591**

**楨: 楨: 광나무 정: 木-총13획: zhēn**

原文

楨: 剛木也. 从木貞聲. 上郡有楨林縣. 陟盈切.

飜譯

'단단한 나무(剛木)'를 말한다. 목(木)이 의미부이고 정(貞)이 소리부이다. 상군(上郡)에 정림현(楨林縣)이 있다. 독음은 척(陟)과 영(盈)의 반절이다.

**3592**

**柔: 柔: 부드러울 유: 木-총9획: róu**

原文

柔: 木曲直也. 从木矛聲. 耳由切.

飜譯

'휘게 할 수도 펴게 할 수도 있는 나무(木曲直)'를 말한다. 목(木)이 의미부이고 모(矛)가 소리부이다.72) 독음은 이(耳)와 유(由)의 반절이다.

---

71) 고문자에서 簡牘文 등으로 썼다. 木(나무 목)이 의미부고 菐(번거로울 복, 僕의 원래 글자)이 소리부로, 가공을 거치지 않은 나무(木)를 말하며, 이로부터 질박하다, 순박하다, 중후하다 등의 뜻이 나왔다. 간화자에서는 朴(후박나무 박)에 통합되었다.

72) 고문자에서 簡牘文 등으로 썼다. 木(나무 목)과 矛(창 모)로 구성되어, 나무가 부드러워 휘어짐을 말했는데, 창(矛)의 자루로 쓰는 나무(木)는 유연성이 있어야 쓸모가 있음을 웅변해 준다. 훌륭한 창은 쇠의 재질도 강해야겠지만 그 못지않게 중요한 것이 나무자루의 柔軟(유연)한 탄력성이기 때문이다. 그래서 柔는 '나무의 성질이 柔軟함'이 원래 뜻이고, 이로부터 부드럽다, 온화하다 등의 뜻까지 생겼다.

**3593**

**㯓: 柝: 열 탁: 木-총9획: tuò**

**原文**

㯓: 判也. 从木㡿聲. 『易』曰: "重門擊㯓." 他各切.

**飜譯**

'반으로 갈라 쪼개다(判)'라는 뜻이다. 목(木)이 의미부이고 역(㡿)이 소리부이다. 『역·계사(繫辭)』에서 "이중문을 설치하고 딱따기를 치며 야경을 돈다(重門擊㯓)"라고 했다. 독음은 타(他)와 각(各)의 반절이다.

**3594**

**朸: 朸: 나이테 력: 木-총6획: lì**

**原文**

朸: 木之理也. 从木力聲. 平原有朸縣. 盧則切.

**飜譯**

'나무의 무늬 결(木之理)'을 말한다. 목(木)이 의미부이고 력(力)이 소리부이다. 평원(平原)군에 력현(朸縣)이 있다. 독음은 로(盧)와 칙(則)의 반절이다.

**3595**

**材: 材: 재목 재: 木-총7획: cái**

**原文**

材: 木梃也. 从木才聲. 昨哉切.

**飜譯**

'나무의 줄기(木梃)'를 말한다.73) 목(木)이 의미부이고 재(才)가 소리부이다.74) 독음

73) 나무의 줄기는 집의 기둥으로 사용할 수 있는 큰 재목이다. 이로부터 인재라는 뜻도 나왔다.
74) 고문자에서 簡牘文 등으로 썼다. 木(나무 목)이 의미부고 才(재주 재)가 소리부

은 작(昨)과 재(哉)의 반절이다.

**3596**

**柴: 柴: 섶 시: 木-총9획: chái**

原文

柴: 小木散材. 从木此聲. 士佳切.

飜譯

'별 쓸모없는 작은 목재(小木散材)'를 말한다. 목(木)이 의미부이고 차(此)가 소리부이다.[75] 독음은 사(士)와 가(佳)의 반절이다.

**3597**

**榑: 榑: 부상 부: 木-총14획: fú**

原文

榑: 榑桑, 神木, 日所出也. 从木尃聲. 防無切.

飜譯

'부상(榑桑)을 말하는데, 신령스런 나무(神木)로, 해가 뜨는 곳이다(日所出).'[76] 목(木)이 의미부이고 부(尃)가 소리부이다. 독음은 방(防)과 무(無)의 반절이다.

---

로, '材木(재목)'이나 材料(재료)를 말하는데, 기물의 재료로 유용한(才) 나무(木)라는 뜻을 담았으며, 이후 자질, 능력 등의 뜻도 나왔다.

75) 木(나무 목)이 의미부고 此(이 차)가 소리부로, '섶'을 말하는데, 잎나무, 풋나무, 물거리 따위의 이런(此) 저런 땔나무(木)를 통틀어 이르는 말이다.

76) 부상(扶桑)과 같이 쓰는데, 중국 고대 신화에 나오는 지명이다. 『양서(梁書)·제이전(諸夷傳)·부상국(扶桑國)』에 의하면, "부상(扶桑)은 대한(大漢) 제국의 동쪽 2만여 리 되는 곳에 있다. 중국의 동쪽에 있으며 그곳에 부상목(扶桑木)이 많아 그렇게 이름이 붙여졌다."고 했다. 또 『해내십주기(海內十洲記)·대주(帶洲)』에서는 "대부분 숲에서 자라는데, 잎은 뽕나무 잎과 비슷하다. 오디 같은 열매도 열리며, 큰 나무는 2천 길(丈)이나 자라고 두께도 2천여 아름이나 된다. 한 뿌리에서 난 가지 두 개가 짝을 이루어 하나처럼 의지하면서 자란다. 그래서 부상(扶桑)이라는 이름이 붙여졌다."라고 했다.(『바이두백과』)

**3598**

: 杲: **밝을 고**: 木-**총8획**: **gǎo**

原文

: 明也. 从日在木上. 古老切.

飜譯

'[해가 떠올라] 밝다(明)'라는 뜻이다. 해(日)가 나무(木) 위에 놓인 모습이다. 독음은 고(古)와 로(老)의 반절이다.

**3599**

: 杳: **어두울 묘**: 木-**총8획**: **yǎo**

原文

: 冥也. 从日在木下. 烏皎切.

飜譯

'[해가 져서] 어둡다(冥)'라는 뜻이다. 해(日)가 나무(木) 아래에 놓인 모습이다.77) 독음은 오(烏)와 교(皎)의 반절이다.

**3600**

: 㭘: **모서리를 만드는 공구 혁**: 木-**총14획**: **hé, luò**

原文

: 角械也. 从木卻聲. 一曰木下白也. 其逆切.

飜譯

'발에 차는 형벌 기구(角械)[발차꼬]'를 말한다. 목(木)이 의미부이고 각(卻)이 소리부이다. 일설에는 '나무의 밑동이 흰 것(木下白)'을 말한다고도 한다. 독음은 기(其)와

---

77) 고문자에서 甲骨文 古陶文 簡牘文 등으로 썼다. 日(날 일)이 木(나무 목)의 아래쪽에 있는 모습으로부터, 해(日)가 나무(木) 밑으로 져 날이 '어두움'을 말했다.

역(逆)의 반절이다.

**3601**

**栽**: 栽: **심을 재**: 木–**총10획**: **zāi**

原文

栽: 築牆長版也. 从木𢦔聲. 『春秋傳』曰: "楚圍蔡, 里而栽." 昨代切.

飜譯

'흙을 다져 담을 쌓을 때 쓰는 긴 널판(築牆長版)'을 말한다. 목(木)이 의미부이고 재(𢦔)가 소리부이다.[78] 『춘추전』(『좌전』 애공 원년, B.C. 494)에서 "초나라가 채나라를 포위했는데, [초나라가 채나라 도읍에서] 1리 떨어진 곳에다 흙을 다져 성을 쌓았다.(楚圍蔡, 里而栽.)"라고 했다. 독음은 작(昨)과 대(代)의 반절이다.

**3602**

**築**: 築: **쌓을 축**: 竹–**총16획**: **zhù, zhú**

原文

築: 擣也. 从木筑聲. 𥳈, 古文. 陟玉切.

飜譯

'[담을 쌓기 위해 토담틀에] 흙을 넣어 찧다(擣)'라는 뜻이다.[79] 목(木)이 의미부이고 축(筑)이 소리부이다.[80] 축(𥳈)은 고문체이다. 독음은 척(陟)과 옥(玉)의 반절이다.

---

78) 고문자에서 金文 簡牘文 등으로 썼다. 木(나무 목)이 의미부고 𢦔(다칠 재)가 소리부로, 나무(木)를 칼로 잘라(戈) 재주껏(才) 심는다는 뜻인데, 이후 盆栽(분재)에서처럼 나무(木)를 잘라(𢦔) 담을 쌓을 때 양쪽에 대어 쓸 수 있는 긴 널판자를 말했다.

79) 판축법을 말하는데, 건축물의 기단(基壇)이나 토벽(土壁) 등을 쌓을 때에 흙을 얇은 층상(層狀)으로 다져서 쌓아올리는 방법을 말한다. 황토 평원이었던 고대 중국의 중원지역에서 널리 쓰이던 방법이었다.

80) 고문자에서 金文 簡牘文 등으로 썼다. 木(나무 목)이 의미부고 筑(악기 이름 축)이 소리부로, 쌓다는 뜻인데, 곁 나무(木)를 대고 황토를 넣고서 달구로 다져가며 담이나

3603

**榦: 榦: 산뽕나무 간·우물 난간 한: 木-총14획: gàn**

原文

榦: 築牆耑木也. 从木倝聲. 古案切.

飜譯

'흙을 다져 담을 쌓을 때 쓰는 양쪽의 세로로 세우는 통나무(築牆耑木)'를 말한다. 목(木)이 의미부이고 간(倝)이 소리부이다. 독음은 고(古)와 안(案)의 반절이다.

3604

**檥: 檥: 배 댈 의: 木-총17획: yǐ**

原文

檥: 榦也. 从木義聲. 魚羈切.

飜譯

'흙을 다져 담을 쌓을 때 쓰는 양쪽의 세로로 세우는 통나무(榦)'를 말한다. 목(木)이 의미부이고 의(義)가 소리부이다. 독음은 어(魚)와 기(羈)의 반절이다.

3605

**構: 構: 얽을 구: 木-총14획: gòu**

原文

構: 蓋也. 从木冓聲. 杜林以爲椽桷字. 古后切.

飜譯

'[나무를 얽어서 덮는] 덮개(蓋)'를 말한다. 목(木)이 의미부이고 구(冓)가 소리부이

---

성을 '쌓는' 모습을 그렸다. 금문에서는 대(竹·죽) 나무(木)와 두 손으로(廾·극) 달구(工·공)를 잡은 모습이 생생하게 그려졌다. 간화자에서는 筑(악기 이름 축)에 통합되었다.

다.[81] 두림(杜林)[82]은 연각(椽桷: 서까래)이라고 할 때의 각(桷)자라고 하였다. 독음은 고(古)와 후(后)의 반절이다.

3606

**𣝋**: 模: **법 모**: 木-**총15획**: **mú**

原文

𣝋: 法也. 从木莫聲. 讀若嫫母之嫫. 莫胡切.

飜譯

'모형 틀(法)'을 말한다. 목(木)이 의미부이고 막(莫)이 소리부이다. 모모(嫫母·못생긴 여자)라고 할 때의 모(嫫)와 같이 읽는다.[83] 독음은 막(莫)과 호(胡)의 반절이다.

3607

**桴**: 桴: **마룻대 부**: 木-**총11획**: **fú**

原文

桴: 棟名. 从木孚聲. 附柔切.

飜譯

---

81) 木(나무 목)이 의미부이고 冓(짤 구)가 소리부로, 나무(木)로 얽은(冓) 구조물을 말하며, 이로부터 구조, 집, 구조물을 만들다, 구성하다 등의 뜻이 나왔다. 간화자에서는 소리부인 冓를 勾(굽을 구)로 바꾼 构로 쓴다. 달리 搆로도 쓴다.

82) 두림(杜林, ?~47)은 자가 백산(伯山)이며, 부풍(扶風) 무릉(茂陵)(지금의 섬서성 흥평(興平)사람이다. 두업(杜鄴)의 아들로, 어려서부터 학문을 좋아해 당시의 대학자로 불렸다. 건무(建武) 6년(서기 30) 시어사(侍禦史)라는 관직에 올랐고 대사공(大司空)까지 지냈다. 칠서(漆書)『고문상서(古文尚書)』1권을 얻고서 너무나 아껴 잠시도 손에서 놓지 않았다고 한다. 고문(古文)에 특히 뛰어났는데 아버지를 넘어섰다.『창힐편(倉頡篇)』에 고문자가 많이 포함되었는데 당시 학자들이 잘 해독하지 못하자 이에 대한 훈석을 저술했다.『후한서본전(後漢書本傳)』과『한서예문지(漢書藝文志)』에 그에 관련된 저작이 실려 있다. 학문에 뛰어나 "소학의 종주(小學之宗)"라 추앙하기도 한다.(『바이두백과』)

83) 木(나무 목)이 의미부고 莫(없을 막)이 소리부로, 나무(木)로 만든 거푸집을 말하며, 이로부터 법식이나 模範(모범)이라는 뜻이, 다시 模倣(모방)하다의 뜻까지 나왔다.

'용마루의 이름(棟名)'이다. 목(木)이 의미부이고 부(孚)가 소리부이다. 독음은 부(附)와 유(柔)의 반절이다.

**3608**

**棟: 棟: 용마루 동: 木-총12획: dòng**

原文

棟: 極也. 从木東聲. 多貢切.

譯

'용마루(極)'를 말한다. 목(木)이 의미부이고 동(東)이 소리부이다.[84] 독음은 다(多)와 공(貢)의 반절이다.

**3609**

**極: 極: 다할 극: 木-총13획: jí**

原文

極: 棟也. 从木亟聲. 渠力切.

譯

'용마루(棟)'를 말한다. 목(木)이 의미부이고 극(亟)이 소리부이다.[85] 독음은 거(渠)와 력(力)의 반절이다.

---

84) 木(나무 목)이 의미부이고 東(동녘 동)이 소리부로, 나무(木)로 만든 집의 '용마루(屋脊·옥척)'를 말한다. 용마루는 서까래를 지탱하는 지붕의 가장 핵심 부위가 되므로, 옛날부터 한집안이나 한 나라의 기둥이 될 만한 인물(棟梁之材·동량지재)을 지칭하기도 했다. 간화자에서는 東을 东으로 줄여 쓴 栋으로 쓴다.

85) 고문자에서 [簡牘文 자형]簡牘文 [古璽文 자형]古璽文 등으로 썼다. 木(나무 목)이 의미부이고 亟(빠를 극)이 소리부로, 집을 지을 때 가장 위쪽 끝(亟)에다 거는 나무(木) 마룻대(棟·동)를 말하며, 집에서 가장 높은 곳에 위치하므로 '極限(극한)', 궁극 점, 있는 힘을 다하다 등의 뜻이 나왔다. 간화자에서는 소리부인 亟을 及(미칠 급)으로 바꾼 极으로 쓴다.

**3610**

**桂: 柱: 기둥 주: 木-총9획: zhù**

原文

桂: 楹也. 从木主聲. 直主切.

飜譯

'집의 기둥(楹)'을 말한다. 목(木)이 의미부이고 주(主)가 소리부이다.86) 독음은 직(直)과 주(主)의 반절이다.

**3611**

**楹: 楹: 기둥 영: 木-총13획: yíng**

原文

楹: 柱也. 从木盈聲. 『春秋傳』曰: "丹桓宫楹." 以成切.

飜譯

'집의 기둥(柱)'을 말한다. 목(木)이 의미부이고 영(盈)이 소리부이다.87) 『춘추전』(『좌전』 장공 23년, B.C. 671)에서 "환궁[즉 노 환공의 사당]의 기둥에다 단청을 하였다(丹桓宫楹)"라고 했다. 독음은 이(以)와 성(成)의 반절이다.

**3612**

**樘: 樘: 기둥 탱: 木-총15획: táng**

原文

樘: 衺柱也. 从木堂聲. 丑庚切.

---

86) 木(나무 목)이 의미부고 主(주인 주)가 소리부로, 나무(木)로 만든 버팀목(主)인 '기둥'을 말하며, 기둥처럼 생긴 것이나 붓대 등을 지칭하였다.

87) 木(나무 목)이 의미부고 盈(찰 영)이 소리부로, 대청마루 앞의 나무(木) 기둥을 말하며, 이후 집을 헤아리는 양사로도 쓰였다.

譯

‘비스듬하게 지탱하는 기둥(衺柱)’을 말한다. 목(木)이 의미부이고 당(堂)이 소리부이다. 독음은 축(丑)과 경(庚)의 반절이다.

**3613**

**䅩: 楮: 주춧돌 지: 木-총14획: zhī**

原文

楮: 柱砥. 古用木, 今以石. 从木耆聲. 『易』: “楮恒凶.” 章移切.

譯

‘기둥 밑에 받치는 돌(柱砥)’을 말하는데, ‘옛날에는 나무를 썼고, 오늘날에는 돌을 사용한다.’ 목(木)이 의미부이고 기(耆)가 소리부이다. 『역·항괘(恒卦』(上六효사)에서 “뇌우[즉 천둥소리와 함께 내리는 비]가 길게 이어지니 흉하도다(楮恒凶)”라고 했다.[88] 독음은 장(章)과 이(移)의 반절이다.

**3614**

**㮟: 榕: 동자기둥 절: 木-총13획: jié, ní, yá**

原文

㮟: 欂櫨也. 从木咨聲. 子結切.

譯

‘박로(欂櫨)’[89]를 말한다. 목(木)이 의미부이고 자(咨)가 소리부이다. 독음은 자(子)와 결(結)의 반절이다.

88) “위에 있는 자가 오래가려면 고요해야(靜) 하는데, 가장 위에 있으면서 움직이니(動) 불길한 것이다(凶).”라고 했다.

89) 두공이라고도 하는데, 큰 규모의 목조 건물에서, 기둥 위에서 지붕을 받치는 대들보를 말한다.

**3615**

**欂: 欂: 두공 박: 木-총18획: bì**

原文

欂: 壁柱. 从木, 薄省聲. 弼戟切.

飜譯

'벽으로 쓰는 기둥(壁柱)'을 말한다.90) 목(木)이 의미부이고, 박(薄)의 생략된 모습이 소리부이다. 독음은 필(弼)과 극(戟=戟)의 반절이다.

**3616**

**櫨: 櫨: 두공 로: 木-총20획: lú**

原文

櫨: 柱上柎也. 从木盧聲. 伊尹曰: "果之美者, 箕山之東, 青鳧之所, 有櫨橘焉. 夏孰也." 一曰宅櫨木, 出弘農山也. 落胡切.

飜譯

'동자기둥 위의 가름대(柱上柎)'를 말한다. 목(木)이 의미부이고 로(盧)가 소리부이다. 이윤(伊尹)91)에 의하면 "과일 중에 훌륭한 것은 기산의 동쪽과 청부산이 있는

---

90) 벽의 윗가지를 얽기 위해 듬성듬성 세운 기둥을 말한다.

91) 이윤의 생애와 사적에 관한 기록은 『죽서기년』, 『서경』, 『장자』, 『묵자』, 『맹자』, 『손자』, 『여씨춘추』, 『사기』, 『설원』 등 여러 사적에 흩어져 있으나 안타깝게 양이 아주 적고 내용도 간략하기 짝이 없다. 게다가 견해가 다 달라서 종잡을 수 없다. 현재 있는 역사자료에 따르면 이윤의 본명이 윤지(尹摯)이고 상 왕조에서 윤(尹), 아형(阿衡), 보형(保衡) 등의 관직을 맡았으며, 그 관직 이름을 따서 아형이나 보형이라고도 불렸다는 사실 정도를 알 수 있을 뿐이다. (『네이버 지식백과』)
그러나 중국 측의 자료에 의하면, 실존 인물로 간주하여 다음과 같이 설명한다. 이윤(伊尹, B.C. 1649~B.C. 1549) 성은 이(伊)이고 이름이 지(摯)이며 어릴 때의 이름은 아형(阿衡)이었다. 윤(尹)은 이름이 아니라 우상(右相: 재상)이라는 뜻이다. 하나라 말기에 공상(空桑)에서 태어났다. 일설에는 태어난 곳이 오늘날 하남성 기현(杞縣)이라 하기도 하고, 일설에는 오늘날 하남성 이천현(伊川縣)이라고도 하며 또 일설에는 산동성 조현(曹縣) 혹은 섬서성 합양(合陽)이라고도 한다. 그의 어머니가 이수(伊水) 가로 옮겨가 살았기 때문에 이(伊)를 씨(氏)로 삼았

곳에서 나는데, 노귤(櫨橘)이라는 것이 그것이며, 여름에 익는다.(果之美者, 箕山之東, 青鳧之所, 有櫨橘焉. 夏孰也).”라고 했다.[92] 일설에는 ‘택로목(宅櫨木)’을 말하며 홍농산(弘農山)에서 난다고도 한다. 독음은 락(落)과 호(胡)의 반절이다.

3617

**枅: 枅: 가로보 계: 木-총8획: jī**

原文

枅: 屋櫨也. 从木开聲. 古兮切.

飜譯

‘지붕의 두공(屋櫨), 즉 기둥 위에 지붕을 받치며 차례로 짜 올린 구조’를 말한다. 목(木)이 의미부이고 연(开)이 소리부이다. 독음은 고(古)와 혜(兮)의 반절이다.

3618

**栵: 栵: 산밤나무 렬: 木-총10획: liè**

原文

栵: 栭也. 从木𠛱聲. 『詩』曰: “其灌其栵.” 良辪切.

飜譯

‘산밤나무(栭)[가 죽 늘어선 모양]’를 말한다. 목(木)이 의미부이고 렬(𠛱)이 소리부이

---

다. 이윤(伊尹)은 상나라 초기의 유명한 명신이자 재상으로 대표적인 정치가이자 사상가였으며, 최초의 도가 인물의 하나라고도 알려져 있다. 약 기원전 16세기 초 이윤은 상의 탕(湯) 임금을 도와 하나라를 멸망시키고 상나라를 세우는데 큰 공을 세웠다. 상나라가 세워진 후 탕(湯), 외병(外丙), 중임(仲壬), 태갑(太甲), 옥정(沃丁) 등 5대에 걸쳐 임금을 보좌해 상나라의 기반을 세웠으며, 옥정(沃丁) 8년에 100세의 나이로 사망했다고 한다. 옥정(沃丁)은 그를 천자로 예우해 박(亳, 지금의 하남성 商丘 穀熟鎮 서남) 부근에다 장사 지내 그의 공적을 기렸으며, 후인들에 의해 ‘상나라의 최고 성인(商元聖)’으로 추앙받았다.(『바이두백과』)

92) 이 말은 『여람(呂覽)·본미편(本味篇)』에 보인다. 고유(高誘)의 주석에 의하면, 기산(箕山)은 영천(潁川) 양성(陽城)의 서쪽에 있고, 청부산(青鳧山)은 곤륜산(崑崙山)의 동쪽에 있는데, 이 두 곳에서 감로(甘櫨)라는 과일이 난다고 했다.



제
6
권

다. 『시·대아·황의(皇矣)』에서 "떨기나무와 움이 난 나무를 없애버리네(其灌其栵)"라고 노래했다. 독음은 량(良)과 설(辥)의 반절이다.

3619

**栭**: 栭: **두공 이**: 木-총10획: ér

原文

栭: 屋枅上標. 从木而聲. 『爾雅』曰: "栭謂之格." 如之切.

飜譯

'동자기둥[즉 들보 위에 세우는 짧은 기둥]이 위를 향해 뾰족하게 솟은 것(屋枅上標)'을 말한다. 목(木)이 의미부이고 이(而)가 소리부이다. 『이아·석궁(釋宮)』에서 "이(栭)는 자(格)와 같아 두공(枓拱)을 말한다."라고 했다.93) 독음은 여(如)와 지(之)의 반절이다.

3620

**檃**: 檃: **대마루 은**: 木-총18획: yìn

原文

檃: 棼也. 从木㥯聲. 於靳切.

飜譯

'마룻대 즉 용마루 밑에 서까래가 걸리게 된 도리(棼)'를 말한다. 목(木)이 의미부이고 은(㥯)이 소리부이다. 독음은 어(於)와 근(靳)의 반절이다.

3621

**橑**: 橑: **서까래 료**: 木-총16획: lǎo

原文

93) 『이아·석궁(釋宮)』에서 "변(開)은 질(槉)과 같아 박공(欂拱)을 말하고, 이(栭)는 자(格)와 같아 두공(枓拱)을 말한다."라고 했다.

橑: 椽也. 从木尞聲. 盧浩切.

飜譯

'서까래 즉 마룻대에서 도리 또는 보에 걸쳐 지른 나무(椽)'를 말한다. 목(木)이 의미부이고 료(尞)가 소리부이다. 독음은 로(盧)와 호(浩)의 반절이다.

3622

桷: 桷: 서까래 각: 木-총11획: jué

原文

桷: 榱也. 椽方曰桷. 从木角聲. 『春秋傳』曰: "刻桓宫之桷." 古岳切.

飜譯

'서까래(榱)'를 말한다. 네모로 된 서까래(椽方)를 각(桷)이라 한다. 목(木)이 의미부이고 각(角)이 소리부이다. 『춘추전』(『좌전』 장공 24년, B.C. 670)에서 "환공 사당의 각진 서까래에다 조각을 했다(刻桓宫之桷)"라고 했다. 독음은 고(古)와 악(岳)의 반절이다.



3623

椽: 椽: 서까래 연: 木-총13획: chuán

原文

椽: 榱也. 从木彖聲. 直專切.

飜譯

'서까래(榱)'를 말한다. 목(木)이 의미부이고 단(彖)이 소리부이다. 독음은 직(直)과 전(專)의 반절이다.

3624

榱: 榱: 서까래 최: 木-총14획: cuī

原文

榱: 秦名爲屋椽, 周謂之榱, 齊魯謂之桷. 从木衰聲. 所追切.

飜譯

'[서까래를 말하는데] 진(秦) 지역에서는 옥연(屋椽)이라 하고, 주(周) 지역에서는 최(榱)라 하고, 제로(齊魯) 지역에서는 각(桷)이라 한다.' 목(木)이 의미부이고 쇠(衰)가 소리부이다. 독음은 소(所)와 추(追)의 반절이다.

**3625**

**楣:** 楣: **문미 미**: 木-**총13획**: **méi**

原文

楣: 秦名屋櫋聯也. 齊謂之檐, 楚謂之梠. 从木眉聲. 武悲切.

飜譯

'[평고대 즉 처마 끝에 가로로 놓은 오리목을 말하는데] 진(秦) 지역에서는 옥변련(屋櫋聯)이라 하고, 제(齊) 지역에서는 첨(檐)이라 하고, 초(楚) 지역에서는 려(梠)라고 한다.' 목(木)이 의미부이고 미(眉)가 소리부이다.[94] 독음은 무(武)와 비(悲)의 반절이다.

**3626**

**梠:** 梠: **평고대 려**: 木-**총11획**: **lǔ**

原文

梠: 楣也. 从木呂聲. 力舉切.

飜譯

'평고대(楣)'를 말한다. 목(木)이 의미부이고 려(呂)가 소리부이다. 독음은 력(力)과 거(擧)의 반절이다.

---

94) 木(나무 목)이 의미부고 眉(눈썹 미)가 소리부로, 눈 위의 눈썹(眉)처럼 창문 위로 벽의 무게를 받쳐주기 위해 가로 댄 나무(木) 즉 門楣(문미)를 말한다.

3627

**𣘻: 梍: 평고대 비: 木-총14획: bí, pí**

原文

𣘻: 梠也. 从木毘聲. 讀若枇杷之枇. 房脂切.

飜譯

'평고대(梠)'를 말한다. 목(木)이 의미부이고 비(毘)가 소리부이다. 비파(枇杷)의 비(枇)와 같이 읽는다. 독음은 방(房)과 지(脂)의 반절이다.

3628

**櫋: 櫋: 평고대 면: 木-총18획: mián**

原文

櫋: 屋櫋聯也. 从木, 邊省聲. 武延切.

飜譯

'평고대(屋櫋聯)'를 말한다. 목(木)이 의미부이고, 변(邊)의 생략된 모습이 소리부이다. 독음은 무(武)와 연(延)의 반절이다.

3629

**檐: 檐: 처마 첨: 木-총17획: yán**

原文

檐: 梍也. 从木詹聲. 余廉切.

飜譯

'처마(梍)'를 말한다. 목(木)이 의미부이고 첨(詹)이 소리부이다.[95] 독음은 여(余)와

---

95) 고문자에서 檐 檐 檐金文 檐簡牘文 등으로 썼다. 木(나무 목)이 의미부고 詹(이를 첨)이



제
6
권

렴(廉)의 반절이다.

3630

**檐: 橝: 처마 담: 木-총16획: tán**

原文

橝: 屋梠前也. 从木覃聲. 一曰蠶槌. 徒含切.

飜譯

'지붕의 평고대 앞부분 즉 처마(屋梠前)'를 말한다. 목(木)이 의미부이고 담(覃)이 소리부이다. 일설에는 '누에치는 데 쓰는 짧은 몽둥이(蠶槌)'를 말한다고도 한다. 독음은 도(徒)와 함(含)의 반절이다.

3631

**樀: 樀: 처마 적: 木-총15획: dī**

原文

樀: 戶樀也. 从木啻聲. 『爾雅』曰: "檐謂之樀." 讀若滴. 都歷切.

飜譯

'집의 처마(戶樀)'를 말한다. 목(木)이 의미부이고 시(啻)가 소리부이다. 『이아·석궁(釋宮)』에서 "첨(檐)은 적(樀)과 같아 처마를 말한다."라고 했다. 적(滴)과 같이 읽는다. 독음은 도(都)와 력(歷)의 반절이다.

3632

**植: 植: 심을 식: 木-총12획: zhí**

소리부로, 집에서 도리 밖으로 내밀어 하늘에 이른(詹) '처마'를 말하는데, 나무(木)로 지붕을 이었기 때문에 木이 의미부로 채택되었다. 달리 木 대신 竹(대 죽)으로 구성된 簷(처마 첨)으로 쓰기도 하는데, 의미는 같다.

原文

**植**: 戶植也. 从木直聲. 櫂, 或从置. 常職切.

飜譯

'호식(戶植) 즉 문빗장을 세로로 지를 수 있도록 만든 나무'를 말한다. 목(木)이 의미부이고 직(直)이 소리부이다.96) 식(櫂)은 혹체자인데, 치(置)로 구성되었다. 독음은 상(常)과 직(職)의 반절이다.

**3633**

**樞**: 樞: **지도리 추**: 木-총15획: shū

原文

**樞**: 戶樞也. 从木區聲. 昌朱切.

飜譯

'문의 지도리(戶樞)'를 말한다. 목(木)이 의미부이고 구(區)가 소리부이다. 독음은 창(昌)과 주(朱)의 반절이다.

**3634**

**槏**: 槏: **창틀 겸·스스로 다잡을 렴**: 木-총14획: qiǎn

原文

**槏**: 戶也. 从木兼聲. 苦減切.

飜譯

'[한 짝으로 된] 지게문(戶)'을 말한다. 목(木)이 의미부이고 겸(兼)이 소리부이다. 독음은 고(苦)와 감(減)의 반절이다.

---

96) 고문자에서 [古文字] [古文字]盟書 [古文字]簡牘文 등으로 썼다. 木(나무 목)이 의미부고 直(곧을 직)이 소리부로, '심다'는 뜻이고 植物(식물)을 지칭하기도 한다. 뛰어다니며 움직이는 존재가 動物(동물)이라면 나무(木)처럼 곧게(直) 선 존재가 植物이며, 나무(木)를 심을 때는 곧바르게(直) 심어야만 제대로 자랄 수 있다는 뜻을 담았다.

**3635**

**樓: 樓: 다락 루: 木-총15획: lóu**

原文

樓: 重屋也. 从木婁聲. 洛矦切.

飜譯

'중층으로 된 집(重屋)'을 말한다. 목(木)이 의미부이고 루(婁)가 소리부이다. 독음은 락(洛)과 후(矦)의 반절이다.

**3636**

**櫳: 櫳: 우리 롱: 木-총20획: lóng**

原文

櫳: 房室之疏也. 从木龍聲. 盧紅切.

飜譯

'방이나 집의 창문(房室之疏)'을 말한다. 목(木)이 의미부이고 룡(龍)이 소리부이다. 독음은 로(盧)와 홍(紅)의 반절이다.

**3637**

**楯: 楯: 난간 순: 木-총13획: shǔn**

原文

楯: 闌楯也. 从木盾聲. 食允切.

飜譯

'문을 가로질러 출입을 차단하는 나무(闌楯)[난간]'를 말한다. 목(木)이 의미부이고 순(盾)이 소리부이다. 독음은 식(食)과 윤(允)의 반절이다.

3638

櫺: 櫺: 격자창 령: 木-총21획: líng

原文

櫺: 楯閒子也. 从木霝聲. 郎丁切.

飜譯

'난간 사이의 조각된 격자창(楯閒子)'을 말한다. 목(木)이 의미부이고 령(霝)이 소리부이다. 독음은 랑(郎)과 정(丁)의 반절이다.

3639

杗: 杗: 들보 망: 木-총7획: máng

原文

杗: 棟也. 从木亡聲. 『爾雅』曰: "杗廇謂之梁." 武方切.

飜譯

'대들보(棟)'를 말한다. 목(木)이 의미부이고 망(亡)이 소리부이다. 『이아·석궁(釋宮)』에서 "망류(杗廇)는 량(梁)과 같아서 들보를 말한다."라고 했다. 독음은 무(武)와 방(方)의 반절이다.

3640

棟: 棟: 짧은 서까래 속: 木-총11획: sù, yìn

原文

棟: 短椽也. 从木束聲. 丑録切.

飜譯

'짧은 서까래(短椽)'를 말한다. 목(木)이 의미부이고 속(束)이 소리부이다. 독음은 축(丑)과 록(録)의 반절이다.

제6권

**3641**

杇: 杇: **흙손 오**: 木-**총7획**: **wū**

原文

杇: 所以涂也. 秦謂之杇, 關東謂之槾. 从木亏聲. 哀都切.

翻譯

'흙손[즉 이긴 흙을 떠서 바르고 그 겉 표면을 반반하게 하는 연장](所以涂)'을 말한다. 진(秦) 지역에서는 오(杇)라 하고 함곡관 동쪽(關東) 지역에서는 만(槾)이라 한다. 목(木)이 의미부이고 우(亏)가 소리부이다. 독음은 애(哀)와 도(都)의 반절이다.

**3642**

槾: 槾: **흙손 만**: 木-**총15획**: **màn**

原文

槾: 杇也. 从木曼聲. 母官切.

翻譯

'흙손(杇)'을 말한다. 목(木)이 의미부이고 만(曼)이 소리부이다. 독음은 모(母)와 관(官)의 반절이다.

**3643**

椳: 椳: **지도리 외**: 木-**총13획**: **wēi**

原文

椳: 門樞謂之椳. 从木畏聲. 烏恢切.

翻譯

'문의 지도리(門樞)를 외(椳)라고 한다.' 목(木)이 의미부이고 외(畏)가 소리부이다. 독음은 오(烏)와 회(恢)의 반절이다.

3644

**⿰木冒:** ⿰木冒: **흙손 만**: 木-**총13획**: **mào**

原文

⿰木冒: 門樞之橫梁. 从木冒聲. 莫報切.

飜譯

'문틀의 가로지른 나무(門樞之橫梁)'를 말한다. 목(木)이 의미부이고 모(冒)가 소리부이다. 독음은 막(莫)과 보(報)의 반절이다.

3645

**梱:** 梱: **문지방 곤**: 木-**총11획**: **kǔn**

原文

梱: 門橛也. 从木困聲. 苦本切.

飜譯

'문지방(門橛)'을 말한다. 목(木)이 의미부이고 곤(困)이 소리부이다.97) 독음은 고(苦)와 본(本)의 반절이다.

3646

**榍:** 榍: **문설주 설**: 木-**총14획**: **xiè**

原文

榍: 限也. 从木屑聲. 先結切.

97) 木(나무 목)이 의미부이고 困(괴로울 곤)이 소리부로, 텅 빈 방(困)으로 들어가는 나무(木)로 만든 '문지방'을 말한다. 困을 고문자에서는  甲骨文  簡牘文 등으로 썼는데, 口(나라 국·에워쌀 위)와 木(나무 목)으로 구성되었다. 口은 네모로 둘러쳐진 집이나 방을 상징하여, 변변한 가재도구도 없이 선반과 같은 나무(木)만 덩그러니 남은 困窮(곤궁)한 모습을 담았고, 다시 힘들다, 疲困(피곤)하다, 어려움에 부닥치다 등의 뜻이 나왔다.

飜譯

'문설주(限) 즉 문짝을 끼워 달기 위하여 문의 양쪽에 세운 기둥'을 말한다. 목(木)이 의미부이고 설(屑)이 소리부이다. 독음은 선(先)과 결(結)의 반절이다.

**3647**

**柤: 柤: 난간 사: 木-총9획: zhā**

原文

柤: 木閑. 从木且聲. 側加切.

飜譯

'나무로 만든 난간(木閑)'을 말한다. 목(木)이 의미부이고 차(且)가 소리부이다. 독음은 측(側)과 가(加)의 반절이다.

**3648**

**槍: 槍: 창 창: 木-총14획: qiāng**

原文

槍: 岠也. 从木倉聲. 一曰槍, 欀也. 七羊切.

飜譯

'저지하는 도구(岠)'를 말한다. 목(木)이 의미부이고 창(倉)이 소리부이다. 일설에는 '창(槍)은 굴거리 나무(欀)를 말한다'라고도 한다.[98] 독음은 칠(七)과 양(羊)의 반절이다.

98) 『단주』에서는 '창양(槍欀)'을 한 단어로 보고서 '어지러운 모습'을 말한다고 하면서 이렇게 말했다. "양(攘)을 각 판본에서는 목(木)으로 구성된 양(欀)으로 쓰고 있는데, 오류이다. 지금 바로 잡는다. 『장자·재유(在宥)』에 창낭(傖囊)이라는 말이 있는데, 최찬(崔譔)은 이를 장낭(戕囊)으로 적었으며, 장낭(戕囊)은 창양(搶攘)과 같다고 했다. 진작(晉灼)의 『한서주』에서는 창양(搶攘)은 어지러운 모양을 말한다(亂皃也)라고 했다. 내 생각은 이렇다. 허신의 책에 수(手)로 구성된 창(搶)자는 없다. 그렇다면 창양(槍攘)의 경우 앞 글자는 목(木)으로, 뒷 글자는 수(手)로 구성되어야 한다."

3649

**楗：** 楗: **문빗장 건**: 木-총13획: jiàn

原文

楗： 限門也. 从木建聲. 其獻切.

飜譯

'문빗장(限門)'을 말한다. 목(木)이 의미부이고 건(建)이 소리부이다.[99] 독음은 기(其)와 헌(獻)의 반절이다.

3650

**櫼：** 櫼: **쐐기 첨**: 木-총21획: jiān

原文

櫼： 楔也. 从木韱聲. 子廉切.

飜譯

'쐐기(楔)'를 말한다. 목(木)이 의미부이고 섬(韱)이 소리부이다. 독음은 자(子)와 렴(廉)의 반절이다.

3651

**楔：** 楔: **문설주 설**: 木-총13획: xiē

原文

楔： 櫼也. 从木契聲. 先結切.

飜譯

'쐐기(櫼)'를 말한다. 목(木)이 의미부이고 설(契)이 소리부이다. 독음은 선(先)과 결

---

99) 고문자에서 楗 楗 古璽文 등으로 썼다. 木(나무 목)이 의미부이고 建(세울 건)이 소리부로, 문을 튼튼하게(建) 걸어 잠글 수 있는 나무(木)로 만든 빗장을 말하며, 이로부터 문을 걸어 잠그다, 막다 등의 뜻이 나왔다.

(結)의 반절이다.

**3652**

**柵: 柵: 울짱 책: 木-총9획: zhà**

原文

柵: 編樹木也. 从木从冊, 冊亦聲. 楚革切.

飜譯

'울짱 즉 목책[세로로 직립되게 엮어 만든 나무 울타리](編樹木)'을 말한다. 목(木)이 의미부이고 책(冊)도 의미부인데, 책(冊)은 소리부도 겸한다.[100] 독음은 초(楚)와 혁(革)의 반절이다.

**3653**

**杝: 杝: 나무 이름 이·쪼갤 치: 木-총7획: lí**

原文

杝: 落也. 从木也聲. 讀若他. 池尒切.

飜譯

'울타리(落)'를 말한다.[101] 목(木)이 의미부이고 야(也)가 소리부이다. 타(他)와 같이 읽는다. 독음은 지(池)와 이(尒)의 반절이다.

---

100) 木(나무 목)이 의미부고 冊(책 책)이 소리부로, 나무(木)를 책(冊)처럼 엮어 둘러친 울타리를 말한다.

101) 『단주』에서는 이렇게 말했다. "현응(玄應)의 책에서는 이(杝), 리(欐), 리(籬) 세 글자가 같은 뜻이다. 『통속문(通俗文)』을 인용하여, 땔나무 같은 잡목으로 두른 울타리(柴垣)를 이(杝)라 하고, 나무로 만든 담(木垣)을 책(柵)이라 한다고 했다. 내 생각은 이렇다. 『석명』에서도 '리(籬)는 리(離)와 같아 분리시키는 울타리를 말하는데, 땔나무나 대나무로 만든다.'라고 했다. 『이아소(疏)』에서도 '리(離)는 리(籬: 울타리)와 같다. 책(柵)은 적(磧)인데, 나무로 만든다.'라고 했다."

3654

**槖: 櫜: 조두 탁: 木-총20획: tuò**

原文

槖: 夜行所擊者. 从木橐聲. 『易』曰: "重門擊櫜." 他各切.

飜譯

'밤에 순찰(야경)을 돌 때 치는 딱따기(夜行所擊者)'를 말한다. 목(木)이 의미부이고 탁(橐)이 소리부이다. 『역』에서 "중문을 설치하고 야경을 돌면서 딱따기를 친다(重門擊櫜)"라고 했다. 독음은 타(他)와 각(各)의 반절이다.

3655

**桓: 桓: 푯말 환: 木-총10획: huán**

原文

桓: 亭郵表也. 从木亘聲. 胡官切.

飜譯

'역참 옆에 세운 푯말(亭郵表)'을 말한다. 목(木)이 의미부이고 선(亘)이 소리부이다. 독음은 호(胡)와 관(官)의 반절이다.

3656

**楃: 楃: 나무로 만든 장막 악: 木-총13획: wò**

原文

楃: 木帳也. 从木屋聲. 於角切.

飜譯

'나무로 만든 장막(木帳)'을 말한다. 목(木)이 의미부이고 옥(屋)이 소리부이다. 독음은 어(於)와 각(角)의 반절이다.

3657

**𣠭: 橦: 나무 이름 동: 木-총16획: tóng**

原文

𣠭: 帳極也. 从木童聲. 宅江切.

飜譯

'장막 꼭대기에 가로로 지른 나무(帳極)'를 말한다. 목(木)이 의미부이고 동(童)이 소리부이다. 독음은 댁(宅)과 강(江)의 반절이다.

3658

**杠: 杠: 깃대 강: 木-총7획: gāng**

原文

杠: 牀前橫木也. 从木工聲. 古雙切.

飜譯

'평상 앞에 가로로 덧댄 나무(牀前橫木)'를 말한다. 목(木)이 의미부이고 공(工)이 소리부이다. 독음은 고(古)와 쌍(雙)의 반절이다.

3659

**桯: 桯: 탁자 정: 木-총11획: tīng**

原文

桯: 牀前几. 从木呈聲. 他丁切.

飜譯

'평상 앞에 놓은 작은 안석(牀前几)'을 말한다. 목(木)이 의미부이고 정(呈)이 소리부이다. 독음은 타(他)와 정(丁)의 반절이다.

3660

**桱: 桱: 나무 이름 경: 木-총11획: jīng**

原文

桱: 桱桯也, 東方謂之蕩. 从木巠聲. 古零切.

飜譯

'평상 앞에 놓은 작은 안석(桱桯也)'을 말하는데[102], 동쪽 지역(東方)에서는 탕(蕩)이라 부른다.[103] 목(木)이 의미부이고 경(巠)이 소리부이다. 독음은 고(古)와 령(零)의 반절이다.

3661

**牀: 牀: 평상 상: 爿-총8획: chuáng**

原文

牀: 安身之坐者. 从木爿聲. 仕莊切.

飜譯

'앉아서 몸을 편안하게 쉴 수 있도록 하는 기물(安身之坐者)[평상]'을 말한다. 목(木)이 의미부이고 장(爿)이 소리부이다.[104] 독음은 사(仕)와 장(莊)의 반절이다.

3662

**枕: 枕: 베개 침: 木-총8획: zhěn**

---

102) 『단주』에서는 "경정(桱桯)"의 경(桱)은 삭제되어야 한다고 했다.

103) 『단주』에 의하면, 창(蕩)을 『집운(集韵)』이나 『유편(類篇)』에서는 모두 죽(竹)으로 구성된 탕(簜)으로 썼다고 하면서, 경(桱)이나 탕(蕩)은 모두 평상 앞에 놓는 작은 의자를 달리 부르는 말인데, 『방언』에는 실려 있지 않다고 했다.

104) 木(나무 목)이 의미부고 爿(나무 조각 장)이 소리부로, 나무(木)를 잘라 누울 수 있도록 만든 평상(爿)이나 평상을 닮은 것을 지칭한다. 원래는 爿으로만 썼는데, 이후 木을 더해 지금의 자형이 되었으며, 달리 床(상 상)으로 쓰기도 한다.

原文

枕: 臥所薦首者. 从木冘聲. 章衽切.

飜譯

'누울 때 머리를 받쳐주는 기물 즉 베개(臥所薦首者)'를 말한다. 목(木)이 의미부이고 임(冘)이 소리부이다.105) 독음은 장(章)과 임(衽)의 반절이다.

**3663**

**楲: 楲: 요강 위: 木-총13획: wēi**

原文

楲: 楲窬, 褻器也. 从木威聲. 於非切.

飜譯

'소변을 받는 위(楲)와 대변을 받는 유(窬)를 말하는데, 오물을 받아내는 요강(褻器)'을 말한다. 목(木)이 의미부이고 위(威)가 소리부이다. 독음은 어(於)와 비(非)의 반절이다.

**3664**

**櫝: 櫝: 함 독: 木-총19획: dú**

原文

櫝: 匱也. 从木賣聲. 一曰木名. 又曰: 大梡也. 徒谷切.

飜譯

'궤짝(匱)'을 말한다. 목(木)이 의미부이고 매(賣)가 소리부이다. 일설에는 '나무이름(木名)'이라고도 한다. 또 '큰 도마(大梡)'를 말한다고도 한다.106) 독음은 도(徒)와

---

105) 木(나무 목)이 의미부고 冘(나아갈 임)이 소리부로, 누울 때 머리를 받혀주는 나무로 만든 '베개'를 말하며, 이로부터 눕다, 자다의 뜻이 나왔다. 수레의 짐칸 아래쪽에 대는 가름 목을 말하며, 철로에 까는 침목의 뜻도 나왔다.

106) 『단주』에서는 대서본(大徐)에서 대완(大梡)으로 적었는데 이는 목침(木枕)의 오류라고 했다.

곡(谷)의 반절이다.

**3665**

**櫛**: 櫛: **빗 즐**: 木-총19획: zhì

原文

櫛: 梳比之總名也. 从木節聲. 阻瑟切.

飜譯

'빗의 총칭이다(梳比之總名)'라는 뜻이다. 목(木)이 의미부이고 절(節)이 소리부이다. 독음은 조(阻)와 슬(瑟)의 반절이다.

**3666**

**梳**: 梳: **빗 소**: 木-총11획: shū

原文

梳: 理髮也. 从木, 疏省聲. 所菹切.

飜譯

'머리칼을 갈무리하다(理髮)'라는 뜻이다. 목(木)이 의미부이고, 소(疏)의 생략된 모습이 소리부이다.[107] 독음은 소(所)와 저(菹)의 반절이다.

**3667**

**枱**: 枱: **칼집 합·나무 이름 갑**: 木-총10획: hé, gé

---

그렇다면 나무로 만든 베개를 말한다. 또 목침(木枕)은 둥근 나무로 만든다(以圜木爲枕)고 했다. 『예기·소의(少儀)』에서 말한 경(熲)이 바로 이것인데, 목침을 경(熲)이라 하는 것은 둥근 나무로 만들어 잘 움직여서 쉽게 잠을 깨우기 때문이다(圜轉易醒). 잠을 잘 깨우기 때문에 정현의 주석에서는 이를 경침(警枕)이라고도 했다.

107) 木(나무 목)이 의미부고 疏(트일 소)의 생략된 부분이 소리부로, '빗'을 말하는데, 빗질을 하다는 동사로도 쓰였으며, 머리칼을 소통시켜(疏) 갈무리하는 나무(木)로 만든 도구라는 뜻을 담았다.

原文

𣐈: 劒柙也. 从木合聲. 胡甲切.

飜譯

'칼을 보호하기 위해 넣어 두는 집 즉 칼집(劒柙)'을 말한다. 목(木)이 의미부이고 합(合)이 소리부이다. 독음은 호(胡)와 갑(甲)의 반절이다.

3668

**槈: 槈: 호미 누: 木-총14획: nòu**

原文

槈: 薅器也. 从木辱聲. 鎒, 或从金. 奴豆切.

飜譯

'김을 매는 도구(薅器) 즉 호미'를 말한다. 목(木)이 의미부이고 욕(辱)이 소리부이다. 누(鎒)는 혹체자인데, 금(金)으로 구성되었다. 독음은 노(奴)와 두(豆)의 반절이다.

3669

**𣝅: 𣝅: 가래 구: 木-총16획: xū**

原文

𣝅: 芣, 臿也. 从木; 入, 象形; 䀠聲. 舉朱切.

飜譯

'화(芣) 즉 보습(臿)'을 말한다. 목(木)이 의미부이고, 입(入)은 상형으로 [양쪽으로 난 날을 형상했고], 구(䀠)가 소리부이다. 독음은 거(舉)와 주(朱)의 반절이다.

3670

**芣: 芣: 칼 이름 화: 木-총8획: huá**

原文

𣏌: 兩刃臿也. 从木; 丫, 象形. 宋魏曰茉也. 𨦃, 或从金从于. 互瓜切.

飜譯

'양쪽으로 날이 난 보습(兩刃臿)'을 말한다. 목(木)이 의미부이고, 개(丫)는 상형[으로 양쪽으로 난 날을 형상했]이다.108) 송(宋)과 위(魏) 지역에서는 [이렇게 생긴 보습을] 화(茉)라고 부른다. 화(𨦃)는 혹체자인데, 금(金)이 의미부이고 우(于)도 의미부이다. 독음은 호(互)와 과(瓜)의 반절이다.

3671

**枱: 梠: 쟁기 사: 木-총9획: sì**

原文

枱: 臿也. 从木㠯聲. 一曰徙土輂, 齊人語也. 梩, 或从里. 詳里切.

飜譯

'보습(臿)'을 말한다. 목(木)이 의미부이고 이(㠯)가 소리부이다.109) 일설에는 '흙이나 돌을 옮기는 기구'라고도 하는데, 제(齊) 지역 사람들이 쓰는 말이다. 사(梩)는 혹체자인데, 리(里)로 구성되었다. 독음은 상(詳)과 리(里)의 반절이다.

3672

**枱: 枱: 쟁기 이: 木-총9획: tái**

原文

108) 『단주』에서도 이렇게 말했다. "목(木)으로 구성되었다는 것은 자루(柄)를 말한다. 개(丫)로 구성되었다는 것은 양날(兩刃)을 말하는데, 그것이 양의 뿔을 닮았다는 말이다."

109) 고문자에서 梩古璽文 梩唐寫本 등으로 썼다. 耒(쟁기 뢰)가 의미부고 㠯(써 이, 以의 고자)가 소리부로, 쟁깃술(耒) 끝에 끼워 흙을 일구는데 쓰는 농기구인 '보습'을 말하며, 이로부터 흙을 일구다의 뜻도 나왔고, 농기구의 통칭으로도 쓰였다. 달리 耒 대신 木(나무 목)이 들어간 梠(보습 사)로 쓰기도 한다.

梠: 耒耑也. 从木台聲. 鈶, 或从金. 辝, 籒文从辝. 弋之切.

飜譯

'쟁기의 아래쪽 끝에 댄 나무(耒耑)'를 말한다. 목(木)이 의미부이고 태(台)가 소리부이다. 이(鈶)는 혹체자인데, 금(金)으로 구성되었다. 이(辝)는 옹희체인데, 사(辝)로 구성되었다. 독음은 익(弋)과 지(之)의 반절이다.

**3673**

**梶: 楎: 옷걸이 휘: 木-총13획: hún**

原文

梶: 六叉犂. 一曰犂上曲木, 犂轅. 从木軍聲. 讀若渾天之渾. 戶昆切.

飜譯

'여섯 갈래로 난 쟁기(六叉犂)'를 말한다. 일설에는 '쟁기 위쪽의 굽은 나무(犂上曲木), 즉 리원(犂轅)을 말한다.'라고도 한다. 목(木)이 의미부이고 군(軍)이 소리부이다. 혼천(渾天)이라고 할 때의 혼(渾)과 같이 읽는다. 독음은 호(戶)와 곤(昆)의 반절이다.

**3674**

**櫌: 櫌: 곰방메 우: 木-총19획: yōu**

原文

櫌: 摩田器. 从木憂聲. 『論語』曰: "櫌而不輟." 於求切.

飜譯

'밭의 흙을 고르는 도구(摩田器) 즉 곰방메'를 말한다. 목(木)이 의미부이고 우(憂)가 소리부이다. 『논어·미자(微子)』에서 "흙 고르는 일을 그치지 않고 하는구나.(櫌而不輟)"라고 했다. 독음은 어(於)와 구(求)의 반절이다.

---

3675

**欘:** 欘: **도끼 촉**: 木-**총25획: zhú**

原文

欘: 斫也, 齊謂之鎡錤. 一曰斤柄, 性自曲者. 从木屬聲. 陟玉切.

譯譯

'나무를 깎아 다듬는 연장의 하나인 자귀(斫也)'를 말하는데, 제(齊) 지역에서는 자기(鎡錤)라고 부른다. 일설에는 '도끼의 자루(斤柄)를 말하는데, 원래부터 굽은 것(性自曲者)'을 말한다고도 한다. 목(木)이 의미부이고 속(屬)이 소리부이다. 독음은 척(陟)과 옥(玉)의 반절이다.

3676

**櫡:** 櫡: **젓가락 저**: 木-**총19획: zhuó**

原文

櫡: 斫謂之櫡. 从木箸聲. 張略切.

譯譯

'자귀(斫)를 저(櫡)라고도 부른다.' 목(木)이 의미부이고 저(箸)가 소리부이다. 독음은 장(張)과 략(略)의 반절이다.

3677

**杷:** 杷: **비파나무 파**: 木-**총8획: pá**

原文

杷: 收麥器. 从木巴聲. 蒲巴切.

譯譯

'보리를 터는 도구(收麥器)[도리깨]'를 말한다. 목(木)이 의미부이고 파(巴)가 소리부이다. 독음은 포(蒲)와 파(巴)의 반절이다.

**3678**

**𣘍: 殳: 병거의 다락 혁: 木-총11획: xí**

原文

𣘍: 穜樓也. 一曰燒麥柃殳. 从木役聲. 与辟切.

飜譯

'씨를 뿌리는 기구(穜樓)'를 말한다. 일설에는 '보리를 볶는(燒麥) 기구인 영역(柃殳)을 말한다'라고도 한다. 목(木)이 의미부이고 역(役)이 소리부이다. 독음은 여(与)와 벽(辟)의 반절이다.

**3679**

**柃: 柃: 나무 이름 령: 木-총9획: líng**

原文

柃: 木也. 从木令聲. 郎丁切.

飜譯

'나무이름(木)[영목]'이다.110) 목(木)이 의미부이고 령(令)이 소리부이다. 독음은 랑(郎)과 정(丁)의 반절이다.

**3680**

**柫: 柫: 도리깨채 불: 木-총9획: fú**

原文

柫: 擊禾連枷也. 从木弗聲. 敷勿切.

---

110) 『단주』의 지적처럼, 곡식을 타는 도구에 관한 글자들이 나오다가 갑자기 '나무이름'이 등장하는 것은 전체 체계에 맞지 않다. 아마도 '柃木也'가 되어야 옳을 것 같다. 그렇다면 '도리깨를 만드는 나무를 말한다' 정도가 될 것이다.

飜譯

'곡식을 터는 도구인 도리깨(擊禾連枷)'를 말한다. 목(木)이 의미부이고 불(弗)이 소리부이다. 독음은 부(敷)와 물(勿)의 반절이다.

3681

枷: 枷: 도리깨 가: 木-총9획: jiā

原文

枷: 柫也. 从木加聲. 淮南謂之柍. 古牙切.

飜譯

'도리깨(柫) 즉 곡식을 터는 도구'를 말한다. 목(木)이 의미부이고 가(加)가 소리부이다. 회남(淮南) 지역에서는 앙(柍)이라 한다. 독음은 고(古)와 아(牙)의 반절이다.

3682

杵: 杵: 공이 저: 木-총8획: chǔ

原文

杵: 舂杵也. 从木午聲. 昌與切.

飜譯

'절굿공이(舂杵)'를 말한다. 목(木)이 의미부이고 오(午)가 소리부이다. 독음은 창(昌)과 여(與)의 반절이다.

3683

槩: 槩: 평미레 개: 木-총15획: gài

原文

槩: 杚斗斛. 从木既聲. 工代切.

飜譯

'평미레(杚斗斛) 즉 용기에 곡식을 담고 그 위를 평평하게 밀어 고르게 하는 데 쓰는 방망이 모양의 기구'를 말한다. 목(木)이 의미부이고 기(旣)가 소리부이다. 독음은 공(工)과 대(代)의 반절이다.

**3684**

**杚: 杚: 편편할 골: 木-총7획: gǔ**

原文

杚: 平也. 从木气聲. 古沒切.

飜譯

'밀어서 평평하게 하다(平)'라는 뜻이다. 목(木)이 의미부이고 기(气)가 소리부이다. 독음은 고(古)와 몰(沒)의 반절이다.

**3685**

**楮: 楮: 쳇다리 성·도마 사: 木-총13획: xǐng, shěng**

原文

楮: 木參交以枝炊籅者也. 从木省聲. 讀若驪駕. 所綆切.

飜譯

'불을 때 조리하는 음식을 걸러내는 체를 세 개의 나무를 교차시켜 지탱하는 도구(木參交以枝炊籅者) 즉 쳇다리'를 말한다. 목(木)이 의미부이고 성(省)이 소리부이다. 려가(驪駕)의 려(驪)와 같이 읽는다. 독음은 소(所)와 경(綆)의 반절이다.

**3686**

**柶: 柶: 수저 사: 木-총9획: sì**

原文

柶 : 『禮』有柶. 柶, 匕也. 从木四聲. 息利切.

飜譯

'『예경(禮經)』에 사(柶)가 등장하는데, 사(柶)는 숟가락(匕)'을 말한다.[111] 목(木)이 의미부이고 사(四)가 소리부이다. 독음은 식(息)과 리(利)의 반절이다.

**3687**

**桮 : 桮: 술잔 배: 木-총11획: bēi**

原文

桮 : 䀠也. 从木否聲. 匼, 籒文桮. 布回切.

飜譯

'술잔(䀠)'을 말한다. 목(木)이 의미부이고 부(否)가 소리부이다. 배(匼)는 배(桮)의 옹희체이다. 독음은 포(布)와 회(回)의 반절이다.

**3688**

**槃 : 槃: 쟁반 반: 木-총14획: pán**

原文

槃 : 承槃也. 从木般聲. 鎜, 古文从金. 盤, 籒文从皿. 薄官切.

飜譯

'물건을 받잡는 나무쟁반(承槃)'을 말한다. 목(木)이 의미부이고 반(般)이 소리부이다. 반(鎜)은 고문체인데, 금(金)으로 구성되었다. 반(盤)은 옹희체인데, 명(皿)으로 구성되었다. 독음은 박(薄)과 관(官)의 반절이다.

---

111) 『단주』에서 이렇게 말했다. "여기서 말한 예(禮)는 『예경(禮經)』 17편을 말한다. 『예경』에서는 사(柶)에 대해 자주 언급했다. 「사관례(士冠禮)」의 주석에서도 사(柶)의 모양은 비(匕)를 닮았고, 뿔(角)로 만드는 이유는 잘 들러붙지 않게 하기 위함이었다(欲滑)라고 했다."

제6권

**3689**

**榹:** 榹: **산 복숭아 사**: 木-**총14획**: **sī**

原文

榹: 槃也. 从木虒聲. 息移切.

飜譯

'나무쟁반(槃)'을 말한다. 목(木)이 의미부이고 사(虒)가 소리부이다. 독음은 식(息)과 이(移)의 반절이다.

**3690**

**案:** 案: **책상 안**: 木-**총10획**: **àn**

原文

案: 几屬. 从木安聲. 烏旰切.

飜譯

'안석의 일종(几屬)'이다. 목(木)이 의미부이고 안(安)이 소리부이다. 독음은 오(烏)와 간(旰)의 반절이다.

**3691**

**檈:** 檈: **둥근 탁자 선·순**; 木-**총17획**: **xuán**

原文

檈: 圜案也. 从木瞏聲. 似沿切.

飜譯

'둥근 탁자(圜案)'를 말한다. 목(木)이 의미부이고 경(瞏)이 소리부이다. 독음은 사(似)와 연(沿)의 반절이다.

3692

**𣚔: 椷: 함 감: 木-총13획: jiān**

原文

𣚔: 篋也. 从木咸聲. 古咸切.

飜譯

'상자(篋)'를 말한다. 목(木)이 의미부이고 함(咸)이 소리부이다. 독음은 고(古)와 함(咸)의 반절이다.

3693

**𣏗: 枓: 주두 두·구기 주: 木-총8획: dǒu**

原文

𣏗: 勺也. 从木从斗. 之庾切.

飜譯

'국자(勺)'를 말한다. 목(木)이 의미부이고 두(斗)도 의미부이다. 독음은 지(之)와 유(庾)의 반절이다.

3694

**𣏌: 杓: 자루 표: 木-총7획: biāo**

原文

𣏌: 枓柄也. 从木从勺. 甫搖切.

飜譯

'국자의 손잡이(枓柄)'를 말한다. 목(木)이 의미부이고 작(勺)도 의미부이다.[112] 독음은 보(甫)와 요(搖)의 반절이다.

112) 木(나무 목)과 勺(구기 작)으로 구성되어, 국자(勺)의 나무(木) 손잡이를 말하며, 국자로 국을 떠내듯 끌어당기다, 북두칠성의 국자 손잡이에 해당하는 세 개의 별 등을 뜻하게 되었다.

**3695**

**櫑**: 櫑: **바위 뢰**: 木-총19획: léi

原文

櫑: 龜目酒尊, 刻木作雲雷象. 象施不窮也. 从木畾聲. 罍, 櫑或从缶. 𥂝, 櫑或从皿. 𣠬, 籒文櫑. 魯回切.

飜譯

'거북 눈을 도안으로 장식한 술동이(龜目酒尊)를 말하는데, 구름과 번개무늬를 바탕무늬로 새겨 넣었다(刻木作雲雷象). 이는 은택을 끝없이 베풀라는 뜻을 상징한다(象施不窮).' 목(木)이 의미부이고 뢰(畾)가 소리부이다. 뢰(罍)는 뢰(櫑)의 혹체자인데, 부(缶)로 구성되었다. 뢰(𥂝)도 뢰(櫑)의 혹체자인데, 명(皿)으로 구성되었다. 뢰(𣠬)는 뢰(櫑)의 옹희체이다. 독음은 로(魯)와 회(回)의 반절이다.

**3696**

**椑**: 椑: **술통 비**: 木-총12획: pí

原文

椑: 圜榼也. 从木卑聲. 部迷切.

飜譯

'둥근 모양으로 된 술 담는 그릇(圜榼)'을 말한다. 목(木)이 의미부이고 비(卑)가 소리부이다. 독음은 부(部)와 미(迷)의 반절이다.

**3697**

**榼**: 榼: **통 합**: 木-총14획: kē

原文

榼: 酒器也. 从木盍聲. 枯蹋切.

飜譯

'술 담는 그릇(酒器)'을 말한다. 목(木)이 의미부이고 합(盍)이 소리부이다. 독음은 고(枯)와 답(蹋)의 반절이다.

3698

**𣛗:** 橢: **길쭉할 타**: 木-총16획: tuǒ

原文

𣛗: 車笭中橢橢器也. 从木隋聲. 徒果切.

飜譯

'수레 속에 싣고 다니는 타원형의 용기(車笭中橢橢器)'를 말한다. 목(木)이 의미부이고 타(隋)가 소리부이다. 독음은 도(徒)와 과(果)의 반절이다.

3699

**槌:** 槌: **망치 퇴·추**: 木-총14획: chuí, duī, zhuí

原文

槌: 關東謂之槌, 關西謂之㭙. 从木追聲. 直類切.

飜譯

'[누에 채반을 올려놓는 시렁 대를 말하는데] 함곡관 동쪽(關東) 지역에서는 추(槌)라 하고, 함곡관 서쪽(關西) 지역에서는 적(㭙)이라 한다.' 목(木)이 의미부이고 추(追)가 소리부이다. 독음은 직(直)과 류(類)의 반절이다.

3700

**㭙:** 㭙: **잠박시렁의 가로대 적**: 木-총10획: shé, zhé

原文

㭙: 槌也. 从木, 特省聲. 陟革切.

飜譯

'누에 채반을 올려놓는 시렁 대(槌)'를 말한다. 목(木)이 의미부이고, 특(特)의 생략된 모습이 소리부이다. 독음은 척(陟)과 혁(革)의 반절이다.

**3701**

**栚: 栚: 잠박의 가로대 짐: 木-총10획: zhèn**

原文

栚: 槌之横者也. 關西謂之㯓. 从木灷聲. 直衽切.

飜譯

'누에 채반을 올려놓는 시렁 대의 가로로 된 나무(槌之横者)'를 말한다. 함곡관 서쪽(關西) 지역에서는 이를 짐(㯓)이라 한다. 목(木)이 의미부이고 선(灷)이 소리부이다. 독음은 직(直)과 임(衽)의 반절이다.

**3702**

**槤: 槤: 제기 련: 木-총15획: lián**

原文

槤: 瑚槤也. 从木連聲. 里典切.

飜譯

'제기의 일종인 호련(瑚槤)'을 말한다.[113] 목(木)이 의미부이고 련(連)이 소리부이다. 독음은 리(里)와 전(典)의 반절이다.

113) 중국 하(夏)나라와 은(殷)나라 때에, 서직(黍稷)을 담던 제기(祭器)를 말한다. 은나라에서는 호(瑚)를, 하나라에서는 연(璉)을 사용하였다. 이후 고귀한 인격을 가진 사람이나 학식과 능력이 뛰어난 사람을 비유적으로 이르는 말이 되었다. 이는 공자(孔子)가 자공(子貢)의 인물됨을 '호련'이라고 평가한 데에서 유래한다.(『표준국어대사전』). 『논어·공야장』에서 자공이 공자께 "저는 어떤 그릇입니까?"라고 여쭈었다. 그러자 공자께서 대답하셨다. "너는 호련 같은 존재이니라."

3703

**𣞔: 櫎: 장막 황: 木-총19획: guàng**

原文

𣞔: 所以几器. 从木廣聲. 一曰帷屏風之屬. 胡廣切.

飜譯

'기물을 올려놓는 탁자(所以几器)'를 말한다. 목(木)이 의미부이고 광(廣)이 소리부이다. 일설에는 '장막(帷)이나 병풍(屏風) 같은 것을 말한다'라고도 한다. 독음은 호(胡)와 광(廣)의 반절이다.

3704

**梮: 梮: 밥상 곡: 木-총12획: jú**

原文

梮: 舉食者. 从木具聲. 俱燭切.

飜譯

'밥을 퍼는 밥주걱(舉食者)'을 말한다. 목(木)이 의미부이고 구(具)가 소리부이다. 독음은 구(俱)와 촉(燭)의 반절이다.

3705

**槃: 㯤: 두레박틀 계: 木-총17획: jì**

原文

㯤: 繘耑木也. 从木毄聲. 古詣切.

飜譯

'두레박의 가로지른 나무(繘耑木)'를 말한다. 목(木)이 의미부이고 격(毄)이 소리부이다. 독음은 고(古)와 예(詣)의 반절이다.

**3706**

: 檷: **실패 니**: 木-**총18획**: **nǐ**

原文

: 絡絲檷. 从木爾聲. 讀若柅. 奴礼切.

飜譯

'솜을 잣는 실패(絡絲檷)'를 말한다. 목(木)이 의미부이고 이(爾)가 소리부이다. 니(柅)와 같이 읽는다. 독음은 노(奴)와 례(礼)의 반절이다.

**3707**

: 機: **틀 기**: 木-**총16획**: **jī**

原文

: 主發謂之機. 从木幾聲. 居衣切.

飜譯

'동력을 주관하는 부분(主發)을 기(機)라고 한다.' 목(木)이 의미부이고 기(幾)가 소리부이다.114) 독음은 거(居)와 의(衣)의 반절이다.

**3708**

: 縢: **잉아 승**: 木-**총14획**: **shèng**

原文

: 機持經者. 从木朕聲. 詩證切.

飜譯

'잉아 즉 베틀의 날실을 한 칸씩 걸러서 끌어 올리도록 맨 굵은 실(機持經者)'을 말

114) 고문자에서 古璽文 등으로 썼다. 木(나무 목)이 의미부이고 幾(기미 기)가 소리부로, 나무(木)로 만든 '베틀(幾)'을 말했는데, 이후 모든 機械(기계)의 총칭이 되었다. 간화자에서는 机(책상 궤)에 통합되었다.

한다. 목(木)이 의미부이고 짐(朕)이 소리부이다. 독음은 시(詩)와 증(證)의 반절이다.

3709

**杼:** 杼: **북 저**: 木-총8획: zhù

原文

杼: 機之持緯者. 从木予聲. 直呂切.

飜譯

'베틀의 북, 즉 날실의 틈으로 왔다 갔다 하면서 씨실을 푸는 기구(機之持緯者)'를 말한다. 목(木)이 의미부이고 여(予)가 소리부이다. 독음은 직(直)과 려(呂)의 반절이다.

3710

**椱:** 椱: **말코 복·부**: 木-총13획: fù

原文

椱: 機持繒者. 从木复聲. 扶富切.

飜譯

'말코, 즉 베틀에서 짜여 나오는 비단을 감는 대(機持繒者)'를 말한다. 목(木)이 의미부이고 복(复)이 소리부이다. 독음은 부(扶)와 부(富)의 반절이다.

3711

**楥:** 楥: **느티나무 원**: 木-총13획: xuǎn

原文

楥: 履法也. 从木爰聲. 讀若指撝. 吁券切.

飜譯

'신발을 만드는 본(履法)[신골: 신발모형]'을 말한다. 목(木)이 의미부이고 원(爰)이 소리부이다. 지휘(指撝)라고 할 때의 휘(撝)와 같이 읽는다. 독음은 우(吁)와 권(券)의 반절이다.

**3712**

**𣓗: 核: 씨 핵: 木-총10획: hé, hú**

原文

𣓗: 蠻夷以木皮爲篋, 狀如籢尊. 从木亥聲. 古哀切.

譯譯

'남쪽이나 동쪽 이민족들이 나무껍질로 만든 상자'를 말하는데(蠻夷以木皮爲篋), 그 모양이 거울이나 화장품을 넣는 방물 상자나 술통을 닮았다(狀如籢尊). 목(木)이 의미부이고 해(亥)가 소리부이다.[115] 독음은 고(古)와 애(哀)의 반절이다.

**3713**

**𣚰: 棚: 시렁 붕: 木-총12획: péng**

原文

𣚰: 棧也. 从木朋聲. 薄衡切.

譯譯

'시렁(棧)'을 말한다.[116] 목(木)이 의미부이고 붕(朋)이 소리부이다. 독음은 박(薄)과 형(衡)의 반절이다.

---

115) 木(나무 목)이 의미부고 亥(돼지 해)가 소리부로, '씨'를 말하는데, 『설문해자』에서는 나무(木)의 이름이며 이민족들은 이 나무의 껍질로 상자를 만든다고 했다. 단옥재의 『설문해자주』에서도 이미 '과실의 씨'라는 의미로만 쓰이고 원래 뜻은 상실했다고 했다.

116) 『단주』에서 이렇게 말했다. "『통속문(通俗文)』에서 판각(板閣)을 잔(棧)이라 하고, 연각(連閣)을 붕(棚)이라 한다고 했는데, 이는 구분하여 말한 것이다. 이에 비해 허신은 붕(棚)은 전(棧)을 말한다고 했는데, 이는 통으로 섞어서 한 말이다. 오늘날 사람들은 선반처럼 만들어 물건을 가리도록 한 것을 모두 붕(棚)이라 한다."

**3714**

**棧: 棧: 잔도 잔: 木-총12획: zhàn**

原文

棧: 棚也. 竹木之車曰棧. 从木戔聲. 士限切.

飜譯

'시렁(棚)'을 말한다. 또 대나 나무로 엮어 만든 수레(竹木之車)를 잔(棧)이라고 하기도 한다. 목(木)이 의미부이고 전(戔)이 소리부이다.117) 독음은 사(士)와 한(限)의 반절이다.

**3715**

**栫: 栫: 울 천: 木-총10획: jiàn**

原文

栫: 以柴木壅也. 从木存聲. 徂悶切.

飜譯

'잡목으로 엮어 만든 울(以柴木壅)'을 말한다. 목(木)이 의미부이고 존(存)이 소리부이다. 독음은 조(徂)와 민(悶)의 반절이다.

**3716**

**槶: 槶: 밑바닥 귀: 木-총15획: kuì**

原文

槶: 筐當也. 从木國聲. 古悔切.

飜譯

117) 木(나무 목)이 의미부고 戔(쌓일 전)이 소리부로, 산이나 계곡의 낭떠러지에 나무(木)를 옆으로 이어서(戔) 선반처럼 만든 길을 말한다. 간화자에서는 戔을 초서체로 간단하게 줄여 栈으로 쓴다.

'기물의 안쪽 빈 공간(筐當)'을 말한다.[118] 목(木)이 의미부이고 국(國)이 소리부이다. 독음은 고(古)와 회(悔)의 반절이다.

**3717**

**梯: 梯: 사다리 제: 木-총11획: tī**

原文

梯: 木階也. 从木弟聲. 土雞切.

飜譯

'나무로 만든 사다리(木階)'를 말한다. 목(木)이 의미부이고 제(弟)가 소리부이다. 독음은 토(土)와 계(雞)의 반절이다.

**3718**

**棖: 棖: 문설주 정: 木-총12획: chéng**

原文

棖: 杖也. 从木長聲. 一曰法也. 宅耕切.

飜譯

'문짝을 끼워 달기 위하여 문의 양쪽에 세운 기둥(杖)[문설주]'을 말한다. 목(木)이 의미부이고 장(長)이 소리부이다. 일설에는 '[기울어진 것을 바로 잡아주는] 방법(法)'을 말한다고도 한다. 독음은 댁(宅)과 경(耕)의 반절이다.

**3719**

**桊: 桊: 소코뚜레 권: 木-총10획: juàn**

原文

118) 『단주』에서 이렇게 말했다. "광당(匡當)은 오늘날 민간에서도 이 말을 쓰는데, 기물의 속 빈 공간을 말한다. 귀(櫃)는 궤(匱)로 적기도 하며, 또 궤(匱)로 적기도 한다."

𣐿: 牛鼻中環也. 从木𢍏聲. 居倦切.

飜譯

'소의 코청을 꿰뚫어 끼우는 고리(牛鼻中環)[소코뚜레]'를 말한다. 목(木)이 의미부이고 권(𢍏)이 소리부이다. 독음은 거(居)와 권(倦)의 반절이다.

3720

**椯: 椯: 종아리채 타: 木-총13획: duǒ**

原文

椯: 箠也. 从木耑聲. 一曰椯度也. 一曰剟也. 兜果切.

飜譯

'회초리(箠)'를 말한다. 목(木)이 의미부이고 단(耑)이 소리부이다. 일설에는 '미루어 헤아리다(椯度)'라는 뜻이라고도 한다. 또 일설에는 '깎(아내)다(剟)'라는 뜻이라고도 한다. 독음은 두(兜)와 과(果)의 반절이다.

3721

**橜: 橜: 말뚝 궐: 木-총16획: jué**

原文

橜: 弋也. 从木厥聲. 一曰門梱也. 瞿月切.

飜譯

'말뚝(弋)'을 말한다. 목(木)이 의미부이고 궐(厥)이 소리부이다. 일설에는 '문지방(門梱)'을 말한다고도 한다. 독음은 구(瞿)와 월(月)의 반절이다.

3722

**樴: 樴: 말뚝 직: 木-총16획: zhí**

原文

樴: 弋也. 从木戠聲. 之弋切.

飜譯

'말뚝(弋)'을 말한다. 목(木)이 의미부이고 시(戠)가 소리부이다. 독음은 지(之)와 익(弋)의 반절이다.

**3723**

**杖**: 杖: **지팡이 장**: 木-**총7획**: zhàng

原文

杖: 持也. 从木丈聲. 直兩切.

飜譯

'지탱하는데 쓰는 지팡이(持)'를 말한다. 목(木)이 의미부이고 장(丈)이 소리부이다.[119] 독음은 직(直)과 량(兩)의 반절이다.

**3724**

**柭**: 柭: **무성할 발**: 木-**총9획**: bā

原文

柭: 棓也. 从木犮聲. 北末切.

飜譯

'나무 지팡이(棓)'를 말한다. 목(木)이 의미부이고 발(犮)이 소리부이다. 독음은 북(北)과 말(末)의 반절이다.

**3725**

**棓**: 棓: **때릴 부·몽둥이 봉·방**: 木-**총12획**: bàng

119) 木(나무 목)이 의미부고 丈(어른 장)이 소리부로, 어른 한쪽 팔(丈) 길이의 나무(木) 지팡이를 말한다.

原文

𣘦: 梲也. 从木咅聲. 步項切.

飜譯

'몽둥이(梲)'를 말한다. 목(木)이 의미부이고 부(咅)가 소리부이다. 독음은 보(步)와 항(項)의 반절이다.

3726

**椎: 椎: 몽치 추: 木-총12획: chuí**

原文

椎: 擊也. 齊謂之終葵. 从木隹聲. 直追切.

飜譯

'몽치 즉 사람이나 동물을 치는데 쓰는 짤막한 몽둥이(擊)'를 말한다. 제(齊) 지역에서는 이를 종규(終葵)라고 했다. 목(木)이 의미부이고 추(隹)가 소리부이다. 독음은 직(直)과 추(追)의 반절이다.

3727

**柯: 柯: 자루 가: 木-총9획: kē**

原文

柯: 斧柄也. 从木可聲. 古俄切.

飜譯

'도끼의 자루(斧柄)'를 말한다. 목(木)이 의미부이고 가(可)가 소리부이다. 독음은 고(古)와 아(俄)의 반절이다.

3728

**棁: 棁: 동자기둥 절: 木-총11획: zhuō**

原文

棁: 木杖也. 从木兌聲. 他活切.

飜譯

'나무 몽둥이(木杖)'를 말한다. 목(木)이 의미부이고 태(兌)가 소리부이다. 독음은 타(他)와 활(活)의 반절이다.

3729

柄: 柄: **자루 병**: 木-**총9획**: **bǐng**

原文

柄: 柯也. 从木丙聲. 㨀, 或从秉. 陂病切.

飜譯

'[도구의] 자루(柯)'를 말한다. 목(木)이 의미부이고 병(丙)이 소리부이다.120) 병(㨀)은 혹체자인데, 병(秉)으로 구성되었다. 독음은 피(陂)와 병(病)의 반절이다.

3730

柲: 柲: **자루 비**: 木-**총9획**: **bì**

原文

柲: 欑也. 从木必聲. 兵媚切.

飜譯

'창의 자루(欑)'를 말한다. 목(木)이 의미부이고 필(必)이 소리부이다. 독음은 병(兵)과 미(媚)의 반절이다.

120) 고문자에서 [甲骨文 字形] 甲骨文 [簡牘文 字形] 簡牘文 등으로 썼다. 木(나무 목)이 의미부고 丙(남녘 병)이 소리부로, 물건을 옮길(丙) 수 있는 나무(木)로 된 손잡이를 말한다. 『설문해자』의 혹체에서는 소리부 丙을 秉(잡을 병)으로 바꾼 棅(자루 병)으로 썼는데, 손으로 잡을 수 있는(秉) 나무(木)임을 강조했다.

3731

**欑: 欑: 모일 찬: 木-총23획: cuán**

原文

欑: 積竹杖也. 从木贊聲. 一曰穿也. 一曰叢木. 在丸切.

飜譯

'대껍질을 모아 만든 창의 자루(積竹杖)'를 말한다. 목(木)이 의미부이고 찬(贊)이 소리부이다. 일설에는 '꿰뚫다(穿)'라는 뜻이라고도 한다. 또 일설에는 '떨기로 나는 나무(叢木)'를 말한다고도 한다. 독음은 재(在)와 환(丸)의 반절이다.

3732

**杘: 杘: 자루 치: 木-총7획: chì**

原文

杘: 籆柄也. 从木尸聲. 柅, 杘或从木尼聲. 臣鉉等曰: 柅, 女氏切. 木實若棃. 此重出. 女履切.

飜譯

'실을 감는데 쓰는 얼레의 자루(籆柄)'를 말한다. 목(木)이 의미부이고 시(尸)가 소리부이다. 치(柅)는 치(杘)의 혹체자인데, 목(木)이 의미부이고 니(尼)가 소리부이다. [신(臣) 서현 등은 이렇게 생각합니다. "치(柅)의 독음은 여(女)와 씨(氏)의 반절입니다. 열매는 배(棃)를 닮았습니다. 여기서 중복 출현했습니다.] 독음은 녀(女)와 리(履)의 반절입니다.)

3733

**榜: 榜: 매 방: 木-총14획: bǎng, bàng**

原文

榜: 所以輔弓弩. 从木旁聲. 補盲切.

飜譯

'활이나 쇠뇌에 덧대 뒤틀림을 바로 잡는 나무(所以輔弓弩)[도지개]'를 말한다. 목(木)이 의미부이고 방(旁)이 소리부이다. 독음은 보(補)와 맹(盲)의 반절이다.

**3734**

**檠: 檠: 도지개 경: 木-총17획: qíng**

原文

檠: 榜也. 从木敬聲. 巨京切.

飜譯

'도지개, 즉 활이나 쇠뇌에 덧대 뒤틀림을 바로 잡는 나무(榜)'를 말한다. 목(木)이 의미부이고 경(敬)이 소리부이다. 독음은 거(巨)와 경(京)의 반절이다.

**3735**

**檃: 檃: 도지개 은: 阜-총17획: yǐn**

原文

檃: 桰也. 从木, 隱省聲. 於謹切.

飜譯

'도지개(桰)'를 말한다. 목(木)이 의미부이고, 은(隱)의 생략된 모습이 소리부이다. 독음은 어(於)와 근(謹)의 반절이다.

**3736**

**桰: 桰: 나무 이름 괄: 木-총11획: guā**

原文

桰: 檃也. 从木昏聲. 一曰矢桰, 築弦處. 古活切.

飜譯

'도지개(檃)'를 말한다. 목(木)이 의미부이고 괄(昏)이 소리부이다. 일설에는 '화살의 끝을 괄(桰)이라 하는데, 활시위에 얹는 곳(檃弦處)'을 말한다고도 한다. 독음은 고(古)와 활(活)의 반절이다.

3737

**檱: 棊: 바둑 기: 木-총12획: qí**

原文

檱: 博棊. 从木其聲. 渠之切.

飜譯

'바둑(博棊)'을 말한다.[121] 목(木)이 의미부이고 기(其)가 소리부이다. 독음은 거(渠)와 지(之)의 반절이다.

3738

**椄: 椄: 접붙일 접: 木-총12획: jiē**

原文

椄: 續木也. 从木妾聲. 子葉切.

飜譯

'나무를 접붙이다(續木)'라는 뜻이다. 목(木)이 의미부이고 첩(妾)이 소리부이다. 독음은 자(子)와 엽(葉)의 반절이다.

3739

**栙: 栙: 돛 항·강: 木-총10획: xiáng**

121) 『단주』에서는 박기(簙棊)로 썼고, 죽(竹)부수에서 박(簙)은 판을 두고 노는 놀이(局戲)를 말하는데, 육저(六箸)나 십이기(十二棊) 같은 것들이라고 했다. 육저(六箸)는 육박(六簙), 육박(六博), 육박(陆博) 등으로 부르기도 하는데 알을 던져서 장기나 바둑처럼 말을 움직이는 고대 중국의 민간 놀이로서, 6개의 알을 사용하기 때문에 이런 이름이 붙여졌다. 또 흑백 6개의 알로 서로를 다투기 때문에 십이기(十二棊)라고도 부른다.

原文

桻: 棒雙也. 从木夅聲. 讀若鴻. 下江切.

飜譯

'대발로 엮은 돛(棒雙)'을 말한다. 목(木)이 의미부이고 강(夅)이 소리부이다. 독음은 홍(鴻)과 같이 읽는다. 독음은 하(下)와 강(江)의 반절이다.

3740

栝: 栝: 노송나무 괄: 木-총10획: guā, tiǎn

原文

栝: 炊竈木. 从木舌聲. 他念切.

飜譯

'부지깽이, 즉 아궁이에 불을 정리하는 나무막대(炊竈木)'를 말한다. 목(木)이 의미부이고 설(舌)이 소리부이다. 독음은 타(他)와 념(念)의 반절이다.

3741

槽: 槽: 구유 조: 木-총15획: cáo

原文

槽: 畜獸之食器. 从木曹聲. 昨牢切.

飜譯

'구유, 즉 가축의 먹이를 담는 그릇(畜獸之食器)'을 말한다. 목(木)이 의미부이고 조(曹)가 소리부이다. 독음은 작(昨)과 뢰(牢)의 반절이다.

3742

臬: 臬: 말뚝 얼: 自-총10획: niè

原文

臬: 射準的也. 从木从自. 李陽冰曰: "自非聲, 从劓省." 五結切.

飜譯

'활쏘기의 과녁(射準的)'을 말한다. 목(木)이 의미부이고 자(自)도 의미부이다.122)123) 이양빙(李陽冰)124)은 "자(自)는 소리부가 아니며, 의(劓)의 생략된 부분으로 구성되었다."라고 했다. 독음은 오(五)와 결(結)의 반절이다.

**3743**

**桶: 桶: 통 통: 木-총11획: tǒng**

原文

桶: 木方, 受六升. 从木甬聲. 他奉切.

飜譯

'6되(升) 들이의 나무로 만든 네모꼴 용기(木方)'를 말한다. 목(木)이 의미부이고 용(甬)이 소리부이다.125) 독음은 타(他)와 봉(奉)의 반절이다.



---

122) 『단주』와 『설문구두』에서는 "목(木)이 의미부이고 자(自)가 소리부이다.(從木, 自聲.)"로 되었으며, 『설문의증』에서는 "목(木)이 의미부이고 자(自)도 의미부이다(从木从自)"로 되었다.

123) 고문자에서 甲骨文 등으로 썼다. 自(스스로 자)와 木(나무 목)으로 구성되어, 사람의 코(自) 높이로 세운 나무(木) 말뚝을 말했는데, 활 쏘는 과녁으로 사용되었으며, 이로부터 목표의 뜻이 나왔다. 또 해의 길이를 재는 해시계로도 사용되었는데, 이로부터, 준칙, 표준, 법규 등의 뜻이 나왔다.

124) 이양빙(李陽冰, 생졸연대 미상)은 대략 당 현종 개원(開元) 연간(713~741)에 태어났다. 당나라 때의 문학가이자 서예가였다. 자는 소온(少溫)으로, 초군(譙郡, 지금의 안휘성 亳州) 출신이다. 이백(李白)의 족숙(族叔)으로, 이백을 위해 「초당집서(草堂集序)」를 짓기도 했다. 관직의 경우, 처음에는 진운령(縉雲令), 당도령(當塗令)에서 시작하여 나중에는 국자감승(國子監丞), 집현원학사(集賢院學士)를 역임했는데, 세상 사람들은 그를 소감(少監)이라 불렀다. 오형제가 모두 문사에 뛰어났고 전서에 밝았다. 처음에는 이사의 「역산비(嶧山碑)」로부터 서예를 배워 마르고 날카로운(瘦勁) 필법을 구사했다. 문장에 뛰어나고 서예에 정통했는데 특히 소전에 뛰어났다. 그 스스로도 "(소전은) 이사 이후에 내가 최고이다. 조희나 채옹도 따르지 못한다.(斯翁之後, 直至小生, 曹喜、蔡邕不足也.)"라고 했을 정도이다. 실제 그의 소전은 후인들에 의해서도 "이사 이후 최고(李斯之後的千古一人)"라는 평가를 받기도 했다.(『바이두백과』).

**3744**

**櫓: 櫓: 방패 로: 木-총19획: lǔ**

原文

櫓: 大盾也. 从木魯聲. 樐, 或从鹵. 郎古切.

譯解

'커다란 방패(大盾)'를 말한다. 목(木)이 의미부이고 로(魯)가 소리부이다. 로(樐)는 혹체자인데, 로(鹵)로 구성되었다. 독음은 랑(郎)과 고(古)의 반절이다.

**3745**

**樂: 樂: 풍류 악·즐거울 락·좋아할 요: 木-총15획: lè, yuè, yào, lào**

原文

樂: 五聲八音總名. 象鼓鞞. 木, 虡也. 玉角切.

譯解

'오성(五聲)과 팔음(八音)의 총칭이다.'[126) [윗부분은] 북(鼓鞞)의 모습을 형상했고, [아랫부분의] 목(木)은 악기를 거는 틀(虡)을 상징한다.[127) 독음은 옥(玉)과 각(角)의

125) 고문자에서 桶 簡牘文 등으로 썼다. 木(나무 목)이 의미부고 甬(길 용)이 소리부로, 나무(木)로 만든 종(甬)처럼 생긴 큰 '통'을 말한다. 옛날에는 용기 이름으로 쓰여, 네모꼴의 斛(곡, 열 말들이)을 지칭하기도 했다.

126) 오성은 궁(宮), 상(商), 각(角), 치(徵), 우(羽)를 말하고, 팔음은 사(絲), 죽(竹), 금(金), 석(石), 포(匏), 토(土), 혁(革), 목(木) 악기나 그로 연주하는 음악을 말한다.

127) 고문자에서 樂 樂 甲骨文 樂 樂 樂 樂 金文 樂 樂 古陶文 樂 盟書 樂 樂 簡牘文 樂 樂 樂 樂 古璽文 등으로 썼다. 木(나무 목)과 두 개의 幺(작을 요)가 의미부이고 白(흰 백)이 소리부로, 나무(木)와 실(幺·요)로 만든 악기를 그렸다. 원래는 木과 幺로만 구성되었는데, 이후 소리부인 白이 더해져 지금의 자형이 되었다. '악기'나 음악이 원래 뜻이며, 이후 음악은 즐거움을 주는 것이라는 뜻에서 '즐겁다'의 뜻이, 사람들이 음악을 좋아하다는 뜻에서 '좋아하다'의 뜻이 나왔다. 音樂(음악)이나 樂器(악기)를 뜻할 때에는 '악'으로, 즐겁다는 뜻은 樂天(낙천)에서와 같이 '낙'으로, 좋아하다는 뜻은 樂山樂水(요산요수)에서처럼 '요'로 구

반절이다.

3746

**柎**: 柎: 뗏목 부: 木-총9획: fū

原文

柎: 闌足也. 从木付聲. 甫無切.

飜譯

'악기 거는 틀 아래를 장식하는 발(闌足)'을 말한다. 목(木)이 의미부이고 부(付)가 소리부이다. 독음은 보(甫)와 무(無)의 반절이다.

3747

**枹**: 枹: 떡갈나무 포: 木-총9획: fú

原文

枹: 擊鼓杖也. 从木包聲. 甫無切.

飜譯

'북을 치는 나무막대 즉 북채(擊鼓杖)'를 말한다. 목(木)이 의미부이고 포(包)가 소리부이다. 독음은 보(甫)와 무(無)의 반절이다.

3748

**椌**: 椌: 악기 이름 강: 木-총12획: qiāng

原文

椌: 柷樂也. 从木空聲. 苦江切.

飜譯

---

분해 읽는다. 간화자에서는 초서체를 형상화한 乐으로 쓴다.

'축(柷)이라는 타악기'를 말한다.128) 목(木)이 의미부이고 공(空)이 소리부이다. 독음은 고(苦)와 강(江)의 반절이다.

**3749**

**柷: 柷: 악기 이름 축: 木-총9획: zhù**

原文

柷: 樂, 木空也. 所以止音爲節. 从木, 祝省聲. 昌六切.

飜譯

'악기(樂)로, 나무로 만들었으며 속이 비었으며(木空), [이 악기는] 음악을 정지시켜 리듬을 조절하는데 쓴다.'129) 목(木)이 의미부이고, 축(祝)의 생략된 부분이 소리부이다. 독음은 창(昌)과 륙(六)의 반절이다.

---

128) 축(柷)은 음악의 갈래로는 아악기(雅樂器)에 속한다. 속이 빈 나무 상자에 구멍을 뚫고 그 구멍 속에 방망이를 넣어 치는 악기로 1116년(고려 예종 11) 중국 송나라로부터 들여왔다. 이후 어(敔)와 함께 문묘제례(文廟祭禮)나 종묘제례(宗廟祭禮)에서 사용되고 있다. 축은 음악의 시작을 알리는 악기로 동쪽에, 어는 음악의 끝남을 알리는 악기로 서쪽에 놓는다. 악기는 정육면체이면서 위쪽이 조금 넓은 모양이고 윗면에는 구름을, 옆 4면에는 산수화를 각각 그려 놓고 있다.(『두산백과』)

129) 『단주』에서는 이렇게 말했다. "서현 본의 이 6자는 매우 잘못되었다. 축(柷)은 음악을 시작하는 악기이지 끝내는 악기가 아니다.……내 생각에는 '이지작음위축(以止作音爲柷)'이 되어야 옳다. 『이아·석악』에서 축(柷)을 두고 지(止)라고 표현한 것은 강(椌)이라는 악기를 두고 공(空)이라 표현한 것과 같은데, 칠을 한 통으로 만든 악기이기 때문이었을 것이다. 또 축(柷)을 두고 촉(觸)이라 표현한 것은 기다란 방망이로 부딪혀서 소리를 내기 때문일 것이다. 「고요모」에서 '합지축어(合止柷敔)'라고 했는데, 정현의 주석에서 축(柷)은 칠을 한 통에 방망이가 있는 모습인데, 합지라는 말은 방망이를 그 통에 집어넣어 부딪쳐서 소리를 낸다는 말이라고 했다. 『이아』의 곽박 주에서는 축(柷)은 칠을 한 통 모양인데 2자4치의 사각형 모양이다. 『풍속통』과 『광아』에서도 깊이가 1자 8치이며, 중간에 손잡이가 달린 방망이가 있으며, 바닥까지 밀었다 당겼다 하면서 좌우로 움직여 소리를 낸다. 그리고 지(止)는 그 방망이를 지칭하는 이름이라고 했다. 유희의 『석명』에서도 축(柷)은 축(祝)과 같은데, 축(祝)은 시작을 뜻한다. 음악의 시작을 말하기 때문이라고 했다." 그렇다면 지(止)는 '그치다'는 뜻이 아니라 속이 빈 나무 상자에 구멍을 뚫고 그 구멍 속에 방망이를 넣어 치는 악기인 축(柷)의 '방망이'를 말하는 것이 된다. 참고할 만하다.

3750

**槧: 槧: 판 참: 木-총15획: qiàn**

原文

槧: 牘樸也. 从木斬聲. 自琰切.

飜譯

'글을 쓸 때 쓰는 널빤지(牘樸)[서판]'를 말한다. 목(木)이 의미부이고 참(斬)이 소리부이다. 독음은 자(自)와 염(琰)의 반절이다.

3751

**札: 札: 패 찰: 木-총5획: zhá**

原文

札: 牒也. 从木乙聲. 側八切.

飜譯

'글을 쓸 수 있는 작은 패찰(牒)'을 말한다. 목(木)이 의미부이고 을(乙)이 소리부이다. 독음은 측(側)과 팔(八)의 반절이다.

3752

**檢: 檢: 봉함 검: 木-총17획: jiǎn**

原文

檢: 書署也. 从木僉聲. 居奄切.

飜譯

'글을 봉하여 서명하다(書署)'라는 뜻이다. 목(木)이 의미부이고 첨(僉)이 소리부이다. 독음은 거(居)와 엄(奄)의 반절이다.

**3753**

**𣡤: 檄: 격문 격: 木–총17획: xí**

原文

𣡤: 二尺書. 从木敫聲. 胡狄切.

飜譯

'두 자 길이로 된 문서(二尺書)'를 말한다. 목(木)이 의미부이고 교(敫)가 소리부이다. 독음은 호(胡)와 적(狄)의 반절이다.

**3754**

**棨: 棨: 창 계: 木–총12획: qǐ**

原文

棨: 傳, 信也. 从木, 啟省聲. 康礼切.

飜譯

'달리 전(傳)이라고도 하는데, [관문을 통과할 때 쓰는] 신표(信)'를 말한다.130) 목(木)이 의미부이고, 계(啟)의 생략된 모습이 소리부이다. 독음은 강(康)과 례(礼)의 반절이다.

**3755**

**楘: 楘: 나릇 장식 목: 木–총13획: mù**

---

130) 『단주』에서 이렇게 말했다. "『한서·효문제기』에서 관(關)을 제외하고는 전(傳: 통행증)을 사용하지 않는다고 했다. 이에 대해 장안(張晏)은 전(傳)은 신표(信)를 말하는데, 오늘날 말하는 과소(過所: 통행증)와 같은 것이라고 했다. 여순(如淳)의 주석에서는 비단에다 두 줄로 써서 각기 하나씩 나누어 가지고, 관문을 지날 때 맞추어보고 합치되면 통과하게 되는데 이를 전(傳)이라 한다고 했다. 이기(李奇)는 전(傳)은 계(棨)를 말한다고 했다. 안사고의 주석에서, 옛날에는 계(棨: 나무)에다 쓰기도 했고, 증백(繒帛: 비단)에다 쓰기도 했다. 계(棨)는 나무에 새겨 부절로 삼던 것을 말한다. 내(단옥재) 생각은 이렇다. 비단에 쓴 것은 수(繻)라고 하는데, 「종군전(終軍傳)」에서 말한 '關吏予軍繻(관문을 지키는 관리가 군사에게 통행증을 발급한다)'는 말이 이 증거이다. 나무로 만든 것을 계(棨)라고 하는데 여기서 말한 '전신(傳信)'이 바로 이것이다."

原文

𣟴: 車歷録束文也. 从木敄聲. 『詩』曰: "五楘梁輈." 莫卜切.

飜譯

'수레의 양쪽에 달린 긴 채에 두드러지게 만든 장식무늬(車歷録束文)'를 말한다. 목(木)이 의미부이고 무(敄)가 소리부이다. 『시·진풍·소융(小戎)』에서 "다섯 군데 가죽 감은 멍에의 수레 채 끝은 구부정했네(五楘梁輈)"라고 노래했다. 독음은 막(莫)과 복(卜)의 반절이다.

3756

枑: 枑: 가로막이 호: 木-총8획: hù

原文

枑: 行馬也. 从木互聲. 『周禮』曰: "設梐枑再重." 胡誤切.

飜譯

'행마(行馬) 즉 관청의 문 앞에 통행을 제한하기 위해 설치한 나무를 교차시켜 만든 시설물[폐호: 바리케이드]'을 말한다. 목(木)이 의미부이고 호(互)가 소리부이다. 『주례·천관·장사(掌舍)』에서 "행마를 두 겹으로 설치한다(設梐枑再重)"라고 했다. 독음은 호(胡)와 오(誤)의 반절이다.

3757

梐: 梐: 울짱 폐: 木-총11획: bì

原文

梐: 梐枑也. 从木, 陛省聲. 邊兮切.

飜譯

'폐호(梐枑), 즉 관청의 문 앞에 통행을 제한하기 위해 설치한 나무를 교차시켜 만든 시설물'을 말한다. 목(木)이 의미부이고, 폐(陛)의 생략된 부분이 소리부이다. 독음은 변(邊)과 혜(兮)의 반절이다.

3758

**柀: 极: 길마 겁: 木-총8획: jí**

原文

柀: 驢上負也. 从木及聲. 或讀若急. 其輒切.

飜譯

'짐을 싣거나 수레를 끌기 위하여 노새의 등에 얹는 안장(驢上負) 즉 길마'를 말한다. 목(木)이 의미부이고 급(及)이 소리부이다. 간혹 급(急)과 같이 읽기도 한다. 독음은 기(其)와 첩(輒)의 반절이다.

3759

**柭: 枯: 길마 나무 거: 木-총9획: qū**

原文

柭: 极也. 从木去聲. 去魚切.

飜譯

'길마(极)'를 말한다. 목(木)이 의미부이고 거(去)가 소리부이다. 독음은 거(去)와 어(魚)의 반절이다.

3760

**槅: 槅: 나무 이름 도·멍에 객: 木-총14획: gé**

原文

槅: 大車枙也. 从木鬲聲. 古覈切.

飜譯

'큰 수레의 멍에(大車枙), 즉 큰 수레를 끌기 위하여 마소의 목에 얹는 구부러진 막대'를 말한다. 목(木)이 의미부이고 격(鬲)이 소리부이다. 독음은 고(古)와 핵(覈)의 반절이다.

3761

**𣝎: 櫢: 수레바퀴 통 수: 木-총17획: shū**

原文

𣝎: 車轂中空也. 从木喿聲. 讀若藪. 山樞切.

飜譯

'[굴대가 들어갈] 수레바퀴의 중간 빈 부분(車轂中空)'을 말한다. 목(木)이 의미부이고 조(喿)가 소리부이다. 수(藪)와 같이 읽는다. 독음은 산(山)과 추(樞)의 반절이다.

3762

**楇: 楇: 기름통 화자새 과: 木-총13획: guō, kuǎ**

原文

楇: 盛膏器. 从木咼聲. 讀若過. 乎臥切.

飜譯

'기름을 담는 그릇(盛膏器)'을 말한다. 목(木)이 의미부이고 괘(咼)가 소리부이다. 과(過)와 같이 읽는다. 독음은 호(乎)와 와(臥)의 반절이다.

3763

**枊: 枊: 말뚝 앙: 木-총8획: àng**

原文

枊: 馬柱. 从木卬聲. 一曰堅也. 吾浪切.

飜譯

'말을 매어 두는 말뚝(馬柱)'을 말한다. 목(木)이 의미부이고 앙(卬)이 소리부이다.

일설에는 '단단하다(堅)'라는 뜻이라고도 한다. 독음은 오(吾)와 랑(浪)의 반절이다.

**3764**

**𣐋: 梱: 쥐덫 고: 木-총12획: gù**

原文

𣐋: 梱斗, 可射鼠. 从木固聲. 古慕切.

飜譯

'고두(梱斗), 즉 쥐덫'을 말하는데, 쥐를 잡는 도구(可射鼠)이다. 목(木)이 의미부이고 고(固)가 소리부이다. 독음은 고(古)와 모(慕)의 반절이다.

**3765**

**櫐: 欙: 찬합 류: 木-총25획: léi**

原文

櫐: 山行所乘者. 从木纍聲. 『虞書』曰: "予乘四載." 水行乘舟, 陸行乘車, 山行乘欙, 澤行乘朝. 力追切.

飜譯

'산행을 할 때 타고 가는 탈 것(山行所乘者)'을 말한다. 목(木)이 의미부이고 루(纍)가 소리부이다. 『서·우서(虞書)·고요모(皋陶謨)』에서 "[고요가 말했다.] 저는 네 가지 탈 것을 탔습니다(予乘四載)"131)라고 했는데, 물길을 갈 때는 배(舟)를 타고, 육로를 갈 때는 수레(車)를 타며, 산길을 갈 때는 들것(欙)을 타고, 소택(澤)을 갈 때는 썰매(朝)를 탔다는 말이다. 독음은 력(力)과 추(追)의 반절이다.

**3766**

**榷: 榷: 외나무다리 각: 木-총14획: què**

131) 네 가지 탈 것이란, 땅에서 타는 수레, 물에서 타는 배, 진흙에서 타는 썰매, 산에서 타는 가마 등을 말한다.

原文

𣓲: 水上橫木, 所以渡者也. 从木隺聲. 江岳切.

飜譯

'물 위를 가로질러 설치한 나무(水上橫木)'로, 물을 건널 때 쓰도록 한 것(所以渡者)이다. 목(木)이 의미부이고 각(隺)이 소리부이다. 독음은 강(江)과 악(岳)의 반절이다.

**3767**

橋: 橋: **다리 교**: 木-**총16획**: qiáo

原文

橋: 水梁也. 从木喬聲. 巨驕切.

飜譯

'물에 설치한 다리(水梁)'를 말한다. 목(木)이 의미부이고 교(喬)가 소리부이다.[132] 독음은 거(巨)와 교(驕)의 반절이다.

**3768**

梁: 梁: **들보 량**: 木-**총11획**: liáng

原文

梁: 水橋也. 从木从水, 刅聲. 𣓺, 古文. 呂張切.

飜譯

'물에 설치한 다리(水梁)'를 말한다. 목(木)이 의미부이고 수(水)도 의미부이며, 창(刅)이 소리부이다.[133] 량(𣓺)은 고문체이다. 독음은 려(呂)와 장(張)의 반절이다.

---

132) 고문자에서 [古字]古陶文 [古字] [古字]簡牘文 등으로 썼다. 木(나무 목)이 의미부이고 喬(높을 교)가 소리부로, 배 등이 아래로 지나갈 수 있도록 높다랗게(喬) 아치형으로 설계된 나무(木)로 만든 다리를 말하며, 이로부터 橋梁(교량), 架橋(가교) 등의 뜻이 나왔다. 간화자에서는 喬를 乔로 줄인 桥로 쓴다.

제6권

**3769**

**𣝧: 𣝧: 배 소: 木-총13획: sōu, sāo**

原文

𣝧: 船總名. 从木叜聲. 穌遭切.

飜譯

'배의 총칭(船總名)이다.' 목(木)이 의미부이고 수(叜)가 소리부이다. 독음은 소(穌)와 조(遭)의 반절이다.

**3770**

**橃: 橃: 떼 벌: 木-총16획: fā**

原文

橃: 海中大船. 从木發聲. 房越切.

飜譯

'바다를 다니는 큰 배(海中大船)'를 말한다. 목(木)이 의미부이고 발(發)이 소리부이다. 독음은 방(房)과 월(越)의 반절이다.

**3771**

**楫: 楫: 노 즙: 木-총13획: jí**

原文

---

133) 고문자에서 金文 盟書 簡牘文 古璽文 등으로 썼다. 木(나무 목)과 水(물 수)가 의미부이고 刅(다칠 창)이 소리부로, 나무(木)로 된 '들보'를 말한다. 금문에서는 의미부인 水(물 수)와 소리부인 刅(다칠 창)으로 구성되었으나, 이후 의미를 더 구체화하기 위해 木이 더해져 梁이 되었다. 『설문해자』에서 "물에 설치한 다리(水橋·수교)"라고 한 것처럼 '물(水)을 건너가게 나무(木)로 만든 다리'가 원래 뜻이다. 이후 허공을 가로질러 걸쳐 놓은 '들보'까지 뜻하게 되었는데, '들보'는 다시 木을 더한 樑(들보 량)으로 구분해 표기하기도 했다.

楫: 舟櫂也. 从木咠聲. 子葉切.

飜譯

'배를 젓는 노(舟櫂)'를 말한다. 목(木)이 의미부이고 집(咠)이 소리부이다. 독음은 자(子)와 엽(葉)의 반절이다.

**3772**

**欐: 欐: 큰 배 례: 木-총25획: lǐ**

原文

欐: 江中大船名. 从木蠡聲. 盧啓切.

飜譯

'강을 다니는 큰 배 이름(江中大船名)'이다. 목(木)이 의미부이고 려(蠡)가 소리부이다. 독음은 로(盧)와 계(啓)의 반절이다.



**3773**

**校: 校: 학교 교: 木-총10획: xiào, jiào**

原文

校: 木囚也. 从木交聲. 古孝切.

飜譯

'사람을 가두는 데 쓰는 나무로 만든 우리(木囚)'을 말한다. 목(木)이 의미부이고 교(交)가 소리부이다.[134] 독음은 고(古)와 효(孝)의 반절이다.

---

134) 고문자에서 [古文字形]古陶文 [古文字形]簡牘文 [古文字形]古璽文 등으로 썼다. 木(나무 목)이 의미부이고 交(사귈 교)가 소리부로, 나무(木)를 교차시킨(交) 울타리를 말하는데, 그런 울타리를 둘러 학교를 만들었기에 '學校(학교)'라는 의미가 나왔으며, 군영도 뜻한다. 원래는 사냥에서 잡은 짐승을 울에 임시로 가두어 놓고서 사냥이 끝난 다음 결과를 비교하던 데서, 비교하다, 따지다, 견주다의 뜻이 나왔다. 『설문해자』에서는 "나무(木)로 만든 사람을 가두는 '울'을 말한다"라고 했으며, 목에 쓰는 칼과 같은 형벌 도구를 지칭하기도 했다.

**3774**

**樔: 樔: 풀막 소: 木-총15획: cháo**

原文

樔: 澤中守艸樓. 从木巢聲. 鉏交切.

飜譯

'늪이나 못에 만든 풀로 만든 망루(澤中守艸樓)'를 말한다. 목(木)이 의미부이고 소(巢)가 소리부이다. 독음은 서(鉏)와 교(交)의 반절이다.

**3775**

**采: 采: 캘 채: 釆-총8획: cǎi**

原文

采: 捋取也. 从木从爪. 倉宰切.

飜譯

'[싹이나 꽃이나 열매 등을] 손으로 따서 채취하다(捋取)'라는 뜻이다. 목(木)이 의미부이고 조(爪)도 의미부이다.[135] 독음은 창(倉)과 재(宰)의 반절이다.

**3776**

**柿: 柿: 대패밥 폐·감나무 시: 木-총8획: fèi**

原文

---

135) 고문자에서 甲骨文 金文 古陶文 簡牘文 등으로 썼다. 爪(손톱 조)와 木(나무 목)으로 구성되어, 손(爪)으로 나무(木)의 열매나 잎을 따는 모습을 그렸다. 현행 옥편에서는 편의상 형체가 비슷한 釆(분별할 변)부수에 귀속시켰지만, 전혀 별개의 글자이다. 이후 의미를 더욱 강화하기 위해 手(손 수)를 더한 採(딸 채)로 의미를 더 구체화했으며, 모든 채집 행위를 통칭하게 되었다.

枾: 削木札樸也. 从木市聲. 陳楚謂櫝爲枾. 芳吠切.

飜譯

'나무의 껍질을 벗기다(削木札樸)'라는 뜻이다.136) 목(木)이 의미부이고 시(市)가 소리부이다. 진(陳)과 초(楚) 지역에서는 '물건을 넣는 함(櫝)을 시(枾)'라고 한다. 독음은 방(芳)과 폐(吠)의 반절이다.

3777

**横: 横: 가로 횡: 木-총15획: héng**

原文

横: 闌木也. 从木黃聲. 戶盲切.

飜譯

'[출입을 제한하고자] 문을 잠그는 가름목(闌木)'을 말한다. 목(木)이 의미부이고 황(黃)이 소리부이다. 독음은 호(戶)와 맹(盲)의 반절이다.

3778

**梜: 梜: 젓가락 협: 木-총11획: jiá**

原文

梜: 檢柙也. 从木夾聲. 古洽切.

飜譯

'물건을 넣어두는 함(檢柙)'을 말한다. 목(木)이 의미부이고 협(夾)이 소리부이다. 독음은 고(古)와 흡(洽)의 반절이다.

136) 『단주』에서 이렇게 말했다. "각 판본에서는 '削木札樸也'로 되었는데, 지금 현응(玄應)의 『일체경음의』 제19권에 근거해 '削木朴也'로 바로 잡는다. 박(朴)은 목피(木皮: 나무껍질)를 말하며, 박(樸)은 목소(木素: 가공하지 않은 통나무)를 말한다. 폐(枾)에 어찌 가공하지 않았다(素)는 뜻이 있겠는가? 그렇다면 박(朴)이 옳다." 단옥재에 의하면 박(朴)은 박(樸)이 되어야 하고, 찰(札)은 연문인 셈이다.

제6권

**3779**

**桄: 桄: 광랑나무 광: 木-총10획: guàng**

原文

桄: 充也. 从木光聲. 古曠切.

飜譯

'가득 채우다(充)'라는 뜻이다. 목(木)이 의미부이고 광(光)이 소리부이다. 독음은 고(古)와 광(曠)의 반절이다.

**3780**

**檇: 檇: 과실나무 취: 木-총17획: zuì**

原文

檇: 以木有所擣也. 从木雋聲. 『春秋傳』曰: "越敗吳於檇李." 遵爲切.

飜譯

'나무로 찧거나 빻다(以木有所擣)'라는 뜻이다. 목(木)이 의미부이고 준(雋)이 소리부이다. 『춘추전』(『좌전』 정공 14년, B.C. 496)에서 "월(越)나라가 오(吳)나라를 취리(檇李)[137]에서 패퇴시켰다"라고 했다. 독음은 준(遵)과 위(爲)의 반절이다.

**3781**

**椓: 椓: 칠 탁: 木-총12획: zhuó**

原文

椓: 擊也. 从木豖聲. 竹角切.

飜譯

'치다(擊)'라는 뜻이다.[138] 목(木)이 의미부이고 탁(豖)이 소리부이다. 독음은 죽(竹)

137) 오늘날의 절강성 가흥현 남쪽이다.

과 각(角)의 반절이다.

3782

**朾: 朾: 칠 정: 木-총6획: chéng**

原文

朾: 橦也. 从木丁聲. 宅耕切.

飜譯

'치다(橦)'라는 뜻이다. 목(木)이 의미부이고 정(丁)이 소리부이다. 독음은 댁(宅)과 경(耕)의 반절이다.

3783

**柧: 柧: 모 고: 木-총9획: gū**

原文

柧: 棱也. 从木瓜聲. 又, 柧棱, 殿堂上最高之處也. 古胡切.

飜譯

'모서리(棱)'를 말한다. 목(木)이 의미부이고 과(瓜)가 소리부이다. 또 '고릉(柧棱)'을 말하는데[139], '전당(殿堂)에서 가장 높은 곳(最高之處)'을 이르는 말이다. 독음은 고(古)와 호(胡)의 반절이다.

3784

**棱: 棱: 모 릉: 木-총12획: léng**

138) 당(撞)이 되어야 옳다. 『단주』에서도 이렇게 말했다. "각 판본에서는 잘못하여 목(木)으로 구성되거나 화(禾)로 구성되었는데 지금 바로 잡는다. 수(手)로 구성된 당(撞)이 옳다. 『통속문』에서 쳐서 나가게 하는 것(撞出)을 정(朾)이라 했고, 독음도 장(丈)과 편(鞭)의 반절과 장(丈)과 경(莖)의 반절 두 가지가 있어, 『설문』과 합치된다. 그렇다면 이는 어떤 대상을 쳐서 내보내는 것을 말한다."

139) 궁궐 전각처(轉角處)의 와척(瓦脊: 기와 등성마루)을 말한다.

原文

棱: 柧也. 从木夌聲. 魯登切.

飜譯

'모서리(柧)'라는 뜻이다. 목(木)이 의미부이고 릉(夌)이 소리부이다. 독음은 로(魯)와 등(登)의 반절이다.

**3785**

**巘: 櫱: 그루터기에서 난 싹 얼: 木-총24획: niè**

原文

櫱: 伐木餘也. 从木獻聲. 『商書』曰: "若顚木之有甹櫱." 櫱, 櫱或从木辥聲. 𣎴, 古文櫱从木, 無頭. 枿, 亦古文櫱. 五葛切.

飜譯

'나무를 베고 남은 부분(伐木餘)'을 말한다. 목(木)이 의미부이고 헌(獻)이 소리부이다. 『서·상서(商書)·반경(盤庚)』(상)에서 "쓰러진 나무의 그루터기에서 움이 새로 돋아나는 것과 같다(若顚木之有甹櫱)"라고 했다. 얼(櫱)은 얼(櫱)의 혹체자인데, 목(木)이 의미부이고 설(辥)이 소리부이다. 얼(𣎴)은 얼(櫱)의 고문체인데, 목(木)으로 구성되었으며, 머리 부분[頭]이 없다. 얼(枿)도 얼(櫱)의 고문체이다. 독음은 오(五)와 갈(葛)의 반절이다.

**3786**

**枰: 枰: 바둑판 평: 木-총9획: píng**

原文

枰: 平也. 从木从平, 平亦聲. 蒲兵切.

飜譯

'평(平)과 같아 바둑판'을 말한다. 목(木)이 의미부이고 평(平)도 의미부인데, 평(平)

은 소리부도 겸한다. 독음은 포(蒲)와 병(兵)의 반절이다.

3787

**柆: 柆: 나무 꺾을 랍: 木-총9획: lā**

原文

柆: 折木也. 从木立聲. 盧合切.

飜譯

'나무를 쪼개다(折木)'라는 뜻이다. 목(木)이 의미부이고 립(立)이 소리부이다. 독음은 로(盧)와 합(合)의 반절이다.

3788

**槎: 槎: 나무 벨 사: 木-총14획: chá**

原文

槎: 衺斫也. 从木差聲. 『春秋傳』曰: "山不槎." 側下切.

飜譯

'[나무를] 비스듬히 자르다(衺斫)'라는 뜻이다. 목(木)이 의미부이고 차(差)가 소리부이다. 『춘추전』[140]에서 "산에 들어가서 [나무를 비스듬하게 찍는] 도끼질을 못하게 하였다(山不槎)"라고 했다. 독음은 측(側)과 하(下)의 반절이다.

3789

**柮: 柮: 마들가리 돌·올: 木-총9획: duò, wù**

原文

柮: 斷也. 从木出聲. 讀若『爾雅』"貀無前足"之"貀". 女滑切.

140) 『춘추국어』를 말하며, 「노어」에 나오는 말이다.

繹譯

'끊다(斷)'라는 뜻이다. 목(木)이 의미부이고 출(出)이 소리부이다. 『이아·석수(釋獸)』에서 말한 "놜무전족(貀無前足: 놜이라는 짐승은 앞발이 없다)"의 '놜(貀)'과 같이 읽는다.[141] 독음은 녀(女)와 활(滑)의 반절이다.

**3790**

**檮: 檮: 등걸 도: 木-총18획: táo**

原文

檮: 斷木也. 从木𠷎聲. 『春秋傳』曰: "檮柮." 徒刀切.

繹譯

'잘라낸 나무(斷木)'라는 뜻이다. 목(木)이 의미부이고 도(𠷎)가 소리부이다. 『춘추전』(『좌전』 문공 16년, B.C. 611)에 "도올(檮柮)"이라는 말이 나온다.[142] 독음은 도(徒)와 도(刀)의 반절이다.

**3791**

**析: 析: 가를 석: 木-총8획: xī**

原文

析: 破木也. 一曰折也. 从木从斤. 先激切.

繹譯

'나무를 갈라 쪼개다(破木)'라는 뜻이다. 일설에는 '쪼개다(折)'라는 뜻이라고도 한

---

141) 놜(貀)은 놜(㹏)로 쓰기도 하는데, 『자림』에서는 "앞발이 없는 짐승으로, 호랑이 비슷하게 생겼으며, 검다."라고 하였다. 『이아주』에서는 "진(晉)나라 태강(太康) 7년, 소릉(召陵)군 부이(扶夷)현에서 덫으로 짐승 한 마리를 잡았는데, 개와 비슷한데 무늬가 있고 뿔과 두 발이 있었으니, 곧 이러한 종류이다."라고 했다.

142) 『단주』에서 이렇게 말했다. "『좌전』에는 도올(檮柮)이라는 말이 없고, 오직 문공 16년 조에 도올(檮杌)이 있을 뿐이다. 두예의 주석에서 도올(檮杌)은 그 어떤 것과 비교할 수 없는 흉측한 모습을 말한다고 했고, 조기의 『맹자주』에서는 도올(檮杌)은 흉수의 하나라고 했다."

다. 목(木)이 의미부이고 근(斤)도 의미부이다.[143] 독음은 선(先)과 격(激)의 반절이다.

**3792**

: 棷: **땔나무 추**: 木-총12획: zōu

原文

: 木薪也. 从木取聲. 側鳩切.

翻譯

'나무땔감(木薪)'을 말한다. 목(木)이 의미부이고 취(取)가 소리부이다. 독음은 측(側)과 구(鳩)의 반절이다.

**3793**

: 梡: **도마 완·관**: 木-총11획: kuǎn

原文

: 棞, 木薪也. 从木完聲. 胡本切.

翻譯

'혼(棞)과 같은데, 나무땔감(木薪)'을 말한다. 목(木)이 의미부이고 완(完)이 소리부이다. 독음은 호(胡)와 본(本)의 반절이다.

**3794**

: 棞: **통나무 혼**: 木-총14획: huá, hún, kuǎn

原文

---

143) 고문자에서 甲骨文 金文 古陶文 등으로 썼다. 木(나무 목)과 斤(도끼 근)으로 구성되어, 도끼(斤)로 나무(木)를 쪼개는 것을 말하였고, 이로부터 사물을 쪼개 分析(분석)하다, 해체하다, 해석하다는 뜻까지 나왔다.

: 梡木未析也. 从木圂聲. 胡昆切.

飜譯

'완(梡)과 같은데, 쪼개지 않은 나무(木未析)'를 말한다. 목(木)이 의미부이고 혼(圂)이 소리부이다. 독음은 호(胡)와 곤(昆)의 반절이다.

**3795**

: 楄: **각목 편**: 木-총13획: pián

原文

: 楄部, 方木也. 从木扁聲. 『春秋傳』曰: "楄部薦榦." 部田切.

飜譯

'편부(楄部)라고도 하는데, 각진 나무(方木)[각목]'를 말한다. 목(木)이 의미부이고 편(扁)이 소리부이다. 『춘추전』(『좌전』 소공 25년, B.C. 517)에서 "각목으로 해골을 받쳤다(楄部薦榦)"라고 했다. 독음은 부(部)와 전(田)의 반절이다.

**3796**

**楅**: 楅: **뿔막이 복**: 木-총13획: bì, fú

原文

: 以木有所逼束也. 从木畐聲. 『詩』曰: "夏而楅衡." 彼即切.

飜譯

'나무를 대어 꽉 붙이고 구속함(以木有所逼束)'을 말한다. 목(木)이 의미부이고 복(畐)이 소리부이다. 『시·노송·비궁(閟宮)』에서 "여름부터 제물로 쓸 소뿔에 나무를 대어 뜨개질 못하게 하고(夏而楅衡)"라고 노래했다. 독음은 피(彼)와 즉(即)의 반절이다.

**3797**

**𣓀: 枼: 나뭇잎 엽: 木-총9획: yè**

原文

𣓀: 楄也. 枼, 薄也. 从木世聲. 与涉切.

飜譯

'각목(楄)'을 말한다.144) [일설에는] '엽(枼)은 얇은 널빤지(薄)'를 말한다고도 한다. 목(木)이 의미부이고 세(丗)가 소리부이다. 독음은 여(与)와 섭(涉)의 반절이다.

**3798**

**槱: 槱: 태울 유: 火-총15획: yǒu**

原文

槱: 積火燎之也. 从木从火, 酉聲. 『詩』曰: "薪之槱之." 『周禮』: "以槱燎祠司中、司命." 𥛺, 柴祭天神或从示. 余救切.

飜譯

'장작을 쌓아 놓고 불을 지피다(積火燎之)'라는 뜻이다. 목(木)이 의미부이고 화(火)도 의미부이고, 유(酉)가 소리부이다. 『시·대아·역박(棫樸)』에서 "땔나무로 베고 모닥불 감으로 자르네(薪之槱之)"라고 노래했다. 또 『주례·춘관·대종백(大宗伯)』에서 "초(槱)와 료(燎) 제사로써 사중(司中)과 사명(司命) 신에게 제사를 드린다."라고 했다. 유(𥛺)는 섶을 태워 하늘의 신에게 제사를 드리다는 뜻인데, 혹체자이며, 시(示)로 구성되었다. 독음은 여(余)와 구(救)의 반절이다.

144) 『단주』에서 "楄也"에 대해 이렇게 말했다. "각진 나무를 말한다(方木也). 엽(枼) 다음에 끊어 읽기를 해야 한다. 얇은 널빤지를 말한다(薄也). 엽(枼)자 앞에 '一曰'이라는 2글자가 들어가야 한다. 얇은 편으로 된 것은 모두 엽(枼)이라 할 수 있다. 그래서 엽(枼)으로 구성된 엽(葉), 첩(牒), 섭(鍱), 엽(䈎), 엽(偞) 등과 같은 글자들은 모두 회의라 할 수 있다."

**3799**

**𠇿: 休: 쉴 휴: 人-총6획: xiū**

原文

𠇿: 息止也. 从人依木. 庥, 休或从广. 許尤切.

飜譯

'휴식하다(息止)'라는 뜻이다. 사람(人)이 나무(木)에 기댄 모습이다.[145] 휴(庥)는 휴(休)의 혹체자인데, 엄(广)으로 구성되었다. 허(許)와 우(尤)의 반절이다.

**3800**

**𣜬: 櫃: 다할 긍: 木-총13획: gèn**

原文

𣜬: 竟也. 从木恆聲. 亙, 古文櫃. 古鄧切.

飜譯

'끝까지(竟)'라는 뜻이다. 목(木)이 의미부이고 항(恆)이 소리부이다. 긍(亙)은 긍(櫃)의 고문체이다. 독음은 고(古)와 등(鄧)의 반절이다.

**3801**

**械: 械: 형틀 계: 木-총11획: xiè**

原文

械: 桎梏也. 从木戒聲. 一曰器之總名. 一曰持也. 一曰有盛爲械, 無盛爲器. 胡戒切.

145) 고문자에서 [자형] 甲骨文 [자형] 金文 [자형] 古陶文 [자형] 古璽文 등으로 썼다. 갑골문에서부터 人(사람 인)과 木(나무 목)으로 구성되어, 사람(人)이 나무(木)에 기대고 쉬는 모습을 그렸고, 이로부터 훌륭하다, 아름답다 등의 뜻이 나왔고, 하던 일을 그만두고 쉬다는 뜻에서 '그만두다', '…하지 말라'는 뜻도 나왔다. 금문에서는 가끔 宀(집 면)이 더해지기도 했는데, 이는 집(宀)에서 쉬는 것을 강조하기 위함이었다.

飜譯

'차꼬나 쇠고랑 같은 형벌 도구(桎梏)'를 말한다. 목(木)이 의미부이고 계(戒)가 소리부이다.146) 일설에는 '기물의 총칭(器之總名)'이라고 한다. 또 일설에는 '다스리다(持)'라는 뜻이다.147) 또 일설에는 '물건이 담겼으면 계(械)라 하고, 물건이 담기지 않았으면 기(器)라고 한다.' 독음은 호(胡)와 계(戒)의 반절이다.

**3802**

**𣏌**: 杽: **기구 수**: 木-**총8획**: **chǒu**

原文

𣏌: 械也. 从木从手, 手亦聲. 敕九切.

飜譯

'나무로 만든 형벌 도구(械)'를 말한다. 목(木)이 의미부이고 수(手)도 소리부인데, 수(手)는 소리부도 겸한다. 독음은 칙(敕)과 구(九)의 반절이다.



**3803**

**桎**: 桎: **차꼬 질**: 木-**총10획**: **zhì**

原文

桎: 足械也. 从木至聲. 之日切.

飜譯

'발에 차는 형벌도구인 차꼬(足械)'를 말한다. 목(木)이 의미부이고 지(至)가 소리부이다.148) 지(之)와 일(日)의 반절이다.

---

146) 木(나무 목)이 의미부이고 戒(경계할 계)가 소리부로, 나무(木)로 만든 형벌 도구를 말한다. 『설문해자』에서는 장강 이남에서 나는 나무(木)로 최고의 약재로 쓰인다고 했다.

147) 단옥재에 의하면, 지(持)는 아마도 당나라 때의 피휘에 의한 글자로, 치(治)로 바뀌어야 한다고 했다. 이선(李善)의 「장적부(長笛賦)」 주에 근거해 치(治)로 고친다고 했다.

148) 고문자에서 𣏌簡牘文 등으로 썼다. 木(나무 목)이 의미부고 至(이를 지)가 소리부로, '차꼬'를 말하는데, 대단히 큰(至) 죄를 지었을 때 발에 채우는 나무(木)로 만든 형틀이라는 뜻을 반

**3804**

**梏:** 梏: **쇠고랑 곡**: 木-**총11획: gù**

原文

梏: 手械也. 从木告聲. 古沃切.

飜譯

'손에 차는 형벌도구인 수갑(手械)'을 말한다. 목(木)이 의미부이고 곡(告)이 소리부이다.[149] 독음은 고(古)와 옥(沃)의 반절이다.

**3805**

**櫪:** 櫪: **말구유 력**: 木-**총20획: lì**

原文

櫪: 櫪撕, 椑指也. 从木歷聲. 郎擊切.

飜譯

'력서(櫪撕)를 말하는데, 손가락을 꺾어 채우는 형벌 도구(椑指)'를 말한다.[150] 목(木)이 의미부이고 력(歷)이 소리부이다. 독음은 랑(郎)과 격(擊)의 반절이다.

---

영했다.

149) 고문자에서 簡牘文 古璽文 등으로 썼다. 木(나무 목)이 의미부이고 告(알릴 고)가 소리부로, 나무(木)로 만든 손에 채우는 형틀을 말했는데, 이후 쇠로 만들어졌다. 이로부터 신체를 구속하다의 뜻이 나왔고, 桎梏(질곡)에서처럼 몹시 속박하여 자유를 가질 수 없는 고통의 상태를 비유적으로 나타내기도 했다.

150) 『단주』에서는 "椑指也"는 "柙指也"가 되어야 한다면서 이렇게 말했다. "각 판본에서는 비(椑)로 되었는데 합(柙)이 되어야 한다. 지금 바로 잡는다. 합지(柙指)는 오늘날 말하는 찰지(拶指)와 같은 뜻이다. 그래서 계(械)나 수(杽)나 질(桎)이나 곡(梏)과 같은 형벌도구이다. 『장자(莊子)』에서 죄인의 팔을 비틀어 묶고 손가락을 꺾어 채운다(罪人交臂歷指)라고 했다. 역지(歷指)는 역합(櫪柙: 채우는 도구)으로 손가락을 채우다는 뜻이다."

3806

**𣝗: 㯕: 작은 나무 서: 木-총16획: xī**

原文

𣝗: 櫪㯕也. 从木斯聲. 先稽切.

飜譯

'력서(櫪㯕), 즉 손가락을 꺾어 채우는 형벌 도구'를 말한다. 목(木)이 의미부이고 사(斯)가 소리부이다. 독음은 선(先)과 계(稽)의 반절이다.

3807

**𣚍: 檻: 우리 함: 木-총18획: jiàn**

原文

𣚍: 櫳也. 从木監聲. 一曰圈. 胡黯切.

飜譯

'가축을 가두어 두는 우리(櫳)'를 말한다. 목(木)이 의미부이고 감(監)이 소리부이다. 달리 권(圈)이라 하기도 한다. 독음은 호(胡)와 암(黯)의 반절이다.

3808

**𣝵: 櫳: 우리 롱: 木-총20획: lóng**

原文

𣝵: 檻也. 从木龍聲. 盧紅切.

飜譯

'우리(檻)'를 말한다. 목(木)이 의미부이고 룡(龍)이 소리부이다. 독음은 로(盧)와 홍(紅)의 반절이다.

3809

**柙:** 柙: **우리 합**: 木-**총9획**: **xiá**

原文

柙: 檻也. 以藏虎兕. 从木甲聲. 㔩, 古文柙. 烏匣切.

飜譯

'우리(檻)'를 말하는데, 호랑이(虎)나 무소(兕)를 가두는데 쓴다. 목(木)이 의미부이고 갑(甲)이 소리부이다. 합(㔩)은 합(柙)의 고문체이다. 독음은 오(烏)와 갑(匣)의 반절이다.

3810

**棺:** 棺: **널 관**: 木-**총12획**: **guān**

原文

棺: 關也. 所以掩尸. 从木官聲. 古丸切.

飜譯

'관(關)과 같아, 널'을 말한다. 시신을 넣는데 쓴다. 목(木)이 의미부이고 관(官)이 소리부이다. 독음은 고(古)와 환(丸)의 반절이다.

3811

**櫬:** 櫬: **널 츤**: 木-**총20획**: **chèn**

原文

櫬: 棺也. 从木親聲. 『春秋傳』曰: "士輿櫬." 初僅切.

飜譯

'널(棺)'을 말한다. 목(木)이 의미부이고 친(親)이 소리부이다. 『춘추전』(『좌전』 희공 6년, B.C. 654)에서 "[채(蔡)나라 목공(穆公)이 허(許)나라 희공(僖公)을 데리고 초(楚)나라 성왕(成王)을 만나러 갈 때, 희공은 두 손을 가슴 앞으로 묶고 입에 구슬을 물었고, 그의 대부는 상복을 입었으며] 그의 대부들은 널을 짤 나무를 등에 지고 갔다(士輿櫬)"라고 했다. 독음은 초(初)와 근(僅)의 반절이다.

3812

**槥**: 槥: **널 혜**: 木-총15획: huì

原文

槥: 棺櫝也. 从木彗聲. 祥歲切.

飜譯

'작은 널(棺櫝)'을 말한다. 목(木)이 의미부이고 혜(彗)가 소리부이다. 독음은 상(祥)과 세(歲)의 반절이다.

3813

**椁**: 椁: **덧널 곽**: 木-총12획: guǒ

原文

椁: 葬有木𩫏也. 从木𩫏聲. 古博切.

飜譯

'나무로 된 널을 넣어두는 널방, 즉 덧널(葬有木𩫏)'을 말한다. 목(木)이 의미부이고 곽(𩫏)이 소리부이다. 독음은 고(古)와 박(博)의 반절이다.

3814

**楬**: 楬: **푯말 갈**: 木-총13획: jié

原文

楬: 楬桀也. 从木曷聲. 『春秋傳』曰: "楬而書之." 其謁切.

飜譯

'갈걸(楬桀) 즉 표지가 된 작은 푯말'을 말한다. 목(木)이 의미부이고 갈(曷)이 소리부이다. 『춘추전』[151]에 "푯말을 만들어 세우고 글을 적었다(楬而書之)"라고 했다.

독음은 기(其)와 알(謁)의 반절이다.

3815

梟: 梟: 올빼미 효: 木-총11획: xiāo

原文

梟: 不孝鳥也. 日至, 捕梟磔之. 从鳥頭在木上. 古堯切.

飜譯

'불효조(不孝鳥) 즉 올빼미'를 말한다. 하지(日至)가 되면 올빼미를 잡아 갈기갈기 찢어 죽인다(捕梟磔之).152) 새의 머리(鳥頭)가 나무(木) 위에 놓은 모습을 형상한 글자이다.153) 독음은 고(古)와 요(堯)의 반절이다.

3816

棐: 棐: 도지개 비: 木-총12획: fěi

原文

棐: 輔也. 从木非聲. 敷尾切.

飜譯

'덧방나무(輔) 즉 수레의 양쪽 가장자리에 덧대는 나무'를 말한다. 목(木)이 의미부

---

151) 『춘추전』에는 이런 말이 없다. 『당사본·목부』 잔권에 의하면, 이는 『주례·지관·천부(泉府)』의 말이다.

152) 『단주』에서 이렇게 말했다. "한나라 때의 예식에 의하면, 여름이 되면 백관들에게 올빼미 국(梟羹)을 하사했다. 『한서음의(漢書音義)』에서 이렇게 말했다. 맹강(孟康)에 의하면, '효(梟)가 새 이름이며, 제 어미를 잡아먹는다(食母). 파경(破鏡)은 짐승이름인데, 제 아비를 잡아먹는다(食父). 황제(黃帝)께서는 이런 것들을 싹 없애고 싶었다. 그래서 백관들의 제사에 그것을 사용하도록 했다.' 여순(如淳)은 『한서주』에서 '한나라 때 동군(東郡)으로 사람을 보낼 때 올빼미를 선물했다. 5월 5일에는 올빼미 국을 백관들에게 하사했다. 이 새를 싫어했기에 다 먹어치우고자 한 것이다.'라고 했다."

153) 木(나무 목)이 의미부고 鳥(새 조)의 생략된 모습이 소리부로, 새(鳥)의 머리가 나무(木)에 올려진 모습으로, 몸 전체가 얼굴처럼 보이는 '올빼미'의 특징을 그렸다. 올빼미는 어미를 잡아먹는다고 해서 食母(식모)로, 또 '불효의 새'라는 뜻의 不孝鳥(불효조)로 불리기도 한다.

이고 비(非)가 소리부이다. 독음은 부(敷)와 미(尾)의 반절이다.

3817

**梔: 梔: 치자나무 치: 木-총11획: zhī**

原文

梔: 木實可染. 从木巵聲. 章移切.

飜譯

'[치자나무를 말하는데] 열매는 염색하는데 사용된다(木實可染).' 목(木)이 의미부이고 치(巵)가 소리부이다. 독음은 장(章)과 이(移)의 반절이다. [신부]

3818

**榭: 榭: 정자 사: 木-총14획: xiè**

原文

榭: 臺有屋也. 从木䠶聲. 詞夜切.

飜譯

'지붕이 있는 누대(臺有屋)'를 말한다. 목(木)이 의미부이고 사(䠶)이 소리부이다. 독음은 사(詞)와 야(夜)의 반절이다. [신부]

3819

**槊: 槊: 창 삭: 木-총14획: shuò**

原文

槊: 矛也. 从木朔聲. 所角切.

飜譯

'창(矛)'을 말한다. 목(木)이 의미부이고 삭(朔)이 소리부이다. 독음은 소(所)와 각(角)의 반절이다. [신부]

**3820**

**𣘻**: 椸: **횃대 이**: 木-총13획: yí

原文

𣘻: 衣架也. 从木施聲. 以支切.

飜譯

'옷을 걸어 놓는 나무막대(衣架)'를 말한다. 목(木)이 의미부이고 시(施)가 소리부이다. 독음은 이(以)와 지(支)의 반절이다. [신부]

**3821**

**榻**: 榻: **걸상 탑**: 木-총14획: tā

原文

榻: 牀也. 从木㬦聲. 土盍切.

飜譯

'평상(牀)'을 말하다. 목(木)이 의미부이고 탑(㬦)이 소리부이다. 독음은 토(土)와 합(盍)의 반절이다. [신부]

**3822**

**櫍**: 櫍: **모탕 질**: 木-총19획: zhì

原文

櫍: 柎也. 从木質聲. 之日切.

飜譯

'모탕(柎) 즉 나무를 패거나 자를 때 혹은 곡식이나 물건을 땅바닥에 놓거나 쌓을 때 받쳐 놓는 나무토막'을 말한다.[154] 목(木)이 의미부이고 질(質)이 소리부이다. 독음은 지(之)와 일(日)의 반절이다. [신부]

**3823**

**櫂: 櫂: 노 도: 木-총18획: zhào**

原文

櫂: 所以進船也. 从木翟聲. 或从卓. 『史記』通用濯. 直教切.

飜譯

'배를 나아가게 하는 노(所以進船)'를 말한다. 목(木)이 의미부이고 적(翟)이 소리부이다. 간혹 탁(卓)으로 구성되기도 한다. 『사기』에서는 탁(濯)과 통용하였다. 독음은 직(直)과 교(教)의 반절이다. [신부]

**3824**

**槔: 槔: 두레박 고: 木-총15획: gāo**

原文

槔: 桔槔, 汲水器也. 从木皋聲. 古牢切.

飜譯

'두레박(桔槔)'을 말하는데, 물을 긷는 도구이다(汲水器). 목(木)이 의미부이고 고



---

154) 質을 고문자에서 盟書 簡牘文 등으로 썼다. 所(모탕 은)과 貝(조개 패)로 구성되었는데, 貝는 조개 화폐로 돈이나 재물 등을 뜻하고 所은 도끼를 그린 斤(도끼 근)이 둘 모여서 나무를 패거나 자를 때 받쳐 놓는 나무토막을 말한다. 그래서 質은 '돈(貝)으로 바꿀 수 있는 것의 밑받침(所)이나 바탕이 될 수 있는 것'이라는 뜻에서 처음에는 '抵當(저당·담보로 잡힘)'의 뜻으로 쓰였다. 따라서 '質이 좋다'나 '質이 나쁘다'의 쓰임에서처럼 質에는 질 좋은 원자재가 나중에 실제로 쓰일 수 있는 물건으로 가공되었을 때 화폐 가치가 높은 잠재성을 가진다는 뜻이 내포되어 있다. 이렇듯 質은 화폐나 돈 자체를 말하는 것이 아니라 많은 돈을 벌게 해 줄 수 있는 밑바탕을 의미한다. 실재하는 현상물의 실체가 바로 밑바탕이라는 의미에서 質에는 '실체'라는 의미가 생겼고, 바탕은 언제나 가공되기 전의 소박함을 특징으로 하기에 다시 質朴(질박)이라는 의미까지 생겼다. 한편 質의 원래 의미가 돈을 빌리고자 저당 잡히는 재물이나 물건 등을 뜻했던 것처럼, 人質(인질)은 사람(人)을 볼모로 잡아(質) 어떤 대가를 요구하다는 뜻이다. 간화자에서는 所을 간단하게 줄인 质로 쓴다.

(皐)가 소리부이다. 독음은 고(古)와 뢰(牢)의 반절이다. [신부]

3825

**椿: 椿: 말뚝 장: 木-총15획: zhuāng**

原文

椿: 橜杙也. 从木舂聲. 啄江切.

飜譯

'말뚝(橜杙)'을 말한다. 목(木)이 의미부이고 용(舂)이 소리부이다. 독음은 탁(啄)과 강(江)의 반절이다. [신부]

3826

**櫻: 櫻: 앵두나무 앵: 木-총21획: yīng**

原文

櫻: 果也. 从木嬰聲. 烏莖切.

飜譯

'과실의 일종(果)'을 말한다. 목(木)이 의미부이고 영(嬰)이 소리부이다. 독음은 오(烏)와 경(莖)의 반절이다. [신부]

3827

**棟: 棟: 가시목 색: 木-총10획: sè**

原文

棟: 梾也. 从木, 策省聲. 所厄切.

飜譯

'나무이름으로 대추나무의 일종(梾)'이다. 목(木)이 의미부이고, 책(策)의 생략된 모습이 소리부이다. 독음은 소(所)와 액(厄)의 반절이다. [신부]

---

## 제207부수
## 207 ■ 동(東)부수

**3828**

**東： 東: 동녘 동: 木–총8획: dōng**

原文

東： 動也. 从木. 官溥說：从日在木中. 凡東之屬皆从東. 得紅切.

飜譯

'동(動)과 같아 움직이다'라는 뜻이다. 목(木)이 의미부이다. 관부(官溥)에 의하면, '해(日)가 나무(木) 속에 걸린 모습이다'라고 한다.[155] 동(東)부수에 귀속된 글자들은 모두 동(東)이 의미부이다. 독음은 득(得)과 홍(紅)의 반절이다.



**3829**

**棘： 棘: 밤샐 조: 木–총16획: cáo, zāo**

原文

棘： 二東, 曹从此. 闕.

飜譯

두 개의 동(東)으로 구성되었다. 조(曹)자가 이로 구성되었다. 상세한 것에 대해서는

---

155) 고문자에서 甲骨文 金文 古陶文 簡牘文 帛書 古璽文 등으로 썼다. 日(날 일)과 木(나무 목)으로 구성되어, 해(日)가 나무(木)에 걸린 모습으로, 해가 뜨는 방향인 '동쪽'의 의미를 그렸다. 갑골문에서는 양끝을 동여맨 '포대기'나 '자루'를 그렸는데, 이후 '동쪽'이라는 의미로 가차되었고, 그러자 의미를 더욱 정확하게 표현하기 위해 해(日)가 나무(木)에 걸린 지금의 형태로 변했다. 이후 동쪽에 있는 집(東家·동가)이라는 뜻에서 주인의 뜻이 나왔고, 다시 연회의 초대자 등을 뜻하게 되었다. 간화자에서는 초서로 줄여 쓴 东으로 쓴다.

알 수 없어 비워 둔다(闕).[156]

156) 『단주』에서 인용한 서개의 말에 의하면, “원래의 『설문』에는 독음이 없었다. 서현도 반절음을 제시하지 않았다.” 그러나 『옥편』에는 ‘昨遭切’로 제시되었다.

## 제208부수
## 208 ■ 림(林)부수

3830

**𣏟: 林: 수풀 림: 木-총8획: lín**

原文

𣏟: 平土有叢木曰林. 从二木. 凡林之屬皆从林. 力尋切.

飜譯

'평지에 나무가 무더기로 나 우거진 것(平土有叢木)을 림(林)이라 한다.' 두 개의 목(木)으로 구성되었다.[157] 림(林)부수에 귀속된 글자들은 모두 림(林)이 의미부이다. 독음은 력(力)과 심(尋)의 반절이다.



3831

**𣞤: 霖: 넉넉할 무: 木-총19획: wú**

原文

𣞤: 豐也. 从林; 𡙼. 或說規模字. 从大、卌, 數之積也; 林者, 木之多也. 卌與庶同意. 『商書』曰: "庶草繁無." 文甫切.

飜譯

'풍성하다(豐)'라는 뜻이다. 림(林)과 모(𡙼)가 모두 의미부이다. 혹자는 규모(規模)라고 할 때의 모(模)자라고 한다. [모(𡙼)는] 대(大)와 십(卌)으로 구성되었는데, 십(卌)은 숫자가 누적된 것을 말한다. 또 글자를 구성하는 림(林)은 나무가 많다는 뜻이다.

---

157) 고문자에서 [古文字 字形] 甲骨文 [古文字 字形] 金文 [古文字 字形] 古陶文 [古文字 字形] 盟書 등으로 썼다. 두 개의 木(나무 목)으로 구성되어, 숲이나 평지에 나무(木)가 모여 있는 곳을 말하며, 이로부터 무리지어 자라는 풀이나 사람, 혹은 사물이 한데 모여 있음을 뜻하기도 하였다.

십(卌)은 서(庶)와 같은 뜻이다. 『상서(商書)(즉 『주서(周書)·홍범(洪範)』)에서 "온갖 풀이 무성하게 피었구나(庶草繁無)"라고 했다. 독음은 문(文)과 보(甫)의 반절이다.

**3832**

**鬱: 鬱: 막힐 울: 鬯-총29획: yù**

原文

鬱: 木叢生者. 从林, 鬱省聲. 迂弗切.

飜譯

'나무가 무더기로 난 모습(木叢生者)'을 말한다. 림(林)이 의미부이고, 울(鬱)의 생략된 모습이 소리부이다.[158] 독음은 우(迂)와 불(弗)의 반절이다.

**3833**

**楚: 楚: 모형 초: 木-총13획: chǔ**

原文

楚: 叢木. 一名荊也. 从林疋聲. 創舉切.

飜譯

'무더기로 자라는 나무의 일종(叢木)'이다. 일명 형(荊)이라 하기도 한다. 림(林)이 의미부이고 소(疋)가 소리부이다.[159] 독음은 창(創)과 거(舉)의 반절이다.

---

158) 고문자에서 金文 簡牘文 등으로 썼다. 林(수풀 림)과 缶(장군 부)와 冖(덮을 멱)과 鬯(울창주 창)과 彡(터럭 삼)으로 이루어졌는데, 원래는 林 대신 臼(절구 구)가 들어간 鬱에서 분화한 글자이다. 『설문해자』에서는 원래 글자인 鬱을 두고 "향초를 말한다. 10잎(葉·엽)을 1貫(관)이라 하고, 1백20貫을 찧어 만든다. 臼(절구 구)·冖(덮을 멱)·缶(장군 부)·鬯(울창주 창)이 의미부고, 彡은 수식성분이다. 일설에 의하면, 鬱鬯은 중원지역의 온갖 풀(百草·백초)의 꽃과 멀리 鬱人(울인)이 공납해온 향초를 섞어 만든 降神祭(강신제)에 쓰는 술을 말한다."라고 했다. 그래서 鬱은 두 손(臼)으로 향기 가득한(彡) 술(鬯)을 섞어 용기(缶)에 담고 뚜껑(冖)을 덮는 모습을 형상화했고, 여기서 '향기 가득함'과 '빽빽하다'는 뜻이 나왔으며, 향기가 독 안에서 빠져나오지 못하고 '갇혀 있음'을 뜻했다. 이후 臼 대신 林을 사용해 숲(林)이 빽빽하고 울창함을 나타냈다. 간화자에서는 郁(성할 욱)에 통합되었다.

**3834**

**棽: 棽: 무성할 림: 木-총12획: chēn**

原文

棽: 木枝條棽儷皃. 从林今聲. 丑林切.

飜譯

'나무의 가지가 무성한 모양(木枝條棽儷皃)'을 말한다. 림(林)이 의미부이고 금(今)이 소리부이다. 독음은 축(丑)과 림(林)의 반절이다.

**3835**

**楙: 楙: 무성할 무: 木-총13획: mào**

原文

楙: 木盛也. 从林矛聲. 莫候切.

飜譯

'나무가 무성하다(木盛)'라는 뜻이다. 림(林)이 의미부이고 모(矛)가 소리부이다. 독음은 막(莫)과 후(候)의 반절이다.

---

159) 고문자에서 甲骨文 金文 古陶文 簡牘文 등으로 썼다. 林(수풀 림)이 의미부이고 疋(발 소·필 발)가 소리부로, 가시나무의 일종인 牡荊(모형)이라는 나무를 가리키는 글자였다. 牡荊은 가시가 많아 그 자체로도 아픔이나 어려움의 상징이 되기에도 충분하지만, 나무의 재질이 단단하여 곤장을 치는 매의 재료로 쓰기에 알맞았다. 그래서 楚에는 가시나무라는 원래 뜻 이외에도 刑杖(형장·죄인을 심문할 때 쓰던 몽둥이)의 뜻이, 다시 苦楚(고초)에서와 같이 아픔과 어려움의 의미가 생겼다. 나아가 고대 중국에서 남방 문명의 상징이자 북방의 한나라와 마지막까지 대결했던 楚나라를 지칭하기도 했는데, 초나라가 荊山(형산) 일대에서 건국되었기 때문이다.

**3836**

**蘪: 麓: 산기슭 록: 鹿-총19획: lù**

原文

蘪: 守山林吏也. 从林鹿聲. 一曰林屬於山爲麓. 『春秋傳』曰: "沙麓崩." 箓, 古文从录. 盧谷切.

飜譯

'산림을 지키는 관리(守山林吏)'를 말한다. 림(林)이 의미부이고 록(鹿)이 소리부이다. 일설에는 '산에 연이어져 있는 숲(林屬於山)을 록(麓)이다'라고도 한다.[160] 『춘추전』(『좌전』 희공 14년, B.C. 646)에서 "사산의 산기슭(沙麓)이 무너져 내렸다(崩)"라고 했다. 록(箓)은 고문체인데, 록(录)으로 구성되었다. 독음은 로(盧)와 곡(谷)의 반절이다.

**3837**

**棼: 棼: 마룻대 분: 木-총12획: fén**

原文

棼: 複屋棟也. 从林分聲. 符分切.

飜譯

'이층으로 된 집의 마룻대(複屋棟)'를 말한다. 림(林)이 의미부이고 분(分)이 소리부이다. 독음은 부(符)와 분(分)의 반절이다.

160) 林(수풀 림)이 의미부이고 鹿(사슴 록)이 소리부로, '산기슭'을 말하는데, 그곳이 사슴(鹿)이 서식하는 숲(林) 지대임을 반영했다. 이후 산기슭의 숲은 물론 삼림을 관리하던 관리를 지칭하기도 했다.

3838

**𣡽: 森: 나무 빽빽할 삼: 木-총12획: sēn**

原文

𣡽: 木多皃. 从林从木. 讀若曾參之參. 所今切.

飜譯

'나무가 많은 모습(木多皃)'을 말한다. 림(林)이 의미부이고 목(木)도 의미부이다.161) 증삼(曾參)의 삼(參)과 같이 읽는다. 독음은 소(所)와 금(今)의 반절이다.

3839

**𣡡: 梵: 범어 범: 木-총11획: fàn**

原文

𣡡: 出自西域釋書, 未詳意義. 扶泛切.

飜譯

'서역 지역에서 들어온 불교의 문자(出自西域釋書)'를 말하는데, 그 의미에 대해서는 잘 알 수 없다.162) 부(扶)와 범(泛)의 반절이다. [신부]

제6권

161) 고문자에서 𣡽 𣡽 甲骨文 등으로 썼다. 세 개의 木(나무 목)으로 구성되어, 나무(木)가 빽빽하여 많음을 그렸고, 이로부터 숲을 뜻하게 되었다.

162) 林(수풀 림)이 의미부고 凡(무릇 범)이 소리부로, 곡물이 숲(林)처럼 무성한 모양을 말했다. 이후 불교가 유입되면서 산스크리트어에서 '청정하다'는 뜻의 'Brahma'의 대역자로 쓰였으며, 불교와 관련된 것을 지칭하는데도 쓰인다.

## 제209부수
## 209 ■ 재(才)부수

**3840**

**丰: 才: 재주 재: 手-총3획: cái**

原文

丰: 艸木之初也. 从丨上貫一, 將生枝葉. 一, 地也. 凡才之屬皆从才. 昨哉切.

飜譯

'초목이 처음 자라나는 모양(艸木之初)'을 말한다. 세로획[丨]이 위로 올라가 가로획[一]을 꿰뚫은 모습으로, 잎과 가지가 자라나는 모습을 그렸다. 가로획[一]은 땅(地)을 뜻한다.163) 재(才)부수에 귀속된 글자들은 모두 재(才)가 의미부이다. 독음은 작(昨)과 재(哉)의 반절이다.

163) 고문자에서 [古文字形] 甲骨文 [古文字形] 金文 [古文字形] 古陶文 [古文字形] 簡牘文 [古文字形] 石刻古文 등으로 썼다. 屮(싹날 철)과 가로획(一)으로 구성되어, 싹(屮)이 땅(一)을 비집고 올라오는 모습으로부터 그 위대한 '재주'를 형상화했다. 단단한 땅을 비집고 올라오는 새싹의 힘겨운 모습에서 '겨우'라는 뜻도 나왔다. 이후 능력을 갖춘 유능한 사람을 뜻하게 되었다. '겨우'라는 부사어는 纔(겨우 재)를 만들어 따로 표시하기도 했다. 현대 옥편에서는 手(손 수)가 편방으로 쓰일 때의 扌(손 수)와 유사한 형태이고, 재주 하면 손재주가 대표적이기에 手부수에 귀속시켰다. 현대 중국에서는 纔의 간화자로도 쓰인다.

# 제6권

## (하)

## 제210부수
## 210 ■ 약(叒)부수

3841

**叒: 叒: 땅 이름 약: 又-총6획: ruò**

原文

叒: 日初出東方湯谷, 所登榑桑, 叒木也. 象形. 凡叒之屬皆从叒. 𠮚, 籒文. 而灼切.

飜譯

'해가 동방의 탕곡[164]에서 처음 떠오를 때(日初出東方湯谷), 올라타는 부상수(所登榑桑)를 말하는데, 달리 약목(叒木)이라 한다.' 상형이다. 약(叒)부수에 귀속된 글자들은 모두 약(叒)이 의미부이다. 약(𠮚)은 옹희체이다. 독음은 이(而)와 작(灼)의 반절이다.

3842

**桑: 桑: 뽕나무 상: 木-총10획: sāng**

原文

桑: 蠶所食葉木. 从叒、木. 息郎切.

飜譯

'누에가 먹고 자라는 잎을 가진 뽕나무(蠶所食葉木)'를 말한다. 약(叒)과 목(木)이 의미부이다.[165] 독음은 식(息)과 랑(郎)의 반절이다.

---

164) 탕곡(湯谷)은 달리 양곡(暘谷)이라고도 하는데, 고대 중국신화에서 태양이 떠오르는 곳이라 알려져 있다. 우연(虞淵)과 종종 짝을 이루는데 우연(虞淵)은 태양이 지는 곳으로 알려져 있다.

165) 고문자에서 甲骨文 古陶文 簡牘文 등으로 썼다. 木(나무 목)과 세 개의 厶(사사로울 사)로 구성되었는데, 厶는 口(입 구)가 잘못 변한 것이다. 갑골문에서는 높게 자란 뽕나무(木)와 뽕잎을 딸 때 쓰는 광주리(口)가 가지 사이로 놓인 모습을 그렸는데, 광주리를 그린 口가 厶로 변해 지금의 자형이 되었다. '뽕나무'가 원래 뜻이며, 이후 '뽕잎', '뽕잎을 따다'는 뜻이 나왔고, 누에가 뽕잎을 먹고 자라기 때문에 '누에를 치다'는 뜻도 나왔다.

## 제211부수
## 211 ■ 지(之)부수

**3843**

**㞢: 之: 갈 지: 丿-총4획: zhī**

原文

㞢: 出也. 象艸過屮, 枝莖益大, 有所之. 一者, 地也. 凡之之屬皆从之. 止而切.

飜譯

'[풀이] 자라서 나오다(出)'라는 뜻이다. 풀(艸)이 떡잎(屮) 단계를 지나, 가지와 줄기(枝莖)가 더욱 크게 자라남이 있음을 말한다. 가로획[一]은 땅(地)을 상징한다.166) 지(之)부수에 귀속된 글자들은 모두 지(之)가 의미부이다. 독음은 지(止)와 이(而)의 반절이다.

**3844**

**𡳿: 㞷: 초목 무성할 왕: 屮-총7획: huáng**

原文

𡳿: 艸木妄生也. 从之在土上. 讀若皇. 戶光切.

飜譯

'초목이 무성하게 자라다(艸木妄生)'라는 뜻이다. 대지(土) 위로 풀이 자라나는(之) 모습을 형상했다. 황(皇)과 같이 읽는다. 독음은 호(戶)와 광(光)의 반절이다.

---

166) 고문자에서 甲骨文 金文 古陶文 盟書 簡牘文 古璽文 등으로 썼다. 갑골문에서 발(止·발 지, 趾의 원래 글자)이 땅(一)에 닿은 모습을 그려, 어떤 지점으로 나아가 도착함을 말했으며, '가다'의 뜻이 나왔다. 이후 대명사로 가차되었고, 관형격이나 주격을 나타내는 문법소로도 쓰였다.

## 제212부수
## 212 ■ 잡(帀)부수

3845

**帀: 帀: 두를 잡: 巾-총4획: zā**

原文

帀: 周也. 从反之而帀也. 凡帀之屬皆从帀. 周盛說. 子荅切.

飜譯

'주위를 에워싸다(周)'라는 뜻이다. 지(之)의 반대된 모습이 잡(帀)이 된다. 잡(帀)부수에 귀속된 글자들은 모두 잡(帀)이 의미부이다. 주성(周盛)의 해석이다. 독음은 자(子)와 답(荅)의 반절이다.



3846

**師: 師: 스승 사: 巾-총10획: shī**

原文

師: 二千五百人爲師. 从帀从𠂤. 𠂤, 四帀, 眾意也. 𡩜, 古文師. 踈夷切.

飜譯

'2천5백 명을 사(師)라고 한다.' 잡(帀)이 의미부이고 사(𠂤)도 의미부이다. 사(𠂤)는 사방이 둘러싸였음을 말하며, 많다(眾)는 의미이다.167) 사(𡩜)는 사(師)의 고문체이

---

167) 고문자에서 [古文字] 甲骨文 [古文字] 金文 [古文字] 古陶文 [古文字] 簡牘文 [古文字] 石刻古文 등으로 썼다. 帀(두를 잡)이 의미부이고 𠂤(군사 사, 師의 본래 글자)가 소리부로, 군사, 군대, 지도자, 스승을 뜻한다. 갑골문에서는 𠂤로만 써, 帀(두를 잡)이 빠진 모습이다. 𠂤의 자원에 대해서는 의견이 분분하지만, 이를 가로로 눕히면 丘陵(구릉)이 되고, 그래서 '작은 언덕'을 그린 것으로 추정된다. 끝없이 펼쳐진 황토 평원에서 丘陵은 여러 특수한 기능을 해 왔는데, 홍수로부터 침수를 막아 주기도 하며, 주위에서 쳐들어오는 적을 조기에 발견하여

다. 독음은 소(疎)와 이(夷)의 반절이다.

---

방어할 수 있도록 해주었다. 심지어는 하늘과도 통할 수 있는 곳으로 생각되기도 했다. 그래서 고대 중국인들은 城(성)을 이러한 구릉에다 세웠으며, 王陵(왕릉)도 이러한 곳에다 만들었다. 都城(도성)이나 왕릉이 위치한 곳은 반드시 軍師(군사)들이 지키게 마련이다. 그래서 師에 '軍師'라는 뜻이 생겼으며, 옛날에는 2천5백 명의 軍隊(군대)를 師라고도 했다. 금문에 들면서 이러한 의미를 더 강조하기 위해 '사방으로 둘러치다'는 뜻의 帀을 더해 지금처럼 師가 되었다. 이후 군대의 지도자를 뜻하였고, 이로부터 스승, 모범 등의 뜻이 나왔고, 다시 醫師(의사)에서처럼 어떤 전문적인 기술을 가진 사람을 부르는 말로도 쓰였다. 간화자에서는 𠂤를 간단히 줄인 师로 쓴다.

## 제213부수
## 213 ■ 출(出)부수

3847

**𡳿: 出: 날 출: 凵-총5획: chū**

原文

𡳿: 進也. 象艸木益滋, 上出達也. 凡出之屬皆从出. 尺律切.

飜譯

'나아가다(進)'라는 뜻이다. 초목이 위로 점차 자라나 위로 올라감을 말한다(艸木益滋, 上出達也).168) 출(出)부수에 귀속된 글자들은 모두 출(出)이 의미부이다. 독음은 척(尺)과 률(律)의 반절이다.

3848

**𢾕: 敖: 놀 오: 攴-총11획: áo**

原文

𢾕: 游也. 从出从放. 五牢切.

飜譯

'멀리 나가 노닐다(游)'라는 뜻이다. 출(出)이 의미부이고. 방(放)도 의미부이다. 독음은 오(五)와 뢰(牢)의 반절이다.

---

168) 고문자에서 [古文字] 甲骨文 [古文字] 金文 [古文字] 古陶文 [古文字] 盟書 [古文字] 簡牘文 [古文字] 帛書 [古文字] 石刻古文 등으로 썼다. 갑골문에서는 반지하 식으로 파서 만든 움집(凵)과 발(止·지, 趾의 원래 글자)을 그려, 집(凵)으로부터 나가는 동작을 그린 글자인데, 자형이 변해 지금처럼 되었다. 밖으로 나가다가 원래 뜻이며, 이로부터 발생하다, 태어나다, 出土(출토)되다, 넘어나다, 出版(출판)하다 등의 뜻이 나왔다.

**3849**

**賣: 賣: 팔 매: 貝-총15획: mài**

原文

賣: 出物貨也. 从出从買. 莫邂切.

飜譯

'물건을 내다 팔다(出物貨)'라는 뜻이다. 출(出)이 의미부이고 매(買)도 의미부이다.[169] 독음은 막(莫)과 해(邂)의 반절이다.

**3850**

**糶: 糶: 쌀 내어 팔 조: 米-총25획: chàn**

原文

糶: 出穀也. 从出从糴, 糴亦聲. 他弔切.

飜譯

'곡식을 내다 팔다(出穀)'라는 뜻이다. 출(出)이 의미부이고 적(糴)도 의미부인데, 적(糴)은 소리부도 겸한다. 독음은 타(他)와 조(弔)의 반절이다.

**3851**

**䞣: 䞣: 위태할 얼: 自-총15획: wà**

原文

---

169) 원래는 出(날 출)이 의미부고 買(살 매)가 소리부로, 사들인(買) 것을 내다(出) '파는' 것을 말했는데, 出이 士(선비 사)로 잘못 변해 지금처럼 되었다. 이로부터 팔아먹다, 자신을 드러내다, 과시하다의 뜻이 나왔다. 간화자에서는 초서체로 줄여 쓴 卖로 쓴다. 買(살 매)는 고문자에서 甲骨文 金文 古陶文 盟書 簡牘文 등으로 썼는데, 网(그물 망)과 貝(조개 패)로 구성되어, 그물(网·罒·망)로 조개(貝)를 잡는 모습을 그렸고, 조개를 잡으면 필요한 물품을 '살' 수 있음을 말했다. 이로부터 구매하다, 수매하다, 매매하다, 세를 내다 등의 뜻이 나왔다. 간화자에서는 초서체로 줄여 쓴 买로 쓴다.

䅨：槷䅨，不安也．从出臬聲．『易』曰：“槷䅨．”五結切．

飜譯

‘얼얼(槷䅨)을 말하는데, 불안하다(不安)’라는 뜻이다. 출(出)이 의미부이고 얼(臬)이 소리부이다. 『역·곤괘(困卦)』에서 “불안하다(槷䅨)”라고 했다. 독음은 오(五)와 결(結)의 반절이다.

# 제214부수
## 214 ■ 발(𣎵)부수

3852

**𣎵: 𣎵: 초목 무성할 발: 木-총5획: bèi, pō**

原文

𣎵: 艸木盛𣎵𣎵然. 象形, 八聲. 凡𣎵之屬皆从𣎵. 讀若輩. 普活切.

飜譯

'초목이 더부룩하게 무성히 자라는 모습(艸木盛𣎵𣎵然)'을 말한다. 상형이다. 팔(八)이 소리부이다. 발(𣎵)부수에 귀속된 글자들은 모두 발(𣎵)이 의미부이다. 배(輩)와 같이 읽는다. 독음은 보(普)와 활(活)의 반절이다.

3853

**𤰞: 𤰞: 초목 우부룩할 위: 廾-총12획: wèi**

原文

𤰞: 艸木𤰞孛之皃. 从𣎵畀聲. 于貴切.

飜譯

'초목이 무성한 모양(艸木𤰞孛之皃)'을 말한다. 발(𣎵)이 의미부이고 비(畀)가 소리부이다. 독음은 우(于)와 귀(貴)의 반절이다.

3854

**索: 索: 찾을 색·동아줄 삭: 糸-총10획: suǒ**

原文

索: 艸有莖葉, 可作繩索. 从𣎵、糸. 杜林說: 𣎵亦朱木字. 蘇各切.

飜譯

'풀은 줄기와 잎이 있어 동아줄을 만들 수 있다(艸有莖葉, 可作繩索).' 발(宋)과 멱(糸)이 의미부이다.[170] 두림(杜林)은 발(宋)도 붉은 폐슬(朱木)이라고 할 때의 불(市)자라고 했다.[171] 독음은 소(蘇)와 각(各)의 반절이다.

**3855**

: 孛: **살별 패**: 子-**총7획**: bó, bèi

原文

: 𡋯也, 从宋; 人色也, 从子. 『論語』曰: "色孛如也." 蒲妹切.

飜譯

'초목이 무성함(𡋯)'을 말한다. 발(宋)이 의미부이다. 사람의 얼굴색처럼 발갛게 피어오르기 때문에(人色也), 자(子)로 구성되었다. 『논어·향당(鄕黨)』에서 "무성하게 피어오르는 초목처럼 얼굴색이 붉그스레 하구나(色孛如也)"라고 했다. 독음은 포(蒲)와 매(妹)의 반절이다.

**3856**

: 𠂔: **그칠 제**: 丿-**총5획**: zǐ

原文

: 止也. 从宋盛而一橫止之也. 卽里切.



---

170) 고문자에서 簡牘文 帛書 등으로 썼다. 원래는 두 손으로 새끼(糸)를 꼬는 모습을 그려, 새끼를 꼬아 만든 '동아줄'을 말했는데, 굵은 줄의 통칭이 되었다. 이후 큰 동아줄은 특별할 때만 쓰였기에 고정된 장소에 항상 비치하지 않고 필요할 때마다 '찾아와' 내다 썼기에, '찾다'나 '구하다' 등의 뜻이 나왔다. 동아줄이라는 뜻으로 쓰일 때에는 索道(삭도)에서처럼 '삭'으로, '찾다'는 뜻으로 쓰일 때에는 思索(사색)이나 搜索(수색)에서처럼 '색'으로 읽힌다.

171) 서개의 『계전』에서 주목(朱木)은 주불(朱市)로 되었는데, 불(市)은 의식 때 착용하는 폐슬(蔽膝)을 말한다.

飜譯

'그치다(止)'라는 뜻이다. 발(木)이 의미부이다. 무성하게 자라나는데 가로획[一]이 그것을 제지하는 모습이다. 독음은 즉(即)과 리(里)의 반절이다.

**3857**

**南: 南: 남녘 남: 十-총9획: nán**

原文

南: 艸木至南方, 有枝任也. 从木羊聲. 𡴍, 古文. 那含切.

飜譯

'초목은 남쪽으로 뻗을 때 가지가 생긴다(艸木至南方, 有枝任)'라는 뜻이다. 발(木)이 의미부이고 임(羊)이 소리부이다.[172] 남(𡴍)은 고문체이다. 독음은 나(那)와 함(含)의 반절이다.

---

172) 고문자에서 甲骨文 金文 古陶文 簡牘文 古璽文 石刻古文 등으로 썼다. 이의 자원에 대해서는 해설이 분분하지만, 악기를 매달아 놓은 모습임은 분명해 보이며, 이 악기가 남방에서 온 것이어서 '남쪽'을 뜻하게 된 것으로 보인다. 이 때문에 남쪽, 남방 등의 뜻 이외에도 남방의 음악이나 춤이라는 뜻도 가진다. 이후 성씨로도 쓰였으며, 명나라 때에는 南京(남경)을 지칭하기도 했다.

## 제215부수
## 215 ■ 생(生)부수

**3858**

**生: 生: 날 생: 生-총5획: shēng**

原文

生: 進也. 象艸木生出土上. 凡生之屬皆从生. 所庚切.

飜譯

'자라나다(進)'라는 뜻이다. 초목이 대지 위로 자라 올라오는 모습이다.173) 생(生)부수에 귀속된 글자들은 모두 생(生)이 의미부이다. 독음은 소(所)와 경(庚)의 반절이다.



**3859**

**丰: 丰: 예쁠 봉: 丨-총4획: fēng**

原文

丰: 艸盛丰丰也. 从生, 上下達也. 敷容切.

飜譯

---

173) 고문자에서 甲骨文 金文 古陶文 簡牘文 帛書 등으로 썼다. 소전체에서는 屮(떡 잎날 철)과 土(흙 토)로 구성되어, 대지(土)에서 돋아나는 싹(屮)으로부터 '생겨나다'는 의미를 그렸는데, 자형이 조금 변해 지금처럼 되었다. 갑골문에서는 땅(一) 위로 솟아나는 싹(屮)의 모습을 그렸는데, 이후 땅을 나타내는 가로획 대신 土를 넣어 그 의미가 더욱 구체화하였다. 그래서 生의 원래 뜻은 초목이 '자라나다'이며, 이로부터 出生(출생)이나 生産(생산) 등의 뜻이 생겼다. 여기서 다시 生物(생물)처럼 '살아 있음'을, 生鮮(생선)처럼 '신선함'을, 天生(천생)처럼 '천부적임'을, 生疎(생소)처럼 '낯설다'는 뜻을, 다시 書生(서생·공부하는 사람)이나 小生(소생·자신을 낮추어 부르는 말)처럼 '사람'을 뜻하기도 하였다.

'풀이 무성하게 자라다(艸盛丰丰)'라는 뜻이다. 생(生)이 의미부이고, [아래위로 뻗쳐 나간 획은] 아래위로 다다랐다는 것을 의미한다. 독음은 부(敷)와 용(容)의 반절이다.

**3860**

**產: 産: 낳을 산: 生-총11획: chǎn**

原文

產: 生也. 从生, 彥省聲. 所簡切.

飜譯

'[아이를] 낳다(生)'라는 뜻이다. 생(生)이 의미부이고, 언(彥)의 생략된 부분이 소리부이다.[174] 독음은 소(所)와 간(簡)의 반절이다.

**3861**

**隆: 隆: 클 륭: 阜-총14획: lóng**

原文

隆: 豐, 大也. 从生降聲. 力中切.

飜譯

'풍성하다(豐), 크다(大)'라는 뜻이다. 생(生)이 의미부이고 강(降)이 소리부이다. 독음은 력(力)과 중(中)의 반절이다.

**3862**

**甤: 甤: 열매 많이 열릴 유: 生-총12획: ruí**

原文

174) 生(날 생)이 의미부고 彥(선비 언)의 생략된 모습이 소리부로, 어떤 것을 '만들어 냄(生)'에서 '낳다', '生産(생산)하다', 제조하다는 뜻이 나왔으며, 생산품, 특산물, 산업 등의 뜻도 나왔다. 간화자에서는 生을 생략한 产으로 쓴다.

甤: 草木實甤甤也. 从生, 豨省聲. 讀若綏. 儒隹切.

飜譯

'초목의 열매가 아래로 처질 정도로 주렁주렁 많이 열리다(草木實甤甤)'라는 뜻이다.175) 생(生)이 의미부이고, 희(豨)의 생략된 부분이 소리부이다. 수(綏)와 같이 읽는다. 독음은 유(儒)와 추(隹)의 반절이다.

**3863**

**甡: 甡: 모이는 모양 신: 生-총10획: shēn**

原文

甡: 衆生並立之皃. 从二生. 『詩』曰: "甡甡其鹿." 所臻切.

飜譯

'[초목이] 여럿 자라나 함께 선 모양(衆生並立之皃)'을 말한다. 두 개의 생(生)으로 구성되었다. 『시·대아·상유(桑柔)』에서 "사슴들이 우글우글하네(甡甡其鹿)"라고 했다. 독음은 소(所)와 진(臻)의 반절이다.

제 6 권

175) 유유(甤甤)는 초목의 열매가 많이 열려 아래로 늘어진 모양을 말한다.

## 제216부수
## 216 ■ 탁(乇)부수

**3864**

**乇: 乇: 부탁할 탁: 丿-총3획: zhé**

原文

乇: 艸葉也. 从垂穗, 上貫一, 下有根. 象形. 凡乇之屬皆从乇. 陟格切.

飜譯

'풀의 잎(艸葉)'을 말한다. 늘어진 이삭(垂穗)과 위로 가로획을 꿰뚫은 모습(上貫一)과, 아래쪽에 뿌리가 있는 모습(下有根)을 형상했다. 상형이다. 탁(乇)부수에 귀속된 글자들은 모두 탁(乇)이 의미부이다. 독음은 척(陟)과 격(格)의 반절이다.

## 제217부수
## 217 ■ 수(𠂹)부수

**3865**

**𠂹: 𠂹: 늘어질 수: ノ-총10획: chuí**

原文

𠂹: 艸木華葉𠂹. 象形. 凡𠂹之屬皆从𠂹. 𥝌, 古文. 是爲切.

飜譯

'초목의 꽃과 잎이 아래로 늘어진 모습(艸木華葉𠂹)'을 말한다. 상형이다. 수(𠂹)부수에 귀속된 글자들은 모두 수(𠂹)가 의미부이다. 수(𥝌)는 고문체이다. 독음은 시(是)와 위(爲)의 반절이다.

## 제218부수
## 218 ■ 화(𠌶)부수

**3866**

**𠌶: 𠌶: 꽃 화: 人-총13획: huā**

原文

𠌶: 艸木華也. 从𠂹亏聲. 凡𠌶之屬皆从𠌶. 荂, 𠌶或从艸从夸. 況于切.

飜譯

'초목의 꽃(艸木華)'을 말한다. 수(𠂹)가 의미부이고 우(亏)가 소리부이다. 화(𠌶)부수에 귀속된 글자들은 모두 화(𠌶)가 의미부이다. 화(荂)는 화(𠌶)의 혹체자인데, 초(艸)도 의미부이고 과(夸)도 의미부이다.[176] 독음은 황(況)과 우(于)의 반절이다.

**3867**

**韡: 韡: 꽃이 활짝 필 위: 韋-총22획: wěi**

原文

韡: 盛也. 从𠌶韋聲. 『詩』曰: "萼不韡韡." 于鬼切.

飜譯

'무성하다(盛)'라는 뜻이다. 화(𠌶)가 의미부이고 위(韋)가 소리부이다. 『시·소아·상체(常棣)』에서 "꽃송이 울긋불긋하네(萼不韡韡)"라고 노래했다.[177] 독음은 우(于)와 귀

176) 『단주』에서 이렇게 말했다. "『이아·석초(釋艸)』에 이 글자가 나온다. 곽박의 주에서 '오늘날 강동 지역에서는 화(華)를 과(荂)라 하는데, 독음은 부(敷)이다.' 내 생각은 이렇다. 지금 강소 지역에서는 모두 화(花)라고 한다. 독음은 호(呼)와 과(瓜)의 반절이다. 『방언』에서 '화(華), 과(荂)는 모두 빛나다는 뜻이다(晠也). 제(齊)와 초(楚) 사이 지역에서는 간혹 화(華)라 하기도 하고, 또 과(荂)라 하기도 한다.'라고 했다. 「오도부(吳都賦)」에서 '이과부육(異荂蓲蘛: 갖가지 꽃이 화려하게 피었네)'라고 했는데, 이선(李善)의 주석에서 과(荂)의 독음은 고(枯)와 과(瓜)의 반절이라고 했다."

(鬼)의 반절이다.



177) 악(萼)은 꽃받침, 부(不)는 부(柎)와 같아 꽃 받침대를 말하며, 위위(韡韡)는 꽃이 무성하게 피어 울긋불긋한 모양을 말한다.

## 제219부수
## 219 ■ 화(華)부수

3868

**𠌶: 華: 꽃 화: 艸−총12획: huá, huà**

原文

𠌶: 榮也. 从艸从𠂹. 凡華之屬皆从華. 戶瓜切.

飜譯

'무성하게 핀 꽃(榮)'을 말한다. 초(艸)가 의미부이고 화(𠂹)도 의미부이다.178) 화(華)부수에 귀속된 글자들은 모두 화(華)가 의미부이다. 독음은 호(戶)와 과(瓜)의 반절이다.

3869

**皣: 皣: 흰꽃 엽: 白−총17획: yè**

原文

皣: 艸木白華也. 从華从白. 筠輒切.

飜譯

'초목의 흰 꽃(艸木白華)'을 말한다. 화(華)가 의미부이고 백(白)도 의미부이다. 독음은 균(筠)과 첩(輒)의 반절이다.

---

178) 고문자에서 [古字形]古陶文 [古字形]簡牘文 등으로 썼다. 화사하게 꽃을 드리운 꽃나무를 형상했으며, 이로부터 '꽃'이라는 뜻이 나왔다. 정착 농경을 일찍부터 시작했던 고대 중국인들에게 꽃은 곡식을 생장할 수 있게 해 준다는 점에서 꽃과 씨를 숭배했으며, 이로부터 자신의 상징어가 되었고 이후 '중국'을 지칭하게 되었다. 또 화사하고 아름답다는 뜻도 나왔으며, 축하를 나타내는 높임말로도 쓰였다. 그러자 일반적인 '꽃'은 艸(풀 초)가 의미부고 化(될 화)가 소리부인 花(꽃 화)를 만들어 구분해 표현했다. 간화자에서는 华로 줄여 쓰는데, 化는 소리부로 나타내고, 十(열 십)은 아랫부분을 줄인 것이다.

## 제220부수
## 220 ■ 게(禾)부수

3870

**禾: 禾: 나무 끝 옹두라져 뻗지 못할 게: 禾-총5획: jī**

原文

禾: 木之曲頭, 止不能上也. 凡禾之屬皆从禾. 古兮切.

飜譯

'나무의 끝이 굽어(木之曲頭) 더 이상 위로 자라지 못하다(止不能上)'는 뜻이다. 게(禾)부수에 귀속된 글자들은 모두 게(禾)가 의미부이다. 독음은 고(古)와 혜(兮)의 반절이다.



3871

**穦: 稽: 나뭇가지가 굽을·머무를 지: 禾-총14획: zhǐ**

原文

穦: 多小意而止也. 从禾从支, 只聲. 一曰木也. 職雉切.

飜譯

'나무가 굴곡이 많아 잘 뻗어나가지 못하고 멈춘 것(多小意而止)'을 말한다.179) 게(禾)가 의미부이고 지(支)도 의미부이며, 지(只)가 소리부이다. 일설에는 '나무이름(木)'이라고도 한다. 독음은 직(職)과 치(雉)의 반절이다.

---

179) 『단주』에서 이렇게 말했다. "소의(小意)라는 것은 뜻은 있으나 펼치지 못하다는 의미로(意有未暢也), 방애를 받음을 말하며, 뜻만 품고 펼치지 못함을 말한다. 『광운(廣韵)』에서는 지(稽)와 구(椒) 모두 굽은 가지에 달린 과실(曲枝果)이라 뜻풀이했다. 내 생각은 이렇다. 지구(稽椒)는 혹은 지구(枳椇)로, 혹은 지구(枳枸)로, 혹은 지구(枳句)로, 혹은 지구(枝拘) 등으로 적기도 하는데, 모두 고운(古韻)에서 제16부(部)에 소속된 글자들이며, 굽혀져서 뻗어 나가지 못한다는 뜻이다(詰詘不得伸之意)."

**3872**

: 椈: 굽을 구: 禾-총12획: jǔ, qù

原文

: 積椈也. 从禾从又, 句聲. 又者, 从丑省. 一曰木名. 俱羽切.

飜譯

'나무가 굽[어 성장을 멈추]었다(積椈)'라는 뜻이다. 게(禾)가 의미부이고 우(又)도 의미부이며, 구(句)가 소리부이다. 우(又)는 축(丑)의 생략된 부분으로 구성되었다. 일설에는 '나무이름(木名)'이라고도 한다. 독음은 구(俱)와 우(羽)의 반절이다.

## 제221부수
## 221 ■ 계(稽)부수

3873
**稽: 稽: 머무를 계: 禾-총15획: jī**

原文

稽: 畱止也. 从禾从尤, 旨聲. 凡稽之屬皆从稽. 古兮切.

飜譯

'머무르다(畱止)'라는 뜻이다. 계(禾)가 의미부이고 우(尤)도 의미부이며, 지(旨)가 소리부이다. 계(稽)부수에 귀속된 글자들은 모두 계(稽)가 의미부이다. 독음은 고(古)와 혜(兮)의 반절이다.

3874
**穛: 穛: 나무 우뚝 섰을 착: 禾-총17획: zhuó, zhào**

原文

穛: 特止也. 从稽省, 卓聲. 竹角切.

飜譯

'홀로 우뚝 서 있다(特止)'라는 뜻이다. 계(稽)의 생략된 부분이 의미부이고, 탁(卓)이 소리부이다. 독음은 죽(竹)과 각(角)의 반절이다.

3875
**䅳: 䅳: 나무 옹두라져 뻗어나지 못할 고: 禾-총17획: gǎo, hào**

原文

䅳: 䅳椒而止也. 从稽省, 咎聲. 讀若皓. 賈侍中說: 稽、穛、䅳三字皆木名. 古老切.

'굽어서 더 나가지 못하고 멈추다(䅗䅘而止)'라는 뜻이다. 계(𥝌)의 생략된 부분이 의미부이고, 구(咎)가 소리부이다. 호(皓)와 같이 읽는다. 가시중(賈侍中)께서는 '계(𥝌), 탁(𥞥), 구(䅗) 이 세 글자는 모두 나무이름(木名)이다.'라고 하셨다. 독음은 고(古)와 로(老)의 반절이다.

# 제222부수

## 222 ■ 소(巢)부수

**3876**

巢: 巢: **집 소**: 巛–**총11획**: **cháo**

原文

巢: 鳥在木上曰巢, 在穴曰窠. 从木, 象形. 凡巢之屬皆从巢. 鉏交切.

飜譯

'새가 나무 위에 집을 지으면 소(巢)라 하고, 굴에다 지으면 과(窠)라고 한다.' 목(木)이 의미부이다. 상형이다.180) 소(巢)부수에 귀속된 글자들은 모두 소(巢)가 의미부이다. 독음은 서(鉏)와 교(交)의 반절이다.

**3877**

甹: 甹: **덜 폄**: 寸–**총11획**: **biǎn**

原文

甹: 傾覆也. 从寸, 臼覆之. 寸, 人手也. 从巢省. 杜林說: 以爲貶損之貶. 方斂切.

飜譯

'기울어져 뒤집히다(傾覆)'라는 뜻이다. 촌(寸)이 의미부이고 두 손(臼)으로 그것을 덮은 모습이다. 촌(寸)은 '사람의 손(人手)'을 말한다. 소(巢)의 생략된 모습이다. 두림(杜林)은 '폄손(貶損: 헐뜯고 비난함)이라고 할 때의 폄(貶)을 말한다'라고 했다. 독음은 방(方)과 렴(斂)의 반절이다.

---

180) 고문자에서 金文 古陶文 등으로 썼다. 아랫부분은 나무(木·목)를, 중간은 둥지를, 윗부분은 둥지 위로 머리를 내민 세 마리의 새를 그려 새가 서식하는 '둥지'를 형상적으로 그렸다. 이로부터 '집'이라는 뜻이 나왔는데, 이후 새의 머리가 巛(개미허리변 천)으로 변하고 둥지가 田(밭 전)으로 바뀌어 지금의 자형이 되었다. 현대 옥편에서는 川부수에 귀속되었는데, 川(내 천)과는 아무런 의미적 관련이 없으며, 형체적 유사성 때문에 그렇게 되었다.

## 제223부수
## 223 ■ 칠(桼)부수

**3878**

**桼:** 桼: **옻 칠**: 木-**총11획**: **qī**

原文

桼: 木汁. 可以髤物. 象形. 桼如水滴而下. 凡桼之屬皆从桼. 親吉切.

飜譯

'나무의 즙(木汁)'을 말한다. 물건에 칠을 할 수 있다. 상형이다. 칠(桼)은 물방울 떨어지듯 방울방울 떨어지는 모습을 그렸다.[181] 칠(桼)부수에 귀속된 글자들은 모두 칠(桼)이 의미부이다. 독음은 친(親)과 길(吉)의 반절이다.

**3879**

**髤:** 髤: **검붉은 빛 휴**: 髟-**총21획**: **cì, qī, xiū**

原文

髤: 桼也. 从桼髟聲. 許由切.

飜譯

'옻칠을 하다(桼)'라는 뜻이다. 칠(桼)이 의미부이고 표(髟)가 소리부이다. 독음은 허(許)와 유(由)의 반절이다.

---

181) 고문자에서 簡牘文 등으로 썼다. 木(나무 목)과 水(물 수)로 이루어져, 나무속에서 흘러나오는 옻의 즙(水)을 형상했는데, 중간의 양쪽으로 난 두 획은 껍질이 벌어진 모습으로 나무를 갈랐음을 보여준다. 옻은 옻나무(rhus verniciflua) 껍질의 상처에서 분비되는 젖 모양의 액체인데, 천연의 니스로 부패를 방지하는데 특효를 가진다. 중국에서는 옛날부터 이 옻으로 漆器(칠기)를 만들고 또 일반 칠감으로도 썼다. 이후 의미를 더 분명하게 하고자 다시 水를 더해 漆(옻 칠)로 분화했는데, 水가 의미부고 桼이 소리부인 형성구조로 변화했다.

3880

**𣽱: 麭: 옻에 회 섞어 다시 칠할 포: 木-총16획: pào**

原文

𣽱: 桼垸已, 復桼之. 从桼包聲. 匹皃切.

飜譯

'옻에 회 섞어 칠한 다음, 다시 옻칠을 하다(桼垸已, 復桼之)'라는 뜻이다. 칠(桼)이 의미부이고 포(包)가 소리부이다. 독음은 필(匹)과 모(皃)의 반절이다.

## 제224부수
## 224 ■ 속(束)부수

3881

**朿: 束: 묶을 속: 木-총7획: shù**

原文

朿: 縛也. 从囗、木. 凡束之屬皆从束. 書玉切.

譯

'실로 묶다(縛)'라는 뜻이다. 위(囗)와 목(木)이 의미부이다.[182] 속(束)부수에 귀속된 글자들은 모두 속(束)이 의미부이다. 독음은 서(書)와 옥(玉)의 반절이다.

3882

**柬: 柬: 가릴 간: 木-총9획: jiǎn**

原文

柬: 分別簡之也. 从束从八. 八, 分別也. 古限切.

譯

'묶어 놓았던 것을 풀어 분별하고 가려내다(分別簡之)'라는 뜻이다. 속(束)이 의미부이고 팔(八)도 의미부인데, 팔(八)은 '나누어 구별하다(分別)'라는 뜻이다.[183] 독음은

---

182) 고문자에서 [古文字] 甲骨文 [古文字] 金文 [古文字] 簡牘文 [古文字] 說文小篆 등으로 썼다. 木(나무 목)과 囗(에워쌀 위, 圍의 원래 글자)로 구성되어, 나무(木)를 끈 등으로 둘러싸(囗) '묶다'는 뜻을 그렸다. 원래는 주머니나 전대처럼 두 끝을 '동여맨' 모습을 그렸는데, 이후 지금의 자형으로 변했다. 이로부터 묶다, 제약하다, 拘束(구속)하다, 約束(약속)하다 등의 뜻이 나왔다.

183) 고문자에서 [古文字] 金文 [古文字] 簡牘文 등으로 썼다. 양끝을 동여맨 자루에 두 점이 더해진 모습인데, 제련에 쓰고자 광물을 포대 속에 넣고 물속에 불려 불순물을 제거하는 모습을 그렸다.

고(古)와 한(限)의 반절이다.

3883

**⿱幵束: ⿱幵束: 작은 단 견: 干-총13획: jiǎn**

原文

⿱幵束: 小束也. 从束幵聲. 讀若繭. 古典切.

飜譯

'작은 묶음(小束)'을 말한다. 속(束)이 의미부이고 견(幵)이 소리부이다. 견(繭)과 같이 읽는다. 독음은 고(古)와 전(典)의 반절이다.

3884

**剌: 剌: 어그러질 랄: 刀-총9획: là**

原文

剌: 戾也. 从束从刀. 刀者, 剌之也. 盧達切.

飜譯

'어그러지다(戾)'라는 뜻이다. 속(束)이 의미부이고 도(刀)도 의미부이다. 도(刀)는 '어그러트리다(剌之)'라는 뜻이다.[184] 독음은 로(盧)와 달(達)의 반절이다.

---

이로부터 불순물을 '가려내다', '고르다', '제련하다' 등의 뜻이 나왔으며, 이후 초대장, 청첩장, 명함 등의 총칭이 되었다. 그러자 원래의 '가려내다'는 뜻은 手(손 수)를 더한 揀(가릴 간)으로 분화했다.

184) 束(묶을 속)과 刀(칼 도)로 구성되었는데, 뜻을 거슬러 '위배하다'는 뜻이며, 이로부터 '어그러지다'의 뜻이 나왔는데, 실로 묶고(束) 칼(刀)로 찌르는 것보다 뜻을 거스르는 것은 없기 때문이다.

## 제225부수
## 225 ■ 본(㯻)부수

**3885**

**㯻: 㯻: 묶을 본: 木-총18획: gǔn, hùn**

原文

㯻: 橐也. 从束圂聲. 凡㯻之屬皆从㯻. 胡本切.

飜譯

'전대, 즉 양쪽 끝을 동여맨 포대(橐)'를 말한다. 속(束)이 의미부이고 혼(圂)이 소리부이다. 본(㯻)부수에 귀속된 글자들은 모두 본(㯻)이 의미부이다. 독음은 호(胡)와 본(本)의 반절이다.

**3886**

**橐: 橐: 전대 탁: 木-총16획: tuó**

原文

橐: 囊也. 从㯻省, 石聲. 他各切.

飜譯

'전대(囊)'를 말한다. 본(㯻)의 생략된 부분이 의미부이고, 석(石)이 소리부이다.[185] 독음은 타(他)와 각(各)의 반절이다.

---

185) 고문자에서 簡牘文 등으로 썼다. 소전에서처럼 㯻(묶을 본)의 생략된 모습이 의미부고 石(돌 석)이 소리부로, 속에다 물체를 넣고 묶을(㯻) 수 있는 '전대'나 '포대기'를 말한다. 원래는 囮으로 써 어떤 물체를 속에 넣고 겉을 에워싸(口·위) 양끝을 동여매어 놓은 전대를 형상적으로 그렸다.

3887

: 囊: **주머니 낭**: 口-총22획: náng

原文

: 橐也. 从槖省, 襄省聲. 奴當切.

飜譯

'전대(橐)'를 말한다. 본(槖)의 생략된 부분이 의미부이고, 양(襄)의 생략된 부분이 소리부이다. 독음은 노(奴)와 당(當)의 반절이다.

3888

: 櫜: **활집 고**: 木-총19획: gāo

原文

: 車上大橐. 从槖省, 咎聲. 『詩』曰: "載櫜弓矢." 古勞切.

飜譯

'수레 위에 설치된 커다란 주머니(車上大橐)'를 말한다. 본(槖)의 생략된 부분이 의미부이고, 구(咎)가 소리부이다. 『시·주송·시매(時邁)』에서 "활과 화살도 큰 자루에 넣어두었네(載櫜弓矢)"라고 노래했다. 독음은 고(古)와 로(勞)의 반절이다.

3889

: 橐: **자루가 불룩한 모양 표**: 木-총17획: biǎo, piáo, pāo

原文

: 囊張大皃. 从槖省, 匋省聲. 符宵切.

飜譯

'자루[의 배]가 부풀어 불룩한 모양(囊張大皃)'을 말한다. 본(槖)의 생략된 부분이 의미부이고, 도(匋)의 생략된 부분이 소리부이다. 독음은 부(符)와 소(宵)의 반절이다.

제 6 권

## 제226부수
## 226 ■ 위(囗)부수

3890

**囗: 囗: 나라 국·에워쌀 위: 囗-총3획: wéi**

原文

囗: 回也. 象回帀之形. 凡囗之屬皆从囗. 羽非切.

飜譯

'둘러싸다(回)'라는 뜻이다. 빙 둘러 싼 모양을 형상했다. 위(囗)부수에 귀속된 글자들은 모두 위(囗)가 의미부이다. 독음은 우(羽)와 비(非)의 반절이다.

3891

**圜: 圜: 두를 환: 囗-총16획: yuán**

原文

圜: 天體也. 从囗睘聲. 王權切.

飜譯

'[둥근] 천체(天體)'를 말한다. 위(囗)가 의미부이고 경(睘)이 소리부이다. 독음은 왕(王)과 권(權)의 반절이다.

3892

**團: 團: 둥글 단: 囗-총14획: tuán**

原文

團: 圜也. 从囗專聲. 度官切.

飜譯

'둥글게 둘러싸다(圜)'라는 뜻이다. 위(囗)가 의미부이고 전(專)이 소리부이다.[186] 독음은 도(度)와 관(官)의 반절이다.

**3893**

: 圎: **둥글 선**: 囗-총10획: xuán，yuán

原文

: 規也. 从口肙聲. 似沿切.

飜譯

'[둥근 원을 그리는] 그림쇠(規)[컴퍼스]'를 말한다. 위(囗)가 의미부이고 연(肙)이 소리부이다. 독음은 사(似)와 연(沿)의 반절이다.

**3894**

: 囩: **돌 운**: 囗-총7획: yùn

原文

: 回也. 从口云聲. 羽巾切.

飜譯

'빙 감아 돌다(回)'라는 뜻이다. 위(囗)가 의미부이고 운(云)이 소리부이다. 독음은 우(羽)와 건(巾)의 반절이다.

---

186) 고문자에서 簡牘文 등으로 썼다. 囗(에워쌀 위)가 의미부이고 專(오로지 전)이 소리부로, 성 둘레를 둥그렇게 에워싼(囗) 모습에서 '둥글다'의 뜻이 나왔다. 또 많은 사람이 마음과 힘을 똘똘 뭉쳐 성을 지킨다는 뜻에서 團結(단결)과 집체를 뜻하는 團體(단체)의 의미가 나왔으며, 경단과 같이 동글동글하게 빚은 떡도 지칭하게 되었다. 다만, 경단은 米(쌀 미)를 더한 糰(경단 단)으로 구분해 표시하기도 한다. 간화자에서는 소리부인 專을 才(재주 재)로 줄인 团으로 쓴다.

**3895**

**:** 圓: **둥글 원**: 囗-총13획: yuán

原文

: 圜全也. 从囗員聲. 讀若員. 王問切.

飜譯

'[빠진 곳 없이] 완전하게 둘러싸다(圜全)'라는 뜻이다. 위(囗)가 의미부이고 원(員)이 소리부이다. 원(員)과 같이 읽는다.187) 독음은 왕(王)과 문(問)의 반절이다.

**3896**

**:** 回: **돌 회**: 囗-총6획: huí

原文

: 轉也. 从囗, 中象回轉形. 㔙, 古文. 戶恢切.

飜譯

'회전하다(轉)'라는 뜻이다. 위(囗)가 의미부이고, 중간 부분은 회전하는 모양을 형상했다.188) 회(㔙)는 고문체이다. 독음은 호(戶)와 회(恢)의 반절이다.

**3897**

**:** 圖: **그림 도**: 囗-총14획: tú

原文

---

187) 고문자에서 簡牘文 등으로 썼다. 囗(나라 국·에워쌀 위)이 의미부고 員(수효 원)이 소리부로, 정(鼎)의 아가리(口)처럼 둥글다는 뜻의 員에다 테두리를 뜻하는 囗을 더해 '둥글다'는 의미를 더욱 강조했으며, 이로부터 圓滿(원만)하다는 뜻이 나왔다. 간화자에서는 圆으로 쓴다.

188) 고문자에서 金文 簡牘文 등으로 썼다. 갑골문에서 물이 소용돌이치는 모양을 그렸고, 이로부터 回轉(회전), 돌다, 돌아가다, 회신하다 등의 뜻이 나왔다. 이후 이슬람 족(回族·회족)을 지칭하는 말로도 쓰였으며, 현대 중국어에서는 사건의 횟수를 나타내는 단위사로도 쓰인다. 그러자 원래의 뜻은 水(물 수)를 더한 洄(물이 빙빙 돌 회)로 분화했다.

圖: 畫計難也. 从囗从啚. 啚, 難意也. 同都切.

飜譯

'어려운 일을 계획하고 도모하다(畫計難)'라는 뜻이다. 위(囗)가 의미부이고 비(啚)도 의미부인데, 비(啚)는 '어렵다는 뜻이다(難意).'[189] 독음은 동(同)과 도(都)의 반절이다.

**3898**

圛: 圛: **맴돌 역**: 囗-총16획: yì

原文

圛: 回行也. 从囗睪聲. 『尚書』: "曰圛."[190] 圛, 升雲半有半無. 讀若驛. 羊益切.

飜譯

'빙 돌아가다(回行)'라는 뜻이다. 위(囗)가 의미부이고 역(睪)이 소리부이다. 『상서·주서·홍범(洪範)』에서 "[다섯 가지를 점쳤는데, 그중 하나가] 역(圛)이다."라고 했는데, 역(圛)은 구름이 올라감에 반은 있고 반은 없어 드문드문함을 말한다. 역(驛)과 같이 읽는다. 독음은 양(羊)과 익(益)의 반절이다.



---

189) 고문자에서 金文 簡牘文 등으로 썼다. 囗(에워쌀 위)와 啚(인색할 비, 鄙의 원래 글자)로 구성되었는데, 원래는 啚로 썼다. 啚는 높은 기단 위에 지어진 곡식 창고(㐭·름)를 말했으며, 이후 다시 에워싼 담(囗)을 더해 지금의 圖가 되었다. 그래서 啚는 곡식창고가 세워진 성의 변두리 지역을 말했고 이로부터 바깥쪽에 있는 변두리 '마을'을 뜻했고, 다시 중심지보다 鄙賤(비천)하고 鄙陋(비루)하다는 뜻까지 갖게 되었다. 그래서 圖는 중심 되는 읍(囗)과 변두리 지역(啚)을 함께 모두 그려 넣어야 하는 것이 地圖(지도)임을 말했고, 지도를 그리며 앞의 일을 설계하고 계획한다는 뜻에서 圖謀(도모)하다와 企圖(기도)하다는 뜻이 나왔다. 일본 한자에서는 図로, 현대 중국의 간화자에서는 图로 쓴다.

190) 『설문』의 대서본에서 이렇게 말했다. "『홍범』에서 5가지를 점친다고 했는데(洪範卜五), 우(雨: 비가 옴), 제(霽: 날이 개임), 몽(蒙: 날이 흐림), 역(圛: 기운이 끊김), 극(克: 기운이 교차됨) 등이 그것이다. 역(圛)이라는 것은 기운이 드문드문하여 연속되지 못함을 말한다(象氣絡繹不絕也). 반유반무(半有半無)는 『사기·귀책(龜筴)열전』에서 말한 '우불우(雨不雨: 비가 올 것인지 말 것인지)', '제부제(霽不霽: 날이 갤 것인지 말 것인지)'인데 '기운이 연속되지 못함을 두고 한 말이다(氣不聯屬之說也)."라고 했다.

**3899**

**國: 國: 나라 국: 囗-총11획: guó**

原文

國: 邦也. 从口从或. 古惑切.

飜譯

'나라(邦)'를 말한다.191) 위(囗)가 의미부이고 혹(或)도 의미부이다.192) 독음은 고(古)와 혹(惑)의 반절이다.

---

191) 『단주』에서 이렇게 말했다. "방(邦)과 국(國)은 호운(互訓)되었는데, 통으로 섞어 말했기 때문이다(渾言之也). 『주례주(周禮注)』에서는 '큰 나라를 방, 작은 나라를 국이라 한다. 도성이 있는 방(邦)도 국(國)이라 한다.(大曰邦, 小曰國. 邦之所居亦曰國.)'라고 했는데, 이 때는 구분하여 말한 경우이다(析言之也)."

192) 고문자에서 甲骨文 金文 古陶文 盟書 簡牘文 古璽文 石刻古文 등으로 썼다. 囗(에워쌀 위)가 의미부이고 或(혹시 혹)이 소리부로, 성으로 둘러싸인(囗) '나라'를 말한다. 원래는 或(혹 혹)으로 써 무기(戈·과)를 들고 성(囗)을 지키는 모습이며, 성을 지키려면 무기(戈)가 필수적임을 강조했다. 그것은 지금과 달리 고대사회에서 국가의 경계가 유동적이었음을, 지킬 수 없을 때에는 곧바로 사라질 수 있었음을 시사한다. 이는 날이 여럿인 창(戈)을 그린 我(나 아)로 '우리'를 나타냈던 것을 보면 더욱 명확해진다. 我가 지금은 '나'를 뜻하지만, 옛날에는 '우리'라는 집단을 의미했다. 이렇게 볼 때, 或은 '혹시' 있을지도 모를 만일의 사태에 대비하여 방어를 굳건히 해야 하는 것이 '나라'라는 의미일 터, 이것이 或이 단순한 가차를 넘어선 그 이면에 숨겨진 맥락이요 상황일 것이다. 그 후 或이 '혹시'로 널리 쓰이자 다시 囗을 더한 國으로 분화했으며, 혹시(或)나 하는 것에 기대를 거는 마음(心·심)이 바로 '미혹됨(惑·혹)'이다. 한국의 속자에서는 王(왕 왕)과 囗이 결합한 구조인 国으로 쓰며, 간화자에서는 玉(옥 옥)이 들어간 国으로 쓴다.

3900

**𡇸: 壼: 궁중 길 곤: 囗-총13획: kǔn**

原文

𡇸: 宮中道. 从囗, 象宮垣、道、上之形. 『詩』曰: "室家之壼." 苦本切.

飜譯

'궁궐 속에 낸 길(宮中道)'을 말한다. 위(囗)가 의미부이고, 궁궐의 담(垣)과 길(道)과 건축물의 윗모습[지붕]을 형상했다. 『시·대아·기취(旣醉)』에서 "온 집안 화목하고(室家之壼)"라고 노래했다. 독음은 고(苦)와 본(本)의 반절이다.

3901

**囷: 囷: 곳집 균: 囗-총8획: qūn**

原文

囷: 廩之圜者. 从禾在囗中. 圜謂之囷, 方謂之京. 去倫切.

飜譯

'둥글게 만들어진 곡식 창고(廩之圜者)'를 말한다. 곡식(禾)이 에워싼 담(囗) 속에 있는 모습을 형상했다. 둥근 것(圜)을 균(囷)이라 하고, 네모진 것(方)을 경(京)이라 한다. 독음은 거(去)와 륜(倫)의 반절이다.

3902

**圈: 圈: 우리 권: 囗-총11획: quān, juān**

原文

圈: 養畜之閑也. 从囗卷聲. 渠篆切.

飜譯

'가축을 기를 수 있도록 난간을 둘러 쳐 만든 우리(養畜之閑)'를 말한다. 위(囗)가 의미부이고 권(卷)이 소리부이다.[193] 독음은 거(渠)와 전(篆)의 반절이다.

**3903**

**: 囿: 동산 유: 囗−총9획: yòu**

原文

: 苑有垣也. 从囗有聲. 一曰禽獸曰囿. , 籒文囿. 于救切.

飜譯

'[낮은] 담장으로 둘러쳐진 동산(苑有垣)'을 말한다. 위(囗)가 의미부이고 유(有)가 소리부이다.194) 일설에는 금수(禽獸: 짐승)를 유(囿)라고도 한다. 유()는 유(囿)의 옹희체이다. 독음은 우(于)와 구(救)의 반절이다.

**3904**

**: 園: 동산 원: 囗−총13획: yuán**

原文

: 所以樹果也. 从囗袁聲. 羽元切.

飜譯

'과수나무를 심는 곳(所以樹果)'을 말한다. 위(囗)가 의미부이고 원(袁)이 소리부이다.195) 독음은 우(羽)와 원(元)의 반절이다.

---

193) 고문자에서 簡牘文 등으로 썼다. 囗(나라 국·에워쌀 위)가 의미부이고 卷(굽을 권)이 소리부로, 둥글게(卷) 에워싼(囗) 가축의 '우리'를 말하며, 이로부터 구역이나 권역, 둘레 등의 뜻이 나왔다.

194) 고문자에서 甲骨文 金文 簡牘文 등으로 썼다. 소전체에서처럼 囗(에워쌀 위·나라 국)가 의미부고 有(있을 유)가 소리부로, 동산을 말하는데, 둘러쳐진 담(囗) 안쪽에 무엇인가 존재함(有)을 말한다. 갑골문에서는 둘러쳐진 담(囗) 안으로 풀이 빽빽하게 자라난(茻·망) 모습이었으나, 이후 풀이 有로 바뀌어 지금의 자형이 되었다. 『설문』 옹희에서도 로 쓰기도 했다.

195) 고문자에서 古陶文 簡牘文 등으로 썼다. 囗(에워쌀 위·나라 국)가 의미부고 袁(옷 길 원)이 소리부로, 둥글게(袁) 담(囗)으로 에워싼 과실수를 심는 '동산'을

**3905**

**圃: 圃: 밭 포: 口-총10획: pǔ**

原文

圃: 種菜曰圃. 从口甫聲. 博古切.

飜譯

'채소 심는 곳을 포(圃)라고 한다.' 위(口)가 의미부이고 보(甫)가 소리부이다.[196] 독음은 박(博)과 고(古)의 반절이다.

**3906**

**因: 因: 인할 인: 口-총6획: yīn**

原文

因: 就也. 从口、大. 於眞切.

飜譯

'의거하다(就)'라는 뜻이다.[197] 위(口)와 대(大)가 의미부이다.[198] 독음은 어(於)와 진



---

말하며, 이후 공원을 지칭하게 되었다. 간화자에서는 袁을 元(으뜸 원)으로 간단히 줄인 园으로 쓴다.

196) 고문자에서 甲骨文 金文 簡牘文 등으로 썼다. 口(에워쌀 위·나라 국)가 의미부고 甫(클 보)가 소리부로, 갑골문에서는 밭(田) 위로 풀(屮·철)이 자라난 모습(甫)으로 '채소밭'을 그렸으나, 甫가 남성을 지칭하는 말로 쓰이게 되자, 금문에 들면서 담장이나 울(口)을 다시 더하여 圃로 분화했다.

197) 『단주』에서 이렇게 말했다. "취(就)자의 설명에서 '높다는 뜻이다(高也)'라고 했는데, 높이 올라가려면 반드시 구릉에 의지해야 하고, 크게 되려면 반드시 토대에 의지해야 한다(爲高必因丘陵, 爲大必就基阯.) 그래서 인(因)이 위(口)와 대(大)로 구성되었다. 그 구역에 근거해 확대해 나간다는 의미이다(就其區域而擴充之也)."

198) 고문자에서 甲骨文 金文 簡牘文 등으로 썼다. 口(에워쌀 위·나라 국)와 大(큰 대)로 이루어져, 네모 틀(口) 속에 사람(大)이 그려진 모습으로, 네모 틀은 자리나 깔개를 뜻한다. 자리를 깔고 앉거나 눕는다는 뜻에서 '기대다'는 뜻이, 다시 起因

(眞)의 반절이다.

3907

囝: 㘝: 사사로이 취하는 모양 닙: 囗-총5획: niǎn, niè, nà, lǎn

原文

囝: 下取物縮藏之. 从囗从又. 讀若聶. 女洽切.

飜譯

'물건을 가져와 창고 속에 몰래 감추다(下取物縮藏之)'라는 뜻이다. 위(囗)가 의미부이고 우(又)도 의미부이다. 섭(聶)과 같이 읽는다. 독음은 녀(女)와 흡(洽)의 반절이다.

3908

囹: 囹: 옥 령: 囗-총8획: líng

原文

囹: 獄也. 从囗令聲. 郎丁切.

飜譯

'감옥(獄)'을 말한다. 위(囗)가 의미부이고 령(令)이 소리부이다. 독음은 랑(郎)과 정(丁)의 반절이다.

3909

圄: 圄: 옥 어: 囗-총10획: yǔ

原文

圄: 守之也. 从囗吾聲. 魚舉切.

---

(기인)하다, 原因(원인) 등의 뜻이 나왔다. 그러자 원래 뜻은 艸(풀 초)를 더한 茵(자리 인)으로 분화했다.

譯評

'지키다(守之)'라는 뜻이다. 위(囗)가 의미부이고 오(吾)가 소리부이다. 독음은 어(魚)와 거(舉)의 반절이다.

**3910**

**囚: 囚: 가둘 수: 囗-총5획: qiú**

原文

囚: 繫也. 从人在囗中. 似由切.

譯評

'단단히 옭아매다(繫)'라는 뜻이다. 사람(人)이 감옥(囗) 속에 든 모습이다.[199] 독음은 사(似)와 유(由)의 반절이다.

**3911**

**固: 固: 굳을 고: 囗-총8획: gù**

原文

固: 四塞也. 从囗古聲. 古慕切.

譯評

'사방이 다 막혔음(四塞)'을 말한다. 위(囗)가 의미부이고 고(古)가 소리부이다.[200] 독음은 고(古)와 모(慕)의 반절이다.

---

199) 고문자에서 甲骨文 古陶文 簡牘文 등으로 썼다. 人(사람 인)과 囗(에워쌀 위·나라 국)로 구성되어, 사람(人)이 감옥(囗)이나 울 속에 갇힌 모습이다. 이로부터 가두다, 구속하다, 罪囚(죄수), 포로가 되다 등의 뜻이 나왔다.

200) 고문자에서 金文 古陶文 盟書 簡牘文 古璽文 등으로 썼다. 囗(에워쌀 위·나라 국)가 의미부이고 古(옛 고)가 소리부로, 옛것(古)에 둘러싸여(囗·위) 밖으로 나가지 못하는 모습으로부터 고루함과 頑固(완고)함이나 固執(고집)을 그렸다. 옛것에 얽매여 새로운 사고를 하지 못함은 바로 굳음이요, 굳음은 바로 '노자'의 말처럼 죽어가는 모습에 다름 아니다.

**3912**

: 圍: **둘레 위**: 囗-총12획: wéi

原文

: 守也. 从囗韋聲. 羽非切.

飜譯

'지키다(守)'라는 뜻이다. 위(囗)가 의미부이고 위(韋)가 소리부이다.201) 독음은 우(羽)와 비(非)의 반절이다.

**3913**

: 困: **괴로울 곤**: 囗-총7획: kùn

原文

: 故廬也. 从木在囗中. 朱, 古文困. 苦悶切.

飜譯

'오래되어 허물어져 가는 집(故廬)'을 말한다. 나무(木)가 집(囗) 안에 든 모습을 형상했다.202) 곤(朱)은 곤(困)의 고문체이다. 독음은 고(苦)와 민(悶)의 반절이다.

---

201) 고문자에서 甲骨文 金文 簡牘文 石刻古文 등으로 썼다. 囗(에워쌀 위·나라 국)가 의미부고 韋(에워쌀·다룸가죽 위)가 소리부로, 성(囗) 둘레를 사방으로 에워싸(韋) 지키는 모습을 그렸다. 이로부터 포위하다, 주위 등의 뜻이 나왔다. 간화자에서는 韋를 韦로 줄인 围로 쓴다.

202) 고문자에서 甲骨文 簡牘文 등으로 썼다. 囗(에워쌀 위·나라 국)와 木(나무 목)으로 구성되었는데, 囗는 네모로 둘러쳐진 집이나 방을 상징하여, 변변한 가재도구도 없이 선반과 같은 나무(木)만 덩그러니 남은 困窮(곤궁)한 모습을 담았고, 다시 힘들다, 疲困(피곤)하다, 어려움에 부닥치다 등의 뜻이 나왔다.

3914

**圂: 圂: 뒷간 환·혼; 囗-총10획: hùn**

原文

圂: 廁也. 从囗, 象豕在囗中也. 會意. 胡困切.

飜譯

'측간, 즉 화장실(廁)'을 말한다. 위(囗)가 의미부이고, 돼지(豕)가 담장(囗) 속에 든 모습을 형상했다. 회의이다.[203] 독음은 호(胡)와 곤(困)의 반절이다.

3915

**囮: 囮: 후림새 와: 囗-총7획: é**

原文

囮: 譯也. 从囗、化. 率鳥者繫生鳥以來之, 名曰囮. 讀若譌. 又音由. 䌛, 囮或从繇. 又音由. 五禾切.

飜譯

'번역하다(譯)'라는 뜻이다. 위(囗)와 화(化)가 의미부이다. 새 잡는 사람이 산새를 묶어 다른 새를 유인하는데, 이 새를 와(囮)라고 한다.[204] 와(譌)와 같이 읽는다. 또

---

203) 고문자에서 [古文字] [古文字]古陶文 등으로 썼다. 水(물 수)가 의미부고 圂(뒷간 혼)이 소리부로, '뒷간'을 말하는데, 원래 圂으로 써 돼지(豕)가 우리(囗·국) 속에 갇힌 모습을 그렸다. 돼지우리는 항상 배설물 등으로 축축하기에 水(물 수)를 더해 의미를 강화했다. 간화자에서는 混(섞을 혼)에 통합되었다.

204) 후림새(디코이, decoy)는 연못이나 사냥이 가능한 장소에서 그물 따위를 쳐서 들새를 유인하는 것, 또는 들새나 들짐승을 사정거리 안으로 유인하기 위하여 사용되는 미끼 새를 말한다. 현대에는 주로 나무나 고무, 플라스틱 등으로 만든 사냥용 모형을 말한다. 서양에서는 주로 오리사냥에서 사용되지만 사냥의 대상에 따라 꿩, 타조, 각종 야생조수 등으로 다양하게 만들어진다. 오리사냥에서는 우는 오리, 모형오리 등을 이용하는데, 오리는 호기심이 강해서 단지 나무토막을 물 위에 띄워놓기만 해도 모여든다고 한다. 요즘에는 모터를 달아 움직일 수 있게 만든 로보틱 디코이도 개발되고 있다. 인간의 역사가 기록되기 전부터 아메리카 인디언들은 꿩·메추라기·닭 등을 사냥하기 위하여 그의 무기가 도달할 수 있는 범위 안에서 새의 모조품을 만들어 사용하였다.(『두산백과』, 디코이(decoy))

유(由)로도 읽는다. 와(囮)는 와(囮)의 혹체자인데, 요(繇)로 구성되었다. 또 독음은 유(由)이다. 독음은 오(五)와 화(禾)의 반절이다.

## 제227부수
## 227 ■ 원(員)부수

3916

**員: 員: 수효 원: 口-총10획: yuán**

原文

員: 物數也. 从貝口聲. 凡員之屬皆从員. 鼏, 籀文从鼎. 王權切.

飜譯

'사물의 수효(物數)'를 말한다. 패(貝)가 의미부이고 위(囗)가 소리부이다.205) 원(員) 부수에 귀속된 글자들은 모두 원(員)이 의미부이다. 원(鼏)은 옹희체인데, 정(鼎)으로 구성되었다. 독음은 왕(王)과 권(權)의 반절이다.



3917

**䡝: 䡝: 엉클어질 운: 貝-총14획: yún**

原文

䡝: 物數紛䡝亂也. 从員云聲. 讀若『春秋傳』曰"宋皇鄖". 羽文切.

飜譯

'사물의 수효가 정확하지 않아 혼란스러움(物數紛䡝亂)'을 말한다. 원(員)이 의미부이 운(云)이 소리부이다. 『춘추전』(『좌전』 양공 9년, B.C. 564)에서 말한 "송(宋)나라의 황운(皇鄖)206)"의 운(鄖)과 같이 읽는다. 독음은 우(羽)와 문(文)의 반절이다.

---

205) 고문자에서 [古文字]甲骨文 [古文字]金文 [古文字]古陶文 [古文字]簡牘文 등으로 썼다. 원래는 口(입 구)와 鼎(솥 정)으로 구성되었는데, 口는 정(鼎)의 아가리를 말한다. 그래서 정(鼎)의 아가리(口)처럼 '둥글다'가 원래 뜻이었다. 그러나 이후 '수효'와 '人員(인원)'이라는 뜻으로 가차되자, 원래 뜻은 다시 囗(에워쌀 위·나라 국)를 더한 圓(둥글 원)으로 분화했고, 鼎도 자형이 비슷한 貝(조개 패)로 변해 지금의 글자가 되었다.

206) 황운(皇鄖)은 성(姓)이 자(子)이고 씨(氏)가 황(皇)으로, 춘추시대 때 송(宋)나라의 사마(司馬)라는 벼슬을 맡았던 인물이다.

## 제228부수
## 228 ■ 패(貝)부수



**3918**

**貝: 貝: 조개 패: 貝-총7획: bèi**

原文

貝: 海介蟲也. 居陸名猋, 在水名蜬. 象形. 古者貨貝而寶龜, 周而有泉, 至秦廢貝行錢. 凡貝之屬皆从貝. 博蓋切.

飜譯

'바다에 사는 갑각류의 연체동물(海介蟲)[조개]'을 말한다. 육지에 사는 것은 표(猋)라고 하며, 물에 사는 것은 함(蜬)이라 부른다. 상형이다. 옛날에는 조개를 화폐로, 거북을 보물로 삼았다. 주(周)나라 때에는 천(泉)이라는 화폐를 사용했으나, 진(秦)나라에 들어 조개화폐는 없어지고 대신 동전(錢)이 유행했다.[207] 패(貝)부수에 귀속된 글자들은 모두 패(貝)가 의미부이다. 독음은 박(博)과 개(蓋)의 반절이다.

**3919**

**貨: 貨: 자개 소리 쇄: 貝-총10획: suǒ**

原文

貨: 貝聲也. 从小、貝. 酥果切.

---

207) 고문자에서 甲骨文 金文 古陶文 簡牘文 등으로 썼다. 껍데기를 양쪽으로 벌린 조개를 그렸다. 금문에 들어 아래로 세로획이 둘 더해졌는데, 이를 두고 조개를 꿰놓은 줄이라고도 하지만 조개의 입수관과 출수관으로 보인다. 조개는 고대인들이 즐겨 먹던 음식이었지만, 일찍부터 화폐로도 사용되었으며, 이 때문에 貝는 '조개' 외에 화폐, 재산, 부, 상행위 등과 관련된 의미를 가진다. 간화자에서는 贝로 쓴다.

'조개껍질이 부딪히는 소리(貝聲)'를 말한다. 소(小)와 패(貝)가 의미부이다. 독음은 수(酥)와 과(果)의 반절이다.

**3920**

**賄: 賄: 뇌물 회: 貝-총13획: huì**

原文

賄: 財也. 从貝有聲. 呼罪切.

飜譯

'재물(財)'을 말한다. 패(貝)가 의미부이고 유(有)가 소리부이다.[208] 독음은 호(呼)와 죄(罪)의 반절이다.

**3921**

**財: 財: 재물 재: 貝-총10획: cái**

原文

財: 人所寶也. 从貝才聲. 昨哉切.

飜譯

'사람들이 보배롭게 여기는 것(人所寶)'을 말한다. 패(貝)가 의미부이고 재(才)가 소리부이다.[209] 독음은 작(昨)과 재(哉)의 반절이다.

---

208) 貝(조개 패)가 의미부고 有(있을 유)가 소리부로, '뇌물'을 말하는데, 재물(貝)을 갖게 되었음(有)을 말하며, 남에게 재물(貝)을 갖게 하여(有) 부탁하다의 뜻도 나왔다.

209) 貝(조개 패)가 의미부고 才(재주 재)가 소리부로, '재물'이나 물자를 말하는데, 돈(貝)이 되는 유용한(才) 물품이라는 뜻이다. 유용한 나무는 材(재목 재), 유능한 사람을 才(재주 재)라고 한다.

**3922**

**貨: 貨: 재화 화: 貝-총11획: huò**

原文

貨: 財也. 从貝化聲. 呼臥切.

飜譯

'재화(財)'를 말한다. 패(貝)가 의미부이고 화(化)가 소리부이다.210) 독음은 호(呼)와 와(臥)의 반절이다.

**3923**

**䝿: 䝿: 재물 귀: 貝-총16획: guī, guì**

原文

䝿: 資也. 从貝爲聲. 或曰: 此古貨字. 讀若貴. 詭僞切.

飜譯

'재물(資)'을 말한다. 패(貝)가 의미부이고 위(爲)가 소리부이다. 혹자는, 이 글자가 화(貨)의 고문체라고도 한다. 귀(貴)와 같이 읽는다. 독음은 궤(詭)와 위(僞)의 반절이다.



**3924**

**資: 資: 재물 자: 貝-총13획: zī**

原文

資: 貨也. 从貝次聲. 卽夷切.

飜譯

'재화(貨)'를 말한다. 패(貝)가 의미부이고 차(次)가 소리부이다.211) 독음은 즉(卽)과

---

210) 고문자에서 簡牘文 古幣文 등으로 썼다. 貝(조개 패)가 의미부고 化(될 화)가 소리부로, 화폐나 통화를 말한다. 이로부터 화물, 상품, 팔다 등의 뜻이 나왔는데, 필요한 물품으로 바꿀(化) 수 있는 화폐(貝)라는 뜻을 담았다.

이(夷)의 반절이다.

**3925**

**䝔: 贎: 재물 만: 貝-총20획: wàn**

原文

䝔: 貨也. 从貝萬聲. 無販切.

飜譯

'재화(貨)'를 말한다. 패(貝)가 의미부이고 만(萬)이 소리부이다. 독음은 무(無)와 판(販)의 반절이다.

**3926**

**賑: 賑: 구휼할 진: 貝-총14획: zhèn**

原文

賑: 富也. 从貝辰聲. 之忍切.

飜譯

'부유하다(富)'라는 뜻이다. 패(貝)가 의미부이고 진(辰)이 소리부이다.[212] 독음은 지(之)와 인(忍)의 반절이다.

**3927**

**賢: 賢: 어질 현: 貝-총15획: xián**

---

211) 고문자에서 簡牘文 등으로 썼다. 貝(조개 패)가 의미부고 次(버금 차)가 소리부로, 재물(貝)이나 물자를 말하며, 이로부터 식량이나 생활비, 제공하다, 경력 등의 뜻이 나왔다. 달리 次 대신 此(이 차)가 들어간 貲(재물 자)로 쓰기도 한다.

212) 고문자에서 金文 등으로 썼다. 貝(조개 패)가 의미부고 辰(지지 진·때 신)이 소리부로, 원래는 돈(貝)이 많다는 뜻이었는데, 이후 돈(貝)을 풀어 활발하게(辰) '구제함'을 말했다.

原文

賢: 多才也. 从貝臤聲. 胡田切.

飜譯

'재주가 많다(多才)'라는 뜻이다.[213] 패(貝)가 의미부이고 견(臤)이 소리부이다.[214] 독음은 호(胡)와 전(田)의 반절이다.

**3928**

**賁: 賁: 클 분: 貝-총12획: bì**

原文

賁: 飾也. 从貝卉聲. 彼義切.

飜譯

'꾸미다(飾)'라는 뜻이다. 패(貝)가 의미부이고 훼(卉)가 소리부이다.[215] 독음은 피(彼)와 의(義)의 반절이다.



---

213) 『단주』에서는 재(才)는 재(財)가 되어야 한다고 했다. 그리고 현(賢)은 본래 재물이 많을 것(多財)을 지칭하는 말인데, 이후 '많은 것(多)은 모두 현(賢)이라 불렀으며', '재주가 많은 사람을 현능(賢能)이라 부르게 되었고, 그것이 습관이 되어 파생의미가 유행을 하고 본래의미는 없어지고 말았다.'라고 했다.

214) 고문자에서 [古文字]金文 [古文字]簡牘文 [古文字]古璽文 [古文字]石刻古文 등으로 썼다. 貝(조개 패)가 의미부고 臤(굳을 간·현)이 소리부로, 노비를 잘 관리하고(臤) 재산(貝)을 잘 지키는 재능이 많은 사람을 말했으며, 이후 재산이 많다, 총명하다, 재주가 많다, 현명하다, 현자 등을 뜻하게 되었다. 또 또래나 후배를 높일 때도 쓴다. 속자에서는 달리 윗부분을 臣(신하 신)과 忠(충성 충)으로 바꾸어 현(贒)으로 쓰기도 하는데, 忠臣이 바로 '어진 사람'임을 강조했다. 간화자에서는 臤을 간단하게 줄여 贤으로 쓴다.

215) 고문자에서 [古文字]簡牘文 등으로 썼다. 貝(조개 패)가 의미부고 卉(풀 훼)가 소리부로, 조개(貝)를 이용해 꽃처럼(卉) 아름답게 만든 장식을 말하며, 아름다운 광채가 나는 모양을 뜻하기도 한다. 또 '크다'는 뜻으로 쓰이며, 土(흙 토)가 더해진 墳(무덤 분)과 같이 써 簡策(간책)이나 전적을 뜻하기도 한다.

**3929**

**賀: 賀: 하례 하: 貝-총12획: hè**

原文

賀: 以禮相奉慶也. 从貝加聲. 胡箇切.

飜譯

'예물을 서로 바치며 축하하다(以禮相奉慶)'라는 뜻이다. 패(貝)가 의미부이고 가(加)가 소리부이다.216) 독음은 호(胡)와 개(箇)의 반절이다.

**3930**

**貢: 貢: 바칠 공: 貝-총10획: gòng**

原文

貢: 獻, 功也. 从貝工聲. 古送切.

飜譯

'바치다(獻), 공헌하다(功)'라는 뜻이다. 패(貝)가 의미부이고 공(工)이 소리부이다.217) 독음은 고(古)와 송(送)의 반절이다.

**3931**

**贊: 贊: 도울 찬: 貝-총19획: zàn**

---

216) 고문자에서 金文 簡牘文 등으로 썼다. 貝(조개 패)가 의미부고 加(더할 가)가 소리부로, 재물(貝) 등을 더해 줌(加)으로써 祝賀(축하)함을 말하며, 이로부터 포상하다, 더하다 등의 뜻이 나왔다.

217) 고문자에서 簡牘文 등으로 썼다. 貝(조개 패)가 의미부이고 工(장인 공)이 소리부로, 백성이 그 지방에서 나는 특산물을 조정에 바치던 일(貢納·공납)을 말하는데, 공납으로 바치던 것이 노동력(工)과 각지에서 나는 돈(貝) 되는 중요 산물이었음을 말해 준다. 이로부터 공물, 바치다 등의 뜻이 나왔다.

原文

贊: 見也. 从貝从兟. 則旰切.

飜譯

'알현하다(見)'라는 뜻이다.218) 패(貝)가 의미부이고 신(兟)도 의미부이다.219) 독음은 칙(則)과 간(旰)의 반절이다.

**3932**

**賮: 賮: 보배 신: 貝-총16획: jìn**

原文

賮: 會禮也. 从貝𦘔聲. 徐刃切.

飜譯

'만날 때 가져가는 예물(會禮)'을 말한다. 패(貝)가 의미부이고 신(𦘔)이 소리부이다. 독음은 서(徐)와 인(刃)의 반절이다.



**3933**

**齎: 齎: 가져올 재: 齊-총21획: jī**

原文

齎: 持遺也. 从貝齊聲. 祖雞切.

218) 『단주』에서는 이렇게 말했다. "이는 첩운(疊韵)자를 가지고서 뜻풀이를 한 것이다. 생각건대, '所以見'이 되어야만 할 것이다. 즉 서로 상견하려면 도와주는 자가 있어야만 한다는 것을 말한 것이다(謂彼此相見必資贊者). 「사관례(士冠禮)」에 '참관자(贊冠者)', 「사혼례(士昏禮)」에 '찬자(贊者)'라는 말이 나오는데, 주석에서 찬(贊)은 보좌하다는 뜻이다(佐也)라고 했다. 『주례·대재(大宰)』의 주석에서도 '찬(贊)은 돕다는 뜻이다(助也)'라고 했다. 그렇다면 예를 행할 때에는 필시 도우는 자가 있어야 했으며, 혼자 단독으로 상견하는 것은 아니었음을 말해준다.(是則凡行禮必有贊, 非獨相見也.)"

219) 貝(조개 패)와 兟(나아갈 신)으로 구성되어, 재물(貝)을 갖고 예를 갖추어 나아가(兟) 뵙는 것을 말하고, 이로부터 '알현하다'의 뜻이 나왔다. 이로부터 贊助(찬조)하다, '돕다'의 뜻이 나왔고, 다시 贊成(찬성)과 稱讚(칭찬)의 뜻도 나왔다.

飜譯

‘예물을 가져가서 건네주다(持遺)’라는 뜻이다. 패(貝)가 의미부이고 제(齊)가 소리부이다. 독음은 조(祖)와 계(雞)의 반절이다.

**3934**

貸: 貸: **빌릴 대**: 貝-**총12획: dài**

原文

貸: 施也. 从貝代聲. 他代切.

飜譯

‘[다른 사람에게] 베풀다(施)’라는 뜻이다. 패(貝)가 의미부이고 대(代)가 소리부이다.[220] 독음은 타(他)와 대(代)의 반절이다.

**3935**

貣: 貣: **빌 특**: 貝-**총10획: tè**

原文

貣: 从人求物也. 从貝弋聲. 他得切.

飜譯

‘다른 사람에게서 물건을 빌리다’라는 뜻이다. 패(貝)가 의미부이고 익(弋)이 소리부이다. 독음은 타(他)와 득(得)의 반절이다.

**3936**

賂: 賂: **뇌물 줄 뢰**: 貝-**총13획: lù**

原文

220) 貝(조개 패)가 의미부이고 代(대신할 대)가 소리부로, 돈이나 재물(貝)을 다른 사람에게 대신(代) ‘빌려주다’는 뜻이며, 이로부터 주다, 빌리다, 빌려주다, 빚 등의 뜻이 나왔다.

賂: 遺也. 从貝各聲. 洛故切.

飜譯

'재물을 주다(遺)'라는 뜻이다. 패(貝)가 의미부이고 각(各)이 소리부이다. 독음은 락(洛)과 고(故)의 반절이다.

**3937**

**賸: 賸: 남을 승·잉·싱: 貝-총17획: shèng**

原文

賸: 物相增加也. 从貝朕聲. 一曰送也, 副也. 以證切.

飜譯

'물건을 서로 더해 주다(物相增加)'라는 뜻이다.[221] 패(貝)가 의미부이고 짐(朕)이 소리부이다. 일설에는 '보내다(送)', '도와주다(副)'라는 뜻이라고도 한다. 독음은 이(以)와 증(證)의 반절이다.

**3938**

**贈: 贈: 보낼 증: 貝-총19획: zèng**

原文

贈: 玩好相送也. 从貝曾聲. 昨鄧切.

飜譯

'좋아하는 물건을 서로에게 보내다(玩好相送)'라는 뜻이다. 패(貝)가 의미부이고 증(曾)이 소리부이다. 독음은 작(昨)과 등(鄧)의 반절이다.

221) 『단주』에서는 이렇게 말했다. "잉(賸)과 증(增)은 첩운이다(疊韻). 물건을 서로 더해 주는 것(以物相益)을 잉(賸)이라 하는데, 이는 글자의 본래의미이다. 오늘날 이를 혹이나 군더더기(贅疣)로 풀이하는데, 이는 옛날의 의미와 조금 차이가 있어 보이지만 사실은 옛날 뜻이 확장된 의미이다. 잉(賸)자를 잉(剩)으로 바꾸어 사용함으로써 형체도 달라졌다."

**3939**

**𧶘: 貱: 전해줄 피: 貝-총12획: bì**

原文

𧶘: 迻予也. 从貝皮聲. 彼義切.

飜譯

'다른 사람에게 전해주다(迻予)'라는 뜻이다. 패(貝)가 의미부이고 피(皮)가 소리부이다. 독음은 피(彼)와 의(義)의 반절이다.

**3940**

**贛: 贛: 줄 공: 立-총24획: gòng**

原文

贛: 賜也. 从貝, 竷省聲. 𥫔, 籒文贛. 古送切.

飜譯

'하사하다(賜)'라는 뜻이다. 패(貝)가 의미부이고, 감(竷)의 생략된 부분이 소리부이다. 공(𥫔)은 공(贛)의 옹희체이다. 독음은 고(古)와 송(送)의 반절이다.

**3941**

**賚: 賚: 줄 뢰: 貝-총15획: lài**

原文

賚: 賜也. 从貝來聲. 『周書』曰: "賚尒秬鬯." 洛帶切.

飜譯

'하사하다(賜)'라는 뜻이다. 패(貝)가 의미부이고 래(來)가 소리부이다. 『서·주서(周書)·문후지명(文侯之命)』에서 "그대에게 검은 기장과 울창주를 하사하노라(賚尒秬鬯)"라고 했다. 독음은 락(洛)과 대(帶)의 반절이다.

3942

**賞: 賞: 상줄 상: 貝-총15획: shǎng**

原文

賞: 賜有功也. 从貝尙聲. 書兩切.

飜譯

'공이 있는 사람에게 하사하다(賜有功)'라는 뜻이다. 패(貝)가 의미부이고 상(尙)이 소리부이다.[222] 독음은 서(書)와 량(兩)의 반절이다.

3943

**賜: 賜: 줄 사: 貝-총15획: cì**

原文

賜: 予也. 从貝易聲. 斯義切.

飜譯

'주다(予)'라는 뜻이다. 패(貝)가 의미부이고 역(易)이 소리부이다.[223] 독음은 사(斯)와 의(義)의 반절이다.

3944

**貤: 貤: 거듭할 이: 貝-총10획: yì**



---

222) 고문자에서 金文 古陶文 簡牘文 등으로 썼다. 貝(조개 패)가 의미부고 尙(오히려 상)이 소리부로, 공로가 있는 사람을 높여(尙) 재물(貝)로 '상'을 주는 것을 말하며, 이로부터 주다, 칭찬하다, 상으로 주는 물건 등을 뜻하게 되었다.

223) 고문자에서 金文 古陶文 簡牘文 등으로 썼다. 貝(조개 패)가 의미부고 易(바꿀 역·쉬울 이)가 소리부로, 윗사람이 아랫사람에게 상을 내리는 것을 말하는데, 상으로 받은 물건은 돈(貝)으로 쉽게 바꿀 수 있다(易)는 뜻을 반영했다. 이로부터 下賜(하사)하다, 하사품, 은혜를 베풀다 등의 뜻이 나왔고, 상대를 높이는 경어로도 사용되었다.

原文

貤: 重次弟物也. 从貝也聲. 以豉切.

飜譯

'차곡차곡 겹쳐진 물건(重次弟物)'을 말한다.[224] 패(貝)가 의미부이고 야(也)가 소리부이다. 독음은 이(以)와 시(豉)의 반절이다.

**3945**

**贏: 贏: 이가 남을 영: 貝-총20획: yíng**

原文

贏: 有餘、賈利也. 从貝𣎆聲. 以成切.

飜譯

'남음이 있음(有餘)이나 장사를 하여 이익이 남음(賈利)'을 말한다. 패(貝)가 의미부이고 라(𣎆)가 소리부이다.[225] 독음은 이(以)와 성(成)의 반절이다.

**3946**

**賴: 賴: 힘입을 뢰: 貝-총16획: lài**

原文

賴: 贏也. 从貝剌聲. 洛帶切.

飜譯

'이문이 남다(贏)'라는 뜻이다. 패(貝)가 의미부이고 날(剌)이 소리부이다.[226] 독음은

---

224) 『단주』에서 "중차제(重次弟)라는 것은 차례를 이루었는데 다시 그 때문에 중첩되는 것을 말한다(旣次弟之又因而重之也)"라고 했다.

225) 고문자에서 金文 簡牘文 등으로 썼다. 貝(조개 패)가 의미부이고 𣎆(짐승이름 라)가 소리부로, 이익(貝)이 남음(𣎆)을 말한다. 이로부터 차다, 가득하다, 넘치다 등의 뜻이 나왔고, 경기 등에서 '이기다'는 뜻도 나왔다.

226) 고문자에서 簡牘文 등으로 썼다. 貝(조개 패)가 의미부이고 剌(어그러질 랄)이 소리

락(洛)과 대(帶)의 반절이다.

3947

**𠂤 : 負: 질 부: 貝-총9획: fù**

原文

𠂤: 恃也. 从人守貝, 有所恃也. 一曰受貸不償. 房九切.

飜譯

'기대어 믿다(恃)'라는 뜻이다. 사람(人)이 조개화폐(貝)를 지키는 모습을 형상했으며, 믿고 기댈 곳이 있음을 상징한다. 일설에는 '남에게서 빌리고 갚지 않는 것(受貸不償)'을 말한다고도 한다.227) 독음은 방(房)과 구(九)의 반절이다.

3948

**𧶠 : 貯: 쌓을 저: 貝-총12획: zhù**

原文

𧶠: 積也. 从貝宁聲. 直呂切.

飜譯

'쌓다(積)'라는 뜻이다. 패(貝)가 의미부이고 저(宁)가 소리부이다. 독음은 직(直)과 려(呂)의 반절이다.

부로, 재산(貝)이나 이익에 '기대다'는 뜻을 그렸으며, 이후 그러한 데 기대어 오만하게 굴다는 뜻에서 '무례하다'는 의미가 나왔다.

227) 고문자에서 負 負 負 簡牘文 등으로 썼다. 원래는 人(사람 인)과 貝(조개 패)로 구성되어, 자랑삼다는 뜻이었는데, 자형이 조금 변해 지금처럼 되었다. 사람(人)이 재물(貝)을 갖고 있으면서 거기에 기대고 자랑함을 말한다. 돈이 많을 때는 등이나 어깨에 짊어지기도 했는데, 이로부터 '짊어지다'의 뜻이, 다시 負擔(부담)이나 책무의 뜻이 나왔다. 일설에는 대출을 받고 갚지 않는 것을 말하며, 이로부터 빚을 짊어지다와 책무의 뜻이 나왔다고도 한다. 이후 勝負(승부)에서처럼 '지다'는 뜻도 나왔다.

**3949**

### 貳: 貳: 두 이: 貝-총12획: èr

原文

貳: 副、益也. 从貝弍聲. 弍, 古文二. 而至切.

飜譯

'둘로 나누다(副)[228], 더하다(益)'라는 뜻이다. 패(貝)가 의미부이고 이(弍)가 소리부이다. 이(弍)는 이(二)의 옹희이다.[229] 독음은 이(而)와 지(至)의 반절이다.

**3950**

### 賓: 賓: 손 빈: 貝-총14획: bīn

原文

賓: 所敬也. 从貝㝐聲. 賔, 古文. 必鄰切.

飜譯

'공경해야 할 대상(所敬)[손님]'이다. 패(貝)가 의미부이고 면(㝐)이 소리부이다.[230] 빈(賔)은 옹희이다. 독음은 필(必)과 린(鄰)의 반절이다.

---

228) 도(刀)부수 부(副)자의 해석에서 "두 조각으로 나누다(判也)"라는 것이라고 했는데, 『단주』에서는 이렇게 보충했다. "나누다는 것은 하나의 물건을 둘로 만들다는 것이다. 그래서 둘로 나누었다가 하나로 합칠 수 있는 것이면 모두 부(副)라고 불렀다.(副之則一物成二. 因仍謂之副. 因之凡分而合者皆謂之副.)"

229) 고문자에서 金文 簡牘文 등으로 썼다. 貝(조개 패)가 의미부고 弋(주살 익)이 소리부로, 조개(貝)가 양쪽으로 갈라져 대칭되듯 '둘'을 뜻한다. 二(두 이)의 갖은 자이며, 달리 二와 弋으로 구성된 弍로 쓰기도 한다.

230) 고문자에서 甲骨文 金文 簡牘文 등으로 썼다. 원래 宀(집 면)과 人(사람 인)과 止(발 지)로 구성되어, 집(宀)으로 찾아오는(止) '손님(人)'을 그렸다. 人은 때에 따라서 元(으뜸 원)이니 兀(우뚝할 올)이나 女(계집 녀)로 표현되기도 했는데, 모두 '사람'을 지칭하여 같은 뜻이다. 방문에는 예물을 지참하는 것이 전통적인 예의였으므로 貝(조개 패)가 더해져 지금의 자형인 賓이 되었다. 손을 맞아들이다는 뜻에서 접대하다, 모시다 등의 뜻도 나왔다. 간화자에서는 宀이 의미부이고 兵(군사 병)이 소리부인 宾으로 쓴다.

3951

**賒: 賒: 외상으로 살 사: 貝-총14획: shē**

原文

賒: 貰買也. 从貝余聲. 式車切.

飜譯

'외상으로 사다(貰買)'라는 뜻이다. 패(貝)가 의미부이고 여(余)가 소리부이다. 독음은 식(式)과 차(車)의 반절이다.

3952

**貰: 貰: 세낼 세: 貝-총12획: shì**

原文

貰: 貸也. 从貝世聲. 神夜切.

飜譯

'빌리다(貸)'라는 뜻이다. 패(貝)가 의미부이고 세(世)가 소리부이다.[231] 독음은 신(神)과 야(夜)의 반절이다.

3953

**贅: 贅: 혹 췌: 貝-총18획: zhuì**

原文

贅: 以物質錢. 从敖、貝. 敖者, 猶放; 貝, 當復取之也. 之芮切.

---

231) 고문자에서 貰簡牘文 등으로 썼다. 貝(조개 패)가 의미부고 世(대 세)가 소리부로, 빌리다, 세를 내다는 뜻인데, 한 세대(世) 즉 30년 동안 일정한 세금이나 금전적(貝) 대가를 제공하고 빌려 쓰는 행위라는 뜻을 담았다.

飜譯

‘물건을 저당 잡혀 돈으로 받다(以物質錢)’라는 뜻이다. 오(敖)와 패(貝)가 의미부이다. 오(敖)는 ‘내보내다(放)’라는 뜻이고, 패(貝)는 ‘저당 잡힌 것을 다시 찾아오다(當復取之)’라는 뜻이다. 독음은 지(之)와 예(芮)의 반절이다.

**3954**

**: 質: 바탕 질: 貝-총15획: zhì**

原文

: 以物相贅. 从貝从所. 闕. 之日切.

飜譯

‘물건으로 서로 저당 잡히다(以物相贅)’라는 뜻이다.[232] 패(貝)가 의미부이고 은(所)도 의미부이다. 독음은 왜 그런 뜻인지 알 수 없어 비워 둔다(闕).[233] 독음은 지(之)와 일(日)의 반절이다.

**3955**

**: 貿: 바꿀 무: 貝-총12획: mào**

---

232) 『단주』에서 이렇게 말했다. “질(質)과 췌(贅)는 쌍성이다(雙聲). 이물상자(以物相贅)라는 말은 『춘추(春秋)』에서 말한 교질자(交質子: 서로 인질을 보내 신뢰의 징표로 삼다)가 그것이다.”

233) 고문자에서 盟書 簡牘文 등으로 썼다. 所(모탕 은)과 貝(조개 패)로 구성되었는데, 貝는 조개 화폐로 돈이나 재물 등을 뜻하고 所은 도끼를 그린 斤(도끼 근)이 둘 모여서 나무를 패거나 자를 때 받쳐 놓는 나무토막을 말한다. 그래서 質은 ‘돈(貝)으로 바꿀 수 있는 것의 밑받침(所)이나 바탕이 될 수 있는 것’이라는 뜻에서 처음에는 ‘抵當(저당·담보로 잡힘)’의 뜻으로 쓰였다. 따라서 ‘質이 좋다’나 ‘質이 나쁘다’의 쓰임에서처럼 質에는 질 좋은 원자재가 나중에 실제로 쓰일 수 있는 물건으로 가공되었을 때 화폐 가치가 높은 잠재성을 가진다는 뜻을 내포되어 있다. 이렇듯 質은 화폐나 돈 자체를 말하는 것이 아니라 많은 돈을 벌게 해 줄 수 있는 밑바탕을 의미한다. 실재하는 현상물의 실체가 바로 밑바탕이라는 의미에서 質에는 ‘실체’라는 의미가 생겼고, 바탕은 언제나 가공되기 전의 소박함을 특징으로 하기에 다시 質朴(질박)이라는 의미까지 생겼다. 한편 質의 원래 의미가 돈을 빌리고자 저당 잡히는 재물이나 물건 등을 뜻했던 것처럼, 人質(인질)은 사람(人)을 볼모로 잡아(質) 어떤 대가를 요구하다는 뜻이다. 간화자에서는 所을 간단하게 줄인 质로 쓴다.

原文

貿: 易財也. 从貝丣聲. 莫候切.

飜譯

'재화를 교환하다(易財)'라는 뜻이다. 패(貝)가 의미부이고 묘(丣)가 소리부이다.[234] 독음은 막(莫)과 후(候)의 반절이다.

**3956**

**贖: 贖: 속바칠 속: 貝-총22획: shú**

原文

贖: 貿也. 从貝𧶠聲. 殊六切.

飜譯

'재화로 [저당 잡힌 것을] 교환하다(貿)'라는 뜻이다. 패(貝)가 의미부이고 육(𧶠)이 소리부이다. 독음은 수(殊)와 륙(六)의 반절이다.



**3957**

**費: 費: 쓸 비: 貝-총12획: fèi**

原文

費: 散財用也. 从貝弗聲. 房未切.

飜譯

'재물을 날려버리다(散財用)'라는 뜻이다. 패(貝)가 의미부이고 불(弗)이 소리부이다.[235] 독음은 방(房)과 미(未)의 반절이다.

---

234) 고문자에서 金文 古陶文 簡牘文 등으로 썼다. 貝(조개 패)가 의미부고 丣(넷째 지지 묘)가 소리부로, 재물(貝)을 서로 바꾸다는 의미로부터 '교역'과 貿易(무역)의 뜻이 나왔다. 이후 '경솔하다'는 뜻으로 가차되기도 했다.

235) 고문자에서 甲骨文 金文 簡牘文 등으로 썼다. 貝(조개 패)가 의미부고 弗

**3958**

**責: 責: 꾸짖을 책: 貝-총11획: zé**

原文

責: 求也. 从貝朿聲. 側革切.

飜譯

'[빚을 갚도록] 요구하다(求)'라는 뜻이다. 패(貝)가 의미부이고 자(朿)가 소리부이다.236) 독음은 측(側)과 혁(革)의 반절이다.

**3959**

**賈: 賈: 값 가앉은장사 고: 貝-총13획: gǔ**

原文

賈: 賈市也. 从貝襾聲. 一曰坐賣售也. 公戶切.

飜譯

'시장에서 물건을 파는 장사(賈市)'를 말한다. 패(貝)가 의미부이고 아(襾)가 소리부이다. 일설에는 '좌판에 앉아서 파는 것(坐賣售)'을 말한다고도 한다.237) 독음은 공

---

(아닐 불)이 소리부로, 화폐나 재화(貝)를 마구 써 없애버려(弗) 消費(소비)함을 말하며, 이로부터 재물이나 마음을 쓰다, 소비하다, 수고하다 등의 뜻이 나왔다.

236) 고문자에서 甲骨文 金文 盟書 簡牘文 등으로 썼다. 貝(조개 패)가 의미부고 朿(가시 자)가 소리부인데, 자형이 변해 지금처럼 되었다. 貝는 조개 화폐를 말하고, 朿는 원래 화살처럼 하늘로 솟은 나무(木·목) 모양에 양쪽으로 가시가 그려진 모습이고 이로써 '가시나무'를 형상화했는데, 가시는 아픔과 어려움과 叱責(질책)의 상징이다. 이로부터 責務(책무), 叱責(질책), 責任(책임), 질문 등의 뜻이 나왔다. 이렇게 볼 때, 責은 인간의 가장 어렵고 힘든(朿) 것이 경제(貝)와 관련된 문제이며, 분란이라는 것도 언제나 財貨(재화)와 관련된 이익에서 출현함을 보여준다.

237) 고문자에서 古陶文 簡牘文 등으로 썼다. 貝(조개 패)가 의미부이고 襾(덮을 아)가 소리부로, 화폐나 재물(貝)을 덮어(襾) 보관하는 모습을 형상화했다. 『설문해자』의 옹희에서는 冃(쓰개 모)와 貝가 의미부이고 古(옛 고)가 소리부인 구조로, 화폐나 재물(貝)을 덮개로 덮은

(公)과 호(戶)의 반절이다.

3960

**賁: 賨: 장사할 상: 貝-총15획: shāng, shǎng**

原文

賁: 行賈也. 从貝, 商省聲. 式陽切.

飜譯

'행상, 즉 사방으로 돌아다니며 물건을 파는 장사(行賈)'를 말한다. 패(貝)가 의미부이고, 상(商)의 생략된 부분이 소리부이다. 독음은 식(式)과 양(陽)의 반절이다.

3961

**販: 販: 팔 판: 貝-총11획: fàn**

原文

販: 買賤賣貴者. 从貝反聲. 方願切.

飜譯

'저가로 사들여와 고가로 내다 파는 장사(買賤賣貴者)'를 말한다. 패(貝)가 의미부이고 반(反)이 소리부이다. 독음은 방(方)과 원(願)의 반절이다.

3962

**買: 買: 살 매: 貝-총12획: mǎi**

原文

---

(冃) 모습을 그렸는데, 소전체에서 소리부인 古(옛 고)가 襾로 바뀌어 지금처럼 되었다. 점포를 개설해 값나가는 물건을 덮어 놓고 팔다는 뜻에서 '장사'의 뜻이, 다시 그런 상행위를 하는 '앉은장사'를 말했다. 이후 상인을 두루 칭하게 되었고, 다시 '가격'이라는 뜻까지 나왔다. 또 성씨로도 쓰이는데 그때에는 '가'로 읽힌다.

買: 市也. 从网、貝. 『孟子』曰: "登壟斷而网市利." 莫蟹切.

飜譯

'사들이다(市)'라는 뜻이다. 망(网)과 패(貝)가 의미부이다.[238) 『맹자·공손추(公孫丑)』(하)에서 "[전체를 내려다 볼 수 있는] 깎아지른 절벽에 올라 내려다 본 후 시장의 이익을 독점한다(登壟斷而网市利)."라고 했다. 독음은 막(莫)과 해(蟹)의 반절이다.

**3963**

**賤: 賤: 천할 천: 貝-총15획: jiàn**

原文

賤: 賈少也. 从貝戔聲. 才線切.

飜譯

'가격이 낮다(賈少)'라는 뜻이다. 패(貝)가 의미부이고 전(戔)이 소리부이다.[239) 독음은 재(才)와 선(線)의 반절이다.

**3964**

**賦: 賦: 구실 부: 貝-총14획: fù**

原文

賦: 斂也. 从貝武聲. 方遇切.

飜譯

---

238) 고문자에서 甲骨文 金文 古陶文 盟書 簡牘文 등으로 썼다. 网(그물 망)과 貝(조개 패)로 구성되어, 그물(网·罒·망)로 조개(貝)를 잡는 모습을 그렸고, 조개를 잡으면 필요한 물품을 '살' 수 있음을 말했다. 이로부터 구매하다, 수매하다, 매매하다, 세를 내다 등의 뜻이 나왔다. 간화자에서는 초서체로 줄여 쓴 买로 쓴다.

239) 고문자에서 簡牘文 등으로 썼다. 貝(조개 패)가 의미부고 戔(쌓일 전)이 소리부로, 값이 싸다는 뜻으로, 재산(貝)이 얼마 남지 않은(戔) 상태를 말하며, 이로부터 가난하다, '천하다', 멸시하다 등의 뜻이 나왔다. 간화자에서는 戔을 戋으로 간단하게 줄인 贱으로 쓴다.

‘거두어들이다(斂)’라는 뜻이다. 패(貝)가 의미부이고 무(武)가 소리부이다.[240] 독음은 방(方)과 우(遇)의 반절이다.

**3965**

貪: 貪: **탐할 탐**: 貝-**총11획**: **tān**

原文

貪: 欲物也. 从貝今聲. 他含切.

飜譯

‘물건을 탐내다(欲物)’라는 뜻이다. 패(貝)가 의미부이고 금(今)이 소리부이다.[241] 독음은 타(他)와 함(含)의 반절이다.

**3966**

貶: 貶: **떨어뜨릴 폄**: 貝-**총12획**: **biǎn**

原文

貶: 損也. 从貝从乏. 方斂切.

飜譯

‘손해를 입히다(損)’라는 뜻이다. 패(貝)가 의미부이고 핍(乏)도 의미부이다.[242] 독음은 방(方)과 렴(斂)의 반절이다.

---

240) 고문자에서 金文 簡牘文 등으로 썼다. 貝(조개 패)가 의미부고 武(굳셀 무)가 소리부로, 거두어들인다는 뜻이며, 이로부터 세금이라는 뜻이 나왔는데, 각종 ‘구실’이나 무력(武)을 동원해 세금(貝)을 거두어들임을 말한다. 또 문체의 이름으로 쓰여 4자나 6자로 대구를 이룬 운율로 된 문체를 말하는데, 이로부터 詩(시)의 뜻이, 다시 대구 되는 어휘들을 나열한다는 뜻에서 나열하다, 진술하다의 뜻까지 나왔다.

241) 貝(조개 패)가 의미부고 今(이제 금)이 소리부로, 아끼다, 탐하다는 뜻인데, 지금(今) 눈앞에 보이는 재물(貝)에 ‘욕심을 내다’는 뜻을 담았으며, 이로부터 貪慾(탐욕), 욕망 등의 뜻이 나왔다.

242) 貝(조개 패)가 의미부고 乏(가난할 핍)이 소리부로, 돈(貝)이 부족하다(乏)는 뜻으로부터 ‘줄어들다’의 뜻을 그렸고, 이로부터 가치를 깎아내리다, 貶下(폄하)하다 등의 뜻이 나왔다.

3967

**貧: 貧: 가난할 빈: 貝-총11획: pín**

原文

貧: 財分少也. 从貝从分, 分亦聲. 穷, 古文从宀、分. 符巾切.

飜譯

'재화를 나누는 바람에 적어지다(財分少)'라는 뜻이다. 패(貝)가 의미부이고 분(分)도 의미부인데, 분(分)은 소리부도 겸한다.243) 빈(穷)은 옹희인데, 면(宀)과 분(分)으로 구성되었다. 독음은 부(符)와 건(巾)의 반절이다.

3968

**賃: 賃: 품팔이 임: 貝-총13획: lìn**

原文

賃: 庸也. 从貝任聲. 尼禁切.

飜譯

'고용된 사람(庸)'을 말한다. 패(貝)가 의미부이고 임(任)이 소리부이다.244) 독음은 니(尼)와 금(禁)의 반절이다.

3969

**賕: 賕: 뇌물 구: 貝-총14획: qiú**

原文

243) 貝(조개 패)가 의미부고 分(나눌 분)이 소리부로, 재화(貝)를 나누어(分) 재물이 부족함을 말하며, 이로부터 貧困(빈곤)하다, 가난하다, 부족하다의 뜻이 나왔다.

244) 고문자에서 [고문자 자형] 金文 [고문자 자형] 簡牘文 등으로 썼다. 貝(조개 패)가 의미부고 任(맡길 임)이 소리부로, 고용하다가 원래 뜻인데, 돈(貝)을 주고 일을 맡기다(任)는 뜻을 담았다.

賕: 以財物枉法相謝也. 从貝求聲. 一曰戴質也. 巨畱切.

飜譯

'재물로써 법을 어겨가며 사죄하다(以財物枉法相謝)'라는 뜻이다. 패(貝)가 의미부이고 구(求)가 소리부이다. 일설에는 '물건을 가져가서 저당을 잡히다(戴質)'라는 뜻이라고도 한다. 독음은 거(巨)와 류(畱)의 반절이다.

3970

購: 購: **살 구**: 貝-총17획: gòu

原文

購: 以財有所求也. 从貝冓聲. 古候切.

飜譯

'재물로 필요한 것을 구하다(以財有所求)'라는 뜻이다. 패(貝)가 의미부이고 구(冓)가 소리부이다.[245] 독음은 고(古)와 후(候)의 반절이다.



3971

貾: 貾: **점칠 소**: 貝-총12획: shú, shǔ

原文

貾: 齎財卜問爲貾. 从貝疋聲. 讀若所. 疏舉切.

飜譯

'재물을 보낼 때 점을 쳐 물어 보는 것(齎財卜問)을 소(貾)라고 한다.' 패(貝)가 의미부이고 소(疋)가 소리부이다. 소(所)와 같이 읽는다. 독음은 소(疏)와 거(舉)의 반

245) 고문자에서 簡牘文 등으로 썼다. 貝(조개 패)가 의미부이고 冓(짤 구)가 소리부로, 돈(貝)으로 상대를 엮어(冓) 다른 물건으로 바꾸는 행위를 말하며, 이로부터 돈으로 사다, 상을 주다, 상금 등의 뜻이 나왔다. 간화자에서는 소리부인 冓를 勾(굽을 구)로 바꾼 购로 쓴다.

절이다.

**3972**

**貲: 貲: 재물 자: 貝-총12획: zī**

原文

貲: 小罰以財自贖也. 从貝此聲. 漢律: 民不繇, 貲錢二十二. 卽夷切.

飜譯

'가벼운 죄의 경우 재물을 바치고 죄를 면제받다(小罰以財自贖)'라는 뜻이다. 패(貝)가 의미부이고 차(此)가 소리부이다. 한나라 때의 법률(漢律)에 '백성들이 노역을 하지 않으면 22전을 대신 내고 죄를 면제받는다(民不繇, 貲錢二十二)'라고 하였다.246) 독음은 즉(卽)과 이(夷)의 반절이다.

**3973**

**賨: 賨: 공물 종: 貝-총15획: cóng**

原文

賨: 南蠻賦也. 从貝宗聲. 徂紅切.

飜譯

'남쪽 이민족이 바치는 공물(南蠻賦)'을 말한다. 패(貝)가 의미부이고 종(宗)이 소리부이다. 독음은 조(徂)와 홍(紅)의 반절이다.

**3974**

**賣: 賣: 팔 매: 貝-총15획: mài**

---

246) 『단주』에서는 일반 판본에서는 이십이(二十二)로 되었는데 이십삼(二十三)이 되어야 한다고 했다. 한나라 때의 요역을 대신하던 인구 세를 보면 "7세에서 14세까지의 아동의 경우 매년 23전(錢)을 낸다."라고 했기 때문이다.

原文

𧶠: 衒也. 从貝𡏳聲. 𡏳, 古文睦. 讀若育. 余六切.

飜譯

'[고함을 쳐대며 돌아다니며] 팔다(衒)'라는 뜻이다. 패(貝)가 의미부이고 목(𡏳)이 소리부이다. 목(𡏳)은 목(睦)의 옹희이다. 육(育)과 같이 읽는다. 독음은 여(余)와 륙(六)의 반절이다.

**3975**

**貴: 貴: 귀할 귀: 貝-총12획: guì**

原文

貴: 物不賤也. 从貝臾聲. 臾, 古文蕢. 居胃切.

飜譯

'물건 값이 싸지 않다(物不賤)'라는 뜻이다. 패(貝)가 의미부이고 유(臾)가 소리부이다. 유(臾)는 괴(蕢)의 옹희이다.[247] 독음은 거(居)와 위(胃)의 반절이다.

---

247) 고문자에서 古陶文 簡牘文 등으로 썼다. 갑골문에서 두 손과 광주리와 흙(土·토)을 그려 흙 속에서 뭔가를 파거나 건져내는 모습을 그렸는데, 자형이 변해 지금처럼 되었다. 이후 광주리는 종종 생략되기도 했으며, 흙(土) 대신 조개(貝·패)가 들어가 지금처럼 변했다. 그래서 貴는 '흙 속에서 어떤 것을 파내다'가 기본적인 뜻으로 추정된다. 고대인들의 문명은 큰 강을 중심으로 이루어졌기에, 흙이나 갯벌에서 파내는 것들은 고대인들의 주요 먹을거리인 동시에 생필품의 조달에 반드시 필요한 것들이었을 것이다. 따라서 흙이나 갯벌에서 파낸 것들은 조개(貝)와 마찬가지로 아주 귀한 것들이었을 것이고, 이로부터 貴하다, 가격이 높다는 뜻이 생겼다. 그리고 여기서 확장되어, 파내어 다른 곳으로 '옮기다'나 파낸 곳이 '무너지다'는 의미도 함께 생겼다. 또 조개 등을 건져내는 광주리에 주목하여 그 도구인 삼태기도 지칭했다. 이후 貴하다는 뜻은 가장 중심이 된 의미였기에 그대로 남았지만, 다른 곳으로 '옮기다'는 뜻을 나타낼 때에는 辵(쉬엄쉬엄 갈 착)을 더하여 遺(끼칠 유)로, '무너지다'는 뜻을 나타낼 때에는 阜(언덕 부)를 더하여 隤(무너질 퇴)나 水(물 수)를 더하여 潰(무너질 궤)로, '삼태기'를 나타낼 때에는 竹(대 죽)을 더하여 簣(삼태기 궤) 등으로 분화했다.

**3976**

**賏: 賏: 자개를 이어 꿴 목걸이 영: 貝-총14획: yīng**

原文

賏: 頸飾也. 从二貝. 烏莖切.

飜譯

'목에 다는 장식(頸飾)[목걸이]'을 말한다. 두 개의 패(貝)로 구성되었다. 독음은 오(烏)와 경(莖)의 반절이다.

**3977**

**貺: 貺: 줄 황: 貝-총12획: kuàng**

原文

貺: 賜也. 从貝兄聲. 許訪切.

飜譯

'하사하다(賜)'라는 뜻이다. 패(貝)가 의미부이고 형(兄)이 소리부이다. 독음은 허(許)와 방(訪)의 반절이다. [신부]

**3978**

**賵: 賵: 보낼 봉: 貝-총16획: fèng**

原文

賵: 贈死者. 从貝从冒. 冒者, 衣衾覆冒之意. 撫鳳切.

飜譯

'죽은 사람에게 보내다(贈死者)'라는 뜻이다. 패(貝)가 의미부이고 모(冒)도 의미부인데, 모(冒)는 '옷과 이불로 덮다(衣衾覆冒)'라는 뜻이다. 독음은 무(撫)와 봉(鳳)의 반절이다. [신부]

3979

**䞉: 賭: 걸 도: 貝-총16획: dǔ**

原文

䞉: 博簺也. 从貝者聲. 當古切.

飜譯

'도박을 하다(博簺)'라는 뜻이다. 패(貝)가 의미부이고 자(者)가 소리부이다.[248] 독음은 당(當)과 고(古)의 반절이다. [신부]

3980

**貼: 貼: 붙을 첩: 貝-총12획: tiē**

原文

貼: 以物爲質也. 从貝占聲. 他叶切.

飜譯

'물건으로 저당을 잡히다(以物爲質)'라는 뜻이다. 패(貝)가 의미부이고 점(占)이 소리부이다. 독음은 타(他)와 협(叶)의 반절이다. [신부]

3981

**貽: 貽: 끼칠 이: 貝-총12획: yí**

原文

貽: 贈遺也. 从貝台聲. 經典通用詒. 與之切.

飜譯

'증여하여 남겨주다(贈遺)'라는 뜻이다. 패(貝)가 의미부이고 이(台)가 소리부이다. 경전에서는 이(詒)와 통용된다. 독음은 여(與)와 지(之)의 반절이다. [신부]

---

248) 貝(조개 패)가 의미부이고 者(놈 자)가 소리부로, 賭博(도박)처럼 돈(貝)을 걸고 하는 '내기'를 말하며, 이로부터 돈을 따다는 뜻이 나왔고, 승부의 비유로도 쓰였다.

3982

**𧸖: 賺: 거듭살 잠: 貝-총20획: zhuàn, lián**

原文

𧸖: 重買也, 錯也. 从貝廉聲. 佇陷切.

飜譯

'거듭하여 사들이다(重買), 어그러지다(錯)'라는 뜻이다. 패(貝)가 의미부이고 렴(廉)이 소리부이다. 독음은 저(佇)와 함(陷)의 반절이다. [신부]

3983

**賽: 賽: 굿할 새: 貝-총17획: sài**

原文

賽: 報也. 从貝, 塞省聲. 先代切.

飜譯

'보답하다(報)'라는 뜻이다. 패(貝)가 의미부이고, 새(塞)의 생략된 부분이 소리부이다. 독음은 선(先)과 대(代)의 반절이다. [신부]

3984

**賻: 賻: 부의 부: 貝-총17획: fù**

原文

賻: 助也. 从貝尃聲. 符遇切.

飜譯

'도와주다(助)'라는 뜻이다. 패(貝)가 의미부이고 부(尃)가 소리부이다. 독음은 부(符)와 우(遇)의 반절이다. [신부]

3985

**賸:** 贍: 넉넉할 **섬**: 貝-총20획: shàn

原文

賸: 給也. 从貝詹聲. 時豔切.

飜譯

'주다(給)'라는 뜻이다. 패(貝)가 의미부이고 첨(詹)이 소리부이다. 독음은 시(時)와 염(豔)의 반절이다. [신부]

# 제229부수
## 229 ■ 읍(邑)부수

**3986**

**: 邑: 고을 읍: 邑-총7획: yì**

原文

: 國也. 从口; 先王之制, 尊卑有大小, 从卪. 凡邑之屬皆从邑. 於汲切.

飜譯

'나라(國)'라는 뜻이다. 위(口)가 의미부이다. 선왕(先王)의 제도에 의하면, [공후·백자남의] 존비에 따라 크고 작은 나라가 있었다. 절(卪)이 의미부이다.249) 읍(邑)부수에 귀속된 글자들은 모두 읍(邑)이 의미부이다. 독음은 어(於)와 급(汲)의 반절이다.

**3987**

**: 邦: 나라 방: 邑-총7획: bāng**

原文

: 國也. 从邑丰聲. , 古文. 博江切.

飜譯

---

249) 고문자에서 甲骨文 金文 古陶文 簡牘文 古璽文 등으로 썼다. 갑골문에서 위쪽이 口(에워쌀 위·나라 국)로 성을, 아래쪽은 卪(㔾·병부 절)로 꿇어앉은 사람을 그려, 이곳이 사람이 사는 지역이자 상주하는 인구를 가진 疆域(강역)임을 상징적으로 그렸는데, 卪이 巴(땅 이름 파)로 변해 지금의 자형이 되었다. 그래서 邑은 성읍, 수도, 거주지, 행정 구역 등을 뜻하였고, 춘추 시대 때에는 30家(가)를 1邑이라 했으며, 주로 지명을 나타내는 데 쓰였다. 다만 다른 글자들과 결합할 때에는 주로 오른쪽에 놓이며 글자의 균형을 고려해 阝으로 쓴다.

'나라(國)'를 말한다. 읍(邑)이 의미부이고 봉(丰)이 소리부이다.[250] 방(𡵨)은 옹희이다. 독음은 박(博)과 강(江)의 반절이다.

### 3988

**: 郡: 고을 군: 邑-총10획: jùn**

原文

: 周制: 天子地方千里, 分爲百縣, 縣有四郡. 故『春秋傳』曰"上大夫受郡"是也. 至秦初置三十六郡, 以監其縣. 从邑君聲. 渠運切.

飜譯

'주나라 때의 제도에 의하면, 천자의 땅은 사방 1천 리(里)인데, 1백 개의 현(縣)으로 나누고, 현(縣)에는 4개의 군(郡)이 있었다. 그래서 『춘추전』(『좌전』 애공 2년, B.C. 493)에서 "[적을 무찌른 자 중] 상대부에게는 군을 하사하겠다(上大夫受郡)"라고 했는데[251], 이를 두고 한 말이다. 진(秦)나라 초기에 이르러 36개의 군(郡)이 설치되었고[252], 이들로 하여금 예속된 현(縣)을 감독하게 했다. 읍(邑)이 의미부이고 군(君)이



---

250) 고문자에서 甲骨文 金文 古陶文 盟書 簡牘文 帛書 古璽文 石刻古文 등으로 썼다. 邑(고을 읍)이 의미부이고 丰(예쁠 봉)이 소리부로, 읍(邑)으로 둘러싸인 영토로 구성된 '나라'를 말했다. 갑골문에서는 밭(田·전)에 초목이 무성한(丰) 모습으로, 아직 개간되지 않은 새로운 땅을 의미했는데, 이후 田이 邑으로 변해 제후들에게 새로 개척하도록 제공된 땅(封邑·봉읍)임을 상징했으며, 이로부터 封建(봉건)이라는 뜻도 나왔다. 이후 邦은 의미가 확대되어 '나라'까지 뜻하게 되었으나, 한나라에 들면서 태조 劉邦(유방)의 이름을 피하고자(避諱·피휘), 뜻이 같은 國(나라 국)으로써 邦을 대신했고 國이 邦보다 더 유행하게 되었다.

251) 오늘날의 판본에는 "상대부에게는 현(縣)을, 하대부에게는 군(郡)을, 사(士)에게는 10만 무(畝)의 땅을 하사하고, 서인과 공인(工人)이나 상인에게는 관원이 되도록 해주며, 신례(臣隷)에게는 노비를 명하고 서민이 되도록 해 준다."라고 한 것으로 되어 있다.

252) 『사기·진본기(秦本紀)』와 『사기·진시황본기(秦始皇本紀)』에 의하면 진시황 26년(B.C. 221) 처음으로 천하를 통일하고 36개의 군(郡)을 설치했다고 했다. 그 구체적인 명칭은 『한서·지리지(地理志)』에서야 보이는데, 다음과 같다. 하동군(河東郡), 태원군(太原郡), 상당군(上黨郡), 삼천군(三川郡), 동군(東郡), 영천군(潁川郡), 남양군(南陽郡), 남군(南郡), 구강군(九江郡), 사천군(泗水郡), 거록군(巨鹿郡), 제군(齊郡), 낭아군(琅邪郡), 회계군(會稽郡), 한중군(漢中郡),

소리부이다.[253] 독음은 거(渠)와 운(運)의 반절이다.

### 3989

**: 都: 도읍 도: 邑-총12획: dū**

: 有先君之舊宗廟曰都. 从邑者聲. 周禮: 距國五百里爲都. 當孤切.

'선왕의 옛날 종묘가 있는 곳(有先君之舊宗廟)을 도(都)'라고 한다.[254] 읍(邑)이 의미부이고 자(者)가 소리부이다.[255] 주(周)나라 때의 예제에 의하면, 왕성에서 5백 리 떨어진 곳을 도(都)라고 한다고 했다.[256] 독음은 당(當)과 고(孤)의 반절이다.

---

촉군(蜀郡), 파군(巴郡), 농서군(隴西郡), 북지군(北地郡), 상군(上郡), 구원군(九原郡), 운중군(雲中郡), 안문군(雁門郡), 대군(代郡), 상곡군(上谷郡), 어양군(漁陽郡), 우북평군(右北平郡), 요서군(遼西郡), 요동군(遼東郡), 남해군(南海郡), 계림군(桂林郡), 상군(象郡), 한단군(邯鄲郡), 탕군(碭郡), 설군(薛郡), 장사군(長沙郡) 등이다.

253) 고문자에서 古陶文 簡牘文 등으로 썼다. 邑(고을 읍)이 의미부이고 君(임금 군)이 소리부로, 우두머리(君)가 통치하는 영역(邑)이라는 뜻으로부터 행정단위의 하나인 '군'을 지칭하게 되었다. 周(주)나라 지방 행정제도에 의하면, 천자의 사방 1천 리 지역을 1백 개의 縣(현)으로 나누고, 현마다 4개의 郡(군)을 두었다 한다. 하지만 秦(진)나라에 이르면 현을 통괄하는 단위가 군이 되어 현보다 큰 행정단위로 변하였다.

254) 『좌전』 장공 28년(B.C. 666)』에 "읍 중에서 선군의 종묘에 신주를 모시고 있으면 도(都), 없으면 읍(邑)이라 한다."고 했다.

255) 고문자에서 金文 古陶文 盟書 簡牘文 등으로 썼다. 邑(고을 읍)이 의미부이고 者(놈 자)가 소리부로, 선왕의 신주를 모신 종묘가 설치된 읍(邑), 즉 都城(도성)을 말한다. 중요하고 큰 읍을 말한 데서 大都市(대도시)의 뜻이, 다시 '완전하다', '모두'라는 뜻까지 나오게 되었다.

256) 『단주』에서 이렇게 말했다. "『주례·재사(載師)』의 주석에서 「사마법(司馬法)」을 인용하여, 왕성에서 1백리 떨어진 곳을 교(郊), 2백리 떨어진 곳을 주(州), 3백리 떨어진 곳을 야(野), 4백리 떨어진 곳을 현(縣), 5백리 떨어진 곳을 도(都)라고 했다. 또 「대재(大宰)」의 주석에서는 방중(邦中)은 성곽(城郭)에 있는 것, 사교(四郊)는 왕성에서 1백리 떨어진 곳을, 방전(邦甸)은 2백리 떨어진 곳을, 가삭(家削)은 3백리 떨어진 곳을, 방현(邦縣)은 4백리 떨어진 곳을, 방도(邦都)는 5백리 떨어진 곳을 말한다고 했다."

3990

鄰: 鄰: 이웃 린: 邑-총15획: lín

原文

鄰: 五家爲鄰. 从邑粦聲. 力珍切.

飜譯

'5가(家)를 인(鄰)이라 한다.' 읍(邑)이 의미부이고 인(粦)이 소리부이다.257) 독음은 력(力)과 진(珍)의 반절이다.

3991

酇: 酇: 나라 이름 찬: 邑-총22획: zǎn

原文

酇: 百家爲酇. 酇, 聚也. 从邑贊聲. 南陽有酇縣. 作管切.

飜譯

'1백 가(家)를 찬(酇)이라 한다.' 찬(酇)은 '모여 있다(聚)'라는 뜻이다. 읍(邑)이 의미부이고 찬(贊)이 소리부이다. 남양(南陽)군에 찬현(酇縣)이 있다. 독음은 작(作)과 관(管)의 반절이다.

3992

鄙: 鄙: 다라울 비: 邑-총14획: bǐ

原文

鄙: 五酇爲鄙. 从邑啚聲. 兵美切.

飜譯

'5찬(酇), 즉 5백 가(家)를 비(鄙)라 한다.' 읍(邑)이 의미부이고 비(啚)가 소리부이

257) 고대 문헌에서 "다섯 집(家·가)을 鄰(이웃 린)이라 하고, 다섯 鄰을 里라고 한다."라고 했다

다.[258] 독음은 병(兵)과 미(美)의 반절이다.

**3993**

**郊**: 郊: **성 밖 교**: 邑-**총9획**: **jiāo**

原文

郊: 距國百里爲郊. 从邑交聲. 古肴切.

飜譯

'왕성에서 1백 리(里) 떨어진 곳을 교(郊)라고 한다.' 읍(邑)이 의미부이고 교(交)가 소리부이다

**3994**

**邸**: 邸: **집 저**: 邑-**총8획**: **dǐ**

原文

邸: 屬國舍. 从邑氐聲. 都禮切.

飜譯

'제후국에서 [천자를 알현하기 위해 도성에 임시로] 마련한 임시 행궁(屬國舍)'을 말한다. 읍(邑)이 의미부이고 저(氐)가 소리부이다. 독음은 도(都)와 례(禮)의 반절이다.

---

258) 고문자에서 [고문자 자형] 甲骨文 [고문자 자형] 金文 [고문자 자형] 簡牘文 등으로 썼다. 邑(고을 읍)이 의미부고 啚(인색할 비)가 소리부로, 곡식 창고(啚)가 설치되었던 都邑(도읍)의 주위 지역을 말했는데, 그곳은 주변이자 변두리였으며 중심보다 덜 발달하고 '비루한' 곳이었기에 '지방'이라는 뜻까지 생겼다. 또 품질 등이 조악하다, 경멸하다는 뜻도 나왔고, 자신에 대한 겸칭 등으로도 쓰였다.

**3995**

**: 郛: 외성 부: 邑-총10획: fú**

原文

: 郭也. 从邑孚聲. 甫無切.

飜譯

'외성(郛)'을 말한다. 읍(邑)이 의미부이고 부(孚)가 소리부이다. 독음은 보(甫)와 무(無)의 반절이다.

**3996**

**: 郵: 역참 우: 邑-총11획: yóu**

原文

: 境上行書舍. 从邑、垂. 垂, 邊也. 羽求切.

飜譯

'문서를 전달하기 위해 국경에 설치한 객사(境上行書舍)'를 말한다. 읍(邑)과 수(垂)가 의미부이다. 수(垂)는 '변방(邊)'을 말한다.[259] 독음은 우(羽)와 구(求)의 반절이다.

**3997**

**: 鄁: 식읍 소: 邑-총10획: shào**

原文

: 國甸, 大夫稍. 稍, 所食邑. 从邑肖聲. 『周禮』曰: "任鄁地." 在天子三百里之内. 所教切.

---

259) 고문자에서 簡牘文 등으로 썼다. 邑(고을 읍)이 의미부고 垂(드리울·변방 수)가 소리부로, 멀리 떨어진 변방(垂, 陲와 같은 글자)의 마을(邑)로 오가는 문서나 물건을 받아 주던 '역'을 말하며, 이후 郵便(우편)이나 우편업무에 관한 일을 지칭하게 되었다. 간화자에서는 소리부 垂를 由(말미암을 유)로 간단히 줄인 邮로 쓴다.

‘왕성의 경기 지역(國甸)’을 말하는데, 대부의 식읍지(稍)이다. 초(稍)는 식읍(食邑)을 말한다. 읍(邑)이 의미부이고 초(肖)가 소리부이다. 『주례·지관·재사(載師)』에서 “경기 지역을 맡아 관리했다(任郙地)”라고 했는데, 천자가 기거하는 곳으로부터 3백리 이내의 땅을 말한다. 독음은 소(所)와 교(教)의 반절이다.

**3998**

鄯: **나라 이름 선**: 邑-**총15획**: shàn

原文

鄯善, 西胡國也. 从邑从善, 善亦聲. 時戰切.

飜譯

‘선선(鄯善)’을 말하는데, ‘서역에 있는 이민족 나라(西胡國)’이다. 읍(邑)이 의미부이고 선(善)도 의미부인데, 선(善)은 소리부도 겸한다. 독음은 시(時)와 전(戰)의 반절이다.

**3999**

竆: **나라 이름 궁**: 穴-**총19획**: qióng

原文

夏后時諸矦夷羿國也. 从邑, 窮省聲. 渠弓切.

飜譯

‘하후(夏后) 때의 제후였던 이예(夷羿)[260])가 분봉 받았던 나라’를 말한다. 읍(邑)이 의미부이고, 궁(窮)의 생략된 부분이 소리부이다. 독음은 거(渠)와 궁(弓)의 반절이다.

260) 중국 전설에 나오는 후예(后羿)를 말한다. 이예(夷羿) 외에도 예(羿)라고 줄여 부르기도 한다. 후(后)가 최고라는 뜻을 가진 것으로 볼 때, ‘활의 최고 명수’라는 의미를 담았다.

**4000**

**䣜: 䣜: 나라 이름 계: 邑-총12획: jì**

原文

䣜: 周封黃帝之後於䣜也. 从邑契聲. 讀若薊. 上谷有䣜縣. 古詣切.

飜譯

'주(周)나라 때 황제(黃帝)의 후손을 봉했던 계(䣜)'라는 곳을 말한다. 읍(邑)이 의미부이고 계(契)가 소리부이다. 계(薊)와 같이 읽는다. 상곡(上谷)군[261]에 계현(䣜縣)이 있다. 독음은 고(古)와 예(詣)의 반절이다.

**4001**

**邰: 邰: 나라 이름 태: 邑-총8획: tái**

原文

邰: 炎帝之後, 姜姓所封, 周棄外家國. 从邑台聲. 右扶風斄縣是也. 『詩』曰: "有邰家室." 土來切.

飜譯

'염제(炎帝)의 후손들인, 강(姜) 성(姓) 사람들이 봉해진 땅으로, 주나라 후직(周棄)의 외가의 나라이다.' 읍(邑)이 의미부이고 태(台)가 소리부이다. 우부풍(右扶風)군에 있는 태현(斄縣)이 바로 이곳이다. 『시·대아생민(生民)』에서 "태 나라를 세워 집안을 거느리게 되셨네(有邰家室)"라고 노래했다. 독음은 토(土)와 래(來)의 반절이다.

**4002**

**𨙸: 𨙸: 산이름 기: 邑-총7획: qí, zhī**

---

261) 상곡군(上谷郡)은 전국시대 연(燕) 소왕(昭王) 희평(姬平) 29년(B.C. 283)에 처음 세워졌으며, 진시황 때 설치한 36군에도 속했다. 오늘날 하북성 장가구시(張家口市) 회래현(懷來縣)에 있다. 대산곡(大山谷)의 상류에 자리했기 때문에 상곡(上谷)이라는 이름이 붙여진 것으로 알려졌다.

原文

𨚔: 周文王所封. 在右扶風美陽中水鄉. 从邑支聲. 岐, 郊或从山支聲. 因岐山以名之也. 𡵜, 古文郊从枝从山. 巨支切.

飜譯

'주나라 문왕(周文王)이 봉해졌던 곳이다.' 우부풍(右扶風)군 미양(美陽)현의 수향(水鄉)에 있다. 읍(邑)이 의미부이고 지(支)가 소리부이다. 기(岐)는 기(郊)의 혹체자인데, 산(山)이 의미부이고 지(支)가 소리부이다. 기산(岐山) 때문에 이렇게 이름이 붙여졌다. 기(𡵜)는 기(郊)의 옹희인데, 기(枝)도 의미부이고 산(山)도 의미부이다. 독음은 거(巨)와 지(支)의 반절이다.

**4003**

**邠: 邠: 나라 이름 빈: 邑-총7획: bīn**

原文

邠: 周太王國. 在右扶風美陽. 从邑分聲. 豳, 美陽亭, 即豳也. 民俗以夜市, 有豳山. 从山从豩. 闕. 補巾切.

飜譯

'주나라 태왕(周太王)의 나라이다.' 우부풍(右扶風)군의 미양(美陽)현에 있다. 읍(邑)이 의미부이고 분(分)이 소리부이다. 빈(豳)은 미양정(美陽亭)을 말하는데, 즉 빈(豳)자이다. 민간에서는 이를 야시(夜市)라고 부르는데, 빈산(豳山)이 있다. 산(山)이 의미부이고 빈(豩)도 의미부이다. 왜 그런지는 몰라 비워둔다. 독음은 보(補)와 건(巾)의 반절이다.

**4004**

**郿: 郿: 땅 이름 미: 邑-총12획: méi**

原文

郿: 右扶風縣. 从邑眉聲. 武悲切.

飜譯

'우부풍(右扶風)군에 있는 현(縣) 이름'이다. 읍(邑)이 의미부이고 미(眉)가 소리부이다. 독음은 무(武)와 비(悲)의 반절이다.

4005

**郁: 郁: 성할 욱: 邑-총9획: yù**

原文

郁: 右扶風郁夷也. 从邑有聲. 於六切.

飜譯

'우부풍(右扶風) 군의 욱이(郁夷) 현'을 말한다. 읍(邑)이 의미부이고 유(有)가 소리부이다. 독음은 어(於)와 륙(六)의 반절이다.

4006

**鄠: 鄠: 땅 이름 호: 邑-총14획: hù**

原文

鄠: 右扶風縣名. 从邑雩聲. 岵, 古文扈从山、马. 胡古切.

飜譯

'우부풍(右扶風)군의 현 이름(縣名)[호현]'이다. 읍(邑)이 의미부이고 우(雩)가 소리부이다. 호(岵)는 호(扈)의 고문체인데, 산(山)과 함(马)으로 구성되었다. 독음은 호(胡)와 고(古)의 반절이다.

4007

**扈: 扈: 뒤따를 호: 戶-총11획: hù**

原文

扈: 夏后同姓所封, 戰於甘者. 在鄠, 有扈谷、甘亭. 从邑戶聲. 胡古切.

'하후(夏后)씨의 동성 제후들(有扈氏)이 봉해진 곳으로, [하계(夏啓)와] 감(甘) 땅에서 전쟁을 벌였던 곳이다.'262) [하나라 때의 호읍(扈邑)은] 호(鄠)현에 있는데, 그곳에는 호곡(扈谷)과 감정(甘亭)이 있다. 읍(邑)이 의미부이고 호(戶)가 소리부이다. 독음은 호(胡)와 고(古)의 반절이다.

**4008**

**:** 鄘: **땅 이름 배**: 邑–**총14획**: **péi**

原文

: 右扶風鄠鄉. 从邑崩聲. 沛城父有鄘鄉. 讀若陪. 薄回切.

飜譯

'우부풍(右扶風)군의 호(鄠)현에 있는 향(鄉)의 이름이다.' 읍(邑)이 의미부이고 붕(崩)이 소리부이다. 패(沛)군의 성보(城父)현에 배향(鄘鄉)이 있다. 배(陪)와 같이 읽는다. 독음은 박(薄)과 회(回)의 반절이다.

**4009**

**:** 耶: **마을 이름 저**: 邑–**총8획**: **jū**

原文

: 右扶風鄠鄉. 从邑且聲. 子余切.

飜譯

'우부풍(右扶風)군의 호(鄠)현에 있는 향(鄉)의 이름이다.' 읍(邑)이 의미부이고 차(且)가 소리부이다. 독음은 자(子)와 여(余)의 반절이다.

---

262) 『상서(尙書)·서(序)』에서 "계(啟)와 유호(有扈)가 감(甘) 땅의 들판에서 전쟁을 쳤고, 이에 「감서(甘誓)」를 지었다."라고 했다. 마융(馬融)은 이에 대해 "유호(有扈)는 사(姒) 성(姓)의 나라였는데, 무도(無道)한 나라였으며, 감(甘)과 유호(有扈)는 그의 나라 남쪽 교외에 있던 지명이다."라고 풀이했다.

4010

**郝: 고을 이름 학: 邑-총10획: hǎo**

原文

郝: 右扶風鄠、盩厔鄉. 从邑赤聲. 呼各切.

飜譯

'우부풍(右扶風)군의 호(鄠)현과 주질(盩厔)현에 있는 향(鄉)의 이름이다.' 읍(邑)이 의미부이고 적(赤)이 소리부이다. 독음은 호(呼)와 각(各)의 반절이다.

4011

**酆: 나라 이름 풍: 邑-총21획: fēng**

原文

酆: 周文王所都. 在京兆杜陵西南. 从邑豐聲. 敷戎切.

飜譯

'주나라 문왕(周文王)이 도읍했던 곳이다.' 경조(京兆)군 두릉(杜陵)현의 서남쪽에 있다. 읍(邑)이 의미부이고 풍(豐)이 소리부이다. 독음은 부(敷)와 융(戎)의 반절이다.

4012

**鄭: 나라 이름 정: 邑-총15획: zhèng**

原文

鄭: 京兆縣. 周厲王子友所封. 从邑奠聲. 宗周之滅, 鄭徙潧洧之上, 今新鄭是也. 直正切.

飜譯

'경조(京兆)군에 있는 현(縣) 이름이다.' 주나라 여왕(周厲王)의 아들 우(友)가 분봉받은 곳이다. 읍(邑)이 의미부이고 전(奠)이 소리부이다.263) 주나라가 멸망하게 되자,

정나라 무공(武公)이 증수(潧水)와 유수(洧水) 지역으로 옮겼는데, 오늘날의 신정(新鄭)이 바로 그곳이다. 독음은 직(直)과 정(正)의 반절이다.

**4013**

： 郃: **고을 이름 합**: 邑-**총9획**: **hé**

原文

：左馮翊郃陽縣. 从邑合聲.『詩』曰："在郃之陽." 候閤切.

飜譯

'좌풍익(左馮翊)군의 합양현(郃陽縣)'을 말한다. 읍(邑)이 의미부이고 합(合)이 소리부이다.『시·대아·대명(大明)』에서 "합수의 북쪽에 있다(在郃之陽)"라고 노래했다. 독음은 후(候)와 합(閤)의 반절이다.

**4014**

： 邙: **마을 이름 구**: 邑-**총6획**: **kǒu**

原文

：京兆藍田鄉. 从邑口聲. 苦后切.

飜譯

'경조(京兆)군의 남전(藍田)현에 있는 향(鄉) 이름이다.' 읍(邑)이 의미부이고 구(口)가 소리부이다. 독음은 고(苦)와 후(后)의 반절이다.

**4015**

： 鄱: **마을 이름 번**: 邑-**총22획**: **fán**

---

263) 고문자에서 甲骨文 金文 簡牘文 古璽文 石刻古文 등으로 썼다. 邑(고을 읍)이 의미부고 奠(제사지낼 전)이 소리부로, 하남성에 있는 지명(邑)과 그곳에 있던 나라 이름을 말하며, 성씨로도 쓰였는데, 술(奠)을 빚던 곳(邑)이라는 의미를 담았다. 간화자에서는 奠을 关으로 간단히 줄여 郑으로 쓴다.

原文

𨞿: 京兆杜陵鄉. 从邑樊聲. 附袁切.

飜譯

'경조(京兆)군의 두릉(杜陵)현에 있는 향(鄉) 이름이다.' 읍(邑)이 의미부이고 번(樊)이 소리부이다. 독음은 부(附)와 원(袁)의 반절이다.

**4016**

**鄜: 鄜: 땅 이름 부: 邑-총18획: fū**

原文

鄜: 左馮翊縣. 从邑麃聲. 甫無切.

飜譯

'좌풍익(左馮翊)군에 있는 현(縣) 이름이다.' 읍(邑)이 의미부이고 포(麃)가 소리부이다. 독음은 보(甫)와 무(無)의 반절이다.

**4017**

**鄌: 郿: 땅 이름 도·차; 邑-총14획: tú**

原文

郿: 左馮翊郿陽亭. 从邑屠聲. 同都切.

飜譯

'좌풍익(左馮翊)군의 도양(郿陽)현에 있는 역참(亭) 이름이다.'[264][265] 읍(邑)이 의미

264) 『단주』에서 각 판본에 도양정(郿陽亭)으로 되었는데, 『집운(集韻)』, 『유편(類篇)』, 왕백후(王伯厚: 王應麟, 1223~1296)의 『시지리고(詩地理考)』 등에 근거해 볼 때 이는 '풍익군 합양현에 도정(郿亭)이 있었던 것으로 해석해야 한다고 했다.

265) 『설문』 고(高)부수의 정(亭)자 풀이에서 "사람들이 편안하게 쉴 수 있는 곳인데, 거기에는 누각이 설치되었다.(民所安定也, 亭有樓.)"라고 했는데, 『단주』에서는 이렇게 말했다. "『주례』에 의하면, 숙박 시설이 만들어졌다(周禮, 三十里有宿.)고 했으며, 이에 대해 정현은 숙박시설은 머물려 잠을 잘 수 있는 곳을 말한다. 오늘날의 정(亭)에 방이 딸린 것과 같다.(鄭云: 宿可

부이고 도(屠)가 소리부이다. 독음은 동(同)과 도(都)의 반절이다.

**4018**

邮: **우편 우**: 邑-**총8획: yóu**

原文

: 左馮翊高陵. 从邑由聲. 徒歷切.

飜譯

'좌풍익(左馮翊)군의 고릉(高陵)현에 있는 역참 이름이다.' 읍(邑)이 의미부이고 유(由)가 소리부이다. 독음은 도(徒)와 력(歷)의 반절이다.

**4019**

鄆: **마을 이름 년**: 邑-**총11획: nián**

原文

: 左馮翊谷口鄉. 从邑季聲. 讀若寧. 奴顛切.

飜譯

'좌풍익(左馮翊)군의 곡구(谷口)현에 있는 향(鄉) 이름이다.' 읍(邑)이 의미부이고 년(季)이 소리부이다. 녕(寧)과 같이 읽는다. 독음은 노(奴)와 전(顛)의 반절이다.

**4020**

邽: **고을 이름 규**: 邑-**총9획: guī**

---

止宿. 若今亭有室矣.) 또 「백관공경표」에 의하면, 현의 길에는 대략 10리마다 1개의 정(亭)이 설치되었고, 정마다 책임자가 있었다. 10정이 1향(鄉)이 되는데 향마다 삼로(三老)와 유질(有秩), 장부(嗇夫)가 배치되었다.(百官公卿表曰: 縣道大率十里一亭, 亭有長. 十亭一鄉, 鄉有三老, 有秩嗇夫.)" 그렇다면 정(亭)은 일정 거리마다 설치된 쉬면서 숙박 가능한 역참 같은 국가 시설물이었다.

原文

邽: 隴西上邽也. 从邑圭聲. 古畦切.

飜譯

'농서(隴西)군의 상규(上邽)현을 말한다.' 읍(邑)이 의미부이고 규(圭)가 소리부이다. 독음은 고(古)와 휴(畦)의 반절이다.

**4021**

**䣊: 部: 거느릴 부: 邑-총11획: bù**

原文

䣊: 天水狄部. 从邑音聲. 蒲口切.

飜譯

'천수(天水)군의 적부(狄部)를 말한다.' 읍(邑)이 의미부이고 부(音)가 소리부이다.[266] 독음은 포(蒲)와 구(口)의 반절이다.

**4022**

**郖: 郖: 나루터 이름 두: 邑-총10획: dōu**

原文

郖: 弘農縣庾地. 从邑豆聲. 當侯切.

飜譯

'홍농(弘農)군의 홍농현(縣)에 있는 조창(庾地)[곡식창고] 이름이다.'[267] 읍(邑)이 의미

---

266) 고문자에서 䣊 簡牘文 등으로 썼다. 邑(고을 읍)이 의미부고 音(침 부)가 소리부로, 天水郡(천수군)에 있던 狄部(적부)라는 지명을 말했다. 원래는 邑과 否(아닐 부)의 결합이었으나, 이후 否가 音로 바뀌어 지금의 자형이 되었다. 일정 영역으로 나누어진(音, 剖의 생략된 모습) 행정구역(邑)을 말했으며, 이로부터 그곳을 관리하는 '관청'을, 다시 그에 소속된 영역을 '거느리고' 통괄함을 뜻하게 되었다.

267) 『설문』 엄(广)부수의 유(庾)자에서 "강가에 만들어진 조창을 말한다(水槽倉也)"고 했는데, 조창(漕)은 세곡(稅穀)의 수송과 보관을 위하여 강가나 바닷가에 지어 놓은 곳집을 말한다. 『

제6권

부이고 두(豆)가 소리부이다. 독음은 당(當)과 후(侯)의 반절이다.

**4023**

**鄏: 鄏: 땅 이름 욕: 邑-총13획: rù**

原文

鄏: 河南縣直城門官陌地也. 从邑辱聲. 『春秋傳』曰: "成王定鼎于郟鄏." 而蜀切.

飜譯

'하남현(河南縣) 현성의 직성문(直城門) 관맥(官陌)[관에서 만든 대로]을 말한다. 읍(邑)이 의미부이고 욕(辱)이 소리부이다. 『춘추전』(『좌전』 선공 3년, B.C. 606)에서 "주나라 성왕이 정(鼎)을 겹욕(郟鄏)에다 안치했다(成王定鼎于郟鄏)"[268]라고 했다. 독음은 이(而)와 촉(蜀)의 반절이다.

**4024**

**鄰: 鄰: 고을 이름 련: 邑-총18획: lín**

原文

鄰: 周邑也. 从邑輦聲. 力展切.

飜譯

'주나라의 읍 이름(周邑)'이다. 읍(邑)이 의미부이고 련(輦)이 소리부이다. 독음은 력(力)과 전(展)의 반절이다.

---

단주』에서도 이렇게 말했다. "『한서·효문기(孝文紀)』의 응소(應劭) 『주』에서도 이렇게 말했는데, 조세로 쓸 곡식을 물길로 가져와 창고에 저장해 둔다고 했다.(水轉穀至而倉之也.)"

268) 겹욕(郟鄏)은 주나라 때의 동조(東都) 즉 낙양(洛陽)을 말한다. 『좌전·선공(宣公)』 3년 조에 이 말이 나오는데, 양백준(楊伯峻)의 주석에 의하면, "겹욕은 바로 환공 7년 조의 『전』에 나오는 겹(郟)으로 주나라 때의 왕성이었다. 한나라 때의 하남으로, 지금의 낙양시를 말한다(郟鄏即桓七年『傳』之郟, 周之王城, 漢之河南, 在今洛陽市.)"라고 했다. 『사기·초세가(楚世家)』의 『색은(索隱)』에서도 "『주서(周書)』에 의하면, 겹(郟)은 낙양의 북쪽에 있는 산 이름이며, 독음은 갑(甲)이다(雒北山名, 音甲). 욕(鄏)은 전후욕(田厚鄏)을 말하는데 여기서 이름을 가져왔다.(故以名焉鄏謂田厚鄏, 故以名焉.)"라고 했다.

**4025**

**: 鄒: 읍 이름 채: 邑-총14획: zhài**

原文

: 周邑也. 从邑祭聲. 側介切.

飜譯

'주나라의 읍 이름(周邑)'이다. 읍(邑)이 의미부이고 제(祭)가 소리부이다. 독음은 측(側)과 개(介)의 반절이다.

**4026**

**: 邙: 산 이름 망: 邑-총6획: máng**

原文

: 河南洛陽北亡山上邑. 从邑亡聲. 莫郎切.

飜譯

'하남(河南)군 낙양(洛陽)현 북망산(北亡山) 위쪽에 있는 읍(邑) 이름이다.' 읍(邑)이 의미부이고 망(亡)이 소리부이다.[269] 독음은 막(莫)과 랑(郎)의 반절이다.

**4027**

**: 鄩: 고을 이름 심: 邑-총15획: xún**

原文

: 周邑也. 从邑尋聲. 徐林切.

---

269) 고문자에서 簡牘文 古璽文 등으로 썼다. 阜(언덕 부)가 의미부고 亡(망할 망)이 소리부로, 낙양 부근의 황하 강 양안으로 형성된 흙 언덕(阜)을 말하는데, 죽은(亡) 사람을 묻는 최고의 묏자리로 알려졌다.

飜譯

‘주나라의 읍 이름이다(周邑)[심읍].’ 읍(邑)이 의미부이고 심(尋)이 소리부이다. 독음은 서(徐)와 림(林)의 반절이다.

**4028**

**郗: 郗: 고을 이름 치: 邑-총10획: xī**

原文

郗: 周邑也. 在河內. 从邑希聲. 丑脂切.

飜譯

‘주나라의 읍 이름이다(周邑)[치읍].’ 하내(河內)군에 있다. 읍(邑)이 의미부이고 희(希)가 소리부이다. 독음은 축(丑)과 지(脂)의 반절이다.

**4029**

**鄆: 鄆: 고을 이름 운: 邑-총12획: yùn**

原文

鄆: 河內沁水鄉. 从邑軍聲. 魯有鄆地. 王問切.

飜譯

‘하내(河內)군 심수(沁水)현에 있는 향(鄉) 이름이다[운향].’ 읍(邑)이 의미부이고 군(軍)이 소리부이다. 노(魯) 지역에 운지(鄆地)라는 곳이 있다. 독음은 왕(王)과 문(問)의 반절이다.

**4030**

**邶: 邶: 나라 이름 패: 邑-총8획: bèi**

原文

邶: 故商邑. 自河內朝歌以北是也. 从邑北聲. 補妹切.

飜譯

'옛날 상나라의 읍 이름이다(故商邑)[패읍].' 하내(河內)군의 조가(朝歌) 이북 지역이 바로 그곳이다. 읍(邑)이 의미부이고 북(北)이 소리부이다. 독음은 보(補)와 매(妹)의 반절이다.

4031

**𨙨: 邘: 땅 이름 우: 邑-총6획: yú**

原文

𨙨: 周武王子所封. 在河內野王是也. 从邑于聲. 又讀若區. 況于切.

飜譯

'주나라 무왕(周武王)의 아들이 봉해진 곳이다.' 하내(河內)군의 야왕(野王)현이 바로 그곳이다. 읍(邑)이 의미부이고 우(于)가 소리부이다. 또 구(區)와 같이 읽기도 한다. 독음은 황(況)과 우(于)의 반절이다.

4032

**𨞵: 鄹: 나라 이름 려: 邑-총15획: lí**

原文

𨞵: 殷諸侯國. 在上黨東北. 从邑𥝢聲. 𥝢, 古文利. 『商書』: "西伯戡𨞵." 郞奚切.

飜譯

'은(殷)나라 때의 제후국 이름'이다. 상당(上黨)군의 동북쪽에 있었다. 읍(邑)이 의미부이고 리(𥝢)가 소리부이다. 리(𥝢)는 리(利)의 고문체이다. 『서·상서(商書)·서백감려(西伯戡黎)』에서 "서백이 여 나라를 정벌하였다(西伯戡𨞵)"라고 했다. 독음은 랑(郞)과 해(奚)의 반절이다.

제6권

**4033**

**邵: 邵: 고을 이름 소: 邑-총8획: shào**

原文

邵: 晉邑也. 从邑召聲. 寔照切.

飜譯

'진나라의 고을 이름이다(晉邑).' 읍(邑)이 의미부이고 소(召)가 소리부이다. 독음은 식(寔)과 조(照)의 반절이다.

**4034**

**鄍: 鄍: 고을 이름 명: 邑-총13획: míng**

原文

鄍: 晉邑也. 从邑冥聲. 『春秋傳』曰: "伐鄍三門." 莫經切.

飜譯

'진나라의 고을 이름이다(晉邑).' 읍(邑)이 의미부이고 명(冥)이 소리부이다. 『춘추전』(『좌전』 희공 2년, B.C. 658)에서 "[기(冀)나라가 무도해 당신 나라의] 명읍(鄍邑)[270]의 세 성문을 공격하였소."라고 했다. 독음은 막(莫)과 경(經)의 반절이다.

**4035**

**鄐: 鄐: 고을 이름 축: 邑-총13획: chù**

原文

鄐: 晉邢矦邑. 从邑畜聲. 丑六切.

飜譯

'진(晉)나라 형후(邢矦)의 읍(邑) 이름'이다. 읍(邑)이 의미부이고 축(畜)이 소리부이다. 독음은 축(丑)과 륙(六)의 반절이다.

---

270) 지금의 산서성 평륙현 동북쪽에 있던 읍 이름이다.

4036

**鄇: 鄇: 땅 이름 후: 邑-총12획: hòu**

原文

鄇: 晉之溫地. 从邑侯聲.『春秋傳』曰: "爭鄇田." 胡遘切.

飜譯

'진(晉)나라 때의 온 땅(溫地)'을 말한다. 읍(邑)이 의미부이고 후(侯)가 소리부이다. 『춘추전』(『좌전』 성공 11년, B.C. 580)에서 "[진(晉)나라의 신하 극지(郤至)가 주 왕실과] 후(鄇) 땅을 놓고 다투었다."라고 했다. 독음은 호(胡)와 구(遘)의 반절이다.

4037

**邲: 邲: 땅 이름 필: 邑-총8획: bì**

原文

邲: 晉邑也. 从邑必聲.『春秋傳』曰: "晋楚戰于邲." 毗必切.

飜譯

'진나라의 고을 이름이다(晉邑).' 읍(邑)이 의미부이고 필(必)이 소리부이다. 『춘추전』(『좌전』 선공 12년, B.C. 597)에서 "진(晋)나라와 초(楚)나라가 필(邲) 땅에서 전쟁을 치렀다."라고 했다. 독음은 비(毗)와 필(必)의 반절이다.

4038

**郤: 郤: 고을 이름 극: 邑-총10획: xì**

原文

郤: 晉大夫叔虎邑也. 从邑谷聲. 綺戟切.

飜譯

'진(晉)나라 대부(大夫) 숙호(叔虎)의 성읍(邑)'을 말한다. 읍(邑)이 의미부이고 곡

제6권

(谷)이 소리부이다. 독음은 기(綺)와 극(戟)의 반절이다.

**4039**

**䣙: 䣙: 시골 이름 배: 邑-총15획: péi**

原文

䣙: 河東聞喜縣. 从邑非聲. 薄回切.

飜譯

'하동(河東)군 문희현(聞喜縣)에 있는 지명이다.' 읍(邑)이 의미부이고 비(非)가 소리부이다. 독음은 박(薄)과 회(回)의 반절이다.

**4040**

**鄭: 鄭: 땅 이름 건: 邑-총13획: qián**

原文

鄭: 河東聞喜聚. 从邑虔聲. 渠焉切.

飜譯

'하동(河東)군 문희(聞喜)현에 있는 취락 이름이다.' 읍(邑)이 의미부이고 건(虔)이 소리부이다. 독음은 거(渠)와 언(焉)의 반절이다.

**4041**

**邼: 邼: 땅 이름 광: 邑-총9획: kuāng**

原文

邼: 河東聞喜鄉. 从邑匡聲. 去王切.

飜譯

'하동(河東)군 문희(聞喜)현에 있는 마을(鄉) 이름이다.' 읍(邑)이 의미부이고 광(匡)이 소리부이다. 독음은 거(去)와 왕(王)의 반절이다.

**4042**

**𨛭: 郟: 땅 이름 규: 邑-총12획: kuí**

原文

𨛭: 河東臨汾地, 即漢之所祭后土處. 从邑癸聲. 揆唯切.

飜譯

'하동(河東)군 임분(臨汾)현에 있는 땅(地) 이름인데, 바로 한(漢)나라 때 후토(后土: 토지 신)에게 제사를 드리던 곳이다.' 읍(邑)이 의미부이고 규(癸)가 소리부이다. 독음은 규(揆)와 유(唯)의 반절이다.

**4043**

**𨚔: 邢: 나라 이름 형: 邑-총9획: xíng**

原文

𨚔: 周公子所封, 地近河内懷. 从邑幵聲. 戶經切.

飜譯

'주공(周公)의 아들(子)이 받았던 봉지로, 하내(河内)군의 회(懷)현[271] 부근에 있었다. 읍(邑)이 의미부이고 견(幵)이 소리부이다. 독음은 호(戶)와 경(經)의 반절이다.

**4044**

**𨜴: 鄔: 땅 이름 오: 邑-총13획: wū**

---

271) 회현(懷縣)은 진시황 26년(B.C. 221)에 설치되었으며, 한 고조(高祖) 2년(B.C. 205)에 하내군(河内郡)에 귀속되었다. 진(晉) 무제(武帝) 태시(泰始) 2년(266)에 하내군의 치소를 야왕(野王)으로 옮겼고, 회현(懷縣)은 하내군 소속의 현(縣)이 되었다. 수나라 대업(大業) 2년(606)에 폐지되어 안창현(安昌縣)에 귀속되었다가 당나라 무덕(武德) 2년(619年) 다시 회복되었다. 회현의 치소는 지금의 하남성 초작시(焦作市) 무섭현(武陟縣)에 있었다.

原文

鄔: 太原縣. 从邑烏聲. 安古切.

飜譯

'태원(太原)군에 있던 현(縣) 이름이다.' 읍(邑)이 의미부이고 오(烏)가 소리부이다. 독음은 안(安)과 고(古)의 반절이다.

**4045**

**祁:** 祁: **성할 기**: 示-**총8획**: **qí**

原文

祁: 太原縣. 从邑示聲. 巨支切.

飜譯

'태원(太原)군에 있던 현(縣) 이름이다.' 읍(邑)이 의미부이고 시(示)가 소리부이다. 독음은 거(巨)와 지(支)의 반절이다.

**4046**

**鄴:** 鄴: **땅 이름 업**: 邑-**총16획**: **yè**

原文

鄴: 魏郡縣. 从邑業聲. 魚怯切.

飜譯

'위군(魏郡)에 있는 현(縣) 이름이다.' 읍(邑)이 의미부이고 업(業)이 소리부이다. 독음은 어(魚)와 겁(怯)의 반절이다.

**4047**

**郉:** 郉: **나라 이름 형**: 邑-**총7획**: **jǐng**

原文

: 鄭地邢亭. 从邑井聲. 戶經切.

飜譯

'정(鄭)나라 땅에 있는 형정(邢亭)'을 말한다. 읍(邑)이 의미부이고 정(井)이 소리부이다. 독음은 호(戶)와 경(經)의 반절이다.

**4048**

: 邯: **땅 이름 감·고을 이름 한**: 邑-**총8획**: **hán**

原文

: 趙邯鄲縣. 从邑甘聲. 胡安切.

飜譯

'조(趙)나라 땅의 한단현(邯鄲縣)'을 말한다. 읍(邑)이 의미부이고 감(甘)이 소리부이다. 독음은 호(胡)와 안(安)의 반절이다.

**4049**

: 鄲: **조나라 서울 단**: 邑-**총15획**: **dān**

原文

: 邯鄲縣. 从邑單聲. 都寒切.

飜譯

'한단현(邯鄲縣)'을 말한다. 읍(邑)이 의미부이고 단(單)이 소리부이다. 독음은 도(都)와 한(寒)의 반절이다.

**4050**

: 郇: **나라 이름 순**: 邑-**총9획**: **xún**

原文

𨚕: 周武王子所封國, 在晉地. 从邑旬聲. 讀若泓. 相倫切.

飜譯

'주(周)나라 무왕(武王)[272]의 아들이 분봉 받은 나라(封國)를 말하는데, 진(晉)나라에 있었다.' 읍(邑)이 의미부이고 순(旬)이 소리부이다. 홍(泓)과 같이 읽는다. 독음은 상(相)과 륜(倫)의 반절이다.

**4051**

**𨜬: 鄃: 고을 이름 유: 邑-총12획: yú**

原文

𨜬: 淸河縣. 从邑兪聲. 式朱切.

飜譯

'청하(淸河)군에 있는 현(縣) 이름이다.' 읍(邑)이 의미부이고 유(兪)가 소리부이다. 독음은 식(式)과 주(朱)의 반절이다.

**4052**

**鄗: 鄗: 땅 이름 호: 邑-총13획: jiāo, qiāo**

原文

鄗: 常山縣. 世祖所卽位, 今爲高邑. 从邑高聲. 呼各切.

飜譯

'상산(常山)군에 있는 현(縣) 이름'이다. 한나라 세조 광무제가 즉위했던 곳인데, 지금은 고읍(高邑)이라 부른다. 읍(邑)이 의미부이고 고(高)가 소리부이다. 독음은 호(呼)와 각(各)의 반절이다.

---

272) 뉴수옥의 『설문교록』에서 무왕(武王)은 문왕(文王)이 되어야 옳다고 했다.

**4053**

**[篆]: 鄡: 고을 이름 교: 邑-총14획: qiāo**

原文

[篆]: 鉅鹿縣. 从邑梟聲. 牽遙切.

飜譯

'거록(鉅鹿)군에 있는 현(縣) 이름이다.' 읍(邑)이 의미부이고 효(梟)가 소리부이다. 독음은 견(牽)과 요(遙)의 반절이다.

**4054**

**[篆]: 鄚: 고을 이름 막: 邑-총14획: mào**

原文

[篆]: 涿郡縣. 从邑莫聲. 慕各切.

飜譯

'탁군(涿郡)에 있는 현(縣) 이름이다.' 읍(邑)이 의미부이고 막(莫)이 소리부이다. 독음은 모(慕)와 각(各)의 반절이다.

**4055**

**[篆]: 郅: 고을 이름 질: 邑-총9획: zhì**

原文

[篆]: 北地郁郅縣. 从邑至聲. 之日切.

飜譯

'북지(北地)군에 욱질현(郁郅縣)이 있다.' 읍(邑)이 의미부이고 지(至)가 소리부이다. 독음은 지(之)와 일(日)의 반절이다.

**4056**

：郯: **오랑캐 나라 이름 수**: 邑-**총12획**: **sōu**

原文

：北方長狄國也. 在夏爲防風氏, 在殷爲汪茫氏. 从邑叜聲. 『春秋傳』曰: "郯瞞侵齊." 所鳩切.

飜譯

'북방(北方) 장적(長狄)족의 나라(國) 이름이다.' 하(夏)나라 때에는 방풍씨(防風氏)였고, 은(殷)나라 때에는 왕망씨(汪茫氏)였다. 읍(邑)이 의미부이고 수(叜)가 소리부이다. 『춘추전』(『좌전』 문공 11년, B.C. 616)에서 "수(郯)나라의 만(瞞)이 제(齊)나라를 침범했다."라고 했다. 독음은 소(所)와 구(鳩)의 반절이다.

**4057**

：鄦: **나라 이름 허**: 邑-**총15획**: **xǔ**

原文

：炎帝太嶽之胤, 甫侯所封, 在潁川. 从邑無聲. 讀若許. 虛呂切.

飜譯

'염제(炎帝)의 후예 태악(太嶽)의 자손(胤)인 보후(甫侯)가 분봉 받았던 나라로[273], 영천(潁川)에 있었다. 읍(邑)이 의미부이고 무(無)가 소리부이다. 허(許)와 같이 읽는다. 독음은 허(虛)와 려(呂)의 반절이다.

**4058**

：邟: **고을 이름 항·강**; 邑-**총7획**: **kàng**

273) 『단주』에서 이렇게 말했다. "염제(炎帝) 신농씨(神農氏)의 후손이 대악(大嶽)이 되었다. 상세한 것은 여(呂)자의 해설에 보인다. 대악(大嶽)이 여(呂) 땅에 봉해졌고, 그의 후손인 보후(甫侯)는 다시 허(鄦) 땅에 봉해졌다. 허(鄦)와 허(許)는 고금자이다."

原文

邟: 潁川縣. 从邑亢聲. 苦浪切.

飜譯

'영천(潁川)군에 있는 현(縣) 이름이다.' 읍(邑)이 의미부이고 항(亢)이 소리부이다. 독음은 고(苦)와 랑(浪)의 반절이다.

**4059**

郾: 郾: **고을 이름 언**: 邑-**총12획**: **yǎn**

原文

郾: 潁川縣. 从邑匽聲. 於建切.

飜譯

'영천(潁川)군에 있는 현(縣) 이름이다.' 읍(邑)이 의미부이고 언(匽)이 소리부이다. 독음은 어(於)와 건(建)의 반절이다.

**4060**

郟: 郟: **고을 이름 겹**: 邑-**총10획**: **jiá**

原文

郟: 潁川縣. 从邑夾聲. 工洽切.

飜譯

'영천(潁川)군에 있는 현(縣) 이름이다.' 읍(邑)이 의미부이고 협(夾)이 소리부이다. 독음은 공(工)과 흡(洽)의 반절이다.

**4061**

郪: 郪: **고을 이름 처**: 邑-**총11획**: **qī**

제6권

原文

: 新鄋, 汝南縣. 从邑妻聲. 七稽切.

飜譯

'신처(新鄋)를 말하는데, 여남(汝南)군에 있는 현(縣) 이름이다.' 읍(邑)이 의미부이고 처(妻)가 소리부이다. 독음은 칠(七)과 계(稽)의 반절이다.

**4062**

: 鄎: **나라 이름 식**: 邑-**총13획**: **xì**

原文

: 姬姓之國, 在淮北. 从邑息聲. 今汝南新鄎. 相卽切.

飜譯

'희성(姬姓)의 나라로, 회수(淮)의 북쪽에 있었다.' 읍(邑)이 의미부이고 식(息)이 소리부이다. 지금의 여남(汝南)군 신식(新鄎)현을 말한다. 독음은 상(相)과 즉(卽)의 반절이다.

**4063**

: 郋: **마을 이름 해**: 邑-**총9획**: **xí**

原文

: 汝南邵陵里. 从邑自聲. 讀若奚. 胡雞切.

飜譯

'여남(汝南)현 소릉(邵陵)에 있는 마을(里) 이름이다.' 읍(邑)이 의미부이고 자(自)가 소리부이다. 해(奚)와 같이 읽는다. 독음은 호(胡)와 계(雞)의 반절이다.

**4064**

: ⿰旁阝: **정자 이름 방**: 邑-**총13획**: **páng**

原文

[illegible]: 汝南鮦陽亭. 从邑㫄聲. 步光切.

飜譯

'여남(汝南)군 동양(鮦陽)현에 있는 역참(亭) 이름이다.' 읍(邑)이 의미부이고 방(㫄)이 소리부이다. 독음은 보(步)와 광(光)의 반절이다.

**4065**

郹: 郹: **고을 이름 격**: 邑-총12획: jú

原文

郹: 蔡邑也. 从邑狊聲. 『春秋傳』曰: "郹陽封人之女奔之." 古闃切.

飜譯

'옛날 채(蔡)나라 땅에 있던 읍(邑) 이름이다.' 읍(邑)이 의미부이고 격(狊)이 소리부이다. 『춘추전』(『좌전』 소공 19년, B.C. 523)에서 "격양(郹陽)성 관문지기의 딸(封人之女)이 [초(楚)나라 공자에게로] 도망을 갔다."라고 했다. 독음은 고(古)와 격(闃)의 반절이다.

**4066**

鄧: 鄧: **나라 이름 등**: 邑-총15획: dèng

原文

鄧: 曼姓之國. 今屬南陽. 从邑登聲. 徒亙切.

飜譯

'[춘추 시기 때의] 만성(曼姓)의 나라인데, 지금은 남양(南陽)군에 속해 있다.' 읍(邑)이 의미부이고 등(登)이 소리부이다. 독음은 도(徒)와 긍(亙)의 반절이다.

**4067**

鄾: 鄾: **땅 이름 우**: 邑-총18획: yōu

原文

: 鄧國地也. 从邑憂聲. 『春秋傳』曰: “鄧南鄙鄾人攻之.” 於求切.

飜譯

‘등나라(鄧國)의 땅(地) 이름이다.’ 읍(邑)이 의미부이고 우(憂)가 소리부이다. 『춘추전』(『좌전』 환공 9년, B.C. 703)에서 “등(鄧) 나라 남쪽 변방의 우인(鄾人)들이 그들을 공격했다.”라고 했다. 독음은 어(於)와 구(求)의 반절이다.

**4068**

: 郚: **마을 이름 호**: 邑-**총8획**: **háo**

原文

: 南陽淯陽鄉. 从邑号聲. 乎刀切.

飜譯

‘남양(南陽)군의 육양(淯陽)현에 있는 향(鄉) 이름이다.’ 읍(邑)이 의미부이고 호(号)가 소리부이다. 독음은 호(乎)와 도(刀)의 반절이다.

**4069**

: 鄛: **고을 이름 소**: 邑-**총14획**: **cháo**

原文

: 南陽棗陽鄉. 从邑巢聲. 鉏交切.

飜譯

‘남양(南陽)군의 조양(棗陽)현에 있는 향(鄉) 이름이다.’ 읍(邑)이 의미부이고 소(巢)가 소리부이다. 독음은 서(鉏)와 교(交)의 반절이다.

**4070**

: 鄿: **현 이름 양**: 邑-**총20획**: **ráng**

原文

: 今南陽穰縣是. 从邑襄聲. 汝羊切.

飜譯

'오늘날 남양(南陽)군 양현(穰縣) 지역이 바로 이곳이다.' 읍(邑)이 의미부이고 양(襄)이 소리부이다. 독음은 여(汝)와 양(羊)의 반절이다.

**4071**

: 鄹: **땅 이름 루**: 邑-**총14획**: **lóu, lú**

原文

: 南陽穰鄉. 从邑婁聲. 力朱切.

飜譯

'남양(南陽)군 양현(穰縣)에 있는 향(鄉) 이름이다.' 읍(邑)이 의미부이고 루(婁)가 소리부이다. 독음은 력(力)과 주(朱)의 반절이다.

**4072**

: 郢: **정자 이름 리**: 邑-**총10획**: **lǐ**

原文

: 南陽西鄂亭. 从邑里聲. 良止切.

飜譯

'남양(南陽)군 서악(西鄂)현에 있는 역참(亭) 이름이다.' 읍(邑)이 의미부이고 리(里)가 소리부이다. 독음은 량(良)과 지(止)의 반절이다.

**4073**

: 郊: **정자 이름 우**: 邑-**총9획**: **yǔ**

原文

䢓: 南陽舞陰亭. 从邑羽聲. 王榘切.

飜譯

'남양(南陽)군 무음(舞陰)현에 있는 역참(亭) 이름이다.' 읍(邑)이 의미부이고 우(羽)가 소리부이다. 독음은 왕(王)과 구(榘)의 반절이다.

**4074**

**郢: 郢: 땅 이름 영: 邑-총10획: yǐng**

原文

郢: 故楚都. 在南郡江陵北十里. 从邑呈聲. 郢, 郢或省. 以整切.

飜譯

'옛날 초(楚)나라의 수도였다(都). 남군(南郡) 가릉(江陵)현이 북쪽으로 10리 지점에 있다.' 읍(邑)이 의미부이고 정(呈)이 소리부이다. 영(郢)은 영(郢)의 혹체자인데, 생략된 모습으로 구성되었다. 독음은 이(以)와 정(整)의 반절이다.

**4075**

**鄢: 鄢: 고을 이름 언: 邑-총14획: yān**

原文

鄢: 南郡縣. 孝惠三年改名宜城. 从邑焉聲. 於乾切.

飜譯

'남군(南郡)에 있는 현(縣) 이름이다. 한나라 효혜제(孝惠) 3년에 의성(宜城)으로 이름을 바꾸었다.' 읍(邑)이 의미부이고 언(焉)이 소리부이다. 독음은 어(於)와 건(乾)의 반절이다.

4076

**鄳: 鄳: 땅 이름 맹: 邑-총16획: méng**

原文

鄳: 江夏縣. 从邑黽聲. 莫杏切.

飜譯

'강하(江夏)군에 있는 현(縣) 이름이다.' 읍(邑)이 의미부이고 맹(黽)이 소리부이다. 독음은 막(莫)과 행(杏)의 반절이다.

4077

**鄡: 鄡: 땅 이름 갈: 邑-총16획: gé**

原文

鄡: 南陽陰鄉. 从邑葛聲. 古達切.

飜譯

'남양(南陽)군의 음(陰)현에 있는 향(鄉) 이름이다.' 읍(邑)이 의미부이고 갈(葛)이 소리부이다. 독음은 고(古)와 달(達)의 반절이다.

4078

**鄂: 鄂: 땅 이름 악: 邑-총12획: è**

原文

鄂: 江夏縣. 从邑咢聲. 五各切.

飜譯

'강하(江夏)군에 있는 현(縣) 이름이다.' 읍(邑)이 의미부이고 악(咢)이 소리부이다. 독음은 오(五)와 각(各)의 반절이다.

**4079**

: 邔: **고을 이름 기**: 邑-**총6획**: **qǐ**

原文

: 南陽縣. 从邑己聲. 居擬切.

飜譯

'남양(南陽)군에 있는 현(縣) 이름이다.' 읍(邑)이 의미부이고 기(己)가 소리부이다. 독음은 거(居)와 의(擬)의 반절이다.

**4080**

: 邾: **나라 이름 주**: 邑-**총9획**: **zhū**

原文

: 江夏縣. 从邑朱聲. 陟輸切.

飜譯

'강하(江夏)군에 있는 현(縣) 이름이다.' 읍(邑)이 의미부이고 주(朱)가 소리부이다. 독음은 척(陟)과 수(輸)의 반절이다.

**4081**

: 鄖: **나라 이름 운**: 邑-**총13획**: **yún**

原文

: 漢南之國. 从邑員聲. 漢中有鄖關. 羽文切.

飜譯

'옛날 한수 남쪽(漢南)에 있던 나라 이름이다.' 읍(邑)이 의미부이고 원(員)이 소리부이다. 한중(漢中)에 운관(鄖關)이라는 관문이 있다. 독음은 우(羽)와 문(文)의 반절이다.

**4082**

鄘: **나라 이름 용**: 邑-**총14획**: yōng

原文

南夷國. 从邑庸聲. 余封切.

飜譯

'남쪽 이민족(南夷)의 나라(國) 이름이다.' 읍(邑)이 의미부이고 용(庸)이 소리부이다. 독음은 여(余)와 봉(封)의 반절이다.

**4083**

郫: **고을 이름 비**: 邑-**총11획**: pí

原文

蜀縣也. 从邑卑聲. 符支切.

飜譯

'촉(蜀)군에 있는 현(縣) 이름이다.' 읍(邑)이 의미부이고 비(卑)가 소리부이다. 독음은 부(符)와 지(支)의 반절이다.

**4084**

鄯: **땅 이름 수**: 邑-**총17획**: chóu, shòu

原文

蜀江原地. 从邑壽聲. 市流切.

飜譯

'촉(蜀)군의 강원(江原)현에 있는 땅(地) 이름이다.' 읍(邑)이 의미부이고 수(壽)가 소리부이다. 독음은 시(市)와 류(流)의 반절이다.

**4085**

**𨟪: 䣢: 땅 이름 적·작; 邑-총17획: jí**

原文

𨟪: 蜀地也. 从邑耤聲. 秦昔切.

飜譯

'촉(蜀)군에 있는 땅(地) 이름이다.' 읍(邑)이 의미부이고 적(耤)이 소리부이다. 독음은 진(秦)과 석(昔)의 반절이다.

**4086**

**鄤: 鄤: 땅 이름 만: 邑-총18획: wàn**

原文

鄤: 蜀廣漢鄉也. 从邑蔓聲. 讀若蔓. 無販切.

飜譯

'촉(蜀)[274] 땅의 광한(廣漢)현에 있는 향(鄉) 이름이다.' 읍(邑)이 의미부이고 만(蔓)이 소리부이다. 만(蔓)과 같이 읽는다. 독음은 무(無)와 판(販)의 반절이다.

**4087**

**邡: 邡: 고을 이름 방: 邑-총7획: fāng**

原文

邡: 什邡, 廣漢縣. 从邑方聲. 府良切.

飜譯

'시방(什邡)을 말하는데, 광한(廣漢)군에 있는 현(縣) 이름이다.' 읍(邑)이 의미부이고 방(方)이 소리부이다. 독음은 부(府)와 량(良)의 반절이다.

---

274) 요문전의 『설문교의』에 의하면 촉(蜀)은 삭제되어야 옳다고 했다. 『한서·지리지』에 의하면, 광한현은 광한군에 속해 있었지 촉군에 속한 행정단위가 아니기 때문이다.

**4088**

: 鄢: **땅 이름 마**: 邑–총13획: mǎ, mà

原文

: 存鄢, 犍爲縣. 从邑馬聲. 莫駕切.

飜譯

'존마(存鄢)를 말하는데, 건위(犍爲)군에 있는 현(縣) 이름이다.' 읍(邑)이 의미부이고 마(馬)가 소리부이다. 독음은 막(莫)과 가(駕)의 반절이다.

**4089**

: 鄨: **물 이름 폐**: 邑–총19획: bì

原文

: 牂牱縣. 从邑敝聲. 讀若鷩雉之鷩. 必袂切.

飜譯

'장가(牂牱)군에 있는 현(縣) 이름이다.' 읍(邑)이 의미부이고 폐(敝)가 소리부이다. 별치(鷩雉)라고 할 때의 별(鷩)과 같이 읽는다. 독음은 필(必)과 메(袂)의 반절이다.

**4090**

: 𨚔: **땅 이름 포**: 邑–총8획: bāo

原文

: 地名. 从邑包聲. 布交切.

飜譯

'땅 이름(地名)이다.' 읍(邑)이 의미부이고 포(包)가 소리부이다. 독음은 포(布)와 교(交)의 반절이다.

**4091**

**𨚗:** 那: **어찌 나**: 邑-**총7획: nuó**

原文

𨚗: 西夷國. 从邑冄聲. 安定有朝那縣. 諾何切.

飜譯

'서쪽 이민족(西夷)의 나라 이름이다(國).' 읍(邑)이 의미부이고 염(冄)이 소리부이다. 안정(安定)군에 조나현(朝那縣)이 있다. 독음은 낙(諾)과 하(何)의 반절이다.

**4092**

**鄱:** 鄱: **고을 이름 파**: 邑-**총15획: pó**

原文

鄱: 鄱陽, 豫章縣. 从邑番聲. 薄波切.

飜譯

'파양(鄱陽)을 말하는데, 예장(豫章)군에 있는 현(縣) 이름이다.' 읍(邑)이 의미부이고 번(番)이 소리부이다. 독음은 박(薄)과 파(波)의 반절이다.

**4093**

**酃:** 酃: **고을 이름 령**: 邑-**총20획: líng**

原文

酃: 長沙縣. 从邑霝聲. 郎丁切.

飜譯

'장사(長沙)군에 있는 현(縣) 이름이다.' 읍(邑)이 의미부이고 령(霝)이 소리부이다. 독음은 랑(郎)과 정(丁)의 반절이다.

**4094**

**郴**: 郴: **고을 이름 침**: 邑-**총11획: chēn**

原文

郴: 桂陽縣. 从邑林聲. 丑林切.

飜譯

'계양(桂陽)군에 있는 현(縣) 이름이다.' 읍(邑)이 의미부이고 림(林)이 소리부이다. 독음은 축(丑)과 림(林)의 반절이다.

**4095**

**耒阝**: 耒阝: **땅 이름 뢰**: 邑-**총9획: lěi, lèi**

原文

耒阝: 今桂陽耒阝陽縣. 从邑耒聲. 盧對切.

飜譯

'오늘날 계양(桂陽)군에 있는 뇌양현(耒阝陽縣)을 말한다.' 읍(邑)이 의미부이고 뢰(耒)가 소리부이다. 독음은 로(盧)와 대(對)의 반절이다.

**4096**

**鄮**: 鄮: **고을 이름 무**: 邑-**총15획: mào**

原文

鄮: 會稽縣. 从邑貿聲. 莫候切.

飜譯

'회계(會稽)군에 있는 현(縣) 이름이다.' 읍(邑)이 의미부이고 무(貿)가 소리부이다. 독음은 막(莫)과 후(候)의 반절이다.

**4097**

**鄞: 鄞: 땅 이름 은: 邑-총14획: yín**

原文

鄞: 會稽縣. 从邑堇聲. 語斤切.

飜譯

'회계(會稽)군에 있는 현(縣) 이름이다.' 읍(邑)이 의미부이고 근(堇)이 소리부이다. 독음은 어(語)와 근(斤)의 반절이다.

**4098**

**邺: 邺: 군 이름 패: 邑-총7획: pèi**

原文

邺: 沛郡. 从邑市聲. 博蓋切.

飜譯

'패군(沛郡)을 말한다.' 읍(邑)이 의미부이고 시(市)가 소리부이다. 독음은 박(博)과 개(蓋)의 반절이다.

**4099**

**邴: 邴: 고을 이름 병: 邑-총8획: bǐng**

原文

邴: 宋下邑. 从邑丙聲. 兵永切.

飜譯

'송(宋)나라에 속했던 작은 성읍(邑)이다.'[275] 읍(邑)이 의미부이고 병(丙)이 소리부

275) 계복의 『설문의증』에 의하면, 송(宋)은 정(鄭)이 되어야 옳다고 했다. 이에 반해 『단주』에서는 "송나라의 작은 읍(宋下邑)"에 대해 다음과 같이 말했다. "하읍(下邑)은 소읍(小邑)이라는 말과 같다. 『좌전』에 나오는 병촉(邴歜), 병의자(邴意兹), 병설(邴泄), 병하(邴夏) 등은 모두 송

이다. 독음은 병(兵)과 영(永)의 반절이다.

**4100**

**𨞛: 䣜: 땅 이름 차: 邑−총14획: cuó**

原文

𨞛: 沛國縣. 从邑𧆛聲. 昨何切.

飜譯

'패(沛)군에 있는 현(縣) 이름이다.' 읍(邑)이 의미부이고 차(𧆛)가 소리부이다. 독음은 작(昨)과 하(何)의 반절이다.

**4101**

**𨚷: 邵: 땅 이름 소: 邑−총7획: shǎo**

原文

𨚷: 地名. 从邑少聲. 書沼切.

飜譯

'땅 이름(地名)이다.' 읍(邑)이 의미부이고 소(少)가 소리부이다. 독음은 서(書)와 소(沼)의 반절이다.

**4102**

**𨛜: 𨛜: 땅 이름 신·진: 邑−총9획: chén, jìn, tán**

原文

---

(宋)나라 사람이 아니다. 또 『공양(公羊)』 은공(隱公) 8년 조에서도 병 땅으로 되돌아갔다(歸邴), 병 땅으로 들어갔다(入邴)라고 했고, 9년 조에서도 제나라 임금과 병 땅에서 회합했다(會齊侯于邴)라고 했는데, 이들 모두 송(宋)나라 땅이 아니다. 10년 조에서 방 땅을 빼앗았다(取防)라고 했는데, 방(防)이 송나라 땅이다." 그렇다면 병(邴)은 방(防)이 되어야 할 것으로 보았다.

[illegible]: 地名. 从邑臣聲. 植鄰切.

'땅 이름(地名)이다.' 읍(邑)이 의미부이고 신(臣)이 소리부이다. 독음은 식(植)과 린(鄰)의 반절이다.

**4103**

酁: 酁: **땅 이름 참**: 邑-**총20획**: zǎn

原文

酁: 宋地也. 从邑毚聲. 讀若讒. 士咸切.

飜譯

'송(宋) 땅에 있는 땅 이름이다.' 읍(邑)이 의미부이고 참(毚)이 소리부이다. 참(讒)과 같이 읽는다. 독음은 사(士)와 함(咸)의 반절이다.

**4104**

鄑: 鄑: **땅 이름 자**: 邑-**총13획**: zī

原文

鄑: 宋魯閒地. 从邑晉聲. 卽移切.

飜譯

'송(宋)나라와 노(魯)나라 사이에 있던 땅 이름이다.' 읍(邑)이 의미부이고 진(晉)이 소리부이다. 독음은 즉(卽)과 이(移)의 반절이다.

**4105**

郜: 郜: **나라 이름 고**: 邑-**총10획**: gào

原文

郜: 周文王子所封國. 从邑告聲. 古到切.

飜譯

'주(周)나라 문왕(文王)의 아들이 분봉 받았던 나라(封國) 이름이다.' 읍(邑)이 의미부이고 고(告)가 소리부이다. 독음은 고(古)와 도(到)의 반절이다.

**4106**

**鄄: 鄄: 땅 이름 견: 邑-총12획: juàn**

原文

鄄: 衛地. 今濟陰鄄城. 从邑垔聲. 吉掾切.

飜譯

'위(衛)나라 땅이었는데, 지금의 제음(濟陰)군 견성(鄄城)이다.' 읍(邑)이 의미부이고 인(垔)이 소리부이다. 독음은 길(吉)과 연(掾)의 반절이다.

**4107**

**邛: 邛: 언덕 공: 邑-총6획: qióng**

原文

邛: 邛地. 在濟陰縣. 从邑工聲. 渠容切.

飜譯

'공지(邛地)[276]를 말하는데, 제음(濟陰)군에 있는 현(縣) 이름이다.' 읍(邑)이 의미부이고 공(工)이 소리부이다. 독음은 거(渠)와 용(容)의 반절이다.

**4108**

**鄶: 鄶: 나라 이름 회: 邑-총16획: kuài**

原文

276) 『단주』에서 지(地)는 성(成)이 되어야 옳다고 했다. 그렇게 되면 "공성(邛成)은 제음군에 있는 현 이름"이 된다.

제
6
권

: 祝融之後, 妘姓所封. 潧洧之間. 鄭滅之. 从邑會聲. 古外切.

'축융(祝融)[277]의 후예인 운성(妘姓)이 분봉 받았던 나라이다.' 증수(潧水)와 유수(洧水) 사이에 있었으며, 정(鄭)나라에 의해 멸망했다. 읍(邑)이 의미부이고 회(會)가 소리부이다. 독음은 고(古)와 외(外)의 반절이다.

**4109**

: 邧: **고을 이름 원**: 邑-총7획: yuán

: 鄭邑也. 从邑元聲. 虞遠切.

'정(鄭) 땅에 있는 읍(邑) 이름이다.' 읍(邑)이 의미부이고 원(元)이 소리부이다. 독음은 우(虞)와 원(遠)의 반절이다.

**4110**

: 郔: **땅 이름 연**: 邑-총10획: yán

原文

: 鄭地. 从邑延聲. 以然切.

'정(鄭) 땅에 있는 땅(地) 이름이다.' 읍(邑)이 의미부이고 연(延)이 소리부이다. 독음은 이(以)와 연(然)의 반절이다.

---

277) 전설에 나오는 원고(遠古) 때의 사람인데, 전욱(顓頊)의 후손으로, 이름은 중려(重黎)다. 고신씨(高辛氏)의 화정(火正)이 되었다. 공공씨(共工氏)가 난을 일으키자 황제가 그를 시켜 주륙(誅戮)하게 했는데 임무를 완수하지 못하자 황제에게 죽임을 당했다. 후세에 화신(火神)으로 추대되었다. 일설에는 염제(炎帝)의 후손으로, 일찍이 황명을 받들어 우교(羽郊)에서 곤(鯀)을 죽였다고 한다.(『중국역대인명사전』, 2010)

4111

: 郠: 고을 이름 경: 邑-총10획: gěng

原文

: 琅邪莒邑. 从邑更聲. 『春秋傳』曰: "取郠." 古杏切.

飜譯

'낭야(琅邪)군 거(莒)현에 있는 읍(邑) 이름이다.' 읍(邑)이 의미부이고 경(更)이 소리부이다. 『춘추전』(『좌전』 소공 10년, B.C. 532)에서 "경 땅을 빼앗았다(取郠)"라고 했다. 독음은 고(古)와 행(杏)의 반절이다.

4112

: 鄅: 나라 이름 우: 邑-총12획: yǔ

原文

: 妘姓之國. 从邑禹聲. 『春秋傳』曰: "鄅人籍稻." 讀若規榘之榘. 王榘切.

飜譯

'운성(妘姓)이 분봉 받았던 나라이다.' 읍(邑)이 의미부이고 우(禹)가 소리부이다. 『춘추전』(『좌전』 소공 18년, B.C. 524)에서 "우(鄅) 나라 사람이 적전에다 벼를 심었다(籍稻)"라고 했다. 규구(規榘)라고 할 때의 구(榘)와 같이 읽는다. 독음은 왕(王)과 구(榘)의 반절이다.

4113

: 鄒: 나라 이름 추: 邑-총13획: zōu

原文

: 魯縣, 古邾國, 帝顓頊之後所封. 从邑芻聲. 側鳩切.

飜譯

'노(魯) 땅에 있는 현(縣) 이름으로, 옛날의 주(邾)나라이며, 전욱(顓頊)[278] 임금이 봉분을 받았던 곳이다.' 읍(邑)이 의미부이고 추(芻)가 소리부이다. 독음은 측(側)과 구(鳩)의 반절이다.

**4114**

**郐:** 郐: **땅 이름 도**: 邑-**총10획**: **tú**

原文

郐: 邾下邑地. 从邑余聲. 魯東有郐城. 讀若塗. 同都切.

飜譯

'주(邾) 땅에 있는 읍(邑) 이름이다.'[279] 읍(邑)이 의미부이고 여(余)가 소리부이다. 노(魯) 나라의 동쪽에 도성(郐城)이 있었다.[280] 도(塗)와 같이 읽는다. 독음은 동(同)과 도(都)의 반절이다.

**4115**

**邿:** 邿: **나라 이름 시**: 邑-**총9획**: **shī**

原文

邿: 附庸國. 在東平亢父邿亭. 从邑寺聲. 『春秋傳』曰: "取邿." 書之切.

---

278) 중국 고대의 전설상의 임금으로, 오제(五帝) 가운데 한 사람이다. 황제(黃帝)의 손자이자 창의(昌意)의 아들로서, 20세에 즉위하여 78년간 재위하였다고 한다. 처음에 고양(高陽)에서 나라를 일으켰기 때문에 고양씨(高陽氏)라고도 불린다.(『한국고전용어사전』, 2001)

279) 『단주』에서 주(邾)는 추(鄒)가 되어야 하며, 지(地)는 야(也)가 되어야 한다고 했다.

280) 『단주』에서는 동성(郐城)의 성(城)은 융(戎)이 되어야 옳다고 했다. 그것은 『설문』에서 성(城)이라고 말한 경우가 없기 때문이다. 도융(郐戎)은 『주례주』에서 "백금이 천자국의 군사를 이끌고서 도융을 정벌했다(伯禽以王師征郐戎)"라고 했는데, 금본 『상서』에서는 이를 서이(徐夷), 서융(徐戎)으로 적었다. 허신(許慎)과 정현(鄭玄)은 이에 근거해 도(郐)로 적었다. 추(鄒)가 노(魯)나라의 동쪽에 있다면 도(郐)도 노나라의 동쪽에 있었음을 알 수 있다고도 했다.

飜譯

'제후국에 부속된 작은 나라(附庸國)이다.' 동평국(東平國)의 항보(亢父)현에 시정(邿亭)이라는 역참이 있다. 읍(邑)이 의미부이고 시(寺)가 소리부이다. 『춘추전』(『좌전』 양공 13년, B.C. 560) "[노나라가] 시(邿) 땅을 빼앗았다."라고 했다. 독음은 서(書)와 지(之)의 반절이다.

**4116**

**鄹: 郰: 고을 이름 추: 邑-총11획: zōu**

原文

鄹: 魯下邑. 孔子之鄉. 从邑取聲. 側鳩切.

飜譯

'노(魯) 땅에 있는 읍(邑) 이름이다.' 공자(孔子)의 고향이다.[281] 읍(邑)이 의미부이고 취(取)가 소리부이다. 독음은 측(側)과 구(鳩)의 반절이다.



**4117**

**郕: 郕: 땅 이름 성: 邑-총10획: chéng**

原文

郕: 魯孟氏邑. 从邑成聲. 氏征切.

281) 공안국(孔安國)의 『논어주』에서 "추(鄹)는 공자의 부친 숙량흘이 다스리던 곳이다(孔子父叔梁紇所治邑也)"라고 했고, 『좌전』의 두예 주에서 "흘(紇)은 추읍의 대부였던 공자의 부친 숙량흘을 말한다(郰邑大夫仲尼父叔梁紇也)"라고 했다. 『예기·단궁(檀弓)』에서 "추(郰)는 만보의 어머니이다(曼父之母)"라고 했는데, 정현이 주석에서 "만보의 어머니와 (공자의 어머니) 징재는 이웃으로 서로 잘 지냈다(曼父之母與徵在爲鄰, 相善.)"라고 했다. 『사기·공자세가(孔子世家)』에서는 "공자가 노나라 창평향 추읍에서 태어났다(孔子生魯昌平鄉郰邑)"라고 했는데, 두예의 주석에서 "추읍은 노현의 동남쪽에 있는 좌성이 그곳이다(郰邑, 魯縣東南莝城是也.)"라고 했다. 장수절(張守節)은 "공부자께서는 추의 궐리에서 태어나셨다가 장성하여 곡부로 이사를 하셨다. 그래서 그곳을 여전히 궐리라고 부른다.(夫子生在鄹之闕裏, 長徙曲阜, 仍號闕裏.)"라고 했다.

飜譯

'노(魯)나라 맹씨(孟氏)의 읍성(邑)이다.' 읍(邑)이 의미부이고 성(成)이 소리부이다. 독음은 씨(氏)와 정(征)의 반절이다.

**4118**

**𨛱: 郰: 나라 이름 엄: 邑-총11획: yǎn**

原文

𨛱: 周公所誅郰國. 在魯. 从邑奄聲. 依檢切.

飜譯

'주공(周公)이 토벌했다는 엄(郰) 나라를 말한다.' 노(魯) 땅에 있다. 읍(邑)이 의미부이고 엄(奄)이 소리부이다. 독음은 의(依)와 검(檢)의 반절이다.

**4119**

**酄: 酄: 고을 이름 환: 邑-총21획: huǎn**

原文

酄: 魯下邑. 从邑雚聲. 『春秋傳』曰: "齊人來歸酄." 呼官切.

飜譯

'노(魯) 땅에 있는 현(縣) 이름이다.' 읍(邑)이 의미부이고 관(雚)이 소리부이다. 『춘추전』(『좌전』 정공 10년, B.C. 500)에서 "제(齊)나라 사람들이 와서 환(酄) 땅을 되돌려 주었다."라고 했다. 독음은 호(呼)와 관(官)의 반절이다.

**4120**

**郞: 郎: 사내 랑: 邑-총9획: láng**

原文

郞: 魯亭也. 从邑良聲. 魯當切.

飜譯

'노(魯) 땅에 있는 역참(亭) 이름이다.' 읍(邑)이 의미부이고 량(良)이 소리부이다. 독음은 로(魯)와 당(當)의 반절이다.

4121

**邳: 邳: 클 비: 邑-총8획: pī**

原文

邳: 奚仲之後, 湯左相仲虺所封國. 在魯薛縣. 从邑丕聲. 敷悲切.

飜譯

'해중(奚仲)[282]의 후예이자 탕(湯)임금의 좌상(左相)이었던 중훼(仲虺)[283]가 분봉 받았던 나라이다.' 노(魯)의 설현(薛縣)에 있다. 읍(邑)이 의미부이고 비(丕)가 소리부이다. 독음은 부(敷)와 비(悲)의 반절이다.



4122

**鄣: 鄣: 나라 이름 장: 邑-총14획: zhāng**

---

282) 중훼(仲虺)는 성은 해(奚) 혹은 임(任)이다. 황제의 증손인 제곡의 후예다. 제곡은 우호(禺號: 바다와 바람의 신)를 낳았고, 우호는 음양(淫梁)을 낳았고, 음양은 번우(番禺)를 낳았고, 번우는 해중을 낳았다. 전설에 따르면 번우는 배를 발명했다고 한다. 하(夏)나라 때 해중은 거복대부(車服大夫, 거정(車正)으로도 불린다)라는 관직을 얻었다. 하나라 군주 하우(우임금)는 그에게 설(薛) 땅을 봉했고 그는 그곳에 살았다. 해중은 길광(吉光)을 낳았는데, 길광은 처음으로 나무로 수레를 만들었다. 그러나 해중이 우임금 때 거복대부 직책을 맡았기 때문에 후세 사람들은 해중이 수레를 발명했다고 말하게 되었다. 해중은 설나라와 설씨(薛氏)의 시조가 되었고, 설 땅에 거주하다가 나중에 비(邳) 땅으로 갔다. 상(商)나라 초기에 해중의 12세손 중훼(仲虺)가 설 땅에 거주하면서 상나라 군주 상탕(商湯, 탕왕, 성탕)의 좌상(左相)을 맡기도 했다.(『중국인물사전』)

283) 은(殷) 나라 탕왕(湯王)의 신하로 좌상(左相)을 지냈다. 『서경(書經)』에 「중훼지고(仲虺之誥)」편이 있는데, 탕왕이 하늘의 뜻에 따라 하(夏)의 걸왕(桀王)을 정복했으나, 요순(堯舜) 때 없던 정벌이어서 탕왕은 마음에 늘 부담이 되었던 바, 중훼가 탕왕에게 고하고 백성을 효유하는 글인 '고(誥)'를 지어 탕왕의 의도를 해석해 널리 알린 내용이다.(『한시어사전』, 2007)

**原文**

紀邑也. 从邑章聲. 諸良切.

**飜譯**

'기(紀)나라에 있던 읍(邑) 이름이다.' 읍(邑)이 의미부이고 장(章)이 소리부이다. 독음은 제(諸)와 량(良)의 반절이다.

**4123**

邗: **땅 이름 한**: 邑-**총6획: hán**

**原文**

國也, 今屬臨淮. 从邑干聲. 一曰邗本屬吳. 胡安切.

**飜譯**

'나라 이름(國)인데, 지금은 임회(臨淮)군에 속한다. 읍(邑)이 의미부이고 간(干)이 소리부이다. 일설에는 한(邗)이 본래 오(吳)나라에 속했다고도 한다. 독음은 호(胡)와 안(安)의 반절이다.

**4124**

鄯: **땅 이름 의**: 邑-**총16획: tí, yí**

**原文**

臨淮徐地. 从邑義聲. 『春秋傳』曰: "徐鄯楚." 魚羈切.

**飜譯**

'임회(臨淮)군의 여(徐)현에 속하는 땅 이름이다.' 읍(邑)이 의미부이고 의(義)가 소리부이다. 『춘추전』(『좌전』 소공 6년, B.C. 536)에 "서(徐)나라의 대부 의초(鄯楚)"라는 말이 보인다. 독음은 어(魚)와 기(羈)의 반절이다.

**4125**

**: 郈: 고을 이름 후: 邑-총9획: hòu**

原文

: 東平無鹽鄉. 从邑后聲. 胡口切.

飜譯

'동평국(東平國) 무염(無鹽)현에 있던 향(鄉) 이름이다.' 읍(邑)이 의미부이고 후(后)가 소리부이다. 독음은 호(胡)와 구(口)의 반절이다.

**4126**

**: 郯: 나라 이름 담: 邑-총11획: tán**

原文

: 東海縣. 帝少昊之後所封. 从邑炎聲. 徒甘切.

飜譯

'동해(東海)군에 있는 현(縣) 이름이다.' 소호(少昊)의 후예들이 분봉을 받았던 땅이다. 읍(邑)이 의미부이고 염(炎)이 소리부이다. 독음은 도(徒)와 감(甘)의 반절이다.

**4127**

**: 郚: 고을 이름 오: 邑-총10획: wú**

原文

: 東海縣. 故紀矦之邑也. 从邑吾聲. 五乎切.

飜譯

'동해(東海)군에 있는 현(縣) 이름이다.' 옛날 기후(紀矦)의 성읍(邑)이었다. 읍(邑)이 의미부이고 오(吾)가 소리부이다. 독음은 오(五)와 호(乎)의 반절이다.

**4128**

**:** 酅: **땅 이름 휴**: 邑-**총21획**: **xī**

原文

: 東海之邑. 从邑巂聲. 戶圭切.

飜譯

'동해(東海)군에 있는 읍(邑) 이름이다.' 읍(邑)이 의미부이고 휴(巂)가 소리부이다. 독음은 호(戶)와 규(圭)의 반절이다.

**4129**

**:** 鄫: **나라 이름 증**: 邑-**총15획**: **céng**

原文

: 姒姓國. 在東海. 从邑曾聲. 疾陵切.

飜譯

'사성(姒姓)의 나라 이름이다.' 동해(東海)군에 있다. 읍(邑)이 의미부이고 증(曾)이 소리부이다. 독음은 질(疾)과 릉(陵)의 반절이다.

**4130**

**:** 邪: **간사할 사**: 邑-**총7획**: **yé**

原文

: 琅邪郡. 从邑牙聲. 以遮切.

飜譯

'낭아군(琅邪郡)을 말한다.' 읍(邑)이 의미부이고 아(牙)가 소리부이다.[284] 독음은 이

284) 고문자에서 簡牘文 등으로 썼다. 邑(고을 읍)이 의미부고 牙(어금니 아)가 소리부로, 원래는 산동성에 위치한 琅邪郡(낭아군)을 지칭했다. 이후 琅邪를 琅琊(낭야)로 부르기도 하여, 玉(옥 옥)이 들어간 琊로 쓰기도 한다. 이후 부정하다, 邪惡(사악)하다는 뜻으로 가차되었다.

(以)와 차(遮)의 반절이다.

4131

**𨚔**: 邞: **고을 이름 부**: 邑–총7획: fū

原文

𨚔: 琅邪縣. 一名純德. 从邑夫聲. 甫無切.

飜譯

'낭아(琅邪)군에 있는 현(縣) 이름이다.' 일명 순덕(純德)이라고도 한다. 읍(邑)이 의미부이고 부(夫)가 소리부이다. 독음은 보(甫)와 무(無)의 반절이다.

4132

**𨜶**: 郪: **땅 이름 칠**: 邑–총14획: qī

原文

𨜶: 齊地也. 从邑桼聲. 親吉切.

飜譯

'제(齊)나라에 있는 땅 이름이다.' 읍(邑)이 의미부이고 칠(桼)이 소리부이다. 독음은 친(親)과 길(吉)의 반절이다.

4133

**𩫏**: 郭: **성곽 곽**: 邑–총11획: guō

原文

𩫏: 齊之郭氏虛. 善善不能進, 惡惡不能退, 是以亡國也. 从邑𦎫聲. 古博切.

飜譯

'제(齊)나라에 있던 이미 멸망한 곽씨(郭氏) 나라의 유허지를 말한다.' 선한 것을 선하게 여겼지만 천거하길 좋아하지 않았고, 악한 것을 미워했지만 물리지는 않았다.

그런 까닭에 나라가 망했다. 읍(邑)이 의미부이고 곽(𩫏)이 소리부이다.[285] 독음은 고(古)와 박(博)의 반절이다.

**4134**

: 郳: **나라 이름 예**: 邑-**총11획**: **ní**

原文

: 齊地. 从邑兒聲. 『春秋傳』曰: "齊高厚定郳田." 五雞切.

飜譯

'제(齊)나라에 있는 땅 이름이다.' 읍(邑)이 의미부이고 아(兒)가 소리부이다. 『춘추전』(『좌전』 양공 6년, B.C. 567)에서 "제(齊)나라의 신하 고후(高厚)가 예(郳) 땅을 획정했다."라고 했다. 독음은 오(五)와 계(雞)의 반절이다.

**4135**

: 郣: **땅 봉긋할 발·성곽 곽**: 邑-**총10획**: **bó**

原文

: 郣海地. 从邑孛聲. 一曰地之起者曰郣. 蒲沒切.

飜譯

'발해(郣海)군에 있는 땅 이름이다.' 읍(邑)이 의미부이고 패(孛)가 소리부이다. 일설에는 '땅이 융기한 곳(地之起者)을 발(郣)이라고 한다'고도 한다. 독음은 포(蒲)와 몰(沒)의 반절이다.

---

285) 고문자에서 甲骨文 金文 簡牘文 등으로 썼다. 享(누릴 향)과 邑(阝, 고을 읍)으로 구성되었는데, 享(=亯)은 종묘 같이 높게 지은 건물을 말하고, 邑은 성을 말한다. 그래서 郭은 종묘 등 중요 건물을 에워싼 '城郭(성곽)'을 말한다. 갑골문에서 주위에 설치된 망루를 가진 네모꼴의 성을 그려, '외성'의 모습을 구체적으로 표현했는데, 이후 邑을 더해 지금의 郭이 되었다. 그래서 郭은 내성의 바깥으로 다시 만들어진 넓은 외성을 말하며, 이로부터 '바깥'이나 '넓다'는 뜻도 나왔다.

4136

: 鄿: **나라 이름 담**: 邑-**총15획**: **tán**

原文

: 國也. 齊桓公之所滅. 从邑覃聲. 徒含切.

飜譯

'나라 이름(國)'이다. 제(齊)나라 환공(桓公)에 의해 멸망했다. 읍(邑)이 의미부이고 담(覃)이 소리부이다. 독음은 도(徒)와 함(含)의 반절이다.

4137

: 郇: **땅 이름 구**: 邑-**총8획**: **jù**

原文

: 地名. 从邑句聲. 其俱切.

飜譯

'땅 이름이다(地名).' 읍(邑)이 의미부이고 구(句)가 소리부이다. 독음은 기(其)와 구(俱)의 반절이다.

4138

: 郂: **땅 이름 개**: 邑-**총9획**: **gāi**

原文

: 陳留鄉. 从邑亥聲. 古哀切.

飜譯

'진류(陳留)현[286]에 있는 향(鄉) 이름이다.' 읍(邑)이 의미부이고 해(亥)가 소리부이

286) 진류현(陳留縣)은 중국의 고대 지명으로 진(秦)나라 때 처음 설치되었다. 지금의 하남성 개봉현(開封縣) 진류진(陳留鎮)으로 탕군(碭郡)에 속한다. 『공양전(公羊傳)』 환공(桓公) 11년 조

다. 독음은 고(古)와 애(哀)의 반절이다.

**4139**

**𨚗: 𨚗: 나라 이름 재: 邑-총13획: zài**

原文

𨚗: 故國. 在陳留. 从邑𢦏聲. 作代切.

飜譯

'옛날의 나라 이름(故國)이다.' 진류(陳留)현에 있었다. 읍(邑)이 의미부이고 재(𢦏)가 소리부이다. 독음은 작(作)과 대(代)의 반절이다.

**4140**

**酀: 酀: 땅 이름 연: 邑-총19획: yān**

原文

酀: 地名. 从邑燕聲. 烏前切.

飜譯

'땅 이름이다(地名).' 읍(邑)이 의미부이고 연(燕)이 소리부이다. 독음은 오(烏)와 전(前)의 반절이다.

**4141**

**邱: 邱: 땅 이름 구: 邑-총8획: qiū**

原文

邱: 地名. 从邑丘聲. 去鳩切.

---

에서 "옛날 정나라가 진류에 있었는데, 이후 정백이 회 땅을 빼앗아 정나라를 거기로 옮겼으며, 야류라 했다.(古者鄭國處於留, 後鄭伯取鄶而遷鄭焉, 而野留.)"라고 했다.

飜譯

'땅 이름이다(地名).' 읍(邑)이 의미부이고 구(丘)가 소리부이다.[287] 독음은 거(去)와 구(鳩)의 반절이다.

**4142**

: 郉: **땅 이름 여**: 邑-**총9획**: **rú**

原文

: 地名. 从邑如聲. 人諸切.

飜譯

'땅 이름이다(地名).' 읍(邑)이 의미부이고 여(如)가 소리부이다. 독음은 인(人)과 제(諸)의 반절이다.

**4143**

: 丑阝: **땅 이름 뉴**: 邑-**총7획**: **niǔ**

原文

: 地名. 从邑丑聲. 女九切.

飜譯

'땅 이름이다(地名).' 읍(邑)이 의미부이고 축(丑)이 소리부이다. 독음은 녀(女)와 구(九)의 반절이다.

**4144**

: 邔: **땅 이름 기**: 邑-**총5획**: **jǐ, jì**

---

287) 고문자에서 古陶文 등으로 썼다. 邑(고을 읍)이 의미부이고 丘(언덕 구)가 소리부로, 丘에서 파생한 글자로, 구릉(丘)으로 둘러싸인 지형(阝)을 말한다.

原文

𨙸: 地名. 从邑几聲. 居履切.

飜譯

'땅 이름이다(地名).' 읍(邑)이 의미부이고 궤(几)가 소리부이다. 독음은 거(居)와 리(履)의 반절이다.

**4145**

**𨜒: 𨜒: 땅 이름 흡: 邑-총15획: shè, xì**

原文

𨜒: 地名. 从邑翕聲. 希立切.

飜譯

'땅 이름이다(地名).' 읍(邑)이 의미부이고 흡(翕)이 소리부이다. 독음은 희(希)와 립(立)의 반절이다.

**4146**

**郝: 郝: 땅 이름 구: 邑-총10획: qiú**

原文

郝: 地名. 从邑求聲. 巨鳩切.

飜譯

'땅 이름이다(地名).' 읍(邑)이 의미부이고 구(求)가 소리부이다. 독음은 거(巨)와 구(鳩)의 반절이다.

**4147**

**鄸: 鄸: 현 이름 영: 邑-총20획: yīng**

原文

: 地名. 从邑嬰聲. 於郢切.

飜譯

'땅 이름이다(地名).' 읍(邑)이 의미부이고 영(嬰)이 소리부이다. 독음은 어(於)와 영(郢)의 반절이다.

**4148**

: 䣊: **땅 이름 당**: 邑–**총15획: dǎng**

原文

: 地名. 从邑尚聲. 多朗切.

飜譯

'땅 이름이다(地名).' 읍(邑)이 의미부이고 상(尚)이 소리부이다. 독음은 다(多)와 랑(朗)의 반절이다.

**4149**

: 郱: **땅 이름 병**: 邑–**총11획: píng**

原文

: 地名. 从邑并聲. 薄經切.

飜譯

'땅 이름이다(地名).' 읍(邑)이 의미부이고 병(并)이 소리부이다. 독음은 박(薄)과 경(經)의 반절이다.

**4150**

: 鄠: **땅 이름 호**: 邑–**총14획: hǔ**

原文

郚: 地名. 从邑虖聲. 呼古切.

飜譯

'땅 이름이다(地名).' 읍(邑)이 의미부이고 호(虖)가 소리부이다. 독음은 호(呼)와 고(古)의 반절이다.

**4151**

**郚: 邩: 땅 이름 화: 邑-총7획: huǒ**

原文

邩: 地名. 从邑火聲. 呼果切.

飜譯

'땅 이름이다(地名).' 읍(邑)이 의미부이고 화(火)가 소리부이다. 독음은 호(呼)와 과(果)의 반절이다.

**4152**

**鄝: 鄝: 나라 이름 료: 邑-총14획: liáo**

原文

鄝: 地名. 从邑翏聲. 盧鳥切.

飜譯

'땅 이름이다(地名).' 읍(邑)이 의미부이고 료(翏)가 소리부이다. 독음은 로(盧)와 조(鳥)의 반절이다.

**4153**

**鄬: 鄬: 땅 이름 위: 邑-총15획: wéi, huī**

原文

鄬: 地名. 从邑爲聲. 居爲切.

飜譯

'땅 이름이다(地名).' 읍(邑)이 의미부이고 위(爲)가 소리부이다. 독음은 거(居)와 위(爲)의 반절이다.

4154

邨: 邨: **마을 촌**: 邑-**총7획**: cūn

原文

邨: 地名. 从邑屯聲. 此尊切.

飜譯

'땅 이름이다(地名).' 읍(邑)이 의미부이고 둔(屯)이 소리부이다. 독음은 차(此)와 존(尊)의 반절이다.

4155

郐: 郐: **마을 이름 서**: 邑-**총11획**: shū, shè

原文

郐: 地名. 从邑舍聲. 式車切.

飜譯

'땅 이름이다(地名).' 읍(邑)이 의미부이고 사(舍)가 소리부이다. 독음은 식(式)과 차(車)의 반절이다.

4156

郃: 郃: **땅 이름 갑**: 邑-**총13획**: hé

제6권

原文

䣵: 地名. 从邑盍聲. 胡蠟切.

飜譯

'땅 이름이다(地名).' 읍(邑)이 의미부이고 합(盍)이 소리부이다. 독음은 호(胡)와 랍(蠟)의 반절이다.

**4157**

**䣕: 䣕: 땅 이름 간: 邑-총14획: gān**

原文

䣕: 地名. 从邑乾聲. 古寒切.

飜譯

'땅 이름이다(地名).' 읍(邑)이 의미부이고 건(乾)이 소리부이다. 독음은 고(古)와 한(寒)의 반절이다.

**4158**

**鄿: 鄿: 땅 이름 임: 邑-총19획: yín**

原文

鄿: 地名. 从邑靣聲. 讀若淫. 力荏切.

飜譯

'땅 이름이다(地名).' 읍(邑)이 의미부이고 름(靣)이 소리부이다. 음(淫)과 같이 읽는다. 독음은 력(力)과 임(荏)의 반절이다.

**4159**

**邖: 邖: 땅 이름 산: 邑-총6획: shān**

原文

邖: 地名. 从邑山聲. 所間切.

飜譯

'땅 이름이다(地名).' 읍(邑)이 의미부이고 산(山)이 소리부이다. 독음은 소(所)와 간(間)의 반절이다.

**4160**

鄌: 鄌: 땅 이름 당: 邑-총19획: táng

原文

鄌: 地名. 从邑臺聲. 臺, 古堂字. 徒郎切.

飜譯

'땅 이름이다(地名).' 읍(邑)이 의미부이고 당(臺)이 소리부이다. 당(臺)은 당(堂)의 고자이다. 독음은 도(徒)와 랑(郎)의 반절이다.

**4161**

⿰馮阝: ⿰馮阝: 나라 이름 풍: 邑-총15획: féng

原文

⿰馮阝: 姬姓之國. 从邑馮聲. 房成切.

飜譯

'희성(姬姓)의 나라 이름이다.' 읍(邑)이 의미부이고 풍(馮)이 소리부이다. 독음은 방(房)과 성(成)의 반절이다.

**4162**

⿰凷阝: ⿰凷阝: 마을 이름 괴: 邑-총10획: kuài

原文

郼: 汝南安陽鄉. 从邑, 蔽省聲. 苦怪切.

飜譯

'여남(汝南)군 안양(安陽)현에 있는 향(鄉) 이름이다.' 읍(邑)이 의미부이고, 괴(蔽)의 생략된 모습이 소리부이다. 독음은 고(苦)와 괴(怪)의 반절이다.

4163

**郙: 郙: 정자 이름 부: 邑-총10획: fǔ**

原文

郙: 汝南上蔡亭. 从邑甫聲. 方矩切.

飜譯

'여남(汝南)군 상채(上蔡)현에 있는 역참(亭) 이름이다.' 읍(邑)이 의미부이고 보(甫)가 소리부이다. 독음은 방(方)과 구(矩)의 반절이다.

4164

**酈: 酈: 땅 이름 력·려·리: 邑-총22획: lì**

原文

酈: 南陽縣. 从邑麗聲. 郎擊切.

飜譯

'남양(南陽)군에 있는 현(縣) 이름이다.' 읍(邑)이 의미부이고 려(麗)가 소리부이다. 독음은 랑(郎)과 격(擊)의 반절이다.

4165

**酁: 酁: 땅 이름 천: 邑-총22획: qiān**

原文

鄻: 地名. 从邑𨞪聲. 七然切.

飜譯

'땅 이름이다(地名).' 읍(邑)이 의미부이고 선(𨞪)이 소리부이다. 독음은 칠(七)과 연(然)의 반절이다.

**4166**

**𨙨:** 邑: 동산 원: 邑-총7획: yì

原文

𨙨: 从反邑. 𨛜字从此. 闕.

飜譯

'읍(邑)자를 [좌우로] 뒤집은 모습이다.' 항(𨛜)자가 이 글자로 구성되었다. 상세한 것은 알지 못해 비워 둔다(闕).

## 제230부수
## 230 ■ 항(𨛜)부수

**4167**

**𨛜: 𨛜: 거리 항: 邑-총14획: xiàng**

原文

𨛜: 鄰道也. 从邑从𨙨. 凡𨛜之屬皆从𨛜. 闕. (今隸變作鄉.) 胡絳切.

飜譯

'이웃으로 통하는 길(鄰道)'을 말한다. 읍(邑)이 의미부이고 원(𨙨)도 의미부이다. 항(𨛜)부수에 귀속된 글자들은 모두 항(𨛜)이 의미부이다. 상세한 것은 알지 못해 비워둔다(闕).288) [오늘날의 글자로는 항(鄉)으로 적는다.] 독음은 호(胡)와 강(絳)의 반절이다.

**4168**

**鄉: 鄉: 고향 향: 邑-총21획: xiāng**

原文

鄉: 國離邑, 民所封鄉也. 嗇夫別治. 封圻之内六鄉, 六卿治之. 从𨛜皀聲. 許良切.

飜譯

'수도로부터 멀리 떨어진 읍(國離邑)'을 말하는데, 백성들이 모여 살고 귀향하는 곳이다(民所封鄉). [한나라 때의 제도의 의하면, 지방 관리인] 색부(嗇夫)가 따로 다스린다.289) [주나라 때의 규정에 의하면] 수도 주위를 6개의 향(鄉)으로 나누고, 이를 6경

---

288) '비워둔다'고 한 것은 독음을 두고 한 말이다.

289) 『단주』에서는 이렇게 말했다. "「백관공경표(百官公卿表)」에 의하면, 큰 현은 10리마다 정(亭)이 하나씩 설치되었으며, 정마다 정장이 배속되었다. 10정이 1향(鄉)이 되며, 향에는 삼로와 질색부와 유격이 배속되었다. 삼로는 교화를 담당했고, 색부는 쟁송을 담당하고 부세를 거두었으며, 유격은 순찰을 돌면서 도둑들을 막았다. 사마표(司馬彪)의 『백관지(百官志)』에서도 향에는 질, 삼로, 유격이 배속되었으며, 작은 향에는 색부 1인만 배속되었다고 했다. 『풍속통』

(六卿)[290]으로 하여금 다스리도록 했다.[291] 항(䢅)이 의미부이고 급(皀)이 소리부이다.[292] 독음은 허(許)와 량(良)의 반절이다.

---

에 의하면 색(嗇)은 살피다(省)는 뜻이고, 부(夫)는 부(賦)와 같아 부세를 거두다는 뜻이다. 백성들의 민정을 살피고 부역을 부과했다는 뜻이라고 했다."

290) 육경(六卿)은 고대 중국의 관직으로, 『서·감서(甘誓)』의 "감 땅에서 큰 전투가 일어나자 육경을 불러 모았다(大戰於甘, 乃召六卿.)"라는 말에 처음 나온다. 『주례』에서는 집정대신을 육관(六官)으로 구분했고 이의 우두머리를 육경(六卿)이라 불렀다. 이후 시대에 따라 변했고, 구체적 지칭에 대해서 해석을 달리하기도 하는데, 혹자는 주나라 때의 육경을 태재(太宰), 태종(太宗), 태사(太史), 태축(太祝), 태사(太士), 태복(太卜)으로 보기도 하며, 혹자는 총재(冢宰), 사도(司徒), 종백(宗伯). 사마(司馬), 사구(司寇), 사공(司空), 혹은 천관(天官), 지관(地官), 춘관(春官), 하관(夏官), 추관(秋官), 동관(冬官) 등으로 보기도 한다. 수당(隋唐) 이후로는 이(吏), 호(戶), 예(禮), 병(兵), 형(刑), 공(工)부 등으로 나누었고 이의 책임자를 지칭하였다.

291) 『단주』에서 이렇게 말했다. "여기서 말한 육향(六鄉)을 육경(六卿)으로 하여금 다스리게 했다는 말은 『주례(周禮)』의 말이다. 봉기(封圻)는 방기(邦畿)와 같다. 『주례』에 의하면, 사방 천리를 국기(國畿)라고 했다. 육경(六鄉)의 관할지는 먼 교외(遠郊) 이내가 해당되었다. 5가(家)를 비(比)라 했고, 5비(比)를 려(閭)라 했으며, 4려(閭)를 족(族)이라 했으며, 5족(族)을 당(黨)이라 했으며, 5당(黨)을 주(州)라 했고, 5주(州)를 향(鄉)이라 했다. 향로(鄉老)는 2향(鄉)마다 배치되었고 그런즉 공(公) 1인이 배치되었으며, 향대부(鄉大夫)는 향(鄉)마다 배치되었고 경(卿) 1인이 배치되었다. 허신은 한나라의 제도를 먼저 든 다음, 뒤에서는 『주례』를 언급한 것이다.(許先舉漢制, 後言周禮者.) 『설문』에서 말한 군현향정(郡縣鄉亭)은 모두 한나라 때의 제도이다. 「한표(漢表)」에 의하면 현(縣)과 도(道)와 국(國)과 읍(邑)이 1,587개, 향(鄉)이 6,622개이며, 정(亭)은 29,635개라고 했다. 『설문』에서 열거한 특정 현(縣)과 향(鄉)과 정(亭)은 모두 이 범위에 해당하는 것들이다."

292) 고문자에서 甲骨文 古陶文 簡牘文 등으로 썼다. 소전체에서처럼 식기를 가운데 두고 손님과 주인이 마주 앉은 모습을 그렸다. 손님에게 식사를 대접하다는 뜻이며, 饗(잔치할 향)의 원래 글자이다. 이후 함께 모여 식사를 함께하는 씨족집단이라는 의미에서 '시골'이나 '고향'을 뜻하게 되었고 말단 행정단위까지 지칭하게 되었다. 그러자 원래 뜻은 食(밥 식)을 더한 饗으로 분화했다. 『설문해자』에서는 䢅으로 썼고, 간화자에서는 乡으로 줄여 쓴다.

**4169**

**𨟰: 𨟰: 거리 항: 邑-총20획: xiàng**

原文

𨟰: 里中道. 从𨛜从共. 皆在邑中所共也. 䢽, 篆文从𨛜省. 胡絳切.

疏譯

'마을 가운데로 난 길(里中道)'을 말한다. 항(𨛜)이 의미부이고 공(共)도 의미부이다. 모두 함께 읍(邑)에서 함께 공유하는 길이라는 뜻이다.[293] 항(䢽)은 전서체인데, 항(𨛜)의 생략된 모습으로 구성되었다. 독음은 호(胡)와 강(絳)의 반절이다.

---

293) 고문자에서 古陶文 簡牘文 등으로 썼다. 소전체에서처럼 共(함께 공)과 巳(여섯째 지지 사)로 구성되어, 사람(巳)들이 함께(共) 걸어 다니고 공유할 수 있는 '거리'나 '골목'을 말하며, 광산의 갱도를 지칭하기도 한다. 원래는 䢽(거리 항)으로 써 마을(邑) 사람들이 함께 걸어 다니고 공유하는(共) '골목길'을 말했는데, 이후 邑(고을 읍)이 巳로 변해 지금의 자형이 되었다. 『설문해자』에서는 달리 𨛜과 共으로 구성된 𨟰으로 쓰기도 했다.

완역설문해자
제7권
(상)

## 제231부수
## 231 ■ 일(日)부수

**4170**

**日: 日: 해 일: 日-총4획: rì**

原文

日: 實也. 太陽之精不虧. 从囗一. 象形. 凡日之屬皆从日. 㘰, 古文. 象形. 人質切.

飜譯

'실(實)과 같아서 [햇빛이] 가득하다'라는 뜻이다. 태양의 정기가 줄어들지 않음을 말한다. 위(囗)와 일(一)이 의미부이다. 상형이다.[1] 일(日)부수에 귀속된 글자들은 모두 일(日)이 의미부이다. 일(㘰)은 고문체이다. 상형이다. 독음은 인(人)과 질(質)의 반절이다.

**4171**

**旻: 旻: 하늘 민: 日-총8획: mín**

原文

旻: 秋天也. 从日文聲. 『虞書』曰: "仁閔覆下, 則稱旻天." 武巾切.

飜譯

'가을 하늘(秋天)'을 말한다. 일(日)이 의미부이고 문(文)이 소리부이다. 『우서(虞書)』의 해설에서 "하늘은 인자하시어 온 만물을 보살피시니 이를 일러 민천이라 한다(仁

1) 고문자에서 甲骨文 金文 古陶文 簡牘文 帛書 石刻古文 등으로 썼다. '태양'을 그렸는데, 중간의 점이 특징적이다. 이를 태양의 흑점으로도 보지만 중국 신화에서 태양에 산다고 하는 다리가 셋 달린 까마귀(三足烏·삼족오)의 상징으로도 풀이한다. 태양은 인류가 볼 수 있는 가장 강한 빛과 만물을 생장케 하는 무한한 에너지를 가졌다. 태양의 위치로 시간대를 확정하고, 뜨고 지는 주기로 '하루'를 나타냈으며, 이 때문에 시간의 총칭이자 달력(曆·력)의 의미까지 갖게 되었다.

閔覆下, 則稱旻天)"라고 했다. 독음은 무(武)와 건(巾)의 반절이다.

**4172**

**𣅀: 時: 때 시: 日-총10획: shí**

原文

𣅀: 四時也. 从日寺聲. 旹, 古文時从之、日. 市之切.

飜譯

'사시사철(四時)'을 말한다. 일(日)이 의미부이고 사(寺)가 소리부이다.[2] 시(旹)는 시(時)의 고문체인데, 지(之)와 일(日)로 구성되었다. 독음은 시(市)와 지(之)의 반절이다.

**4173**

**早: 早: 새벽 조: 日-총6획: zǎo**

原文

早: 晨也. 从日在甲上. 子浩切.

飜譯

'새벽(晨)'이라는 뜻이다. 태양(日)이 갑옷(甲) 위로 떠 오른 모습을 형상했다.[3] 독음은 자(子)와 호(浩)의 반절이다.

---

2) 고문자에서 [고문자] 簡牘文 등으로 썼다. 日(날 일)이 의미부고 寺(절 사)가 소리부인 구조이지만, 원래는 시(旹)로 써 日과 之(갈 지)로 구성되어 '태양(日)의 운행(之)'이라는 의미로부터 '시간'이라는 개념을 그려냈다. 이로부터 계절, 때, 역법, 時間(시간), 세월 등의 뜻이 나왔고, 시간을 헤아리는 단위로도 쓰였다. 간화자에서는 寺를 寸(마디 촌)으로 줄인 时로 쓴다.

3) 고문자에서 [고문자] 金文 [고문자] 簡牘文 등으로 썼다. 금문에서 日(날 일)이 의미부이고 棗(대추나무 조)가 소리부였고, 간독문에서는 棗가 朿(가시 자)로 줄었다. 소전체에서는 日과 甲(첫째 천간 갑)으로 구성되어, 해(日)가 처음(甲) 뜰 때의 시간대로부터 새벽을 뜻했고, 이로부터 '아침'과 '일찍'의 뜻까지 나왔다. 이후 甲은 다시 甲의 옛 형태인 十(열 십)으로 바뀌어 지금의 자형이 되었다.

**4174**

**昒: 昒: 새벽 물·흘: 日-총8획: hū**

原文

昒: 尙冥也. 从日勿聲. 呼骨切.

飜譯

'아직 어두울 때(尙冥)'를 말한다. 일(日)이 의미부이고 물(勿)이 소리부이다. 독음은 호(呼)와 골(骨)의 반절이다.

**4175**

**昧: 昧: 새벽 매: 日-총9획: mèi**

原文

昧: 爽, 旦明也. 从日未聲. 一曰闇也. 莫佩切.

飜譯

'매상(昧爽)은 해가 떠오를 때(旦明)'를 말한다.[4] 일(日)이 의미부이고 미(未)가 소리부이다. 일설에는 '어둡다(闇)'라는 뜻이라고도 한다. 독음은 막(莫)과 패(佩)의 반절이다.



**4176**

**睹: 睹: 먼동 틀 도·새벽 서: 日-총13획: dǔ**

原文

睹: 旦明也. 从日者聲. 當古切.

---

4) 이에 대해서는 '미상(昧爽)'을 표제자로 보아야 한다는 견해가 있다. 예컨대 청나라 때의 전대흔(錢大昕)은 『십가재양신록(十駕齋養新錄)』에서 "미상은 날이 밝다는 뜻이다(昧爽, 旦明也.)", "힐향은 베를 말한다(肸響, 布也.)", "추애는 아래라는 뜻이다(湫隘, 下也.)", "참상은 별을 말한다(參商, 星也.)" 등을 예로 들면서 이들은 『설문』에서 표제자가 연속되어 제시된 예로 보아야 한다고 했다. 참고할만하다.

飜譯

'해가 떠오를 때(旦明)'를 말한다. 일(日)이 의미부이고 자(者)가 소리부이다. 독음은 당(當)과 고(古)의 반절이다.

**4177**

**: 晢: 밝을 절: 日-총11획: zhé**

原文

: 昭晢, 明也. 从日折聲. 『禮』曰: "晢明行事." 旨熱切.

飜譯

'소절(昭晢)은 밝다(明)'라는 뜻이다. 일(日)이 의미부이고 절(折)이 소리부이다. 『의례·사관례(士冠禮)』에서 "날이 밝고 나서 관례를 행한다(晢明行事)"라고 했다. 독음은 지(旨)와 열(熱)의 반절이다.

**4178**

**: 昭: 밝을 소: 日-총9획: zhāo**

原文

: 日明也. 从日召聲. 止遙切.

飜譯

'날이 밝다(日明)'라는 뜻이다. 일(日)이 의미부이고 소(召)가 소리부이다.[5] 독음은 지(止)와 요(遙)의 반절이다.

---

5) 고문자에서 金文 簡牘文 등으로 썼다. 日(날 일)이 의미부고 召(부를 소)가 소리부로, 해(日)가 밝게 빛나다는 뜻이며, 이후 분명하다, 명확하다, 일을 명쾌하게 처리하다 등의 뜻이 나왔다. 또 옛날의 제도인 昭穆(소목)제도를 지칭하기도 하는데, 종묘나 사당에 조상의 신주를 모실 때, 왼쪽 줄은 昭라 하고, 오른쪽 줄을 穆이라 하여 1세를 가운데에 모시고 2세, 4세, 6세는 왼쪽 줄(昭)에 모시고, 3세, 5세, 7세는 오른쪽 줄(穆)에 모셨다.

4179

**晤: 晤: 밝을 오: 日-총11획: wù**

原文

晤: 明也. 从日吾聲. 『詩』曰: "晤辟有摽." 五故切.

飜譯

'날이 밝다(明)'라는 뜻이다. 일(日)이 의미부이고 오(吾)가 소리부이다. 『시·패풍·백주(柏舟)』에서 "날만 밝으면 쿵쿵 가슴만 두드리네(晤辟有摽)"라고 노래했다.[6] 독음은 오(五)와 고(故)의 반절이다.

4180

**旳: 旳: 밝을 적: 日-총7획: dì**

原文

旳: 明也. 从日勺聲. 『易』曰: "爲旳顙." 都歷切.

飜譯

'날이 밝다(明)'라는 뜻이다. 일(日)이 의미부이고 작(勺)이 소리부이다. 『역·설괘(說卦)』에서 "[진괘(震)는] 훤한 이마를 상징한다(爲旳顙)"라고 했다. 독음은 도(都)와 력(歷)의 반절이다.

4181

**晄: 晄: 밝을 황: 日-총10획: huǎng**

原文

晄: 明也. 从日光聲. 胡廣切.

---

6) 금본에서는 오(寤)로 되었다. '보통 (날이 밝아) 잠에서 깨어나다'로 해석하나, 조사로 보아 해석하지 않기도 한다(김학주). 벽(辟)은 가슴을 두드리는 것(『모전』), 원통할 때 하는 행동이다. 유표(有摽)는 가슴을 두드리는 모양을 말한다(『모전』).

飜譯

'날이 밝다(明)'라는 뜻이다. 일(日)이 의미부이고 광(光)이 소리부이다. 독음은 호(胡)와 광(廣)의 반절이다.

**4182**

**曠: 曠: 밝을 광: 日-총19획: kuàng**

原文

曠: 明也. 从日廣聲. 苦謗切.

飜譯

'날이 밝다(明)'라는 뜻이다. 일(日)이 의미부이고 광(廣)이 소리부이다. 독음은 고(苦)와 방(謗)의 반절이다.

**4183**

**旭: 旭: 아침 해 욱: 日-총6획: xù**

原文

旭: 日旦出皃. 从日九聲. 若勖. 一曰明也. 許玉切.

飜譯

'해가 떠오르는 모양(日旦出皃)'을 말한다. 일(日)이 의미부이고 구(九)가 소리부이다.[7] 욱(勖)과 같이 읽는다. 일설에는 '날이 밝다(明)'라는 뜻이라고도 한다. 독음은 허(許)와 옥(玉)의 반절이다.

**4184**

**晉: 晉: 나아갈 진: 日-총10획: jìn**

---

7) 九(아홉 구)와 日(날 일)로 구성되어, 태양(日)이 9개(九)나 되어 더없이 밝음을 나타냈는데, 9는 중국에서 숫자의 완성을 상징한다. 이후 갓 떠오른 태양의 뜻이, 다시 새벽의 뜻도 나왔다.

原文

晉: 進也. 日出萬物進. 从日从臸. 『易』曰: "明出地上, 晉." 卽刀切.

飜譯

'나아가다(進)'라는 뜻이다. 해가 떠올라 만물이 성장함을 말한다. 일(日)이 의미부이고 진(臸)도 의미부이다.8) 『역·진괘(晉卦)』에서 "밝은 태양이 땅위로 솟아, 만물이 자라날 것이다(明出地上, 晉)"라고 했다. 독음은 즉(卽)과 도(刀)의 반절이다.

**4185**

**暘: 暘: 해돋이 양: 日-총13획: yáng**

原文

暘: 日出也. 从日昜聲. 『虞書』曰: "暘谷." 與章切.

飜譯

'해가 뜨다(日出)'라는 뜻이다. 일(日)이 의미부이고 양(昜)이 소리부이다. 『우서(虞書)』에 "[해가 뜨는] 탕곡(暘谷)"이라는 말이 있다. 독음은 여(與)와 장(章)의 반절이다.

**4186**

**晵: 晵: 비 갤 계: 日-총12획: qǐ**

原文

晵: 雨而晝姓也. 从日, 启省聲. 康禮切.

---

8) 고문자에서 甲骨文 金文 古陶文 盟書 簡牘文 石刻古文 등으로 썼다. 갑골문에서 거꾸로 놓인 두 개의 화살(矢)과 기물의 입구(日·왈)를 그려, 화살촉을 만드는 거푸집에 청동 용액을 붓는 모습을 그렸으나 예서 이후 자형이 변해 지금처럼 되었다. 이로부터 거꾸로 '붓다'나 '넣다', '나아가다' 등의 뜻을 그렸으며, 이후 나라 이름으로 쓰이게 되었다. 그러자 원래 뜻은 손동작을 강조한 手(손 수)를 더해 搢(꽂을 진)으로 분화했다. 속자나 현대 중국의 간화자에서는 필획을 줄인 晋(나아갈 진)으로 쓰기도 한다.

飜譯

'비가 오고 나서 하늘이 청명하다(雨而晝姓)'라는 뜻이다. 일(日)이 의미부이고, 계(啓)의 생략된 부분이 소리부이다. 독음은 강(康)과 례(禮)의 반절이다.

4187

暘: 暘: **해 반짝 날 역**: 日-총12획: yì

原文

暘: 日覆雲暫見也. 从日易聲. 羊益切.

飜譯

'해가 구름에 덮였다가 잠시 내보임(日覆雲暫見)'을 말한다. 일(日)이 의미부이고 역(易)이 소리부이다. 독음은 양(羊)과 익(益)의 반절이다.

4188

昫: 昫: **해 돋아 따뜻할 구·따뜻할 후**: 日-총9획: xù

原文

昫: 日出溫也. 从日句聲. 北地有昫衍縣. 火于切.

飜譯

'해가 나와 따뜻하다(日出溫)'라는 뜻이다. 일(日)이 의미부이고 구(句)가 소리부이다. [진(秦)나라 때] 북지(北地)군에 구연현(昫衍縣)이 있었다. 독음은 화(火)와 우(于)의 반절이다.

4189

晛: 晛: **햇살 현**: 日-총11획: xiàn

原文

晛: 日見也. 从日从見, 見亦聲. 『詩』曰: "見晛曰消." 胡甸切.

---

飜譯

'해가 나다(日見)'라는 뜻이다. 일(日)이 의미부이고 현(見)도 의미부인데, 현(見)은 소리부도 겸한다. 『시·소아·각궁(角弓)』에서 "햇빛만 나면 녹네(見晛曰消)"라고 노래했다. 독음은 호(胡)와 전(甸)의 반절이다.

**4190**

**晏: 晏: 늦을 안: 日-총10획: yàn**

原文

晏: 天清也. 从日安聲. 烏諫切.

飜譯

'하늘이 맑다(天清)'라는 뜻이다. 일(日)이 의미부이고 안(安)이 소리부이다. 독음은 오(烏)와 간(諫)의 반절이다.

**4191**

**曣: 曣: 날이 갤 연: 日-총20획: yàn**

原文

曣: 星無雲也. 从日燕聲. 於甸切.

飜譯

'날이 맑아 구름이 없다(星無雲)'라는 뜻이다.[9] 일(日)이 의미부이고 연(燕)이 소리부이다. 독음은 어(於)와 전(甸)의 반절이다.

**4192**

**景: 景: 볕 경: 日-총12획: jǐng**

---

9) 성(星)은 청(晴)과 같아 날이 맑다는 뜻이다.

原文

景: 光也. 从日京聲. 居影切.

飜譯

'햇빛(光)'을 말한다. 일(日)이 의미부이고 경(京)이 소리부이다.[10] 독음은 거(居)와 영(影)의 반절이다.

**4193**

**晧: 晧: 밝을 호: 日-총11획: hào**

原文

晧: 日出皃. 从日告聲. 胡老切.

飜譯

'해가 나오는 모양(日出皃)'을 말한다. 일(日)이 의미부이고 고(告)가 소리부이다. 독음은 호(胡)와 로(老)의 반절이다.

**4194**

**暤: 暤: 밝을 호: 日-총14획: hào**

原文

暤: 晧旰也. 从日皋聲. 胡老切.

飜譯

'햇빛이 밝게 비치다(晧旰)'라는 뜻이다. 일(日)이 의미부이고 고(皋)가 소리부이다. 독음은 호(胡)와 로(老)의 반절이다.

---

10) 日(날 일)이 의미부이고 京(서울 경)이 소리부로, 태양(日)이 높은 집(京)들 위를 비추는 모습으로부터 '빛'이라는 뜻이 나왔고, 다시 풍경이나 '景致(경치)', 우러러보다(景仰·경앙) 등의 뜻이 나왔다. 이후 의미를 더 강조하고자 강렬한 햇살을 뜻하는 彡(터럭 삼)을 더하여 影(그림자 영)으로 분화했다.

4195

**曄: 曄: 빛날 엽: 日-총17획: yè**

原文

曄: 光也. 从日从𠌶. 筠輒切.

飜譯

'햇빛(光)'을 말한다. 일(日)이 의미부이고 화(𠌶)도 의미부이다. 독음은 균(筠)과 첩(輒)의 반절이다.

4196

**暉: 暉: 빛 휘: 日-총13획: huī**

原文

暉: 光也. 从日軍聲. 許歸切.

飜譯

'햇빛(光)'을 말한다. 일(日)이 의미부이고 군(軍)이 소리부이다. 독음은 허(許)와 귀(歸)의 반절이다.

4197

**旰: 旰: 해 질 간: 日-총7획: gàn**

原文

旰: 晚也. 从日干聲. 『春秋傳』曰: "日旰君勞." 古案切.

飜譯

'해가 저물다(晚)'라는 뜻이다. 일(日)이 의미부이고 간(干)이 소리부이다. 『춘추전』(『좌전』 소공 12년, B.C. 530)에서 "날이 저물 때가 되니, 임금께서 피곤해 하셨다.(日旰君勞)"라고 했다. 독음은 고(古)와 안(案)의 반절이다.

**4198**

**暆: 暆: 해 기울 이: 日-총13획: yí**

原文

暆: 日行暆暆也. 从日施聲. 樂浪有東暆縣. 讀若酏. 弋支切.

飜譯

'해가 서서히 서쪽으로 넘어가다(日行暆暆)'라는 뜻이다. 일(日)이 의미부이고 시(施)가 소리부이다. 낙랑(樂浪)군에 동이현(東暆縣)이 있다. 이(酏)와 같이 읽는다. 독음은 익(弋)과 지(支)의 반절이다.

**4199**

**晷: 晷: 그림자 구·귀·궤: 日-총12획: guǐ**

原文

晷: 日景也. 从日咎聲. 居洧切.

飜譯

'해의 그림자(日景)'를 말한다. 일(日)이 의미부이고 구(咎)가 소리부이다. 독음은 거(居)와 유(洧)의 반절이다.

**4200**

**昃: 昃: 기울 측: 日-총8획: zè**

原文

昃: 日在西方時. 側也. 从日仄聲. 『易』曰 : "日𣅈之離." 阻力切.

飜譯

'해가 서쪽에 있을 때(日在西方時)'를 말한다. '기울다(側)'라는 뜻이다. 일(日)이 의미부이고 측(仄)이 소리부이다.[11] 『역·리괘(離卦)』에서 "해가 서쪽으로 기울어 질 때의 도깨비(日𣅈之離)"라고 했다. 독음은 조(阻)와 력(力)의 반절이다.

**4201**

**晩:** 晚: **저물 만**: 日-**총11획**: **wǎn**

原文

晩: 莫也. 从日免聲. 無遠切.

飜譯

'날이 저물다(莫)'라는 뜻이다. 일(日)이 의미부이고 면(免)이 소리부이다. 독음은 무(無)와 원(遠)의 반절이다.

**4202**

**昏:** 昏: **어두울 혼**: 日-**총8획**: **hūn**

原文

昏: 日冥也. 从日氐省. 氐者, 下也. 一曰民聲. 呼昆切.

飜譯

'해가 져 어둡다(日冥)'라는 뜻이다. 일(日)과 저(氐)의 생략된 부분이 의미부이다. 저(氐)는 '아래(下)'를 말한다. 일설에는 민(民)이 소리부라고도 한다.[12] 독음은 호(呼)와 곤(昆)의 반절이다.

---

11) 고문자에서 [고문자 자형] 甲骨文 [고문자 자형] 金文 [고문자 자형] 古陶文 [고문자 자형] 簡牘文 [고문자 자형] 石刻古文 등으로 썼다. 日(날 일)이 의미부이고 仄(기울 측)이 소리부로, 해(日)가 기울다(仄)는 뜻으로부터 날이 저물다는 의미를 그렸다. 갑골문에서는 지는 해(日)에 길게 비추어진 사람의 그림자를 그려 해가 저무는 시간대를 형상화했다.

12) 고문자에서 [고문자 자형] 甲骨文 [고문자 자형] 簡牘文 등으로 썼다. 氏(성씨 씨)와 日(날 일)로 구성되어, 해(日)가 씨 뿌리는 사람(氏)의 발아래로 떨어진 시간대를 말하였다. 해가 지면 '어두워' 사물을 제대로 분간할 수 없으므로 昏은 '흐릿함'도 뜻하게 되었다. 또 옛날의 결혼은 이 시간대에 이루어졌는데, 이때에는 女(여자 여)를 더하여 婚(혼인할 혼)으로 구분해 표현했다.

**4203**

**𣊸: 㬯: 땅거미 질 란: 日-총23획: luán**

原文

𣊸: 日旦昏時. 从日䜌聲. 讀若新城䜌中. 洛官切.

飜譯

'해가 막 넘어가려 할 때(日旦昏時)'를 말한다.13) 일(日)이 의미부이고 련(䜌)이 소리부이다. 신성(新城)현에 있는 연중(䜌中)의 연(䜌)과 같이 읽는다.14) 독음은 락(洛)과 관(官)의 반절이다.

**4204**

**晻: 晻: 햇빛 침침할 엄·어두울 암: 日-총12획: àn**

原文

晻: 不明也. 从日奄聲. 烏感切.

飜譯

'밝지 않다(不明)'라는 뜻이다. 일(日)이 의미부이고 엄(奄)이 소리부이다. 독음은 오(烏)와 감(感)의 반절이다.

---

13) 『단주』에서, 지금의 각 판본에서 단(旦)이라 적었는데, 이는 차(且)가 되어야 한다고 했다.

14) 『단주』에서 이렇게 말했다. "『한서·지리지(地理志)에서 하남군(河南郡)의 신성(新城) 아래에 만중(蠻中)이 있는데, 옛날 융만(戎蠻)의 부속국(子國)이라고 했다. 또 『후한서·군국지(郡國志)』에서는 하남군(河南郡) 신성(新城)에 만취(鄤聚)가 있는데, 옛날 만씨(鄤氏)의 것으로, 지금은 만중(蠻中)이라 한다고 했다. 『좌전』 소공(昭公) 16년 조에서도 초나라 공자(楚子)가 융만(戎蠻)의 왕자를 유인하여 살해했다고 했는데, 두예의 주석에서 하남(河南) 신성현(新城縣) 동남쪽에 만성(蠻城)이 있다고 했다. 『수경주(水經注)·이수(伊水)』에서도 신성현(新城縣)은 옛날 만(蠻)의 부속 국이었는데, 거느리는 현(縣)에 만취(鄤聚)가 있었는데, 지금의 만중(蠻中)이다. 한나라 때의 신성(新城) 옛 터는 지금의 하남성 하남부(河南府) 낙양현(洛陽縣) 남쪽에 있었다. 『좌전』과 『곡양전』에서는 만(蠻)이라 적었고 『공양전』에서는 만(曼)이라 적었다. 또 유소(劉昭)가 인용한 『좌전』에서는 만(鄤)이라 적었다. 란(㬯)은 독음이 만(蠻)과 같다. 『집운』에서 말한 모(謨)와 환(還)의 반절음이 바로 그렇다."

**4205**

**暗: 暗: 어두울 암: 日-총13획: àn**

原文

暗: 日無光也. 从日音聲. 烏紺切.

飜譯

'해에 빛이 없다(日無光)'라는 뜻이다. 일(日)이 의미부이고 음(音)이 소리부이다.[15)] 독음은 오(烏)와 감(紺)의 반절이다.

**4206**

**晦: 晦: 그믐 회: 日-총11획: huì**

原文

晦: 月盡也. 从日每聲. 荒內切.

飜譯

'달이 없어지는 그믐날(月盡)'을 말한다. 일(日)이 의미부이고 매(每)가 소리부이다. 독음은 황(荒)과 내(內)의 반절이다.

**4207**

**㬮: 㬮: 날 흐릴 내: 日-총14획: nài**

原文

㬮: 埃㬮, 日無光也. 从日能聲. 奴代切.

飜譯

'애내(埃㬮)를 말하는데, 해에 빛이 없다(日無光)'라는 뜻이다. 일(日)이 의미부이고 능(能)이 소리부이다. 독음은 노(奴)와 대(代)의 반절이다.

---

15) 日(날 일)이 의미부고 音(소리 음)이 소리부로, 날(日)이 캄캄하여(音) '어두움'을 말하며, 이로부터 밤, 숨기다, 숨긴 곳, 드러나지 않다, 느끼지 못하다 등의 뜻이 나왔다.

**4208**

**曀: 曀: 음산할 예·구름 낄 예: 日-총16획: yì**

原文

曀: 陰而風也. 从日壹聲. 『詩』曰: "終風且曀." 於計切.

飜譯

'흐리면서 바람이 부는 날(陰而風)'을 말한다. 일(日)이 의미부이고 일(壹)이 소리부이다. 『시·패풍·종풍(終風)에서 "바람 불고 날 음산한데(終風且曀)"라고 노래했다. 독음은 어(於)와 계(計)의 반절이다.

**4209**

**旱: 旱: 가물 한: 日-총7획: hàn**

原文

旱: 不雨也. 从日干聲. 乎旰切.

飜譯

'비가 내리지 않음(不雨)'을 말한다. 일(日)이 의미부이고 간(干)이 소리부이다. 독음은 호(乎)와 간(旰)의 반절이다.

**4210**

**昌: 昌: 아득히 합할 요: 日-총6획: yǎo**

原文

昌: 望遠合也. 从日、匕. 匕, 合也. 讀若窈窕之窈. 烏皎切.

飜譯

'아득히 먼 곳을 바라보면 만물이 하나로 합쳐짐(望遠合)'을 말한다. 일(日)과 비(匕)가 의미부인데, 비(匕)는 '합쳐지다(合)'라는 뜻이다. 요조(窈窕)라고 할 때의 요(窈)

와 같이 읽는다. 독음은 오(烏)와 교(皎)의 반절이다.

**4211**

**昴: 昴: 별자리 이름 묘: 日-총9획: mǎo**

原文

昴: 白虎宿星. 从日卯聲. 莫飽切.

飜譯

'백호 일곱 별 중 가운데 별(白虎宿星)'을 말한다. 일(日)이 의미부이고 묘(卯)가 소리부이다. 독음은 막(莫)과 포(飽)의 반절이다.

**4212**

**曏: 曏: 앞서 향: 日-총17획: xiǎng**

原文

曏: 不久也. 从日鄉聲. 『春秋傳』曰: "曏役之三月." 許兩切.

飜譯

'얼마 되지 않다(不久)'라는 뜻이다. 일(日)이 의미부이고 향(鄉)이 소리부이다. 『춘추전』(『좌전』 희공 28년, B.C. 632)에서 "성복의 전역이 있었던 얼마 전의 3월(曏役之三月)"이라고 했다.[16] 독음은 허(許)와 량(兩)의 반절이다.

**4213**

**曩: 曩: 접때 낭: 日-총21획: nǎng**

16) 『단주』에서 이렇게 말했다. "이는 희공(僖公) 28년 조의 『좌전』 문장이다. 향(曏)은 전(前)과 뜻이 같다. 성복의 전역(城濮之役)은 4월에 있었다. 이 전역이 있기 전 3개월 이전이라는 뜻이다. 마침 얼마 전이라는 의미와 부합한다. 두예의 주석에서는 향(鄉)이라 적었고 향(鄉)은 속(屬·이어지다)과 같은 뜻이라고 했는데, 매우 잘못된 해설이다."

原文

曩: 曏也. 从日襄聲. 奴朗切.

飜譯

'얼마 되지 않은 접때(曏)'를 말한다. 일(日)이 의미부이고 양(襄)이 소리부이다. 독음은 노(奴)와 랑(朗)의 반절이다.

**4214**

**昨: 昨: 어제 작: 日-총9획: zuó**

原文

昨: 曡日也. 从日乍聲. 在各切.

飜譯

'옛날(曡日)'이라는 뜻이다.[17] 일(日)이 의미부이고 사(乍)가 소리부이다. 독음은 재(在)와 각(各)의 반절이다.

**4215**

**暇: 暇: 겨를 가: 日-총13획: xiá**

原文

暇: 閑也. 从日叚聲. 胡嫁切.

飜譯

'한가한 틈(閑)'을 말한다. 일(日)이 의미부이고 가(叚)가 소리부이다. 독음은 호(胡)와 가(嫁)의 반절이다.

---

17) 『단주』에서 이렇게 말했다. "루(絫)를 서현의 판본에서는 루(曡)로 적었는데, 오류이다. 서개본에서는 루(累)로 적었다. 루(絫)와 루(累)는 정속자(正俗字)의 관계이다. 고대 문헌에서는 적루(積累·누적)라는 뜻일 때에는 모두 루(絫)로 적었다. 루(厽)부수의 설명에서, 루(絫)는 더하여 쌓이다는 뜻이다(增也)고 했다. 그렇다면 누일(絫日)은 날짜가 쌓이다는 뜻이다(重絫其日也). 『광운(廣韵)』에서 작일(昨日)은 하룻밤 이전을 말한다(隔一宵也)고 했고, 『주례·춘관·종백(宗伯)·사준이(司尊彝)』에서는 작(昨)을 수초(酬酢)의 초(酢)자로 가차하여 사용했다."

4216

**暫: 暫: 잠시 잠: 日-총15획: zàn**

原文

暫: 不久也. 从日斬聲. 藏濫切.

飜譯

'시간이 얼마 되지 않다(不久)'라는 뜻이다. 일(日)이 의미부이고 참(斬)이 소리부이다. 독음은 장(藏)과 람(濫)의 반절이다.

4217

**昪: 昪: 기뻐할 변: 日-총9획: biàn**

原文

昪: 喜樂皃. 从日弁聲. 皮變切.

飜譯

'기뻐하는 모양(喜樂皃)'을 말한다. 일(日)이 의미부이고 변(弁)이 소리부이다. 독음은 피(皮)와 변(變)의 반절이다.

4218

**昌: 昌: 창성할 창: 日-총8획: chāng**

原文

昌: 美言也. 从日从曰. 一曰日光也. 『詩』曰: "東方昌矣." 𣅈, 籒文昌. 尺良切.

飜譯

'아름다운 말씀(美言)'을 말한다. 일(日)이 의미부이고 왈(曰)도 의미부이다. 일설에는 '햇빛(日光)'을 말한다고도 한다.[18] 『시·제풍·계명(鷄鳴)』에서 "동방이 밝았다(東方昌矣)"라고 했다. 창(𣅈)은 창(昌)의 주문체이다. 독음은 척(尺)과 량(良)의 반절이다.

**4219**

**暀: 暀: 빛 고울 왕: 日-총12획: wàng**

原文

暀: 光美也. 从日往聲. 于放切.

飜譯

'빛이 곱다(光美)'라는 뜻이다. 일(日)이 의미부이고 왕(往)이 소리부이다. 독음은 우(于)와 방(放)의 반절이다.

**4220**

**昄: 昄: 클 판: 日-총8획: bǎn**

原文

昄: 大也. 从日反聲. 補綰切.

飜譯

'크다(大)'라는 뜻이다. 일(日)이 의미부이고 반(反)이 소리부이다. 독음은 보(補)와 관(綰)의 반절이다.

**4221**

**昱: 昱: 빛날 욱: 日-총9획: yù**

原文

18) 고문자에서 金文 古陶文 簡牘文 古璽文 등으로 썼다. 日(날 일)과 曰(가로 왈)로 구성되어, 『설문해자』에서는 "태양(日)처럼 빛나는 좋은 말(曰)을 뜻한다"라고 했으나, 근대의 林義光(임의광)은 두 개의 日로 구성되어 태양처럼 '밝음'과 찬란한 햇빛처럼 '창성함'을 말한다고 했다. '창성하다'는 뜻으로 쓰이게 되자 원래의 뜻은 口를 더한 唱(노래 창)으로 분화했다.

昱: 明日也. 从日立聲. 余六切.

飜譯

'밝게 빛나는 햇빛(明日)'을 말한다. 일(日)이 의미부이고 립(立)이 소리부이다.[19] 독음은 여(余)와 륙(六)의 반절이다.

**4222**

**㬉: 㬉: 찔 난: 日-총11획: nǎn**

原文

㬉: 溫溼也. 从日, 赧省聲. 讀與赧同. 女版切.

飜譯

'온습하다(溫溼)'라는 뜻이다. 일(日)이 의미부이고, 난(赧)의 생략된 부분이 소리부이다. 난(赧)과 똑같이 읽는다. 독음은 녀(女)와 판(版)의 반절이다.

**4223**

**暍: 暍: 더위 먹을 갈: 日-총13획: yē**

原文

暍: 傷暑也. 从日曷聲. 於歇切.

飜譯

'더위를 먹다(傷暑)'라는 뜻이다. 일(日)이 의미부이고 갈(曷)이 소리부이다. 독음은 어(於)와 헐(歇)의 반절이다.

---

19) 고문자에서 甲骨文 金文 등으로 썼다. 日(날 일)이 의미부고 立(설 립)이 소리부로, 우뚝 선(立) 해(日)로부터 빛을 발하는 '밝은 해'라는 의미를 그렸다. 이후 의미를 강조하기 위해 火를 더한 煜(빛날 욱)으로 분화했다.

**4224**

**𣇄: 暑: 더울 서: 日-총13획: shǔ**

原文

𣇄: 熱也. 从日者聲. 舒呂切.

飜譯

'덥다(熱)'라는 뜻이다. 일(日)이 의미부이고 자(者)가 소리부이다.[20] 독음은 서(舒)와 려(呂)의 반절이다.

**4225**

**𣋍: 曩: 따뜻할 난: 日-총23획: kuài, nàn**

原文

𣋍: 安曩, 温也. 从日難聲. 奴案切.

飜譯

'안난(安曩)을 말하는데, 따뜻하다(温)'라는 뜻이다. 일(日)이 의미부이고 난(難)이 소리부이다. 독음은 노(奴)와 안(案)의 반절이다.

**4226**

**㬎: 㬎: 드러날 현: 日-총14획: xiǎn**

原文

㬎: 衆微杪也. 从日中視絲. 古文以爲顯字. 或曰衆口皃. 讀若唫唫. 或以爲繭; 繭者, 絮中往往有小繭也. 五合切.

---

20) 고문자에서 𣇄簡牘文 등으로 썼다. 日(날 일)이 의미부고 者(놈 자)가 소리부로, 해(日)가 내리쬐어 솥에 삶듯(者, 煮의 원래 글자) '더운' 상태를 말하며, 더운 체질을 뜻하는 한의학의 용어로도 쓰인다.

飜譯

‘대단히 미세한 것(衆微杪)’을 말한다. 햇빛(日) 속에서 실(絲)을 살피는 모습을 형상했다.[21] 고문에서는 현(顯)자로 보았다. 혹자는 ‘말이 많은 모양(衆口皃)’을 말하여, 금금(唫唫)의 금(唫)과 같이 읽는다고도 한다. 혹자는 견(繭)자라고도 하는데, 견(繭)은 솜 속에 종종 있는 작은 누에고치를 말한다.[22] 독음은 오(五)와 합(合)의 반절이다.

**4227**

**:** 㬥: **사나울 포·폭**: 日-**총18획**: pù

原文

: 晞也. 从日从出, 从収从米. , 古文㬥, 从日麃聲. 薄報切.

---

21) 문맥이 잘 통하지 않는다. 그래서 『단주』에서 “衆微杪也, 从日中視絲.”에 대해 이렇게 말했다. 이 9자는 『광운』에서 “衆明也, 微妙也, 从日中視絲.(매우 지혜롭다는 뜻이다. 미묘하다는 뜻이다. 햇빛 속에서 가는 실을 살피다는 뜻이다.)”라는 11자로 되었다. 그리고 이는 “衆明也, 从日中見絲, 絲㣲眇也.(매우 지혜롭다는 뜻이다. 햇빛 속에서 가는 실을 살피는 모습을 그렸는데, 비단 실이 매우 가늘기 때문이다.)”가 되어야 할 것으로 생각한다. 미(㣲)자는 오늘날의 미(微)자이고, 묘(眇)자는 오늘날의 묘(妙)자이다. 『옥편』에서도 묘(妙)로 적었다. “日中視絲”는 “대단히 지혜로운 자는 그 살핌이 미묘한 것에까지 이른다(衆明察及微妙)라는 뜻이다.” 참고할 만하다.

22) 『단주』에서는 견(繭)이 누에고치가 아니라 고치에서 실을 뽑고 남은 찌꺼기로 보았다. 그는 이렇게 말했다. “이는 견(繭)에 이어서 해석한 것이다. 이렇게 다시 해석해야 하는 것은, 여기서의 견(繭)이 멱(糸)부수에서 말한 누에고치(蠶衣)라는 뜻의 견(繭)과는 달랐기 때문이다. 여기서 말한 뜻은 누에고치(蠶衣)라는 뜻의 파생의미이다. 『이아·석명(釋名)』에서 견(繭)은 덮고 있는 막(幕)을 말한다. 가난한 자는 옷을 입을 때 헌솜이나 솜을 덮어씌우기도 한다. 혹자는 이를 견리(牽離·누에고치)라고도 하는데, 고치를 푹 삶은 뒤 느슨하게 솜(緜)처럼 뽑아내기 때문이다. 견리(牽離)는 바로 멱(糸)부수에서 말한 계(繫)이다. 계(繫)는 달리 악서(惡絮·질 낮은 솜)라고도 한다. 계(繫)는 독음이 견(牽)과 해(奚)의 반절이고, 례(䌫)는 랑(郎)과 혜(兮)의 반절이다. 이는 견리(牽離)와 같은 말이 변한 것이다. 괘(絓)자의 해석에서도 견재(繭滓·고치 찌꺼기)라고 하면서 이는 달리 괘두(絓頭)라고도 하며 또 견리(牽離)라고도 한다고 했다. 내 생각에, 견(繭)은 아마도 고체를 켜서 실을 뽑고 남은 찌꺼기(繅絲之餘滓)를 말한 것으로, 옷으로 만들 수 있다. 그러나 중간에 맺힌 매듭들이 있다. 그래서 ‘솜 속에 분명하게 남아 있는 작은 고치들(絮中歷歷有小繭)이라고 했는데, 고치(繭)는 매듭(結)을 말한다. 「석명」에서는 푹 삶아서 실을 뽑아 솜 바깥에 덮어씌울 수 있다(可以煮爛牽引冪之絮外)고 했는데, 『설문』의 말과는 맞지 않다. 아마도 이런 것을 견(繭)이라 했을 것이다.”

翻譯

'햇볕에 말리다(晞)'라는 뜻이다. 일(日)이 의미부이고 출(出)도 의미부이고, 공(収)도 의미부이고 미(米)도 의미부이다.[23] 포(𣋣)는 포(暴)의 고문체인데, 일(日)이 의미부이고 포(麃)가 소리부이다. 독음은 박(薄)과 보(報)의 반절이다.

**4228**

**曬: 曬: 쬘 쇄: 日-총23획: shài**

原文

曬: 暴也. 从日麗聲. 所智切.

翻譯

'햇볕에 말리다(暴)'라는 뜻이다. 일(日)이 의미부이고 려(麗)가 소리부이다. 독음은 소(所)와 지(智)의 반절이다.

**4229**

**暵: 暵: 말릴 한: 日-총15획: hàn**

原文

暵: 乾也. 耕暴田曰暵. 从日堇聲. 『易』曰: "燥萬物者莫暵于離." 呼旰切.

翻譯

---

23) 고문자에서 𣋣 簡牘文 등으로 썼다. 원래는 日(날 일)과 出(날 출)과 廾(두 손 마주잡을 공)과 米(쌀 미)로 구성된 㬥으로 써, 해(日)가 나오자(出) 벼(米)를 두 손으로 들고(廾) 말리는 모습을 그려 '강한 햇살'을 나타냈는데, 米가 氺(水의 변형)로 변하고 전체 자형도 조금 변해 지금처럼 되었다. 이후 강렬하다는 의미로부터 '포악하다'는 뜻으로 쓰이게 되자 원래 뜻은 다시 日을 더한 曝(쬘 폭)으로 분화했다. 햇빛에 말리다나 폭로하다는 뜻으로 쓰일 때에는 '폭'으로, '사납다'나 '포악하다'나 '횡포' 등을 뜻할 때에는 '포'로 구분해 읽었다. 하지만 暴力(폭력), 暴言(폭언), 暴炎(폭염), 暴風(폭풍), 暴行(폭행) 등과 같이 '사납다'는 뜻인데도 습관적으로 '폭'으로 읽음에 유의해야 한다. 『설문해자』에서는 日과 出과 収(손들 공)과 米로 구성된 㬥로 썼고, 고문체에서는 日이 의미부고 麃(큰사슴 포)가 소리부인 구조로 썼다.

'말리다(乾)'라는 뜻이다. 밭을 갈아엎어 말리는 것을 한(暵)이라고 한다. 일(日)이 의미부이고 근(堇)이 소리부이다. 『역·설괘(說卦)』에서 "만물을 말라 죽게 하는 것 중 불보다 더한 것은 없다(熯萬物者莫暵于離)"라고 했다. 독음은 호(呼)와 간(旰)의 반절이다.

**4230**

**晞: 晞: 마를 희: 日-총11획: xī**

原文

晞: 乾也. 从日希聲. 脪, 籒文从肉. 香衣切.

飜譯

'말리다(乾)'라는 뜻이다. 일(日)이 의미부이고 희(希)가 소리부이다. 희(脪)는 주문체인데, 육(肉)으로 구성되었다. 독음은 향(香)과 의(衣)의 반절이다.

**4231**

**昔: 昔: 예 석: 日-총8획: xī**

原文

昔: 乾肉也. 从殘肉, 日以晞之. 與俎同意. 思積切.

飜譯

'말린 고기(乾肉)'를 말한다. [윗부분은] 남은 고기(殘肉)를 말하고, 이를 햇빛에 말리는 모습을 형상했다. 조(俎)와 같은 뜻이다.24) 독음은 사(思)와 적(積)의 반절이다.

---

24) 고문자에서 甲骨文 金文 古陶文 簡牘文 石刻古文 등으로 썼다. 원래 巛(災·재앙 재)와 日(날 일)로 구성되어, '옛날'을 말하는데, 큰 '홍수가 났던(巛) 그때(日)'라는 의미를 담았다. 이로부터 다시 이전, 어제, 오래된 옛날 등의 뜻이 나왔다. 과거의 여러 기억 중에서도 가장 어려웠던 기억이 가장 오래 남는 법인데, 황하를 중심으로 살았던 고대 중국인들에게 홍수는 가장 큰 재앙이자 어려움이었다. 『설문해자』의 해설처럼 '말린 고기'를 뜻한다고 했는데, 윗부분을 고기조각, 아랫부분을 해(日)로 보아 '햇빛에 말린 고기'로 腊(포 석)의 원래 글자로 보기도 한다.

**4232**

**暱: 暱: 친할 닐: 日-총15획: nì**

原文

暱: 日近也. 从日匿聲. 『春秋傳』曰: "私降暱燕." 昵, 暱或从尼. 尼質切.

飜譯

'날로 친근해지다(日近)'라는 뜻이다. 일(日)이 의미부이고 닉(匿)이 소리부이다. 『춘추전』(『좌전』 소공 25년, B.C. 548)에서 "개인적으로 가까운 자들과 즐기는 연회를 줄였다(私降暱燕.)"라고 했다. 닐(昵)은 닐(暱)의 혹체자인데, 니(尼)로 구성되었다. 독음은 니(尼)와 질(質)의 반절이다.

**4233**

**暬: 暬: 설만할 설: 日-총15획: xiè**

原文

暬: 日狎習相慢也. 从日執聲. 私列切.

飜譯

'날로 익숙해져 습관적으로 거만하게 대하게 됨(日狎習相慢)'을 말한다. 일(日)이 의미부이고 집(執)이 소리부이다. 독음은 사(私)와 렬(列)의 반절이다.

**4234**

**否: 否: 숨을 밀: 日-총8획: mì, miǎn**

原文

否: 不見也. 从日, 否省聲. 美畢切.

飜譯

'보이지 않음(不見)'을 말한다. 일(日)이 의미부이고, 부(否)의 생략된 부분이 소리부이다. 독음은 미(美)와 필(畢)의 반절이다.

**4235**

: 昆: **형 곤**: 日-**총8획**: kūn

原文

: 同也. 从日从比. 古渾切.

飜譯

'같다(同)'라는 뜻이다. 일(日)이 의미부이고 비(比)도 의미부이다.[25] 독음은 고(古)와 혼(渾)의 반절이다.

**4236**

: 晐: **갖출 해**: 日-**총10획**: gāi

原文

: 兼晐也. 从日亥聲. 古哀切.

飜譯

'함께 갖추다(兼晐)'라는 뜻이다. 일(日)이 의미부이고 해(亥)가 소리부이다. 독음은 고(古)와 애(哀)의 반절이다.

**4237**

: 普: **널리 보**: 日-**총12획**: pǔ



---

25) 고문자에서 金文 簡牘文 등으로 썼다. 日(날 일)과 比(견줄 비)로 구성되어, 태양(日) 아래로 두 사람이 나란히 선(比) 모습을 그렸고, 두 사람(比)의 머리 위로 태양이 위치한 데서 '정오'의 뜻이 나왔다. 태양이 가장 높게 뜬 '하늘의 끝', 북반구에 살았던 중국인의 처지에서 '정 남쪽' 등의 뜻이 나왔다. 이후 昆蟲(곤충)이라는 뜻도 나왔고, 이로부터 형, 자손, 후사 등을 뜻하게 되었다. 현행 옥편에서는 日부수에 넣었지만 『설문해자』에서는 比부수에 넣었으며, 현대 중국에서는 崑(곤륜산 곤)의 간화자로도 쓰인다.

原文

𣅀: 日無色也. 从日从並. 滂古切.

飜譯

'태양에 색이 없음(日無色)'을 말한다. 일(日)이 의미부이고 병(並)도 의미부이다.[26] 독음은 방(滂)과 고(古)의 반절이다.

**4238**

曉: 曉: **새벽 효**: 日-총16획: xiǎo

原文

曉: 明也. 从日堯聲. 呼鳥切.

飜譯

'밝다(明)'라는 뜻이다. 일(日)이 의미부이고 요(堯)가 소리부이다.[27] 독음은 호(呼)와 조(鳥)의 반절이다.

**4239**

昕: 昕: **아침 흔**: 日-총8획: xīn

原文

昕: 旦明, 日將出也. 从日斤聲. 讀若希. 許斤切.

飜譯

'새벽(旦明)'을 말하는데, '해가 막 뜨려고 하다(日將出)'라는 뜻이다. 일(日)이 의미부이고 근(斤)이 소리부이다. 희(希)와 같이 읽는다. 독음은 허(許)와 근(斤)의 반절이다.

---

26) 日(날 일)이 의미부고 並(아우를 병)이 소리부로, 『설문해자』에서는 "햇빛(日)이 없는 상태를 말한다"라고 했지만, 햇빛(日)이 모든 것을 두루(並) 비춘다는 뜻에서 普遍(보편)의 뜻이 나왔고, 전면적인, '두루' 등을 뜻하게 된 것으로 보인다.

27) 日(날 일)이 의미부고 堯(요임금 요)가 소리부로, 해(日)가 높이(堯) 떠올라 날이 밝다는 뜻이며, 이로부터 '새벽'의 의미가 나왔다. 해가 떠오르면 보이지 않던 것이 분명하게 보이므로, 이후 '알다'는 뜻까지 갖게 되었다. 간화자에서는 堯를 초서체인 尧로 줄인 晓로 쓴다.

4240

**曈: 曈: 동틀 동: 日-총16획: tóng**

原文

曈: 曈曨, 日欲明也. 从日童聲. 徒紅切.

飜譯

'동롱(曈曨)'을 말하는데, '동이 막 트려하다(日欲明)'라는 뜻이다. 일(日)이 의미부이고 동(童)이 소리부이다. 독음은 도(徒)와 홍(紅)의 반절이다. [신부]

4241

**曨: 曨: 어스레할 롱: 日-총20획: lóng**

原文

曨: 曈曨也. 从日龍聲. 盧紅切.

飜譯

'동롱(曈曨) 즉 동이 막 트려하다'라는 뜻이다. 일(日)이 의미부이고 룡(龍)이 소리부이다. 독음은 로(盧)와 홍(紅)의 반절이다. [신부]

4242

**昈: 昈: 환히 호: 日-총8획: hù**

原文

昈: 明也. 从日戶聲. 矦古切.

飜譯

'밝다(明)'라는 뜻이다. 일(日)이 의미부이고 호(戶)가 소리부이다. 독음은 후(矦)와 고(古)의 반절이다. [신부]

**4243**

**昉: 昉: 마침 방: 日-총8획: fǎng**

原文

昉: 明也. 从日方聲. 分兩切.

飜譯

'밝다(明)'라는 뜻이다. 일(日)이 의미부이고 방(方)이 소리부이다. 독음은 분(分)과 량(兩)의 반절이다. [신부]

**4244**

**晙: 晙: 밝을 준: 日-총11획: jùn**

原文

晙: 明也. 从日夋聲. 子峻切.

飜譯

'밝다(明)'라는 뜻이다. 일(日)이 의미부이고 준(夋)이 소리부이다. 독음은 자(子)와 준(峻)의 반절이다. [신부]

**4245**

**晟: 晟: 밝을 성: 日-총11획: shèng**

原文

晟: 明也. 从日成聲. 承正切.

飜譯

'밝다(明)'라는 뜻이다. 일(日)이 의미부이고 성(成)이 소리부이다. 독음은 승(承)과 정(正)의 반절이다. [신부]

4246

**昶: 昶: 밝을 창: 日-총9획: chǎng**

原文

昶: 日長也. 从日、永. 會意. 丑兩切.

飜譯

'해가 길다(日長)'라는 뜻이다. 일(日)과 영(永)이 의미부이다. 회의이다. 독음은 축(丑)과 량(兩)의 반절이다. [신부]

4247

**暈: 暈: 무리 훈: 日-총13획: yùn**

原文

暈: 日月气也. 从日軍聲. 王問切.

飜譯

'해와 달의 기운(日月气)'을 말한다. 일(日)이 의미부이고 군(軍)이 소리부이다.[28] 독음은 왕(王)과 문(問)의 반절이다. [신부]

4248

**晬: 晬: 돌 수: 日-총12획: zuì**

原文

晬: 周年也. 从日、卒, 卒亦聲. 子內切.

飜譯

'일 주년, 즉 돌(周年)'을 말한다. 일(日)과 졸(卒)이 의미부인데, 졸(卒)은 소리부도

---

28) 日(날 일)이 의미부고 軍(군사 군)이 소리부인 상하구조로, 태양(日)의 사방 주위(軍)로 형성되는 '햇무리'를 말하는데, 금문에서는 태양의 사방으로 점을 하나씩 더하여 태양의 주위로 형성된 햇무리를 표시하기도 했다. 간화자에서는 晕으로 줄여 쓴다.

겸한다. 독음은 자(子)와 내(內)의 반절이다. [신부]

**4249**

**𣅌: 映: 비출 영: 日-총9획: yìng**

原文

𣅌: 明也. 隱也. 从日央聲. 於敬切.

飜譯

'밝다(明)'라는 뜻이다. '숨기다(隱)'라는 뜻이다. 일(日)이 의미부이고 앙(央)이 소리부이다. 독음은 어(於)와 경(敬)의 반절이다. [신부]

**4250**

**曙: 曙: 새벽 서: 日-총18획: shǔ**

原文

曙: 曉也. 从日署聲. 常恕切.

飜譯

'날이 밝다(曉)'라는 뜻이다. 일(日)이 의미부이고 서(署)가 소리부이다. 독음은 상(常)과 서(恕)의 반절이다. [신부]

**4251**

**昳: 昳: 기울 질: 日-총9획: dié**

原文

昳: 日昃也. 从日失聲. 徒結切.

飜譯

'해가 기울다(日昃)'라는 뜻이다. 일(日)이 의미부이고 실(失)이 소리부이다. 독음은 도(徒)와 결(結)의 반절이다. [신부]

4252

**曇: 曇: 흐릴 담: 日-총16획: tán**

原文

曇: 雲布也. 从日、雲. 會意. 徒含切.

飜譯

‘구름이 끼다(雲布)’라는 뜻이다. 일(日)과 운(雲)이 의미부이다. 회의이다. 독음은 도(徒)와 함(含)의 반절이다. [신부]

4253

**曆: 曆: 책력 력: 日-총16획: lì**

原文

曆: 厤象也. 从日厤聲. 『史記』通用歷. 郎擊切.

飜譯

‘역상(厤象)’을 말한다. 일(日)이 의미부이고 력(厤)이 소리부이다. 『사기』에서는 력(歷)과 통용했다.29) 독음은 랑(郎)과 격(擊)의 반절이다. [신부]



4254

**昂: 昂: 오를 앙: 日-총8획: áng**

原文

昂: 舉也. 从日卬聲. 五岡切.

---

29) 고문자에서 簡牘文 등으로 썼다. 日(날 일)이 의미부이고 厤(다스릴 력)이 소리부로, 책력을 말한다. 책력은 일 년 동안의 월일, 해와 달의 운행, 월식과 일식, 절기, 특별한 기상 변동 따위를 날의 순서에 따라 적은 책을 말하며, 이는 고대 사회에서 다스림(厤)에 관한 일정표(日)라 할 수 있다. 간화자에서는 歷(지낼 력)에 통합되어 历으로 쓴다.

'들어 올리다(擧)'라는 뜻이다. 일(日)이 의미부이고 앙(卬)이 소리부이다. 독음은 오(五)와 강(岡)의 반절이다. [신부]

**4255**

**:** 昪: **오를 승**: 日-**총8획**: **shēng**

原文

: 日上也. 从日升聲. 古只用升. 識蒸切.

飜譯

'해가 떠오르다(日上)'라는 뜻이다. 일(日)이 의미부이고 승(升)이 소리부이다. 옛날에는 [일(日)이 들어가지 않은] 승(升)으로만 썼다. 독음은 식(識)과 증(蒸)의 반절이다. [신부]

## 제232부수
## 232 ■ 단(旦)부수

**4256**

**旦: 旦: 아침 단: 日-총5획: gàn**

原文

旦: 明也. 从日見一上. 一, 地也. 凡旦之屬皆从旦. 得案切.

飜譯

'밝다(明)'라는 뜻이다. 해(日)가 가로획[一] 위로 올라온 모습인데, 가로획[一]은 땅(地)을 뜻한다.30) 단(旦)부수에 귀속된 글자들은 모두 단(旦)이 의미부이다. 독음은 득(得)과 안(案)의 반절이다.

**4257**

**暨: 暨: 미칠 기: 日-총14획: jì**

原文

暨: 日頗見也. 从旦旣聲. 其異切.

飜譯

'떠오르는 해가 지평선 상에 약간 미미하게 보이다(日頗見)'라는 뜻이다. 단(旦)이 의미부이고 기(旣)가 소리부이다. 독음은 기(其)와 이(異)의 반절이다.

---

30) 고문자에서 甲骨文 金文 盟書 簡牘文 등으로 썼다. 해(日)가 지평선(一) 위로 떠오르는 모습을 그렸고, 이로부터 해가 떠오르는 아침의 이른 시간대를 지칭하게 되었으며, 날이 밝다, 새벽, 초하루, 처음 등의 뜻이 나왔다.

제7권

## 제233부수
## 233 ■ 간(倝)부수

4258

**倝: 倝: 해가 뜰 때 햇빛이 빛나는 모양 간: 人-총10획: gàn**

原文

倝: 日始出, 光倝倝也. 从旦㫃聲. 凡倝之屬皆从倝. 古案切.

飜譯

'해가 처음 떠올라 햇빛이 환하게 비추는 모양(日始出, 光倝倝)'을 말한다. 단(旦)이 의미부이고 언(㫃)이 소리부이다. 간(倝)부수에 귀속된 글자들은 모두 간(倝)이 의미부이다. 독음은 고(古)와 안(案)의 반절이다.

4259

**𠦝: 𠦝: 쓸 간: 人-총18획: gàn**

原文

𠦝: 闕.

飜譯

알 수 없어 비워둔다(闕).[31]

4260

**倝: 倝: 아침 조: 舟-총16획: zhāo**

原文

31) 『단주』에서 이렇게 말했다. " 내 생각에, 이는 아마도 간(倝)의 주문(籒文)체일 것이다."

𦩍: 旦也. 从倝舟聲. 陟遙切.

**飜譯**

‘해가 뜨는 새벽(旦)’을 말한다. 간(倝)이 의미부이고 주(舟)가 소리부이다.[32] 독음은 척(陟)과 요(遙)의 반절이다.

제7권

---

32) 고문자에서 金文 石鼓文 古璽文 古陶文 簡牘文 등으로 썼다. 日(날 일)과 艸(풀 초)와 月(달 월)로 구성되어 𦩍로 썼는데, 해(日)가 수풀(艸) 사이로 떠올랐으나 아직 달(月)이 지지 않은 아침 시간대를 말하며, 이로부터 날이 밝다, 날이 밝는 방향인 동쪽의 뜻이 나왔으며, 날, 시작, 처음 등의 뜻도 나왔다. 또 아침 시간대에 여는 회의라는 뜻에서 朝會(조회)가, 조회가 열리는 곳이라는 뜻에서 ‘朝廷(조정)’이, 다시 朝代(조대), 王朝(왕조) 등의 뜻도 나왔다. 그리고 방향을 나타내는 문법소로도 쓰인다. 『설문해자』에서는 倝(해 처음 빛날 간)이 의미부이고 舟(배 주)가 소리부인 𦩍로 쓰기도 했다.

## 제234부수
## 234 ■ 언(㫃)부수

**4261**

**㫃: 㫃: 깃발이 나부끼는 모양 언: 方-총6획: yǎn**

原文

㫃: 旌旗之游, 㫃蹇之皃. 从屮, 曲而下, 垂㫃相出入也. 讀若偃. 古人名㫃, 字子游. 凡㫃人之屬皆从㫃. 㫃, 古文㫃字. 象形. 及象旌旗之游. 於幰切.

飜譯

'깃발의 장식 리본이 바람에 흔들리면서 나부끼는 모양(旌旗之游, 㫃蹇之皃)'을 말한다. 철(屮)이 의미부이고, 굽어 아래로 향한 것은 깃발이 아래로 처져 바람에 나부끼는 모습을 형상했다. 언(偃)과 같이 읽는다. 옛사람의 이름에 언(㫃)이 있는데, (공자의 제자 言偃은) 자가 자유(子游)였다.[33] 언(㫃)부수에 귀속된 글자들은 모두 언(㫃)이 의미부이다. 언(㫃)은 언(㫃)의 고문체이다. 상형이다. 그리고 깃발의 리본을 상형했다(及象旌旗之游).[34] 독음은 어(於)와 헌(幰)의 반절이다.

---

33) 『단주』에서 이렇게 말했다. "진(晉)나라에 적언(籍偃)과 순언(荀偃)이 있었고, 정(鄭)나라에 공자언(公子偃)과 사언(駟偃)이 있었다. 공자의 제자 중에도 언언(言偃)이 있었다. 모두 자(字)가 유(游)였다. 그러나 오늘날의 경전에서는 모두 언(偃)으로 적었다. 언(偃)이 유행하면서 언(㫃)은 없어지고 말았다."

34) 이 부분은 문맥이 잘 통하지 않는다. 그래서 『단주』에서도 그나마 소서본(小徐本)에서처럼 "古文㫃字, 象旌旗之游及㫃之形.(㫃의 고문체이다. 깃발이 나부끼는 모습과 깃대의 모습을 형상했다.)"이 되어야 한다고 했다. 그리고 이렇게 말했다. "대서본(大徐本)에서는 '象形及象旌旗之游.(상형이며, 깃발이 나부끼는 모습을 형상했다.)'라고 했는데, 이 역시 말이 잘 통하지 않는다. 전서체 자형의 경우, 각 판본에서는 앞에 제시된 전서체와 차이를 보이지 않고 있다. 다만 소서본에서만 글자의 끝부분이 연결되어 있어 조금 차이가 나는데, 『고문사성운(古文四聲韵)』과 『한간(汗簡)』의 자형과 일치한다. 이들은 억지로 설명할 것은 못되지만, 혹자는 '㫃古文以爲偃字(㫃의 고문체인데 이로써 偃자로 사용했다)'라는 말의 오류가 아닌가 여기기도 한다."

**4262**

**旐: 旐: 기 조: 方-총12획: zhào**

原文

旐: 龜蛇四游, 以象營室, 游游而長. 从㫃兆聲.『周禮』曰: "縣鄙建旐." 治小切.

飜譯

'네 개의 장식 리본이 달린 거북과 뱀을 그린 기'를 말하는데, 이는 영실(營室) 별을 상징하며, 영원히 발전하라는 뜻을 담았다.[35] 언(㫃)이 의미부이고 조(兆)가 소리부이다.『주례·춘관·사상(司常)』에서 "현(縣)과 비(鄙)에는 네 개의 장식 리본이 달린 거북과 뱀이 그려진 기(旐)를 세운다"라고 하였다. 독음은 치(治)와 소(小)의 반절이다.

**4263**

**旗: 旗: 기 기: 方-총14획: qí**

原文

旗: 熊旗五游, 以象罰星, 士卒以爲期. 从㫃其聲.『周禮』曰: "率都建旗." 渠之切.

飜譯

'다섯 개의 장식 리본이 달린 곰을 그린 기(熊旗五游)'를 말하는데, 징벌의 별(罰星)을 상징하며, 사졸(士卒)들이 한곳에 모일 때 이 깃발을 사용한다.[36] 언(㫃)이 의미

35)『단주』에서 이렇게 말했다. "이는『고공기(攷工記)』에 나오는 글이다. 사상(司常)은 9가지 깃발에 관련된 물명(物名)을 관장했다. 거북과 뱀(龜蛇)을 그린 것을 조(旐)라 했다. 정현의 주석에서, 거북과 뱀을 그린 것은 그것이 재앙을 막아준다는 상징에서이다.『이아』에서 '緇廣充幅長尋曰旐(비단의 너비는 충폭[2자 4치]이고 길이는 심[8자]인 것을 '조'라 한다.)'라고 했다. 이는 비단을 사용한 9가지 기(旗) 중 모두 진홍색(絳)으로 사용했으나 조(旐)만이 검은 색(緇)을 사용했음을 말해준다." 또 "『고공기주(攷工記注)』에 의하면 영실(營室)은 현무수(玄武宿)를 말한다."

36)『단주』에서 이렇게 말했다. "熊旗五游, 象伐星."의 오(五)를 정현이 주석한「고공기(攷工記)」에서는 육(六)으로 되었고, 그래서 '熊旗六游, 以象伐也.(여섯 개의 장식 리본이 달린 곰을 그린 기로, 징벌을 상징한다.)'라 하였다.『주례·사상직(司常職)』에서도 '곰과 호랑이를 그려 넣

부이고 기(其)가 소리부이다.[37] 『주례·고공기·주인(舟人)』에서 "장수(率)와 도(都)의 책임자는 다섯 개의 장식 리본이 달린 곰을 그린 기(旗)를 세운다."라고 하였다.[38] 독음은 거(渠)와 지(之)의 반절이다.

**4264**

**旆: 旆: 기 패: 方-총10획: pèi**

---

어 깃발을 만든다(熊虎爲旗)'라고 했는데. 『주』에서 곰과 호랑이를 그려 넣는 것은, 그 마을이 이미 군대 세금을 납부하였기에 그 깃발로 맹수가 감히 침범하지 않도록 막아줌을 상징한다(畫熊虎者, 鄉遂出軍賦, 象其守猛莫敢犯也.)고 했다. 벌성(伐星)은 백호수(白虎宿)에 속하는데, 삼성(參星)과 이어져 육성(六星)이 된다. 허신의 해설에서 호(虎)를 넣지 않은 것은, 곰(熊)이 호랑이(虎)를 포함하기 때문이다. '士卒爲期'에서 기(期)는 기(旗)와 첩운자이다. 「석명(釋名)」에서 '곰과 호랑이를 그려 넣은 깃발(熊虎爲旗)은 장군들이 있을 때 세우는데, 그 용맹함이 호랑이와 같기 때문이다. 다른 많은 깃발들의 위에다 단다.'라고 했다.

37) 고문자에서 [古陶文] [簡牘文] [古璽文] 등으로 썼다. 㫃(깃발 날릴 언)이 의미부이고 其(그 기)가 소리부로, 나부끼는 깃발(㫃)을 말하며, 이로부터 표명하다, 표지, 호령하다 등의 뜻이 나왔다. 또 청나라 때에는 깃발의 명칭으로 병사와 백성을 구분하던 조직체를 지칭하기도 했으며, 내몽골 자치구의 행정단위로도 쓰인다. 달리 旗로 쓰기도 한다.

38) 고대 중국에서는 다양한 깃발로써 각각의 등급과 용도를 표시하였는데, 이를 구기(九旗)라고 한다. 달리 기기(旂旗)나 정기(旌旗)라고도 한다. 『주례·춘관(春官)·사상(司常)』에 의하면, 상(常), 기(旂), 전(旜, 旃), 물(物), 기(旗), 여(旟), 조(旐), 수(旞), 정(旌) 등이 그것인데, "해와 달(日月)을 그린 것을 상(常), 교룡(交龍)을 그린 것을 기(旂), 무늬 없는 비단(通帛)으로 한 것을 전(旜), 무늬가 섞인 비단(雜帛)으로 한 것을 물(物), 곰과 호랑이(熊虎)를 그린 것을 기(旗), 새와 새매(鳥隼)를 그린 것을 여(旟), 거북과 뱀(龜蛇)을 그린 것을 조(旐), 완전한 색깔의 깃털(全羽)을 사용한 것을 수(旞), 깃털을 늘어트린 것(析羽)을 정(旌)이라 한다."라고 하였으며, 이를 사상(司常)이 담당하였다고 했다.

그리고 천자(天子)의 경우, 제천(祭天), 출정(出征), 열병(閱兵), 옥 장식 수레 승차(乘坐玉輅) 등에는 대상(大常, 속칭 三辰旗)을 내걸었다. 제후(諸侯)를 접견하거나 동성(同姓)을 분봉할 때, 금 장식 수레 승차(乘坐金輅) 등에는 대기(大旂)를 내걸었고, 조회의 출입(上下朝), 이성(異姓)의 책봉, 상아 장식 수레의 승차(乘坐象輅) 때에는 대적(大赤, 즉 旜)을 내걸었으며, 전쟁을 위한 출병, 사위(四衛)의 책봉, 가죽 장식 수레 승차(乘坐革輅) 때에는 대백(大白, 物)을 내걸었으며, 번국(蕃國)의 책봉, 나무 수레 승차(乘坐木輅) 등에는 대휘(大麾)를 내걸었다. 그리고 제후(諸侯)는 교룡(交龍)을 장식한 기(旂)를, 장수(將帥)는 곰과 호랑이(熊虎)를 그린 기(旗)를 사용했으며, 기타 사람들의 출정이나 열병 등에는 각기 다른 깃발을 사용했다고 한다. (바이두백과)

原文

旆: 繼旐之旗也, 沛然而垂. 从㫃𣎵聲. 蒲蓋切.

飜譯

'네 개의 장식 리본이 달린 거북과 뱀을 그린 기(旐)에다 이어붙인 깃발(繼旐之旗)이 세차게 아래로 늘어진 모습(沛然而垂)'을 말한다. 언(㫃)이 의미부이고 발(𣎵)이 소리부이다. 독음은 포(蒲)와 개(蓋)의 반절이다.

**4265**

**旌: 旌: 기 정: 方-총11획: jīng**

原文

旌: 游車載旌, 析羽注旄首, 所以精進士卒. 从㫃生聲. 子盈切.

飜譯

'수레에 세우는 깃발(旌)에 다는 리본으로(游車載旌), 새의 깃을 자르거나 소 꼬리털로 장식하여 윗부분에다 붙이는데(析羽注旄首), 정예 군사들의 행진을 격려할 때 사용한다.' 언(㫃)이 의미부이고 생(生)이 소리부이다.[39] 독음은 자(子)와 영(盈)의 반절이다.

**4266**

**旟: 旟: 기 여: 方-총20획: yú**

原文

旟: 錯革畫鳥其上, 所以進士衆. 旟旟, 衆也. 从㫃與聲. 『周禮』曰: "州里建旟." 以諸切.

39) 㫃(깃발 나부끼는 모양 언)이 의미부고 生(날 생)이 소리부로, 소 꼬리털과 오색의 깃털을 꽂아 장식한 수레에 꽂는 깃발(㫃)을 말하는데, 이후 깃발의 총칭으로 쓰였다. 또 그러한 기가 신분을 드러내므로 밝히다, 드러내다의 뜻도 나왔다. 신분과 명령(令·령)을 나타내는 깃발(㫃)이라는 뜻에서 旍(깃발 정)으로 쓰기도 한다.

譯解

'새의 가죽을 넣고 거기에다 새를 그려 넣은 깃발(錯革畫鳥其上)'을 말하는데, 많은 사졸들의 행진을 격려할 때 사용한다. 여여(旟旟)는 '많다(衆)'라는 뜻이다. 언(㫃)이 의미부이고 여(與)가 소리부이다. 『주례·춘관·사상(司常)』에서 "주(州)와 리(里)에서는 새의 가죽을 넣고 거기에다 새를 그려 넣은 깃발(旟)을 세운다."라고 하였다. 독음은 이(以)와 제(諸)의 반절이다.

**4267**

**旂: 旂: 기 기: 方-총10획: qí**

原文

旂: 旗有衆鈴, 以令衆也. 从㫃斤聲. 渠希切.

譯解

'방울이 여럿 달린 깃발(旗有衆鈴)'을 말하는데, 대중에게 명령을 내릴 때 쓴다. 언(㫃)이 의미부이고 근(斤)이 소리부이다. 독음은 거(渠)와 희(希)의 반절이다.

**4268**

**旞: 旞: 기 수: 方-총19획: suì**

原文

旞: 導車所以載. 全羽以爲允. 允, 進也. 从㫃遂聲. 旞, 旞或从遺. 徐醉切.

譯解

'선도하는 수레에 꽂는 기(導車所以載)'를 말하는데, 완전한 다섯 가지 색깔의 깃털로 깃대의 끝을 장식하고 병사들이 전진하는 것을 격려할 때 사용한다(全羽以爲允). 윤(允)은 '나아가다(進)'라는 뜻이다. 언(㫃)이 의미부이고 수(遂)가 소리부이다. 수(旞)는 수(旞)의 혹체자인데, 유(遺)로 구성되었다. 독음은 서(徐)와 취(醉)의 반절이다.

4269

**旝: 旝: 기 괴: 方-총19획: guì, guài**

原文

旝: 建大木, 置石其上, 發以機, 以追敵也. 从㫃會聲. 『春秋傳』曰: "旝動而鼓." 『詩』曰: "其旝如林." 古外切.

飜譯

'큰 나무를 세우고 그 위에다 돌을 놓아, 기계로 발사하면서 적군을 타격하는 데 쓰는 깃발(建大木, 置石其上, 發以機, 以追敵)'이다. 언(㫃)이 의미부이고 회(會)가 소리부이다. 『춘추전』(『좌전』 소공 5년, B.C. 537)에서 "회(旝)를 움직여 전진하도록 고무시킨다."라고 했고, 『시·대아대명(大明)』에서는 "그러한 깃발 숲처럼 빽빽하게 모여 있네(其旝如林)"라고 노래했다. 독음은 고(古)와 외(外)의 반절이다.

4270

**旃: 旃: 기 전: 方-총10획: zhān**

原文

旃: 旗曲柄也. 所以旃表士衆. 从㫃丹聲. 『周禮』曰: "通帛爲旃." 旜, 旃或从亶. 諸延切.

飜譯

'깃대가 구부정한 깃발(旗曲柄)'을 말한다. 군사나 대중들에게 전시하고 표명하는 데 쓴다(所以旃表士衆).[40] 언(㫃)이 의미부이고 단(丹)이 소리부이다. 『주례·춘관·사상(司常)』에서 "통으로 된 (붉은) 비단(通帛)으로 전(旃)을 만든다."라고 했다. 전(旜)

40) 『단주』에서 이렇게 말했다. "所以旃表士衆"의 전(旃)은 전(展)이 되어야 한다. "이는 첩운자로 뜻풀이를 한 것이다. 『의례·빙례(聘禮)』에서 '사신가는 자는 전(旜)을 싣고 간다(使者載旜)'라고 했는데, 『주』에서 '싣고 간다고 한 것'은 그러한 일을 표상하기 위함이라고 했다. 또 '竟張旜誓(국경 지대에 이르면 깃발을 펼치고서 서약한다.)'에 대해서 『주』에서 장전(張旜)은 사신 온 일을 그 나라에 분명하게 밝힌다는 뜻이라고 했다. 이는 중추(仲秋)가 되면 열병을 할 때 전(旜)이라는 깃발을 실어서 대중들에게 내보이는 것과 같은 이치이다."

은 전(旃)의 혹체자인데, 단(亶)으로 구성되었다. 독음은 제(諸)와 연(延)의 반절이다.

**4271**

**游**: 斿: 깃발 유·요: 方-총13획: yóu

原文

游: 旌旗之流也. 从㫃攸聲. 逿, 古文游. 以周切.

飜譯

'정(旌)이나 기(旗) 같은 깃발에 늘어뜨린 장식물(流)'을 말한다. 언(㫃)이 의미부이고 유(攸)가 소리부이다. 유(逿)는 유(游)의 고문체이다. 독음은 이(以)와 주(周)의 반절이다.

**4272**

**旚**: 旚: 기 요: 方-총15획: yǎo

原文

旚: 旗屬. 从㫃要聲. 烏皎切.

飜譯

'깃발의 일종(旗屬)이다.' 언(㫃)이 의미부이고 요(要)가 소리부이다. 독음은 오(烏)와 교(皎)의 반절이다.

**4273**

**施**: 施: 베풀 시: 方-총9획: shī

原文

施: 旗皃. 从㫃也聲. 亝欒施字子旗, 知施者旗也. 式支切.

飜譯

'깃발의 모양(旗皃)'을 말한다. 언(㫃)이 의미부이고 야(也)가 소리부이다.41) 제(亝)

나라 난시(欒施)의 자(字)가 자기(子旗)인 것을 통해 시(施)가 기(旗·깃발)라는 것을 알 수 있다.[42] 독음은 식(式)과 지(支)의 반절이다.

**4274**

**旑: 旑: 깃발 펄럭이는 모양 의: 方-총14획: yǐ**

原文

旑: 旗旑施也. 从㫃奇聲. 於离切.

飜譯

'깃발이 바람에 나부끼다(旗旑施)'라는 뜻이다. 언(㫃)이 의미부이고 기(奇)가 소리부이다. 독음은 어(於)와 리(离)의 반절이다.

**4275**

**旚: 旚: 깃발 번득일 표: 方-총17획: piāo**

原文

旚: 旌旗旚繇也. 从㫃票聲. 匹招切.

飜譯

'깃발이 바람에 펄럭이다(旌旗旚繇)'라는 뜻이다. 언(㫃)이 의미부이고 표(票)가 소리부이다. 독음은 필(匹)과 초(招)의 반절이다.

제7권

---

41) 고문자에서 [古文字 字形] 簡牘文 등으로 썼다. 㫃(깃발 나부끼는 모양 언)이 의미부고 也(어조사 야)가 소리부로, 바람에 나부끼며 펄럭이는 모습의 깃발(㫃)을 중심으로 사람을 모아 놓고 정령을 공표하거나 정책을 알리는 모습을 그렸고, 이로부터 施行(시행)하다, 주다, 普施(보시) 등의 의미가 나왔다.

42) 『단주』에서 이렇게 말했다. "공자(孔子)의 제자인 무마시(巫馬施)도 자(字)가 자기(子旗)였다. 이로써 시(施)가 기(旗)와 같은 뜻임을 알 수 있다."

**4276**

: 旚: **기 휘날릴 표**: 方-**총18획: biāo**

原文

: 旌旗飛揚皃. 从㫃猋聲. 甫遙切.

飜譯

'깃발이 바람에 나부끼는 모양(旌旗飛揚皃)'을 말한다. 언(㫃)이 의미부이고 표(猋)가 소리부이다. 독음은 보(甫)와 요(遙)의 반절이다.

**4277**

: 游: **헤엄칠 유**: 水-**총12획: yóu**

原文

: 旌旗之流也. 从㫃汓聲. 以周切.

飜譯

'깃발이 물길 이어지듯 흘러감(旌旗之流)'을 말한다. 언(㫃)이 의미부이고 수(汓)가 소리부이다.[43] 독음은 이(以)와 주(周)의 반절이다.

**4278**

: 旇: **깃발이 휘날릴 피**: 方-**총11획: pī**

---

43) 고문자에서 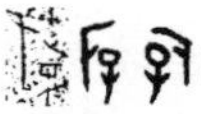 甲骨文  金文  古陶文  簡牘文 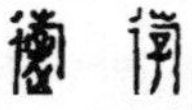 古璽文 등으로 썼다. 水(물 수)가 의미부고 斿(깃발 유)가 소리부로, 물길(水)을 따라 유람함(斿)을 말하며, 이로부터 수영하다, 한가롭게 노닐다, 사귀다 등의 뜻이 나왔고, 강의 한 부분을 지칭하기도 했다. 원래는 斿로 써, 깃발(㫃·언) 아래에 자손(子·자)들이 모여 다니는 모습을 형상했는데, 이후 물길을 따라 다니다는 뜻에서 水를 더해 游로, 다니는 행위를 강조해 辵(쉬엄쉬엄 갈 착)을 더한 遊(놀 유)로 분화했다. 현대 중국에서는 遊의 간화자로도 쓰인다.

原文

旇: 旌旗披靡也. 从㫃皮聲. 敷羈切.

飜譯

'깃발이 휘날리다(旌旗披靡)'라는 뜻이다. 언(㫃)이 의미부이고 피(皮)가 소리부이다. 독음은 부(敷)와 기(羈)의 반절이다.

**4279**

**旋: 旋: 돌 선: 方-총11획: xuán**

原文

旋: 周旋, 旌旗之指麾也. 从㫃从疋. 疋, 足也. 似沿切.

飜譯

'돌다(周旋)는 뜻인데, 깃발의 지휘를 따라 돌다(旌旗之指麾)'라는 뜻이다. 언(㫃)이 의미부이고 소(疋)도 의미부이다. 소(疋)는 발(足)이라는 뜻이다.[44] 독음은 사(似)와 연(沿)의 반절이다.

**4280**

**旄: 旄: 깃대 장식 모: 方-총10획: máo**

原文

旄: 幢也. 从㫃从毛, 毛亦聲. 莫袍切.

飜譯

'의장이나 지휘용으로 쓰는 기(幢)'를 말한다. 언(㫃)이 의미부이고 모(毛)도 의미부

---

44) 고문자에서 甲骨文 金文 등으로 썼다. 疋(발 소)가 의미부고 㫃(깃발 나부끼는 모양 언)이 소리부로, 나부끼는 깃발(㫃) 아래서 사람들이 발(疋)을 움직여 빙글빙글 도는 모습으로부터 '돌다'는 의미를 그렸고 이로부터 나선형, 돌아오다, 개선 등의 뜻이 나왔다. 현행 옥편에서는 方부수에 귀속시켰지만 方과는 관계없는 글자이다.

인데, 모(毛)는 소리부도 겸한다. 독음은 막(莫)과 포(袍)의 반절이다.

**4281**

**旛:** 旛: **기 번**: 方-**총18획**: **fān**

原文

旛: 幅胡也. 从㫃番聲. 孚袁切.

飜譯

'긴 폭으로 늘어뜨린 깃발(幅胡)'을 말한다. 언(㫃)이 의미부이고 번(番)이 소리부이다. 독음은 부(孚)와 원(袁)의 반절이다.

**4282**

**旅:** 旅: **군사 려**: 方-**총10획**: **lǚ**

原文

旅: 軍之五百人爲旅. 从㫃从从. 从, 俱也. 㫝, 古文旅. 古文以爲魯衛之魯. 力舉切.

飜譯

'오백 명의 군대(軍之五百人)를 려(旅)라 한다.' 언(㫃)이 의미부이고 종(从)도 의미부이다. 종(从)은 함께하다(俱)라는 뜻이다.[45] 려(㫝)는 려(旅)의 고문체이다. 고문에서는 노위(魯衛)라고 할 때의 노(魯)로 사용하였다. 독음은 력(力)과 거(擧)의 반절이다.

---

45) 고문자에서 金文 簡牘文 등으로 썼다. 나부끼는 깃발(㫃·언) 아래에 사람(人·인)이 여럿 모여 있는 모습을 그렸는데, 자형이 조금 변해 지금처럼 되었다. 깃발은 부족이나 종족의 상징이며, 전쟁과 같은 중대사가 생기면 사람들은 깃발을 중심으로 모여들었다. 그래서 旅는 軍隊(군대)나 軍師(군사)의 편제가 원래 뜻이며, 옛날에는 5백 명의 군사를 旅라 했다. 군대는 함께 모여 출정을 하게 마련이며, 그래서 旅에는 '무리'나 '出行(출행)'이라는 뜻이, 다시 '바깥을 돌아다니다'는 뜻까지 생겼다.

4283

**𣄰: 族: 겨레 족: 方-총11획: zú**

原文

𣄰: 矢鋒也. 束之族族也. 从㫃从矢. 昨木切.

譯譯

'화살의 촉(矢鋒)'을 말하는데, 그것을 꽁꽁 매었다(束之族族)는 뜻이다. 언(㫃)이 의미부이고 시(矢)도 의미부이다.[46] 독음은 작(昨)과 목(木)의 반절이다.

46) 고문자에서 [古文字] 甲骨文 [古文字] 金文 [古文字] 古陶文 [古文字] 簡牘文 등으로 썼다. 㫃(깃발 나부끼는 모양 언)과 矢(화살 시)로 구성되었는데, 갑골문에서는 나부끼는 깃대(㫃) 아래에 사람(大·대)이나 화살(矢)이 놓인 모습이고, 때로는 두 개씩 그려 그것이 여럿임을 강조하기도 했다. 화살은 가장 대표적 무기이기에 전쟁을 상징한다. 그래서 族은 '화살'이라는 의미로부터 함께 모여 전쟁을 치를 수 있도록 같은 깃발 아래에 함께 모일 수 있는 '공동체'를 뜻하게 되었으며, 가족, 씨족, 부족, 민족 등 혈연관계의 통칭이 되었다. 그러자 원래의 화살이라는 의미는 金(쇠 금)을 더한 鏃(살촉 족)으로 '화살촉'의 의미를, 竹(대 죽)을 더한 簇(조릿대 족)으로 '화살 대'를 구분해 표현했다. 현행 옥편에서 方(모 방)부수에 귀속되었지만 나부끼는 깃발을 그린 㫃이 의미부로 方과는 의미적 관련이 없는 글자이다.

# 제235부수
## 235 ■ 명(冥)부수

4284

**冥: 冥: 어두울 명: 冖-총10획: míng**

原文

冥: 幽也. 从日从六, 冖聲. 日數十. 十六日而月始虧幽也. 凡冥之屬皆从冥. 莫經切.

飜譯

'어둡다(幽)'라는 뜻이다. 일(日)이 의미부이고 육(六)도 의미부이며, 멱(冖)이 소리부이다.[47] 날짜 계산은 십(十)을 한 단위로 한다. 16일에는 달이 이지러져 어두워지기 시작한다(十六日而月始虧幽). 명(冥)부수에 귀속된 글자들은 모두 명(冥)이 의미부이다. 독음은 막(莫)과 경(經)의 반절이다.

4285

**鼆: 鼆: 고을 이름 맹: 黽-총23획: mēng**

原文

鼆: 冥也. 从冥黽聲. 讀若黽蛙之黽. 武庚切.

飜譯

'어둡다(冥)'라는 뜻이다. 명(冥)이 의미부이고 맹(黽)이 소리부이다. 맹와(黽蛙)라고 할 때의 맹(黽)과 같이 읽는다. 독음은 무(武)와 경(庚)의 반절이다.

---

47) 고문자에서 冥甲骨文 등으로 썼다. 갑골문에서 윗부분은 자궁을, 중간 부분은 아이를, 아랫부분은 두 손을 그려, 자궁에서 나오는 아이를 두 손으로 받아내는 모습을 사실적으로 잘 그렸다. 그래서 갑골문 당시에는 '아이를 낳다'는 뜻으로 쓰였는데, 이후 아이는 트인 공간이 아닌 밀폐된 캄캄한 곳에서 받았기에 '어둡다'는 뜻을 갖게 되었다.

## 제236부수
## 236 ■ 정(晶)부수

4286

**晶: 晶: 밝을 정: 日-총12획: jīng**

原文

晶: 精光也. 从三日. 凡晶之屬皆从晶. 子盈切.

翻譯

'밝은 빛(精光)'을 말한다. 세 개의 일(日)로 구성되었다.[48] 정(晶)부수에 귀속된 글자들은 모두 정(晶)이 의미부이다. 독음은 자(子)와 영(盈)의 반절이다.

4287

**曐: 曐: 별 성: 日-총17획: xīng**

原文

曐: 萬物之精, 上爲列星. 从晶生聲. 一曰象形. 从口, 古口復注中, 故與日同. 𠻆, 古文星. 星, 曐或省. 桑經切.

翻譯

'만물의 정화(萬物之精)로, 하늘 위에서 별로 펼쳐진다(上爲列星).' 정(晶)이 의미부이고 생(生)이 소리부이다. 일설에는 상형이라고도 한다. 구(口)도 의미부인데, 옛날에는 네모꼴에다 가운데에 점 하나를 더하였고(古口復注中), 그래서 일(日)자와 같았다.[49] 성(𠻆)은 성(星)의 고문체이다. 성(星)은 성(曐)의 혹체자인데, 생략된 모습

48) 고문자에서 晶 晶 晶甲骨文 등으로 썼다. 원래는 별을 셋 그려 반짝반짝 밝게 빛나는 '별'을 뜻했는데, 자형이 변해 지금처럼 되었다. 이후 晶이 밝고 빛나다는 뜻으로 주로 쓰이게 되자, 원래의 뜻은 소리부인 生(날 생)을 더해 曐(별 성)을 만들어 분화했고, 형체가 줄어 지금의 星(별 성)이 되었다.

제7권

으로 구성되었다. 독음은 상(桑)과 경(經)의 반절이다.

**4288**

**曑: 参: 간여할 참: 厶-총8획: shēn**

原文

曑: 商星也. 从晶㐱聲. 曑, 曑或省. 所今切.

飜譯

'상성(商星)'을 말한다. 정(晶)이 의미부이고 진(㐱)이 소리부이다.[50] 참(曑)은 참(曑)의 혹체자인데, 생략된 모습으로 구성되었다. 독음은 소(所)와 금(今)의 반절이다.

**4289**

**曟: 曟: 새벽 신: 日-총19획: chén**

原文

曟: 房星; 爲民田時者. 从晶辰聲. 晨, 曟或省. 植鄰切.

---

49) 고문자에서 晶 甲骨文 金文 簡牘文 帛書 등으로 썼다. 日(날 일)이 의미부이고 生(날 생)이 소리부로, 원래 반짝거리는 별(晶·정)을 그렸으나, 이후 소리부인 生(날 생)이 더해졌고, 晶이 日로 줄어 지금의 자형이 되었다. 그래서 恒星(항성), 行星(행성), 衛星(위성), 彗星(혜성) 등의 '별'이 원래 뜻이며, 별처럼 개수가 많으면서 분산된 것의 비유로 쓰이기도 했고, 밤이나 해를 뜻하기도 했다. 달리 曐이나 星 등으로 쓰기도 한다.

50) 고문자에서 金文 古陶文 簡牘文 帛書 古璽文 등으로 썼다. 晶(밝을 정)과 人(사람 인)이 의미부이고 彡(터럭 삼)이 소리부로, 별(晶, 星의 원래 글자)이 사람(人)의 머리 위를 환하게 비추는(彡) 모습을 그렸고, 이로부터 서쪽 하늘에 나타나는 參星(참성)을 말했다. 이후 晶이 厽(담쌓을 루)로 변해 지금의 자형이 되었다. 三(석 삼)의 다른 표기법으로도 쓰이는데, '삼'이라는 숫자를 강조하기 위해 彡을 三으로 바꾸어 叁으로 쓰기도 하는데, 厽가 厶(사사 사)로, 人이 大(큰 대)로 변했다. 별빛이 사람의 머리 위로 쏟아지는 모습에서부터 침투하다의 뜻이 생겼고, 다시 參與(참여)의 뜻이 나왔다. 그러자 스며들다는 뜻은 물(水·수)을 더해 滲(스밀 삼)을 만들었는데, 틈을 비집고 스며드는 것에 물(水)만 한 것이 없기 때문이다. 간화자에서는 叁으로 쓴다.

譯譯

'방성(房星)'을 말하는데, '농민들이 농사를 시작할 때를 알리는 별이다(爲民田時者).' 정(晶)이 의미부이고 진(辰)이 소리부이다.51) 신(曟)은 신(晨)의 혹체자인데, 생략된 모습으로 구성되었다. 독음은 식(植)과 린(鄰)의 반절이다.

**4290**

**曡: 疊: 거듭 첩: 日-총19획: dié**

原文

曡: 楊雄說: 以爲古理官決罪, 三日得其宜乃行之. 从晶从宜. 亡新以爲曡从三日太盛, 改爲三田. 徒叶切.

譯譯

'양웅(楊雄)은 이렇게 말했다. 옛날에는 옥관들이 죄를 판정할 때 여러 날 동안의 심리를 거친 후 사실과 맞으면 시행하였다(以爲古理官決罪, 三日得其宜乃行之).' 정(晶)이 의미부이고 의(宜)도 의미부이다.52) 왕망의 신나라(亡新)에 들어서 첩(疊) 자가 세 개의 일(日)로 구성된 것은 지나치게 흥성하였다 하여 세 개의 전(田)으로 구성되도록 고쳤다. 독음은 도(徒)와 협(叶)의 반절이다.

---

51) 고문자에서 [古文字] 甲骨文 [古文字] 金文 [古文字] 帛書 등으로 썼다. 日(날 일)이 의미부고 辰(때 신·지지 진)이 소리부로, 조개 칼(辰)로 상징되는 농사일이 시작되는 이른 시간대(日)인 '새벽'을 말하며, 28宿(수)의 하나인 房星(방성)을 지칭하기도 한다.

52) 원래는 晶(밝을 정)과 宜(마땅할 의)의 결합이었는데, 晶이 畾(밭 갈피 뢰)로 宜가 冝(마땅할 의)로 변해 지금의 자형이 되었다. 晶이나 畾나 모두 별(日)이나 논밭(田)이 '중첩'된 모습이며, 宜도 소전체의 경우 夕(저녁 석)이 둘 겹쳐진 모습이 들어 있기 때문에, '重疊(중첩)되다', '중복되다'의 뜻이 나왔다. 간화자에서는 畾를 叒로 간단하게 줄여 叠으로 쓴다.

# 제237부수
## 237 ■ 월(月)부수

**4291**

𣍝: 月: **달 월**: 月−총4획: yuè

原文

𣍝: 闕也. 大陰之精. 象形. 凡月之屬皆从月. 魚厥切.

飜譯

'궐(闕)과 같아 이지러지다'라는 뜻이다. 태음의 정화(大陰之精)를 말한다. 상형이다.[53] 월(月)부수에 귀속된 글자들은 모두 월(月)이 의미부이다. 독음은 어(魚)와 궐(厥)의 반절이다.

**4292**

𣍞: 朔: **초하루 삭**: 月−총10획: shuò

原文

𣍞: 月一日始蘇也. 从月屰聲. 所角切.

飜譯

'달은 매월 초하루에 다시 시작된다(月一日始蘇).' 월(月)이 의미부이고 역(屰)이 소리부이다.[54] 독음은 소(所)와 각(角)의 반절이다.

---

53) 고문자에서 甲骨文 金文 古陶文 簡牘文 石刻古文 등으로 썼다. 달을 그렸는데, 태양(日·일)과 쉽게 구분할 수 있도록 둥근 모습의 보름달이 아닌 반달을 그렸다. 月도 日처럼 중간에 들어간 점이 특징적이다. 이를 달 표면의 음영이라고도 하나 중국 신화에서 달에 산다고 하는 蟾蜍(섬여·두꺼비)의 상징으로 보기도 한다. 달이 원래 뜻이며, 달이 이지러지고 차는 주기라는 뜻에서 '한 달'을 지칭하였고, 달처럼 생긴 둥근 것을 말하기도 하였다.

4293

**朏: 朏: 초승달 비: 月-총9획: fěi**

原文

朏: 月未盛之明. 从月、出.『周書』曰:"丙午朏." 普乃切.

飜譯

'달이 아직 가득 차지 않았을 때의 밝음(月未盛之明)'을 말한다. 월(月)과 출(出)이 모두 의미부이다.『주서(周書)·소고(召誥)』에서 "병오 일에 달에 처음 빛이 생겼다(丙午朏)"라고 했다. 독음은 보(普)와 내(乃)의 반절이다.

4294

**霸: 霸: 으뜸 패: 雨-총21획: pò**

原文

霸: 月始生, 霸然也. 承大月, 二日; 承小月, 三日. 从月䨣聲.『周書』曰: "哉生霸." 以爲霸王字. 𩂣, 古文霸. 普伯切.

飜譯

'달이 자라나기 시작할 때 겉으로 빛이 뿌연 것(月始生, 霸然.)'을 말한다. [전 달이] 큰 달일 때에는 초이틀에 그렇게 되고, 작은 달일 때에는 초사흘에 그렇게 된다(承大月, 二日; 承小月, 三日.) 월(月)이 의미부이고 박(䨣)이 소리부이다.[55]『서·주서(周書)·강고(康誥)』에서 "[3월 달] 달의 흰빛이 생기기 시작할 때(哉生霸)"라고 했다. 패왕(霸王)이라고 할 때의 패(覇)로 쓰였다. 패(𩂣)는 고문체이다. 독음은 보(普)와

---

54) 고문자에서 [古文字]金文 [古文字]簡牘文 등으로 썼다. 月(달 월)이 의미부고 屰(거스를 역·逆의 원래 글자)이 소리부로, 달(月)은 초하루가 되면 원상태로 되돌아가(屰) 다시 차기 시작한다는 뜻에서 '초하루', 시작, 새벽 등의 뜻이 나왔으며, 이후 북쪽이라는 의미까지 나왔다.

55) 䨣(비에 적신 가죽 박)과 月(달 월)로 이루어졌는데, 䨣은 가죽(革·혁)이 비(雨)에 젖어 '뿌옇게' 변함을 말한다. 그래서 霸는 달(月) 주위로 달빛이 뿌옇게(䨣) 형성되는 때를 말했으나, 이후 제멋대로 하다, '霸者(패자)' 등의 뜻으로 가차되었다.

백(伯)의 반절이다.

**4295**

**朖: 朗: 밝을 랑: 月-총11획: lǎng**

原文

朖: 明也. 从月良聲. 盧黨切.

飜譯

'밝다(明)'라는 뜻이다. 월(月)이 의미부이고 량(良)이 소리부이다.56) 독음은 로(盧)와 당(黨)의 반절이다.

**4296**

**朓: 朓: 그믐달 조: 月-총10획: tiǎo**

原文

朓: 晦而月見西方謂之朓. 从月兆聲. 土了切.

飜譯

'그믐에 달이 서쪽에 보이는 것(晦而月見西方)을 조(朓)라고 한다.' 월(月)이 의미부이고 조(兆)가 소리부이다. 독음은 토(土)와 료(了)의 반절이다.

**4297**

**朒: 肭: 살찔 눌: 肉-총8획: nà**

原文

朒: 朔而月見東方謂之縮肭. 从月內聲. 女六切.

56) 月(달 월)이 의미부이고 良(좋을 량)이 소리부로, 집으로 가는 길(良)을 비추어 주는 달빛(月)을 말한다. 밤길을 걸어본 사람이라면 달빛이 얼마나 밝고 유용한 길잡이가 되는지 쉽게 이해할 것이다. 이 때문에 '밝다'는 뜻이 나왔다.

飜譯
'초하루에 달이 동쪽에 보이는 것(朔而月見東方)을 축뉵(縮朒)이라 한다.' 월(月)이 의미부이고 내(內)가 소리부이다. 독음은 녀(女)와 륙(六)의 반절이다.

4298

**朞: 期: 기약할 기: 月-총12획: qī**

原文
朞: 會也. 从月其聲. 𣍧, 古文期从日、丌. 渠之切.

飜譯
'회합하다(會)'라는 뜻이다. 월(月)이 의미부이고 기(其)가 소리부이다.[57] 기(𣍧)는 기(期)의 고문체인데, 일(日)과 기(丌)로 구성되었다. 독음은 거(渠)와 지(之)의 반절이다.

4299

**朦: 朦: 달빛 희미할 몽: 月-총18획: méng**

原文
朦: 月朦朧也. 从月蒙聲. 莫工切.

飜譯
'달빛이 몽롱하다(月朦朧)'라는 뜻이다. 월(月)이 의미부이고 몽(蒙)이 소리부이다.[58] 독음은 막(莫)과 공(工)의 반절이다. [신부]

---

57) 고문자에서 [金文 자형]金文 [古陶文 자형]古陶文 [簡牘文 자형]簡牘文 [古璽文 자형]古璽文 등으로 썼다. 月(달 월)이 의미부이고 其(그 기)가 소리부로, 달(月)의 순환처럼 일정한 '週期(주기)'를 말한다. 이로부터 定期(정기)에서처럼 정해진 기간이 되면 만나는 것을 말했으며, 이로부터 期約(기약)의 뜻이 나왔다. 달리 상하구조로 된 朞(돌 기)로 쓰기도 했으며, 금문에서는 月 대신 日(날 일)로 쓰기도 했으나, 의미는 같다.

58) 肉(고기 육)이 의미부고 蒙(입을 몽)이 소리부로, 새끼를 낳을 때 거적을 돼지에게 덮어 주는 모습(冡)에서 새끼를 밴 출산 직전의 돼지 몸(肉)처럼 '풍만함'의 의미를 그렸다. 또 肉(=⺼)이 형체가 비슷한 月(달 월)로 구성되어, 달(月)이 구름을 덮어 써(蒙) '흐릿함'을 말하기도 했다.

제7권

**4300**

**𦢊: 朧: 흐릿할 롱: 月-총20획: lóng**

原文

𦢊: 朦朧也. 从月龍聲. 盧紅切.

飜譯

'몽롱하다(朦朧)'라는 뜻이다. 월(月)이 의미부이고 룡(龍)이 소리부이다. 독음은 로(盧)와 홍(紅)의 반절이다. [신부]

## 제238부수
## 238 ■ 유(有)부수

**4301**

**:** 有: **있을 유**: 月-**총6획**: **yǒu**

原文

: 不宜有也. 『春秋傳』曰: "日月有食之." 从月又聲. 凡有之屬皆从有. 云九切.

飜譯

'있지 말아야 할 것(不宜有)'을 말한다. 『춘추전』(『춘추경』 은공 13년)에서 "해와 달에 일식과 월식이 나타났다(日月有食之)."라고 했다. 월(月)이 의미부이고 우(又)가 소리부이다.[59] 유(有)부수에 귀속된 글자들은 모두 유(有)가 의미부이다. 독음은 운(云)과 구(九)의 반절이다.

**4302**

**:** 䀁: **빛날 욱**: 戈-**총17획**: **xù, yù**

原文

: 有文章也. 从有戫聲. 於六切.

飜譯

'문채가 있다(有文章)'라는 뜻이다. 유(有)가 의미부이고 역(戫)이 소리부이다. 독음

---

59) 고문자에서 甲骨文 金文 古陶文 簡牘文 石刻古文 등으로 썼다. 肉(고기 육)이 의미부이고 又(또 우)가 소리부로, 손(又)으로 고기(肉)를 잡은 모습을 그렸고, 이로부터 '所有(소유)'의 의미를 그렸다. 이후 갖다, 얻다, 취하다, 있다 등의 뜻이 나왔다. 갑골문에서는 소(牛·우)의 머리를 그려 재산을 가졌음을 그리기도 했다. 현대 옥편에서는 月(肉)과 유사한 月(달 월) 부수에 귀속시켰다.

은 어(於)와 륙(六)의 반절이다.

**4303**

**𧶼: 䶬: 함께 가질 롱: 龍-총22획: lòng**

原文

𧶼: 兼有也. 从有龍聲. 讀若聾. 盧紅切.

飜譯

'함께 가지다(兼有)'라는 뜻이다. 유(有)가 의미부이고 룡(龍)이 소리부이다. 롱(聾)과 같이 읽는다. 독음은 로(盧)와 홍(紅)의 반절이다.

## 제239부수
## 239 ■ 명(朙)부수

**4304**

**朙: 朙: 밝을 명: 月-총11획: míng**

原文

朙: 照也. 从月从囧. 凡朙之屬皆从朙. 明, 古文朙从日. 武兵切.

飜譯

'비추다(照)'라는 뜻이다. 월(月)이 의미부이고 경(囧)도 의미부이다.60) 명(朙)부수에 귀속된 글자들은 모두 명(朙)이 의미부이다. 명(明)은 명(朙)의 고문체인데, 일(日)로 구성되었다. 독음은 무(武)와 병(兵)의 반절이다.

**4305**

**朚: 朚: 내일 황: 肉-총14획: huāng**

原文

朚: 翌也. 从明亡聲. 呼光切.

飜譯

'내일(翌)'을 말한다. 명(明)이 의미부이고 망(亡)이 소리부이다. 독음은 호(呼)와 광(光)의 반절이다.

---

60) 고문자에서 甲骨文 金文 古陶文 盟書 簡牘文 帛書 石刻古文 등으로 썼다. 日(날 일)과 月(달 월)로 구성되어, 햇빛(日)과 달빛(月)의 밝음을 형상화했다. 때로는 창(囧·경)에 달(月)이 비친 모습으로 '밝음'을 강조하기도 했다. 조명 시설이 없던 옛날, 창으로 휘영청 스며드는 달빛은 다른 그 무엇보다 밝게 느껴졌을 것이며, 이로부터 '밝다'는 의미가 나왔다. 이후 비추다, 밝게 비추는 빛, 태양, 分明(분명)하다, 이해하다 등으로 의미가 확장되었다.

## 제240부수
## 240 ■ 경(囧)부수

**4306**

**囧: 囧: 빛날 경: 囗-총7획: jiǒng**

原文

囧: 窻牖麗廔闓明. 象形. 凡囧之屬皆从囧. 讀若獷. 賈侍中說: 讀與明同. 俱永切.

飜譯

'창문의 틀이 교차되어 밝게 빛남(窻牖麗廔闓明)'을 말한다. 상형이다. 경(囧)부수에 귀속된 글자들은 모두 경(囧)이 의미부이다. 광(獷)과 같이 읽는다. 가시중(賈侍中)의 설에 의하면, 명(明)과 똑같이 읽는다고 한다. 독음은 구(俱)와 영(永)의 반절이다.

**4307**

**盟: 盟: 믿을 맹: 皿-총12획: xù, yù**

原文

盟: 『周禮』曰: "國有疑則盟." 諸侯再相與會, 十二歲一盟. 北面詔天之司慎司命. 盟, 殺牲歃血, 朱盤玉敦, 以立牛耳. 从囧从血. 盟, 篆文从朙. 盟, 古文从明. 武兵切.

飜譯

『주례(周禮)·추관·사맹(司盟)』에서 말했다. [부정기적인 회맹은] "나라 간에 의심 가는 바가 있으면 회맹을 개최한다(國有疑則盟)". [정기적인 회맹은] 제후들이 두 번의 조회 기간에 한 번 모이는데, 12년에 한번 회맹을 한다(諸侯再相與會, 十二歲一盟). [회맹 때에는] 북쪽을 향해 앉아 하늘의 신인 사신(司慎)과 사명(司命)께 맹약서를 아뢴다(北面詔天之司慎司命). 맹(盟)은 희생을 죽여 그 피를 마시고(殺牲歃血), 붉은

색의 쟁반(朱盤)과 옥으로 만든 그릇(玉敦)에다 소의 귀를 세워 둔다(以立牛耳). 경(冏)이 의미부이고 혈(血)도 의미부이다.[61] 몽(盟)은 전서체인데, 명(朙)으로 구성되었다. 몽(盟)은 고문체인데, 명(明)으로 구성되었다. 독음은 무(武)와 병(兵)의 반절이다.

61) 고문자에서 甲骨文 金文 簡牘文 石刻古文 등으로 썼다. 皿(그릇 명)이 의미부고 明(밝을 명)이 소리부로, 나라들끼리 서로 협약하여 맺는 약속 즉 盟約(맹약)을 말했다. 원래는 그릇(皿)에 피가 담긴 모습을 그렸으나 이후 피를 그린 부분이 소리부인 明(밝을 명)으로 바뀌어 지금처럼 되었다. 盟誓(맹서)라는 뜻으로부터 서약하다는 뜻이 나왔고, 맹약에 의해 맺어진 조직이나 연합체 등을 뜻하게 되었다. 몽골 등지에서는 집단 부락을 '盟'이라 하며, 행정 단위로도 쓰인다.

## 제241부수
## 241 ■ 석(夕)부수

**4308**

𡗜: 夕: **저녁 석**: 夕–**총3획**: **xī**

原文

𡗜: 莫也. 从月半見. 凡夕之屬皆从夕. 祥易切.

飜譯

'해가 진 이후의 밤(莫)'을 말한다. 달(月)이 반쯤 보이는 모습(半見)을 그렸다.[62] 석(夕)부수에 귀속된 글자들은 모두 석(夕)이 의미부이다. 독음은 상(祥)과 역(易)의 반절이다.

**4309**

夜: 夜: **밤 야**: 夕–**총8획**: **yè**

原文

夜: 舍也. 天下休舍也. 从夕, 亦省聲. 羊謝切.

飜譯

'쉬다(舍)'라는 뜻이다. 세상 사람들이 모두 쉬는 때(天下休舍)를 말한다. 석(夕)이 의미부이고, 역(亦)의 생략된 부분이 소리부이다.[63] 독음은 양(羊)과 사(謝)의 반절이다.

---

62) 고문자에서 [甲骨文 자형] 甲骨文 [金文 자형] 金文 [簡牘文 자형] 簡牘文 등으로 썼다. 갑골문에서 반달의 모습을 그려 月(달 월)과 같이 썼는데, 달이 뜬 시간대, 즉 '밤'을 의미했다. 이후 '저녁'을 뜻하게 되었고, 그러자 '달'을 나타낼 때에는 여기서 분화한 月로써 이를 구분했다. 또 일 년의 마지막 계절이나 한 달의 하순을 지칭하기도 했고, 저녁때 해가 지는 쪽이 서쪽이므로 해서 서쪽을 뜻하게 되었고, 서쪽으로 치우치다는 뜻도 나왔다.

**4310**

## 夢: 夢: 꿈 몽: 夕-총14획: mèng

原文

夢: 不明也. 从夕, 瞢省聲. 莫忠切.

譯

'분명하지 않다(不明)'라는 뜻이다. 석(夕)이 의미부이고, 몽(瞢)의 생략된 부분이 소리부이다.64) 독음은 막(莫)과 충(忠)의 반절이다.

---

63) 고문자에서 金文 古陶文 簡牘文 古璽文 등으로 썼다. 夕(저녁 석)이 의미부고 亦(또 역, 腋의 원래 글자)이 소리부로, '밤(夕)'을 뜻하며, 이로부터 깊은 밤, 황혼, 해뜨기 전의 시간, 캄캄함, 밤 나들이 등의 뜻도 나왔다. 이는 亦(또 역)에서 분화한 글자이다. 亦은 고문자에서 甲骨文 金文 簡牘文 石刻古文 등으로 썼다. 팔을 벌린 사람(大·대)과 양 겨드랑이 부분에 두 점이 찍힌 모습인데, 두 점은 그곳이 '겨드랑이'임을 나타낸다. 이후 '역시'라는 뜻으로 가차되었으며, 그러자 원래 뜻을 나타낼 때에는 人(사람 인)과 소리부인 夕을 더하여 夜(밤 야)가 되었다. 하지만, 夜도 다시 '밤'이라는 뜻으로 가차되어 쓰이게 되자, 또 水(물 수)를 더한 液(진·겨드랑이 액)을 만들어 분화했다. 게다가 겨드랑이에서 나는 땀이란 뜻으로부터 '진액'의 뜻까지 생겨났다.

64) 고문자에서 甲骨文 簡牘文 帛書 등으로 썼다. 夕(저녁 석)이 의미부고 瞢(어두울 몽)의 생략된 모습이 소리부로, 밤(夕)에 몽롱하게(瞢) 꾸는 '꿈'을 말한다. 갑골문에서는 원래 침상(爿·장) 위에 누워 자는 사람의 모습을 그렸으며, 눈과 눈썹이 생동적으로 표현되었다. 금문에 들면서 宀(집 면)과 夕(저녁 석)이 더해진 寢으로 변함으로써 밤(夕)에 집(宀) 안의 침대(爿) 위에서 잠자는 모습을 더욱 구체적으로 그려낼 수 있게 되었다. 하지만 漢(한)나라 이후 寢은 도태되고 지금처럼 夢이 주로 쓰이게 되었다. 夢의 자형에서 특징적인 것은 눈을 키워 그려 놓은 것인데, 눈의 모습이 見(볼 견)에서와 같이 그려졌다. 見이 눈을 크게 뜨고 무엇인가를 주시하는 모습을 그렸음을 고려할 때, 夢에 들어 있는 눈은 현실과 구분되지 않을 정도로 생생한 꿈속의 정황을 주시하고 있음을 나타낸다. 따라서 이것은 꿈을 꾸는 상태인 렘(rem) 수면상태에서의 움직이는 눈동자와도 관련성을 지닌다. 한국 속자에서는 윗부분을 入(들 입)으로 바꾸어 夛으로 쓰며, 현대 중국의 간화자에서는 윗부분을 林(수풀 림)으로 줄인 梦으로 쓴다.

4311

**𡖋: 夗: 누워 뒹굴 원: 夕-총5획: yuàn**

原文

𡖋: 轉臥也. 从夕从卪. 臥有卪也. 於阮切.

飜譯

'몸을 굴려 옆으로 눕다(轉臥)'라는 뜻이다. 석(夕)이 의미부이고 절(卪)도 의미부이다. 웅크리고 누운 모습(臥有卪)을 말한다. 독음은 어(於)와 완(阮)의 반절이다.

4312

**𡖑: 夤: 조심할 인: 夕-총14획: yín**

原文

𡖑: 敬惕也. 从夕寅聲. 『易』曰: "夕惕若夤." 𡖑, 籒文夤. 翼眞切.

飜譯

'공경하고 조심하다(敬惕)'라는 뜻이다. 석(夕)이 의미부이고 인(寅)이 소리부이다. 『역·건괘(乾卦)』(구삼효사)에서 "밤에는 경계할 지어다(夕惕若夤)"라고 했다. 인(𡖑)은 인(夤)의 주문체이다. 독음은 익(翼)과 진(眞)의 반절이다.

4313

**𡖄: 姓: 맑을 청: 夕-총8획: qíng**

原文

𡖄: 雨而夜除星見也. 从夕生聲. 疾盈切.

飜譯

'비가 오다가 밤이 되어 개여 별이 보이다(雨而夜除星見)'라는 뜻이다. 석(夕)이 의미부이고 생(生)이 소리부이다. 독음은 질(疾)과 영(盈)의 반절이다.

**4314**

**外: 外: 밖 외: 夕-총5획: wài**

原文

外: 遠也. 卜尚平旦, 今夕卜, 於事外矣. 外, 古文外. 五會切.

翻譯

'멀리 가다(遠)'라는 뜻이다. 점복은 아침에 치는 것이 일상적이나(卜尚平旦), 지금 밤에 점을 치는 것은(今夕卜), 일에 예외가 생겼기 때문이다(於事外矣).65): 외(外)는 외(外)의 고문체이다. 독음은 오(五)와 회(會)의 반절이다.

**4315**

**夙: 夙: 일찍 숙: 夕-총7획: sù**

原文

夙: 早敬也. 从丮, 持事; 雖夕不休: 早敬者也. 𠈇, 古文夙从人、㓁. 㐹, 亦古文夙, 从人、西. 宿从此. 息逐切.

翻譯

'아침 일찍부터 열심히 일하다(早敬)'라는 뜻이다. 극(丮)으로 구성되었는데, 일을 하다(持事)는 뜻이다. 밤인데도 쉬지 않는 것(雖夕不休)이 바로 아침 일찍부터 열심히 일하다(早敬者)는 뜻이다.66) 숙(𠈇)은 숙(夙)의 고문체인데, 인(人)과 초(㓁)로 구성

---

65) 고문자에서 甲骨文 金文 古陶文 簡牘文 古璽文 등으로 썼다. 夕(저녁 석)과 卜(점 복)으로 구성되어, 밤(夕)에 출타할 때 치렀던 점(卜)에서 '밖'이라는 뜻이 나왔으며, 이로부터 바깥, 外部(외부), 外國(외국), 外家(외가) 등의 뜻이 나왔다. 인간의 활동이 밤까지 확대된 것은 얼마 되지 않은 최근의 일이며, 옛날에는 해가 뜨면 나가 일하고 해가 지면 들어가 잠을 잤다. 그래서 밤이 인간의 활동이 정지되던 시간대였던 옛날 긴급한 일로 부득이하게 '밖'으로 출타해야 할 때에는 그 시행 여부를 점으로 묻곤 했는데 그것을 반영한 것이 外이다. 현행 옥편에서는 夕(저녁 석)부수에 귀속시켜 놓았다.

66) 고문자에서 甲骨文 金文 簡牘文 등으로 썼다. 夕(저녁 석)과 丮(잡을 극)으로 구성되어, 달빛(夕) 아래 앉아(丮) 일을 하는 모습을 그

되었다. 숙(㑉)도 숙(夙)의 고문체인데, 인(人)과 인(㐁)으로 구성되었다. 숙(宿)도 이로 구성되었다. 독음은 식(息)과 축(逐)의 반절이다.

**4316**

**𡖋: 募: 고요할 맥: 夕-총14획: mò**

原文

𡖋: 宋也. 从夕莫聲. 莫白切.

飜譯

'고요하다(宋)'라는 뜻이다. 석(夕)이 의미부이고 막(莫)이 소리부이다. 독음은 막(莫)과 백(白)의 반절이다.

---

렸는데, 자형이 변해 지금처럼 되었다. 아마도 해가 뜨기 전에 들에 나가 일하는 모습을 그렸을 것으로 추정되며, 이로부터 '일찍'이라는 뜻이 나왔고, 해가 뜨기 직전의 '밤'의 끝자락을 뜻했다.

## 제242부수
## 242 ■ 다(多)부수

4317

**多: 多: 많을 다: 夕-총6획: duō**

原文

多: 重也. 从重夕. 夕者, 相繹也, 故爲多. 重夕爲多, 重日爲曡. 凡多之屬皆从多. 𠈒, 古文多. 得何切.

飜譯

'거듭되다(重)'라는 뜻이다. 석(夕)이 중복된 모습이다. 석(夕)은 뽑아내도 끝없이 이어진다(相繹)는 뜻이다. 그래서 많다(多)는 뜻이다. 석(夕)을 중복한 것이 다(多)이고, 일(日)을 중복한 것이 첩(曡)이다.67) 다(多)부수에 귀속된 글자들은 모두 다(多)가 의미부이다. 다(𠈒)는 다(多)의 고문체이다. 독음은 득(得)과 하(何)의 반절이다.

4318

**夥: 夥: 많을 과: 夕-총14획: huǒ**

原文

夥: 齊謂多爲夥. 从多果聲. 乎果切.

---

67) 고문자에서 [古文字形] 甲骨文 [古文字形] 金文 [古文字形] 古陶文 [古文字形] 簡牘文 [古文字形] 石刻古文 등으로 썼다. 두 개의 夕(저녁 석)으로 구성되었는데, 이의 의미에 대해서는 의견이 분분하다. 혹자는 夕이 중복되어 아침이 밤(夕)이 되고 밤(夕)이 다시 아침이 된다는 의미를 그렸고, 이로부터 무수한 밤과 낮이 계속되는, '많음'을 상징하였다고 풀이하기도 한다. 하지만, 고대 한자에서 多와 같은 형태가 들어간 俎(도마 조)나 宜(마땅할 의) 등과 관련지어 볼 때, 多는 고깃덩어리를 그린 月(=肉·고기 육)이 중복된 모습이고, 고깃덩어리가 널린 모습으로부터 '많음'을 그린 것이라고 보는 것이 더 합당해 보인다. 많다가 원래 뜻이고, 이로부터 정도가 심하다, 지나치다 등의 뜻이 나왔다.

飜譯

‘제(齊) 지역에서는 많다(多)는 것을 과(夥)라고 한다.’ 다(多)가 의미부이고 과(果)가 소리부이다. 독음은 호(乎)와 과(果)의 반절이다.

4319

**㚇: 㚇: 클 괴: 土-총11획: guài**

原文

㚇: 大也. 从多圣聲. 苦回切.

飜譯

‘크다(大)’라는 뜻이다. 다(多)가 의미부이고 골(圣)이 소리부이다. 독음은 고(苦)와 회(回)의 반절이다.

4320

**㸁: 㸁: 두터운 입술 모양 차: 口-총14획: zhā**

原文

㸁: 厚脣皃. 从多从尚. 陟加切.

飜譯

‘입술이 두터운 모습(厚脣皃)’을 말한다. 다(多)가 의미부이고 상(尚)도 의미부이다. 독음은 척(陟)과 가(加)의 반절이다.

# 제243부수
# 243 ■ 관(毌)부수

4321

**毌: 毌: 꿰뚫을 관: 毌-총4획: guàn**

原文

毌: 穿物持之也. 从一橫貫, 象寶貨之形. 凡毌之屬皆从毌. 讀若冠. 古丸切.

飜譯

'물체를 관통하여 지속함(穿物持之)'을 말한다. 일(一)로써 관통된 것을 의미하는데(橫貫), 보화(寶貨)의 모습이다. 관(毌)부수에 귀속된 글자들은 모두 관(毌)이 의미부이다. 관(冠)과 같이 읽는다. 독음은 고(古)와 환(丸)의 반절이다.

4322

**貫: 貫: 꿸 관: 貝-총11획: guàn**

原文

貫: 錢貝之貫. 从毌、貝. 古玩切.

飜譯

'조개화폐를 꿰다(錢貝之貫)'라는 뜻이다. 관(毌)과 패(貝)가 모두 의미부이다.[68] 독음은 고(古)와 완(玩)의 반절이다.

---

68) 고문자에서 [古文字形] 甲骨文 등으로 썼다. 貝(조개 패)가 의미부고 毌(꿰뚫을 관)이 소리부로, 조개 화폐(貝)를 꿰어 놓은(毌) 모습을 그렸다. 이로부터 다른 물건을 꿰는 끈이나 동전 꾸러미 등을 뜻하게 되었으며, 꿰다, 연속되다, 연관되다는 뜻도 나왔다. 또 여럿을 하나로 꿰다는 뜻에서 '一貫(일관)되다'는 뜻이 나왔다.

**4323**

**𢿘: 虜: 포로 로: 虍-총12획: lǔ**

原文

𢿘: 獲也. 从毌从力, 虍聲. 郎古切.

飜譯

'사로잡다(獲)'라는 뜻이다. 관(毌)이 의미부이고 력(力)도 의미부이며, 호(虍)가 소리부이다.[69] 독음은 랑(郎)과 고(古)의 반절이다.

---

69) 원래 毌(꿰뚫을 관)과 力(힘 력)으로 구성되어, 꿰놓은 조개 화폐(毌·관, 貫의 본래 글자) 등 재산을 범(虍)처럼 강한 힘(力)으로 '빼앗음'을 말했는데, 지금은 男(사내 남)이 의미부이고 虍가 소리부인 구조로 되었다. 여기서 전쟁에서 상대의 재산과 인명을 강탈하다는 뜻이 나왔고, 그 동작을 강조하기 위해 手(손 수)를 더한 擄(사로잡을 로)가 만들어졌다. 간화자에서는 男을 力(힘 력)으로 줄인 虏로 쓴다.

# 제244부수
## 244 ■ 함(马)부수

**4324**

马: 马: **꽃봉오리 함**: 弓-총3획: hàn

原文

马: 嘾也. 艸木之華未發圅然. 象形. 凡马之屬皆从马. 讀若含. 乎感切.

飜譯

'꽃봉오리(嘾)'를 말한다. 초목의 꽃이 아직 피지 않고 오므린 모습(艸木之華未發圅然)을 말한다. 상형이다. 함(马)부수에 귀속된 글자들은 모두 함(马)이 의미부이다. 함(含)과 같이 읽는다. 독음은 호(乎)와 감(感)의 반절이다.

**4325**

圅: 圅: **함 함**: 口-총10획: hán

原文

圅: 舌也. 象形. 舌體马马. 从马, 马亦聲. 肣, 俗圅从肉、今. 胡男切.

飜譯

'혀(舌)'를 말한다. 혀의 모습을 본떴다. 신체의 혀는 꽃봉오리처럼 피지 않은 존재이다(舌體马马). 함(马)이 의미부인데, 함(马)은 소리부도 겸한다.[70] 함(肣)은 함(圅)의 속체자인데, 육(肉)과 금(今)으로 구성되었다. 독음은 호(胡)와 남(男)의 반절이다.

---

70) 고문자에서 甲骨文 金文 등으로 썼다. 원래 화살이 든 동개를 그렸는데, 자형이 변해 지금처럼 되었다. 이로부터 무엇을 넣어두는 '상자'라는 뜻을 갖게 되었으며, 편지, 싸다 등의 뜻도 나왔다. 달리 函(함 함)으로 쓰기도 한다. 『설문해자』의 속체에서는 肣(혀 함)으로 쓰기도 했으며, 含(머금을 함)과 통용해 쓰기도 했다.

**4326**

**𢎘: 𢎘: 움틀 유: 田–총7획: yóu**

原文

𢎘: 木生條也. 从马由聲. 『商書』曰: "若顚木之有𢎘枿." 古文言由枿. 以州切.

飜譯

'나무에서 새로 자라난 가지(木生條)'를 말한다. 함(马)이 의미부이고 유(由)가 소리부이다. 『상서(商書)·반경(盤庚)』에서 "꼬꾸라진 나무에서 새로 자라난 가지와 잘린 나무에서 새로 움튼 싹과 같구나(若顚木之有𢎘枿)"라고 했다. 고문 『상서』에서는 유얼(由枿)로 썼다. 독음은 이(以)와 주(州)의 반절이다.

**4327**

**甬: 甬: 길 용: 用–총7획: yǒng**

原文

甬: 艸木華甬甬然也. 从马用聲. 余隴切.

飜譯

'초목의 꽃이 세차게 피어나려는 모습(艸木華甬甬然)'을 말한다. 함(马)이 의미부이고 용(用)이 소리부이다.71) 독음은 여(余)와 롱(隴)의 반절이다.

**4328**

**𢎗: 𢎗: 꽃 봉우리 많을 현: 弓–총4획: xián**

---

71) 고문자에서 金文 盟書 簡牘文 등으로 썼다. 종(用·용)의 윗부분에 종을 거는 고리가 달린 모습으로, '종'이 원래 뜻이며, 이후 큰 정원이나 묘지의 가운데 길(甬道·용도)의 뜻으로 쓰였다. 고대문헌에서 用과 甬이 자주 통용된다.

原文

㢋: 艸木马盛也. 从二马. 胡先切.

飜譯

'초목의 꽃 봉우리가 무성함(艸木马盛)'을 말한다. 두 개의 함(马)으로 구성되었다. 독음은 호(胡)와 선(先)의 반절이다.

## 제245부수
## 245 ■ 함(𣐺)부수

**4329**

**𣐺: 𣐺: 나무에 꽃과 열매가 늘어질 함: 木-총10획: hàn**

原文

𣐺: 木垂華實. 从木、马, 马亦聲. 凡𣐺之屬皆从𣐺. 胡感切.

飜譯

'나무에 꽃과 열매가 늘어지다(木垂華實)'라는 뜻이다. 목(木)과 함(马)이 모두 의미부인데, 함(马)은 소리부도 겸한다. 함(𣐺)부수에 귀속된 글자들은 모두 함(𣐺)이 의미부이다. 독음은 호(胡)와 감(感)의 반절이다.

**4330**

**韢: 韢: 묶을 위: 韋-총19획: wěi**

原文

韢: 束也. 从𣐺韋聲. 千非切.

飜譯

'묶다(束)'라는 뜻이다. 함(𣐺)이 의미부이고 위(韋)가 소리부이다. 독음은 천(千)과 비(非)의 반절이다.

## 제246부수
## 246 ■ 초(鹵)부수

**4331**

**鹵: 鹵: 열매 주렁주렁 달릴 초: 卜-총9획: tiáo, yǒu**

原文

鹵: 艸木實垂鹵鹵然. 象形. 凡鹵之屬皆从鹵. 讀若調. 𠧪, 籒文三鹵爲鹵. 徒遼切.

飜譯

'초목에 열매가 주렁주렁 달리다(艸木實垂鹵鹵然)'라는 뜻이다. 상형이다. 초(鹵)부수에 귀속된 글자들은 모두 초(鹵)가 의미부이다. 조(調)와 같이 읽는다. 초(𠧪)는 주문체인데, 세 개의 초(鹵)로 구성되었다. 독음은 도(徒)와 료(遼)의 반절이다.

**4332**

**㮚: 㮚(栗): 밤나무 률: 木-총13획: lì**

原文

㮚: 木也. 从木, 其實下垂, 故从鹵. 𣡌, 古文㮚从西从二鹵. 徐巡說: 木至西方戰㮚. 力質切.

飜譯

'나무 이름(木)'이다. 목(木)이 의미부이고, 열매가 아래로 늘어진 모습이고, 그래서 초(鹵)가 의미부이다.[72] 률(𣡌)은 률(㮚)의 고문체인데, 서(西)도 의미부이고 두 개의

72) 고문자에서 [古文字] 甲骨文 [古文字] 簡牘文 [古文字] 古璽文 [古文字] 石刻古文 등으로 썼다. 원래는 2나무(木)에 밤이 주렁주렁 열린 모습으로, 열매의 바깥으로는 뾰족한 침으로 되었고 속에는 알이 들어 그것이 밤송이임을 구체적으로 형상했다. 소전체에 들면서 셋으로 되었던 밤송이가 하나로 줄었고, 예서체에서 西로 변해 지금의 자형이 되었다. 밤나무가 원래 뜻이며, 그 열매인 밤, 곡식이나 과식이 가득 여물다, 단단하다, 엄숙하다 등의 뜻도 나왔다.

초(卤)도 의미부이다. 서순(徐巡)의 설에 의하면, 나무(木)는 서방(西方)에 이르면 전율(戰桌)하게 된다고 했다. 독음은 력(力)과 질(質)의 반절이다.

**4333**

**桌: 㮚: 조 속: 米–총15획: sù**

原文

桌: 嘉穀實也. 从卤从米. 孔子曰: "㮚之爲言續也." 𪉟, 籒文㮚. 相玉切.

飜譯

'훌륭한 곡식의 알갱이(嘉穀實)'라는 뜻이다.[73] 초(卤)가 의미부이고 미(米)도 의미부이다.[74] 공자(孔子)께서 "속(㮚)은 속(續)과 같아 끊임없이 계속되다는 뜻이다."라고 했다. 속(𪉟)은 속(㮚)의 주문체이다. 독음은 상(相)과 옥(玉)의 반절이다.

---

73) 『단주』에서 이렇게 말했다. "화(禾)자의 설명에서 '훌륭한 곡식을 말한다(嘉穀也)'라고 했고, 서(黍)자의 설명에서 '조의 일종으로 찰진 것을 말한다(禾屬而黏者也)'라고 했다. 그렇다면 훌륭한 곡식(嘉穀)은 조와 기장을 말한 것이다(謂禾黍也).……옛날에는 백성들의 식량 중, 조와 기장(禾黍)보다 더 중요한 것은 없었다. 그래서 훌륭한 곡식(嘉穀)이라 했던 것이다. 곡(穀)은 갖은 곡식(百穀)을 총체적으로 이른 말이다. 가(嘉)는 훌륭하다는 뜻이다(美也).……공자께서 '조(粟)는 계속되다는 의미이다(續也)'라고 했는데, 공자는 첩운자를 갖고서 풀이했던 것이다. 훌륭한 곡식의 종자가 끊이지 않고, 백성들이 그 알갱이를 먹고 살게 된 것은, 우임금과 후직의 공헌이다.(嘉種不絕, 蒸民乃粒, 禹稷之功也.)"

74) 고문자에서 [glyph] [glyph] [glyph] 甲骨文 [glyph] 古璽文 등으로 썼다. 갑골문에서 禾(벼 화)와 여러 점으로 구성되어 조(禾)의 알갱이를 형상화했으나, 소전체에 들면서 지금처럼 西(서녘 서)와 米(쌀 미)로 구성되어 광주리(西)에 담아 놓은 조를 말했다. 이후 곡식의 대표가 쌀로 변하면서 의미도 '쌀'을 뜻하게 되었다.

## 제247부수
## 247 ■ 제(齊)부수

**4334**

亝: 齊: **가지런할 제**: 齊-**총14획**: qí

原文

亝: 禾麥吐穗上平也. 象形. 凡亝之屬皆从亝. 徂兮切.

翻譯

'벼나 보리의 이삭이 위로 가지런하게 팬 모습(禾麥吐穗上平)'을 말한다. 상형이다.[75] 제(亝)부수에 귀속된 글자들은 모두 제(亝)가 의미부이다. 독음은 조(徂)와 혜(兮)의 반절이다.

**4335**

𪗉: 𪗉: **같을 제**: 齊-**총22획**: qí

原文

𪗉: 等也. 从亝妻聲. 徂兮切.

翻譯

'같다(等)'라는 뜻이다. 제(亝)가 의미부이고 처(妻)가 소리부이다. 독음은 조(徂)와 혜(兮)의 반절이다.



---

75) 고문자에서 甲骨文 金文 簡牘文 古陶文 石刻古文 등으로 썼다. 갑골문에서 가지런히 㐬와 같이 써 자라난 이삭을 여럿 그렸는데, 끝이 뾰족한 것으로 보아 보리 이삭으로 추정되며, 셋 혹은 넷으로 많음을 표시했다. 소전에 들면서 자형의 균형을 위해서 가로획이 둘(二·이) 더해져 지금처럼 되었다. 그래서 '가지런하다'가 원래 뜻이고, 이로부터 바르게 정돈된, 엄숙한, 삼가다 등의 뜻까지 나왔다. 간화자에서는 초서체로 간단하게 줄여 齐로 쓴다.

## 제248부수
## 248 ■ 자(朿)부수

**4336**

**朿: 朿: 가시 자: 木-총6획: cì**

原文

朿: 木芒也. 象形. 凡朿之屬皆从朿. 讀若刺. 七賜切.

飜譯

'나무의 가시(木芒)'를 말한다. 상형이다.76) 자(朿)부수에 귀속된 글자들은 모두 자(朿)가 의미부이다. 자(刺)와 같이 읽는다. 독음은 칠(七)과 사(賜)의 반절이다.

**4337**

**棗: 棗: 대추나무 조: 木-총12획: zǎo**

原文

棗: 羊棗也. 从重朿. 子皓切.

飜譯

'양조(羊棗)'를 말한다.77) 자(朿)가 아래위로 포개진 모습이다.78) 독음은 자(子)와 호

76) 가시가 난 나무를 그렸다. 『설문해자』의 해설처럼, '나무의 가시(木芒)'를 말한다. 朿가 상하로 둘 모이면 棗(대추나무 조)가 되고, 가로로 둘 모이면 棘(멧대추나무 극)이 된다.

77) 양조(羊棗)는 대추의 일종인데, 혹자는 고욤나무의 열매라고도 한다. 달리 양시조(羊矢棗)라고도 하는데, 과일 이름이다. 군천자(君遷子: 고욤으로 보기도 한다)의 열매로 긴 타원형이다. 처음에는 누른색이나 익으면 검은 색이 되는데, 양시(羊矢)를 닮았다. 그래서 민간에서는 양시조(羊矢棗)라 부른다. 『맹자·진심(盡心)』(하)에 "증석이 검은 대추를 좋아했으므로 증자는 (아버지가 유일하게 좋아하는 것이었기에) 차마 그 검은 대추를 먹지 못했다.(曾晳嗜羊棗, 而曾子不忍食羊棗.)"라는 말이 나오며, 『이아·석목(釋木)』에서는 "준(遵)은 양조(羊棗)를 말한다"고 했는데, 곽박의 『주』에서 "열매는 작고 둥글며 자흑색인데, 세속에서는 양시조라 부른다.(實小而圓, 紫黑色, 今俗呼之爲羊矢棗.)"라고 했다.

(皓)의 반절이다.

**4338**

**棘: 棘: 멧대추나무 극: 木-총12획: jí**

原文

棘: 小棗叢生者. 从並朿. 已力切.

飜譯

'떨기로 자라는 작은 대추나무(小棗叢生者)'를 말한다. 자(朿)가 나란히 늘어선 모습이다. 독음은 이(已)와 력(力)의 반절이다.



78) 고문자에서 棗金文 棗 棗簡牘文 등으로 썼다. 두 개의 朿(가시 자)가 상하로 결합한 구조로, 대추나무를 말하며, 하늘을 향해 높이 자라는 가시(朿)를 가진 키 큰 나무라는 뜻을 담았다. 간화자에서는 아래쪽의 朿를 중복부호로 바꾸어 枣로 쓴다.

# 제249부수
# 249 ■ 편(片)부수

4339

片: 片: **조각 편**: 片-**총4획**: **piàn**

原文

片: 判木也. 从半木. 凡片之屬皆从片. 匹見切.

飜譯

'쪼갠 나무(判木)'를 말한다. 반쪽으로 된 나무(半木)를 그렸다.79) 편(片)부수에 귀속된 글자들은 모두 편(片)이 의미부이다. 독음은 필(匹)과 견(見)의 반절이다.

4340

版: 版: **널 판**: 片-**총8획**: **bǎn**

原文

版: 判也. 从片反聲. 布綰切.

飜譯

'쪼개다(判)'라는 뜻이다. 편(片)이 의미부이고 반(反)이 소리부이다. 독음은 포(布)와 관(綰)의 반절이다.

---

79) 고문자에서 [古文字] 甲骨文 등으로 썼다. 나무의 조각을 말하는데, 木(나무 목)을 절반으로 쪼개 놓은 모습이다. 왼쪽의 세로획은 나무줄기를, 오른쪽의 위 획은 나뭇가지를, 아래 획은 나무뿌리를 말한다. 나무를 조각 내 만든 널빤지는 종이가 없던 시절 대나무 쪽으로 만든 竹簡(죽간)과 함께 유용한 서사 도구였다. 이를 牘(편지 독)이라 하고, 나무로 만들었다고 해서 木牘이라 불렀다. 牋(편지 전)이나 牒(서판 첩) 등도 모두 木牘에 쓴 편지를 말한다.

**4341**

**牑: 牑: 쪼갤 벽: 片-총13획: bì**

原文

牑: 判也. 从片畐聲. 芳逼切.

飜譯

'쪼개다(判)'라는 뜻이다. 편(片)이 의미부이고 복(畐)이 소리부이다. 독음은 방(芳)과 핍(逼)의 반절이다.

**4342**

**牘: 牘: 편지 독: 片-총19획: dú**

原文

牘: 書版也. 从片賣聲. 徒谷切.

飜譯

'글을 쓸 수 있는 나무 판(書版)'을 말한다. 편(片)이 의미부이고 매(賣)가 소리부이다. 독음은 도(徒)와 곡(谷)의 반절이다.



**4343**

**牒: 牒: 서판 첩: 片-총13획: dié**

原文

牒: 札也. 从片枼聲. 徒叶切.

飜譯

'서찰(札)'을 말한다. 편(片)이 의미부이고 엽(枼)이 소리부이다. 독음은 도(徒)와 협(叶)의 반절이다.

**4344**

**牑: 牑: 평상널 편: 片-총13획: biān**

原文

牑: 牀版也. 从片扁聲. 讀若邊. 方田切.

飜譯

'평상의 널빤지(牀版)'를 말한다. 편(片)이 의미부이고 편(扁)이 소리부이다. 변(邊)과 같이 읽는다. 독음은 방(方)과 전(田)의 반절이다.

**4345**

**牖: 牖: 창 유: 片-총15획: yǒu**

原文

牖: 穿壁以木爲交窻也. 从片、戶、甫. 譚長以爲: 甫上日也, 非戶也. 牖, 所以見日. 與久切.

飜譯

'벽을 관통하여 나무틀로 교차시켜 만든 창(穿壁以木爲交窻)'을 말한다. 편(片)과 호(戶)와 보(甫)가 모두 의미부이다. 담장(譚長)은 보(甫)자 위에 놓인 글자는 호(戶)가 아니라 일(日)이라고 했다. 유(牖)는 해(日)가 빛을 비추는 구조물이기 때문이다. 독음은 여(與)와 구(久)의 반절이다.

**4346**

**牏: 牏: 담틀 투: 片-총13획: bó**

原文

牏: 築牆短版也. 从片俞聲. 讀若俞. 一曰若紐. 度矦切.

飜譯

'담을 쌓을 때 양편에 대는 널빤지(築牆短版)'를 말한다. 편(片)이 의미부이고 유

(俞)가 소리부이다. 유(俞)와 같이 읽는다. 일설에는 뉴(紐)와 같이 읽는다고도 한다. 독음은 도(度)와 후(矦)의 반절이다.

## 제250부수
## 250 ■ 정(鼎)부수

**4347**

**鼎: 鼎: 솥 정: 鼎-총13획: dǐng**

原文

鼎: 三足兩耳, 和五味之寶器也. 昔禹收九牧之金, 鑄鼎荆山之下, 入山林川澤, 螭魅蝄蜽, 莫能逢之, 以協承天休. 『易』卦: 巽木於下者爲鼎, 象析木以炊也. 籒文以鼎爲貞字. 凡鼎之屬皆从鼎. 都挺切.

飜譯

'발이 세 개이고 두 개의 귀를 가졌으며, 온갖 맛을 조화시키는 보배스런 기물(三足兩耳, 和五味之寶器)'을 말한다. 옛날 우(禹) 임금이 구목(九牧)의 청동(金)을 모아, 형산(荆山) 아래에서 정을 주조했는데, 산이나 숲이나 강이나 연못에 놓아두면 도깨비나 귀신조차도 나타나지 않아, 하늘이 내려주신 음덕을 잘 받들 수 있었다. 『역(易)』의 괘상(卦象)에서 "나무(木)가 불(火)의 아래에 놓인 것이 정(鼎)인데, 나무를 쪼개 불을 지펴 취사를 한다는 뜻을 담았다. 주문(籒文)에서는 정(鼎)을 정(貞)으로 사용했다.[80] 정(鼎)부수에 귀속된 글자들은 모두 정(鼎)이 의미부이다. 독음은 도

---

80) 고문자에서 甲骨文 金文 簡牘文 등으로 썼다. 고대 청동기 중 가장 대표적인 기물로, 세 발(足·족)과 볼록한 배(腹·복)와 두 귀(耳·이)를 가졌는데, 발에 무늬를 그려 화려함을 돋보이게 하기도 했다. 소전체로 오면서 두 귀와 몸통이 합쳐져 目(눈 목)으로 잘못 변해 지금의 자형이 되었다. 세 발은 균형을 잡는데 가장 이상적인 구도로 알려졌다. 그래서 鼎立(정립)은 솥(鼎)의 세 발이 균형을 잡고 선(立) 것처럼 세 나라나 세력이 팽팽하게 대립하는 것을 말한다. 네 발로 된 것도 보이지만 세 발로 된 것이 정형이며, 네발로 된 것은 方鼎(방정)이라 불렀다. 鼎으로 대표되는 청동기는 권력의 상징이었기 때문에, 고대 중국이 9개의 주(州·주)로 나뉘었던 것처럼 九鼎(구정)은 국가 정통성의 대명사였다. 그래서 鼎革(정혁)은 국가 정통성의 상징인 솥(鼎)을 바꾼다(革)는 뜻으로 革命(혁명)과 같은 뜻이다. 또 定鼎(정정)은 솥(鼎)을 제자리에 놓았다(定)는 뜻으로부터 나라를 다

(都)와 정(挺)의 반절이다.

4348

**鼒: 鼒: 옹달솥 자: 鼎-총16획: zī**

原文

鼒: 鼎之圜掩上者. 从鼎才聲. 『詩』曰: "鼐鼎及鼒." 鎡, 俗鼒从金从兹. 子之切.

飜譯

'아가리 윗부분이 안쪽으로 수렴된 솥(鼎之圜掩上者)'을 말한다. 정(鼎)이 의미부이고 재(才)가 소리부이다.81) 『시·주송·사의(絲衣)』에서 "크고 작은 솥의 음식이 보이네(鼐鼎及鼒)"라고 노래했다. 자(鎡)는 자(鼒)의 속체자인데, 금(金)도 의미부이고 자(兹)도 의미부이다. 독음은 자(子)와 지(之)의 반절이다.

4349

**鼐: 鼐: 가마솥 내: 鼎-총15획: nài**

原文

鼐: 鼎之絕大者. 从鼎乃聲. 『魯詩』說: 鼐, 小鼎. 奴代切.

飜譯

'솥 중에서 가장 큰 것(鼎之絕大者)'을 말한다. 정(鼎)이 의미부이고 내(乃)가 소리부이다. 『노시(魯詩)』에서 내(鼐)는 작은 솥(小鼎)을 말한다고 했다. 독음은 노(奴)와 대(代)의 반절이다.

---

스리는 대업을 시작했다는 뜻이 나왔고, 問鼎(문정)은 "솥(鼎)에 대해 수소문한다(問)."는 뜻으로부터 '권력을 넘보다'는 뜻이 나왔다. 이 때문에 고대 중국에서는 鼎의 사용도 엄격하게 규정되었는데, 천자는 9세트, 제후는 7세트, 사대부는 5세트의 솥을 사용하게 했다고 한다. 鼎으로 구성된 글자들은 모두 '솥'이라는 의미가 들어 있다.

81) 고문자에서 [고문자 자형] 金文 등으로 썼다. 鼎(솥 정)이 의미부고 才(재주 재)가 소리부로, 옹달솥을 말하는데, 겨우(才) 솥(鼎)의 범주에 넣을 수 있는 '조그마한 솥'이라는 의미를 담았다.

**4350**

**鼏: 鼏: 소댕 멱: 鼎-총15획: mì**

原文

鼏: 以木橫貫鼎耳而擧之. 从鼎冂聲. 『周禮』: "廟門容大鼏七箇." 即『易』"玉鉉大吉"也. 莫狄切.

譯註

'나무로 정의 귀를 가로로 꿰어서 들어 올리다(以木橫貫鼎耳而擧之)'라는 뜻이다. 정(鼎)이 의미부이고 경(冂)이 소리부이다. 『주례·고공기·장인(匠人)』에서 "묘문(廟門)은 커다란 소댕 솥 7개를 수용할 수 있다(容大鼏七箇)"라고 했는데, 이는 『역·정괘(鼎卦)』(상구효사)에서 말한 "옥으로 상감한 솥이여 대길하리라(玉鉉大吉)"에서의 현(鉉)을 말한다. 독음은 막(莫)과 적(狄)의 반절이다.

## 제251부수
## 251 ■ 극(克)부수

**4351**

: 克: **이길 극**: 儿-**총7획**: kè

**原文**

: 肩也. 象屋下刻木之形. 凡克之屬皆从克. , 古文克. , 亦古文克. 苦得切.

**飜譯**

'어깨에 짊어지다(肩)'라는 뜻이다. 지붕 아래에 나무를 새겨 놓은 모습(屋下刻木之形)을 본떴다.[82] 극(克)부수에 귀속된 글자들은 모두 극(克)이 의미부이다. 극()은 극(克)의 고문체이다. 극()도 극(克)의 고문체이다. 독음은 고(苦)와 득(得)의 반절이다.

82) 고문자에서 甲骨文 金文 簡牘文 石刻古文 등으로 썼다. 갑골문에서 머리에는 투구를 쓰고 손에는 창을 쥔 사람의 모습을 그렸으며, 완전하게 무장한 병사는 전쟁에서 이길 수 있다는 뜻에서 '이기다'는 의미가 생겼다. 이후 의미를 더욱 강화하기 위해 刀(칼 도)를 더한 剋(이길 극)을 만들었다.

# 제252부수
# 252 ■ 록(彔)부수

**4352**

**彔: 彔: 나무 깎을 록: 크-총8획: lù**

原文

彔: 刻木彔彔也. 象形. 凡彔之屬皆从彔. 盧谷切.

飜譯

'분명하게 새겨 넣다(刻木彔彔)'라는 뜻이다. 상형이다.83) 록(彔)부수에 귀속된 글자들은 모두 록(彔)이 의미부이다. 독음은 로(盧)와 곡(谷)의 반절이다.

---

83) 고문자에서 [古文字]甲骨文 [古文字]金文 [古文字]古陶文 등으로 썼다. 갑골문에서 위쪽은 도르래를, 중간은 두레박을, 아래쪽은 떨어지는 물방울을 그려 물 긷는 장치를 그렸음이 분명하다. 하지만, 역대 문헌에서 그런 장치라는 뜻으로 쓰인 경우는 없으며, 『설문해자』에서도 이미 '또렷하게 새기다'는 뜻으로 사용되었다. 이후 쇠 등 영원히 변치 않도록 '새겨 넣다'는 의미를 강조하기 위해 金(쇠 금)을 더한 錄(기록할 록)을 만들었다. 그러나 물을 길어(彔) 논밭에 대면 풍성한 수확을 올릴 수 있고, 그것이 바로 복록(祿·록)이자 윤택함이었을 것이다. 간화자에서는 录으로 쓴다.

제253부수
## 253 ■ 화(禾)부수

**4353**

禾: 禾: **벼 화**: 禾-**총5획**: **hé**

原文

禾: 嘉穀也. 二月始生, 八月而孰, 得時之中, 故謂之禾. 禾, 木也. 木王而生, 金王而死. 从木, 从𠂹省. 𠂹象其穗. 凡禾之屬皆从禾. 戶戈切.

飜譯

'훌륭한 곡식(嘉穀)'을 말한다. 음력 2월에 자라나기 시작해 8월이면 익는데, 사시의 중화된 기운을 얻고 자란다. 그래서 화(禾)라고 부른다. 화(禾)는 나무(木)에 속한다. 봄에는 나무(木)가 왕성하게 자라고, 가을에는 금(金)이 왕성하였다가 죽는다. 목(木)이 의미부이고, 수(𠂹)의 생략된 부분도 의미부이다. 수(𠂹)는 이삭이 늘어진 모습을 그렸다.84) 화(禾)부수에 귀속된 글자들은 모두 화(禾)가 의미부이다. 독음은 호(戶)와 과(戈)의 반절이다.

**4354**

秀: 秀: **빼어날 수**: 禾-**총7획**: **xiù**

原文

---

84) 고문자에서 [甲骨文 자형] 甲骨文 [金文 자형] 金文 [古陶文 자형] 古陶文 [簡牘文 자형] 簡牘文 등으로 썼다. 익어 고개를 숙인 곡식의 모습인데, 이를 주로 '벼'로 풀이하지만 벼가 남방에서 수입된 것임을 고려하면 갑골문을 사용하던 황하 중류의 중원 지역에서 그려낸 것은 야생 '조'일 가능성이 높다. 하지만, 벼가 수입되면서 오랜 주식이었던 조를 대신해 모든 곡물의 대표로 자리하게 된다. 그래서 '벼', '수확'과 관련되어 있으며, 곡물은 중요한 재산이자 세금으로 내는 물품이었기에 稅金(세금) 등에 관련된 글자를 구성하기도 한다.

秀: 上諱. 漢光武帝名也. 息救切.

飜譯

'임금의 이름(上諱)'인데, 한나라 광무제(漢光武帝)의 이름이다.85) 독음은 식(息)과 구(救)의 반절이다.

**4355**

**稼: 稼: 심을 가: 禾-총15획: jià**

原文

稼: 禾之秀實爲稼, 莖節爲禾. 从禾家聲. 一曰稼, 家事也. 一曰在野曰稼. 古訝切.

飜譯

'곡식의 이삭과 열매(禾之秀實)를 가(稼)라고 하고, 줄기와 마디(莖節)를 화(禾)라고 한다. 화(禾)가 의미부이고 가(家)가 소리부이다. 일설에는 가(稼)가 집안일(家事)을 말한다고도 한다. 또 일설에는 들에서 하는 일을 가(稼)라고 한다고도 한다. 독음은 고(古)와 아(訝)의 반절이다.

**4356**

**穡: 穡: 거둘 색: 禾-총20획: sè**

原文

穡: 穀可收曰穡. 从禾嗇聲. 所力切.

飜譯

'수확할 수 있는 곡식(穀可收)을 색(穡)이라고 한다.' 화(禾)가 의미부이고 색(嗇)이

---

85) 고문자에서 [고문자 자형] 簡牘文 등으로 썼다. 禾(벼 화)와 乃(이에 내)로 구성되었다. 乃의 자원에 대해서는 의견이 분분하지만, 낫 같은 모양의 수확 도구의 변형으로 보기도 한다. 낫은 칼과 비교하면 곡식을 수확하는 데 더없이 유익한 도구였다. 그래서 낫(乃)은 곡식(禾) 수확의 빼어난 도구라는 의미에서 '빼어나다', 훌륭하다, 아름답다, 優秀(우수)하다 등의 뜻이 생겼다.

소리부이다.[86] 독음은 소(所)와 력(力)의 반절이다.

4357

**穜: 穜: 만생종 동: 禾-총17획: tóng**

原文

穜: 埶也. 从禾童聲. 之用切.

飜譯

'씨를 뿌리다(埶)'라는 뜻이다. 화(禾)가 의미부이고 동(童)이 소리부이다. 독음은 지(之)와 용(用)의 반절이다.

4358

**稙: 稙: 일찍 심은 벼 직: 禾-총13획: zhī**

原文

稙: 早穜也. 从禾直聲. 『詩』曰: "稙稚尗麥." 常職切.

飜譯

'일찍 씨를 뿌리다(早穜)'라는 뜻이다. 화(禾)가 의미부이고 직(直)이 소리부이다. 『시·노송·비궁(閟宮)』에서 "올벼와 늦벼와 콩과 보리였네(稙稚尗麥)"라고 노래했다.[87] 독음은 상(常)과 직(職)의 반절이다.

4359

**種: 種: 씨 종: 禾-총14획: zhŏng, zhòng**

---

86) 고문자에서 穡金文 穡簡牘文 등으로 썼다. 禾(벼 화)가 의미부고 嗇(아낄 색)이 소리부로, 곡식(禾)을 수확하여 창고에 보관하는 모습으로부터 '수확하다'는 의미를 그렸다. 간화자에서는 嗇을 啬으로 줄인 穑으로 쓴다.

87) 금본에서는 숙(尗)이 숙(菽)으로 되었다.

原文

穜: 先穜後孰也. 从禾重聲. 直容切.

飜譯

'일찍 심고 늦게 익는 곡물(先穜後孰)'을 말한다. 화(禾)가 의미부이고 중(重)이 소리부이다.88) 독음은 직(直)과 용(容)의 반절이다.

**4360**

**稑: 稑: 올벼 륙: 禾-총13획: lù**

原文

稑: 疾孰也. 从禾坴聲. 『詩』曰: "黍稷種稑." 穋, 稑或从翏. 力竹切.

飜譯

'빨리 익는 곡물(疾孰)'을 말한다. 화(禾)가 의미부이고 륙(坴)이 소리부이다. 『시·빈풍·칠월(七月)』 등에서 "메기장 차기장과 늦 곡식 이른 곡식(黍稷種稑)"이라고 노래했다. 륙(穋)은 륙(稑)의 혹체자인데, 료(翏)로 구성되었다. 독음은 력(力)과 죽(竹)의 반절이다.

**4361**

**稺: 稺: 어린 벼 치: 禾-총15획: zhì**

原文

稺: 幼禾也. 从禾屖聲. 直利切.

飜譯

---

88) 고문자에서 簡牘文 등으로 썼다. 禾(벼 화)가 의미부고 重(무거울 중)이 소리부로, 곡물(禾)의 파종을 위해 남겨둔 중요한(重) '씨'를 말한다. 이로부터 播種(파종)하다, 자라다, 品種(품종), 人種(인종)의 뜻이 나왔다. 간화자에서는 소리부 重을 中(가운데 중)으로 바꾼 种으로 쓴다.

'어린 곡식(幼禾)'을 말한다. 화(禾)가 의미부이고 서(犀)가 소리부이다. 독음은 직(直)과 리(利)의 반절이다.

4362

**稹: 稹: 떨기로 날 진: 禾-총15획: zhěn**

原文

稹: 穜概也. 从禾眞聲. 『周禮』曰 : "稹理而堅." 之忍切.

飜譯

'빽빽하게 심다(穜概)'라는 뜻이다. 화(禾)가 의미부이고 진(眞)이 소리부이다. 『주례·고공기·윤인(輪人)』에서 "조밀한 무늬와 견고한 재질(稹理而堅)"이라고 했다. 독음은 지(之)와 인(忍)의 반절이다.

4363

**稠: 稠: 빽빽할 조: 禾-총13획: chóu**

原文

稠: 多也. 从禾周聲. 直由切.

飜譯

'많다(多)'라는 뜻이다. 화(禾)가 의미부이고 주(周)가 소리부이다. 독음은 직(直)과 유(由)의 반절이다.

4364

**穊: 穊: 밸 기: 禾-총16획: jì**

原文

穊: 稠也. 从禾既聲. 几利切.

飜譯

'조밀하다(稠)'라는 뜻이다. 화(禾)가 의미부이고 기(旣)가 소리부이다. 독음은 궤(几)와 리(利)의 반절이다.

**4365**

**𥠖: 稀: 드물 희: 禾-총12획: xī**

原文

𥠖: 疏也. 从禾希聲. 香依切.

飜譯

'듬성듬성하다(疏)'라는 뜻이다. 화(禾)가 의미부이고 희(希)가 소리부이다. 독음은 향(香)과 의(依)의 반절이다.

**4366**

**穖: 穖: 벼 멸: 禾-총20획: miè**

原文

穖: 禾也. 从禾蔑聲. 莫結切.

飜譯

'곡식의 이름(禾)'이다. 화(禾)가 의미부이고 멸(蔑)이 소리부이다. 독음은 막(莫)과 결(結)의 반절이다.

**4367**

**穆: 穆: 화목할 목: 禾-총16획: mù**

原文

穆: 禾也. 从禾㣎聲. 莫卜切.

**飜譯**

'곡식의 이름(禾)'이다. 화(禾)가 의미부이고 목(𥢶)이 소리부이다.[89] 독음은 막(莫)과 복(卜)의 반절이다.

**4368**

**: 私: 사사 사: 禾-총7획: sī**

**原文**

: 禾也. 从禾厶聲. 北道名禾主人曰私主人. 息夷切.

**飜譯**

'곡식의 이름(禾)'이다. 화(禾)가 의미부이고 사(厶)가 소리부이다.[90] 북방(北道)에서는 화주인(禾主人)을 사주인(私主人)이라 부른다. 독음은 식(息)과 이(夷)의 반절이다.

**4369**

**: 穙: 메벼 비: 禾-총22획: fèi**

**原文**

: 稻紫莖不黏也. 从禾糞聲. 讀若靡. 扶沸切.

**飜譯**



---

89) 고문자에서 甲骨文 金文 簡牘文 등으로 썼다. 禾(벼 화)가 의미부고 𥢶(잔무늬 목)이 소리부로, 갑골문에서 이삭이 여물어 화려한 모습을 뽐내는(𥢶) 곡식(禾)을 그렸으며, 금문에 들어서는 화려함을 강조하기 위해 彡(터럭 삼)이 더해졌다. 농경사회를 살았던 중국인들에게 더없이 아름답고 평화로운 모습의 상징이었을 것이기에 화락하고 화목하다는 뜻이 나왔다. 혹자는 갑골문의 자형이 해바라기를 그렸다고 보기도 한다.

90) 고문자에서 古陶文 簡牍文 古璽文 등으로 썼다. 禾(벼 화)가 의미부고 厶(사사 사)가 소리부로, 곡물(禾)을 자신(厶)의 것으로 만들다는 뜻으로부터 '私事(사사)로움'을 그렸고, 이로부터 이기적인, 비공개적인, 비밀스런 등의 뜻이 나왔다. 또 자신을 낮추어 부르는 말로도 쓰였다. 원래는 厶로 써, 울타리를 지워 타자와 자신을 구분짓다는 뜻에서 '사사로움'의 의미를 그렸고, 이후 재산의 대표인 곡물(禾)을 더해 私를 만들었다.

'자줏빛 줄기에 찰지지 않은 벼(稻紫莖不黏)'를 말한다. 화(禾)가 의미부이고 분(糞)이 소리부이다. 미(靡)와 같이 읽는다. 독음은 부(扶)와 비(沸)의 반절이다.

**4370**

**: 稷: 기장 직: 禾-총15획: jì**

原文

: 齋也. 五穀之長. 从禾畟聲. , 古文稷省. 子力切.

飜譯

'메벼(齋)'를 말한다. 오곡의 우두머리이다(五穀之長). 화(禾)가 의미부이고 측(畟)이 소리부이다.[91] 직()은 직(稷)의 고문체인데, 생략된 모습이다. 독음은 자(子)와 력(力)의 반절이다.

**4371**

**: 齋: 메 자: 齊-총19획: zī**

原文

: 稷也. 从禾垒聲. , 齋或从次. 即夷切.

飜譯

'메벼(稷)'를 말한다. 화(禾)가 의미부이고 제(垒)가 소리부이다. 자()는 자(齋)의 혹체자인데, 차(次)로 구성되었다. 독음은 즉(即)과 이(夷)의 반절이다.

---

91) 고문자에서 金文 簡牘文 등으로 썼다. 禾(벼 화)가 의미부고 畟(보습 날카로울 측)이 소리부로, 옛날부터 중국에서 전통적으로 재배되어 오던 대표적 농작물(禾)의 하나인 기장이나 수수를 말한다. 稷이 대표적 농작물이었기에 자연스레 사람들의 숭배 대상이 되었을 것이고, 이후 오곡의 대표로 인식되었음은 물론 后稷(후직)처럼 온갖 곡식을 관장하는 신으로 지위가 격상되기도 했다. 달리 禾 대신 示(보일 시)가 들어간 禝으로 쓰기도 하는데, 제사 행위를 강조한 결과로 보인다.

4372

**秫: 秫: 차조 출: 禾-총10획: shú**

原文

秫: 稷之黏者. 从禾; 术, 象形. 朮, 秫或省禾. 食聿切.

翻譯

'찰진 벼(稷之黏者)'를 말한다. 화(禾)와 [출(术)이] 모두 의미부인데, 출(术)은 상형이다. 출(朮)은 출(秫)의 혹체자인데, 화(禾)가 생략되었다. 독음은 식(食)과 율(聿)의 반절이다.

4373

**穄: 穄: 검은 기장 제: 禾-총16획: jì**

原文

穄: 糜也. 从禾祭聲. 子例切.

翻譯

'찰기장(糜)'을 말한다. 화(禾)가 의미부이고 제(祭)가 소리부이다. 독음은 자(子)와 례(例)의 반절이다.

4374

**稻: 稻: 벼 도: 禾-총15획: dào**

原文

稻: 稌也. 从禾舀聲. 徒皓切.

翻譯

'찰벼(稌)'를 말한다. 화(禾)가 의미부이고 요(舀)가 소리부이다.[92] 독음은 도(徒)와

92) 고문자에서 [甲骨文 자형]甲骨文 [金文 자형]金文 [簡牘文 자형]簡牘文 등으로 썼다. 禾(벼 화)

호(皓)의 반절이다.

**4375**

**稌**: 稌: **찰벼 도**: 禾-**총12획**: **tú**

原文

稌: 稻也. 从禾余聲.『周禮』曰 : "牛宜稌." 徒古切.

飜譯

'찰벼(稻)'를 말한다. 화(禾)가 의미부이고 여(余)가 소리부이다. 『주례·천관·식의(食醫)』에서 "소고기를 먹을 때에는 찰벼가 적합하다(牛宜稌)"라고 했다. 독음은 도(徒)와 고(古)의 반절이다.

**4376**

**稬**: 稬: **찰벼 나**: 禾-**총14획**: **nuò**

原文

稬: 沛國謂稻曰稬. 从禾耎聲. 奴亂切.

飜譯

'패국(沛國)에서는 찰벼(稻)를 나(稬)라고 한다.' 화(禾)가 의미부이고 연(耎)이 소리부이다. 독음은 노(奴)와 란(亂)의 반절이다.

**4377**

**稴**: 稴: **메벼 렴**: 禾-**총15획**: **lián**

原文

---

가 의미부이고 舀(퍼낼 요)가 소리부로, 일년생 초본식물인 벼를 말하는데, 절구에 찧어 껍질을 벗기고 퍼내는(舀) 벼(禾)를 그렸다. 중국은 쌀을 주식으로 하였기에 생활의 필수품이라는 뜻도 생겼다.

稴: 稻不黏者. 从禾兼聲. 讀若風廉之廉. 力兼切.

飜譯

'찰지지 않는 벼(稻不黏者)'를 말한다. 화(禾)가 의미부이고 겸(兼)이 소리부이다. 풍렴(風廉)이라고 할 때의 렴(廉)과 같이 읽는다. 독음은 력(力)과 겸(兼)의 반절이다.

4378

**秔: 秔: 메벼 갱: 禾-총9획: jīng**

原文

秔: 稻屬. 从禾亢聲. 粳, 秔或从更聲. 古行切.

飜譯

'벼의 일종이다(稻屬).' 화(禾)가 의미부이고 항(亢)이 소리부이다. 갱(粳)은 갱(秔)의 혹체자인데, 갱(更)이 소리부이다. 독음은 고(古)와 행(行)의 반절이다.

4379

**秏: 秏: 벼 모: 禾-총9획: hào**

原文

秏: 稻屬. 从禾毛聲. 伊尹曰: "飯之美者, 玄山之禾, 南海之秏." 呼到切.

飜譯

'벼의 일종이다(稻屬).' 화(禾)가 의미부이고 모(毛)가 소리부이다. 이윤(伊尹)에 의하면 "맛있는 밥으로는 현산(玄山)의 화(禾)가 있고, 남해(南海)의 모(秏)가 있다."라고 하였다. 독음은 호(呼)와 도(到)의 반절이다.

4380

**穬: 穬: 까끄라기 있는 곡식 광: 禾-총20획: guāng, kuáng**

原文

穬: 芒粟也. 从禾廣聲. 百猛切.

飜譯

'까끄라기 있는 곡식(芒粟)'을 말한다. 화(禾)가 의미부이고 광(廣)이 소리부이다. 독음은 백(百)과 맹(猛)의 반절이다.

**4381**

**秜: 秜: 돌벼 니: 禾-총10획: ní, nì**

原文

秜: 稻今季落, 來季自生, 謂之秜. 从禾尼聲. 里之切.

飜譯

'올해 떨어졌다가 이듬해에 다시 나는 벼(稻今季落, 來季自生)를 니(秜)라고 한다.' 화(禾)가 의미부이고 니(尼)가 소리부이다. 독음은 리(里)와 지(之)의 반절이다.

**4382**

**稗: 稗: 피 패: 禾-총13획: bài**

原文

稗: 禾別也. 从禾卑聲. 琅邪有稗縣. 旁卦切.

飜譯

'벼의 별종이다(禾別).' 화(禾)가 의미부이고 비(卑)가 소리부이다.93) 낭아(琅邪) 지역에 패현(稗縣)이라는 곳이 있다. 독음은 방(旁)과 괘(卦)의 반절이다.

---

93) 고문자에서 稗 簡牘文 등으로 썼다. 禾(벼 화)가 의미부고 卑(낮을 비)가 소리부로, 벼(禾)와 비슷하되 질이 떨어지는(卑) '피'를 말하며, 이로부터 작다, 좋지 않다, 지위가 낮다 등의 뜻이 나왔다.

**4383**

**: 移: 옮길 이: 禾-총11획: yí**

原文

: 禾相倚移也. 从禾多聲. 一曰禾名. 弋支切.

飜譯

'벼를 함께 모아 옮기다(禾相倚移)'라는 뜻이다. 화(禾)가 의미부이고 다(多)가 소리부이다. 일설에는 '벼의 이름(禾名)'이라고도 한다. 독음은 익(弋)과 지(支)의 반절이다.

**4384**

**: 穎: 이삭 영: 禾-총16획: yǐng**

原文

: 禾末也. 从禾頃聲. 『詩』曰 : "禾穎穟穟." 余頃切.

飜譯

'이삭의 끝부분(禾末)'을 말한다. 화(禾)가 의미부이고 경(頃)이 소리부이다. 『시·대아·생민(生民)』에서 "벼도 줄지어 탐스럽게 자랐으며(禾穎穟穟)"라고 노래했다.[94] 독음은 여(余)와 경(頃)의 반절이다.



**4385**

**: 秾: 밀 래: 禾-총13획: lái**

原文

: 齊謂麥秾也. 从禾來聲. 洛哀切.

94) 『단주』에서 이렇게 말했다. "화영수수(禾穎穟穟)"는 『시·대아(大雅)·생민(生民)』의 글이다. 금본에서는 화역(禾役)이라 적었는데, 『모전』에서 역(役)은 열(列·열을 짓다)을 말한다고 했다. 단옥재 내 생각에, 역(役)은 영(穎)의 가차자이다. 고음에서는 지(支)운과 경(耕)운이 합쳐졌던 때문이다.

飜譯

'제(齊) 지역에서는 보리(麥)를 래(秾)라고 부른다.' 화(禾)가 의미부이고 래(來)가 소리부이다. 독음은 락(洛)과 애(哀)의 반절이다.

**4386**

**𥝩: 采: 이삭 수: 禾-총9획: suì**

原文

𥝩: 禾成秀也, 人所以收. 从爪、禾. 穗, 采或从禾惠聲. 徐醉切.

飜譯

'영글어 수확할 때가 된 곡식의 이삭(禾成秀也, 人所以收)'을 말한다. 조(爪)와 화(禾)가 모두 의미부이다. 수(穗)는 수(采)의 혹체자인데, 화(禾)가 의미부이고 혜(惠)가 소리부이다. 독음은 서(徐)와 취(醉)의 반절이다.

**4387**

**𥝌: 杓: 벼이삭이 고개 숙인 모양 초: 禾-총8획: chuò, diǎo**

原文

𥝌: 禾危穗也. 从禾勺聲. 都了切.

飜譯

'벼 이삭이 고개를 숙여 꺾이려는 모양(禾危穗)'을 말한다. 화(禾)가 의미부이고 작(勺)이 소리부이다. 독음은 도(都)와 료(了)의 반절이다.

**4388**

**穟: 穟: 이삭 수: 禾-총18획: suì**

原文

穟: 禾采之皃. 从禾遂聲. 『詩』曰: "禾穎穟穟." 䅎, 穟或从艸. 徐醉切.

飜譯

'벼의 이삭이 고개를 숙인 모양(禾采之皃)'을 말한다. 화(禾)가 의미부이고 수(遂)가 소리부이다. 『시·대아·생민(生民)』에서 "벼도 줄지어 탐스럽게 자랐으며(禾穎穟穟)"라고 노래했다. 수(䅎)는 수(穟)의 혹체자인데, 초(艸)로 구성되었다. 독음은 서(徐)와 취(醉)의 반절이다.

4389

**䅰: 䅰: 벼 고개 숙일 타: 禾-총14획: duān**

原文

䅰: 禾垂皃. 从禾耑聲. 讀若端. 丁果切.

飜譯

'벼가 이삭을 늘어뜨린 모양(禾垂皃)'을 말한다. 화(禾)가 의미부이고 단(耑)이 소리부이다. 단(端)과 같이 읽는다. 독음은 정(丁)과 과(果)의 반절이다.

4390

**䅥: 䅥: 벼이삭이 팰 갈·겨 걸: 禾-총14획: jié**

原文

䅥: 禾舉出苗也. 从禾曷聲. 居謁切.

飜譯

'벼의 싹이 패다(禾舉出苗)'라는 뜻이다. 화(禾)가 의미부이고 갈(曷)이 소리부이다. 독음은 거(居)와 알(謁)의 반절이다.

4391

**秒: 秒: 초 초·까끄라기 묘: 禾-총9획: miǎo**

原文

제7권

秒: 禾芒也. 从禾少聲. 亡沼切.

'벼의 까끄라기(禾芒)'를 말한다. 화(禾)가 의미부이고 소(少)가 소리부이다. 독음은 망(亡)과 소(沼)의 반절이다.

**4392**

**穖: 穖: 밭 갈 기: 禾-총17획: jì**

原文

穖: 禾穖也. 从禾幾聲. 居狶切.

飜譯

'구슬을 꿴 듯 벼의 이삭이 여문 것(禾穖)'을 말한다. 화(禾)가 의미부이고 기(幾)가 소리부이다. 독음은 거(居)와 희(狶)의 반절이다.

**4393**

**秠: 秠: 검은 기장 비: 禾-총10획: pī**

原文

秠: 一稃二米. 从禾丕聲. 『詩』曰: "誕降嘉穀, 惟秬惟秠." 天賜后稷之嘉穀也. 敷悲切.

飜譯

'하나의 나락에 알이 두 개 붙은 것(一稃二米)'을 말한다. 화(禾)가 의미부이고 비(丕)가 소리부이다. 『시·대아·생민(生民)』에서 "하늘이 좋은 곡식 씨 내려주셨으니, 검은 기장과 메기장이로다.(誕降嘉穀, 惟秬惟秠.)"라고 노래했다. 하늘이 후직(后稷)에게 내려준 좋은 곡식을 말한다. 독음은 부(敷)와 비(悲)의 반절이다.

**4394**

**秨: 秨: 벼가 흔들리는 모양 작: 禾-총10획: zuó**

原文

秨: 禾搖皃. 从禾乍聲. 讀若昨. 在各切.

飜譯

'벼가 흔들리는 모양(禾搖皃)'을 말한다. 화(禾)가 의미부이고 사(乍)가 소리부이다. 작(昨)과 같이 읽는다. 독음은 재(在)와 각(各)의 반절이다.

**4395**

**穮: 穮: 김맬 표: 禾-총20획: piāo**

原文

穮: 耕禾閒也. 从禾麃聲. 『春秋傳』曰: "是穮是衮." 甫嬌切.

飜譯

'벼의 사이사이로 김을 매다(耕禾閒)'라는 뜻이다. 화(禾)가 의미부이고 포(麃)가 소리부이다. 『춘추전』(『좌전』 소공 원년, B.C. 541)에서 "김도 매고 땅도 북돋워야 한다(是穮是衮)"라고 했다. 독음은 보(甫)와 교(嬌)의 반절이다.



**4396**

**案: 案: 벼 털 안: 禾-총11획: àn**

原文

案: 轢禾也. 从禾安聲. 烏旰切.

飜譯

'나락을 찧어 알갱이를 취하다(轢禾)'라는 뜻이다. 화(禾)가 의미부이고 안(安)이 소리부이다. 독음은 오(烏)와 간(旰)의 반절이다.

**4397**

**秄**: 秄: **북돋울 자**: 禾-**총8획**: **zǐ**

原文

秄: 壅禾本. 从禾子聲. 卽里切.

飜譯

'곡식의 뿌리에 북을 돋우다(壅禾本)'라는 뜻이다. 화(禾)가 의미부이고 자(子)가 소리부이다. 독음은 즉(卽)과 리(里)의 반절이다.

**4398**

**穧**: 穧: **볏단 재**: 禾-**총19획**: **jī**

原文

穧: 穫刈也. 一曰撮也. 从禾齊聲. 在詣切.

飜譯

'곡물을 수확하다(穫刈)'라는 뜻이다. 일설에는 '손으로 꽉 쥐다(撮)'라는 뜻이라고도 한다. 화(禾)가 의미부이고 제(齊)가 소리부이다. 독음은 재(在)와 예(詣)의 반절이다.

**4399**

**穫**: 穫: **벼 벨 확**: 禾-**총19획**: **huò**

原文

穫: 刈穀也. 从禾蒦聲. 胡郭切.

飜譯

'곡물을 베다(刈穀)'라는 뜻이다. 화(禾)가 의미부이고 확(蒦)이 소리부이다. 독음은 호(胡)와 곽(郭)의 반절이다.

4400

**穦: 穦: 볏가리 자: 禾-총18획: cí, jī, zī**

原文

穦: 積禾也. 从禾資聲. 『詩』曰 : "穦之秩秩." 卽夷切.

飜譯

'볏단을 쌓다(積禾)'라는 뜻이다. 화(禾)가 의미부이고 자(資)가 소리부이다. 『시·주송·양사(良耜)』에서 "수확한 벼를 켜켜이 쌓아두었네(穦之秩秩)"라고 노래했다. 독음은 즉(卽)과 이(夷)의 반절이다.

4401

**積: 積: 쌓을 적: 禾-총16획: jī**

原文

積: 聚也. 从禾責聲. 則歷切.

飜譯

'모아두다(聚)'라는 뜻이다. 화(禾)가 의미부이고 책(責)이 소리부이다.95) 독음은 칙(則)과 력(歷)의 반절이다.

4402

**秩: 秩: 차례 질: 禾-총10획: zhì**

原文

秩: 積也. 从禾失聲. 『詩』曰 : "穦之秩秩." 直質切.

---

95) 고문자에서 [고문자 자형] 簡牘文 등으로 썼다. 禾(벼 화)가 의미부고 責(꾸짖을 책)이 소리부로, 곡식(禾)을 모으다는 뜻으로부터 축적하다, 누적되다, 모으다 등의 뜻이 나왔다. 곡식을 쌓아 놓은 무더기나 모아 놓은 재산이라는 뜻이 나왔고, 마음속에 쌓인 감정 등을 뜻하기도 했다. 간화자에서는 責을 只(다만 지)로 줄여 쓴 积으로 쓴다.

제7권

飜譯

'쌓다(積)'라는 뜻이다. 화(禾)가 의미부이고 실(失)이 소리부이다. 『시·주송·양사(良耜)』에서 "수확한 벼를 켜켜이 쌓아두었네(積之秩秩)"라고 노래했다. 독음은 직(直)과 질(質)의 반절이다.

**4403**

**䅃: 䅃: 묶을 균: 禾-총13획: kǔn**

原文

䅃: 豢束也. 从禾囷聲. 苦本切.

飜譯

'새끼로 묶다(豢束)'라는 뜻이다. 화(禾)가 의미부이고 균(囷)이 소리부이다. 독음은 고(苦)와 본(本)의 반절이다.

**4404**

**稞: 稞: 보리 과: 禾-총13획: kē**

原文

稞: 穀之善者. 从禾果聲. 一曰無皮穀. 胡瓦切.

飜譯

'질 좋은 훌륭한 곡식(穀之善者)'을 말한다. 화(禾)가 의미부이고 과(果)가 소리부이다. 일설에는 '껍질을 벗기지 않은 곡식(無皮穀)'을 말한다고도 한다. 독음은 호(胡)와 와(瓦)의 반절이다.

**4405**

**秳: 秳: 무거리 활: 禾-총11획: huó**

原文

秳: 舂粟不潰也. 从禾昏聲. 戶括切.

飜譯

'찧어 뭉개지지 않은 쌀(舂粟不潰)'을 말한다. 화(禾)가 의미부이고 괄(昏)이 소리부이다. 독음은 호(戶)와 괄(括)의 반절이다.

4406

𥝌: 𥝌: **좁쌀 무거리 흘**: 禾-**총8획**: **hé, xié**

原文

𥝌: 秳也. 从禾气聲. 居气切.

飜譯

'활(秳) 즉 뭉개지지 않은 쌀'을 말한다. 화(禾)가 의미부이고 기(气)가 소리부이다. 독음은 거(居)와 기(气)의 반절이다.

4407

稃: 稃: **왕겨 부**: 禾-**총12획**: **fū**

原文

稃: 穭也. 从禾孚聲. 𥹓, 稃或从米付聲. 芳無切.

飜譯

'겨(穭) 즉 벼나 보리 따위의 곡식을 찧어 벗겨 낸 껍질'을 말한다. 화(禾)가 의미부이고 부(孚)가 소리부이다. 부(𥹓)는 부(稃)의 혹체자인데, 미(米)가 의미부이고 부(付)가 소리부이다. 독음은 방(芳)과 무(無)의 반절이다.

4408

穭: 穭: **겨 괴**: 禾-**총18획**: **kuài**

제7권

原文

䅣: 穅也. 从禾會聲. 苦會切.

飜譯

'겨(穅)'를 말한다. 화(禾)가 의미부이고 회(會)가 소리부이다. 독음은 고(苦)와 회(會)의 반절이다.

**4409**

**穅: 穅: 겨 강: 禾-총16획: kāng**

原文

穅: 穀皮也. 从禾从米, 庚聲. 康, 穅或省. 苦岡切.

飜譯

'곡식의 껍질(穀皮)'을 말한다. 화(禾)가 의미부이고 미(米)도 의미부이고, 경(庚)이 소리부이다.[96] 강(康)은 강(穅)의 혹체자인데, 생략된 모습이다. 독음은 고(苦)와 강(岡)의 반절이다.

**4410**

**䅺: 䅺: 볏 대의 껍질 작: 禾-총15획: zhuó**

原文

䅺: 禾皮也. 从禾羔聲. 之若切.

飜譯

'나락의 껍질(禾皮)'을 말한다. 화(禾)가 의미부이고 고(羔)가 소리부이다. 독음은 지(之)와 약(若)의 반절이다.

---

96) 고문자에서 甲骨文 古璽文 등으로 썼다. 米(쌀 미)가 의미부이고 康(편안할 강)이 소리부로, 나락을 찧을 때 쌀(米)에서 나오는 '겨'를 말한다. 달리 米를 禾(벼 화)로 바꾼 穅(겨 강)으로 쓰기도 한다.

4411

**䅪: 秸: 짚고갱이 개·갈: 禾-총14획: jiē**

原文

䅪: 禾稾去其皮, 祭天以爲席. 从禾皆聲. 古黠切.

譯解

'껍질을 벗긴 짚'을 말하는데, 하늘에 제사 지낼 때 자리로 사용한다(禾稾去其皮, 祭天以爲席). 화(禾)가 의미부이고 개(皆)가 소리부이다. 독음은 고(古)와 힐(黠)의 반절이다.

4412

**稈: 稈: 짚 간: 禾-총12획: gǎn**

原文

稈: 禾莖也. 从禾旱聲. 『春秋傳』曰: "或投一秉稈." 秆, 稈或从干. 古旱切.

譯解

'벼의 줄기(禾莖), 즉 볏짚'을 말한다. 화(禾)가 의미부이고 한(旱)이 소리부이다. 『춘추전』(『좌전』 소공 27년, B.C. 515)에서 "어떤 사람이 짚 한 단을 던졌다(或投一秉稈)"라고 했다. 간(秆)은 간(稈)의 혹체자인데, 간(干)으로 구성되었다. 독음은 고(古)와 한(旱)의 반절이다.

4413

**稾: 稾: 볏짚 고: 禾-총15획: gǎo**

原文

稾: 稈也. 从禾高聲. 古老切.

飜譯

'볏짚(稈)'을 말한다. 화(禾)가 의미부이고 고(高)가 소리부이다. 독음은 고(古)와 로(老)의 반절이다.

**4414**

**𥝢: 秕: 쭉정이 비: 禾-총9획: bǐ**

原文

𥝢: 不成粟也. 从禾比聲. 卑履切.

飜譯

'여물지 않은 나락(不成粟), 즉 쭉정이'를 말한다. 화(禾)가 의미부이고 비(比)가 소리부이다. 독음은 비(卑)와 리(履)의 반절이다.

**4415**

**稍: 稍: 보릿대 견: 禾-총12획: juān**

原文

稍: 麥莖也. 从禾肙聲. 古玄切.

飜譯

'보리의 줄기(麥莖), 즉 보릿대'를 말한다. 화(禾)가 의미부이고 연(肙)이 소리부이다. 독음은 고(古)와 현(玄)의 반절이다.

**4416**

**𥢔: 梨: 기장줄기 렬: 禾-총11획: liè**

原文

𥢔: 黍穰也. 从禾㓞聲. 良薛切.

飜譯

'기장의 줄기(黍穰)'를 말한다. 화(禾)가 의미부이고 열(㓊)이 소리부이다. 독음은 량(良)과 설(薛)의 반절이다.

4417

**穰: 穰: 볏짚 양: 禾-총22획: ráng**

原文

穰: 黍梨已治者. 从禾襄聲. 汝羊切.

飜譯

'알갱이를 떼 낸 기장의 줄기(黍梨已治者)'를 말한다. 화(禾)가 의미부이고 양(襄)이 소리부이다. 독음은 여(汝)와 양(羊)의 반절이다.

4418

**秧: 秧: 모 앙: 禾-총10획: yāng**

原文

秧: 禾若秧穰也. 从禾央聲. 於良切.

飜譯

'옮겨 심을 수 있는 모(禾若秧穰)'를 말한다.97) 화(禾)가 의미부이고 앙(央)이 소리부이다. 독음은 어(於)와 량(良)의 반절이다.

4419

**稪: 稪: 방황 방: 禾-총15획: páng**

97) 『옥편』에서는 약(若)이 묘(苗)로 되었다. 또 『단주』에서는 이렇게 말했다. "앙(秧)과 양(穰)은 첩운자이다. 『집운(集韵)』에서 '벼는 아래쪽의 잎이 많다(禾下葉多也). 오늘날 세속에서는 벼의 처음 나는 싹을 앙(秧)이라 하며, 이후 이양이나 이식 가능한 어린 초목을 모두 앙(秧)이라 부른다.'라고 했는데, 이는 옛날의 뜻에 부합한다."

原文

䅊: 䅊程, 穀名. 从禾旁聲. 蒲庚切.

飜譯

'방황(䅊程)을 말하는데, 곡식 이름(穀名)'이다. 화(禾)가 의미부이고 방(旁)이 소리부이다. 독음은 포(蒲)와 경(庚)의 반절이다.

**4420**

**䅣: 程: 메기장 황: 禾-총14획: huáng**

原文

䅣: 䅊程也. 从禾皇聲. 戶光切.

飜譯

'방황(䅊程)'을 말한다. 화(禾)가 의미부이고 황(皇)이 소리부이다. 독음은 호(戶)와 광(光)의 반절이다.

**4421**

**秊: 秊: 해 년: 禾-총8획: nián**

原文

秊: 穀孰也. 从禾千聲. 『春秋傳』曰 : "大有秊." 奴顛切.

飜譯

'곡식이 익다(穀孰)'라는 뜻이다. 화(禾)가 의미부이고 천(千)이 소리부이다.[98] 『춘추

98) 고문자에서 甲骨文 金文 古陶文 簡牘文 石刻古文 등으로 썼다. 원래 禾(벼 화)가 의미부이고 人(사람 인)이 소리부로, 사람(人)이 볏단(禾)을 지고 가는 모습에서 수확의 의미를 그렸는데, 자형이 다소 변해 지금처럼 되었다. 곡식이 익다, 수확하다가 원래 뜻이며, 수확에서 다음 수확까지의 시간적 순환으로부터 '한 해'라는 개념이 나왔으며, 年代(연대), 나이 등도 지칭하게 되었다. 달리 人을 千(일천 천)으로 바꾼 秊(해 년)으로 쓰기도 한다.

전』(『춘추경』 선공 16년)에서 "크게 풍년이 들었다(大有秊)"라고 했다. 독음은 노(奴)와 전(顚)의 반절이다.

**4422**

**穀: 穀(穀): 곡식 곡: 禾-총14획: gǔ**

原文

穀: 續也. 百穀之總名. 从禾㲹聲. 古祿切.

飜譯

'속(續)과 같아 끊이지 않고 계속되다'라는 뜻이다. 온갖 곡식의 총칭이다. 화(禾)가 의미부이고 각(㲹)이 소리부이다.[99] 독음은 고(古)와 록(祿)의 반절이다.

**4423**

**稔: 稔: 곡식 익을 임: 禾-총13획: rěn**

原文

稔: 穀孰也. 从禾念聲. 『春秋傳』曰: "鮮不五稔." 而甚切.

飜譯

'곡식이 익다(穀孰)'라는 뜻이다. 화(禾)가 의미부이고 념(念)이 소리부이다. 『춘추전』(『좌전』 소공 원년, B.C. 541)에서 "적을 때에는 5년도 모자란다(鮮不五稔)"라고 하였다. 독음은 이(而)와 심(甚)의 반절이다.

**4424**

**租: 租: 구실 조: 禾-총10획: zū**

---

99) 고문자에서 簡牘文 등으로 썼다. 禾(벼 화)가 의미부이고 㲹(껍질 각)이 소리부로, 벼(禾)로 대표되는 '穀食(곡식)'을 통칭한다. 옛날에는 곡식을 봉급으로 받았으므로 봉록, 봉양하다의 뜻이, 다시 좋다, 살아 있다 등의 뜻도 나왔다. 간화자에서는 독음이 같은 谷(골 곡)에 통합되었다.

原文

租: 田賦也. 从禾且聲. 則吾切.

飜譯

‘토지세(田賦)’를 말한다. 화(禾)가 의미부이고 차(且)가 소리부이다.100) 독음은 칙(則)과 오(吾)의 반절이다.

**4425**

**稅: 稅: 구실 세: 禾-총12획: shuì**

原文

稅: 租也. 从禾兌聲. 輸芮切.

飜譯

‘세금(租)’을 말한다. 화(禾)가 의미부이고 태(兌)가 소리부이다.101) 독음은 수(輸)와 예(芮)의 반절이다.

**4426**

**䆃: 䆃: 가릴 도: 禾-총18획: dǎo, dào**

原文

䆃: 禾也. 从禾道聲. 司馬相如曰: “䆃, 一莖六穗.” 徒到切.

飜譯

‘벼의 이름(禾)’이다. 화(禾)가 의미부이고 도(道)가 소리부이다. 사마상여(司馬相如)

---

100) 고문자에서 租 租簡牘文 등으로 썼다. 禾(벼 화)가 의미부고 且(할아비 조·또 차)가 소리부로, 토지세를 말하는데, 조상(且, 祖의 원래 글자)에게 바칠 구실로 받는 곡식(禾)이라는 뜻을 담았다. 이로부터 세금을 징수하다, 돈을 받고 빌리다, 빌려주다 등의 뜻이 나왔다.

101) 禾(벼 화)가 의미부고 兌(기쁠 태)가 소리부로, 곡물(禾)을 재배하고 내는 토지 경작세를 말했는데, 이후 稅金(세금)의 통칭이 되었다. 세금이란 기쁜 마음으로(兌) 낼 수 있어야 한다는 이념을 반영했으며, 갖가지 구실을 동원해 각종 세금을 징수했기에 ‘구실’이라는 뜻까지 생겼다.

에 의하면, "도(稾)는 줄기 하나에 이삭이 여섯 열린다(一莖六穗)"고 한다. 독음은 도(徒)와 도(到)의 반절이다.

4427

**: 䅣: 흉년들 황: 禾-총15획: huāng**

原文

: 虛無食也. 从禾荒聲. 呼光切.

飜譯

'텅 비어 먹을 것이 없다(虛無食)'라는 뜻이다. 화(禾)가 의미부이고 황(荒)이 소리부이다. 독음은 호(呼)와 광(光)의 반절이다.

4428

**: 穌: 긁어모을 소: 禾-총16획: sū**

原文

: 把取禾若也. 从禾魚聲. 素孤切.

飜譯

'볏짚을 긁어모으다(把取禾若)'[102]라는 뜻이다. 화(禾)가 의미부이고 어(魚)가 소리부이다. 독음은 소(素)와 고(孤)의 반절이다.

4429

**: 稍: 벼 줄기 끝 초: 禾-총12획: shāo**

原文

102) 『단주』에서 파(把)는 파(杷)가 되어야 한다고 하면서 이렇게 말했다. "볏짚이 어지럽게 흩어져 있으면 쇠스랑으로 긁어 모으게 되므로(禾若散亂, 杷而取之), 피(把)라고 써서는 아니 된다."

稍: 出物有漸也. 从禾肖聲. 所教切.

'곡물이 점차 자라나다(出物有漸)'라는 뜻이다. 화(禾)가 의미부이고 초(肖)가 소리부이다. 독음은 소(所)와 교(教)의 반절이다.

4430

**秋: 秋: 가을 추: 禾-총9획: qiū**

原文

秋: 禾穀孰也. 从禾, 𪏮省聲. 𪛁, 籒文不省. 七由切.

飜譯

'벼 같은 곡식이 익을 때(禾穀孰)'라는 뜻이다. 화(禾)가 의미부이고, 추(𪏮)의 생략된 부분이 소리부이다.[103] 추(𪛁)는 주문체인데, 생략되지 않은 모습이다. 독음은 칠(七)과 유(由)의 반절이다.

4431

**秦: 秦: 벼 이름 진: 禾-총10획: qín**

原文

秦: 伯益之後所封國. 地宜禾. 从禾, 舂省. 一曰秦, 禾名. 𥣫, 籒文秦从秝. 匠鄰切.

飜譯

'백익(伯益)의 후손이 봉해졌던 나라(封國)인데, 벼를 심기에 적합했다(地宜禾).' 화

103) 고문자에서 甲骨文 古陶文 古璽文 簡牘文 등으로 썼다. 禾(벼 화)와 火(불 화)로 구성되어, 곡식(禾)을 불(火)로 태우는 모습을 그렸다. 갑골문에서는 메뚜기를 불(火)로 태우는 모습을 그려, 가을 수확 때 습격한 메뚜기 떼의 퇴치를 형상화했다. 이후 금문에서 禾가 더해졌고 예서에서 지금의 자형이 되었다. 秋收(추수), 수확이 원래 뜻이며, 수확하는 계절이라는 뜻에서 가을의 의미가, 다시 수확에서 수확까지의 한 사이클이라는 뜻에서 한 해를 뜻하기도 하였다. 달리 烁나 龝 등으로 쓰기도 한다.

(禾)와 용(舂)의 생략된 부분이 모두 의미부이다. 일설에는 진(秦)이 '벼의 이름(禾名)'이라고도 한다.[104] 진(𥠪)은 진(秦)의 주문체인데, 력(秝)으로 구성되었다. 독음은 장(匠)과 린(鄰)의 반절이다.

**4432**

## 稱: 稱: 일컬을 칭: 禾-총14획: chēng

原文

稱: 銓也. 从禾爯聲. 春分而禾生. 日夏至, 晷景可度. 禾有秒, 秋分而秒定. 律數: 十二秒而當一分, 十分而寸. 其以爲重: 十二粟爲一分, 十二分爲一銖. 故諸程品皆从禾. 處陵切.

翻譯

'저울(銓)'을 말한다. 화(禾)가 의미부이고 칭(爯)이 소리부이다.[105] 춘분(春分)이 되면 벼가 자라난다. 날이 하지(夏至)에 이르면, 해 그림자로 시간을 잴 수가 있다. 벼에는 까끄라기가 있는데, 추분(秋分)이 되면 까끄라기의 모양이 확정된다. 율수(律

---

104) 고문자에서 甲骨文 金文 古陶文 簡牘文 古璽文 石刻古文 등으로 썼다. 갑골문에서부터 두 손(廾)으로 절굿공이(午, 杵의 원래 글자)를 들고 벼(禾·화)를 찧는 모습인데, 자형이 변해 지금처럼 되었다. 벼를 수확하여 搗精(도정)하는 모습을 그렸으며, 秦나라를 말한다. 秦나라는 중국의 서부 陝西(섬서)지역에 위치했으며, "8백 리 秦州(진주)"라는 말이 있듯 이곳은 예로부터 대단히 비옥하여 곡식이 풍부한 지역으로 알려졌다. 쌀, 즉 곡물의 풍부함은 국가를 부강할 수 있게 했고 이것이 秦나라로 하여금 전국을 제패하게 하였던 기본적인 요인의 하나였다. 따라서 秦이라는 나라 이름은 秦이 위치했던 그곳의 풍부한 곡물생산에 의해 붙여진 이름이다.

105) 고문자에서 甲骨文 金文 簡牘文 등으로 썼다. 禾(벼 화)가 의미부고 爯(둘을 한꺼번에 들을 칭)이 소리부로, 곡물(禾) 등을 손에 들고서(爯) 무게를 짐작해 보는 모습을 그렸다. 원래는 爯(두 가지를 한꺼번에 들 칭)으로 썼으나, 이후 무게를 달아야 했던 가장 중요한 대상이 곡물(禾)이었기에 禾가 더해져 지금처럼 되었다. 이후 무게나 가격 등을 부르다는 뜻에서 부르다, 호칭 등의 뜻이 나왔다. 간화자에서는 저울을 뜻할 때에는 爯 대신 平(평평할 평)이 들어가 회의구조로 된 秤(저울 칭)으로, 또 호칭을 뜻할 때에는 爯을 尔(너 이, 爾의 간화자)로 줄인 称(일컬을 칭)으로 쓴다.

數)에 의하면, 12개의 까끄라기(秒)가 1분(分)에 해당하고, 10분(分)이 1촌(寸)이 된다. 무게로 계산하자면, 12개의 알갱이(粟)가 1분(分)이 되고, 12분(分)이 1수(銖)가 된다. 그래서 다음에 나오는 여러 무게나 양을 재는 단위가 모두 화(禾)로 구성되었다. 독음은 처(處)와 릉(陵)의 반절이다.

**4433**

**科: 科: 과정 과: 禾-총9획: kē**

原文

科: 程也. 从禾从斗. 斗者, 量也. 苦禾切.

飜譯

'곡물의 등급(程)'을 말한다. 화(禾)가 의미부이고 두(斗)도 의미부이다. 두(斗)는 양을 재는 기구(量)를 말한다.106) 독음은 고(苦)와 화(禾)의 반절이다.

**4434**

**程: 程: 단위 정: 禾-총12획: chéng**

原文

程: 品也. 十髮爲程, 十程爲分, 十分爲寸. 从禾呈聲. 直貞切.

飜譯

'물건의 등급(品)'을 말한다. 10개의 털(髮)이 1정(程)이 되고, 10정(程)이 1분(分)이 되며, 10분(分)이 1촌(寸)이 된다. 화(禾)가 의미부이고 정(呈)이 소리부이다.107) 독

106) 斗(말 두)가 의미부이고 禾(벼 화)가 소리부로, 말(斗)로 곡식(禾)의 양을 잼을 말한다. 곡식의 양을 재려면 분류가 이루어질 것이고, 분류된 곡식은 그 질에 따라 等級(등급)이 매겨지기 마련이다. 이 때문에 科에 매기다, 等級, 분류 등의 뜻이 함께 생겼다. 그래서 科學(과학)은 곡식(禾)을 용기(斗)로 잴 때처럼 '정확하게' 하는 학문(學)이라는 뜻으로, 사람들의 이해관계에 따라 척도가 달라져서는 아니 되는 것이 바로 科學의 정신임을 천명하고 있다. 이는 '지식'이라는 어원을 가지는 영어에서의 '사이언스(science)'보다 더욱더 현대적 의미의 科學 정신을 잘 반영하고 있다.

음은 직(直)과 정(貞)의 반절이다.

**4435**

**稯: 稯: 새 종: 禾-총14획: zōng**

原文

稯: 布之八十縷爲稯. 从禾嵏聲. 緵, 籒文稯省. 子紅切.

飜譯

'80개의 가닥으로 짠 베(布之八十縷)를 종(稯)이라 한다.' 화(禾)가 의미부이고 종(嵏)이 소리부이다. 종(緵)은 종(稯)의 주문체인데, 생략된 모습이다. 독음은 자(子)와 홍(紅)의 반절이다.

**4436**

**秭: 秭: 부피 이름 자: 禾-총10획: zǐ**

原文

秭: 五稯爲秭. 从禾𠂔聲. 一曰數億至萬曰秭. 將几切.

飜譯

'200단의 벼(五稯)를 1자(秭)라 한다.' 화(禾)가 의미부이고 자(𠂔)가 소리부이다. 일설에는 '숫자에서 1만개의 억(數億至萬)을 1자(秭)라 한다'고도 한다. 독음은 장(將)과 궤(几)의 반절이다.



---

107) 고문자에서 程 簡牘文 등으로 썼다. 禾(벼 화)가 의미부고 呈(드릴 정)이 소리부로, 곡식(禾)을 분류하고 등급을 매기는 단위로 쓰였는데, 1치(寸)는 10분(分)이고, 1分은 10程(정)이라고 했으니, 100분의 1치(寸)를 말한다. 이로부터 단위라는 뜻이 나왔고, 곡식(禾)에 대해 등급을 매기려면 엄정해야 하기에 '법'의 뜻이 나왔으며, 다시 過程(과정)에서처럼 정해진 코스나 길을 뜻하게 되었다.

**4437**

**秅: 秅: 벼 사백 뭇 타: 禾—총8획: chá**

原文

秅: 二秭爲秅. 从禾乇聲. 『周禮』曰: "二百四十斤爲秉. 四秉曰筥, 十筥曰稯, 十稯曰秅, 四百秉爲一秅." 宅加切.

飜譯

'2자(秭) 즉 400단의 벼를 1타(秅)라고 한다.' 화(禾)가 의미부이고 탁(乇)이 소리부이다. 『주례·의례·빙례(聘禮)』에서 "240근(斤)이 1병(秉)이고, 4병(秉)이 1거(筥)이며, 10거(筥)가 1종(稯)이며, 10종(稯)이 1타(秅)인데, 400병(秉)이 1타(秅)이다."라고 했다. 독음은 댁(宅)과 가(加)의 반절이다.

**4438**

**柘: 柘: 백이십 근 석: 禾—총10획: dàn, diǎo, shí**

柘: 百二十斤也. 稻一柘爲粟二十升, 禾黍一柘爲粟十六升大半升. 从禾石聲. 常隻切.

飜譯

'120근(斤)'을 말한다. 나락(稻) 1석(柘)은 조(粟) 20되(升)이며, 벼(禾)나 기장(黍) 1석(柘)은 조(粟) 16되(升) 반 되(大半升)이다.[108] 화(禾)가 의미부이고 석(石)이 소리부이다. 독음은 상(常)과 척(隻)의 반절이다.

---

108) 승(升)은 모두 두(斗)가 되어야 옳다. 『단주』에서 이렇게 말했다. "나락(稻) 1석(柘)은 쌀(粟) 20말(斗)이다. 벼(禾)나 기장(黍) 1석(柘)은 쌀(粟) 16말(斗) 반이다. 두(斗)를 송각본에서는 모두 승(升)으로 잘못 적었다. 모진(毛晋)의 판본에서는 또 근(斤)으로 잘못 적었다 지금 바로잡는다. 도(稻)는 속(粟)으로 적기도 한다. 곡식은 모두 미(米)라 부를 수 있다. 석(柘)은 곡식에만 사용되는 것도 아니지만 화(禾)가 의미부로 들었다. 그래서 나락(稻)과 벼(禾)와 기장(黍)의 낱알(粟)의 각 1석(柘) 씩을 들어 각각의 중량에 맞추어 언급한 것이다."

4439

**𥝩: 稘: 일주년 기: 禾-총13획: jī**

原文

𥝩: 復其時也. 从禾其聲. 『虞書』曰: "稘三百有六旬." 居之切.

飜譯

'시간이 한 주기를 돌아 다시 시작되다(復其時)'라는 뜻이다. 화(禾)가 의미부이고 기(其)가 소리부이다. 『서·우서(虞書)·요전(堯典)』에서 "1기(稘)는 360일이다(三百有六旬)"라고 했다. 독음은 거(居)와 지(之)의 반절이다.

4440

**𥡴: 穩: 평온할 온: 禾-총19획: wěn**

原文

𥡴: 蹂穀聚也. 一曰安也. 从禾, 隱省. 古通用安隱. 烏本切.

飜譯

'곡식을 비벼 한데 모으다(蹂穀聚)'라는 뜻이다. 일설에는 '편안하다(安)'라는 뜻이라고도 한다. 화(禾)와 은(隱)의 생략된 부분이 모두 의미부이다.109) 옛날에는 안(安)과 은(隱)이 통용되었다. 독음은 오(烏)와 본(本)의 반절이다. [신부]

4441

**𥡹: 稕: 짚단 준: 禾-총13획: zhūn**

原文

𥡹: 束稈也. 从禾臺聲. 之閏切.

---

109) 禾(벼 화)가 의미부이고 㥯(숨을 은·隱의 원래 글자)이 소리부로, 곡식(禾)을 발로 밟아 껍질로부터 숨겨진(㥯) 알곡을 분리시키다가 원래 뜻이며, 이로부터 安穩(안온)하다, 穩當(온당)하다 등의 뜻이 나왔다. 간화자에서는 㥯을 형체가 비슷한 急(급할 급)으로 바꾸어 稳으로 쓴다.

제7권

'볏짚을 묶다(束稈)'라는 뜻이다. 화(禾)가 의미부이고 순(䭬)이 소리부이다. 독음은 지(之)와 윤(閏)의 반절이다. [신부]

# 제254부수
## 254 ■ 력(秝)부수

**4442**

**秝: 秝: 나무 성글 력: 禾-총10획: lì**

原文

秝: 稀疏適也. 从二禾. 凡秝之屬皆从秝. 讀若歷. 郎擊切.

飜譯

'듬성듬성 심겨져 적합하다(稀疏適)'라는 뜻이다. 두 개의 화(禾)로 구성되었다. 력(秝)부수에 귀속된 글자들은 모두 력(秝)이 의미부이다. 력(歷)과 같이 읽는다. 독음은 랑(郎)과 격(擊)의 반절이다.

**4443**

**兼: 兼: 겸할 겸: 八-총10획: jiān**

原文

兼: 并也. 从又持秝. 兼持二禾, 秉持一禾. 古甜切.

飜譯

'겸하다(并)'라는 뜻이다. 손(又)으로 력(秝)을 쥔 모습을 그렸다. 벼 두 단을 함께 쥐다는 뜻이다.[110] 병(秉)은 벼 한 단을 쥐다는 뜻이다. 독음은 고(古)와 첨(甜)의 반절이다.

---

110) 고문자에서 兼金文 兼兼古陶文 兼兼簡牘文 등으로 썼다. 원래 禾(벼 화)와 秉(잡을 병)으로 구성되어, 벼(禾)를 손으로 움켜쥔(秉) 모습으로부터 함께 쥐다는 뜻을 그렸고, 이로부터 '겸하다'의 뜻이 나왔으며, 합병하다, 다하다, 모두 등의 뜻도 나왔다.

## 제255부수
## 255 ■ 서(黍)부수

**4444**

**黍: 黍: 기장 서: 黍-총12획: shǔ**

原文

黍: 禾屬而黏者也. 以大暑而穜, 故謂之黍. 从禾, 雨省聲. 孔子曰: "黍可爲酒, 禾入水也." 凡黍之屬皆从黍. 舒呂切.

飜譯

'벼의 일종인데 찰진 것(禾屬而黏者)'을 말한다. 대서(大暑) 때 익기 때문에(穜), 서(黍)라고 한다. 화(禾)가 의미부이고, 우(雨)의 생략된 부분이 소리부이다. 공자(孔子)께서 "기장으로 술을 담을 수 있다(黍可爲酒). 그래서 화(禾)와 입(入)과 수(水)로 구성되었다."라고 했다.[111] 서(黍)부수에 귀속된 글자들은 모두 서(黍)가 의미부이다. 독음은 서(舒)와 려(呂)의 반절이다.

**4445**

**䵢: 䵢: 검은 기장 미: 麻-총23획: méi**

---

111) 고문자에서 甲骨文 金文 簡牘文 등으로 썼다. 갑골문을 보면 가지가 여럿 난 '기장'을 그렸고, 여기에 水(물 수)가 더해진 모습이다. 기장은 옛날부터 술을 담그는 주요 재료였으므로 술을 상징하기 위해서 水가 더해진 것으로 풀이한다. 하지만 『설문해자』에서 黍를 두고 "조(禾·화)에 속하는 것으로, 차진 것을 말한다."라고 풀이한 것처럼 水를 차진 것의 상징으로 풀이하기도 한다. 기장은 분명히 술을 담그는 주요한 재료였고, 조에 비해 차진 것도 사실이다. 그래서 기장의 주요 속성인 '차지다'는 것을 강조하기 위해 소리부인 占(차지할 점)을 더한 黏(차질 점)이 만들어졌는데, 이후 쌀(米·미)이 생산됨으로써 粘(끈끈할 점)이 만들어졌다. 기장은 옥수수처럼 건조한 지역에서도 잘 자라며 빽빽하게 자라난다.

原文

䵖: 穄也. 从黍麻聲. 靡爲切.

飜譯

'검은 기장(穄)'을 말한다. 서(黍)가 의미부이고 마(麻)가 소리부이다. 독음은 미(靡)와 위(爲)의 반절이다.

4446

**䵗: 䵗: 피 비: 黍-총20획: bǐ**

原文

䵗: 黍屬. 从黍卑聲. 并弭切.

飜譯

'기장의 일종(黍屬)이다.' 서(黍)가 의미부이고 비(卑)가 소리부이다. 독음은 병(并)과 미(弭)의 반절이다.

4447

**黏: 黏: 찰질 점: 黍-총17획: niān, nián**

原文

黏: 相箸也. 从黍占聲. 女廉切.

飜譯

'서로 붙게 만들다(相箸)'라는 뜻이다. 서(黍)가 의미부이고 점(占)이 소리부이다. 독음은 녀(女)와 렴(廉)의 반절이다.

4448

**黏: 黏: 찰질 호: 黍-총17획: hú**

原文

䵶: 黏也. 从黍古聲. 粘, 䵶或从米. 戶吳切.

飜譯

'들러붙다(黏)'라는 뜻이다. 서(黍)가 의미부이고 고(古)가 소리부이다. 호(粘)는 호(䵶)의 혹체자인데, 미(米)로 구성되었다. 독음은 호(戶)와 오(吳)의 반절이다.

**4449**

**䵑: 䵑: 찰질 닐: 黍-총16획: nì**

原文

䵑: 黏也. 从黍日聲. 『春秋傳』曰: "不義不䵑." 𥻦, 䵑或从刃. 尼質切.

飜譯

'들러붙다(黏)'라는 뜻이다. 서(黍)가 의미부이고 일(日)이 소리부이다. 『춘추전』(『좌전』 은공 원년, B.C. 722)에서 "정의롭지 못하면 하나로 뭉칠 수가 없다(不義不䵑)"라고 했다. 닐(𥻦)은 닐(䵑)의 혹체자인데, 인(刃)으로 구성되었다. 독음은 니(尼)와 질(質)의 반절이다.

**4450**

**黎: 黎: 검을 려: 黍-총15획: lí**

原文

黎: 履黏也. 从黍, 㓞省聲. 㓞, 古文利. 作履黏以黍米. 郞奚切.

飜譯

'신발을 풀로 붙이다(履黏)'라는 뜻이다. 서(黍)가 의미부이고, 리(㓞)의 생략된 부분이 소리부이다. 리(㓞)는 리(利)의 고문체이다.[112] 신발을 붙이는 풀(履黏)을 기장

112) 고문자에서 [고문자] [고문자] 簡牘文 등으로 썼다. 黍(기장 서)가 의미부이고 㓞(利·날카로울 리)가 소리부로, '기장'을 말하는데, 쟁기질을 해 기장(黍)을 빽빽하게 많이 심은 것을 형상했다. 기장

(黍)이나 쌀(米)로 만든다. 독음은 랑(郎)과 해(奚)의 반절이다.

4451

**䵗: 䵗: 곡식의 떡잎을 딸 복: 黍-총21획: fú, bó**

原文

䵗: 治黍、禾、豆下潰葉. 从黍畐聲. 蒲北切.

飜譯

'기장(黍)이나 벼(禾)나 콩(豆) 등의 떡잎을 따다(治黍·禾·豆下潰葉)'라는 뜻이다. 서(黍)가 의미부이고 복(畐)이 소리부이다. 독음은 포(蒲)와 북(北)의 반절이다.



은 옥수수처럼 건조한 지역에서도 잘 자라며 빽빽하게 자라는 속성을 가진다. 빽빽하게 자란 기장 밭에 들면 캄캄했을 것이며 이 때문에 黍에는 '많다'는 뜻도 생겼다. 그러자 원래 뜻은 黑(검을 흑)을 더한 黧(검을 려)로 분화했다.

## 제256부수
## 256 ■ 향(香)부수

**4452**

**香: 香: 향기 향: 香-총9획: xiāng**

原文

香: 芳也. 从黍从甘.『春秋傳』曰: "黍稷馨香." 凡香之屬皆从香. 許良切.

飜譯

'향기(芳)'라는 뜻이다. 서(黍)가 의미부이고 감(甘)도 의미부이다.113)『춘추전』(『좌전』 희공 5년, B.C. 655)에서 "기장(黍)과 서직(稷)이 향기롭구나(黍稷馨香)"라고 했다. 향(香)부수에 귀속된 글자들은 모두 향(香)이 의미부이다. 독음은 허(許)와 량(良)의 반절이다.

**4453**

**馨: 馨: 향기 형: 香-총20획: xīn**

---

113) 禾(벼 화)와 曰(가로 왈)로 구성되어, 햅쌀로 갓 지은 향기로운 밥이 입으로 들어가는 모습을 형상화했다. 갑골문에서는 용기에 담긴 곡식(禾)의 모습을 그렸는데, 윗부분은 곡식을 아랫부분은 그릇이고, 점은 곡식의 낱알을 상징한다. 이후 소전체에 들면서 윗부분은 黍(기장 서)로 아랫부분은 甘(달 감)으로 변해, 이러한 곡식이 어떤 곡식인지를 더욱 구체적으로 표현했고, 향기로움을 단맛 나는 모습으로 변화시켰다. 예서에 들어서는 윗부분이 이미 가장 대표적 곡식으로 자리 잡은 벼(禾)로, 아랫부분은 입에 무엇인가 든 모습(曰)으로 변했다. 그래서 香의 원래 뜻은 새로 수확한 곡식으로 갓 지어낸 밥의 '향기'이다. 이후 향기로운 모든 것을 지칭하게 되었고, 향기로움으로부터 향기, 향료, '훌륭하다', 맛이 좋다. 편안하다, 인기가 있다는 뜻까지 갖게 되었다. 香이 조상신에게 새로 수확한 곡식으로 밥을 지어 추수에 대한 감사를 표하기 위한 제례의 모습을 그린 때문인지, '향'은 신에 대한 경의와 정화를 상징하며, 인간과 신이 대화할 때 신의 '분신'을 전해주는 매체로 기능하기도 한다. 그래서 香이 든 한자들은 모두 '향'과 관련된 뜻을 가진다.

原文

馨: 香之遠聞者. 从香殸聲. 殸, 籒文磬. 呼形切.

飜譯

'멀리서도 맡을 수 있는 향기(香之遠聞者)'를 말한다. 향(香)이 의미부이고 성(殸)이 소리부이다. 성(殸)은 경(磬)의 주문체이다. 독음은 호(呼)와 형(形)의 반절이다.

**4454**

**馥: 馥: 향기 복: 香-총18획: fù**

原文

馥: 香气芬馥也. 从香复聲. 房六切.

飜譯

'향기가 펄펄 나다(香气芬馥)'라는 뜻이다. 향(香)이 의미부이고 복(复)이 소리부이다. 독음은 방(房)과 륙(六)의 반절이다. [신부]

# 제257부수
## 257 ■ 미(米)부수

4455

**米: 米: 쌀 미: 米-총6획: mǐ**

原文

米: 粟實也. 象禾實之形. 凡米之屬皆从米. 莫禮切.

飜譯

'조의 열매(粟實)'를 말한다. 조의 열매(禾實) 모양을 그렸다.114) 미(米)부수에 귀속된 글자들은 모두 미(米)가 의미부이다. 독음은 막(莫)과 례(禮)의 반절이다.

4456

**粱: 粱: 기장 량: 米-총13획: liáng**

原文

粱: 米名也. 从米, 梁省聲. 呂張切.

飜譯

'쌀의 이름(米名)이다.' 미(米)가 의미부이고, 량(梁)의 생략된 부분이 소리부이다. 독

---

114) 고문자에서 甲骨文 古陶文 簡牘文 등으로 썼다. 갑골문에서의 米(쌀 미)가 무엇을 그렸는지에 대해서는 의견이 분분하다. 아래위의 세 점이 나락인지 나락을 찧은 쌀인지 분명하지 않고, 중간의 가로획도 벼의 줄기인지 쌀을 골라내기 위한 '체'인지 불분명하기 때문이다. 작은 점들이 나락이라면 중간의 획은 이삭 줄기일 테고 나락을 찧은 쌀이라면 체일 테지만, 전자일 가능성이 커 보인다. 쌀은 전 세계 인구의 40퍼센트 정도가 주식으로 삼고 있으며, 특히 아시아인들에게는 가장 대표적인 식량이다. 벼가 남아시아에서 중국으로 들어간 이후 쌀이 가장 중요한 식량으로 자리 잡으면서 米는 쌀은 물론 기장이나 조 등 일반 곡식까지 두루 지칭하게 되었다. 또 쌀처럼 껍질을 벗긴 것을 지칭하기도 하며, 길이 단위인 미터(m)의 음역어로도 쓰인다.

음은 려(呂)와 장(張)의 반절이다.

4457

**穛:** 穛: **풋바심 착**: 米–총18획: zhuō

原文

穛: 早取穀也. 从米焦聲. 一曰小. 側角切.

飜譯

'일찍 수확하는 곡식(早取穀)'을 말한다. 미(米)가 의미부이고 초(焦)가 소리부이다. 일설에는 '작다(小)'라는 뜻이라고도 한다. 독음은 측(側)과 각(角)의 반절이다.

4458

**粲:** 粲: **정미 찬**: 米–총13획: càn

原文

粲: 稻重一秙, 爲粟二十斗, 爲米十斗, 曰毇; 爲米六斗太半斗, 曰粲. 从米奴聲. 倉案切.

飜譯

'나락 무게(稻重) 1자(秙)는 조(粟) 20말(斗)에 해당하며, 쌀(米) 10말(斗)에 해당하는데, 이를 훼(毇)라 한다. 쌀(米) 6말(斗) 반(太半斗)을 찬(粲)이라 한다. 미(米)가 의미부이고 찬(奴)이 소리부이다.[115] 독음은 창(倉)과 안(案)의 반절이다.

4459

**糲:** 糲: **현미 려**: 米–총19획: lì

115) 고문자에서 粲 粲 簡牘文 등으로 썼다. 米(쌀 미)가 의미부이고 奴(뚫다 남을 잔)이 소리부로, 손(又)으로 뼈(歺·알)를 갈듯(奴) 쌀(米)을 찧어 白米(백미)로 만드는 것을 말했는데, 찧은 쌀은 하얗고 깨끗한 색깔을 내비친다는 뜻에서 '찬란하다'는 뜻이 나온 것으로 추정된다.

原文

糲: 粟重一秙, 爲十六斗太半斗, 舂爲米一斛曰糲. 从米萬聲. 洛帶切.

飜譯

'조의 무게(粟重) 1자(秙)는 용량으로 계산하면 16말(斗) 반(太半斗)이 되며, 찧으면(舂) 쌀(米) 1휘(斛)가 되는데 이를 려(糲)라고 한다. 미(米)가 의미부이고 만(萬)이 소리부이다. 독음은 락(洛)과 대(帶)의 반절이다.

**4460**

**精: 精: 씛은 쌀 정: 米-총14획: jīng**

原文

精: 擇也. 从米青聲. 子盈切.

飜譯

'[쌀을 찧은 후 찌꺼기 따위를] 가려내다(擇)'라는 뜻이다. 미(米)가 의미부이고 청(青)이 소리부이다.116) 독음은 자(子)와 영(盈)의 반절이다.

**4461**

**粺: 粺: 정미 패: 米-총14획: bài**

原文

粺: 毇也. 从米卑聲. 旁卦切.

飜譯

'쌀을 찧다(毇)'라는 뜻이다. 미(米)가 의미부이고 비(卑)가 소리부이다. 독음은 방(旁)과 괘(卦)의 반절이다.

---

116) 고문자에서 [古文字形] 精 精 簡牘文 등으로 썼다. 米(쌀 미)가 의미부고 青(푸를 청)이 소리부로, 나락의 껍질을 깨끗하게(青) 벗겨내 찧은(搗精·도정) 쌀(米)을 말하며, 이로부터 精米(정미), 搗精(도정)하다, 精華(정화), 정통하다, 精子(정자), 精靈(정령) 등의 뜻이 나왔다.

4462

**粗: 粗: 거칠 조: 米-총11획: cū**

原文

粗: 疏也. 从米且聲. 徂古切.

飜譯

'거친 쌀(疏)'을 말한다. 미(米)가 의미부이고 차(且)가 소리부이다. 독음은 조(徂)와 고(古)의 반절이다.

4463

**粊: 粊: 궂은쌀 비: 米-총11획: mì, bì**

原文

粊: 惡米也. 从米北聲. 『周書』有『粊誓』. 兵媚切.

飜譯

'질이 나쁜 쌀(惡米)'을 말한다. 미(米)가 의미부이고 북(北)이 소리부이다. 『주서(周書)』에 「비서(粊誓)」편이 있다. 독음은 병(兵)과 미(媚)의 반절이다.

4464

**糱: 糱: 누룩 얼: 米-총22획: niè**

原文

糱: 牙米也. 从米辥聲. 魚列切.

飜譯

'싹이 난 쌀(牙米)'을 말한다. 미(米)가 의미부이고 설(辥)이 소리부이다. 독음은 어(魚)와 렬(列)의 반절이다.

**4465**

**粒**: 粒: **알 립**: 米-**총11획**: **lì**

原文

粒: 糂也. 从米立聲. 𥺸, 古文粒. 力入切.

飜譯

'곡식의 낱알(糂)'을 말한다. 미(米)가 의미부이고 립(立)이 소리부이다. 립(𥺸)은 립(粒)의 고문체이다. 독음은 력(力)과 입(入)의 반절이다.

**4466**

**釋**: 釋: **쌀을 일 역**: 米-**총19획**: **shì**

原文

釋: 漬米也. 从米睪聲. 施隻切.

飜譯

'쌀을 물에 일다(漬米)'라는 뜻이다. 미(米)가 의미부이고 역(睪)이 소리부이다. 독음은 시(施)와 척(隻)의 반절이다.

**4467**

**糂**: 糂: **나물죽 삼**: 米-**총15획**: **sǎn**

原文

糂: 以米和羹也. 一曰粒也. 从米甚聲. 糣, 籒文糂从朁. 糝, 古文糂从參. 桑感切.

飜譯

'쌀에 고기를 넣어 끓인 죽(以米和羹)'을 말한다. 일설에는 '곡식의 낱알(粒)'을 말한다고도 한다. 미(米)가 의미부이고 심(甚)이 소리부이다. 삼(糣)은 삼(糂)의 주문체인데, 참(朁)으로 구성되었다. 삼(糝)도 삼(糂)의 고문체인데, 삼(參)으로 구성되었다. 독음은 상(桑)과 감(感)의 반절이다.

4468

**糪: 糪: 밥 벽: 米-총19획: bó**

原文

糪: 炊, 米者謂之糪. 从米辟聲. 博戹切.

飜譯

'밥을 할 때(炊), 익지 않은 쌀이 든 것(米者)을 벽(糪)이라 한다.' 미(米)가 의미부이고 벽(辟)이 소리부이다. 독음은 박(博)과 액(戹)의 반절이다.

4469

**糜: 糜: 죽 미: 米-총17획: mí**

原文

糜: 糝也. 从米麻聲. 靡爲切.

飜譯

'쌀가루를 넣어 끓인 죽(糝)'을 말한다. 미(米)가 의미부이고 마(麻)가 소리부이다. 독음은 미(靡)와 위(爲)의 반절이다.

4470

**䉞: 糟: 나물국 담: 米-총18획: tán**

原文

䉞: 糜和也. 从米覃聲. 讀若鄆. 徒感切.

飜譯

'쌀가루를 넣어 끓인 죽(糜和)'을 말한다. 미(米)가 의미부이고 담(覃)이 소리부이다. 담(鄆)과 같이 읽는다. 독음은 도(徒)와 감(感)의 반절이다.

**4471**

**𥻆: 𥻆: 물 적신 쌀 명: 米-총11획: míng**

原文

𥻆: 潰米也. 从米尼聲. 交阯有𥻆泠縣. 武夷切.

飜譯

'물에 불린 쌀(潰米)'을 말한다. 미(米)가 의미부이고 니(尼)가 소리부이다. 교지(交阯)군에 명령현(𥻆泠縣)이 있다. 독음은 무(武)와 이(夷)의 반절이다.

**4472**

**䊮: 䊮: 누룩 국: 竹-총22획: qū**

原文

䊮: 酒母也. 从米, 𥳑省聲. 𪌰, 𥳑(當作䊮)或从麥, 鞠省聲. 馳六切.

飜譯

'주모(酒母) 즉 누룩'을 말한다. 미(米)가 의미부이고, 국(𥳑)의 생략된 부분이 소리부이다. 국(𪌰)은 국(𥳑: 䊮이 되어야 옳음)의 혹체자인데, 맥(麥)으로 구성되었다. 국(鞠)의 생략된 모습이 소리부이다. 독음은 치(馳)와 륙(六)의 반절이다.

**4473**

**糟: 糟: 전국 조: 米-총17획: zāo**

原文

糟: 酒滓也. 从米曹聲. 醩, 籒文从酉. 作曹切.

飜譯

'술을 거르고 난 찌꺼기(酒滓) 즉 지게미'를 말한다. 미(米)가 의미부이고 조(曹)가 소리부이다. 조(醩)는 주문체인데, 유(酉)로 구성되었다. 독음은 작(作)과 조(曹)의 반절이다.

---

4474

**糒: 糒: 건량 비: 米-총17획: bèi**

原文

糒: 乾也. 从米葡聲. 平祕切.

飜譯

'건량(乾) 즉 먼 길을 가는 데 지니고 다니기 쉽게 만든 양식'을 말한다. 미(米)가 의미부이고 비(葡)가 소리부이다. 독음은 평(平)과 비(祕)의 반절이다.

4475

**糗: 糗: 볶은 쌀 구: 米-총16획: qiŭ**

原文

糗: 熬米麥也. 从米臭聲. 去九切.

飜譯

'볶은 쌀이나 보리(熬米麥)'를 말한다. 미(米)가 의미부이고 취(臭)가 소리부이다. 독음은 거(去)와 구(九)의 반절이다.

4476

**臼米: 臼米: 미숫가루 구: 米-총12획: jiù, qiŭ**

原文

臼米: 舂糗也. 从臼、米. 其九切.

飜譯

'찧어 만든 건량(舂糗) 즉 미숫가루'를 말한다. 구(臼)와 미(米)가 모두 의미부이다. 독음은 기(其)와 구(九)의 반절이다.

**4477**

**𥻸: 糈: 양식 서: 米-총15획: xǔ**

原文

𥻸: 糧也. 从米胥聲. 私呂切.

飜譯

'양식(糧)'을 말한다. 미(米)가 의미부이고 서(胥)가 소리부이다. 독음은 사(私)와 려(呂)의 반절이다.

**4478**

**糧: 糧: 양식 량: 米-총18획: liáng**

原文

糧: 穀也. 从米量聲. 呂張切.

飜譯

'곡식(穀)'을 말한다. 미(米)가 의미부이고 량(量)이 소리부이다. 독음은 려(呂)와 장(張)의 반절이다.

**4479**

**粈: 粈: 잡곡밥 뉴: 米-총10획: niù, rǒu**

原文

粈: 雜飯也. 从米丑聲. 女久切.

飜譯

'잡반(雜飯)'을 말한다. 미(米)가 의미부이고 축(丑)이 소리부이다. 독음은 녀(女)와 구(久)의 반절이다.

4480

**䊮: 糴: 곡식 이름 적: 米-총20획: dí, zhé, zhè**

原文

䊮: 穀也. 从米翟聲. 他弔切.

飜譯

'곡식 이름(穀)'이다. 미(米)가 의미부이고 적(翟)이 소리부이다. 독음은 타(他)와 조(弔)의 반절이다.

4481

**䊳: 𥽴: 밀기울 말: 米-총21획: mò, miè**

原文

䊳: 麩也. 从米蔑聲. 莫撥切.

飜譯

'밀기울(麩) 즉 밀을 빻아 체로 쳐서 남은 찌꺼기'를 말한다. 미(米)가 의미부이고 멸(蔑)이 소리부이다. 독음은 막(莫)과 발(撥)의 반절이다.

4482

**粹: 粹: 순수할 수: 米-총14획: cuì**

原文

粹: 不雜也. 从米卒聲. 雖遂切.

飜譯

'다른 것이 섞이지 않은 쌀(不雜)'을 말한다. 미(米)가 의미부이고 졸(卒)이 소리부이다.[117] 독음은 수(雖)와 수(遂)의 반절이다.

117) 米(쌀 미)가 의미부이고 卒(군사 졸)이 소리부로, 잡티가 섞이지 않은 쌀(米)이 원래 뜻이고, 이로부터 純粹(순수)하다는 뜻이 나왔다. 또 아름다운 것을 지칭하거나 어떤 것의 핵심을 뜻

제
7
권

**4483**

**氣: 氣: 기운 기: 气-총10획: qì**

原文

氣: 饋客芻米也. 从米气聲. 『春秋傳』曰: "齊人來氣諸侯." 槩, 氣或从旣. 餼, 氣或从食. 許旣切.

譯

'손님에게 제공하는 사료와 식량(饋客芻米)'을 말한다. 미(米)가 의미부이고 기(气)가 소리부이다.118) 『춘추전』(『좌전』 환공 10년, B.C. 702)에서 "제나라 사람들이 제후들에게 사료와 식량을 보내왔다(齊人來氣諸侯)"라고 했다. 기(槩)는 기(氣)의 혹체자인데, 기(旣)로 구성되었다. 기(餼)도 기(氣)의 혹체자인데, 식(食)으로 구성되었다. 독음은 허(許)와 기(旣)의 반절이다.

**4484**

**粠: 粠: 묵은 쌀 홍: 米-총9획: hóng**

---

하기도 한다.

118) 气(기운 기)가 의미부이고 米(쌀 미)가 소리부로, 기운(气)을 말한다. 원래는 气로 썼는데, 气는 고문자에서 [古文字] 甲骨文 [古文字] 金文 [古文字] 簡牘文 [古文字] 石篆 등으로 썼는데, 갑골문에서 세 가닥의 구름 띠가 하늘에 펴져 있는 모습을 그렸다. 갑골문의 자형이 三(석 삼)과 닮아 금문에서는 아래위 획을 조금씩 구부려 三과 구분했다. 气는 이후 소리부인 米(쌀 미)가 더해져 氣(기운 기)가 되었다. 이 때문에 气가 밥 지을 때 피어오르는 蒸氣(증기)를 그렸으며, 이후 의미를 정확하게 하려고 米가 더해졌다고 보기도 한다. 하지만, 갑골문이 만들어졌던 中原(중원) 지역의 대평원에서는 해가 뜨고 질 때 얇은 층을 이룬 구름이 온 하늘을 뒤덮은 모습을 쉽게 볼 수 있다. 낮에는 그런 현상이 잘 나타나지 않지만, 아침저녁으로는 습한 공기 때문에 자주 만들어진다. 气가 밥 지을 때 나는 蒸氣라면 갑골문처럼 가로로 그리지는 않았을 것이다. 그래서 雲氣(운기·엷게 흐르는 구름)가 氣의 원래 뜻이다. 구름의 변화가 大氣(대기)의 상태를 가장 잘 말해 주기에 天氣(천기·날씨)나 氣運(기운)이라는 말이 나왔다. 천체를 흐르는 기운, 그것이 바로 동양학에서 말하는 氣라 할 수 있다. 현대에 들어서는 서양에서 들어 온 화학 원소 중 기체로 된 이름을 표기하는데도 쓰인다. 현대 중국의 간화자에서 다시 원래의 气로 되돌아갔다.

原文

粠: 陳臭米也. 从米工聲. 戶工切.

飜譯

'오래되어 냄새가 나는 쌀(陳臭米)'을 말한다. 미(米)가 의미부이고 공(工)이 소리부이다. 독음은 호(戶)와 공(工)의 반절이다.

4485

**粉: 粉: 가루 분: 米-총10획: fěn**

原文

粉: 傅面者也. 从米分聲. 方吻切.

飜譯

'얼굴에 바르는 분가루(傅面者)'를 말한다. 미(米)가 의미부이고 분(分)이 소리부이다. 독음은 방(方)과 문(吻)의 반절이다.

4486

**糂: 糂: 가루 권: 米-총14획: quǎn**

原文

糂: 粉也. 从米卷聲. 去阮切.

飜譯

'분가루(粉)'를 말한다. 미(米)가 의미부이고 권(卷)이 소리부이다. 독음은 거(去)와 완(阮)의 반절이다.

4487

**䊲: 䊲: 내쫓을 실: 米-총17획: xiè**

原文

糕: 槃也. 从米悉聲. 私列切.

飜譯

'살(槃)과 같아 쌀을 흩다'라는 뜻이다. 미(米)가 의미부이고 실(悉)이 소리부이다. 독음은 사(私)와 렬(列)의 반절이다.

4488

槃: 槃: 헤칠 살: 米-총16획: sà

原文

槃: 糕槃, 散之也. 从米殺聲. 桑割切.

飜譯

'실살(糕槃)은 쌀을 흩다(散之)'라는 뜻이다. 미(米)가 의미부이고 살(殺)이 소리부이다. 독음은 상(桑)과 할(割)의 반절이다.

4489

糜: 糜: 부술 미: 米-총25획: mí

原文

糜: 碎也. 从米靡聲. 摸臥切.

飜譯

'쌀을 잘게 부수다(碎)'라는 뜻이다. 미(米)가 의미부이고 미(靡)가 소리부이다. 독음은 모(摸)와 와(臥)의 반절이다.

4490

竊: 竊: 훔칠 절: 穴-총26획: qiè

---

原文

竊: 盜自中出曰竊. 从穴从米, 禼、廿皆聲. 𥻘, 古文疾. 禼, 古文偰. 千結切.

飜譯

'집에서 쌀을 훔쳐 나오는 것(盜自中出)을 절(竊)이라고 한다.' 혈(穴)이 의미부이고 미(米)도 의미부이고, 설(禼)과 입(廿) 모두 소리부이다. 질(𥻘)은 질(疾)의 고문체이고. 설(禼)은 설(偰)의 고문체이다. 독음은 천(千)과 결(結)의 반절이다.

4491

**粻: 粻: 양식 장: 米-총14획: zhāng**

原文

粻: 食米也. 从米長聲. 陟良切.

飜譯

'먹을 수 있는 쌀(食米)'을 말한다. 미(米)가 의미부이고 장(長)이 소리부이다. 독음은 척(陟)과 량(良)의 반절이다. [신부]

4492

**粕: 粕: 지게미 박: 米-총11획: pò**

原文

粕: 糟粕, 酒滓也. 从米白聲. 匹各切.

飜譯

'조박(糟粕) 즉 술을 거르고 남은 찌꺼기(酒滓)'를 말한다. 미(米)가 의미부이고 백(白)이 소리부이다. 독음은 필(匹)과 각(各)의 반절이다. [신부]

4493

**粔: 粔: 중배끼 거: 米-총11획: jù**

原文

粔: 粔籹, 膏環也. 从米巨聲. 其呂切.

飜譯

'거여(粔籹), 즉 중배끼[119](膏環)'를 말한다. 미(米)가 의미부이고 거(巨)가 소리부이다. 독음은 기(其)와 려(呂)의 반절이다. [신부]

**4494**

**籹: 籹: 중배끼 여: 米-총9획: nǔ**

原文

籹: 粔籹也. 从米女聲. 人渚切.

飜譯

'거여(粔籹) 즉 중배끼'를 말한다. 미(米)가 의미부이고 여(女)가 소리부이다. 독음은 인(人)과 저(渚)의 반절이다. [신부]

**4495**

**糉: 糉: 주악 종: 米-총15획: zòng**

原文

糉: 蘆葉裹米也. 从米㚇聲. 作弄切.

飜譯

'갈대 잎에 싸서 찐 밥(蘆葉裹米)[120]'을 말한다. 미(米)가 의미부이고 종(㚇)이 소리부이다. 독음은 작(作)과 롱(弄)의 반절이다. [신부]

---

119) 유밀과의 하나로, 밀가루를 꿀과 기름으로 반죽하여 네모지게 잘라 기름에 지져 만든다
120) 종자(糉子)를 말한다. 종자(粽子)는 달리 각서(角黍)나 통종(筒粽)이라 부르기도 한다. 찹쌀, 멥쌀, 쌀가루 등을 삼각형이나 원추형으로 만들어 댓잎이나 연잎, 갈대 줄기로 감싸 쪄낸 일종의 중국식 주먹밥이다. 중국에서는 단오절에 종자(粽子)를 먹는 풍습이 있다. 억울하게 죽은 굴원(屈原)을 위로하기 위한 것이라고 알려져 있다. 이후 일본과 베트남은 물론 화교가 많이 사는 싱가포르, 말레이시아, 미얀마 등지에서도 이런 풍속이 남아 있다.

4496

**糖: 糖: 사탕 당: 米-총16획: táng**

原文

糖: 飴也. 从米唐聲. 徒郎切.

飜譯

'엿(飴)'을 말한다. 미(米)가 의미부이고 당(唐)이 소리부이다. 독음은 도(徒)와 랑(郎)의 반절이다. [신부]

# 제258부수
## 258 ■ 훼(毇)부수

4497

**毇: 毇: 쓿을 훼: 殳-총16획: huǐ**

原文

毇: 米一斛舂爲八斗也. 从臼从殳. 凡毇之屬皆从毇. 許委切.

飜譯

'쌀(米) 1휘(斛)를 찧으면(舂) 8말(斗)이 된다.' 구(臼)가 의미부이고 수(殳)도 의미부이다. 훼(毇)부수에 귀속된 글자들은 모두 훼(毇)가 의미부이다. 독음은 허(許)와 위(委)의 반절이다.

4498

**糳: 糳: 방아 찧고 난 쌀 착: 米-총26획: zuò**

原文

糳: 糲米一斛舂爲九斗曰糳. 从毇丵聲. 則各切.

飜譯

'려미(糲米) 1휘(斛)를 찧으면(舂) 9말(斗)이 되는데, 이를 착(糳)이라 한다.' 훼(毇)가 의미부이고 착(丵)이 소리부이다. 독음은 칙(則)과 각(各)의 반절이다.

제259부수
259 ■ 구(臼)부수

4499

**臼: 臼: 절구 구: 臼-총6획: jiù**

原文

臼: 舂也. 古者掘地爲臼, 其後穿木石. 象形. 中, 米也. 凡臼之屬皆从臼. 其九切.

飜譯

'쌀을 찧다(舂)'라는 뜻이다. 옛날에는 땅을 파서 절구로 삼았는데, 이후에는 나무나 돌을 파서 절구로 삼았다. 상형이다. 중간 부분(中)은 쌀(米)을 뜻한다.121) 구(臼)부수에 귀속된 글자들은 모두 구(臼)가 의미부이다. 독음은 기(其)와 구(九)의 반절이다.

4500

**舂: 舂: 찧을 용: 臼-총11획: chōng**

原文

舂: 擣粟也. 从廾持杵臨臼上. 午, 杵省也. 古者雝父初作舂. 書容切.

飜譯

'곡식을 찧다(擣粟)'라는 뜻이다. 두 손(廾)으로 절굿공이(杵)를 들고 절구(臼) 위에 놓은 모습이다. 오(午)는 오(杵)의 생략된 모습이다.122) 먼 옛날 옹보(雝父)가 처음

121) 고문자에서 古陶文 簡牘文 등으로 썼다. 곡식을 찧는 절구의 단면을 그렸으며, 좌우로 표시된 돌출된 획을『설문해자』에서는 쌀이라고 했지만 찧기 좋도록 만들어진 돌기로 보인다. "나무를 잘라 절굿공이를 만들고, 땅을 파 절구로 썼다."라고 한『주역』의 말로 보아 옛날에는 땅을 파 절구로 쓰다가 점차 나무나 돌로 만들어 썼을 것으로 보인다. 이로부터 절구나 절구처럼 생긴 기물을 뜻하게 되었다.

122) 고문자에서 甲骨文 金文 古陶文 簡牘文 등으로 썼다. 갑골문에서

으로 찧는 법(舂)을 만들었다고 한다. 독음은 서(書)와 용(容)의 반절이다.

**4501**

**𦥺: 舀: 방아 찧을 박: 臼-총12획: pò**

原文

𦥺: 齊謂舂曰𦥺. 从臼屰聲. 讀若膊. 匹各切.

譯

'제(齊) 지역에서는 찧다(舂)는 것을 박(𦥺)이라 한다.' 구(臼)가 의미부이고 역(屰)이 소리부이다. 박(膊)과 같이 읽는다. 독음은 필(匹)과 각(各)의 반절이다.

**4502**

**臿: 臿: 가래 삽: 臼-총9획: chā**

原文

臿: 舂去麥皮也. 从臼, 干所以臿之. 楚洽切.

譯

'찧어 보리의 껍질을 제거하다(舂去麥皮)'라는 뜻이다. 구(臼)가 의미부이고, 간(干)은 절구에 꽂는 도구(所以臿之)를 말한다. 독음은 초(楚)와 흡(洽)의 반절이다.

**4503**

**舀: 舀: 퍼낼 요: 臼-총10획: yǎo**

原文

舀: 抒臼也. 从爪、臼. 『詩』曰: "或簸或舀." 抭, 舀或从手从宂. 𦥷, 舀或从臼、宂. 以沼切.

---

두 손(廾·공)으로 절굿공이(午·오)를 들고 절구질(臼)을 하는 모습에서 '찧다'는 뜻이 나왔는데, 소전체에 들면서 두 손(廾)과 절굿공이(午)가 舂의 윗부분으로 변해 지금처럼 되었다.

飜譯

‘절구에서 찧은 곡식을 퍼내다(抒臼)’라는 뜻이다. 조(爪)와 구(臼)가 모두 의미부이다. 『시·대아생민(生民)』에서 “[곡식을 찧고 빻고 해서] 까불고 퍼내서(或簸或舀)”라고 노래했다.[123] 요(㧡)는 요(舀)의 혹체자인데, 수(手)도 의미부이고 용(冗)도 의미부이다. 요(䑛)도 요(舀)의 혹체자인데, 구(臼)와 용(冗)으로 구성되었다. 독음은 이(以)와 소(沼)의 반절이다.

**4504**

**臽: 臽: 함정 함: 臼-총8획: xiàn**

原文

臽: 小阱也. 从人在臼上. 戶猎切.

飜譯

‘작은 함정(小阱)’을 말한다. 사람(人)이 구덩이(臼) 위에 자리한 모습이다. 독음은 호(戶)와 암(猎)의 반절이다.

---

123) 『단주』에서 이렇게 말했다. 『시』에서 “혹파혹요(或簸或舀)”라고 했는데 이는 “혹용혹유(或舂或揄·찧고 빻아 꺼내서)”를 말한 것이다. 파(簸)자는 필사 과정에서 일어난 오류로 보인다. 요(舀)와 유(揄)는 다르다. 그런데도 혹자는 『모시』에 근거해 요(舀)라 하기도 하고, 혹자는 『삼가시(三家詩)』에 근거하기도 한다. 김학주는 “불리고 비비고 한 뒤에”라고 해석했다.

## 제260부수
## 260 ■ 흉(凶)부수

**4505**

: 凶: **흉할 흉**: 凵-**총4획**: xiōng

原文

: 惡也. 象地穿交陷其中也. 凡凶之屬皆从凶. 許容切.

飜譯

'험악한 땅(惡)'을 말한다. 땅을 파서 함정을 만들고 그 속에 어떤 것을 교차시켜 놓은 모습을 그렸다.124) 흉(凶)부수에 귀속된 글자들은 모두 흉(凶)이 의미부이다. 독음은 허(許)와 용(容)의 반절이다.

**4506**

: 兇: **흉악할 흉**: 儿-**총6획**: xiōng

原文

: 擾恐也. 从人在凶下. 『春秋傳』曰: "曹人兇懼." 許拱切.

飜譯

'두려움에 떨다(擾恐)'라는 뜻이다. 인(人)이 흉(凶) 아래에 자리한 모습이다.125) 『춘

---

124) 흉(凶)은 고문자에서 簡牘文 帛書 등으로 썼다. 원래 죽은 사람의 가슴 부위에다 영혼이 육체에서 분리될 수 있도록 칼집(문신)을 새겨 놓은 것을 그린 글자로, 해, 흉, 액, 지나치다 등을 뜻하는데, 고대사회에서 액을 막으려는 조치였던 것으로 보인다. 이후 의미를 명확하게 하고자 凶에다 사람의 모습(儿·인)을 더한 것이 兇(흉악할 흉)이며, 凶은 다시 勹(쌀 포)를 더하여 匈(흉흉할 흉·胸의 원래 글자)으로 변하고, 다시 肉(=⺼, 고기 육)을 더하여 胸(가슴 흉)으로 발전하였다.

125) 고문자에서 簡牘文 등으로 썼다. 儿(사람 인)이 의미부고 凶(흉할 흉)이 소리부로,

추전』(『좌전』 희공 28년, B.C. 632)에서 "조나라 사람들이 두려움에 떨었다(曹人兇懼)" 라고 했다. 독음은 허(許)와 공(拱)의 반절이다.



사람(儿)의 가슴(凶)에 낸 칼집을 말하며, 이로부터 흉악하다, 나쁘다, 두렵다 등의 뜻이 나왔으며, 죽는 것과 같은 나쁜 일을 지칭하기도 한다. 간화자에서는 다시 凶(흉할 흉)으로 쓴다.

완역설문해자
제7권
(하)

## 제261부수
## 261 ■ 빈(朩)부수

4507

**朩:** 朩: **삼 줄기 껍질 빈**: 木-**총4획**: pìn

原文

朩: 分枲莖皮也. 从屮, 八象枲之皮莖也. 凡朩之屬皆从朩. 讀若髕. 匹刃切.

飜譯

'분리해낸 삼의 껍질(分枲莖皮)'을 말한다. 철(屮)이 의미부이고, 팔(八)은 삼(枲)의 껍질(皮莖)을 형상했다. 빈(朩)부수에 귀속된 글자들은 모두 빈(朩)이 의미부이다. 빈(髕)과 같이 읽는다. 독음은 필(匹)과 인(刃)의 반절이다.

4508

**枲:** 枲: **모시풀 시**: 木-**총9획**: xǐ

原文

枲: 麻也. 从朩台聲. 𣏟辝, 籒文枲从𣏟从辝. 胥里切.

飜譯

'삼(麻)'을 말한다. 빈(朩)이 의미부이고 이(台)가 소리부이다. 시(𣏟辝)는 시(枲)의 주문체인데, 파(𣏟)도 의미부이고 사(辝)도 의미부이다. 독음은 서(胥)와 리(里)의 반절이다.

## 제262부수
## 262 ■ 파(𣏟)부수

4509

**𣏟: 𣏟: 삼베 파: 木-총8획: pài**

原文

𣏟: 葩之總名也. 𣏟之爲言微也, 微纖爲功. 象形. 凡𣏟之屬皆从𣏟. 匹卦切.

飜譯

'삼의 총칭(葩之總名)'이다. 파(𣏟)는 미세하다(微)는 뜻인데, 미세하고 섬세한 기능을 말한다(微纖爲功). 상형이다. 파(𣏟)부수에 귀속된 글자들은 모두 파(𣏟)가 의미부이다. 독음은 필(匹)과 괘(卦)의 반절이다.

4510

**檾: 檾: 어저귀 경: 木-총18획: qǐng**

原文

檾: 枲屬. 从𣏟, 熒省. 『詩』曰: "衣錦檾衣." 去穎切.

飜譯

'삼의 일종이다(枲屬).' 파(𣏟)와 형(熒)의 생략된 부분이 의미부이다. 『시·위풍·석인(碩人)』에서 "비단 옷 위에 모시 옷 입으셨네(衣錦檾衣)"라고 노래했다. 독음은 거(去)와 영(穎)의 반절이다.

4511

**𢻎: 𢻎: 갈라서 떼어 놓을 산: 攴-총12획: sàn, tán**

原文

𢿱: 分離也. 从攴从𣏟. 𣏟, 分𢿱之意也. 穌旰切.

翻譯

'분리시키다(分離)'라는 뜻이다. 복(攴)이 의미부이고 파(𣏟)도 의미부인데, 파(𣏟)는 분리하다(分𢿱)는 뜻이다. 독음은 소(穌)와 간(旰)의 반절이다.

## 제263부수
## 263 ■ 마(麻)부수

**4512**

**麻**: 麻: **삼 마**: 麻–**총11획**: **mā**

原文

麻: 與𣏟同. 人所治, 在屋下. 从广从𣏟. 凡麻之屬皆从麻. 莫遐切.

飜譯

'파(𣏟)와 같아 삼을 말한다.'[126] 사람들이 가공하여 지붕 아래에다 널어 둔다. 그래서 엄(广)이 의미부이고 파(𣏟)도 의미부이다.[127] 마(麻)부수에 귀속된 글자들은 모두 마(麻)가 의미부이다. 독음은 막(莫)과 하(遐)의 반절이다.

**4513**

**䵉**: 䵉: **누이지 않은 삼실 곡**: 麻–**총20획**: **kù**

原文

---

126) 『단주』에서 이렇게 말했다. "엄(广)이 의미부라고 한 것은 삼나무들(林)을 반드시 집 아래(屋下)에 쌓아두기 때문이다. 그래서 엄(广)으로 구성되었다. 그러나 이는 여전히 다듬지 않은 상태인데, 이 상태의 것을 시(枲)라고 하고, 다듬게 되면 마(麻)라고 한다. 다듬지 않은 상태와 다듬은 상태를 다듬지 않은 상태와 합쳐서 통으로 부를 때에도 마(麻)라고 한다."

127) 고문자에서 金文 등으로 썼다. 广(집 엄)과 두 개의 朩(朩·삼나무 껍질 빈)으로 구성되어, '삼'을 말한다. 이는 삼나무에서 벗겨 낸 껍질(朩)을 작업장(广)에 널어놓고 말리는 모습을 그렸다. 삼나무에서 껍질이 분리된 모습(朩)이 사실적으로 표현되었으며, 广은 금문에서 의미와 형체가 비슷한 厂(기슭 엄)으로 표기되었다. 삼은 인류가 일찍부터 사용했던 자연 섬유의 하나이다. 중국의 경우, 갑골문이 사용되었던 殷墟(은허) 유적지에서 大麻(대마)의 종자와 삼베의 조각이 발견됨으로써 당시 삼베가 이미 방직의 원료로 사용되었음을 알 수 있다. 삼은 키가 3미터 정도까지 쑥쑥 자란다. 그래서 麻中之蓬(마중지봉)은 '삼(麻)밭의 쑥(蓬)'이라는 뜻으로, 곧게 자란 삼밭에서 자란 쑥은 저절로 곧게 자란다는 뜻이다. 이렇듯 큰 키로 곧게 자란 삼의 줄기를 삶은 물에 불려 껍질을 분리시키고 이를 잘게 찢어 실로 만들고 베를 짜서 사용한다. 달리 艸(풀 초)를 더한 蔴(삼 마)로 쓰기도 한다.

𪎊: 未練治纑也. 从麻後聲. 空谷切.

飜譯

'아직 누이지 않은 삼실(未練治纑)'을 말한다. 마(麻)가 의미부이고 후(後)가 소리부이다. 독음은 공(空)과 곡(谷)의 반절이다.

4514

**𪎌: 𪎌: 겨릅대 추: 麻-총19획: zōu**

原文

𪎌: 麻藍也. 从麻取聲. 側鳩切.

飜譯

'마할(麻藍) 즉 껍질을 벗겨낸 삼대'를 말한다. 마(麻)가 의미부이고 취(取)가 소리부이다. 독음은 측(側)과 구(鳩)의 반절이다.

4515

**䵉: 䵉: 어저귀 두: 麻-총20획: tóu**

原文

䵉: 檾屬. 从麻俞聲. 度侯切.

飜譯

'어저귀[128]의 일종(檾屬)'이다. 마(麻)가 의미부이고 유(俞)가 소리부이다. 독음은 도(度)와 후(侯)의 반절이다.

---

128) 아욱과의 한해살이풀이다. 줄기는 높이가 1.5미터 정도이며, 잎은 어긋나고 둥근 모양으로 가장자리에 둔한 톱니가 있다. 8~9월에 노란 오판화가 줄기 끝의 잎겨드랑이에서 피고 열매는 삭과(蒴果)를 맺는다. 줄기로 로프와 마대를 만들고 씨는 한약재로 쓴다. 인도가 원산지로 한국, 일본, 중국 등지에 분포한다. 달리 경마(苘麻)、백마(白麻)、청마(青麻, Abutilon theophrasti)라고도 한다.

## 제264부수
## 264 ■ 숙(尗)부수

4516

**尗:** 尗: **콩 숙**: 小**–총6획: shū**

原文

尗: 豆也. 象尗豆生之形也. 凡尗之屬皆从尗. 式竹切.

飜譯

'콩(豆)'을 말한다. 콩이 자라나는 모습을 형상했다. 숙(尗)부수에 귀속된 글자들은 모두 숙(尗)이 의미부이다. 독음은 식(式)과 죽(竹)의 반절이다.

4517

**敊:** 敊: **몹시 앓을 축**: 攴**–총10획: chù**

原文

敊: 配鹽幽尗也. 从尗支聲. 豉, 俗敊从豆. 是義切.

飜譯

'콩을 소금에 절여 햇빛 없고 습한 곳에 저장해 둔 메주(配鹽幽尗)'를 말한다. 숙(尗)이 의미부이고 지(支)가 소리부이다. 축(豉)은 축(敊)의 속체인데, 두(豆)로 구성되었다. 독음은 시(是)와 의(義)의 반절이다.

## 제265부수
## 265 ■ 단(耑)부수

**4518**

**耑: 耑: 시초 단: 而-총9획: duān**

原文

耑: 物初生之題也. 上象生形, 下象其根也. 凡耑之屬皆从耑. 多官切.

飜譯

'식물의 처음 자라나는 머리 부분(物初生之題)'을 말한다. 윗부분은 자라나는 모습을, 아랫부분은 그것의 뿌리를 형상했다.[129] 단(耑)부수에 귀속된 글자들은 모두 단(耑)이 의미부이다. 독음은 다(多)와 관(官)의 반절이다.

---

129) 而(말 이을 이)가 의미부이고 山(뫼 산)이 소리부로 되었으나, 원래는 돋아나는 싹과 곧게 뻗은 뿌리를 그려 '시초'나 '發端(발단)'의 의미를 그렸다. 이후 아랫부분의 뿌리가 수염과 닮아 而로 변하고 윗부분이 山으로 변해 소리부로 기능을 하면서 지금처럼 되었으며, 端(바를 단)의 원래 글자이다.

## 제266부수
## 266 ■ 구(韭)부수

**4519**

**韭: 韭: 부추 구: 韭-총9획: jiǔ**

原文

韭: 菜名. 一種而久者, 故謂之韭. 象形, 在一之上. 一, 地也. 此與耑同意. 凡韭之屬皆从韭. 擧友切.

飜譯

'채소의 이름(菜名)'이다. 한 번 심으면 오래 간다. 그래서 구(韭)라고 부른다. 부추를 그대로 그렸으며, 부추가 가로획[一] 위에 놓인 모습인데, 가로획[一]은 땅(地)을 뜻한다. 이는 단(耑)의 중간에 놓인 가로획과 같은 의미이다.130) 구(韭)부수에 귀속된 글자들은 모두 구(韭)가 의미부이다. 독음은 거(擧)와 우(友)의 반절이다.

**4520**

**䪢: 䪢: 나물 대: 韭-총21획: duì**

原文

䪢: 齏也. 从韭隊聲. 徒對切.

飜譯

'잘게 쓴 부추(齏)'를 말한다. 구(韭)가 의미부이고 대(隊)가 소리부이다. 독음은 도(徒)와 대(對)의 반절이다.

---

130) 고문자에서 韭 韭 簡牘文 등으로 썼다. 땅위로 자라난 '부추'를 그렸는데, 아래쪽의 가로획은 땅을, 안쪽의 두 세로획은 줄기를, 양쪽으로 뻗어난 나머지 부분은 잎을 상징하며, 셋을 그려 많음을 표시했다. 이후 의미를 더 강화하고자 艸(풀 초)를 더한 韮(부추 구)를 만들었다.

4521

**䪡: 䪡: 썬 풋김치 제: 韭-총19획: jī**

原文

䪡: 墜也. 从韭, 次、𠂔皆聲. 𩐁, 䪡或从齊. 祖雞切.

飜譯

'추(墜)131)와 같아 잘게 쓴 부추'를 말한다. 구(韭)가 의미부이고, 차(次)와 자(𠂔)는 모두 소리부이다. 제(𩐁)는 제(䪡)의 혹체인데, 제(齊)로 구성되었다. 독음은 조(祖)와 계(雞)의 반절이다.

4522

**䪥: 䪥: 염교 해: 韭-총23획: xiè**

原文

䪥: 菜也. 葉似韭. 从韭㲋聲. 胡戒切.

飜譯

'채소의 하나인 염교(菜)'를 말한다.132) 잎이 부추와 비슷하다. 구(韭)가 의미부이고 해(㲋)가 소리부이다. 독음은 호(胡)와 계(戒)의 반절이다.

4523

**韱: 韱: 산부추 섬: 韭-총17획: xiǎn**

原文

---

131) 추(墜)는 『계전』에 근거해 추(韰)가 되어야 옳다.

132) 염교는 백합과의 여러해살이풀이다. 꽃줄기의 높이는 30~60cm이며, 잎은 비늘줄기에서 뭉쳐 나고 속이 비어 있다. 가을에 자주색 꽃이 산형(繖形) 화서로 피고 열매를 맺지 못한다. 잎은 절여서 먹으며, 중국 남부가 원산지이다. 달리 교자(藠子), 채지(菜芝), 해채(薤菜, Allium chinense)라 하기도 한다.(『두산백과』)

䪜: 山韭也. 从韭𢦏聲. 息廉切.

'산에서 나는 부추(山韭)'를 말한다. 구(韭)가 의미부이고 첨(𢦏)이 소리부이다. 독음은 식(息)과 렴(廉)의 반절이다.

**4524**

**䪤**: 䪤: **달래 번**: 韭-총21획: fán

原文

䪤: 小蒜也. 从韭番聲. 附袁切.

'소산(小蒜) 즉 달래'를 말한다. 구(韭)가 의미부이고 번(番)이 소리부이다. 독음은 부(附)와 원(袁)의 반절이다.

## 제267부수
## 267 ■ 과(瓜)부수

**4525**

**瓜: 瓜: 오이 과: 瓜-총5획: guā**

原文

瓜: 瓝也. 象形. 凡瓜之屬皆从瓜. 古華切.

飜譯

'넝쿨에서 열리는 외(瓝)'를 말한다.133) 상형이다.134) 과(瓜)부수에 귀속된 글자들은 모두 과(瓜)가 의미부이다. 독음은 고(古)와 화(華)의 반절이다.

**4526**

**瓝: 瓝: 작은 오이 박: 瓜-총11획: bèi, bó, kě**

原文

瓝: 小瓜也. 从瓜交聲. 蒲角切.

飜譯

'작은 외(小瓜)'를 말한다. 과(瓜)가 의미부이고 교(交)가 소리부이다. 독음은 포(蒲)

---

133) 『단주』에서 이렇게 말했다. "대서본에서 이렇게 되었으나 이는 라(蓏)의 잘못이다. 초(艸)부수에서 '나무에 열리는 것을 과(果), 땅에 열리는 것을 라(蓏)라고 한다.'라고 했다. 그렇다면 과(瓜)는 넝쿨로 나서 땅에 열리는 과일을 말한다(縢生布於地者也)."

134) 고문자에서 [金文 자형]金文 [古陶文 자형]古陶文 등으로 썼다. 참외나 오이 같은 원뿔꼴의 열매가 넝쿨에 달린 모습인데, 가운데가 열매, 양쪽이 넝쿨이다. 이후 채소든 과수든 열매를 모두 지칭하는 개념으로 변했다. 과일은 결실의 상징인데, 瓜熟蒂落(과숙체락·오이가 익으면 꼭지는 저절로 떨어진다)은 水到渠成(수도거성·물이 흐르면 도랑이 생긴다)과 함께 잘 쓰이는 성어로 조건이 성숙하면 일은 자연스레 이루어진다는 말이다. 瓜가 의미부로 구성된 글자들은 주로 '외'처럼 생긴 열매나 그것으로 만든 제품 등과 의미적 관련을 맺는다.

와 각(角)의 반절이다.

4527

**瓞: 瓞: 북치 질: 瓜-총10획: dié**

原文

瓞: 瓝也. 从瓜失聲. 『詩』曰: "緜緜瓜瓞." 胇, 瓞或从弗. 徒結切.

飜譯

'박(瓝)'을 말하는데 '작은 외'를 뜻한다. 과(瓜)가 의미부이고 실(失)이 소리부이다. 『시·대아면(緜)』에서 "길게 뻗은 외 덩굴이며!(緜緜瓜瓞)"라고 노래했다. 질(胇)은 질(瓞)의 혹체인데, 불(弗)로 구성되었다. 독음은 도(徒)와 결(結)의 반절이다.

4528

**𤬪: 𤬪: 작은 오이 형: 瓜-총15획: xíng**

原文

𤬪: 小瓜也. 从瓜, 熒省聲. 戶扃切.

飜譯

'작은 외(小瓜)'를 말한다. 과(瓜)가 의미부이고, 형(熒)의 생략된 부분이 소리부이다. 독음은 호(戶)와 경(扃)의 반절이다.

4529

**䚻: 䚻: 오이 요: 瓜-총16획: yáo**

原文

䚻: 瓜也. 从瓜, 䌛省聲. 余昭切.

飜譯

'외(瓜)'를 말한다. 과(瓜)가 의미부이고, 요(䌛)의 생략된 부분이 소리부이다. 독음은 여(余)와 소(昭)의 반절이다.

4530

**瓣: 瓣: 외씨 판: 瓜-총19획: bàn**

原文

瓣: 瓜中實. 从瓜辡聲. 蒲莧切.

飜譯

'외의 속에 든 씨(瓜中實)'를 말한다. 과(瓜)가 의미부이고 변(辡)이 소리부이다. 독음은 포(蒲)와 현(莧)의 반절이다.

4531

**㼌: 㼌: 덩굴이 약할 유: 瓜-총10획: yǔ**

原文

㼌: 本不勝末, 微弱也. 从二瓜. 讀若庾. 以主切.

飜譯

'뿌리가 가지를 이기지 못하여 미약함(本不勝末, 微弱)'을 말한다. 두 개의 과(瓜)로 구성되었다. 유(庾)와 같이 읽는다. 독음은 이(以)와 주(主)의 반절이다.

## 제268부수
## 268 ■ 호(瓠)부수

**4532**

**瓠: 瓠: 표주박 호: 瓜-총11획: hù**

原文

瓠: 匏也. 从瓜夸聲. 凡瓠之屬皆从瓠. 胡誤切.

飜譯

'조롱박(匏)'을 말한다. 과(瓜)가 의미부이고 과(夸)가 소리부이다. 호(瓠)부수에 귀속된 글자들은 모두 호(瓠)가 의미부이다. 독음은 호(胡)와 오(誤)의 반절이다.

**4533**

**瓢: 瓢: 박 표: 瓜-총16획: piáo**

原文

瓢: 蠡也. 从瓠省, 票聲. 符宵切.

飜譯

'표주박(蠡)'을 말한다. 호(瓠)의 생략된 모습이 의미부이고, 표(票)가 소리부이다. 독음은 부(符)와 소(宵)의 반절이다.

# 제269부수
## 269 ■ 면(宀)부수

**4534**

**宀: 宀: 집 면: 宀-총3획: mián**

原文

宀: 交覆深屋也. 象形. 凡宀之屬皆从宀. 武延切.

飜譯

'교차되도록 덮은 깊숙한 집(交覆深屋)'을 말한다. 상형이다.[135] 면(宀)부수에 귀속된 글자들은 모두 면(宀)이 의미부이다. 독음은 무(武)와 연(延)의 반절이다.

**4535**

**家: 家: 집 가: 宀-총10획: jiā**

原文

家: 居也. 从宀, 豭省聲. 𡨦, 古文家. 古牙切.

飜譯

'거주하는 곳(居)'을 말한다. 면(宀)이 의미부이고, 가(豭)의 생략된 모습이 소리부이다.[136] 가(𡨦)는 가(家)의 고문체이다. 독음은 고(古)와 아(牙)의 반절이다.

---

135) 宀은 고대가옥의 형상을 따서 만든 글자로, 포괄적인 의미의 집을 뜻하지만, 갑골문에서의 宀은 처마와 기둥을 잇는 선이 부드럽게 처리되어 황토지대에 지어진 동굴집의 입구를 그렸다. 하지만, 금문에 이르면 지금처럼 담을 쌓고 그 위로 지붕을 걸쳐 처마를 남긴 구조가 보편화하였음을 보여준다. 황토 지역의 초기 가옥 형태를 그린 宀은, 첫째 家(집 가)에서처럼 그곳이 인간이 생활하는 거주 '공간', 둘째 安(편안할 안)이나 寧(편안할 녕)에서처럼 그런 공간이 가져다주는 안락함, 셋째 宗(마루 종)에서처럼 집을 중심으로 가족과 가문이 형성되었기에 조상의 위패를 모시는 '종묘'를 뜻한다.

136) 고문자에서 [고문자 자형] 甲骨文 [고문자 자형] 金文 [고문자 자형] 簡牘文 [고문자 자형] 石刻

**4536**

**宅:** 宅: **집 택·댁 댁**: 宀—총6획: zhái

原文

宅: 所託也. 从宀乇聲. 𠖻, 古文宅. 厇, 亦古文宅. 場伯切.

飜譯

'몸을 의탁하는 곳(所託)'을 말한다. 면(宀)이 의미부이고 탁(乇)이 소리부이다. 택(𠖻)은 택(宅)의 고문체이다. 택(厇)도 택(宅)의 고문체이다. 독음은 장(場)과 백(伯)의 반절이다.

**4537**

**室:** 室: **집 실**: 宀—총9획: shì

原文

室: 實也. 从宀从至. 至, 所止也. 式質切.

飜譯

'실(實)과 같아 가득 차다'라는 뜻이다. 면(宀)이 의미부이고 지(至)도 의미부이다. 지(至)는 머무는 곳(所止)을 뜻한다.[137] 독음은 식(式)과 질(質)의 반절이다.

---

古文 등으로 썼다. 宀(집 면)과 豕(돼지 시)로 구성되어, 집 안(宀)에 돼지(豕)가 있는 모습을 그렸는데, 아래층에는 돼지가 위층에는 사람이 살던 옛날의 가옥 구조를 반영했다. 이후 일반적인 '가옥'을 뜻하게 되었고, 다시 '가정' 등의 뜻도 나왔다. 또 학술상의 유파를 지칭하기도 하며, 어떤 직업에 종사하는 전문가를 뜻하기도 한다.

137) 고문자에서 甲骨文 金文 古陶文 簡牘文 古璽文 등으로 썼다. 宀(집 면)이 의미부고 至(이를 지)가 소리부로, 집이나 방을 말하는데, 사람들이 도착하여(至) 머무는 곳(宀)이라는 의미를 담았다. 옛날 가옥에서 큰 대청을 堂(당)이라 하고, 堂 뒤쪽의 중간 방을 室, 室의 동서 양쪽의 방을 房(방)이라 했다. 방이라는 뜻으로부터 室內(실내), 작업실 등의 뜻이 나왔다.

**4538**

**: 宣: 베풀 선: 宀-총9획: xuān**

原文

: 天子宣室也. 从宀亘聲. 須緣切.

飜譯

‘천자의 선실 즉 정사를 펴는 넓은 집무실(天子宣室)’을 말한다. 면(宀)이 의미부이고 선(亘)이 소리부이다.138) 독음은 수(須)와 연(緣)의 반절이다.

**4539**

**: 向: 향할 향: 口-총6획: xiàng**

原文

: 北出牖也. 从宀从口. 『詩』曰: “塞向墐戶.” 許諒切.

飜譯

‘북쪽으로 난 창문(北出牖)’을 말한다. 면(宀)이 의미부이고 구(口)도 의미부이다.139) 『시·빈풍·칠월(七月)』에서 “북향 창 틀어막고 문을 진흙으로 바르네(塞向墐戶)”라고 노래했다. 독음은 허(許)와 량(諒)의 반절이다.



---

138) 고문자에서 甲骨文 金文 古陶文 簡牘文 등으로 썼다. 宀(집 면)이 의미부고 亘(펼 선·굳셀 환)이 소리부로, 천자가 머물던 궁실(宀)로 회랑으로 둘러싸인(亘) 政殿(정전)을 말하는데, 천자가 백성을 위해 선정을 베풀며 기거하던 집(宣室·선실)이라는 뜻을 담았다. 명령을 내려 정치를 하던 곳으로부터, ‘베풀다’, ‘宣布(선포)하다’ 등의 뜻이 나왔다.

139) 고문자에서 甲骨文 金文 古陶文 盟書 簡牘文 古璽文 등으로 썼다. 갑골문에서부터 宀(집 면)과 口(입 구)로 구성되어, 집(宀)에 낸 창문(口)의 모습을 그렸다. 이로부터 창을 낸 방향이라는 의미가 나왔고, 다시 ‘향하다’의 뜻이 나왔는데, 자형이 조금 변해 지금처럼 되었다. 이후 方向(방향), 목표, 추세, 가깝다, 이전, ‘이전부터 지금까지 줄곧’ 등의 뜻이 나왔다. 현대 중국에서는 嚮(향할 향)의 간화자로도 쓰인다.

**4540**

**𡧯: 宧: 방구석 이: 宀-총9획: yí**

原文

𡧯: 養也. 室之東北隅, 食所居. 从宀𦣝聲. 與之切.

飜譯

'양육하다(養)'라는 뜻이다. 또 집의 동북쪽 모퉁이(室之東北隅)를 말하는데, 음식을 놓아두는 곳이다. 면(宀)이 의미부이고 이(𦣝)가 소리부이다. 독음은 여(與)와 지(之)의 반절이다.

**4541**

**𡧰: 㝔: 깊은 구멍 소리 요: 宀-총9획: yǎo**

原文

𡧰: 戶樞聲也. 室之東南隅. 从宀𡧦聲. 烏皎切.

飜譯

'문의 지도리가 도는 소리(戶樞聲)'를 말한다. 또 집의 동남쪽 모퉁이(室之東南隅)를 말한다. 면(宀)이 의미부이고 요(𡧦)가 소리부이다. 독음은 오(烏)와 교(皎)의 반절이다.

**4542**

**奧: 奥: 오만할 오: 大-총12획: ào**

原文

奧: 宛也. 室之西南隅. 从宀类聲. 烏到切.

飜譯

'완(宛)과 같아, 움푹 들어간 곳'을 말한다. 집의 서남쪽 모퉁이(室之西南隅)를 말한다. 면(宀)이 의미부이고 권(类)이 소리부이다.[140] 독음은 오(烏)와 도(到)의 반절이다.

**4543**

**𡨥: 宛: 굽을 완: 宀-총8획: wǎn**

原文

𡨥: 屈草自覆也. 从宀夗聲. 惌, 宛或从心. 於阮切.

飜譯

'풀을 굽혀서 스스로를 덮다(屈草自覆)'라는 뜻이다.141) 면(宀)이 의미부이고 원(夗)이 소리부이다.142) 완(惌)은 완(宛)의 혹체인데, 심(心)으로 구성되었다. 독음은 어(於)와 완(阮)의 반절이다.

**4544**

**宸: 宸: 집 신: 宀-총10획: chén**

原文

宸: 屋宇也. 从宀辰聲. 植鄰切.

飜譯

'집의 처마(屋宇)'를 말한다. 면(宀)이 의미부이고 신(辰)이 소리부이다. 독음은 식

140) 『설문해자』에서는 宀(집 면)이 의미부고 𢍏(웅큼 권)이 소리부라고 했으나, 宀(집 면)이 의미부고 釆(분별할 변)과 廾(두 손 마주 잡을 공)으로 구성된 것으로 보아야 하며, 釆은 來(올 래, 麥의 원래 글자)가 변한 것으로 추정된다. 『설문해자』 고문체의 설명처럼, 宀과 來와 廾으로 이루어져 곡식(來)을 두 손으로 받들고(廾) 신에게 제사 드리는 집안(宀)의 '깊고 은밀한' 곳임을 강조했으며, 그것이 본래 의미이다. 그래서 방의 은밀한 부분인 서남쪽 모퉁이를 지칭했으며, 이후 奧妙(오묘)에서처럼 속이 깊다는 일반적인 의미로 발전했다. 간화자에서는 釆을 米(쌀 미)로 바꾼 奥로 쓴다.

141) 『단주』에서 이렇게 말했다. "위의 글에서 4542-오(奧)는 움푹 들어간 곳을 말한다(宛也)고 했는데, 이는 완(宛)의 파생의미를 말한 것이다. 여기서는 풀을 굽혀서 스스로를 덮다(屈艸自覆)라고 했는데, 이것이 완(宛)의 본래의미이다. 이후 완곡(宛曲), 완전(宛轉) 등의 의미로 파생되었다. 예컨대, 『이아』의 완중(宛中)이나 완구(宛丘), 『주례』의 완규(琬圭) 등은 완곡(宛曲)의 의미이다. 눈에 보이는 것처럼 아주 뚜렷한 것을 완연(宛然)이라고 한다.

142) 고문자에서 [古文字] [古文字] 簡牘文 등으로 썼다. 宀(집 면)이 의미부고 夗(누워 뒹굴 원)이 소리부로, 집안(宀)에서 몸을 구부린 채 누워 뒹구는(夗) 모습에서 '굽다'는 뜻을 그렸고, 이로부터 곡절이 많다, 흡사하다, 방불케 하다 등의 뜻이 나왔다.

(植)과 린(粼)의 반절이다.

**4545**

**: 宇: 집 우: 宀-총6획: yǔ**

原文

: 屋邊也. 从宀于聲. 『易』曰 : "上棟下宇." 寓, 籒文宇从禹. 王榘切.

飜譯

'집의 가로 난 처마(屋邊)'를 말한다. 면(宀)이 의미부이고 우(于)가 소리부이다.143) 『역·계사(繫辭)』(하)에서 "위로는 용마루가 있고, 아래로는 서까래가 있네(上棟下宇)"라고 했다. 우(寓)는 우(宇)의 주문체인데, 우(禹)로 구성되었다. 독음은 왕(王)과 구(榘)의 반절이다.

**4546**

**: 寷: 큰 집 풍: 宀-총21획: fēng**

原文

: 大屋也. 从宀豐聲. 『易』曰 : "寷其屋." 敷戎切.

飜譯

'커다란 집(大屋)'을 말한다. 면(宀)이 의미부이고 풍(豐)이 소리부이다. 『역·풍괘(豐卦)』(상육효)에서 "그의 집을 확장하리라(寷其屋)"라고 했다. 독음은 부(敷)와 융(戎)의 반절이다.

---

143) 고문자에서 金文 簡牘文 등으로 썼다. 宀(집 면)이 의미부고 于(어조사 우)가 소리부로, 집(宀)의 '처마'를 말한다. 이와 짝을 이루는 宙(집 주)는 '대들보'를 뜻하였는데, 고대 중국인들은 대들보와 처마 사이의 빈 곳으로써 확장 가능한 공간을 말했다. 철학자들은 여기서 더 나아가 宇를 무한히 늘어나는 공간으로, 宙를 극한을 향해 끝없이 뻗어가는 시간으로 인식하여, 宇宙라는 단어를 만들어 냈다.

4547

**𡫶: 寏: 둘러싼 담 환: 宀-총12획: huán**

原文

𡫶: 周垣也. 从宀奐聲. 院, 寏或从自. 又, 爰眷切. 胡官切.

翻譯

'빙 둘러싼 담(周垣)'을 말한다. 면(宀)이 의미부이고 환(奐)이 소리부이다. 환(院)은 환(寏)의 혹체인데, 부(自)로 구성되었다. 또 원(爰)과 권(眷)의 반절이다. 독음은 호(胡)와 관(官)의 반절이다.

4548

**宖: 宏: 클 굉: 宀-총7획: hóng**

原文

宖: 屋深響也. 从宀厷聲. 戶萌切.

翻譯

'집이 깊어서 소리가 울림(屋深響)'을 말한다. 면(宀)이 의미부이고 굉(厷)이 소리부이다. 독음은 호(戶)와 맹(萌)의 반절이다.

4549

**𡧖: 弦: 집 울릴 횡·클 홍: 宀-총8획: héng**

原文

𡧖: 屋響也. 从宀弘聲. 戶萌切.

翻譯

'집의 울림(屋響)'을 말한다. 면(宀)이 의미부이고 홍(弘)이 소리부이다. 독음은 호(戶)와 맹(萌)의 반절이다.

제7권

**4550**

**𡩋: 寪: 성 위: 宀-총15획: wěi**

原文

𡩋: 屋皃. 从宀爲聲. 韋委切.

飜譯

'집의 모양(屋皃)'을 말한다.144) 면(宀)이 의미부이고 위(爲)가 소리부이다. 독음은 위(韋)와 위(委)의 반절이다.

**4551**

**𡩖: 㝩: 휑댕그렁할 강: 宀-총14획: kāng**

原文

𡩖: 屋㝩㝗也. 从宀康聲. 苦岡切.

飜譯

'집이 텅 비어 휑하다(屋㝩㝗)'라는 뜻이다. 면(宀)이 의미부이고 강(康)이 소리부이다. 독음은 고(苦)와 강(岡)의 반절이다.

**4552**

**㝗: 㝗: 집이 텅 비어 있는 모양 량: 宀-총10획: láng**

原文

㝗: 㝩也. 从宀良聲. 力康切.

飜譯

'집이 텅 비어 휑하다(㝩)'라는 뜻이다. 면(宀)이 의미부이고 량(良)이 소리부이다. 독음은 력(力)과 강(康)의 반절이다.

144) 『단주전』에서, "집의 모양은 집을 활짝 열어 놓은 모습을 말한다"라고 했다.

**4553**

**宬: 宬: 서고 성: 宀-총10획: chéng**

原文

宬: 屋所容受也. 从宀成聲. 氏征切.

飜譯

‘물건을 가득 넣을 수 있는 집(屋所容受)’을 말한다. 면(宀)이 의미부이고 성(成)이 소리부이다. 독음은 씨(氏)와 정(征)의 반절이다.

**4554**

**寍: 寍: 편안할 녕: 宀-총12획: níng**

原文

寍: 安也. 从宀, 心在皿上. 人之飮食器, 所以安人. 奴丁切.

飜譯

‘편안하다(安)’라는 뜻이다. 면(宀)이 의미부이고, 심(心)이 명(皿)위에 놓인 모습이다. [명(皿)은] 사람이 먹고 마실 때 쓰는 기물로, 사람을 편안하게 해 줄 수 있는 것이다. 독음은 노(奴)와 정(丁)의 반절이다.

**4555**

**定: 定: 정할 정: 宀-총8획: dìng**

原文

定: 安也. 从宀从正. 徒徑切.

飜譯

‘안정하다(安)’라는 뜻이다. 면(宀)이 의미부이고 정(正)도 의미부이다.[145] 독음은 도(徒)와 경(徑)의 반절이다.

**4556**

**寔: 寔: 이 식: 宀-총12획: shí**

原文

寔: 止也. 从宀是聲. 常隻切.

翻譯

'멈추어 쉬다(止)'라는 뜻이다. 면(宀)이 의미부이고 시(是)가 소리부이다. 독음은 상(常)과 척(隻)의 반절이다.

**4557**

**安: 安: 편안할 안: 宀-총6획: ān**

原文

安: 靜也. 从女在宀下. 烏寒切.

翻譯

'편안하고 고요함(靜)'을 말한다. 여(女)가 면(宀) 아래 놓인 모습이다.[146] 독음은 오(烏)와 한(寒)의 반절이다.

---

145) 고문자에서 甲骨文 金文 古陶文 簡牘文 등으로 썼다. 宀(집 면)과 疋(발 소)로 구성되어, 집안(宀)에서 발(疋)을 멈추고 안정을 취하며 쉬다는 의미를 그렸으며, 이로부터 安定(안정)되다, 平定(평정)되다, 확정하다, 규정하다, 정하다 등의 뜻이 나왔다. 원래는 宀(집 면)과 正(바를 정)으로 구성되었는데, 『설문해자』에서는 宀과 正을 모두 의미부로 보아 회의구조로 해석했으나, 단옥재는 宀이 의미부이고 正이 소리부인 형성구조로 보았으며, 집안(宀)으로 나아가(正) 자리를 잡고 편안하게 쉬다는 뜻을 그렸다고 했다. 에서 이후 正이 발을 뜻하는 疋로 바뀌어 지금의 자형이 되었다.

146) 고문자에서 甲骨文 金文 古陶文 盟書 簡牘文 등으로 썼다. 宀(집 면)과 女(여자 여)로 구성되어, 여성(女)이 집(宀)에서 편안하게 머무는 모습으로부터 便安(편안)함과 安全(안전)함의 의미를 그렸다. 이후 편안하게 느끼다, 安定(안정)되다, 안정시키다 등의 뜻도 나왔다.

**4558**

**宓: 宓: 성 복: 宀-총8획: mì**

原文

宓: 安也. 从宀必聲. 美畢切.

飜譯

'안정되다(安)'라는 뜻이다. 면(宀)이 의미부이고 필(必)이 소리부이다. 독음은 미(美)와 필(畢)의 반절이다.

**4559**

**窫: 窫: 고요할 예: 宀-총12획: yè, yì**

原文

窫: 靜也. 从宀契聲. 於計切.

飜譯

'고요하다(靜)'라는 뜻이다. 면(宀)이 의미부이고 계(契)가 소리부이다. 독음은 어(於)와 계(計)의 반절이다.

**4560**

**宴: 宴: 잔치 연: 宀-총10획: yàn**

原文

宴: 安也. 从宀妟聲. 於甸切.

飜譯

'편안하다(安)'라는 뜻이다. 면(宀)이 의미부이고 안(妟)이 소리부이다.[147] 독음은 어

---

147) 고문자에서 金文 등으로 썼다. 宀(집 면)이 의미부고 妟(편안할 안)이 소

(於)와 전(甸)의 반절이다.

**4561**

**宋: 宋: 고요할 적: 宀-총9획: jì**

原文

宋: 無人聲. 从宀尗聲. 諔, 宋或从言. 前歷切.

飜譯

'사람 소리도 없어 적막하다(無人聲)'라는 뜻이다. 면(宀)이 의미부이고 숙(尗)이 소리부이다. 적(諔)은 적(宋)의 혹체인데, 언(言)으로 구성되었다. 독음은 전(前)과 력(歷)의 반절이다.

**4562**

**詧: 察: 살필 찰: 宀-총14획: chá**

原文

詧: 覆也. 从宀、祭. 初八切.

飜譯

'위에서 덮다(覆)'라는 뜻이다. 면(宀)과 제(祭)가 모두 의미부이다.[148] 독음은 초(初)와 팔(八)의 반절이다.

---

리부로, 집(宀)에서 편안하게(妟) 지냄을 말하고, 이로부터 편안한다, 즐겁다의 뜻이 나왔다. 또 술이나 음식으로 초대해 함께 식사하는 것을 말하여 '잔치'의 뜻도 나왔으며, 달리 酉(닭 유, 술통을 그렸음)나 言(말씀 언)이 들어간 醼(잔치 연)이나 讌(잔치 연) 등으로도 쓴다. 달리 醼이나 讌 등으로 쓰기도 한다.

148) 고문자에서 [古文字] 古陶文 [古文字] 簡牘文 등으로 썼다. 宀(집 면)과 祭(제사 제)로 구성되어, 집안(宀)에서 제사(祭)를 지낼 때 갖추어야 할 물품이 제대로 갖추어졌는지를 '자세히 살피다'는 뜻이며, 이로부터 고찰하다, 잘 알다, 점검하다 등의 뜻이 나왔다.

4563

**寴: 寴: 친할 친: 宀-총19획: qīn**

原文

寴: 至也. 从宀親聲. 初僅切.

翻譯

'지극히 밀접하다(至)'라는 뜻이다. 면(宀)이 의미부이고 친(親)이 소리부이다. 독음은 초(初)와 근(僅)의 반절이다.

4564

**完: 完: 완전할 완: 宀-총7획: wán**

原文

完: 全也. 从宀元聲. 古文以爲寬字. 胡官切.

翻譯

'완전하다(全)'라는 뜻이다. 면(宀)이 의미부이고 원(元)이 소리부이다.[149] 고문에서는 관(寬)자로 쓰였다. 독음은 호(胡)와 관(官)의 반절이다.



4565

**富: 富: 가멸 부: 宀-총12획: fù**

原文

富: 備也. 一曰厚也. 从宀畐聲. 方副切.

翻譯

'모두 갖추었다(備)'라는 뜻이다. 일설에는 '두텁다(厚)'라는 뜻이라고도 한다. 면(宀)

149) 고문자에서 完 完古陶文 完完完 完簡牘文 등으로 썼다. 宀(집 면)이 의미부고 元(으뜸 원)이 소리부로, '완전하게' 차려입어 성장한 사람(元)이 종묘(宀) 앞에 선 모습을 그렸고, 이로부터 完全(완전)하다, 完成(완성)하다, 完了(완료)하다 등의 뜻이 나왔다.

이 의미부이고 복(畐)이 소리부이다.[150] 독음은 방(方)과 부(副)의 반절이다.

**4566**

**實: 實: 열매 실: 宀-총14획: shí**

原文

實: 富也. 从宀从貫. 貫, 貨貝也. 神質切.

飜譯

'부유하다(富)'라는 뜻이다. 면(宀)이 의미부이고 관(貫)도 의미부이다. 관(貫)은 '재화나 재물(貨貝)'을 뜻한다.[151] 독음은 신(神)과 질(質)의 반절이다.

**4567**

**宲: 宲: 감출 포: 宀-총8획: bǎo**

原文

宲: 藏也. 从宀杀聲. 杀, 古文保. 『周書』曰: "陳宲赤刀." 博裒切.

---

150) 고문자에서 金文 古陶文 簡牘文 등으로 썼다. 宀(집 면)이 의미부고 畐(가득할 복)이 소리부로, 집안(宀)에 술독(畐) 같은 물건이 가득하여 재물을 많이 '갖춘' 부자와 부유함의 의미를 그렸고, 이로부터 財富(재부), 풍족함 등의 뜻이 나왔다.

151) 고문자에서 金文 簡牘文 등으로 썼다. 금문에서 宀(집 면)과 田(밭 전)과 貝(조개 패)로 구성되어 집 안(宀)에 곡식(田)과 화폐(貝)가 가득 들어 있는 모습을 그렸다. 이후 소전체에서 田과 貝가 합쳐져 돈을 꿰놓은 형상인 貫(꿸 관)으로 변해 지금의 자형이 되었다. 그래서 집안(宀)에 곡물과 재물이 '가득 차다'가 원래 뜻이며 이로부터 充滿(충만)과 充實(충실)의 뜻이 생겼다. 이후 과일은 꽃이 수정되어 열매가 열리고 속이 가득 차 맛있는 먹을거리가 된다는 점에서 果實(과실)이라는 뜻이, 다시 結實(결실)에서처럼 열매를 맺다는 뜻까지 갖게 되었다. 속이 가득 찬 것은 속이 텅 빈 허구와 대칭을 이루면서 事實(사실)이나 진실의 의미가 생겨났다. 현대 중국에서는 寔(이 식)의 간화자로도 쓰이며, 간화자에서는 초서체를 응용한 实로 쓴다. 한국에서는 고자로 된 実로 쓰기도 한다.

'보물을 숨겨두다(藏)'라는 뜻이다. 면(宀)이 의미부이고 보(𤓽)가 소리부이다. 보(𤓽)는 보(保)의 고문체이다. 『서·주서(周書)·고명(顧命)』에서 "선왕께서 보배로이 소장했던 물건과 붉은 칼(陳宲赤刀)"이라고 했다. 독음은 박(博)과 포(褎)의 반절이다.

**4568**

**容: 容: 얼굴 용: 宀-총10획: róng**

原文

容: 盛也. 从宀、谷. 𡧦, 古文容从公. 余封切.

飜譯

'가득 담다(盛)'라는 뜻이다. 면(宀)과 곡(谷)이 모두 의미부이다.[152] 용(𡧦)은 용(容)의 고문체인데, 공(公)으로 구성되었다. 독음은 여(余)와 봉(封)의 반절이다.

**4569**

**宂: 宂: 쓸데없을 용: 宀-총5획: rǒng**

原文

宂: 椒也. 从宀, 人在屋下, 無田事. 『周書』曰: "宫中之宂食." 而隴切.

飜譯

'흩어지다(椒)'라는 뜻이다. 면(宀)이 의미부이고, 사람(人)이 집(屋) 아래에 있는 모습인데, 농사일이 없음을 뜻한다. 『주서(周書)』[153]에서 "궁중의 비정규직 사람들의

152) 고문자에서 甲骨文 金文 古陶文 簡牘文 古璽文 등으로 썼다. 宀(집 면)이 의미부고 谷(골 곡)이 소리부로, 집(宀)과 계곡(谷)이 모든 것을 담고 받아들일 수 있는 큰 공간이라는 뜻에서 容納(용납)하다, '받아들이다'는 뜻을 그렸다. 이로부터 寬容(관용)을 베풀다, 許容(허용)하다의 뜻이 나왔고, 관용은 얼굴색으로 나타나기에 얼굴의 뜻이, 다시 容貌(용모) 등의 뜻이 나왔다.

153) 『단주』에서 이렇게 말했다. 『주서(周書)』는 『주례(周禮)』가 되어야 한다. 필사과정에서 일어난 오류이다. 『주례·지관』에서 고인(槀人)은 조정안과 바깥의 비정규직 관원들에게 음식을 제공하는 일을 담당한다(掌共外內朝宂食者之食)고 했는데, 허신은 이를 가져와 말한 것이다. 아

음식을 제공한다(宮中之穴食)"라고 했다. 독음은 이(而)와 롱(隴)의 반절이다.

4570

**⿱宀臱: ⿱宀臱: 보이지 않을 면: 宀-총17획: mián**

原文

⿱宀臱: 臱臱, 不見也. 一曰臱臱, 不見省人. 从宀臱聲. 武延切.

飜譯

'면면(臱臱)'을 말하는데, '보이지 않다(不見)'라는 뜻이다. 일설에는 면면(臱臱)의 사람이 보이지 않는다(不見省人)는 뜻이라고도 한다. 면(宀)이 의미부이고 면(臱)이 소리부이다. 독음은 무(武)와 연(延)의 반절이다.

4571

**寶: 寶: 보배 보: 宀-총20획: bǎo**

原文

寶: 珍也. 从宀从王从貝, 缶聲. 寚, 古文寶省貝. 博皓切.

飜譯

'보물(珍)'을 말한다. 면(宀)이 의미부이고 왕(王)이 의미부이고 패(貝)도 의미부이며, 부(缶)가 소리부이다.[154] 보(寚)는 보(寶)의 고문체인데, 패(貝)가 생략되었다. 독음은 박(博)과 호(皓)의 반절이다.

---

마도 "교인(校人)이 궁중의 녹봉으로 주던 쌀을 관리했다(宫中之稍食)"는 말에서 온 오류가 아닌가 한다.

154) 고문자에서 甲骨文 金文 古陶文 簡牘文 등으로 썼다. 宀(집 면)과 玉(옥 옥)과 貝(조개 패)가 의미부고 缶(장군 부)가 소리부로, 집(宀) 안에 옥(玉)과 조개 화폐(貝) 같은 보물이 가득 든 모습을 그렸고, 이로부터 寶物(보물), 보배, 귀한 물건의 뜻이 나왔고, 돈, 미덕, 아끼는 물건 등을 지칭하게 되었다. 간화자에서는 宀과 玉으로 구성된 宝로 쓴다.

**4572**

**宭: 宭: 여럿이 살 군: 宀-총10획: qún**

原文

宭: 羣居也. 从宀君聲. 渠云切.

飜譯

'여럿이 함께 살다(羣居)'라는 뜻이다. 면(宀)이 의미부이고 군(君)이 소리부이다. 독음은 거(渠)와 운(云)의 반절이다.

**4573**

**宦: 宦: 벼슬 환: 宀-총9획: huàn**

原文

宦: 仕也. 从宀从臣. 胡慣切.

飜譯

'벼슬살이를 하다(仕)'라는 뜻이다. 면(宀)이 의미부이고 신(臣)도 의미부이다.[155] 독음은 호(胡)와 관(慣)의 반절이다.

**4574**

**宰: 宰: 재상 재: 宀-총10획: zǎi**

原文

宰: 辠人在屋下執事者. 从宀从辛. 辛, 辠也. 作亥切.

---

155) 고문자에서 金文 古陶文 簡牘文 등으로 썼다. 宀(집 면)과 臣(신하 신)으로 구성되어, 집(宀) 속에 갇힌 신하(臣)를 뜻한다. 이로부터 궁궐의 제한된 공간 속에 갇혀 일하는 말단 관리, 즉 宦官(환관)을 말했으며, 제왕의 신하, 말단 관리, 관리가 되다 등의 뜻도 나왔다.

飜譯

'집 아래서 일을 맡아 하는 죄인(辠人在屋下執事者)'을 말한다. 면(宀)이 의미부이고 신(辛)도 의미부이다. 신(辛)은 죄(辠)를 뜻한다.156) 독음은 작(作)과 해(亥)의 반절이다.

**4575**

: 守: **지킬 수**: 宀-**총6획**: shǒu

原文

: 守官也. 从宀从寸. 寺府之事者. 从寸. 寸, 法度也. 書九切.

飜譯

'관리가 지켜야 할 직무(守官)'를 말한다. 면(宀)이 의미부이고 촌(寸)도 의미부이다. [면(宀)은] 관청에서의 일을 뜻한다. 촌(寸)이 의미부인 것은, 촌(寸)이 법도(法度)를 뜻하기 때문이다.157) 독음은 서(書)와 구(九)의 반절이다.

**4576**

: 寵: **괼 총**: 宀-**총19획**: chǒng

原文

: 尊居也. 从宀龍聲. 丑壟切.

---

156) 고문자에서 甲骨文 金文 簡牘文 (石刻古文 등으로 썼다. 宀(집 면)과 辛(매울 신)으로 구성되어, 집안(宀)에서 칼(辛)을 갖고 있다는 뜻에서 짐승을 죽이다, 고기를 자르다 등의 뜻이 나왔고, 다시 생살권을 가진 사람이라는 뜻에서 '宰相(재상)'을 뜻하게 되었으며, 主宰(주재)하다의 뜻이 나왔다.

157) 고문자에서 金文 古陶文 盟書 簡牘文 등으로 구성되었다. 宀(집 면)과 寸(마디 촌)으로 구성되었는데, 寸은 손이나 법칙 등을 뜻한다. 그래서 守는 규정된 규칙(寸)에 근거해 집안(宀)에서 일을 보거나 집무하는 것을 말하며, 이로부터 조정이나 창고의 문서 정리를 하다, 遵守(준수)하다는 뜻이, 다시 守官(수관)에서처럼 지방 장관 등의 뜻이 나왔다.

**飜譯**

'존경받는 곳에 자리함(尊居)'을 말한다. 면(宀)이 의미부이고 룡(龍)이 소리부이다.[158] 독음은 축(丑)과 롱(壟)의 반절이다.

**4577**

**宥: 宥: 용서할 유: 宀-총9획: yòu**

**原文**

宥: 寬也. 从宀有聲. 于救切.

**飜譯**

'관대하다(寬)'라는 뜻이다. 면(宀)이 의미부이고 유(有)가 소리부이다. 독음은 우(于)와 구(救)의 반절이다.

**4578**

**宜: 宜: 마땅할 의: 宀-총8획: yí**

**原文**

宜: 所安也. 从宀之下, 一之上, 多省聲. 𡧪, 古文宜. 𡨙, 亦古文宜. 魚羈切.

**飜譯**

'마음이 편안하게 하는 바(所安)'를 말한다. 면(宀)의 아래와 가로획[一·땅]의 윗부분이라는 뜻을 그렸고, 다(多)의 생략된 모습이 소리부이다.[159] 의(𡧪)는 의(宜)의

158) 宀(집 면)이 의미부고 龍(용 룡)이 소리부로, 사랑하다는 뜻인데, 집안(宀)에 토템으로 삼았던 용(龍)의 형상을 모셔 놓고 신의 축복을 빌었던 데서 은총, 총애 등의 뜻이 나왔고, 다시 존중하다 등의 뜻이 나왔다. 간화자에서는 龍을 龙으로 줄인 宠으로 쓴다.

159) 고문자에서 甲骨文 金文 古陶文 盟書 簡牘文 古璽文 등으로 썼다. 宀(집 면)과 且(또 차)로 구성되었는데, 갑골문에서는 도마(俎·조) 위에 고깃덩어리(月·肉)들이 놓인 모습이었다. 이후 자형이 변해 宀과 夕(肉의 변형)과 一로 변했고, 다시 자형이 줄어 지금의 구조로 되었다. 『설문해자』에서는 "집

제7권

고문체이다. 의(㝎)도 의(宜)의 고문체이다. 독음은 어(魚)와 기(羈)의 반절이다.

**4579**

**寫: 寫: 베낄 사: 宀-총15획: xiě**

原文

寫: 置物也. 从宀舄聲. 悉也切.

譯

'물건을 안치해 두다(置物)'라는 뜻이다. 면(宀)이 의미부이고 석(舄)이 소리부이다.160) 독음은 실(悉)과 야(也)의 반절이다.

**4580**

**宵: 宵: 밤 소: 宀-총10획: xiāo**

原文

宵: 夜也. 从宀, 宀下冥也; 肖聲. 相邀切.

譯

'밤(夜)'을 말한다. 면(宀)이 의미부인데, 집(宀)의 아래가 캄캄하다는 의미를 나타낸다. 초(肖)는 소리부이다.161) 독음은 상(相)과 요(邀)의 반절이다.

---

안(宀)의 바닥(一) 위로 고깃덩어리(夕)가 놓인 모습"이라고 했는데, 원래의 자형까지 고려하면 집안에서 제기에 고기를 담아 놓은 모습이다. 제사를 드리려고 고깃덩어리를 제기에 담아 놓은 모습에서 '적합하다', '마땅하다'의 뜻이 나왔다. 달리 宐, 㝖, 宧 등으로 쓰기도 한다.

160) 고문자에서 寫簡牘文 등으로 썼다. 宀(집 면)이 의미부고 舄(신 석)이 소리부로, 집안(宀)에다 물건을 놓아두다, 집안으로 물건을 옮기다 등의 뜻을 그렸고, 이후 '옮겨 적다', 筆寫(필사)하다, 베끼다 등의 뜻을 갖게 되었다. 간화자에서는 宀을 冖(덮을 멱)으로 대신하고 舄를 초서체로 바꾼 写로 쓴다.

161) 고문자에서 宵金文 宵宵簡牘文 등으로 썼다. 금문에서 宀(집 면)과 夕(저녁 석)이 의미부고 小(작을 소)가 소리부였는데, 소전체에 들면서 宀이 의미부고 肖(닮을 초)가 소리부인 지금의 구조로 변했다. 밤(夕)이 되어 외부활동을 중단하고 집안(宀)에 머무는 모습으로부터 '밤'의 의미를 그렸으며, 달리 정월 대보름(元宵·원소)을 뜻하기도 한다.

4581

**㝛: 宿: 묵을 숙·별자리 수: 宀-총11획: sù**

原文

㝛: 止也. 从宀佰聲. 佰, 古文夙. 息逐切.

飜譯

'머무르다(止)'라는 뜻이다. 면(宀)이 의미부이고 숙(佰)이 소리부이다. 숙(佰)은 숙(夙)의 고문체이다.162) 독음은 식(息)과 축(逐)의 반절이다.

4582

**寑: 寝: 잠잘 침: 宀-총12획: qǐn**

原文

寑: 臥也. 从宀侵聲. 𡪢, 籒文寑省. 七荏切.

飜譯

'누워 자다(臥)'라는 뜻이다. 면(宀)이 의미부이고 침(侵)이 소리부이다.163) 침(𡪢)은 침(寑)의 주문체인데, 생략된 모습이다. 독음은 칠(七)과 임(荏)의 반절이다.

---

162) 고문자에서 甲骨文 金文 古陶文 簡牘文 등으로 썼다. 원래는 사람(人)이 집안(宀)에서 자리 위에 누워 쉬거나 자는 모습을 그렸는데, 자형이 조금 변해 지금의 자형이 되었다. 자다, 쉬다가 원래 뜻이며, 옛날 관원들이 자고 갈 수 있게 한 宿泊(숙박)시설도 지칭했다. 이후 밤새워 지키다, 안전하다 등의 뜻이 나왔고, 별자리를 지칭하기도 했다. 星宿(성수)에서처럼 '별자리'를 뜻할 때에는 '수'로 읽힘에 유의해야 한다.

163) 고문자에서 甲骨文 金文 簡牘文 등으로 썼다. 爿(나뭇조각 장)이 의미부이고 𡪢(잘 침, 寑의 籒文)이 소리부로, 침상(爿)에서 잠을 자다(𡪢)는 뜻을 그렸고, 이로부터 '잠자다'의 뜻이 나왔고, 잠자는 곳을 지칭하게 되었다. 간화자에서는 寝으로 줄여 쓴다.

제7권

**4583**

**寅: 宩: 알지 못하는 사이에 합할 면: 宀-총7획: miàn, bīn**

原文

寅: 冥合也. 从宀丏聲. 讀若『周書』"若藥不眄眩". 莫甸切.

飜譯

'우연히 서로 일치하다(冥合)'라는 뜻이다. 면(宀)이 의미부이고 면(丏)이 소리부이다. 『주서』에서 말한 "약약불명현(若藥不眄眩: 치료를 할 때 만약 명현 반응이 나타나지 않으면)"이라고 할 때의 면(眄)과 같이 읽는다. 독음은 막(莫)과 전(甸)의 반절이다.

**4584**

**寬: 寬: 너그러울 관: 宀-총15획: kuān**

原文

寬: 屋寬大也. 从宀萈聲. 苦官切.

飜譯

'집이 넓고 크다(屋寬大)'라는 뜻이다. 면(宀)이 의미부이고 환(萈)이 소리부이다.164) 독음은 고(苦)와 관(官)의 반절이다.

**4585**

**寤: 寤: 잠 깰 오: 宀-총10획: wù**

原文

寤: 寤也. 从宀吾聲. 五故切.

---

164) 고문자에서 寬 寬簡牘文 寬石刻古文 등으로 썼다. 宀(집 면)이 의미부이고 萈(패모 한)이 소리부로, 화려하게 화장을 한 제사장(萈)이 종묘(宀)에서 천천히 춤추는 모습을 그렸고, 이로부터 느긋하다, 寬待(관대)하다, 넓다 등의 뜻이 나왔다. 간화자에서는 宽으로 쓴다.

飜譯

'잠을 깨다(寤)'라는 뜻이다. 면(宀)이 의미부이고 오(吾)가 소리부이다. 독음은 오(五)와 고(故)의 반절이다.

**4586**

**寁: 寁: 빠를 잠: 宀-총11획: zǎn**

原文

寁: 居之速也. 从宀疌聲. 子感切.

飜譯

'빠르다(居之速)'라는 뜻이다. 면(宀)이 의미부이고 섭(疌)이 소리부이다. 독음은 자(子)와 감(感)의 반절이다.

**4587**

**寡: 寡: 적을 과: 宀-총14획: guǎ**

原文

寡: 少也. 从宀从頒. 頒, 分賦也, 故爲少. 古瓦切.

飜譯

'적다(少)'라는 뜻이다. 면(宀)이 의미부이고 반(頒)도 의미부이다. 반(頒)은 세금을 나누다(分賦)는 뜻이며 그래서 적다(少)는 뜻을 갖는다.165) 독음은 고(古)와 와(瓦)의 반절이다.

---

165) 고문자에서 金文 簡牘文 등으로 썼다. 宀(집 면)과 頁(머리 혈)과 分(나눌 분)으로 구성되어, 집(宀)에 나누어져(分) 홀로 남은 사람(頁)을 그려, '홀로'라는 의미를 형상화했다. 일부 금문에서는 分이 없었으나 이후 分이 더해져 의미를 더욱 명확하게 했다. 이로부터 홀로 남다, '적다'는 뜻이 나왔다. 鰥寡孤獨(환과고독)에서처럼 寡는 나이가 들어 남편이 없는 寡婦(과부)를 말하며, 寡人(과인)에서처럼 임금이 자신을 낮추어 쓰는 말이기도 하다.

**4588**

**客: 客: 손 객: 宀-총9획: kè**

原文

客: 寄也. 从宀各聲. 苦格切.

飜譯

'기거하다(寄)'라는 뜻이다. 면(宀)이 의미부이고 각(各)이 소리부이다.[166] 독음은 고(苦)와 격(格)의 반절이다.

**4589**

**寄: 寄: 부칠 기: 宀-총11획: jì**

原文

寄: 託也. 从宀奇聲. 居義切.

飜譯

'부탁하다(託)'라는 뜻이다. 면(宀)이 의미부이고 기(奇)가 소리부이다.[167] 독음은 거(居)와 의(義)의 반절이다.

**4590**

**寓: 寓: 머무를 우: 宀-총12획: yù**

---

166) 고문자에서 金文 簡牘文 등으로 썼다. 宀(집 면)이 의미부이고 各(각각 각)이 소리부로, 집(宀)으로 들어오는 발걸음(各)으로부터 집을 찾아오는 '손님'을 그렸다. 이로부터 귀빈의 뜻이, 또 손님의 예로 모시다는 뜻이 나왔으며, 상대방에 대한 존중의 표현으로도 쓰인다.

167) 고문자에서 簡牘文 등으로 썼다. 宀(집 면)이 의미부이고 奇(기이할 기)가 소리부로, 절름발이(奇)가 불완전한 몸을 의지하듯 집(宀)에 몸을 맡겨 '寄託(기탁)함'을 말하며, 이로부터 기탁하다, 의지하다, 맡기다 등의 뜻이 나왔다.

原文

: 寄也. 从宀禺聲. 庽, 寓或从广. 牛具切.

飜譯

'기거하다(寄)'라는 뜻이다. 면(宀)이 의미부이고 우(禺)가 소리부이다.[168] 우(庽)는 우(寓)의 혹체인데, 엄(广)으로 구성되었다. 독음은 우(牛)와 구(具)의 반절이다.

**4591**

: 寠: **가난할 구**: 宀-**총14획**: jù

原文

: 無禮居也. 从宀婁聲. 其榘切.

飜譯

'예를 행할 수 없는 거처(無禮居)'를 말한다. 면(宀)이 의미부이고 루(婁)가 소리부이다. 독음은 기(其)와 구(榘)의 반절이다.

**4592**

: 疚: **병들 구**: 宀-**총6획**: jié, jiù, zhòu

原文

: 貧病也. 从宀久聲. 『詩』曰 : "煢煢在疚." 居又切.

飜譯

'빈궁하고 병이 들다(貧病)'라는 뜻이다. 면(宀)이 의미부이고 구(久)가 소리부이다. 『시·주송·민여소자(閔予小子)』에서 "홀로 괴로워하고 있나이다(煢煢在疚)"라고 노래

---

168) 고문자에서 金文 簡牘文 등으로 썼다. 宀(집 면)이 의미부고 禺(긴 꼬리 원숭이 우)가 소리부로, 집(宀)에 붙어사는 이상한 모양(禺)의 귀신에서 '머무르다'는 의미를 그렸고, 이로부터 사는 곳, 기탁하다 등의 뜻이 나왔다. 달리 宀 대신 广(집 엄)이 들어간 庽(머무를 우)로 쓰기도 했다.

했다.[169] 독음은 거(居)와 우(又)의 반절이다.

**4593**

**寒: 寒: 찰 한: 宀-총12획: hán**

原文

寒: 凍也. 从人在宀下, 以茻薦覆之, 下有仌. 胡安切.

飜譯

'얼다(凍)'라는 뜻이다. 사람(人)이 집(宀) 아래 있고, 풀로 짠 자리(茻薦)로 덮은 모습을 하였고, 아래로 얼음(仌)이 놓인 모습이다.[170] 독음은 호(胡)와 안(安)의 반절이다.

**4594**

**害: 害: 해칠 해: 宀-총10획: hài**

原文

害: 傷也. 从宀从口. 宀、口, 言从家起也. 丯聲. 胡蓋切.

飜譯

'해치다(傷)'라는 뜻이다. 면(宀)이 의미부이고 구(口)도 의미부이다. 면(宀)과 구(口)로 구성된 것은 상하게 하는 말이 집에서부터 생겨난다는 뜻을 담았다. 개(丯)가 소

169) 『단주』에서 이렇게 말했다. "경경재구(煢煢在宊)"는 『시·주송(周頌)』의 문장이다. 금본 『시경』에서는 "현현재구(嬛嬛在疚)"라 적었는데, 『모전』에서 구(疚)는 질병을 말한다(病也)고 했다. 단옥재 내 생각에, 『모시』에서는 원래 구(宊)로 적었을 것이다. 『모전』에서 이를 질병(病)으로 해석하고, 구(宊)를 구(疚)의 가차자로 설명했다. 『좌전』에서도 "경경여재구(煢煢余在疚)"라고 했다.

170) 고문자에서 金文 簡牘文 등으로 썼다. 금문에서 宀(집 면)과 人(사람 인)과 茻(잡풀 우거질 망)과 冫(얼음 빙)으로 구성되어, 집(宀) 안에 사람(人)의 옆으로 짚단(茻)과 발아래에 얼음(冫)을 그려 놓았는데, 자형이 변해 지금처럼 되었다. 좌우 양쪽으로 놓인 풀(茻)은 짚단이거나 깔개로 보이며, 얼음(冫)이 어는 추위를 막고자 "집 안(宀) 곳곳을 짚단(茻)으로 둘러쳐 놓은 모습이다." 차다, 춥다가 원래 뜻이며, 이로부터 냉담하다, 貧寒(빈한)하다, 슬프다 등의 뜻이 나왔고, 추운 계절을 지칭하기도 했다.

리부이다.171) 독음은 호(胡)와 개(蓋)의 반절이다.

**4595**

**𡩡: 𡩡: 찾을 색: 宀-총13획: suǒ**

原文

𡩡: 入家搜也. 从宀索聲. 所責切.

飜譯

'집으로 들어가 찾다(入家搜)'라는 뜻이다. 면(宀)이 의미부이고 색(索)이 소리부이다. 독음은 소(所)와 책(責)의 반절이다.

**4596**

**𡫥: 𡫥: 궁할 국: 宀-총19획: jū**

原文

𡫥: 竆也. 从宀𥳑聲. 𥳑與𥶄同. 𥨊, 𡫥或从穴. 居六切.

飜譯

'다하다(竆)'라는 뜻이다. 면(宀)이 의미부이고 국(𥳑)이 소리부이다. 국(𥳑)은 국(𥶄)과 같다. 국(𥨊)은 국(𡫥)의 혹체인데, 혈(穴)로 구성되었다. 독음은 거(居)와 륙(六)의 반절이다.

171) 고문자에서 金文 簡牘文 등으로 썼다. 자형에 대해 의견이 분분하다. 금문에 근거해 口(입 구)가 의미부고 余(나 여)가 소리부로 보아, 口는 기물의 아가리를 말한다고 하였고, 혹자는 끈으로 동여매어 놓은 거푸집을 그렸고 아래의 口는 청동 녹인 물을 부어 넣을 수 있는 입구(口)를 말한다고 보기도 한다. 하지만 割(나눌 할) 등과 연계해 볼 때 청동 기물을 만드는 거푸집을 그린 것으로 보이며, 청동 물이 굳고 나면 겉을 묶었던 끈을 칼로 잘라야 하는데, 여기에서 '칼로 자르다'의 뜻이 나온 것으로 추정된다. 이후 칼에 의한 상처를, 다시 '해치다', 해를 끼치다, 해를 입다 등의 뜻으로 쓰이게 되었고, 損害(손해), 災害(재해), 질병, 심리적으로 느끼는 좋지 않은 감정 등의 의미까지 나왔다.

**4597**

宄: 宄: **도둑 귀**: 宀-**총5획**: **guǐ**

原文

宄: 姦也. 外爲盜, 内爲宄. 从宀九聲. 讀若軌. 𡔏, 古文宄. 𡧍, 亦古文宄. 居洧切.

飜譯

'간사하다(姦)'라는 뜻이다. 밖의 도둑을 도(盜)라고 하고, 안의 도둑을 귀(宄)라고 한다. 면(宀)이 의미부이고 구(九)가 소리부이다. 궤(軌)와 같이 읽는다. 귀(𡔏)는 귀(宄)의 고문체이다. 귀(𡧍)도 귀(宄)의 고문체이다. 독음은 거(居)와 유(洧)의 반절이다.

**4598**

䆝: 䆝: **변방 최**: 宀-**총15획**: **cuì**

原文

䆝: 塞也. 从宀㝡聲. 讀若『虞書』曰"䆝三苗"之"䆝". 麤最切.

飜譯

'변방(塞)'을 말한다. 면(宀)이 의미부이고 체(㝡)가 소리부이다. 『우서』에서 "최삼묘(䆝三苗)"라고 한 최(䆝)와 같이 읽는다. 독음은 추(麤)와 최(最)의 반절이다.

**4599**

宕: 宕: **방탕할 탕**: 宀-**총8획**: **dàng**

原文

宕: 過也. 一曰洞屋. 从宀, 碭省聲. 汝南項有宕鄕. 徒浪切.

飜譯

'지나치다(過)'라는 뜻이다. 일설에는 '굴을 파 만든 집(洞屋)'을 말한다고도 한다. 면(宀)이 의미부이고 탕(碭)의 생략된 부분이 소리부이다. 여남(汝南)군의 항현(項縣)에 탕향(宕鄕)이 있다. 독음은 도(徒)와 랑(浪)의 반절이다.

**4600**

**宋: 宋: 송나라 송: 宀-총7획: sòng**

原文

宋: 居也. 从宀从木. 讀若送. 蘇統切.

飜譯

'거주하다(居)'라는 뜻이다. 면(宀)이 의미부이고 목(木)도 의미부이다. 송(送)과 같이 읽는다.172) 독음은 소(蘇)와 통(統)의 반절이다.

**4601**

**寴: 寴: 기울 점: 宀-총14획: diàn**

原文

寴: 屋傾下也. 从宀執聲. 都念切.

飜譯

'집이 아래로 기울어지다(屋傾下)'라는 뜻이다. 면(宀)이 의미부이고 집(執)이 소리부이다. 독음은 도(都)와 념(念)의 반절이다.



**4602**

**宗: 宗: 마루 종: 宀-총8획: zōng**

---

172) 고문자에서 甲骨文 金文 古陶文 盟書 簡牘文 등으로 썼다. 宀(집 면)과 木(나무 목)으로 구성되어, 나무(木)로 만든 위패가 모셔진 건축물(宀)인 종묘를 말한다. 또 주나라 때의 제후국의 이름으로 주 무왕이 상나라를 멸망시키고서 상왕의 후예인 武庚(무경)을 상의 옛 수도에 봉했던 나라이며, 기원전 286년 齊(제)나라에 의해 멸망했다. 또 唐(당)의 뒤를 이어 趙匡胤(조광윤)에 의해 세워졌던 왕조 이름으로도 쓰이며, 서체 이름으로도 쓰여 송나라 때 유행했던 판각용 서체를 뜻하기도 한다.

原文

宗: 尊祖廟也. 从宀从示. 作冬切.

'조상을 모시는 사당(尊祖廟)'를 말한다.173) 면(宀)이 의미부이고 시(示)도 의미부이다.174) 독음은 작(作)과 동(冬)의 반절이다.

**4603**

**宔: 宔: 신주 주: 宀-총8획: guāi**

原文

宔: 宗廟宔祏. 从宀主聲. 之庾切.

'종묘에서 신주를 넣어두는 감실(宗廟宔祏)'을 말한다. 면(宀)이 의미부이고 주(主)가 소리부이다. 독음은 지(之)와 유(庾)의 반절이다.

**4604**

**宙: 宙: 집 주: 宀-총8획: zhòu**

原文

宙: 舟輿所極覆也. 从宀由聲. 直又切.

'배나 수레가 닿을 수 있는 극지방(舟輿所極)'을 말한다. 또 '덮다(覆)'라는 뜻이다.

---

173) 『단주』에서는 "尊也, 祖廟也."가 되어야 한다고 했다. "선조를 준중하다는 뜻이다. 또 조상을 모시는 사당을 말한다."로 해석된다.

174) 고문자에서 甲骨文 金文 古陶文 盟書 簡牘文 등으로 썼다. 宀(집 면)과 示(보일 시)로 구성되어, 조상의 위패를 모신 제단(示)이 설치된 집(宀) 즉 종묘를 말하며, 이로부터 동일 종족이나 가족, 종파, 종갓집 등을 말하게 되었고, 다시 으뜸, 정통 등의 뜻이 나왔다.

면(宀)이 의미부이고 유(由)가 소리부이다.[175] 독음은 직(直)과 우(又)의 반절이다.

**4605**

: 寘: **둘 치**: 宀-총13획: zhì

原文

: 置也. 从宀眞聲. 支義切.

飜譯

'놓다(置)'라는 뜻이다. 면(宀)이 의미부이고 진(眞)이 소리부이다. 독음은 지(支)와 의(義)의 반절이다. [신부]

**4606**

: 寰: **기내 환**: 宀-총16획: huán

原文

: 王者封畿内縣也. 从宀瞏聲. 戶關切.

飜譯

'왕이 분봉한 기내의 현(王者封畿内縣)'을 말한다. 면(宀)이 의미부이고 경(瞏)이 소리부이다. 독음은 호(戶)와 관(關)의 반절이다. [신부]

**4607**

: 寀: **녹봉 채**: 宀-총11획: cǎi

原文

: 同地爲寀. 从宀采聲. 倉宰切.

---

175) 고문자에서 甲骨文 등으로 썼다. 宀(집 면)이 의미부고 由(말미암을 유)가 소리부로, 집(宀)이 집으로 기능을 할 수 있도록(由) 해 주는 대들보(棟梁·동량)를 뜻했는데, 이후 이러한 공간으로부터 '宇宙(우주)'라는 의미를 그려냈다.

‘같은 땅(同地)을 채(寀)라고 한다.’ 면(宀)이 의미부이고 채(采)가 소리부이다. 독음은 창(倉)과 재(宰)의 반절이다. [신부]

# 제270부수
# 270 ■ 궁(宮)부수

**4608**

**宮: 宫: 집 궁: 宀-총10획: gōng**

原文

宮: 室也. 从宀, 躳省聲. 凡宮之屬皆从宮. 居戎切.

讞譯

'궁실(室)'을 말한다. 면(宀)이 의미부이고, 궁(躳)의 생략된 모습이 소리부이다.[176] 궁(宮)부수에 귀속된 글자들은 모두 궁(宮)이 의미부이다. 독음은 거(居)와 융(戎)의 반절이다.

**4609**

**營: 營: 경영할 영: 火-총17획: yíng**

原文

營: 市居也. 从宮, 熒省聲. 余傾切.

讞譯

'주위를 둘러싸 거주하다(市居)'라는 뜻이다.[177] 궁(宮)이 의미부이고, 형(熒)의 생략

---

176) 고문자에서 [甲骨文 자형]甲骨文 [金文 자형]金文 [古陶文 자형]古陶文 [簡牘文 자형]簡牘文 등으로 썼다. 갑골문에서 창문을 낸 집(宀)을 그려 '가옥'이라는 의미를 그렸는데, 두 개의 창문이 몸(음률 려)로 변해 지금의 자형이 되었다. 진시황 때 이르러 자신이 사는 궁궐을 宮이라 하고, 일반인들이 사는 집은 家(집 가)로 구분하여 썼고, 이후 궁궐이라는 의미로 축소 사용되었다. 달리 五音(오음, 궁·상·각·치·우)의 하나를 지칭하기도 했다. 간화자에서는 宫으로 써, 원래의 자형으로 되돌아갔다.

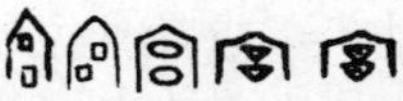

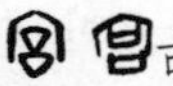

177) 『단주』에서 시(市)는 잡(帀)이 되어야 한다고 하면서 이렇게 말했다. "각 판본에서 시(市)로 되었는데, 『섭초송본(葉抄宋本)』과 『운회(及韵)』본에 근거해 수정했다. 『집운(集韵)』에서는 시

된 모습이 소리부이다.[178] 독음은 여(余)와 경(傾)의 반절이다.

(市)로 되었고, 『유편(類篇)』과 『운회(韵會)』에서는 잡(匝)으로 되었는데, 아마도 고본에서는 잡(帀)으로 적었을 것이다. 그래서 시(市)로 된 것은 잘못이다. 잡거(帀居)는 에워싸서 거주하는 것을 말한다. 예컨대, 시영(市營)을 환(闤)이라 하고, 군루(軍壘)를 영(營)이라 한 것들이 모두 그렇다."

178) 고문자에서 [glyph]金文 [glyph]簡牘文 등으로 썼다. 宫(집 궁)의 생략된 모습이 의미부고 熒(등불 형)의 생략된 모습이 소리부로, 궁실(宫)처럼 주위를 담으로 쌓다는 뜻이다. 이로부터 집을 짓다, 군대의 주둔지, 군대의 편제 단위 등의 뜻이, 다시 계획하다 등의 뜻이 나왔고, 현대에서는 經營(경영)의 의미까지 갖게 되었다. 간화자에서는 윗부분을 간단하게 줄인 营으로 쓴다.

## 제271부수
## 271 ■ 려(呂)부수

**4610**

**呂: 呂: 음률 려: 口-총7획: lǚ**

原文

呂: 脊骨也. 象形. 昔太嶽爲禹心呂之臣, 故封呂矦. 凡呂之屬皆从呂. 膂, 篆文呂从肉从旅. 力舉切.

飜譯

'등뼈(脊骨)'를 말한다. 상형이다.[179] 옛날, 태옥(太嶽)은 우(禹) 임금의 심장과 등뼈(心呂)와 같은 신하였는데, 이 때문에 여후(呂矦)에 봉해졌다. 려(呂)부수에 귀속된 글자들은 모두 려(呂)가 의미부이다. 려(膂)는 려(呂)의 전서체인데, 육(肉)이 의미부이고 려(旅)도 의미부이다. 독음은 력(力)과 거(舉)의 반절이다.

**4611**

**躳: 躳: 몸 궁: 身-총14획: gōng**

原文

躳: 身也. 从身从呂. 躬, 躳或从弓. 居戎切.

飜譯

'몸(身)'을 말한다. 신(身)이 의미부이고 려(呂)도 의미부이다. 궁(躬)은 궁(躳)의 혹

---

179) 고문자에서 呂 甲骨文 呂 金文 呂 簡牘文 등으로 썼다. 두 개의 네모 덩어리로 '등뼈'를 두 개 그렸는데, 이후 律呂(율려)에서처럼 음률의 하나로 가차되었고, 하남성 南陽(남양) 서쪽에 있던 나라 이름으로도 쓰였다. 금문에서는 金(쇠 금)이 더해진 경우도 보이는데, 쇠(金)로 만든 악기에서 나는 소리임을 보여준다. 이후 肉(고기 육)이 의미부이고 旅(군사 려)가 소리부인 膂(등골뼈 려)로 변화했다. 간화자에서는 吕로 쓴다.

제7권

체인데, 궁(弓)으로 구성되었다. 독음은 거(居)와 융(戎)의 반절이다.

## 제272부수
## 272 ■ 혈(穴)부수

**4612**

**內: 穴: 구멍 혈: 穴-총5획: xué**

原文

內: 土室也. 从宀八聲. 凡穴之屬皆从穴. 胡決切.

飜譯

'흙으로 된 집(土室)'을 말한다. 면(宀)이 의미부이고 팔(八)이 소리부이다.[180] 혈(穴)부수에 귀속된 글자들은 모두 혈(穴)이 의미부이다. 독음은 호(胡)와 결(決)의 반절이다.

**4613**

**𥥜: 盆: 굴 명: 穴-총8획: mǐng**

原文

𥥜: 北方謂地空, 因以爲土穴, 爲盆戶. 从穴皿聲. 讀若猛. 武永切.

飜譯

'북방 지역에서는 지공(地空)이라 하는데[181], 이 흙 굴을 흙집으로 사용한다(因以爲土穴, 爲盆戶).' 혈(穴)이 의미부이고 명(皿)이 소리부이다. 맹(猛)과 같이 읽는다. 독음은 무(武)와 영(永)의 반절이다.

180) 고문자에서 內簡牘文 등으로 썼다. 입구 양쪽으로 받침목이 갖추어진 동굴 집을 그렸는데, 동굴 집은 지상 건축물이 만들어지기 전의 초기 거주형식이다. 특히 질 좋은 황토 지역에서 쉽게 만들 수 있었던 동굴 집은 온도나 습도까지 적당히 조절되는 훌륭한 거주지였다. 따라서 穴의 원래 뜻은 동굴 집이고, 여기서 '굴'과 사람이 살 수 있는 '공간'의 뜻이 나왔고, 이후 인체나 땅의 '혈'까지 지칭하게 되었다. 달리 岤로 쓰기도 하는데, 동굴이 산(山)에 만들어진 것임을 강조했다.

181) 지공(地空)은 땅속에 저절로 생긴 구멍을 말한다.

**4614**

**窨: 窨: 움 음: 穴-총14획: yīn**

原文

窨: 地室. 从穴音聲. 於禁切.

飜譯

'흙집(地室)'을 말한다. 혈(穴)이 의미부이고 음(音)이 소리부이다. 독음은 어(於)와 금(禁)의 반절이다.

**4615**

**窯: 窯: 기와 굽는 가마 요: 穴-총15획: yáo**

原文

窯: 燒瓦竈也. 从穴羔聲. 余招切.

飜譯

'기와를 굽는 가마(燒瓦竈)'를 말한다. 혈(穴)이 의미부이고 고(羔)가 소리부이다.[182] 독음은 여(余)와 초(招)의 반절이다.

**4616**

**寶: 寶: 움 복: 穴-총17획: fù**

原文

寶: 地室也. 从穴復聲. 『詩』曰 : "陶寶陶穴." 芳福切.

飜譯

182) 穴(구멍 혈)이 의미부고 羔(새끼 양 고)가 소리부로, 질그릇을 굽는(羔) 굴(穴)처럼 된 '가마'를 말한다. 이후 달리 窰(가마 요)나 窰(기와굽는 가마 요)로 쓰기도 한다. 간화자에서는 窑에 통합되었다.

‘흙집(地室)’을 말한다. 혈(穴)이 의미부이고 복(復)이 소리부이다. 『시·대아·면(緜)』에서 “흙집을 파고 굴집을 파고(陶復陶穴)”라고 노래했다. 독음은 방(芳)과 복(福)의 반절이다.

**4617**

**竈: 竈: 부엌 조: 穴-총21획: zào**

原文

竈: 炊竈也. 从穴, 鼀省聲. 𥨍, 竈或不省. 則到切.

飜譯

‘음식을 조리하는 부엌(炊竈)’을 말한다. 혈(穴)이 의미부이고, 축(鼀)의 생략된 부분이 소리부이다.[183] 조(𥨍)는 조(竈)의 혹체자인데, 생략되지 않은 모습이다. 독음은 칙(則)과 도(到)의 반절이다.

**4618**

**窐: 窐: 구멍 규: 穴-총11획: wā**

原文

窐: 甑空也. 从穴圭聲. 烏瓜切.

飜譯

‘시루에 난 구멍(甑空)’을 말한다. 혈(穴)이 의미부이고 규(圭)가 소리부이다. 독음은 오(烏)와 과(瓜)의 반절이다.

---

183) 고문자에서 金文 簡牘文 등으로 썼다. 穴(구멍 혈)과 黽(힘쓸 민·맹꽁이 맹·땅이름 면)으로 구성되어, 진흙(土·토)을 발라 구멍(穴)을 만든 아궁이가 있는 ‘부엌’은 습하기 때문에 개구리나 두꺼비(黽) 같은 것들이 자주 나타나는 곳이기도 하다. 부엌이 원래 뜻이며, 약자와 현대 중국의 간화자에서는 土와 火(불 화)로 구성된 灶(부엌 조)로 쓰는데, 진흙(土)을 발라 만든 불 때는(火) 아궁이라는 뜻을 담았다.

**4619**

**𥧍: 罙: 깊을 심: 穴-총10획: shēn, shèn**

原文

𥧍: 深也. 一曰竈突. 从穴从火, 从求省. 式鍼切.

飜譯

'깊다(深)'라는 뜻이다. 일설에는 '부엌의 굴뚝(竈突)'을 말한다고도 한다. 혈(穴)이 의미부이고 화(火)도 의미부이며, 구(求)의 생략된 부분도 의미부이다. 독음은 식(式)과 침(鍼)의 반절이다.

**4620**

**穿: 穿: 뚫을 천: 穴-총9획: chuān**

原文

穿: 通也. 从牙在穴中. 昌緣切.

飜譯

'관통시키다(通)'라는 뜻이다. 이빨(牙)이 구멍(穴) 속에 든 모습이다.[184] 독음은 창(昌)과 연(緣)의 반절이다.

**4621**

**竂: 竂: 뚫을 료: 穴-총17획: piáo**

原文

竂: 穿也. 从穴尞聲. 『論語』有公伯竂. 洛蕭切.

飜譯

'뚫다(穿)'라는 뜻이다. 혈(穴)이 의미부이고 료(尞)가 소리부이다. 『논어·헌문(憲問)』

184) 穴(구멍 혈)과 牙(어금니 아)로 구성되어, 이빨(牙)로 구멍(穴)을 뚫음을 말하며, 이로부터 뚫다, 날카롭다, 통과하다, (옷 등을) 입다 등의 뜻이 나왔다.

에 공백료(公伯寮)가 나온다. 독음은 락(洛)과 소(蕭)의 반절이다.

4622

**窅: 穾: 뚫을 열·결·혈: 穴-총9획: jué, yuè**

原文

窅: 穿也. 从穴, 決省聲. 於決切.

飜譯

'뚫다(穿)'라는 뜻이다. 혈(穴)이 의미부이고, 결(決)의 생략된 부분이 소리부이다. 독음은 어(於)와 결(決)의 반절이다.

4623

**窫: 窫: 파낼 열: 穴-총12획: jué, yuè**

原文

窫: 深抉也. 从穴从抉. 於決切.

飜譯

'깊게 파내다(深抉)'라는 뜻이다. 혈(穴)이 의미부이고 결(抉)도 의미부이다. 독음은 어(於)와 결(決)의 반절이다.

4624

**竇: 竇: 구멍 두: 穴-총20획: dòu**

原文

竇: 空也. 从穴, 瀆省聲. 徒奏切.

飜譯

'구멍(空)'을 말한다. 혈(穴)이 의미부이고, 독(瀆)의 생략된 부분이 소리부이다. 독음은 도(徒)와 주(奏)의 반절이다.

**4625**

**𥧰:** 窬: **빌 혈**: 穴-**총17획**: **yù, xuè**

原文

𥧰: 空皃. 从穴矞聲. 呼決切.

飜譯

'빈 모양(空皃)'을 말한다. 혈(穴)이 의미부이고 율(矞)이 소리부이다. 독음은 호(呼)와 결(決)의 반절이다.

**4626**

**窠:** 窠: **보금자리 과**: 穴-**총13획**: **kē**

原文

窠: 空也. 穴中曰窠, 樹上曰巢. 从穴果聲. 苦禾切.

飜譯

'구멍(空)'을 말한다. [새 등이] 구멍을 파고 집을 지으면 과(窠)라 하고, 나무 위에다 집을 지으면 소(巢)라고 한다. 혈(穴)이 의미부이고 과(果)가 소리부이다. 독음은 고(苦)와 화(禾)의 반절이다.

**4627**

**窻:** 窻: **창 창**: 穴-**총16획**: **chuāng**

原文

窻: 通孔也. 从穴悤聲. 楚江切.

飜譯

'관통된 구멍(通孔)'을 말한다. 혈(穴)이 의미부이고 총(悤)이 소리부이다.[185] 독음은 초(楚)와 강(江)의 반절이다.

---

**2058** 완역『설문해자』

4628

**窊: 窊: 우묵할 와: 穴-총10획: wā**

原文

窊: 汚衺, 下也. 从穴瓜聲. 烏瓜切.

飜譯

'오사(汚衺), 즉 움푹 꺼진 곳(下)'을 말한다. 혈(穴)이 의미부이고 과(瓜)가 소리부이다. 독음은 오(烏)와 과(瓜)의 반절이다.

4629

**竅: 竅: 구멍 규: 穴-총18획: qiào**

原文

竅: 空也. 从穴敫聲. 牽料切.

飜譯

'구멍(空)'을 말한다. 혈(穴)이 의미부이고 교(敫)가 소리부이다. 독음은 견(牽)과 료(料)의 반절이다.

4630

**空: 空: 빌 공: 穴-총8획: kōng**

原文

空: 竅也. 从穴工聲. 苦紅切.

飜譯

185) 원래는 囪으로 썼는데, 동굴 집에서부터 설치되었다는 뜻에서 穴을 더해 窗이 되었고, 그것이 집의 핵심장치라는 뜻에서 다시 心이 더해져 窻이 되었고, 자형이 줄어 지금의 窓이 되었다. 간화자에서는 心이 빠진 窗으로 쓴다. 달리 囱, 窻, 牕, 牎, 葱 등으로 쓰기도 한다.

제7권

'빈 구멍(竅)'을 말한다. 혈(穴)이 의미부이고 공(工)이 소리부이다.[186] 독음은 고(苦)와 홍(紅)의 반절이다.

**4631**

**窒:** 窒: **텅 빌 경**: 穴-**총12획**: qìng

原文

窒: 空也. 从穴巠聲. 『詩』曰: "甁之窒矣." 去徑切.

飜譯

'구멍(空)'을 말한다. 혈(穴)이 의미부이고 경(巠)이 소리부이다. 『시·소아·료아(蓼莪)』에서 "텅 빈 작은 병(甁之窒矣)"이라고 노래했다.[187] 독음은 거(去)와 경(徑)의 반절이다.

**4632**

**穵:** 穵: **구멍 알**: 穴-**총6획**: wā

原文

穵: 空大也. 从穴乙聲. 烏黠切.

飜譯

'구멍이 크다(空大)'라는 뜻이다. 혈(穴)이 의미부이고 을(乙)이 소리부이다. 독음은 오(烏)와 힐(黠)의 반절이다.

---

186) 고문자에서 金文 古陶文 簡牘文 등으로 썼다. 穴(구멍 혈)이 의미부이고 工(장인 공)이 소리부로, 공구(工)로 황토 언덕에 굴(穴)을 파 만든 '空間(공간)'을 뜻하며, 이후 큰 공간인 '하늘'과 '텅 빔', 틈, 공간이나 칸을 비우다 등의 뜻도 나왔다.

187) 『단주』에서 이렇게 말했다. "甁之窒矣"는 『시경·소아(小雅)·료아(蓼莪)』의 글인데, 금본에서는 경(罄)으로 적었고, 『전(傳)』에서 경(罄)은 비다는 뜻이다(空也)고 했다. 이는 『이아·석고(釋詁)』와 일치한다. 공(空)은 '다하다'는 뜻의 진(盡)과 의미가 통한다.

4633

**𥨬: 窳: 비뚤 유: 穴-총15획: yǔ**

原文

𥨬: 污窬也. 从穴㼌聲. 朔方有窳渾縣. 以主切.

飜譯

'오유(污窬) 즉 움푹 파진 곳'을 말한다. 혈(穴)이 의미부이고 유(㼌)가 소리부이다. 삭방군(朔方郡)에 유혼현(窳渾縣)이 있다.188) 독음은 이(以)와 주(主)의 반절이다.

4634

**𥨮: 窞: 광 바닥의 작은 구덩이 담: 穴-총13획: dàn**

原文

𥨮: 坎中小坎也. 从穴从臽, 臽亦聲. 『易』曰: "入于坎窞." 一曰㫄入也. 徒感切.

飜譯

'구덩이 속의 작은 구덩이(坎中小坎)'를 말한다. 혈(穴)이 의미부이고 함(臽)도 의미부인데, 함(臽)은 소리부도 겸한다. 『역·감괘(坎卦)』에서 "구덩이에 들었더니 그 속에 또 구덩이가 있구나(入于坎窞)"라고 했다. 일설에는 '옆으로 들어가다(㫄入)'라는 뜻이라고도 한다. 독음은 도(徒)와 감(感)의 반절이다.

제7권

188) 『한서·지리지』에 보이며, 지금의 내몽골 아이탄산(阿爾坦山) 남쪽에 있었다.

**4635**

**窌: 窌: 움 교: 穴-총10획: jiào**

原文

窌: 窖也. 从穴卯聲. 匹皃切.

飜譯

'움집(窖)'을 말한다. 혈(穴)이 의미부이고 묘(卯)가 소리부이다. 독음은 필(匹)과 모(皃)의 반절이다.

**4636**

**窖: 窖: 움 교: 穴-총12획: jiào**

原文

窖: 地藏也. 从穴告聲. 古孝切.

飜譯

'땅속의 저장고(地藏)'를 말한다. 혈(穴)이 의미부이고 고(告)가 소리부이다. 독음은 고(古)와 효(孝)의 반절이다.

**4637**

**窬: 窬: 협문 유: 穴-총14획: yú**

原文

窬: 穿木戶也. 从穴俞聲. 一曰空中也. 羊朱切.

飜譯

'협문 즉 대문이나 정문 옆에 나무로 만든 작은 문(穿木戶)'을 말한다. 혈(穴)이 의미부이고 유(俞)가 소리부이다. 일설에는 '속을 파내다(空中)'라는 뜻이라고도 한다. 독음은 양(羊)과 주(朱)의 반절이다.

4638

**鳥: 窵: 그윽할 조: 穴-총16획: diào**

原文

窵: 窵窅, 深也. 从穴鳥聲. 多嘯切.

飜譯

'조요(窵窅)'를 말하는데, '깊다(深)'는 뜻이다. 혈(穴)이 의미부이고 조(鳥)가 소리부이다. 독음은 다(多)와 소(嘯)의 반절이다.

4639

**窺: 窺: 엿볼 규: 穴-총16획: kuī**

原文

窺: 小視也. 从穴規聲. 去隓切.

飜譯

'작은 구멍으로 엿보다(小視)'라는 뜻이다. 혈(穴)이 의미부이고 규(規)가 소리부이다. 독음은 거(去)와 휴(隓)의 반절이다.

4640

**窺: 竀: 똑바로 볼 탱: 穴-총17획: téng**

原文

竀: 正視也. 从穴中正見也, 正亦聲. 敕貞切.

飜譯

'바로 보다(正視)'라는 뜻이다. 혈(穴) 속에 정(正)과 견(見)이 든 모습인데, 정(正)은 소리부도 겸한다. 독음은 구(敕)와 정(貞)의 반절이다.

제7권

**4641**

**窡: 窡: 구멍 속에서 볼 촬: 穴-총13획: zhuì**

原文

窡: 穴中見也. 从穴叕聲. 丁滑切.

飜譯

'구멍 속으로 잠시 보다(穴中見)'라는 뜻이다. 혈(穴)이 의미부이고 철(叕)이 소리부이다. 독음은 정(丁)과 활(滑)의 반절이다.

**4642**

**窋: 窋: 구멍 안에 있는 모양 줄: 穴-총10획: zhú**

原文

窋: 物在穴中皃. 从穴中出. 丁滑切.

飜譯

'물체가 구멍 속에 있는 모양(物在穴中皃)'을 말한다. 구멍(穴) 속으로부터 나오는(出) 모양을 그렸다. 독음은 정(丁)과 활(滑)의 반절이다.

**4643**

**窴: 窴: 메일 전: 穴-총15획: tiān, yǎn**

原文

窴: 塞也. 从穴真聲. 待秊切.

飜譯

'채워 메우다(塞)'라는 뜻이다. 혈(穴)이 의미부이고 진(眞)이 소리부이다. 독음은 대(待)와 년(秊)의 반절이다.

**4644**

**:** 窒: **막을 질**: 穴-총11획: zhì

原文

: 塞也. 从穴至聲. 陟栗切.

飜譯

'채워 메우다(塞)'라는 뜻이다. 혈(穴)이 의미부이고 지(至)가 소리부이다.[189] 독음은 척(陟)과 률(栗)의 반절이다.

**4645**

**:** 突: **갑자기 돌**: 穴-총9획: tū

原文

: 犬从穴中暫出也. 从犬在穴中. 一曰滑也. 徒骨切.

飜譯

'개가 구멍에서 갑작스레 나오다(犬穴中暫出)'라는 뜻이다. 개(犬)가 구멍(穴) 속에 든 모습을 그렸다.[190] 일설에는 '미끄럽다(滑)'라는 뜻이라고도 한다. 독음은 도(徒)와 골(骨)의 반절이다.



**4646**

**:** 竄: **숨을 찬**: 穴-총18획: cuàn

---

189) 고문자에서 簡牘文 등으로 썼다. 穴(구멍 혈)이 의미부고 至(이를 지)가 소리부로, 굴(穴)의 끝에 이른다(至)는 의미로부터 '막힌 곳'이 바로 굴의 '끝'임을 그려냈으며, 이로부터 '지극'이라는 뜻까지 담게 되었다.

190) 고문자에서 古陶文 簡牘文 등으로 썼다. 犬(개 견)이 의미부이고 穴(구멍 혈)이 소리부로, 개(犬)가 동굴 집(穴)에서 '갑자기' 뛰어나오는 모습을 그렸으며, 이로부터 갑자기, 突發(돌발)적인, 突擊(돌격)하다, 격파하다 등의 뜻이 나왔다. 달리 宊로 쓰기도 한다.

原文

竄: 墜也. 从鼠在穴中. 七亂切.

飜譯

'떨어지다(墜)'라는 뜻이다. 쥐(鼠)가 구멍(穴) 속에 든 모습을 그렸다.191) 독음은 칠(七)과 란(亂)의 반절이다.

**4647**

**窣: 窣: 구멍에서 갑자기 나올 솔: 穴-총13획: sū**

原文

窣: 从穴中卒出. 从穴卒聲. 蘇骨切.

飜譯

'구멍(穴) 속에서 갑작스레(卒) 나오다'라는 뜻이다. 혈(穴)이 의미부이고 졸(卒)이 소리부이다. 독음은 소(蘇)와 골(骨)의 반절이다.

**4648**

**窘: 窘: 막힐 군: 穴-총12획: jiŏng**

原文

窘: 迫也. 从穴君聲. 渠隕切.

飜譯

'압박하다(迫)'라는 뜻이다. 혈(穴)이 의미부이고 군(君)이 소리부이다. 독음은 거(渠)와 운(隕)의 반절이다.

---

191) 穴(구멍 혈)과 鼠(쥐 서)로 구성되어, 쥐(鼠)가 구멍(穴) 속으로 '숨는' 모습을 그렸으며, 이로부터 숨다, 도망하다, 제멋대로 달리다, 내쫓다 등의 뜻이 나왔다. 간화자에서는 의미부 鼠을 소리부 串(꼬챙이 찬)으로 바꾼 窜으로 쓰는데, 구멍(穴)을 꿰뚫고(串) 들어가 숨다는 뜻을 그렸다.

4649

𥦗: 窕: **정숙할 조**: 穴-**총11획**: **tiǎo**

原文

𥦗: 深肆極也. 从穴兆聲. 讀若挑. 徒了切.

飜譯

'깊은 곳의 극점(深肆極)'을 말한다. 혈(穴)이 의미부이고 조(兆)가 소리부이다. 도(挑)와 같이 읽는다. 독음은 도(徒)와 료(了)의 반절이다.

4650

穹: 穹: **하늘 궁**: 穴-**총8획**: **qióng**

原文

穹: 窮也. 从穴弓聲. 去弓切.

飜譯

'다하다(窮)'라는 뜻이다. 혈(穴)이 의미부이고 궁(弓)이 소리부이다.192) 독음은 거(去)와 궁(弓)의 반절이다.

4651

究: 究: **궁구할 구**: 穴-**총7획**: **jiū**

原文

究: 窮也. 从穴九聲. 居又切.

飜譯

'다하다(窮)'라는 뜻이다. 혈(穴)이 의미부이고 구(九)가 소리부이다.193) 독음은 거

192) 穴(구멍 혈)이 의미부이고 弓(활 궁)이 소리부로, 활(弓)이나 동굴(穴)처럼 중앙이 높고 주위가 차차 낮아지는 돔(dome) 모양의 형상을 말하며, 이로부터 하늘, 둥근 천장 등을 지칭하게 되었다. 달리 穹으로 쓰기도 한다.

(居)와 우(又)의 반절이다.

**4652**

**竆: 竆: 다할 궁: 穴-총19획: qióng**

原文

竆: 極也. 从穴躳聲. 渠弓切.

飜譯

'끝까지 다하다(極)'라는 뜻이다. 혈(穴)이 의미부이고 궁(躳)이 소리부이다.[194] 독음은 거(渠)와 궁(弓)의 반절이다.

**4653**

**窅: 窅: 멀 요: 穴-총11획: yǎo**

原文

窅: 冥也. 从穴皀聲. 烏皎切.

飜譯

'아득하다(冥)'라는 뜻이다. 혈(穴)이 의미부이고 요(皀)가 소리부이다. 독음은 오(烏)와 교(皎)의 반절이다.

---

193) 穴(구멍 혈)이 의미부이고 九(아홉 구)가 소리부로, 구멍(穴)의 끝까지(九) 들어간다는 뜻으로, 사물의 가장 깊은 곳까지 파헤침을 말하며, 이로부터 끝까지 파헤치다, 探究(탐구)하다 등의 뜻이 나왔다.

194) 고문자에서 簡牘文 등으로 썼다. 穴(구멍 혈)이 의미부이고 躬(몸 궁)이 소리부로, 『설문해자』의 해설처럼 동굴(穴) '끝까지' 몸소(躬) 들어가 보다는 의미를 그렸다. 여기서 '끝'이나 窮極(궁극), 끝까지 가다 등의 뜻이 나왔으며, 다시 궁핍함이나 열악한 환경 등을 뜻하게 되었다. 원래는 竆으로 써, 穴과 躳(躬·몸 궁)으로 이루어졌고, 躳은 다시 身(몸 신)과 呂(등뼈·음률 려)의 결합으로 '몸'을 나타냈으나, 이후 呂가 소리부인 弓(활 궁)으로 바뀐 글자이다. 간화자에서는 소리부인 躬을 力(힘 력)으로 바꾼 穷으로 써, 회의구조로 변했다.

4654

**篛: 窔: 그윽할 요: 穴-총11획: yǎo**

原文

篛: 窅窔, 深也. 从穴交聲. 烏叫切.

飜譯

'요요(窅窔) 즉 깊다(深)'라는 뜻이다. 혈(穴)이 의미부이고 교(交)가 소리부이다. 독음은 오(烏)와 규(叫)의 반절이다.

4655

**窾 邃: 깊을 수: 辵-총18획: suì**

原文

窾 深遠也. 从穴遂聲. 雖遂切.

飜譯

'깊고 멀다(深遠)'라는 뜻이다. 혈(穴)이 의미부이고 수(遂)가 소리부이다. 독음은 수(雖)와 수(遂)의 반절이다.

4656

**窈: 窈: 그윽할 요: 穴-총10획: yǎo**

原文

窈: 深遠也. 从穴幼聲. 烏皎切.

飜譯

'깊고 멀다(深遠)'라는 뜻이다. 혈(穴)이 의미부이고 요(幼)가 소리부이다. 독음은 오(烏)와 교(皎)의 반절이다.

제7권

**4657**

**窱: 窱: 아득할 조: 穴-총15획: diào, tiào**

原文

窱: 杳窱也. 从穴條聲. 徒弔切.

飜譯

'어둡고 아득하다(杳窱)'라는 뜻이다. 혈(穴)이 의미부이고 조(條)가 소리부이다. 독음은 도(徒)와 조(弔)의 반절이다.

**4658**

**竁: 竁: 팔 취: 穴-총17획: cuì**

原文

竁: 穿地也. 从穴毳聲. 一曰小鼠. 『周禮』曰: "大喪, 甫竁." 充芮切.

飜譯

'땅을 파다(穿地)'라는 뜻이다. 혈(穴)이 의미부이고 취(毳)가 소리부이다. 일설에는 '작은 쥐(小鼠)'를 말한다고도 한다. 『주례·춘관·총인(冢人)』에서 "대상이 임박하면 땅을 파서 무덤을 만들기 시작한다(大喪, 甫竁)"라고 했다. 독음은 충(充)과 예(芮)의 반절이다.

**4659**

**窆: 窆: 하관할 폄: 穴-총10획: biǎn**

原文

窆: 葬下棺也. 从穴乏聲. 『周禮』曰: "及窆執斧." 方驗切.

飜譯

'장례 때 관을 땅속으로 내리다(葬下棺)'라는 뜻이다. 혈(穴)이 의미부이고 핍(乏)이 소리부이다. 『주례·춘관·총인(冢人)』에서 "관을 땅속으로 내릴 때에는 도끼를 들고 옆에 선다(及窆執斧)"라고 했다. 독음은 방(方)과 험(驗)의 반절이다.

**4660**

**: 窀: 광중 둔: 穴-총9획: zhūn**

原文

: 葬之厚夕. 从穴屯聲. 『春秋傳』曰 : "窀穸从先君於地下." 陟倫切.

飜譯

'땅속에 [깊이] 묻다(葬之厚夕)'라는 뜻이다.195) 혈(穴)이 의미부이고 둔(屯)이 소리부이다. 『춘추전』(『좌전』 양공 13년, B.C. 560)에서 "선군을 따라 땅속에다 묻었다(窀穸从先君於地下)"라고 했다. 독음은 척(陟)과 륜(倫)의 반절이다.

**4661**

**: 穸: 광중 석: 穴-총8획: xī**

原文

: 窀穸也. 从穴夕聲. 詞亦切.

飜譯

'둔석(窀穸) 즉 땅속에 묻다'라는 뜻이다. 혈(穴)이 의미부이고 석(夕)이 소리부이다. 독음은 사(詞)와 역(亦)의 반절이다.

**4662**

**: 窅: 조그맣게 솟은 모양 압: 穴-총10획: cuán, yā**

原文

195) 『단주』에서는 "葬之厚夕" 앞에 "窀穸"이 들어가 "窀穸, 葬之厚夕也.(窀穸은 땅속에 깊이 묻다는 뜻이다)"가 되어야 한다고 하면서, "후(厚)는 둔(窀)으로 해석되고, 석(夕)은 석(穸)으로 해석된다."라고 했다.

䆗: 入𧖴刺穴謂之䆗. 从穴甲聲. 烏狎切.

'맥을 찾아 침을 놓는 혈(入𧖴刺穴)을 압(䆗)이라 한다.' 혈(穴)이 의미부이고 갑(甲)이 소리부이다. 독음은 오(烏)와 압(狎)의 반절이다.

# 제273부수
## 273 ■ 몽(㝱)부수

4663

**㝱: 㝱: 꿈 몽: 宀-총21획: mèng**

原文

㝱: 寐而有覺也. 从宀从疒, 夢聲. 『周禮』: "以日月星辰占六㝱之吉凶: 一曰正㝱, 二曰咢㝱, 三曰思㝱, 四曰悟㝱, 五曰喜㝱, 六曰懼㝱." 凡㝱之屬皆从㝱. 莫鳳切.

飜譯

'잠에 들었으나 지각이 있는 것(寐而有覺)'을 말한다. 면(宀)이 의미부이고 녁(疒)도 의미부이며, 몽(夢)이 소리부이다.[196] 『주례·춘관·점몽(占夢)』에서 "일월성신의 변화에 근거해 여섯 가지 꿈의 길흉을 점친다고 했는데, 첫 번째가 정몽(正㝱)이요, 두 번째가 악몽(咢㝱)이요, 세 번째가 사몽(思㝱)이요, 네 번째가 오몽(悟㝱)이요, 다섯 번째가 희몽(喜㝱)이요, 여섯 번째가 구몽(懼㝱)이다."라고 했다. 몽(㝱)부수에 귀속된 글자들은 모두 몽(㝱)이 의미부이다. 독음은 막(莫)과 봉(鳳)의 반절이다.

---

196) 고문자에서 [glyphs] 甲骨文 [glyphs] 簡牘文 [glyphs] 帛書 등으로 썼다. 夕(저녁 석)이 의미부고 瞢(어두울 몽)의 생략된 모습이 소리부로, 밤(夕)에 몽롱하게(瞢) 꾸는 '꿈'을 말한다. 갑골문에서는 원래 침상(爿·장) 위에 누워 자는 사람의 모습을 그렸으며, 눈과 눈썹이 생동적으로 표현되었다. 금문에 들면서 宀(집 면)과 夕(저녁 석)이 더해진 㝱으로 변함으로써 밤(夕)에 집(宀) 안의 침대(爿) 위에서 잠자는 모습을 더욱 구체적으로 그려낼 수 있게 되었다. 하지만 漢(한)나라 이후 㝱은 도태되고 지금처럼 夢이 주로 쓰이게 되었다. 夢의 자형에서 특징적인 것은 눈을 키워 그려 놓은 것인데, 눈의 모습이 見(볼 견)에서와 같이 그려졌다. 見이 눈을 크게 뜨고 무엇인가를 주시하는 모습을 그렸음을 고려할 때, 夢에 들어 있는 눈은 현실과 구분되지 않을 정도로 생생한 꿈속의 정황을 주시하고 있음을 나타낸다. 따라서 이것은 꿈을 꾸는 상태인 렘(rem) 수면상태에서의 움직이는 눈동자와도 관련성을 지닌다. 한국 속자에서는 윗부분을 入(들 입)으로 바꾸어 夣으로 쓰며, 현대 중국의 간화자에서는 윗부분을 林(수풀 림)으로 줄인 梦으로 쓴다.

**4664**

**𡫹: 寢: 잘 침: 宀-총26획: qǐn**

原文

𡫹: 病臥也. 从㝱省, 𡪢省聲. 七荏切.

飜譯

'병으로 드러눕다(病臥)'라는 뜻이다. 몽(㝱)의 생략된 모습이 의미부이고, 침(𡪢)의 생략된 부분이 소리부이다. 독음은 칠(七)과 임(荏)의 반절이다.

**4665**

**寐: 寐: 잠잘 매: 宀-총12획: mèi**

原文

寐: 臥也. 从㝱省, 未聲. 蜜二切.

飜譯

'누워 자다(臥)'라는 뜻이다. 몽(㝱)의 생략된 부분이 의미부이고, 미(未)가 소리부이다.[197] 독음은 밀(蜜)과 이(二)의 반절이다.

**4666**

**寤: 寤: 깰 오: 宀-총14획: wù**

原文

寤: 寐覺而有信曰寤. 从㝱省, 吾聲. 一曰晝見而夜㝱也. 𡬁, 籒文寤. 五故切.

飜譯

'자다가 깨어나서 말을 하는 것(寐覺而有信)을 오(寤)라고 한다.' 몽(㝱)의 생략된

197) 寢(잠잘 침)의 생략된 모습이 의미부고 未(아닐 미)가 소리부로, 잠이 들다, 잠을 자다는 뜻인데, 잠이 들어(寢) 깨어 있지 않은(未) 상태임을 뜻한다.

부분이 의미부이고, 오(吾)가 소리부이다.[198] 일설에는 '낮에 본 것을 밤에 꿈으로 꾸는 것(晝見而夜㝱)'을 말한다고도 한다. 오(𡫸)는 오(寤)의 주문체이다. 독음은 오(五)와 고(故)의 반절이다.

**4667**

**𡪲: 寱: 거짓 잠잘 어: 宀-총21획: rǔ, yù**

原文

𡪲: 楚人謂寐曰寱. 从㝱省, 女聲. 依倨切.

飜譯

'초(楚) 지역 사람들은 오(寐)를 어(寱)라고 한다.' 몽(㝱)의 생략된 부분이 의미부이고, 여(女)가 소리부이다. 독음은 의(依)와 거(倨)의 반절이다.

**4668**

**𥧌: 寐: 잠이 깊이 들 미: 宀-총13획: mǐ**

原文

𥧌: 寐而未厭. 从㝱省, 米聲. 莫禮切.

飜譯

'잠이 부족함(寐而未厭)'을 말한다. 몽(㝱)의 생략된 부분이 의미부이고, 미(米)가 소리부이다. 독음은 막(莫)과 례(禮)의 반절이다.

**4669**

**寲: 寲: 깊이 잠들 계: 宀-총22획: jì**

原文

198) 寑(잠잘 침)의 생략된 모습이 의미부고 吾(나 오)가 소리부로, 잠(寑)에서 깨어났음을 말하며, 이로부터 깨우다, 일깨우다, 이해하다 등의 뜻이 나왔다. 또 꿈을 꾸다는 뜻도 가진다.

𡪢: 孰寐也. 从㝱省, 水聲. 讀若悸. 求癸切.

飜譯

'깊이 잠들다(孰寐)'라는 뜻이다. 몽(㝱)의 생략된 부분이 의미부이고, 수(水)가 소리부이다. 계(悸)와 같이 읽는다. 독음은 구(求)와 계(癸)의 반절이다.

**4670**

寎: 寎: **놀랄 병**: 宀-총12획: bǐng

原文

寎: 臥驚病也. 从㝱省, 丙聲. 皮命切.

飜譯

'누워 자면서 자주 놀라는 병(臥驚病)'을 말한다. 몽(㝱)의 생략된 부분이 의미부이고, 병(丙)이 소리부이다. 독음은 피(皮)와 명(命)의 반절이다.

**4671**

寱: 寱: **잠꼬대 예**: 宀-총17획: yì

原文

寱: 瞑言也. 从㝱省, 臬聲. 牛例切.

飜譯

'잠을 자면서 헛소리를 하다(瞑言)'라는 뜻이다. 몽(㝱)의 생략된 부분이 의미부이고, 얼(臬)이 소리부이다. 독음은 우(牛)와 례(例)의 반절이다.

**4672**

寣: 寣: 아이 울 홀: 宀-총14획: hū

原文

寣: 臥驚也. 一曰小兒號寣寣. 一曰河内相評也. 从㝱省, 从言. 火滑切.

飜譯

'잠을 자면서 놀라다(臥驚)'라는 뜻이다. 일설에는 '어린 아이가 응얼거리는 소리(小兒號寣寣)'를 말한다고도 한다. 또 일설에는 '하내(河內) 지역에서 서로 부르는 소리(相評)'를 말한다고도 한다. 몽(㝱)의 생략된 부분이 의미부이고, 언(言)도 의미부이다. 독음은 화(火)와 활(滑)의 반절이다.

## 제274부수
## 274 ■ 녁(疒)부수

**4673**

**疒: 疒: 병들어 기댈 녁: 疒-총5획: nè**

原文

疒: 倚也. 人有疾病, 象倚箸之形. 凡疒之屬皆从疒. 女戹切.

飜譯

'의지하다(倚)'라는 뜻이다. 사람이 병들어 기대 누운 모습을 그렸다.[199] 녁(疒)부수에 귀속된 글자들은 모두 녁(疒)이 의미부이다. 독음은 녀(女)와 액(戹)의 반절이다.

**4674**

**疾: 疾: 병 질: 疒-총10획: jí**

原文

疾: 病也. 从疒矢聲. 𤼷, 古文疾. 𤵸, 籒文疾. 秦悉切.

飜譯

'질병(病)'을 말한다. 녁(疒)이 의미부이고 시(矢)가 소리부이다.[200] 질(𤼷)은 질(疾)

---

199) 疒은 갑골문에 의하면 병상(爿·장)에 사람(人·인)이 아파 누워있는 모습인데, 때로는 흐르는 피나 땀을 더하여 사실성을 높이기도 했다. 이후 소전체에 들면서 사람과 병상이 하나로 합쳐져 지금의 疒이 되었으며, 주로 질병과 관련된 의미를 나타낸다. 예컨대, 疾(병 질)과 病(병 병)은 모두 병에 대한 통칭이며, 疫(돌림병 역), 瘧(학질 학), 疥(옴 개) 등은 구체적인 병명을, 痛(아플 통), 痒(앓을 양) 등과 같이 질병의 정황을 나타낸다.

200) 고문자에서 [古文字] 甲骨文 [古文字] 金文 [古文字] 古陶文 [古文字] 簡牘文 [古文字] 古璽文 등으로 썼다. 疒(병들어 기댈 녁)과 矢(화살 시)로 구성되어, 화살(矢)을 맞아 생긴 상처를 말하며, 이로부터 질병의 일반적 명칭이 되었고, 고통이나 원한의 뜻도 나왔다. 갑골문에서는 사람의 몸(大)에 화살(矢)이 박힌 모습을 그렸는

의 고문체이다. 질(𤵸)은 질(疾)의 주문체이다. 독음은 진(秦)과 실(悉)의 반절이다.

**4675**

**痛: 痛: 아플 통: 疒-총12획: tòng**

原文

痛: 病也. 从疒甬聲. 他貢切.

飜譯

'병통(病)'을 말한다. 녁(疒)이 의미부이고 용(甬)이 소리부이다.[201] 독음은 타(他)와 공(貢)의 반절이다.

**4676**

**病: 病: 병 병: 疒-총10획: bìng**

原文

病: 疾加也. 从疒丙聲. 皮命切.

飜譯

'병이 심해지다(疾加)'라는 뜻이다. 녁(疒)이 의미부이고 병(丙)이 소리부이다.[202] 독음은 피(皮)와 명(命)의 반절이다.

---

데, 소전체에 들면서 사람(大)이 병상(爿)으로 변해 지금처럼 되었다. 화살에 맞으면 재빨리 치료해야 목숨을 건질 수 있었기에 疾에는 疾走(질주)와 같이 '빠르다', '민첩하다'는 뜻도 생겼다.

201) 고문자에서 睡虎秦簡 등으로 썼다. 疒(병들어 기댈 녁)이 의미부고 甬(길 용)이 소리부로, 온몸을 관통하듯 큰(甬) 아픔(疒)을 말하며, 이로부터 苦痛(고통)이나 심한 충격 등의 뜻이, 다시 대단히, 한껏, '철저하게'라는 뜻도 나왔다.

202) 고문자에서 簡牘文 등으로 썼다. 疒(병들어 기댈 녁)이 의미부고 丙(남녘 병)이 소리부로, 병들어 누운 사람(疒)을 옮기는(丙) 모습으로부터 중환자의 의미를 그려내, 증세가 심각한 병을 따로 표현했다. 이후 병(疒)의 대표적 속성이 남에게 옮겨지는(丙) 전염에 있었기에 '질병'을 나타내는 대표 글자로 자리 잡게 되었다. 병이라는 뜻으로부터 잘못, 폐단, 病弊(병폐) 등의 뜻도 나왔다.

**4677**

**𤸻: 瘣: 앓을 외: 疒-총15획: huì**

原文

𤸻: 病也. 从疒鬼聲. 『詩』曰 : "譬彼瘣木." 一曰腫旁出也. 胡罪切.

飜譯

'질병을 앓다(病)'라는 뜻이다. 녁(疒)이 의미부이고 귀(鬼)가 소리부이다. 『시·소아 소변(小弁)』에서 "병들어 죽은 나무처럼(譬彼瘣木)"이라고 노래했다. 일설에는 '부스럼덩이가 옆으로 나오다(腫旁出)'라는 뜻이라고도 한다. 독음은 호(胡)와 죄(罪)의 반절이다.

**4678**

**𤶃: 疴: 병 아: 疒-총10획: kē**

原文

𤶃: 病也. 从疒可聲. 『五行傳』曰 : "時卽有口痾." 烏何切.

飜譯

'질병(病)'을 말한다. 녁(疒)이 의미부이고 가(可)가 소리부이다. 『오행전(五行傳)』[203]에서 "당시에 입병이 있었다(時卽有口痾)"라고 했다. 독음은 오(烏)와 하(何)의 반절이다.

**4679**

**𤷐: 痡: 앓을 부: 疒-총12획: fū, pū, pù**

原文

𤷐: 病也. 从疒甫聲. 『詩』曰 : "我僕痡矣." 普胡切.

---

203) 『한서·오행지』를 말한다.

飜譯

'병을 앓다(病)'라는 뜻이다. 녁(疒)이 의미부이고 보(甫)가 소리부이다. 『시·주남·권이(卷耳)』에서 "내 하인 발병 났으니(我僕痡矣)"라고 노래했다. 독음은 보(普)와 호(胡)의 반절이다.

4680

**瘽: 瘽: 앓을 근: 疒-총16획: qín**

原文

瘽: 病也. 从疒堇聲. 巨斤切.

飜譯

'병을 앓다(病)'라는 뜻이다. 녁(疒)이 의미부이고 근(堇)이 소리부이다. 독음은 거(巨)와 근(斤)의 반절이다.

4681

**瘵: 瘵: 앓을 채: 疒-총16획: zhài**

原文

瘵: 病也. 从疒祭聲. 側介切.

飜譯

'병을 앓다(病)'라는 뜻이다. 녁(疒)이 의미부이고 제(祭)가 소리부이다. 독음은 측(側)과 개(介)의 반절이다.

4682

**瘨: 瘨: 앓을 전: 疒-총15획: diān**

原文

瘨: 病也. 从疒眞聲. 一曰腹張. 都季切.

飜譯

‘병을 앓다(病)’라는 뜻이다. 녁(疒)이 의미부이고 진(眞)이 소리부이다. 일설에는 ‘배가 붓다(腹張)’라는 뜻이라고도 한다. 독음은 도(都)와 년(秊)의 반절이다.

**4683**

**瘼: 瘼: 병들 막: 疒-총16획: mò**

原文

瘼: 病也. 从疒莫聲. 慕各切.

飜譯

‘병을 앓다(病)’라는 뜻이다. 녁(疒)이 의미부이고 막(莫)이 소리부이다. 독음은 모(慕)와 각(各)의 반절이다.

**4684**

**疝: 疝: 복통 교·혹 구: 疒-총7획: jiǎo, jiū, niú**

原文

疝: 腹中急也. 从疒丩聲. 古巧切.

飜譯

‘뱃속이 꼬이는 통증(腹中急)’을 말한다. 녁(疒)이 의미부이고 규(丩)가 소리부이다. 독음은 고(古)와 교(巧)의 반절이다.

**4685**

**瘨: 瘨: 뼈마디가 시큰거릴 연: 疒-총12획: yùn**

原文

瘨: 病也. 从疒員聲. 王問切.

飜譯

'병의 일종(病)'이다. 녁(疒)이 의미부이고 원(員)이 소리부이다. 독음은 왕(王)과 문(問)의 반절이다.

4686

**癇: 癎: 간질 간: 疒-총17획: xián**

原文

癇: 病也. 从疒閒聲. 戶閒切.

飜譯

'병의 일종(病)'이다. 녁(疒)이 의미부이고 간(閒)이 소리부이다. 독음은 호(戶)와 한(閒)의 반절이다.

4687

**疝: 疝: 병 올: 疒-총10획: wù**

原文

疝: 病也. 从疒出聲. 五忽切.

飜譯

'병의 일종(病)'이다. 녁(疒)이 의미부이고 출(出)이 소리부이다. 독음은 오(五)와 홀(忽)의 반절이다.

4688

**疵: 疵: 흠 자: 疒-총10획: cī**

原文

疵: 病也. 从疒此聲. 疾咨切.

飜譯

'병의 일종(病)'이다. 녁(疒)이 의미부이고 차(此)가 소리부이다. 독음은 질(疾)과 자(咨)의 반절이다.

**4689**

**𤺺:** 癈: **폐할 폐**: 疒-**총17획**: **fèi**

原文

𤺺: 固病也. 从疒發聲. 方肺切.

飜譯

'고질병의 일종(固病)'이다. 녁(疒)이 의미부이고 발(發)이 소리부이다. 독음은 방(方)과 폐(肺)의 반절이다.

**4690**

**𤹿:** 瘏: **앓을 도**: 疒-**총14획**: **tú**

原文

𤹿: 病也. 从疒者聲. 『詩』曰 : "我馬瘏矣." 同都切.

飜譯

'병을 앓다(病)'라는 뜻이다. 녁(疒)이 의미부이고 자(者)가 소리부이다. 『시·주남·권이(卷耳)』에서 "내 말 지쳐 늘어졌네(我馬瘏矣)"라고 노래했다. 독음은 동(同)과 도(都)의 반절이다.

**4691**

**𤺥:** 瘲: **경풍 종**: 疒-**총16획**: **zòng**

原文

𤺥: 病也. 从疒從聲. 即容切.

飜譯

'병의 일종(病)'이다. 녁(疒)이 의미부이고 종(從)이 소리부이다. 독음은 즉(即)과 용(容)의 반절이다.

4692

**𤸁: 瘁: 한기 신·심·손: 疒-총12획: shěn**

原文

𤸁: 寒病也. 从疒辛聲. 所臻切.

飜譯

'한기 병(寒病)'이다. 녁(疒)이 의미부이고 신(辛)이 소리부이다. 독음은 소(所)와 진(臻)의 반절이다.

4693

**𤺔: 㾩: 머리 아플 혁: 疒-총13획: xù**

原文

𤺔: 頭痛也. 从疒或聲. 讀若溝洫之洫. 吁逼切.

飜譯

'두통(頭痛)'을 말한다. 녁(疒)이 의미부이고 혹(或)이 소리부이다. 구혁(溝洫)이라고 할 때의 혁(洫)과 같이 읽는다. 독음은 우(吁)와 핍(逼)의 반절이다.

4694

**痟: 痟: 두통 소: 疒-총12획: xiāo**

原文

痟: 酸痟, 頭痛. 从疒肖聲. 『周禮』曰: "春時有痟首疾." 相邀切.

飜譯

'산소(酸痟)'를 말하는데, '두통(頭痛)의 일종'이다. 녁(疒)이 의미부이고 초(肖)가 소리부이다. 『주례·천관·질의(疾醫)』에서 "봄이 되면 소(痟)라는 두통이 생긴다"라고 했다. 독음은 상(相)과 요(邀)의 반절이다.

**4695**

**疕: 疕: 머리 헐 비: 疒-총7획: bǐ**

原文

疕: 頭瘍也. 从疒匕聲. 卑履切.

飜譯

'머리가 허는 질병(頭瘍)'을 말한다. 녁(疒)이 의미부이고 비(匕)가 소리부이다. 독음은 비(卑)와 리(履)의 반절이다.

**4696**

**瘍: 瘍: 종기 양: 疒-총14획: yáng**

原文

瘍: 頭創也. 从疒昜聲. 與章切.

飜譯

'머리에 생기는 종기(頭創)'를 말한다. 녁(疒)이 의미부이고 양(昜)이 소리부이다. 독음은 여(與)와 장(章)의 반절이다.

**4697**

**痒: 痒: 앓을 양: 疒-총11획: yǎng**

原文

痒: 瘍也. 从疒羊聲. 似陽切.

飜譯

'종기의 일종(瘍)'이다. 녁(疒)이 의미부이고 양(羊)이 소리부이다. 독음은 사(似)와 양(陽)의 반절이다.

4698

**瘍: 瘍: 눈병 마만: 疒-총15획: mà, mò**

原文

瘍: 目病. 一曰惡气箸身也. 一曰蝕創. 从疒馬聲. 莫駕切.

飜譯

'눈병의 일종(目病)'이다. 일설에는 '나쁜 기운이 몸에 붙어 생기는 병(惡气箸身)'을 말한다고도 한다. 또 일설에는 '약으로 종기를 잡아먹다(蝕創)'라는 뜻이다. 녁(疒)이 의미부이고 마(馬)가 소리부이다. 독음은 막(莫)과 가(駕)의 반절이다.

4699

**㾷: 㾷: 목 쉰 소리 서: 疒-총17획: xī, sī**

原文

㾷: 散聲. 从疒斯聲. 先稽切.

飜譯

'갈라지는 목소리(散聲)'를 말한다. 녁(疒)이 의미부이고 사(斯)가 소리부이다. 독음은 선(先)과 계(稽)의 반절이다.

4700

**瘍: 寪: 입 비뚤어질 위: 疒-총17획: wěi**

原文

瘍: 口咼也. 从疒爲聲. 韋委切.

飜譯

'입이 비뚤어지는 병(口咼)'을 말한다. 녁(疒)이 의미부이고 위(爲)가 소리부이다. 독음은 위(韋)와 위(委)의 반절이다.

4701

**疦: 疦: 종기 구멍 혈: 疒-총9획: jué**

原文

疦: 瘍也. 从疒, 決省聲. 古穴切.

飜譯

'위(瘍)와 같아 입이 비뚤어지는 병'을 말한다. 녁(疒)이 의미부이고, 결(決)의 생략된 부분이 소리부이다. 독음은 고(古)와 혈(穴)의 반절이다.

4702

**瘖: 瘖: 벙어리 음: 疒-총14획: yīn**

原文

瘖: 不能言也. 从疒音聲. 於今切.

飜譯

'말을 하지 못하는 병(不能言)'을 말한다. 녁(疒)이 의미부이고 음(音)이 소리부이다. 독음은 어(於)와 금(今)의 반절이다.

4703

**癭: 癭: 혹 영: 疒-총22획: yǐng**

原文

癭: 頸瘤也. 从疒嬰聲. 於郢切.

譯解

'목에 생기는 혹(頸瘤)'을 말한다. 녁(疒)이 의미부이고 영(嬰)이 소리부이다. 독음은 어(於)와 영(郢)의 반절이다.

4704

**瘻: 瘻: 부스럼 루: 疒-총16획: lòu**

原文

瘻: 頸腫也. 从疒婁聲. 力豆切.

譯解

'목에 생기는 종기(頸腫)'를 말한다. 녁(疒)이 의미부이고 루(婁)가 소리부이다. 독음은 력(力)과 두(豆)의 반절이다.

4705

**疻: 疻: 몸 떨 우: 疒-총7획: yòu, yǒu**

原文

疻: 顫也. 从疒又聲. 于救切.

譯解

'수족이 떨리는 병(顫)'을 말한다. 녁(疒)이 의미부이고 우(又)가 소리부이다. 독음은 우(于)와 구(救)의 반절이다.

4706

**瘀: 瘀: 병 어: 疒-총13획: yù**

原文

瘀: 積血也. 从疒於聲. 依倨切.

飜譯

'어혈병(積血)'을 말한다. 녁(疒)이 의미부이고 어(於)가 소리부이다. 독음은 의(依)와 거(倨)의 반절이다.

4707

**疝: 疝: 산증 산: 疒-총8획: shàn**

原文

疝: 腹痛也. 从疒山聲. 所晏切.

飜譯

'복통(腹痛)'을 말한다. 녁(疒)이 의미부이고 산(山)이 소리부이다. 독음은 소(所)와 안(晏)의 반절이다.

4708

**疛: 疛: 살살 아픈 뱃병 주: 疒-총8획: zhǒu**

原文

疛: 小腹病. 从疒, 肘省聲. 陟柳切.

飜譯

'살살 아픈 뱃병(小腹病)'을 말한다. 녁(疒)이 의미부이고, 주(肘)의 생략된 부분이 소리부이다. 독음은 척(陟)과 류(柳)의 반절이다.

4709

**癟: 癟: 기운 가득할 비: 疒-총29획: pì**

原文

癟: 滿也. 从疒㬥聲. 平祕切.

飜譯

'기가 가득 찬 병(滿)'을 말한다. 녁(疒)이 의미부이고 비(㬥)가 소리부이다. 독음은 평(平)과 비(祕)의 반절이다.

4710

**𤵜: 痡: 곱사등이 부: 疒-총10획: fù**

原文

𤵜: 俛病也. 从疒付聲. 方榘切.

飜譯

'등이 굽은 병(俛病)'을 말한다. 녁(疒)이 의미부이고 부(付)가 소리부이다. 독음은 방(方)과 구(榘)의 반절이다.

4711

**𤵸: 痀: 곱사등이 구: 疒-총10획: jù, qú**

原文

𤵸: 曲膂也. 从疒句聲. 𢄊, 瘚或省疒. 其俱切.

飜譯

'등뼈가 굽은 병(曲膂)'을 말한다. 녁(疒)이 의미부이고 구(句)가 소리부이다. 구(𢄊)는 구(瘚)의 혹체자인데, 녁(疒)이 생략된 모습이다. 독음은 기(其)와 구(俱)의 반절이다.

4712

**瘚: 瘚: 상기 궐: 疒-총15획: jué**

原文

瘚: 屰气也. 从疒从屰从欠. 居月切.



제7권

飜譯

'기가 거꾸로 올라오다(屰气)'라는 뜻이다. 녁(疒)이 의미부이고 역(屰)도 의미부이고 흠(欠)도 의미부이다. 독음은 거(居)와 월(月)의 반절이다.

4713

**瘈: 痵: 가슴 두근거릴 계: 疒-총13획: jì**

原文

瘈: 气不定也. 从疒季聲. 其季切.

飜譯

'호흡이 안정되지 못하다(气不定)'라는 뜻이다. 녁(疒)이 의미부이고 계(季)가 소리부이다. 독음은 기(其)와 계(季)의 반절이다.

4714

**痱: 痱: 중풍 비: 疒-총13획: fèi, fěi**

原文

痱: 風病也. 从疒非聲. 蒲罪切.

飜譯

'중풍(風病)'을 말한다. 녁(疒)이 의미부이고 비(非)가 소리부이다. 독음은 포(蒲)와 죄(罪)의 반절이다.

4715

**瘤: 瘤: 혹 류: 疒-총17획: liú**

原文

瘤: 腫也. 从疒畱聲. 力求切.

**飜譯**

'종기(腫)'를 말한다. 녁(疒)이 의미부이고 류(畱)가 소리부이다. 독음은 력(力)과 구(求)의 반절이다.

4716

**痤: 痤: 뾰루지 좌: 疒-총12획: cuó**

**原文**

痤: 小腫也. 从疒坐聲. 一曰族絫. 昨禾切.

**飜譯**

'작은 종기(小腫)'를 말한다. 녁(疒)이 의미부이고 좌(坐)가 소리부이다. 일설에는 '족루(族絫)'를 말한다고도 한다. 독음은 작(昨)과 화(禾)의 반절이다.

4717

**疽: 疽: 등창 저: 疒-총10획: jū**

**原文**

疽: 癰也. 从疒且聲. 七余切.

**飜譯**

'악창(癰)'을 말한다. 녁(疒)이 의미부이고 차(且)가 소리부이다. 독음은 칠(七)과 여(余)의 반절이다.

4718

**癘: 癧: 종기 려·나력병 력: 疒-총24획: lí, lì**

**原文**

癘: 癰也. 从疒麗聲. 一曰瘦黑. 讀若隸. 郎計切.

飜譯

'악창(癰)'을 말한다. 녁(疒)이 의미부이고 려(麗)가 소리부이다. 일설에는 '수흑(瘦黑)'을 말한다고도 한다. 예(隸)와 같이 읽는다. 독음은 랑(郎)과 계(計)의 반절이다.

**4719**

**癰:** 癰: 악창 **옹**: 疒-총23획: yōng

原文

癰: 腫也. 从疒雝聲. 於容切.

飜譯

'종기(腫)'를 말한다. 녁(疒)이 의미부이고 옹(雝)이 소리부이다. 독음은 어(於)와 용(容)의 반절이다.

**4720**

**瘜:** 瘜: 궂은살 **식**: 疒-총15획: xī

原文

瘜: 寄肉也. 从疒息聲. 相卽切.

飜譯

'궂은살(寄肉)'을 말한다. 녁(疒)이 의미부이고 식(息)이 소리부이다. 독음은 상(相)과 즉(卽)의 반절이다.

**4721**

**癬:** 癬: 옴 **선**: 疒-총22획: xuǎn

原文

癬: 乾瘍也. 从疒鮮聲. 息淺切.

飜譯

'헌데 딱지(乾瘍)'를 말한다. 녁(疒)이 의미부이고 선(鮮)이 소리부이다. 독음은 식(息)과 천(淺)의 반절이다.

4722

**疥: 疥: 옴 개: 疒-총9획: jiè**

原文

疥: 搔也. 从疒介聲. 古拜切.

飜譯

'가려운 병 즉 옴(搔)'을 말한다. 녁(疒)이 의미부이고 개(介)가 소리부이다. 독음은 고(古)와 배(拜)의 반절이다.

4723

**痂: 痂: 헌데 딱지 가: 疒-총10획: jiā**

原文

痂: 疥也. 从疒加聲. 古牙切.

飜譯

'종기[의 마른 딱지](疥)'를 말한다. 녁(疒)이 의미부이고 가(加)가 소리부이다. 독음은 고(古)와 아(牙)의 반절이다.

4724

**瘕: 瘕: 뱃병 가: 疒-총14획: jiǎ**

原文

瘕: 女病也. 从疒叚聲. 乎加切.

飜譯

'부인병의 일종(女病)'이다. 녁(疒)이 의미부이고 가(叚)가 소리부이다. 독음은 호(乎)와 가(加)의 반절이다.

4725

**𤻲: 癘: 창질 려: 疒-총18획: lì**

原文

𤻲: 惡疾也. 从疒, 蠆省聲. 洛帶切.

飜譯

'악성 종기(惡疾)'를 말한다. 녁(疒)이 의미부이고, 채(蠆)의 생략된 부분이 소리부이다. 독음은 락(洛)과 대(帶)의 반절이다.

4726

**瘧: 瘧: 학질 학: 疒-총15획: nüè**

原文

瘧: 熱寒休作. 从疒从虐, 虐亦聲. 魚約切.

飜譯

'열기와 한기가 번갈아 나타나는 병(熱寒休作)'을 말한다.[204] 녁(疒)이 의미부이고 학(虐)도 의미부인데, 학(虐)은 소리부도 겸한다. 독음은 어(魚)와 약(約)의 반절이다.

4727

**痁: 痁: 학질 점: 疒-총10획: shān**

---

204) 疒(병들어 기댈 녁)이 의미부고 虐(사나울 학)이 소리부로, 학질을 말하는데, 잔학한(虐) 병(疒)이라는 뜻을 담았다. 간화자에서는 소리부 虐을 구성하는 虍(호피무늬 호)를 생략하여 疟으로 쓴다.

原文

𤶼: 有熱瘧. 从疒占聲. 『春秋傳』曰: "齊侯疥, 遂痁." 失廉切.

飜譯

'열이 나는 학질(有熱瘧)'을 말한다. 녁(疒)이 의미부이고 점(占)이 소리부이다. 『춘추전』(『좌전』 소공 20년, B.C. 522)에서 "제후가 옴에 걸렸다가 결국에는 학질을 앓았다(齊侯疥, 遂痁)"라고 했다. 독음은 실(失)과 렴(廉)의 반절이다.

4728

**痎: 痎: 학질 해: 疒-총11획: jiē**

原文

痎: 二日一發瘧. 从疒亥聲. 古諧切.

飜譯

'이틀마다 한 번씩 발작하는 학질(二日一發瘧)'을 말한다. 녁(疒)이 의미부이고 해(亥)가 소리부이다. 독음은 고(古)와 해(諧)의 반절이다.

4729

**痳: 痳: 임질 림: 疒-총13획: lín**

原文

痳: 疝病. 从疒林聲. 力尋切.

飜譯

'산병(疝病) 즉 생식기와 고환이 붓고 아픈 병증'을 말한다. 녁(疒)이 의미부이고 림(林)이 소리부이다. 독음은 력(力)과 심(尋)의 반절이다.

4730

**痔: 痔: 치질 치: 疒-총11획: zhì**

原文

痔: 後病也. 从疒寺聲. 直里切.

飜譯

'항문이 아픈 병(後病)'을 말한다. 녁(疒)이 의미부이고 사(寺)가 소리부이다. 독음은 직(直)과 리(里)의 반절이다.

4731

**痿: 痿: 저릴 위: 疒-총13획: wěi**

原文

痿: 痹也. 从疒委聲. 儒隹切.

飜譯

'류머티즘(痹)'을 말한다. 녁(疒)이 의미부이고 위(委)가 소리부이다. 독음은 유(儒)와 추(隹)의 반절이다.

4732

**痹: 痹: 저릴 비: 疒-총13획: bì**

原文

痹: 溼病也. 从疒畀聲. 必至切.

飜譯

'습병(溼病)'을 말한다. 녁(疒)이 의미부이고 비(畀)가 소리부이다. 독음은 필(必)과 지(至)의 반절이다.

4733

**瘅: 瘅: 다리에 쥐 날 피: 疒-총16획: bì**

原文

㽺: 足气不至也. 从疒畢聲. 針至切.

飜譯

'발의 기가 잘 통하지 않는 병(足气不至)'을 말한다. 녁(疒)이 의미부이고 필(畢)이 소리부이다. 독음은 천(針)과 지(至)의 반절이다.

**4734**

**瘃: 瘃: 동상 촉: 疒-총13획: zhú**

原文

瘃: 中寒腫覈. 从疒豖聲. 陟玉切.

飜譯

'추위에 노출되어 과일의 씨처럼 부어오르는 병, 즉 동상(中寒腫覈)'을 말한다. 녁(疒)이 의미부이고 축(豖)이 소리부이다. 독음은 척(陟)과 옥(玉)의 반절이다.

**4735**

**瘺: 瘺: 반신불수증 편: 疒-총14획: piān**

原文

瘺: 半枯也. 从疒扁聲. 匹連切.

飜譯

'반신불수 병(半枯)'을 말한다. 녁(疒)이 의미부이고 편(扁)이 소리부이다. 독음은 필(匹)과 련(連)의 반절이다.

**4736**

**瘇: 瘇: 수종다리 송: 疒-총17획: zhǒng, tóng**

原文

瘇: 脛气足腫. 从疒童聲. 『詩』曰: "既微且瘇." 𤺄, 籒文从尣. 時重切.

飜譯

'정강이의 기운으로 발이 붓는 병(脛气足腫)'을 말한다. 녁(疒)이 의미부이고 동(童)이 소리부이다. 『시·소아교언(巧言)』에서 "정강이에 종기 나고 발도 부어올랐네(既微且瘇)"라고 노래했다. 송(𤺄)은 주문체인데, 종(尣)으로 구성되었다. 독음은 시(時)와 중(重)의 반절이다.

**4737**

**瘂:** 瘂: **절뚝발이 압**: 疒**-총15획: è, kè, kài, yà**

原文

瘂: 跛病也. 从疒盍聲. 讀若脅, 又讀若掩. 烏盍切.

飜譯

'다리를 저는 병(跛病)'을 말한다. 녁(疒)이 의미부이고 합(盍)이 소리부이다. 협(脅)과 같이 읽는다. 또 엄(掩)과 같이 읽기도 한다. 독음은 오(烏)와 합(盍)의 반절이다.

**4738**

**疻:** 疻: **멍 지**: 疒**-총10획: zhǐ**

原文

疻: 毆傷也. 从疒只聲. 諸氏切.

飜譯

'구타로 생긴 멍(毆傷)'을 말한다. 녁(疒)이 의미부이고 지(只)가 소리부이다. 독음은 제(諸)와 씨(氏)의 반절이다.

4739

**𤺌: 痏: 멍 유: 疒-총11획: wěi**

原文

𤺌: 疻痏也. 从疒有聲. 榮美切.

飜譯

'지유(疻痏) 즉 멍'을 말한다. 녁(疒)이 의미부이고 유(有)가 소리부이다. 독음은 영(榮)과 미(美)의 반절이다.

4740

**𤼋: 𤺤: 부스럼 유: 疒-총23획: wěi, huà**

原文

𤼋: 創裂也. 一曰疾𤺤. 从疒巂聲. 以水切.

飜譯

'종기를 가르다(創裂)'라는 뜻이다. 일설에는 '질병의 일종(疾𤺤)'을 말한다고도 한다. 녁(疒)이 의미부이고 휴(巂)가 소리부이다. 독음은 이(以)와 수(水)의 반절이다.

4741

**𤷍: 痈: 피풍 첨: 疒-총9획: chān**

原文

𤷍: 皮剥也. 从疒冄聲. 𤵸, 籀文从艮. 赤占切.

飜譯

'피부가 갈라지다(皮剥)'라는 뜻이다. 녁(疒)이 의미부이고 염(冄)이 소리부이다. 첨(𤵸)은 주문체인데, 복(艮)으로 구성되었다. 독음은 적(赤)과 점(占)의 반절이다.

4742

**㿈: 癑: 아플 농: 疒-총18획: nòng**

原文

㿈: 痛也. 从疒農聲. 奴動切.

飜譯

'아프다(痛)'라는 뜻이다. 녁(疒)이 의미부이고 농(農)이 소리부이다. 독음은 노(奴)와 동(動)의 반절이다.

4743

**痍: 痍: 상처 이: 疒-총11획: yí**

原文

痍: 傷也. 从疒夷聲. 以脂切.

飜譯

'상처(傷)'를 말한다. 녁(疒)이 의미부이고 이(夷)가 소리부이다. 독음은 이(以)와 지(脂)의 반절이다.

4744

**瘢: 瘢: 흉터 반: 疒-총15획: bān**

原文

瘢: 痍也. 从疒般聲. 薄官切.

飜譯

'상처[로 생긴 흉터](痍)'를 말한다. 녁(疒)이 의미부이고 반(般)이 소리부이다. 독음은 박(薄)과 관(官)의 반절이다.

4745

**𤸷: 痕: 흉터 흔: 疒-총11획: hén**

原文

𤸷: 胝瘢也. 从疒艮聲. 戶恩切.

飜譯

'손바닥이나 발바닥에 난 흉터(胝瘢)'를 말한다. 녁(疒)이 의미부이고 간(艮)이 소리부이다. 독음은 호(戶)와 은(恩)의 반절이다.

4746

**痙: 痙: 심줄 땅길 경: 疒-총12획: jìng**

原文

痙: 彊急也. 从疒巠聲. 其頸切.

飜譯

'힘줄이 당겨 경련을 일으키다(彊急)'라는 뜻이다. 녁(疒)이 의미부이고 경(巠)이 소리부이다. 독음은 기(其)와 경(頸)의 반절이다.

4747

**痋: 痋: 병 충·아플 동: 疒-총11획: tóng**

原文

痋: 動病也. 从疒, 蟲省聲. 徒冬切.

飜譯

'움직여 아픈 것(動病)'을 말한다. 녁(疒)이 의미부이고, 충(蟲)의 생략된 부분이 소리부이다. 독음은 도(徒)와 동(冬)의 반절이다.

**4748**

**瘦: 瘦(瘦): 파리할 수: 疒-총15획: shòu**

原文

瘦: 臞也. 从疒叜聲. 所又切.

飜譯

'야위다(臞)'라는 뜻이다. 녁(疒)이 의미부이고 수(叜)가 소리부이다. 독음은 소(所)와 우(又)의 반절이다.

**4749**

**疢: 疢: 열병 진: 疒-총9획: chèn**

原文

疢: 熱病也. 从疒从火. 丑刃切.

飜譯

'열병(熱病)'을 말한다. 녁(疒)이 의미부이고 화(火)도 의미부이다. 독음은 축(丑)과 인(刃)의 반절이다.

**4750**

**癉: 癉: 앓을 단: 疒-총17획: dàn**

原文

癉: 勞病也. 从疒單聲. 丁榦切.

飜譯

'과로하여 생기는 병(勞病)'을 말한다. 녁(疒)이 의미부이고 단(單)이 소리부이다. 독음은 정(丁)과 간(榦)의 반절이다.

4751

**疸: 疸: 황달 달: 疒-총10획: dǎn**

原文

疸: 黃病也. 从疒旦聲. 丁幹切.

飜譯

'누렇게 되는 병 즉 황달(黃病)'을 말한다. 녁(疒)이 의미부이고 단(旦)이 소리부이다. 독음은 정(丁)과 간(幹)의 반절이다.

4752

**痰: 痰: 앓는 숨결 협: 疒-총12획: qiè**

原文

痰: 病息也. 从疒夾聲. 苦叶切.

飜譯

'환자의 [약한] 호흡(病息)'을 말한다. 녁(疒)이 의미부이고 협(夾)이 소리부이다. 독음은 고(苦)와 협(叶)의 반절이다.

4753

**痞: 痞: 뱃속 결릴 비: 疒-총12획: pǐ**

原文

痞: 痛也. 从疒否聲. 符鄙切.

飜譯

'아프다(痛)'라는 뜻이다. 녁(疒)이 의미부이고 부(否)가 소리부이다. 독음은 부(符)와 비(鄙)의 반절이다.

제7권

**4754**

**𤺊: 瘍: 어리석을 역: 疒-총13획: yì**

原文

𤺊: 脈瘍也. 从疒易聲. 羊益切.

飜譯

'맥역(脈瘍) 즉 발광병'을 말한다. 녁(疒)이 의미부이고 역(易)이 소리부이다. 독음은 양(羊)과 익(益)의 반절이다.

**4755**

**𤵶: 痳: 미친 듯이 달릴 술: 疒-총10획: shù**

原文

𤵶: 狂走也. 从疒术聲. 讀若欻. 食聿切.

飜譯

'미치광이처럼 달리다(狂走)'라는 뜻이다. 녁(疒)이 의미부이고 출(术)이 소리부이다. 훌(欻)과 같이 읽는다. 독음은 식(食)과 율(聿)의 반절이다.

**4756**

**疲: 疲: 지칠 피: 疒-총10획: pí**

原文

疲: 勞也. 从疒皮聲. 符羈切.

飜譯

'피로하다(勞)'라는 뜻이다. 녁(疒)이 의미부이고 피(皮)가 소리부이다. 독음은 부(符)와 기(羈)의 반절이다.

4757

**𤸛: 疵: 결점 자: 疒-총10획: zǐ**

原文

𤸛: 瑕也. 从疒㢀聲. 側史切.

飜譯

'하자 즉 결점(瑕)'을 말한다. 녁(疒)이 의미부이고 자(㢀)가 소리부이다. 독음은 측(側)과 사(史)의 반절이다.

4758

**疷: 疧: 앓을 저·기; 疒-총9획: qí**

原文

疷: 病也. 从疒氏聲. 渠支切.

飜譯

'병을 앓다(病)'라는 뜻이다. 녁(疒)이 의미부이고 씨(氏)가 소리부이다. 독음은 거(渠)와 지(支)의 반절이다.

4759

**𤵸: 疲: 병으로 지칠 급: 疒-총9획: jí**

原文

𤵸: 病劣也. 从疒及聲. 呼合切.

飜譯

'병으로 허약해지다(病劣)'라는 뜻이다. 녁(疒)이 의미부이고 급(及)이 소리부이다. 독음은 호(呼)와 합(合)의 반절이다.

**4760**

**𤺥: 𤺥: 앓는 소리 애·피로할 의: 疒-총16획: ài**

原文

𤺥: 劇聲也. 从疒殹聲. 於賣切.

飜譯

'병이 심하여 앓는 소리(劇聲)'를 말한다. 녁(疒)이 의미부이고 예(殹)가 소리부이다. 독음은 어(於)와 매(賣)의 반절이다.

**4761**

**癃: 癃: 느른할 륭: 疒-총17획: lóng**

原文

癃: 罷病也. 从疒隆聲. 𤶹, 籒文癃省. 力中切.

飜譯

'걷지 못하는 병(罷病)'을 말한다. 녁(疒)이 의미부이고 륭(隆)이 소리부이다. 륭(𤶹)은 륭(癃)의 주문체인데, 생략된 모습이다. 독음은 력(力)과 중(中)의 반절이다.

**4762**

**疫: 疫: 염병 역: 疒-총9획: yì**

原文

疫: 民皆疾也. 从疒, 役省聲. 營隻切.

飜譯

'백성이 모두 함께 앓는 질병(民皆疾)'을 말한다. 녁(疒)이 의미부이고, 역(役)의 생략된 부분이 소리부이다. 독음은 영(營)과 척(隻)의 반절이다.

4763

**𤻲: 瘛: 경풍 계: 疒-총15획: chì**

原文

𤻲: 小兒瘛瘲病也. 从疒恝聲. 尺制切.

飜譯

'어린 아이가 경련을 일으키는 병(小兒瘛瘲病)'을 말한다. 녁(疒)이 의미부이고 개(恝)가 소리부이다. 독음은 척(尺)과 제(制)의 반절이다.

4764

**𤸱: 痑: 말 병 타: 疒-총11획: duò**

原文

𤸱: 馬病也. 从疒多聲. 『詩』曰: "痑痑駱馬." 丁可切.

飜譯

'말의 병(馬病)'을 말한다. 녁(疒)이 의미부이고 다(多)가 소리부이다. 『시·소아사모(四牡)』에서 "갈기 검은 흰 말 병들었고(痑痑駱馬)"라고 노래했다. 독음은 정(丁)과 가(可)의 반절이다.

4765

**𤺄: 痥: 말의 정강이 부스럼 탈: 疒-총12획: duó**

原文

𤺄: 馬脛瘍也. 从疒兌聲. 一曰將傷. 徒活切.

飜譯

'말 정강이에 난 부스럼(馬脛瘍)'을 말한다. 녁(疒)이 의미부이고 태(兌)가 소리부이다. 일설에는 '장군의 상처(將傷)'를 말한다고도 한다.[205] 독음은 도(徒)와 활(活)의 반절이다.

4766

**𤻲: 瘵: 병 고칠 료: 疒-총20획: liáo**

原文

𤻲: 治也. 从疒樂聲. 𤻧, 或从尞. 力照切.

翻譯

'치료하다(治)'라는 뜻이다. 녁(疒)이 의미부이고 락(樂)이 소리부이다. 료(𤻧)는 혹체인데, 료(尞)로 구성되었다. 독음은 력(力)과 조(照)의 반절이다.

4767

**痁: 痁: 고질병 고: 疒-총10획: gù**

原文

痁: 久病也. 从疒古聲. 古慕切.

翻譯

'오래 계속된 고질병(久病)'을 말한다. 녁(疒)이 의미부이고 고(古)가 소리부이다. 독음은 고(古)와 모(慕)의 반절이다.

4768

**瘌: 瘌: 앓을 랄: 疒-총14획: là**

原文

瘌: 楚人謂藥毒曰痛瘌. 从疒剌聲. 盧達切.

翻譯

'초(楚) 지역 사람들은 약의 독성(藥毒)을 통날(痛瘌)이라 한다.' 녁(疒)이 의미부이

205) 『단주』에서는 날상(捋傷)의 오류라고 했고, 소서본에서는 지상(持傷)이라 하여 '낫지 않고 계속되는 병'을 말한다고 보았다.

고 랄(剌)이 소리부이다. 독음은 로(盧)와 달(達)의 반절이다.

4769

**𤺋**: 癆: 중독 **로**: 疒-총17획: lào

原文

𤺋: 朝鮮謂藥毒曰癆. 从疒勞聲. 郎到切.

飜譯

'고조선(朝鮮) 지역에서는 약의 독성(藥毒)을 노(癆)라고 한다.' 녁(疒)이 의미부이고 로(勞)가 소리부이다. 독음은 랑(郎)과 도(到)의 반절이다.

4770

**瘥**: 瘥: 나을 **채**·앓을 **차**: 疒-총15획: chài

原文

瘥: 瘉也. 从疒差聲. 楚懈切.

飜譯

'병이 낫다(瘉)'라는 뜻이다. 녁(疒)이 의미부이고 차(差)가 소리부이다. 독음은 초(楚)와 해(懈)의 반절이다.

4771

**瘊**: 衰: 병세가 덜릴 **쇠**: 疒-총15획: shuāi

原文

𤸊: 減也. 从疒衰聲. 一曰耗也. 楚追切.

飜譯

'병세가 호전되다(減)'라는 뜻이다. 녁(疒)이 의미부이고 쇠(衰)가 소리부이다. 일설에는 '줄어들다(耗)'라는 뜻이라고도 한다. 독음은 초(楚)와 추(追)의 반절이다.

4772

瘉: 瘉: 병 나을 유: 疒-총14획: yù

原文

瘉: 病瘳也. 从疒兪聲. 以主切.

飜譯

'병이 낫다(病瘳)'라는 뜻이다. 녁(疒)이 의미부이고 유(兪)가 소리부이다. 독음은 이(以)와 주(主)의 반절이다.

4773

瘳: 瘳: 나을 추: 疒-총16획: chōu

原文

瘳: 疾瘉也. 从疒翏聲. 敕鳩切.

飜譯

'상처가 낫다(疾瘉)'라는 뜻이다. 녁(疒)이 의미부이고 료(翏)가 소리부이다. 독음은 칙(敕)과 구(鳩)의 반절이다.

4774

癡: 癡: 어리석을 치: 疒-총19획: chī

原文

癡: 不慧也. 从疒疑聲. 丑之切.

飜譯

'지혜롭지 못함(不慧)'을 말한다. 녁(疒)이 의미부이고 의(疑)가 소리부이다. 독음은 축(丑)과 지(之)의 반절이다.

# 제275부수
## 275 ■ 멱(冖)부수

**4775**

**冂: 冖: 덮을 멱: 冖-총2획: mì**

原文

冂: 覆也. 从一下垂也. 凡冂之屬皆从冂. 莫狄切.

飜譯

'덮다(覆)'라는 뜻이다. 덮은 부분[一]이 아래로 처진 모습을 그렸다.[206] 멱(冖)부수에 귀속된 글자들은 모두 멱(冖)이 의미부이다.[207] 독음은 막(莫)과 적(狄)의 반절이다.

**4776**

**冠: 冠: 갓 관: 冖-총9획: guān**

原文

冠: 絭也. 所以絭髮, 弁冕之總名也. 从冂从元, 元亦聲. 冠有法制, 从寸. 古丸切.

飜譯

'묶다(絭)'라는 뜻이다. 머리칼을 묶는 것으로, 머리에 쓰는 관의 총칭이다. 멱(冖)이 의미부이고 원(元)도 의미부인데, 원(元)은 소리부도 겸한다. 관(冠)을 쓸 때에는 법

206) 『설문해자』에서는 冖을 덮다(覆·복)는 뜻이라고 했다. 소전체를 보면, 수건 같은 것으로 어떤 물건을 덮었고 양쪽 끝이 축 늘어진 모습이어서 『설문해자』의 해설이 정확함을 보여 준다. 冃는 冖에 두 획이 더해져 어떤 물체를 덮고 있음을 형상화했다. 그래서 冖으로 구성된 글자들은 모두 '덮다'나 '덮개'와 의미적 연관을 가진다. 예컨대, 冠(갓 관)은 사람의 머리(元·원) 부분에 손(寸·촌)으로 '갓'을 씌워 주는 모습을 그렸고, 冡(덮어쓸 몽)은 돼지(豕·시)에다 풀이나 거적을 덮어 주는 모습이다. 또 冤(원통할 원)은 토끼(兔·토)가 덮개(冖)를 덮어쓴 모양으로, 재빠른 토끼가 제대로 운신하지 못하는 모습에서 '억울함'을 그렸다고 한다.

207) 원문에서는 경(冂)으로 되었으나, 멱(冖)의 오류이기에 고쳤다. 이하 마찬가지이다.

으로 정해진 제도가 있기에 촌(寸)이 의미부로 채택되었다.[208] 독음은 고(古)와 환(丸)의 반절이다.

**4777**

冣: 冣: **쌓을 취**: 冖**-총10획**: zuì

原文

冣: 積也. 从冂从取, 取亦聲. 才句切.

飜譯

'쌓다(積)'라는 뜻이다. 멱(冖)이 의미부이고 취(取)도 의미부인데, 취(取)는 소리부도 겸한다. 독음은 재(才)와 구(句)의 반절이다.

**4778**

𠖲: 𠖲: **잔 드릴 타**: 冖**-총12획**: chuí, dù, zhà

原文

𠖲: 奠爵酒也. 从冂託聲. 『周書』曰: "王三宿三祭三𠖲." 當故切.

飜譯

'술잔에 술을 따라 올리다(奠爵酒)'라는 뜻이다. 멱(冖)이 의미부이고 탁(託)이 소리부이다. 『서·주서(周書)·고명(顧命)』에서 "왕께서 세 번 나아가시고 세 번 제사를 드리고 세 번 술을 올리셨다(王三宿三祭三𠖲)"라고 했다. 독음은 당(當)과 고(故)의 반절이다.

---

208) 고문자에서 [古文字形] 簡牘文 등으로 썼다. 冖(덮을 멱)과 元(으뜸 원)과 寸(마디 촌)으로 구성되어, 사람의 머리(元)에다 손(寸)으로 '갓'을 씌워 주는(冖) 모습을 그렸으며, 이로부터 갓을 뜻하게 되었고 모자의 총칭이 되었다. 또 옛날에는 남자가 성년이 되는 20살이면 갓을 썼으므로, 성년이나 20살의 비유로도 쓰였다. 또 모자를 씌워 주다는 뜻으로부터 '일등'이라는 뜻도 나왔다.

## 제276부수
## 276 ■ 모(冃)부수

**4779**

**冃: 冃: 거듭 모: 冂-총3획: mǎo**

原文

冃: 重覆也. 从冂、一. 凡冃之屬皆从冃. 讀若艸苺苺. 莫保切.

飜譯

'이중으로 덮다(重覆)'라는 뜻이다. 멱(冖)과 일(一)이 모두 의미부이다. 모(冃)부수에 귀속된 글자들은 모두 모(冃)가 의미부이다. 초모(艸苺)라고 할 때의 모(苺)와 같이 읽는다. 독음은 막(莫)과 보(保)의 반절이다.

**4780**

**同: 同: 한 가지 동: 口-총6획: tóng**

原文

同: 合會也. 从冃从口. 徒紅切.

飜譯

'회합하다(合會)'라는 뜻이다. 모(冃)가 의미부이고 구(口)도 의미부이다.[209] 독음은 도(徒)와 홍(紅)의 반절이다.

---

209) 고문자에서 甲骨文 金文 古陶文 簡牘文 帛書 등으로 썼다. 갑골문에서 아랫부분은 입(口)이고 윗부분은 가마처럼 생긴 들것을 그렸는데, 소전체에 들면서 윗부분이 冃(쓰개 모)로 변해 지금의 자형이 되었다. 따라서 同은 가마처럼 무거운 것을 구령(口)에 맞추어 '함께' 들어 올리는 모습을 형상화한 것으로 보인다. 가마는 드는 사람이 함께 호흡을 잘 맞추어 힘을 고르게 해야만 제대로 들 수 있다. 이로부터 '한 가지', '같다', '함께' 등의 뜻이 나왔다.

4781

**肯: 青: 휘장 모양 강: 土–총6획: què**

原文

肯: 幬帳之象. 从冃 ; 㞢, 其飾也. 苦江切.

飜譯

'휘장의 모습(幬帳之象)'을 말한다. 모(冃)가 의미부이고 유(㞢)는 그것의 장식을 말한다. 독음은 고(苦)와 강(江)의 반절이다.

4782

**冡: 冢: 덮어쓸 몽: 冖–총10획: méng**

原文

冡: 覆也. 从冃、豕. 莫紅切.

飜譯

'덮다(覆)'라는 뜻이다. 모(冃)와 시(豕)가 모두 의미부이다. 독음은 막(莫)과 홍(紅)의 반절이다.

# 제277부수
## 277 ■ 모(冃)부수

4783

冃: 冃: 쓰개 모: 冂-총4획: mào

原文

冃: 小兒蠻夷頭衣也. 从冂; 二, 其飾也. 凡冃之屬皆从冃. 莫報切.

飜譯

'어린 아이나 남쪽 이민족들이 머리에 쓰는 모자(小兒蠻夷頭衣)'를 말한다. 모(冃)가 의미부이고 이(二)는 그것의 장식물을 말한다. 모(冃)부수에 귀속된 글자들은 모두 모(冃)가 의미부이다. 독음은 막(莫)과 보(報)의 반절이다.

4784

冕: 冕: 면류관 면: 冂-총11획: miǎn

原文

冕: 大夫以上冠也. 邃延、垂瑬、紞纊. 从冃免聲. 古者黃帝初作冕. 絻, 冕或从糸. 亡辯切.

飜譯

'대부 이상 사람들이 쓰는 관(大夫以上冠)'을 말한다. 덮개가 길고(邃延), 장식 옥을 늘어뜨렸으며(垂瑬), 귀막이 끈을 달았다(紞纊). 모(冃)가 의미부이고 면(免)이 소리부이다.[210] 먼 옛날, 황제(黃帝)가 처음으로 면류관(冕)을 만들었다. 면(絻)은 면(冕)

210) 고문자에서 [古文字] 簡牘文 등으로 썼다. 冃(쓰개 모)가 의미부고 免(면할 면)이 소리부로, 옛날 천자, 제후, 경대부 등이 조회나 제례 때 쓰던 의식용 '冕旒冠(면류관)'을 말하는데, 투구처럼 덮어 쓰던(免) 쓰개(冃)의 일종임을 반영했다.

의 혹체인데, 멱(糸)으로 구성되었다. 독음은 망(亡)과 변(辡)의 반절이다.

**4785**

**胄: 胄: 맏아들 주: 肉-총9획: zhòu**

原文

胄: 兜鍪也. 从冃由聲. 䩜, 『司馬法』胄从革. 直又切.

飜譯

'투구(兜鍪)'를 말한다. 모(冃)가 의미부이고 유(由)가 소리부이다.211) 주(䩜)는 『사마법(司馬法)』에서 주(胄)자인데, 혁(革)으로 구성되었다. 독음은 직(直)과 우(又)의 반절이다.

**4786**

**冒: 冒: 무릅쓸 모: 冂-총9획: mào**

原文

冒: 冡而前也. 从冃从目. 𠕅, 古文冒. 莫報切.

飜譯

'모자를 덮어쓴 채 나아가다(冡而前)'라는 뜻이다. 모(冃)가 의미부이고 목(目)도 의미부이다.212) 모(𠕅)는 모(冒)의 고문체이다. 독음은 막(莫)과 보(報)의 반절이다.

---

211) 고문자에서 金文 簡牘文 등으로 썼다. 冃(쓰개 모)가 의미부이고 由(말미암을 유)가 소리부로, 쓰개(冃)의 일종인 '투구'를 나타냈는데, 금문에서는 눈만 내놓은 채 투구를 덮어쓴 모습이었고, 소전체에서는 투구가 由로 변하고 눈이 月로 변했다. 이후 귀족 자제의 후예, 후손이라는 뜻으로 쓰였고, 맏아들이라는 뜻까지 나왔다.

212) 고문자에서 金文 簡牘文 등으로 썼다. 目(눈 목)이 의미부고 冃(쓰개 모)가 소리부로, 눈(目) 위로 모자를 덮어쓴(冃) 모습에서 '모자'와 '덮다'의 뜻을 그렸고, 눈까지 덮여 사물을 제대로 분간하지 못하다는 뜻에서 冒險(모험)이나 '무모하다'는 뜻이 생겨났다. 이후 冒가 '무릅쓰다'는 뜻으로 자주 쓰이자 원래 뜻은 다시 巾(수건 건)을 더한 帽(모자 모)로 분화했다.

4787

**最: 最: 가장 최: 日-총12획: zuì**

原文

最: 犯而取也. 从冃从取. 祖外切.

飜譯

'침범하여 빼앗다(犯而取)'라는 뜻이다. 모(冃)가 의미부이고 취(取)도 의미부이다.[213] 독음은 조(祖)와 외(外)의 반절이다.

213) 고문자에서 簡牘文 등으로 썼다. 冃(쓰개 모)가 의미부고 取(취할 취)가 소리부로, 머리의 상징인 모자(冃)를 빼앗음(取)에서 '최고'의 軍功(군공)을 세우다는 뜻이 나왔으며, 이로부터 最高(최고), 가장 중요하다 등의 뜻이 나왔다. 달리 㝡나 冣로 쓰기도 한다.

## 제278부수
## 278 ■ 량(㒳)부수

4788

**㒳: 㒳: 두 량: 入-총7획: liǎng**

原文

㒳: 再也. 从冂, 闕. 『易』曰 : "参天㒳地." 凡㒳之屬皆从㒳. 良獎切.

飜譯

'두 번(再)'을 말한다. 멱(冖)이 의미부인데, 왜 그런지는 알 수 없다(闕). 『역·설괘(說卦)』에서 "3과 같은 홀수는 하늘을 뜻하고 2와 같은 짝수는 땅을 뜻한다(参天㒳地)"라고 했다. 량(㒳)부수에 귀속된 글자들은 모두 량(㒳)이 의미부이다. 독음은 량(良)과 장(獎)의 반절이다.

4789

**兩: 兩(两): 두 량: 入-총8획: liǎng**

原文

兩: 二十四銖爲一兩. 从一 ; 㒳, 平分, 亦聲. 良獎切.

飜譯

'24수(銖)의 무게를 1량(兩)이라 한다.' 일(一)이 의미부이고, 량(㒳)은 고르게 나누다는 뜻인데, 소리부도 겸한다.214) 독음은 량(良)과 장(獎)의 반절이다.

---

214) 고문자에서 [glyphs]金文 [glyphs]簡牘文 등으로 썼다. 이의 자원에 대해서는 의견이 분분하여, 마차의 두 멍에를 묶은 모습이라거나 두 물체를 합쳐놓고 그 사이를 갈라놓은 모습이라고도 하지만, 입이 위로 쏙 들어간 종처럼 생긴 옛날 돈(錢·전)을 두 개 나란히 그린 모습으로 추정된다. 이로부터 兩側(양측)에서처럼 '둘'이나 '나란히'의 뜻이 나왔고, 돈을 헤아리는 단위로 쓰이게 되었다. 이후 兩은 또 두 개(兩)의 錢에 해당하는 무게 단위 즉 24銖(수)

**4790**

**𡗜: 㒼: 평평할 만: 冂-총11획: mán**

原文

㒼: 平也. 从廿, 五行之數, 二十分爲一辰. 㒳, 㒼平也. 讀若蠻. 母官切.

飜譯

'평평하다(平)'라는 뜻이다. 입(廿)이 의미부인데, 오행설의 숫자에서 20분(廿)이 1진(辰)이 된다. 량(㒳)은 이를 균등하게 둘로 나누다는 뜻이다. 만(蠻)과 같이 읽는다. 독음은 모(母)와 관(官)의 반절이다.

---

를 말하기도 했다. 간화자에서는 两으로 쓴다.

## 第279부수
## 279 ■ 망(网)부수

**4791**

网: 网: **그물 망**: 网-**총5획**: **wǎng**

原文

网: 庖犧所結繩以漁. 从冂, 下象网交文. 凡网之屬皆从网. (今經典變隸作罒.) 罔, 网或从亡. 網, 网或从糸. 𠕳, 古文网. 𦉲, 籀文网. 文紡切.

翻譯

'포희씨가 끈을 엮어서 고기를 잡던 기구(庖犧所結繩以漁)'를 말한다. 멱(冖)이 의미부이고, 그 아래는 그물의 교차된 무늬를 그렸다.215) 망(网)부수에 귀속된 글자들은 모두 망(网)이 의미부이다. [오늘날 경전에서는 예서로 변화한(變隸) 이후의 글자인 망(罒)으로 쓴다.] 망(罔)은 망(网)의 혹체인데, 망(亡)으로 구성되었다. 망(網)은 망(网)의 혹체인데, 멱(糸)으로 구성되었다. 망(𠕳)은 망(网)의 고문체이다. 망(𦉲)은 망(网)의 주문체이다. 독음은 문(文)과 방(紡)의 반절이다.

**4792**

罨: 罨: **그물 엄·압**: 网-**총13획**: **yǎn**

---

215) 고문자에서 甲骨文 金文 簡牘文 石刻古文 등으로 썼다. 물고기나 새를 잡는 데 쓸 손잡이와 그물망을 갖춘 '그물'을 그렸다. 이후 소리부인 亡(망할 망)이 더해져 罔(그물 망)이 되었고, 다시 糸(가는 실 멱)이 더해져 網(그물 망)이 되었으나, 현대 중국의 간화자에서는 网으로 되돌아갔다. 그래서 网은 '그물'이 기본 뜻이며, 그물로 잡다는 뜻도 가진다. 그물은 대상물을 잡아 가두는 도구이기에 제한과 강제, 나아가 죄의 상징이 되었다. 그래서 网은 인간이 그물의 바깥에서 그물 안에 걸린 대상을 포획하는 주체라는 뜻도 담았지만, 인간이 그 그물에 걸려 근심하고, 불행에 빠진 대상이 될 수도 있음을 동시에 그려내고 있다. 이후 그물처럼 촘촘하게 구성된 조직이나 계통을 말하게 되었다.

原文

䍐: 罕也. 从网奄聲. 於業切.

譯譯

'새나 물고기를 덮어서 잡는 그물(罕)'을 말한다. 망(网)이 의미부이고 엄(奄)이 소리부이다. 독음은 어(於)와 업(業)의 반절이다.

4793

罕: 罕: 드물 한: 网-총9획: hǎn

原文

罕: 网也. 从网干聲. 呼旱切.

譯譯

'그물(网)'을 말한다. 망(网)이 의미부이고 간(干)이 소리부이다. 독음은 호(呼)와 한(旱)의 반절이다.

4794

羂: 羂: 그물 견: 网-총24획: juàn

原文

羂: 网也. 从网、繯, 繯亦聲. 一曰綰也. 古眩切.

譯譯

'그물(网)'을 말한다. 망(网)과 환(繯)이 의미부인데, 환(繯)은 소리부도 겸한다. 일설에는 '그물로 새를 잡다(綰)'라는 뜻이라고도 한다. 독음은 고(古)와 현(眩)의 반절이다.

4795

罞: 罞: 꿩 잡는 그물 매: 网-총13획: méi

原文

䍙: 网也. 从网每聲. 莫桮切.

飜譯

'그물(网)'을 말한다. 망(网)이 의미부이고 매(每)가 소리부이다. 독음은 막(莫)과 배(桮)의 반절이다.

**4796**

**䍦: 羂: 새나 짐승 잡는 올무 선: 网-총17획: xuǎn**

原文

羂: 网也. 从网巽聲. 𨂝, 『逸周書』曰: "不卵不蹼, 以成鳥. 獸." 羂者, 䍐獸足也. 故或从足. 思沇切.

飜譯

'그물(网)'을 말한다. 망(网)이 의미부이고 손(巽)이 소리부이다. 선(𨂝)에 대해 『일주서(逸周書)』에서 이렇게 말했다. "새의 알을 깨트리지 않고, 짐승을 잡는 올무를 만들지 않음으로써 새나 짐승이 번식하게 한다." 선(羂)은 짐승의 발을 옭아매어 잡는 올무를 말한다. 그래서 혹체에서는 족(足)으로 구성되었다. 독음은 사(思)와 연(沇)의 반절이다.

**4797**

**罙: 罙: 그물 미: 网-총11획: mí**

原文

罙: 周行也. 从网米聲. 『詩』曰: "罙入其阻." 㓧, 罙或从冂. 武移切.

飜譯

'조밀하게 짠 그물(周行)'을 말한다.[216] 망(网)이 의미부이고 미(米)가 소리부이다. 『

216) 『단주』에서는 "周行也"를 "网也"로 고치고, "詩曰罙入其阻"는 삭제했다. 그리고 이렇게 말

시·상송·은무(殷武)』에서 "그 험한 땅에까지 조밀하게 들어가(罙入其阻)"라고 노래했다. 미(㓁)는 미(罙)의 혹체인데, 알(歺=歹)로 구성되었다. 독음은 무(武)와 이(移)의 반절이다.

**4798**

**罩: 罩: 보쌈 조: 网-총13획: zhào**

原文

罩: 捕魚器也. 从网卓聲. 都教切.

飜譯

'물고기를 잡는 기구(捕魚器)'를 말한다. 망(网)이 의미부이고 탁(卓)이 소리부이다. 독음은 도(都)와 교(教)의 반절이다.

**4799**

**罾: 罾: 어망 증: 网-총17획: zēng**

原文

罾: 魚网也. 从网曾聲. 作騰切.

飜譯

'어망의 일종(魚网)'이다. 망(网)이 의미부이고 증(曾)이 소리부이다. 독음은 작(作)과 등(騰)의 반절이다.

---

했다. "각 판본에서 '周行也'라 했지만, 『시경석문(詩經釋文)』에서는 『설문』을 인용하여 '罟也'로 적었다. 아마도 정현의 『전(箋)』의 오류로 인한 것일 것이다. 지금 이 글자의 상하 문을 살펴보면, 모두가 '그물 이름(网名)'에 관한 것들이다. 『유편』과 『운회』에서도 미(罙)는 그물을 말한다(罟也)로 고쳤다. 이 또한 그물의 이름이다……그리고 각 판본에서 '미(米)가 소리부이다'라는 말 다음에 '詩曰罙入其阻'의 6자가 더 들어가 있다. 이는 허신이 정현의 판본을 인용한 것처럼 보이지만, 아마도 후세 사람들이 덧보탠 것일 것이다. 그래서 삭제한다."

**4800**

**罪: 罪: 허물 죄: 网-총13획: zuì**

原文

罪: 捕魚竹网. 从网、非. 秦以罪爲辠字. 徂賄切.

飜譯

'대로 만든 물고기를 잡는 통발(捕魚竹网)'을 말한다. 망(网)과 비(非)가 모두 의미부이다. 진(秦)나라 때 죄(罪)자로써 죄(辠)자를 대신하게 되었다.[217] 독음은 조(徂)와 회(賄)의 반절이다.

**4801**

**罽: 罽: 물고기 그물 계: 网-총17획: jí**

原文

罽: 魚网也. 从网𠜴聲. 𠜴, 籒文銳. 居例切.

飜譯

'어망의 일종(魚网)'이다. 망(网)이 의미부이고 예(𠜴)가 소리부인데, 예(𠜴)는 예(銳)의 주문체이다. 독음은 거(居)와 례(例)의 반절이다.

**4802**

**罛: 罛: 물고기 그물 고: 网-총10획: gū**

原文

罛: 魚罟也. 从网瓜聲. 『詩』曰: "施罛濊濊." 古胡切.

---

217) 고문자에서 簡牘文 등으로 썼다. 罒(网·그물 망)과 非(아닐 비)로 구성되어, 옳은 것에 위배되는(非) 것들을 모조리 그물(网)로 잡아들임을 말하며, 이로부터 죄, 죄를 짓다, 과실, 고통 등의 뜻이 나왔다. 원래는 코(自·자, 鼻의 원래 글자)를 형벌 칼(辛·신)로 자르던 형벌을 뜻하는 辠(허물 죄)로 썼는데, 진시황 때에 罪로 바뀌었다고 한다.

飜譯

'물고기를 잡는 그물(魚罟)'을 말한다. 망(网)이 의미부이고 과(瓜)가 소리부이다. 『시·위풍·석인(碩人)』에서 "철썩철썩 걷어 올리는 고기 그물(施罛濊濊)"이라고 노래했다. 독음은 고(古)와 호(胡)의 반절이다.

**4803**

**罟: 그물 고: 网-총10획: gǔ**

原文

罟: 网也. 从网古聲. 公戶切.

飜譯

'그물(网)'을 말한다. 망(网)이 의미부이고 고(古)가 소리부이다.[218] 독음은 공(公)과 호(戶)의 반절이다.

**4804**

**罶: 통발 류: 网-총18획: liǔ**

原文

罶: 曲梁寡婦之笱. 魚所畱也. 从网、畱, 畱亦聲. 窶, 罶或从婁. 『春秋國語』曰: "溝罛窶." 力九切.

飜譯

'대나무를 굽혀 만든 과주조차도 쓸 수 있는 통발(曲梁寡婦之笱)'을 말한다. 물고기(魚)를 머물게 하는(畱) 곳이라는 뜻을 담았다. 망(网)과 류(畱)가 모두 의미부인데, 류(畱)는 소리부도 겸한다. 류(窶)는 류(罶)의 혹체인데, 루(婁)로 구성되었다. 『춘추국어』에서 "익숙한 그물과 통발(溝罛窶)"이라는 말이 나온다.[219] 독음은 력(力)과

---

218) 고문자에서 古璽文 등으로 썼다. 网(그물 망)이 의미부이고 古(옛 고)가 소리부로, 물고기를 잡는 그물(网)을 말하는데, 이후 그물로 잡다, 法網(법망) 등의 뜻이 생겼다.

219) 『춘추국어』는 『국어·노어(魯語)』(상)를 말한다. 오늘날의 원문에서는 이렇게 되어 있다. "옛

제7권

구(九)의 반절이다.

**4805**

**罜: 罜: 작은 물고기 그물 주: 网-총10획: zhǔ**

原文

罜: 罜麗, 魚罟也. 从网主聲. 之庾切.

飜譯

'주록(罜麗)'을 말하는데, '물고기 잡는 그물(魚罟)'을 말한다. 망(网)이 의미부이고 주(主)가 소리부이다. 독음은 지(之)와 유(庾)의 반절이다.

**4806**

**麗: 麗: 주록 록: 网-총16획: liào, lù**

原文

麗: 罜麗也. 从网鹿聲. 盧谷切.

飜譯

'주록(罜麗) 즉 촘촘하게 짠 그물'을 말한다. 망(网)이 의미부이고 록(鹿)이 소리부이다. 독음은 로(盧)와 곡(谷)의 반절이다.

**4807**

**罧: 罧: 고깃깃 삼: 网-총13획: sēn**

---

날, 대한이 지나가면 땅 속에 칩거하던 생물들이 나타난다. 그러면 수우는 익숙한 그물로 큰 물고기를 잡거나 자라나 조개 따위를 건져 올린다.(古者大寒降, 土蟄發. 水虞於是乎講罛罶, 取名魚, 登川禽.)" 위소(韋昭)는 이에 대해 "수우(水虞)는 어사(漁師)를 말하는데, 강과 소택의 금령(川澤之禁令)을 담당했으며", "강(講)은 익숙하다는 뜻이다(習也)"고 했다. 대한이 지나고 날이 풀려 땅속에 칩거하던 생명들이 땅 위로 나올 때에는 그것들을 보호하기 위해 코가 큰 그물을 사용하여 큰 물고기나 자라나 큰 조개 등 큰 것만 잡도록 했다는 뜻이다. '익숙하다'는 것은 이전부터 관례대로 관습적으로 사용하던 것을 말한다.

原文

罧: 積柴水中以聚魚也. 从网林聲. 所今切.

飜譯

'나무를 물속에 쌓아 물고기를 모아 잡는 장치(積柴水中以聚魚)'를 말한다. 망(网)이 의미부이고 림(林))이 소리부이다. 독음은 소(所)와 금(今)의 반절이다.

4808

罠: 罠: 낚싯줄 민: 网-총10획: mín

原文

罠: 釣也. 从网民聲. 武巾切.

飜譯

'낚시(釣)'를 말한다. 망(网)이 의미부이고 민(民)이 소리부이다. 독음은 무(武)와 건(巾)의 반절이다.

4809

羅: 羅: 새그물 라: 网-총19획: luó

原文

羅: 以絲罟鳥也. 从网从維. 古者芒氏初作羅. 魯何切.

飜譯

'실로 만든 촘촘한 그물로 새를 잡다(以絲罟鳥)'라는 뜻이다. 망(网)이 의미부이고 유(維)도 의미부이다.[220] 먼 옛날, 망씨(芒氏)가 처음으로 새그물(羅)을 만들었다. 독

220) 고문자에서 甲骨文 古陶文 簡牘文 등으로 썼다. 糸(가는 실 멱)이 의미부이고 罹(어리 조)가 소리부로, 새를 잡는 그물을 말했다. 원래는 网(그물 망)과 隹(새 추)로 구성되어 새(隹)를 잡는 그물(网)을 그렸으나, 이후 糸이 더해져 지금의 羅가 되었다. 의미도 새뿐 아니라 짐승을 잡는 그물을 통칭하게 되었고, 이로부터 網羅(망라)하다, 포함하다, 구속하다, 저지하다의 뜻도 나왔다. 간화자에서는 아랫부분의 維(바 유)를 간단한 부호

음은 로(魯)와 하(何)의 반절이다.

**4810**

**罬: 罬: 새그물 철: 网-총13획: zhuó**

原文

罬: 捕鳥覆車也. 从网叕聲. 輟, 罬或从車. 陟劣切.

飜譯

'새를 덮어 잡는 장치(捕鳥覆車)'를 말한다. 망(网)이 의미부이고 철(叕)이 소리부이다. 철(輟)은 철(罬)의 혹체인데, 거(車)로 구성되었다. 독음은 척(陟)과 렬(劣)의 반절이다.

**4811**

**罿: 罿: 새그물 동: 网-총17획: dóng**

原文

罿: 罬也. 从网童聲. 尺容切.

飜譯

'새를 덮어 잡는 장치(罬)'를 말한다. 망(网)이 의미부이고 동(童)이 소리부이다. 독음은 척(尺)과 용(容)의 반절이다.

**4812**

**罦: 罦: 새그물 포: 网-총10획: fú, fù, hài, xiè**

原文

罦: 覆車也. 从网包聲. 『詩』曰: "雉離于罦." 罦, 罦或从孚. 縛牟切.

---

夕(저녁 석)으로 줄인 罗로 쓴다.

飜譯

'새를 덮어 잡는 장치(覆車)'를 말한다. 망(网)이 의미부이고 포(包)가 소리부이다. 『시·왕풍·토원(兎爰)』에서 "꿩이 덮치기에 걸렸네(雉離于罦)"라고 노래했다. 포(罦)는 포(罬)의 혹체인데, 부(孚)로 구성되었다. 독음은 박(縛)과 모(牟)의 반절이다.

4813

罻: 罻: 그물 위: 网-총16획: wèi

原文

罻: 捕鳥网也. 从网尉聲. 於位切.

飜譯

'새를 잡는 그물(捕鳥网)'을 말한다. 망(网)이 의미부이고 위(尉)가 소리부이다. 독음은 어(於)와 위(位)의 반절이다.

4814

罘: 罘: 토끼그물 부: 网-총12획: fú

原文

罘: 兔罟也. 从网否聲. 縛牟切.

飜譯

'토끼를 잡는 그물(兔罟)'을 말한다. 망(网)이 의미부이고 부(否)가 소리부이다. 독음은 박(縛)과 모(牟)의 반절이다.

4815

罟: 罟: 토끼그물 호: 网-총10획: hù

原文

罟: 罟也. 从网互聲. 胡誤切.

제7권

譯解

'[토끼를 잡는] 그물(罟)'을 말한다. 망(网)이 의미부이고 호(互)가 소리부이다. 독음은 호(胡)와 오(誤)의 반절이다.

4816

**罝: 罝: 짐승 그물 차: 网-총10획: jiē**

原文

罝: 兔网也. 从网且聲. 䍦, 罝或从糸. 䕢, 籒文从虘. 子邪切.

譯解

'토끼를 잡는 그물(兔网)'을 말한다. 망(网)이 의미부이고 차(且)가 소리부이다. 차(䍦)는 차(罝)의 혹체인데, 멱(糸)으로 구성되었다. 차(䕢)는 주문체인데, 차(虘)로 구성되었다. 독음은 자(子)와 사(邪)의 반절이다.

4817

**䍢: 䍢: 들창 무: 网-총19획: wǔ, wú**

原文

䍢: 牖中网也. 从网舞聲. 文甫切.

譯解

'창문에 설치하는 그물(牖中网)'을 말한다. 망(网)이 의미부이고 무(舞)가 소리부이다. 독음은 문(文)과 보(甫)의 반절이다.

4818

**署: 署: 관청 서: 网-총14획: shǔ**

原文

署: 部署, 有所网屬. 从网者聲. 常恕切.

飜譯

'부서(部署)'를 말하는데, '그물망처럼 연결되어 귀속된 곳(有所网屬)'임을 말한다. 망(网)이 의미부이고 자(者)가 소리부이다.[221] 독음은 상(常)과 서(恕)의 반절이다.

**4819**

**罷: 罷: 방면할 파: 网-총15획: bà**

原文

罷: 遣有辠也. 从网、能. 言有賢能而入网, 而貫遣之. 『周禮』曰: "議能之辟." 薄蟹切.

飜譯

'죄가 있는 자를 방면하다(遣有辠)'라는 뜻이다. 망(网)과 능(能)이 모두 의미부이다. 능력이 있는 자가 법망에 걸렸으나 사면하여 놓아 주다는 뜻이다.[222] 『주례·추관소사구(小司寇)』에서 "능력 있는 자의 형벌에 대해 논의하였다(議能之辟)"라고 하였다. 독음은 박(薄)과 해(蟹)의 반절이다.

**4820**

**置: 置: 둘 치: 网-총13획: zhì**

原文

置: 赦也. 从网、直. 陟吏切.

飜譯

221) 고문자에서 署 署 簡牘文 등으로 썼다. 网(그물 망)이 의미부고 者(놈 자)가 소리부로, 사냥할 그물(网)과 포획물을 삶을(者, 煮의 본래 글자) 도구 등을 '배치하다'는 뜻을 그렸다. 이로부터 효율적인 관리를 위해 그물망처럼 잘 나누어 배치한 기관(部署·부서)의 뜻이, 다시 서명하다, 대리, 署理(서리) 등의 뜻도 나왔다.

222) 고문자에서 罷 簡牘文 등으로 썼다. 网(그물 망)과 能(능할 능)으로 구성되어, 그만두다는 뜻인데, 재주꾼인 곰(能, 熊의 본래 글자)을 그물(网)에 가두어 제 능력을 쓰지 못하게 함을 말하며, 이로부터 끝내다, '고달프다'의 뜻이 나왔으며, 어기사로도 쓰였다. 간화자에서는 能을 去(갈 거)로 간단하게 줄여 罢로 쓴다.

'놓아주다(赦)'라는 뜻이다. 망(网)과 직(直)이 의미부이다.[223][224] 독음은 척(陟)과 리(吏)의 반절이다.

**4821**

**䍙: 罯: 덮을 암: 网-총14획: ǎn**

原文

䍙: 覆也. 从网音聲. 烏感切.

飜譯

'덮다(覆)'라는 뜻이다. 망(网)이 의미부이고 음(音)이 소리부이다. 독음은 오(烏)와 감(感)의 반절이다.

**4822**

**䍐: 詈: 꾸짖을 리: 言-총12획: lì**

原文

䍐: 罵也. 从网从言. 网辠人. 力智切.

飜譯

'욕을 하다(罵)'라는 뜻이다. 망(网)이 의미부이고 언(言)도 의미부이다. 죄인을 다 잡아 들이다는 뜻이다(网辠人).[225] 독음은 력(力)과 지(智)의 반절이다.

---

223) 고문자에서 [古文字] 簡牘文 등으로 썼다. 网(그물 망)이 의미부고 直(곧을 직)이 소리부로, 그물(网)에서 풀어놓아 주다는 뜻이며, 석방하다, 버리다, 폐기하다의 뜻이 나왔으며, 이후 이와 대칭되는 개념인 '設置(설치)'라는 뜻으로도 쓰였다. 간화자에서는 置로 쓴다.

224) 『단주』에서 이렇게 말했다. "복(攴)부수에서 사(赦)는 두다는 뜻이다(置也)라고 했으니 이 두 글자는 호훈(互訓)자이다. 치(置)의 본래 뜻은 세견(貰遣)이다. 이후 건립(建立)이라는 뜻이 나왔다. 소위 변하면 통한다는 것이 이것을 두고 한 말이다. 『주례』에서 '폐하거나 세움으로써 그 관리들을 제어했다(廢置以馭其吏)'라고 하여 폐(廢)자와 대칭하여 사용했다. 고문에서는 식(植)자로도 가차되었다. 예컨대, 『고공기』에서 '置而搖之'라고 한 것은 '植而搖之(심은 후 그것을 흔들어준다)'이고, 『논어』에서 말한 '植其杖'은 '置其杖(막대를 세워둔다)'는 뜻이다."

225) 고문자에서 [古文字] 石篆 등으로 썼다. 网(그물 망)과 言(말씀 언)으로 구성되어, 잡아들인(网) 죄

4823

**罵: 罵: 욕할 매: 网-총15획: mà**

原文

罵: 詈也. 从网馬聲. 莫駕切.

飜譯

'욕을 하다(詈)'라는 뜻이다. 망(网)이 의미부이고 마(馬)가 소리부이다. 독음은 막(莫)과 가(駕)의 반절이다.

4824

**羈: 羈: 말굴레 기: 网-총19획: jī**

原文

羈: 馬絡頭也. 从网从馽. 馽, 馬絆也. 羈, 羈或从革. 居宜切.

飜譯

'말의 머리를 묶다(馬絡頭)'라는 뜻이다. 망(网)이 의미부이고 환(馽)도 의미부인데, 환(馽)은 말을 잡아매는 줄(馬絆)을 말한다. 기(羈)는 기(羈)의 혹체인데, 혁(革)으로 구성되었다. 독음은 거(居)와 의(宜)의 반절이다.

4825

**罭: 罭: 어망 역: 网-총13획: yù**

原文

罭: 魚網也. 从网或聲. 于逼切.

飜譯

---

인을 말(言)로 꾸짖음을 말한다.

제7권

'고기 잡는 그물(魚網)'을 말한다. 망(网)이 의미부이고 혹(或)이 소리부이다. 독음은 우(于)와 핍(逼)의 반절이다. [신부]

**4826**

**罳: 罳: 면장 시: 网-총14획: sī**

原文

罳: 罘罳, 屏也. 从网思聲. 息兹切.

飜譯

'부시(罘罳)로 집을 병풍처럼 둘러싼 정면의 벽(屏)'을 말한다. 망(网)이 의미부이고 사(思)가 소리부이다. 독음은 식(息)과 자(兹)의 반절이다. [신부]

**4827**

**罹: 罹: 근심 리: 网-총16획: lí**

原文

罹: 心憂也. 从网. 未詳. 古多通用離. 呂支切.

飜譯

'마음으로 하는 걱정거리(心憂)'를 말한다. 망(网)이 의미부이다. 알 수 없다(未詳). 옛날에는 리(離)와 자주 통용되었다. 독음은 려(呂)와 지(支)의 반절이다. [신부]

## 제280부수
## 280 ■ 아(襾)부수

**4828**

**襾: 襾: 덮을 아: 襾-총6획: yà**

原文

襾: 覆也. 从冂, 上下覆之. 凡襾之屬皆从襾. 讀若晋. 呼訝切.

飜譯

'덮다(覆)'라는 뜻이다. 멱(冖)이 의미부인데, 아래위로 그것을 덮은 모습이다.226) 아(襾)부수에 귀속된 글자들은 모두 아(襾)가 의미부이다. 아(晋)와 같이 읽는다. 독음은 호(呼)와 아(訝)의 반절이다.

**4829**

**覂: 覂: 엎을 봉: 襾-총11획: fěng**

原文

覂: 反覆也. 从襾乏聲. 方勇切.

飜譯

'반복해서 뒤집다(反覆)'라는 뜻이다. 아(襾)가 의미부이고 핍(乏)이 소리부이다. 독음은 방(方)과 용(勇)의 반절이다.

---

226) 襾는 소전체에서부터 등장하는데, 冂은 보자기를, 그 윗부분은 묶어 놓은 손잡이로 보인다. 『설문해자』에서는 "冖(덮을 멱)으로 구성되었고, 아래위를 덮은 모습을 그렸다."라고 했다. 이미 단독으로 사용되지 않고, 襾로 구성된 글자도 많지 않아 覆(덮을 복) 정도가 있을 뿐이다. 현대 한자 자형에서 襾는 西(서녘 서)와 닮았지만, 사실은 전혀 다른 글자이다. 西는 원래 새의 둥지를 그려 '서식하다'는 의미를 그렸고, 저녁이 되어 새가 둥지로 날아가는 방향이라는 뜻에서 '서쪽'의 의미가 나온 글자이다.

**4830**

**覈: 覈: 핵실할 핵: 襾-총19획: hé**

原文

覈: 實也. 考事, 襾笮邀遮, 其辤得實曰覈. 从襾敫聲. 覈, 覈或从雨. 下革切.

飜譯

'핵실하다(實)'라는 뜻이다. 사건의 실상을 조사할 때는 여러 번 반복해야 하며(襾), 때로는 핍박하기도 하며(笮) 때로는 믿음을 줄 방법을 만들기도 하며(邀) 때로는 은폐할 생각을 없애기도 해야만(遮), 그 송사가 사실 그대로 밝혀지게 되며, 이를 핵(覈)이라 한다. 아(襾)가 의미부이고 교(敫)가 소리부이다. 핵(覈)은 핵(覈)의 혹체인데, 우(雨)로 구성되었다. 독음은 하(下)와 혁(革)의 반절이다.

**4831**

**覆: 覆: 뒤집힐 복: 襾-총18획: fù**

原文

覆: 覂也. 一曰蓋也. 从襾復聲. 敷救切.

飜譯

'반복해서 뒤집다(覂)'라는 뜻이다. 일설에는 '덮다(蓋)'라는 뜻이라고도 한다. 아(襾)가 의미부이고 복(復)이 소리부이다.[227] 독음은 부(敷)와 구(救)의 반절이다.

227) 고문자에서 [글자]金文 [글자] [글자]簡牘文 [글자]帛書 등으로 썼다. 襾(덮을 아)가 의미부고 復(돌아올 복)이 소리부로, 어떤 물체를 뒤덮다(襾), 가리다는 뜻이며, 이로부터 뒤엎다, 뒤집다, 뒤집히다 등의 뜻도 나왔다.

## 제281부수
## 281 ■ 건(巾)부수

**4832**

: 巾: **수건 건**: 巾-**총3획**: jīn

原文

: 佩巾也. 从冂, 丨象糸也. 凡巾之屬皆从巾. 居銀切.

飜譯

'허리에 차는 베(佩巾) 즉 수건'을 말한다. 경(冂)이 의미부이고, 곤(丨)은 수건을 단 끈(糸)을 상징한다.[228] 건(巾)부수에 귀속된 글자들은 모두 건(巾)이 의미부이다. 독음은 거(居)와 은(銀)의 반절이다.

**4833**

: 帉: **행주 분**: 巾-**총7획**: fēn

原文

: 楚謂大巾曰帉. 从巾分聲. 撫文切.

飜譯

'초(楚) 지역에서는 커다란 수건(大巾)을 분(帉)이라 한다. 건(巾)이 의미부이고 분(分)이 소리부이다. 독음은 무(撫)와 문(文)의 반절이다.

---

228) 고문자에서 甲骨文 金文 簡牘文 등으로 썼다. 허리에 차는 수건을 그렸는데, 자락이 아래로 드리운 모습이다. 수건은 베로 만들기에 '베'라는 뜻이, 비단은 고대중국의 가장 대표적인 베였기에 '비단'의 뜻이 나왔고, 다시 그 용도에 근거해 옷감은 물론 깃발이나 휘장, 帶(띠 대)에서처럼 옷감을, 다시 帳幕(장막)에서처럼 깃발이나 휘장, 장막, 돛 등의 재료를 지칭하였다. 또 帛(비단 백)에서처럼 비단은 귀한 베였기에 화폐의 대용으로, 종이가 보편화하기 이전에는 최고급의 필사재료로 쓰이기도 했다.

**4834**

**帥: 帥: 장수 수·거느릴 솔: 巾-총9획: shuài**

原文

帥: 佩巾也. 从巾、自. 帨, 帥或从兌. 又音稅. 所律切.

飜譯

'허리에 차는 베(佩巾) 즉 수건'을 말한다. 건(巾)과 사(𠂤)가 의미부이다.229) 솔(帨)은 솔(帥)의 혹체인데, 태(兌)로 구성되었다. 다른 독음은 세(稅)이다. 독음은 소(所)와 률(律)의 반절이다.

**4835**

**𢄼: 㡇: 수건 세: 巾-총14획: zhì**

原文

𢄼: 禮巾也. 从巾从執. 輸芮切.

飜譯

'의식에 사용하는 수건(禮巾)'을 말한다. 건(巾)이 의미부이고 집(執)도 의미부이다. 독음은 수(輸)와 예(芮)의 반절이다.

---

229) 고문자에서 金文 등으로 썼다. 巾(수건 건)이 의미부고 𠂤(군사 사, 師의 원래 글자)가 소리부로, 『설문해자』에서는 허리에 차는 수건(巾)이라 했는데, 장수(𠂤)들이 허리춤에 차던 수건(巾)을 말한 것으로 보인다. 이로부터 '장수'를 뜻하게 되었고, 장수는 전장에서 제일 선봉에 서서 군대를 이끌었기에 '이끌다'는 뜻이 나왔다. 현대 중국에서는 '멋지다', 잘 생겼다 등의 뜻으로도 쓰인다. 다만 將帥(장수)를 뜻할 때에는 '수'로, 이끌다, 거느리다는 뜻으로 쓰일 때에는 '솔'로 읽어 率과 같이 쓴다. 간화자에서는 𠂤를 간단하게 줄인 帅로 쓴다.

4836

**帗**: 帗: **모직 불**: 巾-총8획: **fú**

原文

帗: 一幅巾也. 从巾犮聲. 讀若撥. 北末切.

飜譯

'한 폭 너비의 수건(一幅巾)'을 말한다. 건(巾)이 의미부이고 발(犮)이 소리부이다. 발(撥)과 같이 읽는다. 독음은 북(北)과 말(末)의 반절이다.

4837

**帤**: 帤: **베갯잇 인**: 巾-총6획: **rèn**

原文

帤: 枕巾也. 从巾刃聲. 而振切.

飜譯

'침건(枕巾) 즉 베게 위에 까는 수건'을 말한다. 건(巾)이 의미부이고 인(刃)이 소리부이다. 독음은 이(而)와 진(振)의 반절이다.

4838

**幋**: 幋: **햇댓보 반**: 巾-총13획: **pàn**

原文

幋: 覆衣大巾. 从巾般聲. 或以爲首鞶. 薄官切.

飜譯

'옷을 덮는 데 쓰는 큰 수건(覆衣大巾)'을 말한다. 건(巾)이 의미부이고 반(般)이 소리부이다. 혹자는 '머리를 매는데 쓰는 수건 즉 두건(首鞶)'을 말한다고도 한다. 독음은 박(薄)과 관(官)의 반절이다.

**4839**

**帤: 帤: 걸레 녀: 巾-총9획: rú**

原文

帤: 巾帤也. 从巾如聲. 一曰幣巾. 女余切.

飜譯

'수건(巾帤)'을 말한다.230) 건(巾)이 의미부이고 여(如)가 소리부이다. 일설에는 '헤진 수건(幣巾)'을 말한다고도 한다.231) 독음은 녀(女)와 여(余)의 반절이다.

**4840**

**幣: 幣: 비단 폐: 巾-총15획: bì**

原文

幣: 帛也. 从巾敝聲. 毗祭切.

飜譯

'비단(帛)'을 말한다. 건(巾)이 의미부이고 폐(敝)가 소리부이다.232) 독음은 비(毗)와 제(祭)의 반절이다.

**4841**

**幅: 幅: 폭 폭: 巾-총12획: fú**

---

230) 『단주』에서 이렇게 말했다. "『방언』에서 몽(幪)은 수건을 말하고(巾也), 큰 수건(大巾)을 분(帉)이라 한다. 숭악(嵩嶽)의 남쪽과 진(陳)과 영(潁) 사이 지역에서는 이를 녀건(帤巾)이라 한다. 또 몽(幪)이라고도 한다고 했다. 내 생각에, 건녀(巾帤)는 방언 어휘일 것이다."

231) 『단주』에서 "폐(幣)는 폐(敝)가 되어야 할 것이다. 폐(幣)는 오자이다."라고 했는데, 이를 따랐다.

232) 고문자에서 𢄼簡牘文 등으로 썼다. 巾(수건 건)이 의미부고 敝(해질 폐)가 소리부로, 새로운(敝·폐) 옷감(巾)이라는 의미로, 幣帛(폐백)에서처럼 예물로 보내는 비단을 말하며, 이로부터 예물이나 貨幣(화폐)의 뜻까지 생겨났다. 간화자에서는 币로 간단하게 줄여 쓴다.

原文

幅: 布帛廣也. 从巾畐聲. 方六切.

飜譯

'베나 비단의 너비(布帛廣)'를 말한다. 건(巾)이 의미부이고 복(畐)이 소리부이다.[233) ] 독음은 방(方)과 륙(六)의 반절이다.

**4842**

**㡃: 㡃: 물감 들이는 장인 황: 巾-총9획: huāng**

原文

㡃: 設色之工, 治絲練者. 从巾㠩聲. 一曰㡃隔. 讀若荒. 呼光切.

飜譯

'염색하는 장인(設色之工)을 말하는데, 비단을 잘 갈무리하는 자(治絲練者)'를 말한다. 건(巾)이 의미부이고 황(㠩)이 소리부이다. 일설에는 '덮다(㡃隔)'라는 뜻이라고도 한다. 황(荒)과 같이 읽는다. 독음은 호(呼)와 광(光)의 반절이다.

**4843**

**帶: 帶: 띠 대: 巾-총11획: dài**

原文

帶: 紳也. 男子鞶帶, 婦人帶絲. 象繫佩之形. 佩必有巾, 从巾. 當蓋切.

飜譯

'큰 띠(紳)'를 말한다. 남자는 가죽으로 된 띠(鞶帶)를 매고, 부인들은 실로 된 띠(絲)를 맨다. [윗부분은] 늘어뜨린 끈의 모습을 그렸다. 수건이라면 반드시 베로 구성되어

---

233) 고문자에서 幅 簡牘文 등으로 썼다. 巾(수건 건)이 의미부고 畐(가득할 복)이 소리부로, 베(巾)로 된 '옷감의 넓이'를 말했는데, 이후 비단(巾)에 축복하는(畐, 福의 원래 글자) 글을 쓴 '족자'를 뜻하게 되었다.

야 하는 법, 그래서 건(巾)이 의미부이다.[234] 독음은 당(當)과 개(蓋)의 반절이다.

**4844**

**幘**: 幘: **건 책**: 巾-총14획: zé

原文

幘: 髮有巾曰幘. 从巾責聲. 側革切.

飜譯

'머리칼을 싸는 수건(髮有巾)을 책(幘)이라 한다.' 건(巾)이 의미부이고 책(責)이 소리부이다. 독음은 측(側)과 혁(革)의 반절이다.

**4845**

**帗**: 帗: **옷깃 끝 순**: 巾-총9획: sŭn, xún

原文

帗: 領耑也. 从巾旬聲. 相倫切.

飜譯

'옷깃의 끝 부분(領耑)'을 말한다. 건(巾)이 의미부이고 순(旬)이 소리부이다. 독음은 상(相)과 륜(倫)의 반절이다.

**4846**

**帔**: 帔: **치마 피**: 巾-총8획: pèi

原文

---

234) 고문자에서 [illegible] 帶 帶簡牘文 등으로 썼다. 허리띠 아래로 베(巾)로 만든 술 같은 장식물이 드리운 모습으로 '허리띠'를 그렸다. 이로부터 매다는 뜻이 나왔고, 허리띠처럼 납작하고 길게 생긴 물체, 뱀 등도 지칭하게 되었다. 『설문해자』에서는 남자는 가죽으로 여자는 실로 띠를 만들었다고 했다. 간화자에서는 윗부분의 획을 줄여 带로 쓴다.

帔: 弘農謂帬帔也. 从巾皮聲. 披義切.

**飜譯**

‘홍농(弘農) 지역에서는 치마(帬)를 파(帔)라고 한다.’ 건(巾)이 의미부이고 피(皮)가 소리부이다. 독음은 피(披)와 의(義)의 반절이다.

**4847**

**常: 常: 항상 상: 巾-총11획: cháng**

**原文**

常: 下帬也. 从巾尚聲. 裳, 常或从衣. 市羊切.

**飜譯**

‘아래에 두르는 치마(下帬)’를 말한다. 건(巾)이 의미부이고 상(尚)이 소리부이다.[235] 상(裳)은 상(常)의 혹체인데, 의(衣)로 구성되었다. 독음은 시(市)와 양(羊)의 반절이다.

**4848**

**帬: 帬: 치마 군: 巾-총10획: qún**

**原文**

帬: 下裳也. 从巾君聲. 裙, 帬或从衣. 渠云切.

**飜譯**

‘치마(下裳)’를 말한다. 건(巾)이 의미부이고 군(君)이 소리부이다. 군(裙)은 군(帬)의 혹체인데, 의(衣)로 구성되었다. 독음은 거(渠)와 운(云)의 반절이다.

---

235) 고문자에서 [古文字] 常 常簡牘文 등으로 썼다. 巾(수건 건)이 의미부고 尙(오히려 상)이 소리부로, 베(巾)로 만든 ‘치마’가 원래 뜻이다. 고대사회에서 바지가 나오기 전 ‘치마’는 언제나 입는 일상품이었기에 日常(일상)의 뜻이 나왔고, 그러자 원래 뜻은 巾을 衣(옷 의)로 대체하여 裳(치마 상)으로 표현했다. 일상으로 입는 옷이라는 뜻에서 일상의, 평상의, 일반적인 등의 뜻이 나왔고, 다시 오랫동안, 변함없는 등의 뜻이 나왔다.

**4849**

**幓: 帴: 포대기 전·언치 천: 巾-총11획: jiān, jiǎn**

原文

幓: 帬也. 一曰帗也. 一曰婦人脅衣. 从巾戔聲. 讀若末殺之殺. 所八切.

飜譯

'치마(帬)'를 말한다. 일설에는 '앞치마(帗)'를 말한다고도 한다. 또 일설에는 '부인들이 쓰는 협의 즉 가슴가리개(婦人脅衣)'를 말한다고도 한다. 건(巾)이 의미부이고 전(戔)이 소리부이다. 미살(末殺)이라고 할 때의 살(殺)과 같이 읽는다. 독음은 소(所)와 팔(八)의 반절이다.

**4850**

**幝: 幝: 속옷 곤: 巾-총12획: gūn, kūn**

原文

幝: 幒也. 从巾軍聲. 褌, 幝或从衣. 古渾切.

飜譯

'잠방이(幒) 즉 가랑이가 무릎까지 내려오도록 짧게 만든 홑바지'를 말한다. 건(巾)이 의미부이고 군(軍)이 소리부이다. 곤(褌)은 곤(幝)의 혹체인데, 의(衣)로 구성되었다. 독음은 고(古)와 혼(渾)의 반절이다.

**4851**

**幒: 幒: 잠방이 종: 巾-총12획: zhōng**

原文

幒: 幝也. 从巾忽聲. 一曰帙. 帐, 幒或从松. 職茸切.

飜譯

'잠방이(幝)'를 말한다. 건(巾)이 의미부이고 총(忽)이 소리부이다. 일설에는 '책갑

(帙)'을 말한다고도 한다. 종(幒)은 종(幒)의 혹체인데, 송(松)으로 구성되었다. 독음은 직(職)과 용(茸)의 반절이다.

4852

**𢅧: 幱: 단 없는 옷 람: 巾-총17획: lán**

原文

𢅧: 楚謂無緣衣也. 从巾監聲. 魯甘切.

飜譯

'초 지역에서는 단이 없는 옷(楚謂無緣衣)을 람(幱)이라 한다.' 건(巾)이 의미부이고 감(監)이 소리부이다. 독음은 로(魯)와 감(甘)의 반절이다.

4853

**幎: 幎: 덮을 멱: 巾-총13획: mì**

原文

幎: 幔也. 从巾冥聲. 『周禮』有"幎人". 莫狄切.

飜譯

'막(幔)'을 말한다. 건(巾)이 의미부이고 명(冥)이 소리부이다. 『주례·천관』에 "면인(幎人)"이라는 관직이 있다. 독음은 막(莫)과 적(狄)의 반절이다.

4854

**幔: 幔: 막 만: 巾-총14획: màn**

原文

幔: 幕也. 从巾曼聲. 莫半切.

飜譯

'막(幕)'을 말한다. 건(巾)이 의미부이고 만(曼)이 소리부이다. 독음은 막(莫)과 반

(半)의 반절이다.

**4855**

**幬: 幬: 휘장 주: 巾-총17획: chóu**

原文

幬: 禪帳也. 从巾𠷎聲. 直由切.

飜譯

'단층으로 된 휘장(禪帳)'을 말한다. 건(巾)이 의미부이고 수(𠷎)가 소리부이다. 독음은 직(直)과 유(由)의 반절이다.

**4856**

**嫌: 嫌: 휘장 렴: 巾-총13획: lián**

原文

嫌: 帷也. 从巾兼聲. 力鹽切.

飜譯

'휘장(帷)'을 말한다. 건(巾)이 의미부이고 겸(兼)이 소리부이다. 독음은 력(力)과 염(鹽)의 반절이다.

**4857**

**帷: 帷: 휘장 유: 巾-총11획: wéi**

原文

帷: 在旁曰帷. 从巾隹聲. 匱, 古文帷. 洧悲切.

飜譯

'사방으로 둘러쳐진 장막(在旁)을 유(帷)라 한다.' 건(巾)이 의미부이고 추(隹)가 소리부이다. 유(匱)는 유(帷)의 고문체이다. 독음은 유(洧)와 비(悲)의 반절이다.

4858

**幨: 帳: 휘장 장: 巾-총11획: zhàng**

原文

幨: 張也. 从巾長聲. 知諒切.

飜譯

'장(張)과 같아 펼치는 것'이라는 뜻이다. 건(巾)이 의미부이고 장(長)이 소리부이다. 독음은 지(知)와 량(諒)의 반절이다.

4859

**幕: 幕: 막 막: 巾-총14획: mù**

原文

幕: 帷在上曰幕, 覆食案亦曰幕. 从巾莫聲. 慕各切.

飜譯

'위에서 가리는 것(帷在上)을 막(幕)이라 하는데, 식탁에서 음식을 덮어 두는 것(覆食案)도 막(幕)이라 한다.' 건(巾)이 의미부이고 막(莫)이 소리부이다.[236] 독음은 모(慕)와 각(各)의 반절이다.

4860

**帇: 帔: 헝겊 비: 巾-총5획: bǐ**

原文

236) 巾(수건 건)이 의미부고 莫(없을 막)이 소리부로, 장막을 말하는데, 물체를 덮어 아무것도 보이지 않게 하는(莫·막) 베(巾)로 만든 설치물이라는 뜻을 담았다. 이후 덮다, 은폐하다의 뜻도 나왔다. 한국 속자에서는 入과 巾으로 구성된 帢으로 써, 속으로 들어갈 수 있도록(入) 고안된 베(巾)로 만든 장치를 말하였다.

帎: 幏裂也. 从巾匕聲. 卑履切.

飜譯

'베 조각(幏裂) 즉 헝겊'을 말한다. 건(巾)이 의미부이고 비(匕)가 소리부이다. 독음은 비(卑)와 리(履)의 반절이다.

**4861**

**幏**: 幏: **비단조각 설·세**: 巾-총14획: xuě

原文

幏: 殘帛也. 从巾祭聲. 先列切.

飜譯

'비단 조각(殘帛)'을 말한다. 건(巾)이 의미부이고 제(祭)가 소리부이다. 독음은 선(先)과 렬(列)의 반절이다.

**4862**

**幐**: 幐: **자투리 유**: 巾-총12획: tóu, shū

原文

幐: 正耑裂也. 从巾俞聲. 山樞切.

飜譯

'정면 쪽이 갈라진 베(正耑裂)'를 말한다. 건(巾)이 의미부이고 유(俞)가 소리부이다. 독음은 산(山)과 추(樞)의 반절이다.

**4863**

**帖**: 帖: **표제 첩**: 巾-총8획: tiè, tiě, tiē

原文

帖: 帛書署也. 从巾占聲. 他叶切.

飜譯

'비단에 쓴 표제(帛書署)'를 말한다. 건(巾)이 의미부이고 점(占)이 소리부이다. 독음은 타(他)와 협(叶)의 반절이다.

**4864**

帙: 帙: **책갑 질**: 巾-총8획: zhì

原文

帙: 書衣也. 从巾失聲. 袠, 帙或从衣. 直質切.

飜譯

'책갑(書衣) 즉 책을 넣어 둘 수 있게 책의 크기에 맞추어 만든 작은 상자나 집'을 말한다. 건(巾)이 의미부이고 실(失)이 소리부이다. 질(袠)은 질(帙)의 혹체인데, 의(衣)로 구성되었다. 독음은 직(直)과 질(質)의 반절이다.

**4865**

𢅮: 𢅮: **기표 전**: 巾-총12획: jiān

原文

𢅮: 幡幟也. 从巾前聲. 則前切.

飜譯

'기표(幡幟)'[237]를 말한다. 건(巾)이 의미부이고 전(前)이 소리부이다. 독음은 칙(則)과 전(前)의 반절이다.

**4866**

徽: 徽: **표지 휘**: 巾-총14획: huī

237) 국기, 군기, 교기 따위와 같이 특정한 단체나 개인을 대표하여 나타내는 기를 통틀어 이르는 말이다.

原文

𢅤: 幑也, 以絳徽帛, 箸於背. 从巾, 微省聲. 『春秋傳』曰: "揚徽者公徒." 許歸切.

飜譯

'깃발'을 말한다. 붉은 비단으로 만들어 뒤쪽에다 붙인다(幑也, 以絳徽帛, 箸於背). 건(巾)이 의미부이고, 미(微)의 생략된 부분이 소리부이다. 『춘추전』(『좌전』 소공 21년, B.C. 521)에서 "깃발을 휘날리는 자가 그대의 부하인가요?(揚徽者公徒)"라고 했다. 독음은 허(許)와 귀(歸)의 반절이다.

**4867**

**幖: 幖: 깃발 표: 巾-총14획: biāo**

原文

幖: 幑也. 从巾㶾聲. 方招切.

飜譯

'깃발(幑)'을 말한다. 건(巾)이 의미부이고 표(㶾)가 소리부이다. 독음은 방(方)과 초(招)의 반절이다.

**4868**

**帵: 帵: 행주 원: 巾-총8획: yuān**

原文

帵: 幡也. 从巾夗聲. 於袁切.

飜譯

'깃발(幡)'을 말한다. 건(巾)이 의미부이고 원(夗)이 소리부이다. 독음은 어(於)와 원(袁)의 반절이다.

4869

**幡: 幡: 기 번: 巾-총15획: fān**

原文

幡: 書兒拭觚布也. 从巾番聲. 甫煩切.

飜譯

'글자를 익히는 아이가 나무판을 닦을 때 쓰는 걸레(書兒拭觚布)'를 말한다. 건(巾)이 의미부이고 번(番)이 소리부이다. 독음은 보(甫)와 번(煩)의 반절이다.

4870

**㡃: 㡃: 닦을 랄: 巾-총12획: là**

原文

㡃: 㓥也. 从巾剌聲. 盧達切.

飜譯

'닦다(㓥)'라는 뜻이다. 건(巾)이 의미부이고 랄(剌)이 소리부이다. 독음은 로(盧)와 달(達)의 반절이다.

4871

**幨: 幨: 표지 첨: 巾-총20획: qiān, jiān**

原文

幨: 拭也. 从巾韱聲. 精廉切.

飜譯

'닦다(拭)'라는 뜻이다. 건(巾)이 의미부이고 섬(韱)이 소리부이다. 독음은 정(精)과 렴(廉)의 반절이다.

**4872**

**幝: 幝: 해진 모양 천: 巾–총15획: chǎn**

原文

幝: 車弊皃. 从巾單聲. 『詩』曰 : "檀車幝幝." 昌善切.

飜譯

'수레가 해진 모양(車弊皃)'을 말한다. 건(巾)이 의미부이고 단(單)이 소리부이다. 『시·소아체두(杕杜)』에서 "박달나무 수레는 터덜터덜 지나가고(檀車幝幝)"라고 노래했다. 독음은 창(昌)과 선(善)의 반절이다.

**4873**

**幏: 幏: 옷보자기 몽: 巾–총13획: méng**

原文

幏: 蓋衣也. 从巾冡聲. 莫紅切.

飜譯

'옷을 덮다(蓋衣)'라는 뜻이다. 건(巾)이 의미부이고 몽(冡)이 소리부이다. 독음은 막(莫)과 홍(紅)의 반절이다.

**4874**

**幭: 幭: 덮개 멸: 巾–총18획: miè**

原文

幭: 蓋幭也. 从巾蔑聲. 一曰禪被. 莫結切.

飜譯

'덮개(蓋幭)'를 말한다. 건(巾)이 의미부이고 멸(蔑)이 소리부이다. 일설에는 '홑이불(禪被)'을 말한다고도 한다. 독음은 막(莫)과 결(結)의 반절이다.

4875

**幠: 幠: 덮을 무: 巾-총15획: hū**

原文

幠: 覆也. 从巾無聲. 荒烏切.

飜譯

'덮다(覆)'라는 뜻이다. 건(巾)이 의미부이고 무(無)가 소리부이다. 독음은 황(荒)과 오(烏)의 반절이다.

4876

**飾: 飾: 꾸밀 식: 食-총14획: shì**

原文

飾: 㕞也. 从巾从人, 食聲. 讀若式. 一曰襐飾. 賞隻切.

飜譯

'깨끗하게 닦다(㕞)'라는 뜻이다. 건(巾)이 의미부이고 인(人)도 의미부이며, 식(食)이 소리부이다. 식(式)과 같이 읽는다. 일설에는 '꾸미개(襐飾)'를 말한다고도 한다.[238] 독음은 상(賞)과 척(隻)의 반절이다.

4877

**幃: 幃: 휘장 위: 巾-총12획: wéi**

原文

幃: 囊也. 从巾韋聲. 許歸切.

---

238) 고문자에서 [illegible] 帛書 등으로 썼다. 『설문해자』에 의하면, 巾(수건 건)과 人(사람 인)이 의미부고 食(밥 식)이 소리부로, 사람(人)이 수건(巾)으로 물건을 닦고 꾸미는 것을 말했으며, 이로부터 닦다, 修飾(수식)하다, 裝飾(장식)하다, 좋아 보이게 하다, 가리다, 장식물 등의 뜻이 나왔다. 혹자는 巾이 의미부고 飤(먹일 사)가 소리부인 구조로 보기도 한다. 간화자로는 饰으로 쓴다.

飜譯

'자루(囊)'를 말한다. 건(巾)이 의미부이고 위(韋)가 소리부이다. 독음은 허(許)와 귀(歸)의 반절이다.

**4878**

**𢃀: 帣: 자루 권: 巾-총9획: juàn**

原文

𢃀: 囊也. 今鹽官三斛爲一帣. 从巾𢍏聲. 居倦切.

飜譯

'자루(囊)'를 말한다. 오늘날(즉 한나라)의 소금에 관한 법(鹽官)에서는 3휘(斛)가 1권(帣)이다. 건(巾)이 의미부이고 권(𢍏)이 소리부이다. 독음은 거(居)와 권(倦)의 반절이다.

**4879**

**帚: 帚: 비 추: 巾-총8획: zhǒu**

原文

帚: 糞也. 从又持巾埽冂内. 古者少康初作箕、帚、秫酒. 少康, 杜康也, 葬長垣. 支手切.

飜譯

'청소하다(糞)'라는 뜻이다. 손(持)으로 걸레(巾)를 쥐고 경계 내(冂内)를 청소하다는 뜻이다.239) 먼 옛날, 소강(少康)이 처음으로 키(箕)와 빗자루(帚)와 차조로 빚은 술(秫酒)을 만들었다. 소강(少康)은 바로 두강(杜康)인데, 장원(長垣)에 묻혔다. 독음은 지(支)와 수(手)의 반절이다.

---

239) 竹(대 죽)이 의미부이고 帚(비 추)가 소리부로, 대(竹)로 만든 비(帚)를 말한다. 원래는 帚(비 추)였으나 이후 분화한 글자이다. 간화자에서는 帚(비 추)에 통합되었다.

**4880**

**席: 席: 자리 석: 巾-총10획: xí**

原文

席: 籍也.『禮』: 天子、諸侯席, 有黼繡純飾. 从巾, 庶省. 𢈜, 古文席从石省. 祥易切.

飜譯

'깔고 앉는 자리(籍)'를 말한다.『주례·춘관·사궤연(司几筵)』에서 "천자(天子)와 제후(諸侯)의 자리(席)는 흑백으로 된 도끼 무늬 장식을 한 것을 사용한다(有黼繡純飾)"라고 했다. 건(巾)이 의미부이고, 서(庶)의 생략된 부분이 소리부이다.240) 석(𢈜)은 석(席)의 고문체인데, 석(石)의 생략된 모습으로 구성되었다. 독음은 상(祥)과 역(易)의 반절이다.

**4881**

**幐: 幐: 향주머니 등: 肉-총13획: téng**

原文

幐: 囊也. 从巾朕聲. 徒登切.

飜譯

'자루(囊)'를 말한다. 건(巾)이 의미부이고 짐(朕)이 소리부이다. 독음은 도(徒)와 등(登)의 반절이다.

**4882**

**幩: 幩: 곡식 자루 너무 가득히 넣어 터질 분: 巾-총19획: fèn**

---

240) 고문자에서 席古陶文 席 席簡牘文 등으로 썼다. 巾(수건 건)이 의미부고 庶(여러 서)의 생략된 모습이 소리부로, 돌(庶) 위에 까는 베(巾)로 만든 깔개를 말했다. 금문에서는 돌(厂)에다 자리를 깐 모습으로 그리기도 했다. 혹자는 이를 여러 사람(庶)이 둘러앉을 수 있는 베(巾)로 만든 자리라고 풀이하기도 한다. 이후 의미를 더 강조하기 위해 艸(풀 초)를 더해 蓆(자리 석)을 만들어 분화했다.

原文

幡: 以囊盛穀, 大滿而裂也. 从巾奮聲. 方吻切.

飜譯

'자루에 곡식을 너무 많이 담아 터지다(以囊盛穀, 大滿而裂)'라는 뜻이다. 건(巾)이 의미부이고 분(奮)이 소리부이다. 독음은 방(方)과 문(吻)의 반절이다.

4883

**𢅤:** 楯: **쌀자루 준**: 巾-총12획: zhūn

原文

楯: 載米齡也. 从巾盾聲. 讀若『易』屯卦之屯. 陟倫切.

飜譯

'쌀을 담는 자루(載米齡)'를 말한다. 건(巾)이 의미부이고 순(盾)이 소리부이다. 『역(易)』 '둔괘(屯卦)'의 둔(屯)과 같이 읽는다. 독음은 척(陟)과 륜(倫)의 반절이다.

4884

**𢂋:** 㠷: **돗자리 갑**: 巾-총7획: gé

原文

㠷: 蒲席齡也. 从巾及聲. 讀若蛤. 古沓切.

飜譯

'부들로 짠 쌀을 너는 자리(蒲席齡)'를 말한다. 건(巾)이 의미부이고 급(及)이 소리부이다. 합(蛤)과 같이 읽는다. 독음은 고(古)와 답(沓)의 반절이다.

4885

**幩:** 幩: **재갈 장식 분**: 巾-총16획: fén

原文

幩: 馬纏鑣扇汗也. 从巾賁聲. 『詩』曰 : "朱幩鑣鑣." 符分切.

飜譯

'말의 재갈 옆에 달아 땀을 식히게 하는 장식(馬纏鑣扇汗)'을 말한다. 건(巾)이 의미부이고 분(賁)이 소리부이다. 『시·위풍·석인(碩人)』에서 "붉은 천을 감은 말 재갈이 곱고(朱幩鑣鑣)"라고 노래했다. 독음은 부(符)와 분(分)의 반절이다.

**4886**

幔: 㡘: **걸레로 지댓돌 닦을 논**: 巾-**총21획**: **néi**

原文

㡘: 墀地, 以巾撋之. 从巾夒聲. 讀若水溫𩏽也. 一曰箸也. 乃昆切.

飜譯

'칠을 한 바닥을 걸레로 닦다(墀地, 以巾撋之)'라는 뜻이다. 건(巾)이 의미부이고 노(夒)가 소리부이다. '수온이 따뜻하다(水溫𩏽)'라고 할 때의 난(𩏽)과 같이 읽는다. 일설에는 '칠하다(箸)'라는 뜻이라고도 한다. 독음은 내(乃)와 곤(昆)의 반절이다.

**4887**

帑: 帑: **금고 탕·처자 노**: 巾-**총8획**: **tǎng**

原文

帑: 金幣所藏也. 从巾奴聲. 乃都切.

飜譯

'금이나 돈을 넣어두는 자루(金幣所藏)'를 말한다. 건(巾)이 의미부이고 노(奴)가 소리부이다.[241] 독음은 내(乃)와 도(都)의 반절이다.

241) 『단주』에서 "金幣所藏也"에 대해 이렇게 말했다. "이는 부(府)나 고(庫)나 괴(廥) 등과 같은 것들이다. 노(帑)는 노(奴)와 같이 읽는다. 노(帑)은 주머니(囊)를 말하는데, 폐백(幣帛)을 넣어 두는 곳이다. 그래서 건(巾)으로 구성되었다."

제7권

**4888**

布: **베 포**: 巾-**총5획**: **bù**

原文

: 枲織也. 从巾父聲. 博故切.

飜譯

'모시풀로 짠 베(枲織)'를 말한다. 건(巾)이 의미부이고 부(父)가 소리부이다.[242] 독음은 박(博)과 고(故)의 반절이다.

**4889**

幏: **세포 가**: 巾-**총13획**: **jiā**

原文

: 南郡蠻夷賨布. 从巾家聲. 古訝切.

飜譯

'남군(南郡)의 이민족 지역(蠻夷)에서 세금으로 내던 베(賨布)'를 말한다. 건(巾)이 의미부이고 가(家)가 소리부이다. 독음은 고(古)와 아(訝)의 반절이다.

**4890**

帹: **베 이름 현**: 巾-**총11획**: **xián, yán**

原文

: 布. 出東萊. 从巾弦聲. 胡田切.

---

242) 고문자에서 金文 簡牘文 등으로 썼다. 금문에서 巾(수건 건)이 의미부고 父(아비 부)가 소리부였는데, 자형이 조금 변해 지금처럼 되었다. 모시로 짠 대표적인(父) 직물(巾)을 말했는데, 이후 '베'의 총칭으로 쓰이게 되었다.

飜譯

'베 이름(布)'인데, 동래(東萊) 지역에서 난다. 건(巾)이 의미부이고 현(弦)이 소리부이다. 독음은 호(胡)와 전(田)의 반절이다.

**4891**

**幏: 幏: 수레의 덮개 무: 巾-총12획: wù, mù**

原文

幏: 髼布也. 一曰車上衡衣. 从巾敄聲. 讀若項. 莫卜切.

飜譯

'칠을 한 베(髼布)'를 말한다. 일설에는 '수레 위에 설치한 덮개(車上衡衣)'를 말한다고도 한다. 건(巾)이 의미부이고 무(敄)가 소리부이다. 욱(項)과 같이 읽는다. 독음은 막(莫)과 복(卜)의 반절이다.

**4892**

**幦: 幦: 수레의 덮개 멱: 巾-총16획: mì**

原文

幦: 髼布也. 从巾辟聲. 『周禮』曰: "駹車大幦." 莫狄切.

飜譯

'칠을 한 베(髼布)'를 말한다. 건(巾)이 의미부이고 벽(辟)이 소리부이다. 『주례·춘관·건거(巾車)』에서 "여러 색이 섞인 수레와 칠을 한 큰 베(駹車大幦)"라고 했다. 독음은 막(莫)과 적(狄)의 반절이다.

**4893**

**⿰巾耴: ⿰巾耴: 옷깃 끝 첩·접: 巾-총10획: jí, zhé**

原文

⿰巾耴: 領耑也. 从巾耴聲. 陟葉切.

飜譯

'옷깃의 끝부분(領耑)'을 말한다. 건(巾)이 의미부이고 첩(耴)이 소리부이다. 독음은 척(陟)과 엽(葉)의 반절이다.

**4894**

**幢: 幢: 기 당: 巾-총15획: chuáng**

原文

幢: 旌旗之屬. 从巾童聲. 宅江切.

飜譯

'깃발의 일종(旌旗之屬)'이다. 건(巾)이 의미부이고 동(童)이 소리부이다. 독음은 댁(宅)과 강(江)의 반절이다. [신부]

**4895**

**幟: 幟: 기 치: 巾-총15획: zhì**

原文

幟: 旌旗之屬. 从巾戠聲. 昌志切.

飜譯

'깃발의 일종(旌旗之屬)'이다. 건(巾)이 의미부이고 시(戠)가 소리부이다.[243] 독음은

243) 고문자에서 甲骨文 등으로 썼다. 巾(수건 건)이 의미부고 戠(찰진 흙 시)가 소리부로, 자신의 부족을 상징하는 토템을 그려 넣은(戠) 베(巾)로 만든 '깃발'을 말하며, 이로부터 표지의 뜻도 나왔다. 간화자에서는 戠를 只(다만 지)로 간단하게 줄여 帜로 쓴다.

창(昌)과 지(志)의 반절이다. [신부]

4896

帟: 帟: **장막 역: 巾-총9획: yì**

原文

帟: 在上曰帟. 从巾亦聲. 羊益切.

飜譯

'위에서 덮는 것(在上)을 역(帟)'이라 한다. 건(巾)이 의미부인데, 소리부도 겸한다. 독음은 양(羊)과 익(益)의 반절이다. [신부]

4897

幗: 幗: **머리 장식 궉: 巾-총14획: guó**

原文

幗: 婦人首飾. 从巾國聲. 古對切.

飜譯

'여인들의 머리 장식(婦人首飾)'을 말한다. 건(巾)이 의미부이고 국(國)이 소리부이다. 독음은 고(古)와 대(對)의 반절이다. [신부]

4898

幧: 幧: **머리띠 조: 巾-총16획: qiāo**

原文

幧: 斂髮也. 从巾喿聲. 七搖切.

飜譯

'머리칼을 묶다(斂髮)'라는 뜻이다. 건(巾)이 의미부이고 소(喿)가 소리부이다. 독음은 칠(七)과 요(搖)의 반절이다. [신부]

**4899**

**帒: 帒: 산 이름 대: 巾-총8획: dāi**

原文

帒: 囊也. 从巾代聲. 或从衣. 徒耐切.

飜譯

'자루(囊)'를 말한다. 건(巾)이 의미부이고 대(代)가 소리부이다. 간혹 의(衣)로 구성되기도 한다. 독음은 도(徒)와 내(耐)의 반절이다. [신부]

**4900**

**帊: 帊: 쓰개 파: 巾-총7획: pà**

原文

帊: 帛三幅曰帊. 从巾巴聲. 普駕切.

飜譯

'세 폭으로 된 비단(帛三幅)을 파(帊)라 한다.' 건(巾)이 의미부이고 파(巴)가 소리부이다. 독음은 보(普)와 가(駕)의 반절이다. [신부]

**4901**

**幞: 幞: 건 복: 巾-총15획: pú**

原文

幞: 帊也. 从巾菐聲. 房玉切.

飜譯

'파(帊) 즉 세 폭으로 된 비단'을 말한다. 건(巾)이 의미부이고 복(菐)이 소리부이다. 독음은 방(房)과 옥(玉)의 반절이다. [신부]

**4902**

**幰: 幰: 수레 포장 헌: 巾-총19획: xián**

原文

幰: 車幔也. 从巾憲聲. 虛偃切.

飜譯

'수레의 포장(車幔)'을 말한다. 건(巾)이 의미부이고 헌(憲)이 소리부이다. 독음은 허(虛)와 언(偃)의 반절이다. [신부]

## 제282부수
## 282 ■ 불(市)부수

**4903**

**市: 市: 슬갑 불: 巾-총4획: fú**

原文

市: 韠也. 上古衣蔽前而已, 市以象之. 天子朱市, 諸侯赤市, 大夫葱衡. 从巾, 象連帶之形. 凡市之屬皆从市. 韍, 篆文市从韋从犮. 臣鉉等曰: 今俗作紱, 非是. 分勿切.

飜譯

'폐슬(韠)'을 말한다. 상고시대 때에는 옷을 입을 때 폐슬로 앞을 가렸는데, 슬갑으로 형상했다(古衣蔽前而已, 市以象之.) 천자는 붉은 슬갑을, 제후는 진한 붉은색의 슬갑을, 대부는 비취색의 옥형을 사용했다(天子朱市, 諸侯赤市, 大夫葱衡). 건(巾)이 의미부인데, 기다란 띠 모양을 그렸다.244) 불(市)부수에 귀속된 글자들은 모두 불(市)이 의미부이다. 불(韍)은 불(市)의 전서체인데, 위(韋)도 의미부이고 발(犮)도 의미부이다. 신(臣) 서현 등은 이렇게 생각합니다. "오늘날의 속체에서는 불(紱)로 적는데, 이는 잘못되었습니다." 독음은 분(分)과 물(勿)의 반절이다.

**4904**

**韐: 韐: 가죽바지 갑: 巾-총10획: jiá**

原文

---

244) 고문자에서 市 韍 金文 등으로 썼다. 韋(에워쌀·다룸가죽 위)가 의미부고 犮(달릴 발)이 소리부로, 옛날 바지 위에 껴입는 예복으로 무릎까지 닿는 가죽(韋)으로 만든 옷의 일종인 '슬갑'을 말한다. 천자는 朱色(주색)을, 제후는 赤色(적색)을 썼다. 市(슬갑 불)과 같은 글자이다.

韐 : 士無市有韐. 制如榼, 缺四角. 爵弁服, 其色韎. 賤不得與裳同. 司農曰: "裳, 纁色."从市合聲. 韐, 韐或从韋. 古洽切.

飜譯

'선비의 폐슬에는 앞치마는 없이 가죽바지만 있다(士無市有韐). 모양은 술통 같은데, 사각을 깎아내 팔각처럼 되었다(制如榼, 缺四角). 작변을 쓰고 예복을 입는데 색깔은 모두 적황색이다.(爵弁服, 其色韎.) 그것은 신분이 천하기 때문에 치마의 색깔과 같이 할 수 없기 때문이다(賤不得與裳同). 정사농(司農: 정중)[245]께서는 "치마(裳)는 옅은 홍색이다(纁色)"라고 했다. 불(市)이 의미부이고 합(合)이 소리부이다. 갑(韐)은 갑(韐)의 혹체인데, 위(韋)로 구성되었다. 독음은 고(古)와 흡(洽)의 반절이다.

245) 정중(鄭衆, ?~83)은 자가 중사(仲師)로, 하남(河南) 개봉(開封) 사람이다. 동한 때의 경학자(經學家)이며, 당시의 저명한 학자였던 정흥(鄭興)의 아들이다. 후세 사람들은 그를 한나라 말 때의 저명한 경학자 정현(鄭玄)과 구별하기 위해 '선정(先鄭)'(정현을 '후정'이라 한다)이라 부르고, 또 당시의 환관이었던 정중(鄭衆)과 구별하기 위해 그가 맡았던 관직을 붙여서 정사농(鄭司農)이라 불렀다.

## 第283부수
## 283 ■ 백(帛)부수

**4905**

**帛: 帛: 비단 백: 巾-총8획: bó**

原文

帛: 繒也. 从巾白聲. 凡帛之屬皆从帛. 旁陌切.

飜譯

'여러 겹으로 짠 비단(繒)'을 말한다. 건(巾)이 의미부이고 백(白)이 소리부이다.246) 백(帛)부수에 귀속된 글자들은 모두 백(帛)이 의미부이다. 독음은 방(旁)과 맥(陌)의 반절이다.

**4906**

**錦: 錦: 비단 금: 金-총16획: jǐn**

原文

錦: 襄邑織文. 从帛金聲. 居飲切.

飜譯

'갖가지 색으로 짠 비단(襄邑織文)'을 말한다. 백(帛)이 의미부이고 금(金)이 소리부이다.247) 독음은 거(居)와 음(飲)의 반절이다.

---

246) 고문자에서 帛甲骨文 帛金文 帛帛 帛簡牘文 등으로 썼다. 巾(수건 건)이 의미부고 白(흰 백)이 소리부로, 아무런 무늬나 색깔을 넣지 않은 '흰(白)' 비단 천(巾)을 말한다. 흰 비단은 글쓰기에 좋았으며, 값이 비싸 돈의 대용으로도 쓰였다. 그래서 帛書(백서)는 종이가 보편화 되지 않았던 시절, 비단에 쓴 글을 말한다.

247) 帛(비단 백)이 의미부이고 金(쇠 금)이 소리부로, 찬란한 금빛을 내는 청동(金)처럼 여러 가지 화려한 무늬가 놓인 비단(帛)을 말하며, 여기서 '아름답다'는 뜻이 나왔다.

# 제284부수
## 284 ■ 백(白)부수

4907

白: 白: **흰 백**: 白-총5획: **bái**

原文

白: 西方色也. 陰用事, 物色白. 从入合二. 二, 陰數. 凡白之屬皆从白. 𠁧, 古文白. 㫄陌切.

翻譯

'서쪽을 상징하는 색깔이다(西方色).' 컴컴한 곳에서 일을 하게 되면 물체의 색깔이 흰색이 된다(陰用事, 物色白). 입(入)자가 이(二)에 합쳐진 모습인데, 이(二)는 음수(陰數)이다.248) 백(白)부수에 귀속된 글자들은 모두 백(白)이 의미부이다. 백(𠁧)은 백(白)의 고문체이다. 독음은 방(㫄)과 맥(陌)의 반절이다.

4908

皎: 皎: **달빛 교**: 白-총11획: **jiǎo**

---

248) 고문자에서 甲骨文 金文 古陶文 簡牘文 帛書 石篆文 등으로 썼다. 자원에 대한 의견이 분분하여, 이것이 껍질을 벗긴 쌀, 태양(日·일)이 뜰 때 비추는 햇빛, 엄지손가락을 그렸다는 등 여러 의견이 제시되었으나, 마지막 견해가 가장 통용되고 있다. 엄지손가락은 손가락 중에서 가장 큰 '첫 번째' 손가락이다. 그래서 白의 원래 의미는 '첫째'나 '맏이'로 추정되며, '맏이'의 상징에서 '가깝다'의 뜻이 나왔을 것이다. 이후 白은 告白(고백)처럼 속에 있는 것을 숨김없이 '말하다'는 뜻으로 의미가 확장되었는데, 그것은 祝(빌 축)에서처럼 '맏이(兄·형)'가 천지신명께 드리는 제사를 주관했기 때문이다. 이와 동시에 白은 속의 것을 숨기지 않고 죄다 밝힌다는 뜻에서 '潔白(결백)'과 '희다'의 뜻이 나왔고, 그러자 원래 뜻은 人(사람 인)을 더한 伯(맏 백)으로 분화했다.

原文

皎: 月之白也. 从白交聲.『詩』曰: "月出皎兮." 古了切.

飜譯

'달의 빛이 희다(月之白)'라는 뜻이다. 백(白)이 의미부이고 교(交)가 소리부이다.『시·진풍·월출(月出)』에서 "달이 떠 환하게 비치니(月出皎兮)"라고 노래했다. 독음은 고(古)와 료(了)의 반절이다.

**4909**

**皢: 皢: 새벽 효: 白-총17획: xiǎo**

原文

皢: 日之白也. 从白堯聲. 呼鳥切.

飜譯

'해의 빛이 희다(日之白)'라는 뜻이다. 백(白)이 의미부이고 요(堯)가 소리부이다. 독음은 호(呼)와 조(鳥)의 반절이다.

**4910**

**晳: 晳: 살결 흴 석: 白-총13획: xī**

原文

晳: 人色白也. 从白析聲. 先擊切.

飜譯

'사람의 피부가 희다(人色白)'라는 뜻이다. 백(白)이 의미부이고 석(析)이 소리부이다. 독음은 기(旡)와 격(擊)의 반절이다.

**4911**

**皤: 皤: 머리 센 모양 파: 白-총17획: pó**

原文

皤: 老人白也. 从白番聲.『易』曰 : "賁如皤如." 𩕏, 皤或从頁. 薄波切.

飜譯

'나이 든 사람의 머리가 희다(老人白)'라는 뜻이다. 백(白)이 의미부이고 번(番)이 소리부이다.『역·분괘(賁卦)』(육사효)에서 "[말에] 반점이 있고 또 희기도 하구나(賁如皤如)"라고 했다. 파(𩕏)는 파(皤)의 혹체인데, 혈(頁)로 구성되었다. 독음은 박(薄)과 파(波)의 반절이다.

**4912**

**皠**: 皠: 흴 학·새의 깃 혹·락: 白-총15획: hú, hé

原文

皠: 鳥之白也. 从白隺聲. 胡沃切.

飜譯

'새의 색깔이 희다(鳥之白)'라는 뜻이다. 백(白)이 의미부이고 각(隺)이 소리부이다. 독음은 호(胡)와 옥(沃)의 반절이다.

**4913**

**皚**: 皚: 흴 애: 白-총15획: āi

原文

皚: 霜雪之白也. 从白豈聲. 五來切.

飜譯

'서리와 눈처럼 희다(霜雪之白)'라는 뜻이다. 백(白)이 의미부이고 기(豈)가 소리부이다. 독음은 오(五)와 래(來)의 반절이다.

**4914**

**皅: 皅: 꽃힐 파: 白-총9획: pā**

原文

皅: 艸華之白也. 从白巴聲. 普巴切.

飜譯

'꽃의 색깔이 희다(艸華之白)'라는 뜻이다. 백(白)이 의미부이고 파(巴)가 소리부이다. 독음은 보(普)와 파(巴)의 반절이다.

**4915**

**皦: 皦: 옥석 흴 교: 白-총18획: jiǎo**

原文

皦: 玉石之白也. 从白敫聲. 古了切.

飜譯

'옥이나 돌의 색깔이 희다(玉石之白)'라는 뜻이다. 백(白)이 의미부이고 규(敫)가 소리부이다. 독음은 고(古)와 료(了)의 반절이다.

**4916**

**㾶: 㾶: 벽틈 극: 小-총10획: xì**

原文

㾶: 際見之白也. 从白, 上下小見. 起戟切.

飜譯

'틈 사이로 보이는 것이 희다(際見之白)'라는 뜻이다. 백(白)이 의미부이고, 아래위 틈사이로 조금 보이다(上下小見)는 뜻이다. 독음은 기(起)와 극(戟)의 반절이다.

**4917**

**皛:** 皛: 나타날 **효**: 白-총15획: xiào

原文

皛: 顯也. 从三白. 讀若皎. 烏皎切.

飜譯

'드러나다(顯)'라는 뜻이다. 세 개의 백(白)으로 구성되었다. 교(皎)와 같이 읽는다. 독음은 오(烏)와 교(皎)의 반절이다.

## 제285부수
## 285 ■ 폐(㡀)부수

4918

**㡀: 㡀: 해어진 옷 폐: 巾-총7획: bì**

原文

㡀: 敗衣也. 从巾, 象衣敗之形. 凡㡀之屬皆从㡀. 毗祭切.

翻譯

'해진 옷(敗衣)'을 말한다. 건(巾)이 의미부이고, 옷이 해진 모습을 그렸다. 폐(㡀)부수에 귀속된 글자들은 모두 폐(㡀)가 의미부이다. 독음은 비(毗)와 제(祭)의 반절이다.

4919

**敝: 敝: 해질 폐: 攴-총12획: bì**

原文

敝: 帗也. 一曰敗衣. 从攴从㡀, 㡀亦聲. 毗祭切.

翻譯

'천 조각(帗)'을 말한다. 일설에는 '해진 옷(敗衣)'을 말한다고도 한다.[249] 복(攴)이 의미부이고 폐(㡀)도 의미부인데, 폐(㡀)는 소리부도 겸한다. 독음은 비(毗)와 제(祭)의 반절이다.

---

249) 고문자에서 [古文字] 甲骨文 [古文字] 簡牘文 등으로 썼다. 갑골문에서 攴(칠 복)이 의미부고 㡀(옷 헤진 모양 폐)가 소리부로, 베 조각(巾·건)을 나무막대로 치는데(攴·攵·복) 조각 편들이 떨어지는 모습을 그려, 이것이 낡아 '헤진' 베임을 형상화했는데, 자형이 조금 변해 지금처럼 되었다. 이후 동작을 강조하기 위해 두 손을 그린 廾(두 손 마주잡을 공)을 더해 弊로 분화했다.

## 제286부수
## 286 ■ 치(黹)부수

**4920**

**黹: 黹: 바느질할 치: 黹-총12획: zhǐ**

原文

黹: 箴縷所紩衣. 从㡀, 丵省. 凡黹之屬皆从黹. 陟几切.

飜譯

'바늘과 실로 바느질한 옷(箴縷所紩衣)'을 말한다. 폐(㡀)가 의미부이고, 착(丵)의 생략된 부분이 소리부이다.250) 치(黹)부수에 귀속된 글자들은 모두 치(黹)가 의미부이다. 독음은 척(陟)과 궤(几)의 반절이다.

**4921**

**𪓐: 𪓐: 오색 빛 초: 黹-총23획: chǔ**

原文

𪓐: 合五采鮮色. 从黹虘聲. 『詩』曰: "衣裳𪓐𪓐." 創舉切.

飜譯

'온갖 화려한 색깔을 다 모은 색깔(合五采鮮色)'을 말한다. 치(黹)가 의미부이고 차(虘)가 소리부이다. 『시·조풍·부유(蜉蝣)』에서 "옷이나 깨끗이 입으려 하니(衣裳𪓐𪓐)"라고 노래했다.251) 독음은 창(創)과 거(舉)의 반절이다.

---

250) 고문자에서 [고문자 자형] 金文 등으로 썼다. 금문에서 아래위의 옷감을 바느질해 연결한 모습을 그렸으며, 이로부터 '바느질'의 의미를 그렸다. 소전체에 들어 자형이 가지런하게 변하면서 지금의 자형이 되었다. 그래서 黹로 구성된 글자들은 모두 '바느질'이나 '수(繡)'와 관련된 의미가 들어 있다.

251) 『단주』에서 이렇게 말했다. "『시경·조풍(曹風)·부유(蜉蝣)』에서 '의상초초(衣裳楚楚·옷이나

**4922**

**黼: 黼: 수 보: 黹-총19획: fǔ**

原文

黼: 白與黑相次文. 从黹甫聲. 方榘切.

翻譯

'흰색과 검은색이 서로 순서를 이루는 무늬(白與黑相次文)'를 말한다. 치(黹)가 의미부이고 보(甫)가 소리부이다. 독음은 방(方)과 구(榘)의 반절이다.

**4923**

**黻: 黻: 수 불: 黹-총17획: fù**

原文

黻: 黑與青相次文. 从黹犮聲. 分勿切.

翻譯

'검은색과 청색이 서로 순서를 이루는 무늬(黑與青相次文)'를 말한다. 치(黹)가 의미부이고 발(犮)이 소리부이다. 독음은 분(分)과 물(勿)의 반절이다.

**4924**

**䊔: 䊔: 예복에 수놓은 수 채: 黹-총20획: zuì**

原文

䊔: 會五采繒色. 从黹, 綷省聲. 子對切.

翻譯

---

깨끗이 입으려 하니)'라고 했는데, 『전』에서 초초(楚楚)는 선명한 모습을 말한다(鮮明皃)고 했는데, 허신이 근거했던 판본이다. 초(黼)는 정자이고, 초(楚)는 이의 가차자이다. 아마도 삼가시(三家詩)에서는 초초(黼黼)로 적었을 것이다."

‘온갖 색깔을 다 모은 비단의 색깔(會五采繒色)’을 말한다. 치(黹)가 의미부이고, 최(綷)의 생략된 부분이 소리부이다. 독음은 자(子)와 대(對)의 반절이다.

**4925**

**黺: 黺: 옷에 오색 수놓을 분: 黹-총16획: fěn**

原文

黺: 衮衣山龍華蟲. 黺, 畫粉也. 从黹, 从粉省. 衞宏說. 方吻切.

飜譯

‘임금 옷에 수놓은 산과 용과 꽃과 벌레(衮衣山龍華蟲)’를 말한다. 분(黺)은 ‘그림을 그리고 색을 칠하다(畫粉)’라는 뜻이다. 치(黹)가 의미부이고, 분(粉)의 생략된 부분이 소리부이다. 위굉(衞宏)의 학설이다. 독음은 방(方)과 문(吻)의 반절이다.

## 지은이 **허신** 許慎

동한(東漢) 때의 여남(汝南)군 소릉(召陵)현 사람으로, 자는 숙중(叔重)이며, 당시 최고의 경학자이자 한자학자였다.

그의 저서『설문해자(說文解字)』는 중국 최고의 한자 연구서로 알려져 있으며, 그에 의해 한자 연구의 이론적 기틀이 마련됐고, 부수의 창안, 육서설의 체계화 등도 그에 의해 이루어졌다. 또『오경이의(五經異義)』,『효경고문설(孝經古文說)』,『회남자주(淮南子注)』등을 지었다 하나 전하지 않는다.

## 옮긴이 **하영삼**

경남 의령 출생으로, 경성대학교 중국학과 교수, 한국한자연구소 소장, 인문한국플러스(HK+)사업단 단장, 세계한자학회(WACCS) 상임이사로 있다. 부산대학교 중문과를 졸업하고, 대만 정치대학에서 석.박사 학위를 취득했으며, 한자에 반영된 문화 특징을 연구하고 있다.

저서에『한자어원사전』,『100개 한자로 읽는 중국문화』,『한자와 에크리튀르』,『부수한자』,『뿌리한자』,『연상한자』,『한자의 세계: 기원에서 미래까지』,『제오유의 정리와 연구(第五游整理與硏究)』,『한국한문자전의 세계』등이 있고, 역서에『중국 청동기 시대』(장광직),『허신과 설문해자』(요효수),『갑골학 일백 년』(왕우신 등),『한어문자학사』(황덕관),『한자 왕국』(세실리아 링퀴비스트, 공역),『언어와 문화』(나상배),『언어지리유형학』(하시모토 만타로),『고문자학 첫걸음』),『수사고신록(洙泗考信錄)』(최술, 공역),『석명(釋名)』(유희, 선역),『관당집림(觀堂集林)』(왕국유, 선역) 등이 있으며, "한국역대자전총서"(16책) 등을 공동 주편했다.